THOMAS MANN

JOSEPH
UND SEINE BRÜDER

Zweiter Band

Joseph in Ägypten

Aufbau-Verlag Berlin und Weimar

1972

JOSEPH IN ÄGYPTEN

DIE REISE HINAB

Vom Schweigen der Toten

„Wohin führt ihr mich?" fragte Joseph den Kedma, einen der Söhne des Alten, als sie in niedrigem Hügelland, das der Mond beschien, zu Füßen der Berge „Baumgarten", Hütten spannten, um darin zu schlafen.

Kedman sah ihn von oben bis unten an.

„Du bist gut", sagte er und schüttelte den Kopf zum Zeichen, daß er nicht „gut" meinte, sondern mehreres andere, wie „einfältig", „frech" und „sonderbar". „Wohin wir dich führen? Führen wir dich denn? Wir führen dich doch gar nicht! Du bist zufällig mit uns, weil dich der Vater gekauft hat von harten Herren, und ziehst mit uns, wohin wir ziehen. Das kann man doch nicht gut ‚führen' nennen."

„Nicht? Also nicht", erwiderte Joseph. „Ich meinte nur: Wohin führt mich Gott, indem ich mit euch ziehe?"

„Du bist und bleibst ein Bursche zum Lachen", entgegnete der Ma'oniter, „und hast eine Art, dich in die Mitte der Dinge zu stellen, daß niemand weiß, ob er sich wundern soll oder ärgern. Meinst du Heda, wir reisen, damit du irgendwohin kommst, wo dein Gott dich haben will?"

„Ich denke nicht daran", versetzte Joseph. „Weiß ich doch, daß ihr, meine Herren, auf eigene Hand reist, nach euren Zwecken und wohin euch der Sinn steht, und will gewiß eurer Würde und Selbstherrlichkeit nichts anhaben mit meiner Frage. Aber siehe, die Welt hat viele Mitten, eine für jedes Wesen, und um ein jedes liegt sie in eigenem Kreise. Du stehst nur eine halbe Elle von mir, aber ein Weltkreis liegt um dich her, deren Mitte nicht ich bin, sondern du bist's. Ich aber bin die Mitte von meinem. Darum ist beides wahr, wie man redet, von dir aus oder von mir. Denn unsere Kreise sind nicht weit voneinander, daß sie sich nicht berührten, sondern Gott hat sie tief ineinander gerückt und verschränkt, also daß ihr Ismaeliter zwar ganz selbstherrlich reist und nach eigenem Sinn, wohin ihr wollt, außerdem aber und in der Verschränkung Mittel und Werkzeug seid, daß ich an mein Ziel gelange. Darum fragte ich, wohin ihr mich führt."

„So, so", sagte Kedma und betrachtete ihn immer noch von Kopf zu Füßen, das Gesicht von dem Pflocke abgewandt, den er rammen wollte. „Derlei denkst du dir aus, und die Zunge läuft dir wie ein Ichneumon. Ich werde es dem Alten sagen, meinem Vater, wie du Hundejunge dir zu klügeln erlaubst und steckst deine Nase in solche Weisheit, wie daß du einen Weltkreis für dich hast und wir zu deinen Führern bestellt sind. Gib acht, ich sag's ihm."

„Tu das", erwiderte Joseph. „Es kann nicht schaden. Es wird den Herrn, deinen Vater, stutzen lassen, daß er mich nicht zu billig verkauft und nicht an den ersten besten, wenn er mit mir Handel zu treiben gedenkt."

„Wird hier geschwatzt", fragte Kedma, „oder wird hier eine Hütte gespannt?" Und er wies ihn an, ihm zur Hand zu gehen. Zwischenein aber sagte er:

„Du überfragst mich, wenn du von mir wissen willst, wohin wir reisen. Ich hätte nichts dagegen, dir Auskunft zu geben, wenn ich's wüßte. Es steht aber beim Alten, meinem Vater, denn er hat seinen Kopf ganz für sich, nach dem alles geht, und wir sehen's dann schon. Soviel ist klar, daß wir's halten, wie deine harten Herren, die Hirten, uns rieten, und nicht in des Landes Innerem ziehen, auf der Wasserscheide, sondern daß wir aufs Meer gerichtet sind und die Küstenebene, da werden wir hinabreisen Tag für Tag und ins Philistinerland kommen, zu den Städten der Handelsfahrer und den Burgen der Seeräuber. Vielleicht verkauft man dich dort irgendwo auf die Ruderbank."

„Das wünsche ich nicht", sagte Joseph.

„Da gibt's nichts zu wünschen. Es geht nach des Alten Kopf, je wie er's aussinnt, und wohin am Ende die Reise geht, das weiß er möglicherweise selber noch nicht. Er möchte aber, daß wir denken, er wisse alles zum voraus ganz genau, und so geben wir uns alle die Miene danach – Epher, Mibsam, Kedar und ich... Das erzähle ich dir, weil wir hier zufällig zusammen die Hütte spannen; sonst habe ich keine Ursache, es dir zu erzählen. Ich wollte, der Alte vertauschte dich nicht allzubald gegen Purpur und Zedernöl, sondern du bliebest noch bei uns ein Weilchen und eine Strecke, daß man noch etwas von dir vernehmen könnte über die Weltkreise der Menschen und ihre Verschränkung."

„Jederzeit", antwortete Joseph. „Ihr seid meine Herren und habt mich gekauft um zwanzig Silberlinge, einschließlich Witz und Zunge. Diese stehen zu Gebot, und dem über des einzelnen Weltkreis kann ich noch manches hinzufügen über Gottes nicht ganz stimmende Zahlenwunder, die der Mensch verbessern muß, ferner über den Pendel, das Hundssternjahr und die Erneuerungen des Lebens..."

„Aber nicht jetzt", sagte Kedma. „Unbedingt muß jetzt die Hütte aufgestellt sein, denn der Alte, mein Vater, ist müde, und ich bin's auch. Ich fürchte, ich könnte deiner Zunge heut nicht mehr folgen. Ist dir noch schlecht vom Hungern, und schmerzen die Glieder dich noch, wo du mit Stricken gefesselt warst?"

„Fast gar nicht mehr", erwiderte Joseph. „Es waren ja nur drei Tage, die ich in der Grube verbrachte, und euer Öl, mit dem ich mich salben durfte, hat meinen Gliedern sehr wohlgetan. Ich bin gesund, und nichts beeinträchtigt Wert und Brauchbarkeit eures Sklaven."

Wirklich hatte er Gelegenheit gehabt, sich zu säubern und zu salben, hatte von seinen Gebietern einen Schurz und für kühle Stunden auch solchen weißen, zerknitterten Kapuzenrock empfangen, wie der wulstlippige Zügelbube trug, und die Redensart „Sich wie neugeboren fühlen" traf danach genauer auf ihn zu als vielleicht jemals auf irgendein Menschenkind seit Erschaffung der Welt bis heute – denn war er nicht wirklich neugeboren? Es war ein tiefer Einschnitt und Abgrund, der seine Gegenwart von der Vergangenheit trennte, es war das Grab. Da er jung gestorben war, stellten jenseits der Grube seine Lebenskräfte sich rasch und leicht wieder her, was ihn aber nicht hinderte, zwischen seinem gegenwärtigen Dasein und dem früheren, dessen Abschluß die Grube gewesen war, scharf zu unterscheiden und sich nicht mehr für den alten Joseph, sondern für einen neuen zu erachten. Wenn tot und gestorben sein heißt: an einen Zustand unverbrüchlich gebunden sein, der keinen Wink und Gruß zurück, keine leiseste Wiederaufnahme der Beziehungen zum bisherigen Leben gestattet; wenn es heißt: entschwunden und verstummt sein diesem bisherigen Leben ohne Erlaubnis und denkbare Möglichkeit, den Bann des Schweigens durch irgendein Zeichen zu brechen – so war Joseph tot, und das Öl, womit er sich nach der Reinigung vom Staub der Grube hatte salben dürfen, war kein anderes gewesen als jenes, das man dem Toten mitgibt ins Grab, daß er sich salben möge im anderen Leben.

Wir legen Gewicht auf diesen Aspekt, weil es uns dringlich scheint, schon hier einen Vorwurf, für jetzt und später, von Joseph abzuwehren, der oft bei der Betrachtung seiner Geschichte gegen ihn erhoben worden ist: die Frage nämlich, die ja ein Vorwurf ist, warum er nicht, dem Loche entronnen, aus allen Kräften darauf gesonnen habe, mit dem bedauernswerten Jaakob die Verbindung aufzunehmen und ihn wissen zu lassen, daß er lebe. Gelegenheit dazu habe sich doch schon bald ergeben müssen, ja, mit der Zeit habe die Möglichkeit, dem getäuschten Vater Wahrheitskunde zukommen zu lassen, sich dem Sohn immer bequemer dargeboten, und unbegreiflich bis zum Anstößigen sei es, daß er es unterlassen habe, sie wahrzunehmen.

Der Vorwurf verwechselt das äußerlich Tunliche mit dem, was innerlich möglich, und läßt die drei schwarzen Tage außer acht, die dem Erstehen Josephs vorangegangen waren. Sie hatten ihn unter scharfen Schmerzen zur Einsicht in die töd-

10

liche Fehlerhaftigkeit seines bisherigen Lebens und zum Verzicht auf die Rückkehr in dieses Leben genötigt; sie hatten ihn gelehrt, das Todesvertrauen der Brüder zu bejahen, und sein Entschluß und Vorsatz, es nicht zu täuschen, war um so fester, als er nicht freiwillig war, sondern so unwillkürlich und logisch notwendig wie das Schweigen eines Toten. Ein solcher schweigt seinen Lieben nicht aus Lieblosigkeit, sondern weil er muß; und nicht grausamerweise schwieg Joseph dem Vater. Sogar sehr schwer wurde es ihm, und je länger, je schwerer, das darf man glauben – nicht leichter, als auf dem Toten die Erde liegt, die ihn bedeckt. Das Mitleid mit dem Alten, der ihn, das wußte er, mehr geliebt hatte als sich selbst; den auch er liebte mit natürlichster Dankesliebe und mit dem zusammen er sich in die Grube gebracht, versuchte ihn stark und hätte ihn gern zu sinnwidrigen Schritten bestimmt. Doch ist das Mitleid mit einem Schmerz, den unser eigenes Schicksal bei andern erregt, besonderer Art, entschieden fester und kälter als dasjenige mit einem uns fremden Leidwesen. Joseph hatte Schreckliches durchgemacht, er hatte grausame Lehren empfangen – das erleichterte ihm das Erbarmen mit Jaakob, ja, das Bewußtsein ihrer gemeinsamen Haftung ließ ihm des Vaters Jammer als einigermaßen ordnungsmäßig erscheinen. Todesgebundenheit hinderte ihn, das blutige Zeichen, das jener hatte empfangen müssen, Lügen zu strafen. Daß aber Jaakob das Blut des Tieres notwendig und unwidersprechlich für Josephs Blut halten mußte, wirkte auch wieder auf Joseph zurück und hob in seinen Augen den Unterschied zwischen dem „Dies ist mein Blut" und dem „Dies bedeutet mein Blut" praktisch auf. Jaakob hielt ihn für tot; und da er's unwidersprechlicherweise tat – war Joseph also tot oder nicht?

Er war es. Daß er dem Vater verstummen mußte, war dafür der bündigste Beweis. Ihn hielt das Totenreich – oder vielmehr: es würde ihn halten, denn daß er noch unterwegs dorthin war und in den Midianitern, die ihn gekauft, seine Führer in dieses Land zu erblicken hatte, erfuhr er in Bälde.

„Zum Herrn sollst du kommen", sagte eines Abends – sie waren schon manchen Tag vom Kirmil-Berge her am offenen Meere im Sande dahingeschritten – ein Knecht namens Ba'almahar zu Joseph, da dieser eben beschäftigt war, auf heißen Steinen Fladen zu backen. Er hatte behauptet, daß er das außergewöhnlich gut mache, und obgleich er sich nie darin versucht, da niemand es ihm zugemutet hatte, gelang es ihm durch Gottes Hilfe auch wirklich vortrefflich. Bei Sonnenuntergang hatte man das Nachtlager am Fuße der schilfgrasigen Dünenzeile aufgeschlagen, die gegen das Land hin seit Tagen ihren Zug einförmig begleitete. Es war sehr heiß gewesen; jetzt senkte sich Linderung vom erblassenden Himmel. Der Strand erstreckte sich veilchenfarben. Das hinsterbende Meer sandte mit seidigem Rauschen flache und gestreckte Wellen an seinen feucht spiegelnden Saum, der rötlich vergoldet war von Scharlachresten des Glutgepränges, das das Gestirn beim Abschied entfaltet hatte. Um ihren Pflock ruhten die Kamele. Nicht fern vom Strande wurde ein plumper Lastkahn, der Bauholz zu tragen schien und nur mit zwei Steuerern bemannt war, von einem geruderten Segelschiff mit kurzem Mast und langer Rahestange, vielfältigem Getäu und einem Tierkopf am weit aus dem Wasser sich aufschwingenden Vordersteven gen Süden geschleppt.

„Zum Herrn", wiederholte der Packknecht. „Er läßt dich rufen durch meinen Mund. Er sitzt auf der Matte im Zelt und sagt, du sollst vor ihn kommen. Ich ging vorüber, da rief er mich an mit meinem Namen Ba'almahar und sprach: ‚Schick mir den Neugekauften, den Abgestraften, jenen Schilfsohn, den Heda vom Brunnen, ich will ihn befragen.'"

‚Aha', dachte Joseph, ‚Kedma hat ihm von den Weltkreisen berichtet, das ist ganz gut.' „Ja", sagte er, „so drückte er sich aus, weil er dir, Ba'almahar, nicht anders begreiflich zu machen wußte, wen er meinte. Er muß mit dir reden, du Guter, wie du's verstehst."

12

„Freilich", erwiderte jener, „wie sollt' er sonst auch sagen? Will er mich sehen, so spricht er: ‚Schick mir den Ba'almahar!‘ Denn das ist mein Name. Aber mit dir ist's schwieriger, denn du bist nur ein Pfiffjunge."

„Er will dich wohl immerfort sehen", sagte Joseph, „obgleich du etwas grindig bist auf dem Kopf? Gehe nur. Danke der Nachricht."

„Was fällt dir ein!" rief Ba'almahar. „Du mußt gleich mitkommen, daß ich dich vor ihn bringe, denn wenn du nicht kommst, so habe ich's schlecht."

„Ich muß doch", antwortete Joseph, „erst diesen Fladen gar werden lassen, ehe ich gehe. Ich will ihn mitnehmen, daß der Herr mein außergewöhnlich gutes Backwerk koste. Halte dich still und warte!"

Unter den drängenden Rufen des Sklaven buk er den Fladen fertig, stand dann auf von seinen Fersen und sagte: „Ich gehe."

Ba'almahar begleitete ihn zum Alten, der beschaulich im niedrigen Eingang seines Reisezeltes auf der Matte saß. „Hören ist gehorchen", sprach Joseph und grüßte. Der Alte, ins schwindende Abendrot blickend, nickte und hob dann eine seiner ruhenden Hände aus dem Gelenke seitlich hinweg, zum Zeichen für Ba'almahar, sich zu verziehen.

„Ich höre", hob er an, „daß du gesagt hast, du seist der Nabel der Welt?"

Joseph schüttelte lächelnd den Kopf.

„Was kann da gemeint sein", antwortete er, „und was mag ich beiläufig geäußert haben und gesprächsweise hingeworfen, daß man's so mißverständlich meinem Herrn hinterbracht? Laß mich sehen. Ja, ich weiß, ich habe gesagt, daß sie viele Mittelpunkte habe, die Welt, so viele, wie Menschen Ich sagen auf Erden, für jeden einen."

„Das läuft aufs gleiche hinaus", sagte der Alte. „Es ist also wahr, du hast so Tolles von dir gegeben. Nie habe ich dergleichen gehört, so weit ich herumgekommen, und sehe wohl, daß du ein Lästerer bist und ein frevler Bursche, ganz wie mich deine vorigen Herren berichtet. Wohin kämen wir wohl, wenn jeder Gimpel und Gauch aus der großen Mischung sich für den Weltnabel erachten wollte, wo er geht und steht, und was finge man an mit so vielen Mittelpunkten? Als du im Brunnen stakest, wo hinein du, wie ich sehe, mit nur allzuviel Recht geraten, war da dieser Brunnen der Welt heilige Mitte?"

„Gott heiligte ihn", antwortete Joseph, „indem er ein Auge auf ihn hatte und mich nicht darin verderben ließ, sondern euch des Weges vorübersandte, daß ihr mich errettetet."

„So daß?" fragte der Kaufmann. „Oder auf daß?"

„So daß und auf daß", versetzte Joseph. „Beides, und wie man es nimmt."

„Du bist ein Schwätzer! Bisher schien es zweifelhaft allenfalls, ob Babel die Mitte der Welt sei und sein Turm oder vielleicht die Stätte Abôt am Strome Chapi, wo begraben liegt der Erste des Westens. Du vervielfältigst die Frage. Welchem Gotte gehörst du?"

„Gott, dem Herrn."

„So, dem Adôn, und beklagst den Untergang der Sonne. Das lasse ich mir gefallen. Es ist wenigstens eine Aussage, die sich hören läßt, und besser, als wenn einer sagt: ,Ich bin ein Mittelpunkt', als ob er verrückt wäre. Was hast du da in der Hand?"

„Einen Fladen, den ich buk für meinen Herrn. Ich verstehe mich außergewöhnlich gut aufs Fladenbacken."

„Außergewöhnlich? Laß sehen."

Und der Alte nahm ihm das Backstück aus der Hand, drehte es hin und her und biß dann mit den seitlichen Zähnen davon ab, denn vorn hatte er keine mehr. Der Fladen war so gut, wie er sein konnte, und nicht besser; aber der Alte urteilte:

„Er ist sehr gut. Ich will nicht sagen ,außergewöhnlich', weil schon du es gesagt hast. Du hättest es mir überlassen sollen; aber gut ist er. Sogar ausgezeichnet", setzte er weiterkauend hinzu. „Ich trage dir auf, öfters solche zu backen."

„Es wird geschehen."

„Trifft es zu oder nicht, daß du schreiben kannst und kannst eine Liste führen über allerlei Waren?"

„Spielend leicht", antwortete Joseph. „Ich kann Menschenschrift schreiben und Gottesschrift, mit Griffel oder Rohr, je nach Belieben."

„Wer lehrte es dich?"

„Der über dem Hause. Ein weiser Knecht."

„Wievielmal ist die Sieben in der Siebenundsiebzig? Wohl zweimal?"

„Zweimal nur nach der Schrift. Aber dem Sinne nach muß ich die Sieben erst einmal, dann zweimal und dann achtmal nehmen, daß ich auf Siebenundsiebzig komme, denn sieben, vierzehn und sechsundfünfzig, die machen sie aus. Eins, zwei und acht aber sind elf, und so hab' ich's: elfmal geht die Sieben ein in die Siebenundsiebzig."

„So schnell findest du eine verborgene Zahl?"

„Schnell oder gar nicht."

„Du hast sie wohl aus Erfahrung gewußt. Gesetzt aber, ich habe ein Stück Acker, das ist dreimal so groß wie das Feld meines Nachbars Dagantakala, dieser aber kauft ein Joch Landes zu seinem hinzu, und nun ist meines nur noch doppelt so groß: Wieviel Joch haben beide Äcker?"

„Zusammen?" fragte Joseph und rechnete...

„Nein, jeder für sich."

„Hast du einen Nachbarn namens Dagantakala?"

„So nenne ich nur den Besitzer des zweiten Ackers in meiner Aufgabe."

„Ich sehe, und ich verstehe. Dagantakala – das muß ein Mann vom Lande Peleschet sein, dem Namen nach zu urteilen, aus Philistinerland, wohin wir, wie es scheint, hinabziehen nach deines Hauptes Ratschluß. Es gibt ihn gar nicht, aber er heißt Dagantakala und bebaut in Genügsamkeit sein neuerdings drei Joch großes Äckerchen, unfähig des Neides auf meinen Herrn und seinen sechs Joch großen Acker, da er's ja immerhin von zwei Joch auf dreie gebracht hat, und außerdem, weil's ihn nicht gibt und auch die Äcker nicht, die doch zusammen neun Joch ausmachen, das ist das Drollige. Nur meinen Herrn gibt's und sein sinnendes Haupt."

Der Alte blinzelte ungewiß, denn er merkte nicht recht, daß Joseph das Exempel schon aufgelöst hatte.

„Nun?" fragte er... „Ach, ja, so! Du hast's schon gesagt, und ich hatt' es kaum acht, weil du es so in die Rede flochtest und hast um die Lösung herumgeschwatzt, daß ich sie fast überhörte. Es ist richtig: Sechs, zwei und drei, das sind die Zahlen. Sie waren verdeckt und versteckt – wie hast du sie so geschwind hervorgezogen, indem du schwatztest?"

„Man muß das Unbekannte nur fest ins Auge fassen, dann fallen die Hüllen, und es wird bekannt."

„Ich muß lachen", sagte der Alte, „weil du die Lösung so einfließen ließest und machtest kein Wesens davon, da du sie gabst. Ich muß recht herzlich lachen darob." Und er lachte zahnlosen Mundes, den Kopf zur Schulter geneigt, den er dabei auch noch schüttelte. Dann wurde er wieder ernst und blinzelte, die Augen noch feucht.

„Nun höre, Heda", sagte er, „und antworte mir einmal redlich und ganz nach der Wahrheit: Sage, bist du wahrhaftig ein Sklave und Niemandssohn, ein Hundejunge und Kleinknecht unterster Sorte, schwer abgestraft um gehäufter Laster und Sittenverletzung willen, wie die Hirtenmänner mir sagten?"

Joseph verschleierte die Augen und rundete nach seiner Art die Lippen, wobei die untere etwas hervorstand.

„Du hast mir, mein Herr", sagte er, „Unbekanntes aufgegeben, um mich zu prüfen, und hast nicht die Lösung gleich beigetan, denn so wär's keine Prüfung gewesen. Da nun Gott dich prüft mit Unbekanntem – willst du die Lösung auch haben gleich dazu und soll antworten der Frager für den Befragten? So geht's nicht zu in der Welt. Hast du mich nicht aus der Grube gezogen, darin ich mich besudelt wie ein Schaf mit dem eigenen Unrat? Was für ein Hundejunge muß ich da sein und wie groß meine Sittenverderbnis! Ich habe hin und her geschoben in meinem Kopf das Doppelte und Dreifache und abgewogen die Verhältnisse, daß ich die Lösung sah. Rechne auch du, wenn's gefällig ist, hin und her zwischen Strafe, Schuld und Niedrigkeit, und gewiß wirst du von zweien immer aufs Dritte kommen."

„Mein Exempel war stimmig und trug in sich die Lösung. Zahlen sind rein und schlüssig. Aber wer gibt mir Gewähr, daß auch das Leben aufgeht wie sie und nicht das Bekannte täuscht über das Unbekannte? Mehreres spricht hier gegen die Stimmigkeit der Verhältnisse."

„So muß man auch dieses in Rechnung stellen. Geht wohl das Leben nicht auf wie Zahlen, so ist es dafür vor dich hingestellt, daß du's mit Augen siehst."

„Woher hast du den Huldstein an deinem Finger?"

„Vielleicht stahl ihn der Hundeknecht", vermutete Joseph.

„Vielleicht. – Du mußt doch wissen, woher du ihn hast."

„Von jeher habe ich ihn und wüßte nicht, daß ich ihn nicht gehabt hätte."

„So hast du ihn mitgebracht aus dem Schilf und Sumpf deiner wilden Zeugung? Denn du bist doch ein Sumpfsohn und Binsenkind?"

„Das Kind des Brunnens bin ich, aus dem mein Herr mich hob und zog mich mit Milch auf."

„Hast du keine Mutter gekannt außer dem Brunnen?"

„Ja", sagte Joseph. „Ich kannte wohl eine süßere Mutter. Ihre Wange duftete wie das Rosenblatt."

„Siehst du. Und hat sie dich nicht mit einem Namen genannt?"

„Ich habe ihn verloren, mein Herr, denn ich habe mein Leben verloren. Ich darf meinen Namen nicht kennen, wie ich mein Leben nicht kennen darf, das sie in die Grube stießen."

„Sage mir deine Schuld, die dein Leben in die Grube brachte."

„Sie war sträflich", antwortete Joseph, „und hieß Vertrauen. Sträflich Vertrauen und blinde Zumutung, das ist ihr Name. Denn es ist blind und tödlich, den Menschen zu trauen

17

über ihre Kraft und ihnen zuzumuten, was sie nicht hören wollen und können: vor solcher Liebe und Hochachtung läuft ihnen die Galle über, und sie werden wie reißende Tiere. Dies nicht zu wissen oder nicht wissen zu wollen, ist höchst verderblich. Ich aber wußte es nicht oder schlug es doch in den Wind, also daß ich den Mund nicht hielt und ihnen meine Träume erzählte, auf daß sie mit mir staunten. Aber ‚auf daß‘ und ‚so daß‘, zweierlei ist das manchmal und geht nicht immer zusammen. Aus blieb das Auf-daß, und das So-daß hieß die Grube."

„Deine Zumutung", sagte der Alte, „womit du die Menschen reißend gemacht, die hieß wohl Hochmut und Übermut, ich kann es mir denken, und wundern will es mich nicht bei einem, der spricht: ‚Weltnabel bin ich und Mittelpunkt.‘ Doch bin ich viel gereist zwischen den Strömen, die verschieden gehen, der eine von Süden nach Norden, der andere umgekehrt, und weiß, daß manches Geheimnis waltet in der scheinbar so offenkundigen Welt und seltsam Verschwiegenes sein Wesen treibt hinter ihrem lauten Gerede. Ja, oft kam mir's vor, als ob die Welt nur darum so voller lauten Geredes sei, daß sich besser darunter verberge das Verschwiegene und überredet werde das Geheimnis, das hinter den Menschen und Dingen ist. Auf manches stieß ich, ohne es gesucht zu haben, und wonach ich nicht geforscht hatte, das lief mir unter. Doch ließ ich's auf sich beruhen, denn ich bin nicht so neugierig, daß ich alles ergründen müßte, sondern es genügt mir, zu wissen, daß Geheimnis die redselige Welt erfüllt. Ein Zweifler bin ich, wie ich hier sitze, nicht weil ich nichts glaubte, sondern weil ich alles für möglich halte. So bin ich Alter. Ich weiß von Mären und Vorkommnissen, die nicht für wahrscheinlich gelten und sich dennoch ereignen. Ich weiß von Jenem, der aus Adel und schönem Range, darin er sich kleidete mit Königsleinen und sich salbte mit Freudenöl, getrieben wurde in Wüste und Elend –"

Hier unterbrach sich der Kaufmann und blinzelte, denn die notwendige und gegebene Folge seiner Rede, die Fortsetzung, die nun fällig war, ohne daß er im voraus bedacht hatte, daß sie gleich fällig sein werde, stimmte ihn nachdenklich. Es gibt tief ausgefahrene Gedankengeleise, aus denen man nicht weicht, wenn man einmal darin ist; urgewohnt fix und fertige Ideenverbindungen, die ineinanderfassen wie Kettenglieder, so daß, wer da A gesagt, nicht umhinkann, auch B zu sagen oder es doch zu denken; und sie gleichen Kettengliedern auch darum noch, weil darin das Irdische und Himmlische so ineinanderhängen und -greifen, daß man mit Notwendigkeit dabei von einem aufs andere kommt im Reden oder Verstummen. Es ist einmal so, daß der Mensch ganz vorwiegend in Schablonen und Formeln fertigen Gepräges denkt, also nicht wie er sich's aussucht, sondern wie es gebräuchlich ist nach der Erinnerung, und schon indem der Alte von Jenem sprach, der da aus schöner Hoheit in Wüste und Elend getrieben wird, war er ins Göttlich-Schablonenhafte geraten. Daran aber hing unverbrüchlich der Nachsatz vom Emporsteigen des Erniedrigten zum Retter der Menschen und Bringer der neuen Zeit, und dabei hielt der Gute nun in stiller Betroffenheit.

Mehr als gelinde Betroffenheit war es nicht – nur das schicklich-andächtige Einhalten des praktischen, aber gut gearteten Menschen vor dem Sinnig-Heiligen. Wenn dies sich zu einer Art von Beunruhigung, einem tieferen Stutzen, ja einem – freilich vorübergehenden und kaum recht zur Kenntnis genommenen – Schrecken verstärkte, so war nur die Begegnung daran schuld, die sich hier zwischen den blinzelnden Augen des Alten und denen des vor ihm Stehenden ereignete und die den Namen der Begegnung darum nicht rein verdiente, weil Josephs Blick dem andern nicht „begegnete", ihn nicht eigentlich, auch seinerseits angreifend, erwiderte, sondern ihn nur aufnahm, sich nur still und offen zum Hineinschauen darbot – eine mehrdeutig-anzügliche Dunkelheit. Andere schon hatten mit demselben bestürzten Blinzeln aus dieser stillen Anzüglichkeit klug zu werden gesucht, mit dem nun der Ismaelit es versuchte – beunruhigt von der Frage, was für ein nicht ganz alltägliches oder auch nur geheures Geschäft es gewesen sei, das er mit jenen Hirtenmännern getätigt hatte, und welche Bewandtnis es mit seiner Erwerbung habe. Aber der Untersuchung dieser Frage galt ja das ganze abendliche Gespräch, und hatte sich der Gesichtspunkt, unter dem unser Alter sie prüfte, für eines Augenblickes Dauer ins Überirdisch-Geschichtenhafte verschoben, so gibt es am Ende kein Ding, das man nicht auch von dieser Seite betrachten könnte; ein tüchtiger Mann aber unterscheidet wohl zwischen den Sphären und Aspekten und wendet sich unschwer der praktischen Seite der Welt wieder zu.

Dem Alten genügte ein Räuspern, um diese Umstellung zu bewerkstelligen.

„Hm", sagte er. „Alles in allem, dein Herr ist bewandert und vielerfahren zwischen den Strömen und weiß, was vorkommt. Er braucht sich von dir, Schilfkind und Brunnensohn, nicht darüber belehren zu lassen. Ich habe deinen Leib gekauft und was du an Geschicklichkeit aufweisest, aber nicht dein Herz, daß ich es zwingen könnte, mir deine Bewandtnis zu offenbaren. Nicht nur nicht notwendig ist es, daß ich in sie eindringe, es ist nicht einmal ratsam und könnte mein Schaden sein. Ich habe dich gefunden und dir den Odem wiedergegeben; doch dich zu kaufen war nicht meine Absicht, schon weil ich nicht wußte, ob du verkäuflich wärest. Ich habe an kein Geschäft gedacht als etwa an einen Finderlohn oder ein Lösegeld, gegebenen Falles. Dennoch ist es zu einem Handelsgeschäft gekommen um deine Person; zur Probe regte ich's an. Der Prüfung wegen sprach ich: ,Verkauft ihn mir', und sollte mir für entscheidend gelten die Prüfung, so ist's entschieden, denn die Hirtenmänner sind darauf eingegangen. Ich habe dich erstanden in schwerem und ausführlichem Handel, denn sie waren zäh. Zwanzig Sekel Silbers, nach dem Gewicht, wie es gang und gäbe ist, habe ich für dich vorgewogen und bin ihnen nichts schuldig geblieben. Was ist's mit dem Preise, und wie bin ich daran? Es ist ein mittlerer Preis, nicht überaus gut, nicht allzu schlecht. Ich konnte ihn mäßigen um der Fehler willen, die dich, wie sie sagten, in die Grube gebracht. Nach deinen

Eigenschaften kann ich dich höher verkaufen, als ich dich kaufte, und mich bereichern nach meiner Bestimmung. Was habe ich davon, daß ich in deine Bewandtnis dringe und vielleicht erfahren muß, daß es, die Götter wissen wie, um dich steht, so daß du überhaupt nicht verkäuflich warst und es auch nicht bist, sondern ich habe das Meine verloren, oder wenn ich dich wiederverkaufe, so ist's ein Unrecht und Handel mit Hehlgut? Geh nur, ich will gar nichts wissen von deinen Bewandtnissen, nämlich des näheren, daß ich mich reinhalte und bleibe im Rechten. Es genügt mir, zu vermuten, daß sie wohl etwas wunderlich sein mögen und zu den Dingen gehören, die für möglich zu halten ich Zweifler genug bin. Geh, ich rede schon unnötig lange mit dir, und es ist Schlafenszeit. Solche Fladen backe nur öfters, sie sind recht gut, wenn auch nicht außergewöhnlich. Ferner ordne ich an, daß du dir von Mibsam, meinem Eidam, Schreibzeug verabfolgen läßt, Blätter, Rohre und Tusche, und mir in Menschenschrift eine Liste anfertigst der Waren, die wir führen, je nach ihrer Art: der Balsame, Salben, Messer, Löffel, Stöcke und Lampen sowie des Schuhwerks, des Brennöls und auch des Glasflusses, nach Stückzahl und Gewicht, die Dinge schwarz, Gewicht und Menge aber in Rot, ohne Fehler und Kleckse, und sollst mir die Liste bringen binnen drei Tagen. Verstanden?"

„Befohlen ist es so gut wie geschehen", sagte Joseph.

„So geh."

„Friede und Süßigkeit deinem Schlummer", sprach Joseph. „Mögen leichte, erheiternde Träume zeitweise in ihn verwoben sein."

Der Minäer schmunzelte. Und er dachte nach über Joseph.

Nachtgespräch

Da sie nun drei Tage weiter waren am Meere hinabgezogen, war wieder Abend und Zeltrast, und wo sie rasteten, sah es genau und unverändert so aus wie vor drei Tagen; es hätte können dieselbe Stelle sein. Vor den Alten, der auf der Matte saß am Eingang seiner Unterkunft, trat Joseph, in Händen Fladen und Schriftrolle.

„Dem Herrn bringt das Bestellte irgendein Sklave", sagte er. Die Steinbrote legte der Midianiter beiseite. Die Liste rollte er auf und prüfte schrägen Kopfes die Schrift. Es geschah mit Wohlgefallen.

„Kein Klecks", sagte er, „das ist gut. Aber man sieht auch, daß die Zeichen gezogen sind mit Genuß und Schönheitssinn, und sind ein Zierat. Hoffentlich stimmt es überein mit dem Wirklichen, so daß es nicht nur malerisch ist, sondern auch sachgemäß. Es erfreut, das Seine so bildlich im reinen aufgeführt und das Verschiedene ebenmäßig verzeichnet zu sehen. Die Ware ist fettig und harzig; der Kaufmann macht seine Hände nicht mit ihr gemein, er handhabt sie in ihrer Geschriebenheit. Die Dinge sind dort, aber sie sind auch hier, geruchlos, reinlich und übersichtlich. So eine Schreibliste ist wie der Ka oder geistige Leib der Dinge, der neben dem Leibe ist. Gut also, Heda, zu schreiben verstehst du und kannst auch etwas rechnen, wie ich bemerkte. Auch fehlt es dir für deine Verhältnisse nicht an Ausdrucksweise, denn wie du dem Herrn gute Nacht wünschtest vor drei Tagen, das hat mir wohlgetan. Welches waren noch deine Worte?"

„Ich weiß sie nicht mehr", erwiderte Joseph. „Wahrscheinlich habe ich deinem Schlummer Frieden gewünscht."

„Nein, es war angenehmer. Aber gleichviel, es wird sich ja wieder einmal Anlaß finden zu so einer Ausdrucksform. Was ich aber sagen wollte, das ist: Wenn ich nichts Wichtigeres zu bedenken habe, so denke ich an dritter und vierter Stelle wohl auch über dich einmal nach. Dein Los mag schwer sein, da du allenfalls bessere Tage gesehen und dienst nun als Bäcker und Schreiber dem reisenden Kaufmann. Darum, indem ich dich weiter veräußere und mich, rein von der Kenntnis deiner Bewandtnis, tunlichst an dir bereichere, will ich sehen, daß ich für dich sorge."

„Das ist sehr gütig von dir."

„Ich will dich vor ein Haus bringen, das ich kenne, da ich ihm schon manches Mal Dienste erweisen durfte zu meinem und seinem Vorteil: ein gutes Haus, ein gehegtes Haus, ein Haus der Ehre und Auszeichnung. Es ist ein Segen, sage ich dir, dem Hause anzugehören, sei es nur als unterster seiner Knechte, und wenn's eines gibt, darin ein Diener mag feinere Gaben äußern, so dieses. Hast du Glück und bring' ich dich an in dem Hause, dann ist dein Los so gnädig gefallen, wie es in Anbetracht deiner Schuld und Sträflichkeit nur irgend fallen konnte."

„Und wem gehört das Haus?"

„Ja, wem. Einem Manne – ein Mann ist das – ein Herr vielmehr. Ein Großer über den Großen, behangen mit Lobgold, ein heiliger, strenger und guter Mann, auf den sein Grab wartet im Westen, ein Hirte der Menschen, das lebende Bild eines Gottes. ‚Wedelträger zur Rechten des Königs' ist sein Name, aber meinst du, er trägt den Wedel? Nein, das läßt der Mann andere tun, er selbst ist zu heilig dazu, er trägt nur den Titel. Meinst du, ich kenne den Mann, die Gabe der Sonne? Nein, ich bin nur ein Würmchen vor ihm, er sieht mich gar nicht, und auch ich sah ihn nur einmal von ferne in seinem Garten auf hohem Stuhl, wie er die Hand ausstreckte, zu befehlen, und machte mich klein, daß er nicht Anstoß an mir nähme und im Befehlen gestört werde, – wie könnt' ich's verantworten? Aber seines Hauses Obervorsteher kenne ich von Gesicht zu Gesicht und von Wort zu Wort, der über dem Gesinde ist, über den Speichern und über den Handwerkern und alles verwaltet. Er liebt mich und gibt wohl muntere Reden, wenn er mich sieht, und spricht: ‚Nun, Alter, sieht man dich auch einmal wieder, und kommst du vors Haus mit deinem Kram, uns zu bemogeln?' Das sagt er im bloßen Spaß, mußt du verstehen, weil er denkt, daß es dem Kaufmann schmeichelt, wenn man ihn mogelschlau heißt, und wir lachen zusammen. Dem will ich dich zeigen und dich ihm vorschlagen, und wenn mein Freund, der Vorsteher, bei Laune ist und kann einen Jungsklaven brauchen fürs Haus, so bist du geborgen."

„Welcher König ist's", fragte Joseph, „dessen Lobgold der Hausherr trägt?"

Er wollte wissen, wohin es ginge mit ihm und wo das Haus läge, dem der Alte ihn zudachte; doch war es nicht dies allein, was ihn so fragen ließ. Er wußte es nicht, aber sein Denken und Sicherkundigen war von einem Mechanismus bestimmt, der weither wirkte aus Anfangs- und Väterzeiten: Abraham sprach aus ihm, der vom Menschen so hoffärtig gedacht hatte, daß er der Ansicht gewesen war, einzig und geradewegs nur dem Höchsten dürfe er dienen, und dessen Sinnen und Trachten denn also ausschließlich und voller Verachtung aller Ab- und Untergötter sich auf das Höchste, den Höchsten gerichtet hatte. Die Stimme des Enkels hier fragte leichter und weltlicher, und doch war's des Ahnen Frage. Nur mit Gleichgültigkeit hatte Joseph von dem Hausmeier gehört, von dem nach des Alten Worten sein Schicksal doch unmittelbar abhing. Er empfand Geringschätzung gegen den Alten, weil er nur den Vorsteher kannte und nicht einmal den betitelten Mann, dem das Haus gehörte. Aber auch um diesen kümmerte er sich wenig. Über ihm war ein Höherer, der Höchste, von dem in den Nachrichten des Alten die Rede gewesen, und das war ein König. Auf diesen ausschließlich und geradezu ging Josephs Neugier und Angelegentlichkeit, und nach ihm fragte seine Zunge, unwissend, daß sie's nicht willkürlich-zufällig tat, sondern nach Erbe und Prägung.

„Welcher König?" wiederholte der Alte. „Neb-ma-rê-Amun-hotpe-Nimmuria", sprach er in liturgischem Tonfall, als sagte er ein Gebet.

Joseph erschrak. Er hatte dagestanden, die Arme auf dem Rücken verschränkt; jetzt aber löste er sie rasch und faßte die Wangen in beide Handflächen.

„Das ist Pharao!" rief er. Wie hätte er nicht verstehen sollen? Den Namen, den der Alte gebetet, kannte man bis an die Grenzen der Welt und bis zu den Fremdvölkern, die Eliezer den Joseph gelehrt hatte, bis Tarschisch und Kittim, bis Ophir und das den Osten vollendende Elam. Wie hätte er nichtssagend bleiben sollen dem unterwiesenen Joseph? Wären gewisse Teile des Namens, den der Minäer ausgesprochen, dies „Herr der Wahrheit ist Rê", dies „Amun ist zufrieden", ihm unverständlich gewesen, so hätte der syrische Zusatz „Nimmuria", was da hieß: „Er geht zu seinem Schicksal", ihn aufklären müssen. Es gab viele Könige und Hirten; jede Stadt hatte einen, und so geruhig hatte Joseph sich nach dem in Rede stehenden erkundigt, weil er den Namen irgendeines Burgherrn der Strecken am Meer, irgendeines Zurat, Ribaddi, Abdascharat oder Aziru zu vernehmen erwartet hatte. Er war nicht gefaßt gewesen, den Königsnamen in so glorreich übergeordnetem Sinn, dermaßen gotthaft und prachtbehangen zu verstehen, wie der gehörte verstanden zu werden begehrte. Geschrieben in einen länglich aufrechtstehenden Ring, beschützt von Falkenflügeln, die die Sonne selbst über ihn breitete, stand er am Ende einer im Ewigen sich verlierenden Ruhmesreihe ebenso länglich umringter Namen, mit deren jedem die Vorstellung überwältigender Kriegszüge, weit vorgerückter Grenzsteine, weltbeschriener Prunkbauten verbunden war, und bezeichnete für sein Teil ein solches Erbe heiligen Ansehens und kostbarer Lebenserhöhung, einen solchen Anspruch auf Kniefälligkeit, daß Josephs Bewegung begreiflich war. Regte sich aber sonst nichts in ihm als ein Ehrfurchtsschrecken, von dem jeder an seiner Stelle wäre angerührt worden? Doch, anderes noch und Widersetzliches, Empfindungen, die ebenso weither kamen wie seine Frage nach dem Höchsten und mit denen er unwillkürlich sofort seine ersten Gefühle richtigzustellen suchte: Spott gegen das unverschämt Erdengewaltige; geheime Auflehnung in Gottes Namen gegen Nimrods gesammelte Königsmacht – das war es, was ihn bestimmte, die Hände von seinen Wangen zu tun und seinen Ausruf viel ruhiger, als Feststellung einfach, zu wiederholen: „Pharao ist das."

„Allerdings", sagte der Alte. „Das ist das Große Haus, das groß gemacht hat das Haus, vor das ich dich bringen will, und will dich anbieten meinem Freunde, dem Obervorsteher, dein Glück zu versuchen."

„So willst du mich nach Mizraim führen, ganz hinab, in das Land des Schlammes?" fragte Joseph und spürte Herzklopfen. Der Alte schüttelte den Kopf an der Schulter. „Ähnlich", sagte er, „sieht dir wieder die Rede. Ich weiß es von Kedma schon, meinem Sohne, daß du von kindischen Dünkels wegen dir einbildest, wir führten dich da- oder dorthin, da wir doch unsern Weg nehmen würden, wie wir ihn nehmen, auch ohne dich, und du eben nur dahin gelangst, wohin uns der Weg führt. Ich reise nicht nach Ägyptenland, daß ich dich dorthin bringe, sondern weil ich Geschäfte dort tätigen will, die mich bereichern sollen: Einkaufen will ich Dinge, die man dort reizend herstellt und denen anderwärts Nachfrage gilt: glasierte Halskrägen, Feldstühle mit hübschen Beinchen, Kopfstützen, Brettspiele und gefältelte Linnenschurze. Das will ich in den Werkstätten kaufen und auf den Märkten, so billig die Götter des Landes mir's lassen, und will's hinausführen wieder zurück über die Berge von Kenana, Retenu und Amor ins Mitanniland am Strome Phrat und ins Land des Königs Chattusil, wo man ein Auge darauf hat und es mir bezahlen wird in blindem Eifer. Du sprichst vom ,Land des Schlammes', als wär's ein Dreckland, aus Kot gebacken wie ein Vogelnest und gleich einem unausgemisteten Stall. Und dabei ist das Land, dahin ich wieder einmal zu reisen entschlossen bin und wo ich dich vielleicht werde lassen können, das feinste Land des Erdenrundes, so auserlesener Sitten, daß du dir vorkommen wirst daselbst wie ein Ochs, vor dem man die Laute spielt. Du elender Amu wirst Augen machen, wenn du das Land siehst zu seiten des Gottesstromes, das da ,die Länder' heißt, weil es doppelt ist und zwiefach gekrönt, aber Mempi, das Haus des Ptach, das ist die Waage der Länder. Da reihen sich die großen Austritte vor der Wüste, unerhört, und dabei liegt der Löwe im Kopftuch, Hor-em-achet, der Urerschaffene, das Geheimnis der Zeiten, an dessen Brust der König entschlief, das Kind des Thot, und ward ihm im Traume das Haupt erhoben zur höchsten Verheißung. Die Augen werden dir aus dem Kopfe treten, wenn du die Wunder siehst und alle Pracht und Erlesenheit des Landes, das Keme mit Namen heißt, weil's schwarz ist von Fruchtbarkeit und nicht rot wie die elende Wüste. Wovon aber ist's fruchtbar? Von wegen des Gottesstromes, einzig von seinetwegen. Denn es hat seinen Regen und sein Manneswasser nicht am Himmel, sondern auf Erden, und der Gott ist's, Chapi, der starke Stier, der breitet sich sanft darüber hin und steht segensreich darüber eine Jahreszeit lang, zurücklassend die Schwärze seiner Kraft, daß man drin säen kann und erntet hundertfältige Frucht. Du aber redest, als sei's eine Mistgrube."

Joseph senkte den Kopf. Er hatte erfahren, daß er unterwegs ins Totenreich war; denn die Gewohnheit, Ägypten als Unterweltsland und seine Bewohner als Scheolsleute zu betrachten, war mit ihm geboren, und nie hatte er's anders gehört, besonders von Jaakob. Ins traurig Untere sollte er also verkauft werden, die Brüder schon hatten ihn dorthinab verkauft, der Brunnen war stimmigerweise der Eingang dazu gewesen. Es war sehr traurig, und Tränen wären am Platze gewesen. Die Freude jedoch am Stimmigen hielt der Traurigkeit die Waage; denn sein Erachten, er sei tot, und das Blut des Tieres sei wahrlich sein Blut gewesen, fand sich auf witzige Weise bestätigt in des Alten Eröffnung. Er mußte lächeln – so nahe das Weinen gelegen hätte um seinet- und Jaakobs willen. Ausgerechnet dorthinab sollte es mit ihm gehen, in das Land, dem des Vaters entschiedenste Abneigung galt, in Hagars Heimat, das äffische Ägypterland! Er erinnerte sich der streng tendenziösen Schilderungen, mit denen Jaakob auch ihm dies Land unleidlich zu machen gesucht hatte, das er, ohne wirkliche Anschauung davon zu besitzen, im Lichte feindlichgreuelhafter Prinzipien, des Vergangenheitsdienstes, der Buhlschaft mit dem Tode, der Unempfindlichkeit für die Sünde sah. Joseph war immer zu heiterem Mißtrauen gegen die Gerechtigkeit dieses Bildes geneigt gewesen, zu einer Neugierssympathie, die regelmäßig die Folge väterlich moralisierender Warnungen ist. Wenn der Würdige, Gute und Grundsatzvolle gewußt hätte, daß sein Lamm nach Ägypten zog, in das

Land Chams, des Entblößten, wie er es nannte, weil es „Keme" hieß um der schwarzen Fruchterde willen, die sein Gott ihm schenkte! Die Verwechslung war recht bezeichnend für die fromme Voreingenommenheit seines Urteils, dachte Joseph und lächelte.

Aber nicht nur im Widerspruch bewährte sich seine Sohnesverbundenheit. Es war wohl ein diebischer Spaß, daß er ins grundsätzlich Verpönte fahren sollte, ein Jungentriumph voll Liebäugelei mit den moralischen Schrecken des Unterlandes. Doch mischten sich stumme und bluthafte Vorsätze darein, an denen der Vater auch wieder seine Freude gehabt hätte: die Entschlossenheit des Abramskindes, sich durchaus nicht die Augen übergehen zu lassen vor den Feinheitswundern, die der Ismaeliter ihm ankündigte, und ganz bestimmt die prachtvolle Zivilisation, die ihn erwartete, nicht allzu sehr zu bewundern. Geistlicher Spott, weit herkommend, verzog ihm den Mund über die Lebenserlesenheit, die angeblich seiner wartete; und dieser Spott war zugleich ein beizeiten errichteter Schutz gegen die unförderliche Blödigkeit, die das Erzeugnis allzu großer Bewunderung ist.

„Steht das Haus", fragte er aufblickend, „vor das du mich bringen willst, zu Mempi, dem Hause des Ptach?"

„O nein", erwiderte der Alte, „da müssen wir weiter hinaufziehen, will sagen: hinunter, stromaufwärts nämlich, aus dem Lande der Schlange in das des Geiers. Einfältig fragst du, denn da ich dir sagte, daß des Hauses Herr Wedelträger heißt zur Rechten des Königs, so muß er ja sein, wo Seine Majestät ist, der gute Gott, und zu Wêse, der Stadt des Amun, da steht das Haus."

Viel erfuhr Joseph diesen Abend am Meer, und allerlei drang auf ihn ein! Nach No selbst also sollte es mit ihm gehen, No-Amun, der Stadt der Städte und dem Gerüchte der Welt, einem Prahlthema für Gespräche, die bei den entlegensten Völkern geführt wurden und in denen es hieß, sie habe hundert Tore und mehr als hunderttausend Bewohner. Würden dem Joseph nicht dennoch die Augen übergehen, wenn er die

Weltstadt erblickte? Er sah wohl, daß er seinen Entschluß, ja nicht verblödender Bewunderung zu verfallen, im voraus sehr fest machen müsse. Recht gleichgültig schob er die Lippen vor, doch wie er auch zu Gottes Ehre seine Züge lässig zu halten suchte, konnte er Verlegenheit doch nicht ganz daraus verbannen. Denn etwas fürchtete er sich vor No, und besonders der Name des Amun war schuld daran, dieser gewaltige Name, geladen mit Einschüchterung für jedermann, gebieterisch auftretend auch dort, wo der Gott fremd war. Die Nachricht, er solle in den Kult- und Machtbereich dieses Gottes geraten, flößte ihm Sorge ein. Der Herr Ägyptens, Reichsgott der Länder, der König der Götter war Amun, wie Joseph wußte, und Verwirrung ging aus von so einzigem Range. Amun war der Größte – in den Augen der Kinder Ägyptens freilich nur. Aber Joseph sollte wohnen unter den Kindern Ägyptens. Darum schien es ihm nützlich, von Amun zu sprechen und sich mit dem Munde an ihm zu versuchen. Er sagte:

„Wêses Herr in seiner Kapelle und in seiner Barke, das ist wohl der erhabeneren Götter einer hier in der Welt?"

„Der erhabeneren?" erwiderte der Alte. „Du redest wahrhaftig nicht besser, als du's verstehst. Was meinst du wohl, was Pharao dem an Broten und Kuchen, Bier, Gänsen und Wein ausgesetzt hat zu seiner Zehrung? Das ist ein Gott sondergleichen, sage ich dir, was er an Schätzen sein eigen nennt, beweglichen und unbeweglichen, davon ginge der Atem mir aus, wollte ich's herzählen, und die Zahl seiner Schreiber, die alles verwalten, ist wie der Sterne."

„Wundervoll", sagte Joseph. „Ein sehr schwerer Gott nach allem, was du mir sagst. Nur fragte ich, genaugenommen, nicht nach seiner Schwere, sondern nach seiner Erhabenheit."

„Beuge du dich vor ihm", riet des Alten Stimme, „da du leben sollst in Ägyptenland, und unterscheide nicht viel zwischen schwer und erhaben, als ob da nicht eines fürs andere stünde und beides ganz einerlei wäre. Denn Amuns sind alle

Schiffe der Meere und Flüsse, und die Flüsse und Meere sind sein. Er ist das Meer und das Land. Er ist auch Tor-nuter, das Zederngebirge, dessen Stämme wachsen für seine Barke, genannt ‚Amuns Stirn ist mächtig'. Er geht ein in Pharaos Gestalt zur Großen Gemahlin und zeugt den Hor im Palaste. Er ist Baal in allen seinen Gliedern, macht dir das Eindruck? Er ist die Sonne, Amun-Rê ist sein Name – genügt das deinen Ansprüchen an Erhabenheit oder nicht völlig?"

„Ich hörte aber", sagte Joseph, „er sei ein Schafbock im Dunkel der hintersten Kammer?"

„Ich hörte, ich hörte... Genau, wie du's verstehst, redest du und keinen Deut besser. Ein Widder ist Amun, wie Bastet im Lande der Mündungen eine Katze ist und der Große Schreiber von Schmun ein Ibis sowohl wie ein Affe. Denn sie sind heilig in ihren Tieren und heilig die Tiere in ihnen. Du wirst viel lernen müssen, wenn du im Lande leben willst und willst bestehen vor ihm, sei es auch nur als unterster seiner Jungsklaven. Wie willst du den Gott schauen, wenn nicht im Tiere? Drei sind eins: Gott, Mensch und Tier. Denn vermählt sich das Göttliche mit dem Tierischen, so ist's der Mensch, wie denn Pharao, wenn er im Feste ist, einen Tierschwanz angelegt nach uraltem Herkommen. Also, vermählt sich hinwiederum das Tier mit dem Menschen, so ist's ein Gott, und ist das Göttliche nicht anders zu schauen und zu begreifen als in solcher Vermählung, so daß du Heket, die Große Hebamme, gleich einer Kröte siehst an den Mauern nach ihrem Haupt und Anup hundsköpfig, den Öffner der Wege. Siehe, im Tiere finden sich Gott und Mensch, und ist das Tier der heilige Punkt ihrer Berührung und ihrer Vereinigung, festlich-ehrwürdig nach seiner Natur, und für sehr ehrwürdig gilt unter den Festen das Fest, wenn der Bock sich der reinen Jungfrau vermischt in der Stadt Djedet."

„Davon hörte ich", sagte Joseph. „Billigt mein Herr wohl die Sitte?"

„Ich?" fragte der Ma'oniter. „Laß du den Alten zufrieden! Wir sind ziehende Kaufleute, Zwischenhändler, überall heimisch und nirgends, und für uns gilt das Leitwort: ‚Nährst du meinen Bauch – ehr' ich deinen Brauch!' Merke es dir in der Welt, denn auch dir wird es zukommen."

„Nie will ich", erwiderte Joseph, „in Ägyptenland und im Hause des Wedelträgers ein Wort sagen wider die Ehrwürdigkeit des Bespringungsfestes. Aber von mir zu dir geredet, so laß mich gedenken, daß es ein Fallstrick ist und eine Schlinge um dies Wort: Ehrwürdigkeit. Denn leicht gilt dem Menschen das Alte für ehrwürdig, eben weil's alt ist, und läßt eines fürs andere gelten. Ist aber doch manches Mal ein Fallstrick mit des Alten Ehrwürdigkeit, wenn's nämlich einfach bloß überständig ist in der Zeit und verrottet – dann tut's nur ehrwürdig, ist aber in Wahrheit ein Greuel vor Gott und ein Unflat. Zwischen dir und mir geredet, mutet die Darbringung der Menschenjungfrau zu Djedet mich eher unflätig an."

„Wie willst du das unterscheiden? Und wo kämen wir hin, wenn jeder Gimpel sich zum Mittelpunkt setzen wollte der Welt und sich wollte zum Richter aufwerfen darüber, was heilig ist in der Welt und was nur alt, was noch ehrwürdig und was schon ein Greuel? Da gäbe es bald nichts Heiliges mehr! Ich glaube nicht, daß du deine Zunge bewahren wirst und deine unfrommen Gedanken verhehlen. Denn solchen Gedanken, wie du sie hegst, ist's eigentümlich, daß sie ausgesagt sein wollen – ich kenne das."

„In deiner Nähe, mein Herr, lernt sich's leicht, Alter und Ehrwürde gleichzusetzen."

„Papperlapapp. Rasple nicht Süßholz vor mir, denn ich bin nur ein ziehender Kaufmann. Achte vielmehr auf meine Verwarnungen, daß du nicht anläufst bei den Kindern Ägyptens und dich nicht ums Glück redest. Denn bestimmt kannst du deine Gedanken nicht wahren; darum mußt du sorgen, daß schon deine Gedanken recht sind und nicht erst die Rede. Frömmer ist offenbar nichts als die Einheit von Gott, Mensch und Tier im Opfer. Rechne hin und her zwischen diesen dreien in bezug auf das Opfer, und sie heben sich auf darin. Im Opfer sind alle drei und vertritt jedes des andern Stelle. Darum regt Amun sich als Opferbock im Dunkel der hintersten Kammer."

„Ich weiß nicht recht, wie mir ist, mein Herr und Käufer, ehrwürdiger Kaufmann. Es dunkelt so stark, indes du mich lehrst, und zerstreutes Licht rieselt wie Edelsteinstaub herab von den Sternen. Ich muß mir die Augen reiben, verzeih, daß ich's tue, denn es will mich beirren, und wie du da vor mir sitzest auf deiner Matte, ist mir nicht anders, als wär's der Kopf eines Laubfrosches, den du trägst, und hocktest da weise und breit als behäbige Kröte!"

„Siehst du, daß du deine Gedanken nicht wahren kannst, mögen sie noch so anstößig sein? Wie willst und magst du wohl eine Kröte in mir erblicken?"

„Meine Augen fragen nicht, ob ich's will. Genau einer hockenden Kröte gleich erscheinst du mir unter den Sternen. Denn du warst Heket, die Große Hebamme, da mich der Brunnen gebar, und hobst mich aus der Mutter."

„Ach, Schwätzer du! Das ist keine große Amme, die dir ans Licht half. Heket, die Fröschin, heißt groß, weil sie Helferin war bei des Zerrissenen zweiter Geburt und Wiedererstehung, da ihm das Untere zufiel, aber dem Hor das Obere, nach dem Glauben der Kinder Ägyptens, und Usir, das Opfer, der Erste des Westens ward, König und Richter der Toten."

„Das gefällt mir. Geht man denn schon gen Westen, muß man zumindest der *Erste* werden der Dortigen. Lehre mich aber, mein Herr: Ist denn Usir, das Opfer, so groß in den Augen der Kinder Kemes, daß Heket zur großen Fröschin ward, weil sie die Hebhelferin war seines Erstehens?"

„Er ist überaus groß."

„Groß über Amuns Größe?"

„Amun ist groß von Reiches wegen, sein Ruhm erschreckt die Fremdvölker, daß sie ihm ihre Zedern schlagen. Aber Usir, der Zerrissene, ist groß in der Liebe des Volkes, alles Volk von Djanet in den Mündungen bis Jeb, der Elefanteninsel. Da ist keiner unter allen, vom hustenden Schleppsklaven der Brüche, der millionenmal lebt, bis zu Pharao, der nur einmal lebt und allein und sich selber anbetet in seinem Tempel – ich sage dir, da ist nicht einer, der ihn nicht kennte und liebte und nicht wünschte, zu Abôt an seiner Stätte, bei dem Grab des Zerrissenen, sein Grab zu finden, wär' es nur möglich. Aber auch da es nicht möglich ist, hängen sie alle ihm an in Innigkeit und in der Zuversicht, gleich wie er zu werden zu ihrer Stunde und ewig zu leben."

„Zu sein wie Gott?"

„Wie der Gott zu sein und gleich ihm, nämlich einig mit ihm, also, daß der Verstorbene Usir ist und auch so heißt."

„Was du nicht sagst! Schone mich aber, Herr, beim Lehren und hilf meinem armen Verstande, wie du mir halfst aus dem Schoße des Brunnens! Denn es ist nicht gemeinverständlich, was du mich lehren willst hier in der Nacht am entschlummerten Meer von den Meinungen der Kinder Mizraims. Soll ich sie dahin verstehen, daß es des Todes Kraft wäre, die Beschaffenheit zu verändern, und der Tote ein Gott sei mit dem Bart eines Gottes?"

„Ja, das ist die zuversichtliche Meinung alles Volkes der Länder, und sie lieben sie darum so innig-einhellig von Zo'an bis Elephantine, weil sie sie sich haben erringen müssen in langem Ringen."

„Errungen haben sie sich die Meinung in schwerem Sieg und ausgehalten um sie bis ins Morgenrot?"

„Sie haben sie durchgesetzt. Denn anfangs und ursprünglich war es nur Pharao, er allein, der Hor im Palaste, der, wenn er starb, zu Usiri kam und eins mit ihm wurde, so daß er wie Gott war und ewig lebte. Aber alle die Hustenden, die Statuenschlepper, die Ziegelstreicher, die Töpferbohrer, die hinter dem Pfluge und die in den Bergwerken, sie haben nicht geruht und haben gerungen, bis sie's durchgesetzt hatten und gültig gemacht, daß sie nun alle zu ihrer Stunde Usiri werden und heißen der Usir Chnemhotpe, der Usir Rechmerê nach ihrem Tode und leben ewig."

„Abermals gefällt mir's, was du da sagst. Du hast mich gescholten der Meinung wegen, daß jedes Erdenkind seinen Weltkreis um sich habe besonders und sei die Mitte davon. Aber auf eine Art oder die andere will es mir scheinen, die Kinder Ägyptens teilten den Meinungssatz, da jeder Usir sein wollte nach seinem Tode, wie anfangs nur Pharao, und haben es durchgesetzt."

„Das bleibt töricht gesprochen. Denn nicht das Erdenkind ist der Mittelpunkt, Chnemhotpe oder Rechmerê, sondern ihr Glaube ist's und die Meinungszuversicht, darin sie eins sind alle miteinander, das Wasser hinauf und hinab von den Mündungen bis zur sechsten Stromschnelle, der Glaube Usirs und seines Erstehens. Denn du mußt wissen: Nicht einmal nur ist dieser sehr große Gott gestorben und auferstanden; immer aufs neue tut er's im Gleichmaß der Gezeiten vor den Augen der Kinder Kemes – steigt hinab und geht mächtig wieder hervor, um als Segen über dem Lande zu stehen, Chapi, der starke Stier, der Gottesstrom. Zählst du die Tage der Winterzeit, da der Strom klein ist und das Land trocken liegt, so sind's zweiundsiebzig, und die Zweiundsiebzig sind's, die mit Set, dem tückischen Esel, verschworen waren und in die Lade brachten den König. Aber aus dem Unteren geht er hervor zu seiner Stunde, der Wachsende, Schwellende, Schwemmende, der Sichvermehrende, der Herr des Brotes, der alle guten Dinge zeugt und alles leben läßt, mit Namen ‚Ernährer des Landes‘. Ochsen schlachten sie ihm und Rinder, aber da siehst du, daß Gott und Schlachtopfer eines sind; denn er selbst ist ein Rind und ein Stier vor ihnen auf Erden und in seinem Hause: Chapi, der Schwarze, mit dem Mondeszeichen an seiner Flanke. Stirbt er aber, so wird er mit Balsam bewahrt und gewickelt und beigestellt und ist Usar-Chapi genannt."

„Siehe da!" sagte Joseph. „Hat er's auch durchgesetzt, wie Chnemhotpe und Rechmerê, daß er Usir wird in seinem Tode?"

„Ich glaube, du spöttelst?" fragte der Alte. „Ich sehe dich wenig in der flimmernden Nacht, hör' ich dich aber, so ist mir ganz ähnlich, als spötteltest du. Ich sage dir, spöttle nicht in dem Lande, dahin ich dich führen will, weil ich ohnehin dorthin reise, und überhebe dich nicht tröpfisch vor den Meinungen seiner Kinder, weil du's besser zu wissen meinst mit deinem Adôn, sondern schicke dich fromm in seine Bräuche, sonst wirst du anlaufen heftiglich. Ich habe dich etwas belehrt und eingeweiht und ein paar Reden mit dir gewechselt diesen Abend zu meiner Zerstreuung, um die Zeit hinzubringen; denn ich bin schon betagt, und zuweilen flieht mich der Schlaf. Einen anderen Grund hatte ich nicht, mit dir zu reden. Du darfst gute Nacht sagen jetzt, daß ich zu schlafen versuche. Aber sieh auf die Ausdrucksform!"

„Befohlen ist gleich wie ausgeführt", erwiderte Joseph. „Wie aber wollte ich wohl spötteln, da doch mein Herr mich so gütig eingeweiht diesen Abend, damit ich bestehe und nicht anlaufe im Ägyptenland, und hat den Abgestraften Dinge gelehrt, von denen ich Pöbelknabe mir nie etwas träumen lassen, so neu sind sie mir und sind nicht allgemeinverständlich. Wüßte ich, wie ich dir danken könnte, so tät' ich's. Da ich's aber nicht weiß, will ich doch heute noch etwas für dich, meinen Wohltäter, tun, was ich nicht tun wollte, und dir eine Frage beantworten, vor der ich beiseite wich, da du sie stelltest. Ich will dir meinen Namen nennen."

„Willst du das?" fragte der Alte. „Tu's oder tu's lieber nicht; ich bin nicht in dich gedrungen deswegen, denn ich bin alt und bedächtig und weiß lieber gar nicht, welche Bewandtnis es mit dir hat, weil ich besorgen muß, mich darein zu verstricken und des Unrechts schuldig zu werden durch Wissen."

„Nicht im mindesten", erwiderte Joseph. „Du läufst keine solche Gefahr. Sondern du mußt den Sklaven doch wenigstens nennen können, wenn du ihn weitervergibst an dieses Segenshaus in der Amunsstadt."

„Wie heißt du also?"

„Usarsiph", antwortete Joseph.

Der Alte schwieg. Obgleich nicht mehr als ein Respektsraum war zwischen ihnen, gewahrten sie einander doch nur noch wie Schatten.

„Es ist gut, Usarsiph", sprach der Alte nach einer Weile. „Du hast mir deinen Namen genannt. Nimm Urlaub jetzt, denn mit Erstehen der Sonne wollen wir weiterziehen."

„Lebe wohl", grüßte Joseph im Dunkeln. „Möge die Nacht dich in sanften Armen wiegen und dein Haupt entschlummern an ihrer Brust, friedesüß, wie dein Kinderhaupt einst am Herzen der Mutter!"

Die Anfechtung

Da nun Joseph dem Ismaeliter seinen Totennamen genannt und ihm angezeigt hatte, wie er geheißen sein wollte in Ägyptenland, zogen diese Leute weiter hinab, einige Tage, mehrere und viele, mit unbeschreiblicher Gemächlichkeit und voller Gleichmut gegen die Zeit, die eines Tages, das wußten sie, wenn man nur etwas dazutäte, mit dem Raume schon würde fertig geworden sein und dies am sichersten besorgte, wenn man sich überhaupt nicht um sie kümmerte, sondern es ihr überließ, Fortschritte, von denen der einzelne nichts ausmachte, unter der Hand zu großen Summen auflaufen zu lassen, indem man sich beim Dahinleben nur leidlich in Zielrichtung hielt.

Die Richtung war durch das Meer gegeben, das zur Rechten ihres sandigen Pfades unter dem zu heiligen Fernen absinkenden Himmel sich ewig erstreckte, bald ruhend in silbrig überglitzerter Bläue, bald anrennend in stierstarken, schaumlodernden Wogen gegen das vielgewohnte Gestade. Die Sonne ging darin unter, die wandelnd-unwandelbare, das Gottesauge, in reiner Einsamkeit oft, glutklare Rundscheibe, die eintauchend einen flimmernden Steg über die unendlichen Wasser zum Strande und zu den anbetend Entlangziehenden hinüberwarf, oft auch inmitten ausgebreiteter Festlichkeiten in Gold und Rosenschein, welche die Seele in himmlischen Überzeugungen wunderbar anschaulich bestärkten, oder in trübe glühenden Dünsten und Tinten, die eine schwermütig drohende Stimmung der Gottheit beklemmend anzeigten. Der Aufgang dagegen geschah nicht aus offenem Gesichtskreise, sondern hinter Höhen und sie übersteigenden Bergen, die andererseits, zur Linken der Reisenden, die Aussicht begrenzten; und auch dort, im näheren Landesinnern, wo bestellte Felder sich ausbreiteten, Brunnen im wellenförmigen Gelände gebaut waren und Fruchtgärten die gestuften Höhen schmückten – auch dort, vom Meere abseits und ein Halbhundert Ellen über seinem Spiegel, zogen sie oft: zwischen Dörfern, die Burgstädten zinsten, welche ein Fürstenbund einte, – und Gaza im Süden, Chazati, die starke Feste, war Haupt des Bundes.

Sie lagen auf Hügelkuppen, weiß und umringt, unter Palmen, die Mutterstädte, die Zuflucht der Landbewohner, die Burgen der Sarnim, und wie auf der Flur vor den Dörfern, so schlugen die Midianiter auf den Torplätzen der menschenreichen und tempelhütenden Großstätten ihren Handel auf, anbietend den Leuten von Ekron, von Jabne, von Asdod ihre transjordanischen Kramwaren. Joseph machte den Schreiber dabei. Er saß und verzeichnete pinselnd die Einzelgeschäfte, die man mit feilschenden Dagonskindern, mit Fischern, Bootsleuten, Handwerkern und kupferbeschienten Soldkriegern der Stadtherren abschloß, – Usarsiph, der schriftkundige Jungsklave, seinem guten Herrn zu Gefallen. Das Herz schlug dem Verkauften höher von Tag zu Tag, man mag wohl denken, warum. Er war nicht geschaffen, im sinnlich Andringenden unwissend aufzugehen, ohne sich von seinem Ort und seiner Lage zu anderen Orten eine verständig abgezogene Vorstellung zu machen. Er wußte, daß er im Begriffe war, mit vielen Aufenthalten und saumselig verschleppenden Ruheständen, in anderem Lande, einige Feldstrecken weiter nach Abend, denselben Weg, den er zu seinen Brüdern fahrend auf Hulda, der Armen, bewältigt, in umgekehrter Richtung, der Heimat zu, wenn auch an der Heimat vorbei, wieder zurückzulegen, und daß bald der Punkt erreicht sein mußte, wo er ihn zurückgelegt haben und nur noch um einen seitlichen Abstand, der nicht mehr ausmachte als etwa die Hälfte der Fahrt zu den Brüdern, vom Vaterherde entfernt sein würde. Bei Asdod ungefähr, dem Hause Dagons, des Fischgottes, dem man hier diente, einer betriebsamen Siedlung, zwei Stunden vom Meere gelegen, zu dem eine von Geschrei erfüllte, mit Menschen, Ochsenkarren und Pferdegespannen bedeckte Hafenstraße hinabführte: an diesem Orte etwa war es so weit; denn Joseph verstand, daß der Küstenlauf gegen Gaza hinab mehr und mehr westlich abschweifte, so daß der Abstand vom östlich-inneren Bergland sich täglich vergrößerte, zu schweigen davon, daß die Höhe von Hebron bald mittäglich unterschritten sein würde.

Deswegen schlug sein Herz so ängstlich-versuchungsvoll in dieser Gegend und auf dem zögernden Weiterzuge nach Askuluna, der Felsenfeste. Sein Geist beherrschte die Landesgestalt: Sephela, die Niederung, gleichlaufend der Meeresküste, war es, in der sie zogen; die Bergketten aber, die östlich dareinschauten und zu denen gedankenvoll die spähenden Rahelsaugen gingen, bildeten die zweite, höhere, taldurchfurchte Stufe Philisterlandes, und immer steiler erhob sich dahinter gen Morgen die Welt ins Übermeerische, Rauhere, Harte, zu Triften, welche die Palme der Ebenen mied, und krautwürzigen Hochweiden, bevölkert mit Schafen, mit Jaakobsschafen... Wie spielte dies doch! Dort oben saß Jaakob, verzweifelt, von Tränen zermürbt, in furchtbarem Gottesleide, das blutige Zeichen von Josephs Tod und Zerrissensein in armen Händen, – hier unten aber, zu seinen Füßen, von einer Stadt der Philister zur anderen, zog Joseph, der Gestohlene, stumm, ohne sich's merken zu lassen, mit fremden Männern an seinem Sitze vorüber, hinab gen Scheol, ins Diensthaus des Todes! Wie nahe lag da der Gedanke der Flucht! Wie jückte und zerrte der Antrieb dazu ihm in den Gliedern und regte ihm gärend die Gedanken zu halben und in der Einbildung schon ungestüm verwirklichten Entschlüssen auf – besonders am Abend, wenn er seinem Käufer, dem Alten, den Gute-Nacht-Gruß gesprochen hatte; denn das mußte er täglich tun: es gehörte zu seinen Obliegenheiten, dem Ismaeliter am Tagesende in ausgesuchten Abwandlungen, die immer neu sein mußten, weil sonst der Alte sagte, das kenne er schon, eine glückselige Nacht zu wünschen. Besonders im Dunkeln also, wenn man vor einem Dorf, einer Stadt der Philister lagerte und Schlaf die Mitreisenden hielt, packte es den Verschleppten wohl und wollte ihn hinreißen, die nächtigen Fruchthöhen hinan und weiter über Kuppen und Waldschluchten, acht Meilen und Feldstrecken weit, mehr konnte es wohl nicht sein, und Joseph würde kletternd den Weg schon finden – ins Bergland hinauf, in Jaakobs Arme, dem Vater die Tränen zu trocknen mit dem Worte „Hier bin ich" und wieder sein Liebling zu sein.

Machte er's aber wahr und suchte das Weite? Nein doch, man weiß ja, daß er's nicht tat. Er überlegte es sich, wenn auch das eine und andere Mal erst im letzten Augenblick, verwarf die Lockung, stand ab vom Plane und blieb, wo er war. Das war ja übrigens auch im Augenblick das bequemste, denn die Flucht auf eigene Hand beschloß große Fährlichkeiten in sich: er hätte verschmachten können, unter Räuber und Mörder fallen, von wilden Tieren gefressen werden. Und doch hieße es seine Entsagung verkleinern, wenn man sie nur auf die Regel zurückführen wollte, daß Nichttun dank natürlicher Trägheit in den Entschlüssen des Menschen leicht das Übergewicht vor dem Tun gewinnt. Fälle fanden sich, in denen Joseph ein leibliches Tun verweigerte, das bedeutend süßer gewesen wäre als wildes Entweichen über die Berge. Nein, der Verzicht, der jetzt sowohl wie in dem Lebensfall, den wir vorschauend im Sinne haben, am Ende der stürmischen Anfechtung stand, entsprang einer dem Joseph ganz besonders eigenen Art der Überlegung, die in Worten etwa gelautet hätte: „Wie könnte ich wohl solche Narrheit tun und wider Gott sündigen?" Anders gesagt, es stand dort die Einsicht in die töricht-sündliche Fehlerhaftigkeit des Fluchtgedankens, die klare und intelligente Wahrnehmung, daß es ein täppischer Mißgriff gewesen wäre, Gottes Pläne durch Ausreißen stören zu wollen. Denn Joseph war von der Gewißheit durchdrungen, daß er nicht umsonst hinweggerafft worden war, daß vielmehr der Planende, der ihn aus dem Alten gerissen und ihn ins Neue dahinführte, es zukünftig vorhabe mit ihm auf eine oder die andere Weise; und wider diesen Stachel zu löcken, der Heimsuchung zu entlaufen, wäre Sünde und großer Fehler gewesen – was nämlich eins war in Josephs Augen. Die Auffassung der Sünde als Fehlers und Lebensmißgriffes, als eines tölpelhaften Verstoßes wider die Gottesklugheit war ihm recht angeboren, und seine Erfahrung hatte ihn außerordentlich darin bestärkt. Er hatte Fehler genug begangen – im Loche war er's gewahr geworden. Da er aber dem Loche entronnen war und offenbar planmäßig hinweggeführt wurde, so konnten die bis dahin begangenen Fehler allenfalls als im Plane gelegen, als zweckgemäß also und in aller Blindheit gottgelenkt gelten. Weiteres aber der Art, wie nun etwa gar das Ausreißen, würde in ausgemacht närrischem Grade vom Übel sein; es würde buchstäblich bedeuten, klüger sein wollen als Gott – was nach Josephs gescheiter Einsicht ganz einfach der Gipfel der Dummheit war.

Des Vaters Liebling wieder? Nein, immer noch, – aber in neuem, von jeher ersehntem, erträumtem Sinn. Eine neue, höhere Lieblingsschaft und Erwählung war es, in der es nun, nach der Grube, zu leben galt, im bitter duftenden Schmuck der Entrafftheit, der aufgespart war den Aufgesparten und vorbehalten den Vorbehaltenen. Den zerrissenen Kranz, den Schmuck des Ganzopfers, er trug ihn neu – nicht mehr in vorträumendem Spiel, sondern in Wahrheit, das hieß: im Geiste, – und um törichten Fleischestriebes willen sollte er sich seiner begeben? So albern und jeder Gottesklugheit bar war Joseph nicht – im letzten Augenblick nicht so dumm, die Vorteile seines Zustandes zu verscherzen. Kannte er das Fest, oder kannte er es nicht, in allen seinen Stunden? Das Mittel der Gegenwart und des Festes – war er es, oder war es nicht? Den Kranz im Haar, sollte er vom Feste laufen, um wieder ein Hirte des Viehs zu sein mit seinen Brüdern? Die Anfechtung war stark nur im Fleische, im Geiste aber sehr leicht. Joseph bestand sie. Weiter zog er mit seinen Käufern, an Jaakob vorbei und aus seiner Nähe – Usarsiph, der Schilfbürtige, Joseph-em-heb, ägyptisch zu reden, was nämlich sagen will: „Joseph im Feste".

Ein Wiedersehen

Siebzehn Tage? Nein, das war eine Reise von sieben mal siebenzehn – nicht nachgezählt, aber im Sinne sehr großer Langwierigkeit zu verstehen; und man unterschied auf die Dauer nicht, wieviel davon der Saumseligkeit der Midianiter zur Last fiel und wieviel auf Rechnung des zu durchmessenden Raumes kam. Sie zogen durch rege bewohntes, fruchtbares Land, bekränzt mit Olivenhainen, mit Palmen, Walnuß- und Feigenbäumen bestanden, mit Korn bestellt, bewässert aus tiefen Brunnen, an denen Kamele mit Ochsen gingen. Kleine Festungen der Könige lagen zuweilen im offenen Felde, Halte-plätze genannt, mit Mauern und Streittürmen, auf deren Zin-nen Bogenschützen standen und aus deren Toren Wagen-kämpfer ihre prustenden Gespanne hervorlenkten; und selbst mit den Kriegern der Könige scheuten die Ismaeliter sich nicht in Handelsverkehr zu treten. Ortschaften, Höfe und Migdal-siedelungen luden überall zum Verweilen ein, und sie ver-weilten wochenweise, es kam ihnen nicht darauf an. Bis sie dahin kamen, wo der niedrige Küstensaum zur jäh aufragen-den Felsenwand aufstieg, auf deren Gipfel Askalun lag, neigte sich schon der Sommer.

Heilig und stark war Askalun. Die Quadern seiner Ring-mauern, die im Halbkreise zum Meere hinabliefen und den Hafen umfaßten, schienen von Riesen gestemmt, sein Dagons-haus war vierschrötig und höfereich, sehr lieblich sein Hain und der Teich seines Haines, von Fischen voll, und seine Astarothwohnung rühmte sich, älter zu sein als irgend-ein Weihtum der Baalat. Eine würzige Sorte von kleinen Zwiebeln wuchs hier wild unter Palmen im Sande. Derketo schenkte sie, Askaluns Herrin, und andernorts konnte man sie verkaufen. Der Alte ließ sie in Säckchen sammeln und schrieb in ägyptischen Lettern darauf: „Feinste Askalunzwiebeln".

Von da gelangten sie nach Gaza, genannt Chazati, durch knorrige Ölwälder, in deren Schatten viele Herden weideten, und waren somit wahrhaftig sehr weit gekommen. Fast schon in ägyptischer Sphäre befanden sie sich daselbst; denn wenn ehemals Pharao von unten hervorgebrochen war mit Wagen und Fußvolk, um durch die elenden Länder Zahi, Amor und Retenu vorzustoßen bis ans Ende der Welt, damit man ihn riesengroß übers Gefüge der Tempelmauern hin abbilden könne in tiefen Linien, wie er die Schöpfe von fünf Barbaren auf einmal mit der Linken gepackt hielt und mit der Rechten die Keule über den heilig Verblüfften schwang, so war immer Gaza die erste Etappe des Unternehmens gewesen. Auch sah man viele Ägypter in Gazas scharfriechenden Gassen. Joseph betrachtete sie genau. Sie waren breitschultrig, weiß gekleidet und hochnäsig. Vorzüglicher Wein wuchs hier wohlfeil an der Küste und tief ins Land hinein, wo es nach Beerscheba ging. Der Alte ertauschte zahlreiche Krüge davon, daß es Last genug war für zwei Kamele, und schrieb auf die Krüge: „Achtmal guter Wein von Chazati".

Wie weit sie aber gelangt sein mochten, indem sie die Stätte Gaza, stark an Mauern, erreichten – der Reise übelster Teil, gegen den die verweilende Fahrt durch Philisterland nur ein Kinderspiel und eine Lustbarkeit gewesen, stand ihnen noch bevor; denn hinter Gaza im Mittag, wo ein sandiger Weg, der Küste gleichlaufend, hinabführte gegen den Bach Ägyptens, wurde, das wußten die Ismaeliter, die mehrmals diese Strecken durchzogen hatten, die Welt unwirtlich zum äußersten, und vor den nahrhaften Fluren, in denen der Nil sich zerteilte, tat tieftraurige Unterwelt, greuliches Gebreite sich auf, neun Tage weit, verflucht und gefährlich, die leidige Wüste, in der es kein Säumen gab, sondern die es so rasch wie nur tunlich zu durchschreiten und hinter sich zu legen galt, so daß Gaza die letzte Ruhestatt war, bevor man nach Mizraim käme. Darum hatte der Alte, Josephs Herr, es nicht eilig, hier fortzukommen, da man es, wie er sagte, mit dem Fortkommen nur allzu lange würde eilig haben, sondern hielt sich zu Gaza eine ganze Reihe von Tagen, zumal man zur Wüstenfahrt ernste Vorkehrungen treffen, sich mit Wasser versehen, einen besonderen Führer und Wegeöffner annehmen mußte und sich eigentlich auch mit Waffen gegen schweifendes Gesindel und räuberische Sandbewohner hätte versehen müssen, worauf aber unser Alter verzichtete: erstens, weil er's in seiner Weisheit für unnütz erachtete, denn entweder, sagte er, entgehe man glücklich den Wüstlingen – dann brauche man keine Waffen –, oder sie ereilten einen unglücklicherweise, – dann könne man noch so viele erlegen, es blieben immer genug, einen nackt auszurauben. Der Kaufmann, sagte er, müsse sich auf sein Glück verlassen, nicht auf Speere und Flitzbogen, das sei seine Sache nicht.

Zweitens aber hatte der Führer, den er am Torplatz gemietet, dort, wo solche Männer sich den Reisenden anboten, ihn wegen der Schweifenden nachdrücklich beruhigt und ihn versichert, unter seinem Geleit bedürfe es schlechterdings keiner Waffen, er sei ein Geleitsmann von Perfektion und öffne die allersichersten Wege durchs Greuliche, weshalb es geradezu lächerlich sein würde, sich seiner zu versichern und außerdem noch Waffen zu schleppen. Wie erstaunte Joseph, ja, wie erschrak er und freute sich auch wieder, ungläubigen Sinnes, als er in dem Mietling, der in der Frühe des Aufbruchs zu der kleinen Karawane stieß und sich an ihre Spitze setzte, den verdrießlich-hilfreichen Jüngling erkannte, der ihn vor kurzem und vor so vielen Dingen von Schekem nach Dotan geführt!

Er war's ohne allen Zweifel, obgleich der Wüstenmantel, den er trug, ihn gegen damals veränderte. Der kleine Kopf und geblähte Hals, der rote Mund und das fruchtrunde Kinn, besonders aber die Mattheit des Blicks und die eigentümlich gezierte Haltung waren unverkennbar, und der verdutzte Joseph meinte denn auch, einen Wink aufzufangen, den der Führer, ein Auge bei sonst unbewegter Miene kurz zudrückend, an ihn richtete und das auf ihre alte Bekanntschaft zugleich anspielte und sie unter Diskretion stellte. Das beruhigte den Joseph sehr; denn diese Bekanntschaft führte weiter in sein Vorleben zurück, als er das Auge der Ismaeliter dringen zu lassen wünschte, und er durfte das Blinzeln dahin verstehen, daß der Mann dies begriffe.

Dennoch verlangte es ihn sehr, ein Wort mit dem Menschen zu wechseln, und als der Reisetrupp unterm Gesange der Treiber und dem Klange der Glocke des Leitkamels das grüne Land hinter sich gelassen und vor ihnen die Dürre sich auftat, bat Joseph den Alten, hinter dem er ritt, den Führer noch einmal und für alle Fälle befragen zu dürfen, ob er seiner Sache auch völlig sicher sei.

„Fürchtest du dich?" fragte der Kaufmann.

„Es ist wegen aller", erwiderte Joseph. „Ich aber reise zum erstenmal ins Verfluchte, und so sind die Tränen mir nah."

„Befrage ihn denn."

Also lenkte Joseph sein Tier zum Leittiere vorn und sagte zum Führer:

„Ich bin der Mund des Herrn. Ob du der Wege auch sicher bist, will er wissen."

Der Jüngling sah ihn nach alter Art über die Schulter mit mangelhaft geöffneten Augen an.

„Du hättest ihn aus Erfahrung beruhigen können", antwortete er.

„Still!" flüsterte Joseph. „Wie kommst du hierher?"

„Und du?" war die Antwort.

„Nun, ja. Kein Wort zu den Ismaelitern, daß ich zu meinen Brüdern fuhr!" flüsterte Joseph.

„Unbesorgt!" gab jener ebenso leise zurück; und damit hatte es sein Bewenden für diesmal.

Als sie aber tiefer ins Wüste vorgedrungen waren, einen Tag und noch einen – die Sonne war trübe untergegangen hinter toten Bergketten, und Heere von Wolken, grau in der Mitte und an den Rändern abendlich entzündet, bedeckten den Himmel über einer wachsgelben Sandebene, auf der weit hinaus kleine Hügelkissen, buschig von Dürrgras, verstreut waren –, fand sich noch einmal Gelegenheit, ohne Aufsehen mit dem Menschen zu reden. Denn von den Reisenden lagerten einige um eines der Graskissen, auf dem sie der plötzlich einfallenden Kälte wegen ein Reisigfeuer entfacht hatten; und da unter ihnen der Führer war, der übrigens weder mit Herren noch Knechten viel Gemeinschaft hielt, gesprächigen Austausch verschmähte und nur mit dem Alten sich sachlich von Tag zu Tag über Weg und Steg beriet: so gesellte Joseph, nachdem er seinen Dienst getan und dem Herrn glückseligen Schlummer gewünscht hatte, sich zu der Gruppe, ließ sich neben dem Führer nieder und wartete, bis das einsilbige Geplauder der Reisenden verstummte und dösender Halbschlaf sie zusehends umfing. Dann stieß er den Nachbarn ein wenig an und sagte:

„Hör, du, es ist mir leid, daß ich damals mein Wort nicht halten konnte und dich im Stich lassen mußte, da du wartetest."

Der Mensch sah ihn nur eben matt über die Schulter an und blickte gleich wieder ins Glimmende.

„So, konntest du nicht?" antwortete er. „Nun, laß dir sagen, ein so treuloser Bursche wie du ist mir in aller Welt noch nicht vorgekommen. Läßt mich sitzen als Eselswächter sieben Halljahre lang, wenn es nach ihm gegangen wäre, und kommt nicht wieder, wie er's versprochen. Ich wundere mich, daß ich überhaupt noch mit dir rede, ich wundere mich tatsächlich über mich selbst."

„Aber ich entschuldige mich ja, wie du hörst", murmelte Joseph, „und bin wahrhaftig entschuldigt, du weißt das nicht. Es ist anders abgelaufen, als ich vermeinte, und ist gegangen, wie ich's nicht vermutete. Ich konnte nicht wiederkehren zu dir, so fest ich's vorhatte."

„Ja, ja, ja. Geschwätz, leere Ausreden. Sieben Halljahre Gottes hätte ich sitzen können und deiner warten…"

„Aber du hast doch nicht sieben Halljahre für mich gesessen, sondern bist deiner Wege gegangen, als du einsahest, daß ich ausbleiben mußte. Übertreibe auch nicht die Last, die ich dir ungern bereitet! Sage mir lieber, was aus Hulda geworden ist nach meinem Weggang!"

„Hulda? Wer ist Hulda?"

„‚Wer‘ ist ein wenig zuviel gefragt", sagte Joseph. „Ich frage dich nach Hulda, der Eselin, die uns trug, meinem weißen Reiseeselchen aus Vaters Stall."

„Eselchen, Eselchen, weiß Reiseeselchen!" äffte der Führer ihm leise nach. „Du hast eine Art, von dem Deinen zu reden, so zärtlich, daß man daraus auf deine Eigenliebe schließen mag. Solche Leute verhalten sich dann dermaßen treulos..."

„Nicht doch", leugnete Joseph. „Ich spreche nicht zärtlich von Hulda um meinetwillen, sondern um ihretwillen, denn sie war ein so freundlich behutsam Tier, vom Vater mir anvertraut, und wenn ich an ihre Stirnmähne denke, wie sie ihr kraus zu den Augen wuchs, so wird mir das Herz weich. Ich habe nicht aufgehört, mich um sie zu sorgen, seit ich von dir schied, und nachgefragt ihrem Lose sogar noch in Augenblicken und langen Stunden, die für mich selber nicht arm an Schrecken waren. Du mußt wissen, daß, seit ich nach Schekem kam, der Unstern mich nicht verlassen hat und schwere Drangsal mein Teil geworden ist."

„Nicht möglich", sagte der Mann, „und nicht zu glauben! Drangsal? Da steht mir der Verstand still, und ich bin fest überzeugt, nicht recht gehört zu haben. Du gingst doch zu deinen Brüdern? Die Menschen und du, ihr lächelt einander doch unausgesetzt, weil du hübsch und schön bist wie Schnitzbilder und obendrein noch das liebe Leben hast? Woher sollen da Unstern und schwere Drangsal kommen? Das frage ich mich ohne jedwedes Ergebnis."

„Es ist jedenfalls so", erwiderte Joseph. „Und keinen Augenblick, sage ich dir, habe ich bei alldem ganz aufgehört, mich ums Los der armen Hulda zu sorgen."

„Nun", sagte der Führer, – „nun gut." Und Joseph erkannte die sonderbare Bewegung der Augäpfel wieder, die er schon früher an jenem beobachtet, dies schnell schielende

Herumrollen im Kreise. „Gut also, Jungsklave Usarsiph, du sprichst, und ich höre. Man sollte zwar denken, es sei recht müßig, auch noch eines Esels zu gedenken bei diesen Weitläufigkeiten, denn was für eine Rolle spielt da schon ein solcher, und was ist vergleichsweise an ihm gelegen? Aber ich halte für möglich, daß dir dein Sorgen soll angerechnet und löblich verzeichnet sein, daß du des Geschöpfes gedachtest in eigenen Nöten."

„Was ist also aus ihr geworden?"

„Aus dem Geschöpf? Hm, etwas empfindlich ist es ja für unsereinen, daß er zuerst ganz unnütz den Eselswächter spielen und dann auch noch Rechenschaft ablegen soll übers Verfallene. Man wüßte gern, wie man eigentlich dazu kommt. Aber du kannst ruhig sein. Meine letzten Eindrücke gingen dahin, daß es mit der Fessel der Eselin nicht so schlimm stand, wie wir im ersten Schrecken vermeinten. Scheinbar war sie geknickt und nicht gebrochen – das heißt: scheinbar gebrochen und eigentlich nur geknickt, versteh mich recht. Ich hatte beim Warten auf dich ja nur allzuviel Zeit, des Eselsfußes zu pflegen, und als ich zum Schluß die Geduld verlor, war auch deine Hulda schon wieder soweit, daß sie traben konnte, wenn auch vorwiegend nur auf drei Beinen. Ich selbst bin auf ihr nach Dotan geritten und habe sie da untergebracht in einem Hause, dem ich schon öfters Dienste erweisen konnte zu seinem und meinem Vorteil, dem ersten des Ortes, einem Ackerbürger gehörig, wo sie's so gut haben wird wie in deines Vaters, des sogenannten Israel, Stall."

„Wirklich?" rief Joseph leise und froh. „Wer hätte das gedacht! Sie ist also erstanden und konnte traben, und du hast für sie gesorgt, daß sie es gut hat?"

„Sehr gut", bestätigte der andere. „Sie kann von Glück sagen, daß ich sie angebracht habe im Hause des Ackerbürgers, und ist ihr Los gnädig gefallen."

„Das heißt", sagte Joseph, „du hast sie veräußert in Dotan. Und der Erlös?"

„Fragst du nach dem Erlöse?"

„Ja, hiermit."

„Ich habe mich damit bezahlt gemacht für meine Führer- und Wächterdienste."

„Ach so. Nun, ich will nicht nach seiner Höhe fragen. Und der Behang an eßbaren Schätzen, den Hulda trug?"

„Ist es wirklich wahr, daß du der Schluckereien gedenkst in diesen Weitläufigkeiten, und findest du, daß vergleichsweise an ihnen gelegen ist?"

„Nicht viel, aber sie waren vorhanden."

„Auch an ihnen hab' ich mich schadlos gehalten."

„Nun", sagte Joseph, „du hattest ja rechtzeitig begonnen, dich schadlos zu halten hinter meinem Rücken, wobei ich auf gewisse Mengen von Zwiebeln und Preßobst ziele. Aber laß gut sein, vielleicht war es fromm gemeint, und überall will ich mich an die guten Seiten halten, die du aufweisest. Daß du Hulda wieder auf die Beine gebracht und sie satt gemacht hast im Lande, das rechne ich dir wahrhaftig zu Danke an und dank' es dem Glücke, daß ich dir unversehens wieder begegnet bin, um es zu erfahren."

„Ja, da muß ich dich Beutel voll Wind nun wieder in die Wege leiten, daß du an dein Ziel kommst", entgegnete der Mann. „Ob es einem so recht gemäß ist und zu Gesichte steht, danach fragt man sich wohl unter der Hand einmal nebenbei, aber vergebens, denn sonst fragt niemand danach."

„Bist du schon wieder verdrießlich", erwiderte Joseph, „gleichwie in der Nacht auf dem Wege nach Dotan, da du mir freiwillig halfest, die Brüder zu finden, und tatest's in Mißmut? Nun, diesmal hab' ich mir keinen Vorwurf zu machen, daß ich dich behellige, denn du hast dich den Ismaeli- tern verdungen, sie durch diese Wüste zu führen, und ich laufe nur zufällig mit unter dabei."

„Das kommt auf eins hinaus – dich oder die Ismaeliter."

„Sage das den Ismaelitern nicht, denn sie halten auf ihre Würde und Selbstherrlichkeit und hören's nicht gern, daß sie gewissermaßen nur reisen, damit ich dahin komme, wo Gott mich haben will."

Der Führer schwieg und senkte das Kinn in den Schal. Ließ er nach seiner Art die Augen rundum rollen dabei? Wohl möglich, doch hinderte Dunkelheit, es recht zu erkennen.

„Wer hörte gerne", sagte er mit einer gewissen Überwindung, „daß er ein Werkzeug ist? Insonderheit, wer hörte es gern von einem Grünschnabel? Von deiner Seite, Jungsklave Usarsiph, ist es ja unverschämt, ist aber anderseits eben das, was ich sage, daß es nämlich auf eines hinauskommt und allenfalls auch wohl die Ismaeliter es sein mögen, die hier mit unterlaufen, also daß doch wieder du es bist, dem ich die Wege zu öffnen habe – mir soll es recht sein! Auch einen Brunnen habe ich unterdessen zu bewachen gehabt, vom Esel jetzt nicht zu reden."

„Einen Brunnen?"

„Jederzeit hatte ich mit solcher Rolle zu rechnen, wenn's auf den Brunnen nun einmal ankam. Es war die leerste Höhle, die mir je vorgekommen, sie konnte nicht leerer sein, und schon mehr lächerlich war es, wie leer sie war, – beurteile danach die Würde und Zukömmlichkeit meiner Rolle. Übrigens war es vielleicht gerade diese Leere, auf die es ankam bei dieser Grube."

„War der Stein abgewälzt?"

„Natürlich, ich saß ja darauf, und ich blieb sitzen, so gern auch der Mann wollte, daß ich verschwände."

„Welcher Mann?"

„Nun der, der heimlich zur Höhle kam in seiner Torheit. Ein Mann von ragendem Menschenleib, mit Beinen wie Tempelsäulen, aber mit einer dünnen Stimme in diesem Gehäuse."

„Ruben!" rief Joseph und vergaß fast der Vorsicht.

„Nenne ihn, wie du willst, es war ein törichter Menschenturm. Kam da gerückt mit seinem Gestricke und seinem Leibrock vor eine so exemplarisch leere Grube..."

„Er wollte mich retten!" erkannte Joseph.

„Meinetwegen", sagte der Führer und gähnte frauenhaft, die Hand in gezierter Haltung vorm Munde und mit einem feinen kleinen Seufzer. „Auch er spielte seine Rolle", setzte er schon undeutlich hinzu, denn er schob Kinn und Mund tiefer in den Schal und schien entschlummern zu wollen. Joseph hörte ihn noch Abgerissenes murmeln, mißmutigen Sinnes, wie etwa: „Nicht ernst zu nehmen… Bloß Scherz und Anspielung… Grünschnabel… Erwartung…"

Brauchbareres war nicht mehr aus ihm herauszubringen, und auch bei weiterer Wüstenfahrt kam Joseph nicht mehr ins Gespräch mit dem Führer und Wächter.

Die Feste Zel

Tag für Tag zogen sie geduldig durchs Leidige, der Glocke des Leittieres nach, von Brunnenstation zu Brunnenstation, bis es neun Tage waren und sie sich glücklich priesen. Der Führer hatte sich nicht fälschlich empfohlen, er verstand seine Sache. Selbst dann verlor er den Weg nicht und kam von der Straße nicht ab, wenn es durch wirres Gebirge ging, das kein rechtes war, sondern ein Gerümpel graulicher Sandsteinblöcke von fratzenhafter Gestalt und getürmter Massen, schwarz schimmernd, nicht wie Gestein, sondern dem Erze gleich, so daß sie in düsterem Glanze einer ragenden Stadt aus Eisen glichen. Selbst dann nicht, wenn tagelang von Weg und Steg im oberirdischen Sinn und Verstand überhaupt nicht die Rede sein konnte, sondern die Welt zum verdammten Meeresgrund wurde und sie mit Unabsehbarkeit ängstigend einschloß, leichenfarbenen Sandes voll bis zum hitzfahlen Himmelsrande hinaus: und sie zogen über Dünenkuppen, deren Rücken vom Winde in widriger Zierlichkeit gewellt und gefältet erschien, während darunter über der Ebene die Heißluft flimmernd spielte, als sei sie nahe daran, sich zu entzünden und zum tanzenden Feuer zu werden, und emporgehobener Sand wirbelig darin kreiselte, so daß die Männer vor so tückischer Todesfröhlichkeit die Häupter verhüllten und lieber nicht hinsahen, sondern blindlings zuritten, daß sie durchs Scheußliche kämen.

Bleiches Gebein lag öfters am Wege, der Rippenkorb, der Schenkelknochen eines Kamels, und eines Menschen Gliedmaße ragten vertrocknet aus dem wächsernen Staube. Sie sahen's blinzelnd und unterhielten die Hoffnung. Zwei halbe Tage lang, von Mittag bis Abend, zog eine Feuersäule vor ihnen her und schien sie zu führen. Sie kannten die Natur des Phänomens, ohne deshalb ihr Verhalten dazu nur von dieser seiner natürlichen Seite bestimmen zu lassen. Es waren, wie sie wußten, laufende Staubwirbel, die die Sonne feurig durchleuchtete. Dennoch sprachen sie bedeutsam geehrt zueinander: „Eine Feuersäule zieht uns voran." Wenn das Zeichen plötzlich vor ihren Augen zusammensänke, würde das furchtbar sein; denn mit höchster Wahrscheinlichkeit würde ein Staub-Abubu dann nachfolgen. Aber die Säule brach nicht zusammen, sondern wechselte nur koboldhaft ihre Gestalt und verflatterte allmählich im nördlichen Ostwind. Dieser blieb ihnen treu die neun Tage hindurch; ihr Glück fesselte den Südlichen, daß er ihre Schläuche nicht dörren und ihnen das Lebenswasser nicht aufzehren konnte. Am neunten aber waren sie bereits aus aller Gefahr, entronnen den Greueln der Öde, und konnten sich glücklich preisen; denn diese Strecke der Wüstenstraße war schon besetzt und gesichert von der Sorge Ägyptens, das ein gut Stück ins Elende hinaus auf Schritt und Tritt seinen Zugang schützend beaufsichtigte mit Bastionen, Brustwehren und Wachttürmen bei den Brunnen, wo kleine Kriegsscharen von nubischen Bogenschützen mit Straußenfedern im Haar und libyschen Beilträgern unter ägyptischen Hauptleuten eingesetzt waren, die die Heranziehenden unwirsch anriefen und dienstlich nach ihrem Woher und Wohin verhörten.

Der Alte hatte eine heitere und kluge Art, mit dem Kriegsvolk zu reden, die Unschuld seiner Absichten außer Zweifel zu stellen und mit kleinen Geschenken aus seinem Kram, Messern, Lampen und Askalunzwiebeln, ihr Wohlwollen zu gewinnen. So kam man umständlich, doch fröhlich von Wache zu Wache, denn mit den Schutzleuten Witze zu tauschen war viel besser, als durch die eiserne Stadt zu ziehen und über den bleichen Meeresgrund. Aber die Reisenden wußten wohl, daß mit der Zurücklegung dieser Stationen nur Vorläufiges getan war und die krittligste Prüfung ihrer Unschuld und Ungefährlichkeit für die Sicherheit der Gesittung ihnen noch bevorstand: bei der gewaltigen und unausweichlichen Sperre nämlich, die der Alte „die Herrschermauer" nannte und die da aufgerichtet war schon vor alters durch die Landenge zwischen den Bitterseen gegen Schosuwildlinge und Staubbewohner, die etwa ihr Vieh auf Pharaos Fluren zu treiben gedachten.

Von einer Anhöhe, wo sie bei sinkender Sonne hielten, überblickten sie diese drohenden Vorkehrungen und Werke ängstlich-hoffärtiger Abwehr, die dem Alten schon mehrmals in freundlicher Redseligkeit, kommend und wieder abziehend, zu überwinden gelungen war, weshalb er sie denn auch nicht allzusehr fürchtete, sondern sie den Seinen mit ruhiger Hand zu weisen vermochte: einen langen Mauerzug, zackig von Zinnen, von Türmen unterbrochen und hinlaufend hinter Kanälen, die eine Kette kleiner und größerer Seen miteinander verbanden. Etwa inmitten des Zuges ging eine Brücke über das Wasser, aber eben hier, zu beiden Seiten des Überganges, ward die Vorkehrung vollends gewaltig; denn umschlossen von eigenen Ringmauern stiegen schwere Kastelle und Festungsbauten dort auf, zweistöckig, massig und hoch, deren Wände und Vorsprünge in ausgeklügelt geknickter Linie sich zu den Brustwehren erhoben, um sie sturmfester zu machen, starrend von vierkantigen Zinnentürmen, Basteien, Toren des Ausfalls und Wehrbalkonen auf allen Seiten und mit vergitterten Fenstern in den schmaleren Aufgebäuden. Das war die Festung Zel, die Brustwehr und ängstlich-mächtige Vorkehrung des feinen, glücklichen und verletzlichen Ägyptenlandes gegen Wüste, Räuberei und östliches Elend, – der Alte nannte sie den Seinen bei Namen und fürchtete sich nicht vor ihr, sprach aber doch so viel davon, wie leicht es seiner vollendeten Unschuld fallen müsse und werde, durchs

Hindernis zu schlüpfen, wie schon mehrmals, daß man den Eindruck hatte, er rede sich Mut zu.

„Habe ich nicht den Brief des Handelsfreundes zu Gilead überm Jordan", sagte er, „an den Handelsfreund in Djanet, das man auch Zo'an nennt und das sieben Jahre nach Hebron erbaut wurde? Wohl, ich habe ihn, und ihr werdet sehen, er öffnet uns Tür und Tor. Nur darauf kommt es an, daß man Geschriebenes vorweisen kann und die Leute Ägyptens wieder etwas zu schreiben haben und können's irgendwohin schicken, daß es geschrieben werde abermals und diene der Buchführung. Freilich, ohne Schriftliches kommst du nicht durch; kannst du aber eine Scherbe vorweisen oder eine Rolle und Urkunde, so hellen sie sich auf. Denn sie sagen wohl, Amun sei ihnen der Höchste oder Usir, der Sitz des Auges; aber ich kenne sie besser, im Grunde ist's Tut, der Schreiber. Glaubt mir, kommt nur Hor-waz, der jugendliche Schreiboffizier, auf die Mauer, der mir wie ein Freund ist von früher her, und ich kann mit ihm reden, so hat's keine Schwierigkeit, und wir schlüpfen durch. Sind wir aber erst drinnen, so prüft niemand mehr unsere Unschuld, und wir ziehen freihin durch alle Gaue den Strom hinauf, so weit wir wollen. Laßt uns hier Hütten bauen und die Nacht verbringen, denn heute kommt mein Freund Hor-waz nicht mehr auf die Mauer. Morgen aber, ehe wir hintreten und Durchlaß begehren bei der Feste Zel, müssen wir uns mit Wasser waschen und die Wüste stäuben von unseren Kleidern, müssen sie aus den Ohren wischen und hervorkratzen unter den Nägeln, daß wir ihnen wie Menschen erscheinen und nicht wie Sandhasen; auch süßes Öl müßt ihr Jungen ins Haar gießen, etwas Augenschminke verstreichen und euch lecker machen; denn es ist ihnen ein Mißtrauen das Elend und ein Greuel die Unkultur."

So der Alte, und sie taten nach seinen Worten, blieben die Nacht daselbst und machten sich schön am Morgen, so gut es gelingen wollte nach so langer Fahrt durchs Greuliche. Über diesen Vorbereitungen aber gab es ein Besonderes und eine Überraschung: Der Führer, den der Alte zu Gaza gedungen und der sie sicher geführt hatte, fand sich in einem gewissen Augenblick nicht mehr unter ihnen, ohne daß jemand mit Bestimmtheit zu sagen gewußt hätte, wann er sich abwesend gemacht hatte: ob schon in der Nacht oder während sie sich verschönten für Zel. Genug, als man sich zufällig nach ihm umsah, war er nicht mehr vorhanden, wohl aber das Kamel mit der Glocke, auf dem er geritten, und seinen Lohn hatte der Mann beim Alten nicht eingehoben.

Es war kein Gegenstand des Jammers, sondern nur des Kopfschüttelns, denn sie bedurften des Führers nicht mehr, und ein kühler wortkarger Gefährte war der Mann auch gewesen. Sie wunderten sich eine Weile, und des Alten Zufriedenheit über die gemachte Einsparung erlitt eine leichte Beeinträchtigung durch die Undurchsichtigkeit des Vorkommnisses und die Unruhe, die ein nicht bereinigtes Geschäft hinterläßt. Er nahm übrigens an, daß der Mann sich irgendwann schon noch wieder einfinden werde, um zu dem Seinen zu kommen. Joseph wollte für möglich halten, daß er unter der Hand vielleicht schon zu mehrerem als dem Seinen gekommen sei, und regte eine Überprüfung der Warenbestände an; doch setzte das Ergebnis der Untersuchung ihn ins Unrecht. Er war es, der sich am meisten wunderte, nämlich über die Unfolgerechtheit im Charakter seines Bekannten und über eine Gleichgültigkeit in Dingen des Erwerbes, die mit sonst bekundeter Habsucht schwer vereinbar schien. Für freiwillig geleistete Freundschaftsdienste machte er sich übermäßig bezahlt und ließ, wie es wenigstens aussah, das ordentlich Ausbedungene achtlos dahinfahren. Über diese Unstimmigkeiten aber ließ sich mit den Ismaelitern nicht reden, und Dinge, die nicht zu Worte kommen, sind bald vergessen. Alle hatten sie an anderes zu denken als an den schrulligen Führer; denn da sie sich die Ohren gewischt und Augenschminke verstrichen hatten, schritten sie vor gegen die Wasser und gegen die Herrschermauer und kamen um Mittag vor Zel, die Brückenfeste.

Ach, sie war schrecklicher noch nahebei als in der Ferne, zwiefach und unbenennbar für die Gewalt mit ihren geknickten Mauern, Türmen und Wehrsöllern, rings die Zinnen besetzt von Kriegern der Höhe, gekleidet in Kampfhemden und Pelzschilde auf den Rücken; die standen, die Fäuste um ihre Lanzen und das Kinn auf den Fäusten, und blickten den sich Nähernden so entgegen, recht von oben herab. Offiziere in halblangen Perücken und weißen Hemden sah man, Lederlätze vorn am Schurz und ein Stöckchen in der Hand, sich hinter ihnen hin und her bewegen. Diese kümmerten sich nicht um die Heranziehenden; aber vordere Posten hoben die Arme, machten auch wohl die Hände hohl um den Mund, indes ihnen die Lanze im Arme lag, und riefen ihnen zu:

„Zurück! Umkehr! Feste Zel! Kein Durchlaß! Es wird geworfen!"

„Laßt sie", sagte der Alte. „Nur ruhig Blut. Das ist kaum halb so schlimm gemeint, wie sie tun. Geben wir alle Friedenszeichen, indes wir langsam, doch unbeirrt vorrücken. Habe ich nicht den Brief des Handelsfreundes? Wir kommen schon durch."

Demgemäß rückten sie geradezu vor die Schartenmauer, mitten davor, wo das Tor war und dahinter das große Tor, aus Erz, das zur Brücke führte, und gaben Friedenszeichen. Über dem Mauertor leuchtete in tiefen Linien und bunt ausgemalt mit feurigen Farben die riesige Figur eines nackthalsigen Geiers mit gebreiteten Fittichen, einen Balkenring in den Fängen, und rechts und links davon sprangen aus dem Ziegelgefüge ein Paar steinerner Brillenschlangen auf Sockeln, vier Schuh hoch, mit geblähten Köpfen auf ihren Bäuchen stehend, hervor, gräßlich zu sehen, das Zeichen der Abwehr.

„Umkehr!" riefen die Mauerwachen über dem Außentor und über dem Geierbilde. „Feste Zel! Zurück, ihr Sandhasen, ins Elend! Hier ist kein Durchlaß!"

„Ihr irrt euch, Krieger Ägyptens", antwortete ihnen der Alte aus der Gruppe der Seinen, von seinem Kamele aus. „Gerade hier ist der Durchlaß und sonst nirgends. Denn wo sollte er sonst wohl sein in der Landesenge? Wir sind kundige

Leute, die sich nicht vor die falsche Schmiede begeben, sondern ganz genau wissen, wo's durchgeht ins Land, denn wir zogen schon manches Mal über die Brücke hier, hin und wieder zurück."

„Ja, zurück!" schrien die oben. „Immer zurück und nichts als zurück mit euch in die Wüste, das ist das Wort! Es wird kein Gesindel ins Land gelassen!"

„Wem sagt ihr das?" erwiderte der Alte. „Mir, dem es nicht nur wohlbekannt ist, sondern der es auch ausdrücklich gutheißt? Hasse ich doch Gesindel und Sandhasen so brünstig wie ihr und lobe euch höchlich, daß ihr sie hindert, das Land zu schänden. Seht uns aber nur recht an und prüft unsere Mienen. Sehen wir aus uns heraus wie schweifende Räuber und Sinaipöbel? Weckt unsere Ansicht wohl die Vermutung, daß wir das Land auskundschaften wollen zu bösem Zweck? Oder wo sind unsere Herden, die wir auf Pharaos Triften zu treiben gedächten? Nichts von alldem kommt hier auch nur flüchtig in Frage. Minäer sind wir von Ma'on, reisende Kaufleute, besonders ehrenwert nach unserer Gesinnung, und führen reizende Waren des Auslandes, die wir euch wohl unterbreiten möchten, und wollen sie verhandeln im Austausch unter den Kindern Kemes, daß wir dagegen die Gaben des Jeôr, der da Chapi genannt ist, führen bis ans Ende der Welt. Denn es ist die Zeit des Verkehrs und der Wechselgeschenke, und wir Reisenden sind ihre Diener und Priester."

„Saubere Priester! Staubige Priester! Alles gelogen!" riefen die Soldaten herunter.

Aber der Alte verlor nicht den Mut deswegen, sondern schüttelte nur nachsichtig das Haupt.

„Als ob ich's nicht kennte", sagte er nebenhin zu den Seinen. „Grundsätzlich immer machen sie's so und machen Schwierigkeiten für alle Fälle, daß man sich lieber trolle. Aber noch nie bin ich umgekehrt und will durchkommen auch diesmal. – Hört, Kämpfer Pharaos", sprach er wieder hinauf, „ihr Rotbraunen, Wackeren! Vorzugsweise gern rede ich hier mit euch, denn ihr seid lustig. Mit wem ich aber eigentlich reden möchte, das ist der jugendliche Truppenvorsteher Hor-waz, der mich einließ das vorige Mal. Ruft ihn doch, seid so gut, auf die Mauer! Ich will ihm den Brief vorweisen, den ich führe, nach Zo'an. Einen Brief!" wiederholte er. „Geschriebenes! Tut! Djehuti, der Pavian!" Lächelnd rief er es ihnen zu, wie man Leuten, in denen man nicht sowohl Einzelpersonen als Vertreter einer bestimmten, der Welt im großen vertrauten Nationalität erblickt, den Namen der volkstümlichen Liebhaberei halb neckend, halb schmeichelnd zu hören gibt, deren Gedenken sich sprichwörtlich-sagenhafterweise für jedermann mit der Vorstellung dieses Volkstumes scherzhaft verbindet. Sie lachten denn auch, wenn auch vielleicht nur über das stehende Vorurteil der Fremden, nach dem jeder Ägypter durchaus aufs Schreiben und auf Geschriebenes sollte versessen sein, waren aber zugleich wohl beeindruckt von der Vertrautheit des Alten mit dem Namen eines ihrer Anführer; denn sie besprachen sich untereinander und gaben den Ismaelitern dann den Bescheid herunter, der Truppenvorsteher Hor-waz sei verreist, er weile dienstlich in der Stadt Sent und werde nicht vor drei Tagen zurückkommen.

„Wie schlimm!" sagte der Alte. „Wie ungeschickt trifft sich doch das, ihr Krieger Ägyptens! Drei schwarze Tage, drei Neumondtage ohne Hor-waz, unsern Freund! Da heißt es warten. Wir warten hier, liebe Bewaffnete, auf seine Wiederkunft. Ruft ihn nur, wenn's euch gefällig ist, gleich auf die Mauer, wenn er zurück ist von Sent, mit dem Bedeuten, die wohlbekannten Minäer von Ma'on seien zur Stelle und führten Geschriebenes!"

Sie schlugen wirklich im Sande vor Zel, der Festung, ihre Hütten auf und blieben drei Tage in Erwartung des Leutnants, ein gutes Einvernehmen unterhaltend mit den Leuten der Mauer, die verschiedentlich zu ihnen herauskamen, ihre Waren zu sehen und Handel mit ihnen zu treiben. Auch Zuzug erhielten sie noch von einer anderen Reisegesellschaft, welche von Süden her, vom Sinai wohl, die Bitterseen entlang gezogen kam und ebenfalls in Ägyptenland eintreten wollte, recht abgerissenes Volk übrigens und von Gesittung wenig beleckt. Sie warteten mit den Ismaelitern, und als die Stunde kam und Hor-waz zurückgekehrt war, wurden alle Einreiselustigen von den Soldaten durchs Mauertor in den Hof eingelassen, der vor dem Brückentor lag, wo sie abermals ein paar Stunden zu warten hatten, bis der jugendliche Vorsteher auf dünnen Beinen die Freitreppe heruntergesprungen kam und auf ihren unteren Stufen stehenblieb. Zwei Mann begleiteten ihn, von denen der eine sein Schreibzeug, der andere eine Standarte mit Widderkopf trug. Hor-waz winkte die Bittsteller heran.

Sein Haupt war mit einer in der Stirne gerade abgeschnittenen hellbraunen Perücke bedeckt, die spiegelnd glatt war bis zu den Ohren, von da an aber plötzlich aus kleinen Löckchen bestand und ihm so auf die Schultern fiel. Zu seinem Schuppenwams, auf dem als Auszeichnung eine Fliege in Bronze hing, paßte wenig die zarte Fältelung des blütenweißen Leinenkleides mit kurzen Ärmeln, das darunter hervorkam, und der ebenfalls fein plissierte Schurz, der ihm schräg in die Kniekehlen ging. Sie grüßten ihn angelegentlich; aber so elend sie sein mochten in seinen Augen, erwiderte er den Gruß doch fast höflicher noch, als sie ihn boten, ja mit närrischer Artigkeit, indem er katzbuckelnd den Rücken rundete, aber den Kopf mit süßlichem Lächeln zurückwarf, gleichsam mit spitz gerundeten Lippen die Lüfte küßte, und den sehr schlanken, am Handgelenk mit einer Spange geschmückten braunen Arm aus dem Plisseeärmel gegen sie aufhob. Freilich geschah das rasch und geläufig, so daß nur für Augenblicksdauer eine schwierig-graziöse und übertrieben ausdrucksvolle Mimik sich entfaltete, die sogleich wieder verschwunden war; und man erkannte wohl – besonders Joseph sah es ein –, daß es nicht ihnen, sondern der Hochgesittung zu Ehren und aus Selbstachtung geschah. – Hor-waz hatte ein ältliches Kindergesicht, kurz, mit Stumpfnase, kosmetisch verlängerten Augen und auffallend scharfen Furchen zu seiten des immer etwas gespitzten und lächelnden Mundes.

„Wer ist da?" fragte er rasch auf ägyptisch. „Männer des Elends in so großer Zahl, die die Länder betreten wollen?" – Mit dem Worte „Elend" wollte er nicht gerade schelten; er meinte einfach das Ausland damit. In die „große Zahl" aber bezog er beide Gruppen von Reisenden ein, die er nicht unterschied, die Midianiter mit Joseph sowohl wie die Sinaileute, die sich vor ihm sogar zu Boden geworfen hatten.

„Es sind euer zu viele", fuhr er tadelnd fort. „Täglich kommen welche von da- oder dorther, sei es vom Gotteslande oder vom Gebirge Schu, und wollen das Land betreten, oder, wenn täglich zuviel gesagt ist, denn also fast täglich. Noch vorgestern habe ich welche durchgelassen vom Lande Upi und vom Berge User, da sie Briefe führten. Ich bin ein Schreiber der großen Tore, der über die Angelegenheiten der Länder Bericht erstattet, gut und schön für den, der es sieht. Meine Verantwortlichkeit ist erheblich. Woher kommt ihr, und was wollt ihr? Führt ihr Gutes im Schilde oder weniger Gutes oder sogar ganz Böses, so daß man euch entweder zurücktreiben oder lieber gleich in Leichenfarbe versetzen muß? Kommt ihr von Kadesch und Tubichi oder von der Stadt Cher? Euer Erster soll sprechen! Wenn ihr vom Hafen Sur kommt, so ist mir dieser elende Platz bekannt, dem das Wasser in Booten zugeführt wird. Überhaupt kennen wir die Fremdländer genau, denn wir haben sie unterworfen und nehmen ihren Tribut... Vor allem, wißt ihr zu leben? Ich meine: habt ihr zu essen und könnt so oder so für euch aufkommen, daß ihr nicht dem Staate zur Last fallt oder zu stehlen gezwungen seid? Ist aber ersteres der Fall, wo ist dann euer Ausweis darüber und das schriftliche Unterpfand, daß ihr zu leben wißt? Habt ihr Briefe an einen Bürger der Länder? Dann her damit. Sonst aber gibt's nichts als Umkehr."

Klug und sanftmütig näherte sich ihm der Alte. „Du bist hier wie Pharao", sagte er, „und wenn ich nicht erschrecke vor dem Einfluß, den du übst, und mich nicht stammelnd verwirre angesichts deiner Entscheidungsmacht, so nur, weil ich nicht zum erstenmal vor dir stehe und schon deine Güte erfahren habe, weiser Leutenant!" Und er erinnerte ihn: Dann und dann ungefähr sei es gewesen, vor zwei Jahren vielleicht oder vieren, daß er, der minäische Kaufmann, zum letztenmal hier durchgezogen und zum ersten von dem Truppenvorsteher Hor-waz abgefertigt worden sei, auf Grund der Reinheit seiner Absichten. Halb und halb schien sich Hor-waz denn auch zu entsinnen: an das Bärtchen und den schiefen Kopf dieses Alten, der das Ägyptische sprach wie ein Mensch; und so hörte er's wohlwollend an, wie jener die gestellten Fragen beantwortete: daß er nicht nur nichts Böses im Schilde führe, sondern nicht einmal weniger Gutes, vielmehr ausschließlich das Beste; daß er über den Jordan gekommen sei auf Handelsfahrten durchs Land Peleschet und durch die Wüste und nebst den Seinen ausgezeichnet zu leben und für sich aufzukommen wisse, wofür der kostbare Warenbestand auf dem Rücken seiner lastbaren Tiere zeuge. Was aber seine Verbindungen im Lande betreffe, so sei hier ein Brief – und er entrollte dem Vorsteher das Stück polierter Ziegenhaut, auf das der Handelsfreund zu Gilead in kanaanäischem Duktus einige Sätze der Empfehlung an den Handelsfreund zu Djanet im Delta geschrieben hatte.

Hor-wazens schlanke Finger – und zwar die seiner beiden Hände – streckten sich mit einer Gebärde zarten Empfangens nach dem Schriftstück aus. Er konnte sich nur schlecht daraus vernehmen; soviel aber sah er an seinem eigenhändigen Visum in einer Ecke, daß ihm diese Haut schon einmal vorgelegen hatte.

„Du bringst mir immer denselben Brief, altes Freundchen", sagte er. „Das geht nicht, du kommst damit auf die Dauer nicht durch. Dies Krickel-Krackel will ich nun nicht mehr sehen, es ist ja veraltet, du mußt einmal etwas Neues beschaffen."

Dagegen brachte der Alte vor, daß seine Verbindungen sich nicht auf den Mann in Djanet beschränkten. Vielmehr erstreckten sie sich, sagte er, bis nach Theben selbst, Wêse, die Amunsstadt, wohin er hinaufzuziehen gedenke vor ein Haus der Ehre und Auszeichnung, mit dessen Vorsteher namens

Mont-kaw, Sohn des Achmose, er seit zahllosen Jahren in genauer Bekanntschaft lebe, da er ihn oft schon mit ausländischen Waren habe bedienen dürfen. Das Haus aber gehöre einem Großen über den Großen, Peteprê, dem Wedelträger zur Rechten. – Diese Erwähnung einer noch so mittelbaren Beziehung zum Hofe machte sichtbarlichen Eindruck auf den jungen Offizier.

„Beim Leben des Königs!" sagte er. „Danach wärest du nicht der erste beste, und falls dein Asiatenmund nicht lügt, so würde das freilich die Sache ändern. Hast du nichts Geschriebenes über deine Bekanntschaft mit diesem Mont-kaw, dem Sohne des Achmose, der über dem Hause dieses Wedelträgers ist? Gar nichts? Sehr schade, denn das würde deinen Fall nicht wenig vereinfacht haben. Immerhin, du weißt mir diese Namen zu nennen, und dein friedsames Gesicht stellt deinen Worten eine annehmbare Bescheinigung der Glaubwürdigkeit aus."

Er winkte nach seinem Schreibzeug, und der Gehilfe beeilte sich, ihm die Holztafel, auf deren glatter Gipsfläche der Vorsteher unreine Notizen zu machen pflegte, sowie die gespitzte Binse zu überreichen. Hor-waz tauchte sie in einen Tintennapf der Palette, die der Soldat neben ihn hielt, verspritzte spendend ein paar Tropfen, führte die Schreibhand in weitem Bogen zur Fläche und schrieb, indem er sich das Personale des Alten wiederholen ließ. Er schrieb im Stehen neben der Standarte, die Tafel im Arm, in delikater Vorwärtsneigung, gespitzten Mundes, fein blinzelnd, liebevoll, selbstgefällig und mit offenkundigem Genuß. „Ziehen durch!" erklärte er dann, gab Tafel und Feder zurück, grüßte abermals in seiner närrisch verfeinerten Art und sprang die Treppe wieder hinauf, über die er gekommen war. Der wildbärtige Sinai-Scheich, der die ganze Zeit auf dem Angesichte verharrt hatte, war überhaupt nicht zur Rede gestellt worden. Ihn und die Seinen hatte Hor-waz dem Anhang des Alten mit zugerechnet, so daß sehr unvollständige Angaben, auf schönes Papier übertragen, an die Ämter nach Theben hinauf gelangen würden.

Deswegen aber würde Ägypten nicht zu beweinen sein und das Land nicht in Unordnung geraten. Den Ismaelitern auf jeden Fall war die Hauptsache, daß unter den Händen der Soldaten von Zel die erzenen Flügel des Tores sich auftaten, das die Schiffbrücke freigab, darüber sie hinziehen konnten mit Tier und Pack und eintreten in die Fluren des Chapi.

Als ihr Geringster, von niemandem angesehen und mit keinem Namen genannt in Hor-wazens Amtsprotokoll, kam Joseph, Jaakobs Sohn, nach Ägyptenland.

DER EINTRITT IN SCHEOL

*Joseph erblickt das Land Gosen
und kommt nach Per-Sopd*

Was sah er zuerst davon? Das wissen wir mit Bestimmtheit; die Umstände lehren es. Der Weg, den die Ismaeliter ihn führten, war ihnen in mehr als einem Sinn vorgeschrieben; auch durch die geographischen Verhältnisse war er es, und es ist so sicher wie wenig bedacht, daß der erste Landstrich Ägyptens, den Joseph durchzog, ein Gebiet war, das seine Namhaftigkeit, um nicht zu sagen seinen Ruhm, nicht der Rolle verdankt, die es in der Geschichte Ägyptens, sondern derjenigen, die es in der Geschichte Josephs und der Seinen gespielt hat. Es war die Landschaft Gosen.

Sie hieß auch Gosem oder Goschen, wie man nun wollte und wie dem Manne der Mund stand, und gehörte zum Gau Arabia, dem zwanzigsten des Landes Utos, der Schlange, nämlich Unterägyptens. Im östlichen Teile des Deltas lag sie, weshalb denn eben Joseph mit seinen Führern in sie eintrat, sobald er die salzigen Binnenwasser und Grenzbefestigungen im Rücken gelassen, und ein Großes und Merkwürdiges war es durchaus nicht mit ihr, – Joseph fand nicht, daß die Gefahr, vor den andringenden Wundern Mizraims den Kopf zu verlieren und unförderlicher Blödigkeit zu verfallen, vorläufig sehr drohend sei.

Wildgänse zogen unter einem trüben, sacht regnerischen Himmel über das einförmige, von Gräben und Deichen durchzogene Marschenland dahin, aus dem hie und da ein Schlehenoder Maulbeerfeigenbaum sich einzeln hervortat. Stelzvögel, Störche und Ibisse standen im Röhricht verschlammter Wasserläufe, denen man auf Dämmen folgte. Unter den Fächern von Dum-Palmen spiegelten Dörfer sich mit den Lehmkegeln ihrer Vorratshäuser in grünlichen Ententeichen – nicht anders zu sehen als Dörfer der Heimat und gerade kein Augenlohn für eine Reise von mehr als sieben mal siebzehn Tagen. Schlichtes Erdenland war es, was Joseph sah, ohne verwirrende Eigenschaften, und nicht einmal die „Kornkammer" schon, als die man Keme wohl dachte; denn das hier war bloßes Gras- und Weideland weit und breit, wenn auch feucht und fett allerdings, – der Hirtensohn sah es mit Anteil. Auch weidete manche Herde darüber hin, Rindvieh, weiß und rot gefleckt, hornlos oder die Hörner leierförmig emporgestellt, aber auch Schafe; und ihre Hirten hockten mit schakalohrigen Hunden unter Papierschilfmatten, die sie gegen den Nieselregen über ihre Stäbe gespannt hatten.

Das Vieh, belehrte der Alte die Seinen, war größtenteils nicht von hier. Gutsherren und Vorsteher der Tempelställe nämlich schickten von weither stromaufwärts, wo es nur Ackerland gäbe und die Rinder im Kleefeld weiden müßten, ihre Herden jahreszeitweise hierher in die Marschen des Nördlich-Unteren, daß sie des Krauts der guten Wiesen genössen, welche so fett waren dank dem schiffbaren Süßwassergraben und Hauptkanal, an dem sie eben dahinschritten und der sie geradehin nach Per-Sopd, der urheiligen Stadt des Gaues, leitete. Denn dort zweigte der Graben ab vom Deltaarme des Chapi und verband den Strom mit den Bitterseen. Diese aber waren sogar wiederum, wußte der Alte, durch einen Kanal mit dem Meere der Roten Erde, kurz gesagt: mit dem Roten Meere verbunden, so daß es dahin vom Nil ununterbrochen durchgehe und man von der Amunsstadt geradeswegs bis zum Weihrauchlande Punt segeln mochte, wie es die Schiffe Hatschepsuts gewagt hatten, des Weibes, das einst Pharao gewesen und den Bart des Osiris getragen.

Davon plauderte der Alte nach überliefertem Wissen, in seiner weisen, behaglichen Art. Joseph aber lauschte ihm schlecht und hatte nicht Ohr für die Taten Hatschepsuts, der Frau, deren Beschaffenheit geändert worden war durch die

Königswürde und die den Kinnbart getragen. Heißt es zuviel erzählen, wenn man in seine Geschichte einträgt, daß schon damals seine Gedanken eine luftige Brücke schlugen zwischen den blanken Wiesen hier und der Sippe daheim, dem Vater und Benjamin, dem Kleinen? Bestimmt nicht – mochte sein Denken auch nicht von der Art des unsrigen sein, sondern um ein paar Traummotive spielen, die gleichsam die musikalische Substanz seines geistigen Lebens bildeten. Eines davon klang hier an, das mit denen der „Entrückung" und der „Erhöhung" von Anfang an innig zusammengehangen hatte: das Motiv des „Nachkommenlassens". Ein weiteres setzte sich dagegen im Spiel seiner Gedanken: das Motiv von Jaakobs Abscheu gegen das Land der Entrückung; und er versöhnte sie zu Fug und Einklang, indem er sich sagte, daß dies friedlich ursprüngliche Weideland hier zwar schon Ägyptenland sei, aber noch nicht das rechte in voller Anstößigkeit, und daß es Jaakob, dem Herdenkönig, den zu Hause das Land kaum tragen wollte, zusagen könnte. Er betrachtete die Herden, die die Gutsherren des Oberlandes hierher sandten des guten Krautes wegen, und lebhaft empfand er, wie sehr noch und wie vor allem das Entrückungsmotiv der Ergänzung bedürfe durch das der Erhöhung, ehe das Vieh der Herren vom oberen Stromlauf anderem Vieh das Feld räumen würde im Lande Gosen, kurz, ehe das „Nachkommenlassen" an der Reihe sein würde. Aufs neue erwog er die Meinung und bestärkte sich kräftig in ihr, daß, gehe man schon gen Westen, man wenigstens der Erste werden müsse der Dortigen. –

Vorderhand zog er mit seinen Käufern am lehmigen, flachen, manchmal von dünn aufgeschossenen Palmen gesäumten Ufer dahin des Segenskanals, auf dessen glatter Fläche eine Bootsflottille mit überhohen Segeln an schwanken Masten langsam ihnen entgegen nach Osten glitt. So fortschreitend, war Per-Sopdu, die heilige Stadt, nicht zu verfehlen, welche sich, da sie sie erreichten, als eng verbaut, unverhältnismäßig hoch ummauert und sehr arm an Leben erwies. Denn der dort eingesetzte Ackerrichter und „Geheimwisser der königlichen

Befehle", der den gut syrischen Titel „Rabisu" führte, bildete nebst seinen Beamten und der geschorenen Priesterschaft des Gaugottes Sopd, mit dem Beinamen „Der die Sinaibewohner schlägt", beinahe die ganze Einwohnerschaft; und in der übrigen überwogen geradezu die bunte asiatische Tracht und die Sprache Amors und Zahis das weiße Kleid der Ägypter und ihre Rede. Dermaßen roch es nach Nelkenköpfen oder Gewürznägeln in der Enge Per-Sopds, daß es nur anfangs angenehm war, dann aber peinlich wurde; denn dies war die Lieblingswürze Sopdus in seinem Hause, die man jedem ihm darzubringenden Opfer überreichlich beitat, – eines Gottes, so uralt, daß seine eigenen Pfleger und Propheten, die ein Luchsfell auf dem Rücken trugen und mit niedergeschlagenen Augen gingen, nicht mehr mit Bestimmtheit zu sagen wußten, ob sein Kopf eigentlich der eines Schweines oder eines Nilpferdes sei.

Er war ein beiseite gedrängter, undeutlich gewordener und, nach Seelenstimmung und Redeweise seiner Priester zu urteilen, ziemlich verbitterter Gott und hatte auch schon lange die Sinaibewohner nicht mehr geschlagen. Sein nur handhohes Bild stand im letzten Hintergrunde seines uralt klotzigen Tempels, dessen Höfe und Vorhallen mit überaus klotzigen Sitzbildern des Pharaos der Urzeit geschmückt waren, der das Haus erbaut hatte. Vergoldete, bunt bewimpelte Flaggenstangen in den Nischen seines vordersten Torbaues mit den fliehenden, bildbedeckten Wänden versuchten vergebens, dem Hause Sopds einen Anschein von Fröhlichkeit zu verleihen. Es war wenig dotiert, die um den Haupthof gelagerten Vorrats- und Schatzkammern standen leer, und nicht viel Volks machte Sopdu, dem Herrn, seine darbringende Aufwartung: eben nur die ägyptische Bewohnerschaft der Stadt, aber von auswärts niemand; denn kein allgemein gültiges Fest zog heilig erregte Massen stromabwärts in die bröckelnden Mauern Per-Sopds.

Den Ismaelitern, welche aus händlerischer Verbindlichkeit ein paar Blumensträuße, die im offenen Vorhof zu kaufen waren, und eine mit Nelkenköpfen gespickte Ente auf dem

Gabentisch in gedrungener Halle niederlegten, kündeten die Priester mit den spiegelnden Schädeln, den langen Nägeln und den immer über die Augen gesenkten Lidern in schleppendem Tonfall von der schwermütigen Lage ihres uralten Herrn und seiner Stadt. Sie klagten die Zeitläufte an, die große Ungerechtigkeit mit sich gebracht und alle Gewichte der Macht, des Glanzes und Vorranges in eine Schale der Länderwaage gehäuft hätten, nämlich in die südlich-obere, seitdem Wêse so groß geworden, – während sie ursprünglich die nördlich-untere, das Land der Mündungen, heilig beschwert hätten, was eben der Gerechtigkeit entsprochen. Denn in gerechten Urzeiten, die Mempi als Königsstadt hätten glänzen sehen, sei das Deltagebiet das eigentliche und wahre Ägyptenland gewesen, während man die oberen Strecken, Theben mit eingeschlossen, beinahe dem elenden Kusch und den Negerländern beigerechnet habe. Arm an Bildung und geistlichem Licht sowohl wie an Schönheit des Lebens sei damals der Süden gewesen, und vom uralten Norden hier seien diese Güter ergangen und befruchtend stromaufwärts gedrungen; hier seien die Quellen von Wissen, Gesittung und Wohlfahrt und hier die ehrwürdig-ältesten Götter des Landes geboren, wie namentlich Sopd, der Herr des Ostens in seiner Kapelle, den eine falsche Verlagerung der Gewichte nun so ganz in den Schatten gedrängt habe. Denn der thebanische Amun droben, nahe den Negerländern, werfe sich heutzutage zum Richter auf über das, was als ägyptisch zu gelten habe und was nicht, – so gewiß sei es ihm, daß sein Name gleichgälte dem Namen Ägyptens und dieser dem seinen. Noch vor kurzem, erzählten die bitteren Hausbetreter, hätten Leute des Westens, die den Libyern nahe wohnten, zu Amun geschickt und ihm vorgestellt, es schiene ihnen, sie selbst seien Libyer und keine Ägypter; denn außerhalb des Deltas wohnten sie und stimmten in nichts mit den Kindern Ägyptenlands überein, weder im Dienst der Götter noch sonst: Sie liebten, so hätten sie sagen lassen, das Kuhfleisch und wollten Freiheit haben, Kuhfleisch zu essen so gut wie die Libyer, von deren

Art sie seien. Aber Amun habe ihnen geantwortet und sie verwiesen, es könne die Rede nicht sein von Kuhfleisch, denn Ägypten sei alles Land, das der Nil befruchte stromab und stromauf, und alle seien Ägypter, die diesseits der Elefantenstadt wohnten und aus dem Flusse tränken.

So Amuns Spruch, und die Priester Sopdus, des Herrn, hoben die Hände mit den langen Nägeln, um den Ismaelitern seine Anmaßlichkeit begreiflich zu machen. Warum denn diesseits von Jeb und dem ersten Katarakt? fragten sie höhnisch. Weil Theben gerade noch diesseits davon liege? Man sehe die Weitherzigkeit dieses Gottes! Wenn Sopd, ihr Herr, hier unten im Norden, im ersten und eigentlichen Ägyptenland, erklären würde, ägyptisch sei alles, was aus dem Strome trinke, so würde das freilich hoch- und weitherzig zu nennen sein. Wenn aber Amun es sage, ein Gott, der, vorsichtig gesprochen, in dem Verdachte stehe, nubischer Herkunft und ursprünglich ein Gott des elenden Kusch zu sein, und der nur durch die eigenmächtige Selbstgleichsetzung mit Atum-Rê völkische Urtümlichkeit zu erzielen gewußt habe, – so sei die Weitherzigkeit nicht ganz vollwertig und mit Hochherzigkeit keineswegs zu verwechseln ...

Kurzum, die eifersüchtige Kränkung der Sopd-Propheten durch den Wandel der Zeiten und den Vorglanz des Südens war offenkundig, und die Ismaeliter, der Alte voran, ehrten diese Empfindlichkeit und pflichteten ihr händlerisch bei; sie erhöhten auch noch ihre Darbringung durch einige Brote und Krüge Biers und erwiesen dem beiseite gedrängten Sopd alle Aufmerksamkeit, ehe sie weiterzogen nach Per-Bastet, das ganz in der Nähe war.

Die Katzenstadt

Hier nun roch es so eindringlich nach Katzenkraut, daß es dem nicht daran gewöhnten Fremden fast übel davon wurde. Denn der Geruch ist jedem Wesen zuwider, nur nicht dem heiligen Tier der Bastet, nämlich der Katze, die ihn, wie man weiß, sogar gierig bevorzugt. Zahlreiche Beispiele dieses Tiers wurden in Bastets Heiligtum, dem gewaltigen Kernstück der Stadt, gehalten, schwarze, weiße und bunte, wo sie mit der zähen und lautlosen Anmut ihrer Art auf den Mauern und in den Höfen zwischen den Andächtigen umherstrichen; und man schmeichelte ihnen mit dem eklen Gewächs. Da aber auch überall sonst in Per-Bastet, in allen Häusern, die Katze gepflegt wurde, so war der Baldrianschmack wahrhaftig derart, daß er sich allem beimischte, die Speisen würzte und sich auf lange Zeit in die Gewandstücke setzte, woran denn die Reisenden noch in On und Mempi erkannt wurden, denn die Leute sagten dort lachend zu ihnen: „Merklich kommt ihr aus Per-Bastet!"

Übrigens galt das Lachen nicht dem Geruche allein, sondern der Katzenstadt selbst und den Gedanken, die sich an sie knüpften und die lustig waren. Denn Per-Bastet, ganz im Gegensatz zu Per-Sopd, das es an Größe und Menschenmenge auch weit übertraf, war eine Stadt von lustigem Ruf und Ansehen, obgleich sie so tief im altertümlichen Delta lag, – aber eben von altertümlicher, derber Lustigkeit, über die ganz Ägypten das Lachen ankam beim bloßen Gedenken. Diese Stadt nämlich verfügte, anders als das Haus des Sopd, über ein allgemein gültiges Fest, zu dem, wie die Bewohner sich rühmten, „Millionen", das hieß ganz gewiß Zehntausende von Leuten stromabwärts auf dem Land- oder Wasserwege daherreisten, schon im voraus sehr aufgeräumt, denn die Weiber zumal, ausgerüstet mit Klappern, sollten sich schelmisch dabei benehmen und von den Verdecken der Schiffe stark altertümliche Schimpfworte und Gebärden zu den Ortschaften hinübersenden, an denen sie vorbeikamen. Aber auch die Männer waren sehr fröhlich, pfiffen, sangen und klatschten; und sie alle, die da gezogen kamen, hielten große, drangvolle Volkszusammenkünfte in Per-Bastet, wo sie in Zelten kampierten: ein Fest von drei Tagen, mit Opfern, Tänzen und Mummenschänzen, mit Jahrmarkt, dumpfem Getrommel, Märchenerzählern, Gaukeleien, Schlangenbeschwörern und so viel

Traubenwein, wie in Per-Bastet das ganze übrige Jahr hindurch nicht verbraucht wurde, so daß, wie es hieß, die Menge sich in echt altertümlicher Verfassung befand und sich zeitweise sogar selber geißelte oder sich vielmehr schmerzhaft mit einer Art von stachligen Knüppeln schlug, unter allgemeinem Geschrei, das mit dem alten Bastet-Feste untrennbar verbunden und eben der Anlaß und Gegenstand des lachenden Gedenkens war; denn es lautete dem Geschreie der Katzen gleich, wenn sie nächtlich der Kater besucht.

Hiervon denn erzählten die Einwohner den Fremden und rühmten sich des bereichernden Zulaufs, dessen sie sich bei sonst ruhiger Lebensweise einmal im Jahre erfreuten. Der Alte bedauerte aus geschäftlichen Gründen, daß er nicht zu diesem Feste zurechtgekommen sei, welches aber in eine andere Jahreszeit fiel. Sein Jungsklave Usarsiph hörte den Beschreibungen mit scheinbar achtungsvollen Augen zu, nickte höflich dabei und dachte an Jaakob. An ihn dachte er und an den tempellosen Gott seiner Väter, wenn er von der aufgehöhten Stadt, in deren mittlerer Tiefe zwei baumbeschattete Wasserarme die heilige Halbinsel umfingen, in die Wohnung der Göttin herniederblickte, wie sie in ragender Mauerumfriedung, das Hauptgebäude geborgen in einem Hain alter Sykomoren, mit ihren sinnbildstarrenden Pylonen, ihren überzelteten Höfen und bunten Hallen, deren Säulenköpfe die offenen und die geschlossenen Blütendolden des Byblusschilfs nachahmten, weitläufig dalag, zugänglich auf der mit Steinen gepflasterten Allee von Osten her, die auch ihn mit den Ismaelitern hierhergeführt hatte; oder wenn er sich drunten an Ort und Stelle in den Sälen erging und die gegrabenen Schildereien der Wände in Tiefrot und Himmelblau betrachtete: wie Pharao räucherte vor der Kätzin und unter zauberklaren Inschriften aus Vögeln, Augen, Pfeilern, Käfern und Mündern braunrote Gottheiten, geschwänzt, im Lendentuch, angetan mit leuchtenden Armringen und Halskrägen, hohe Kronen auf den Tierköpfen und den Kreuzring des Lebenszeichens in Händen, freundschaftlich die Schulter ihres irdischen Sohnes berührten.

Joseph sah an dem allen hinauf, klein im Riesigen, mit jungen, doch ruhigen Augen. Denn jung stand er gegen das Altersgewaltige; aber ein Wissensgefühl, daß er nicht jung nur den eigenen Jahren nach ihm entgegenstehe, sondern in weiterem Sinne noch, steifte ihm den Rücken vor dem Erdrückenden, und wenn er des altertümlichen Nachtgeschreies gedachte, mit dem das Volk im Feste die Höfe der Bastet erfüllte, so zuckte er die Achseln.

Das lehrhafte On

Wie genau wir den Weg kennen, den der Entraffte dahingeführt wurde! – hinab oder hinauf, wie man es nehmen und nennen will. Denn wie so vieles hier ihn verwirren wollte, so war's eine Wirrnis auch mit dem „Hinauf" und „Hinab": Von der Heimat aus war es wohl mit ihm, wie schon mit Abram, gen Ägypten „hinabgegangen", in Ägypten nun aber ging es „hinauf", nämlich dem Lauf des Stromes entgegen, welcher von Süden kam, also daß man im Lande gen Mittag nicht länger „hinabzog", sondern „hinauf". Das war, als sei's auf Verwirrung angelegt wie im Spiel, wenn man den um die Augen Verbundenen ein paarmal um sich selber dreht, damit er nicht mehr wisse, wie ihm der Kopf steht und wo vorn und hinten. – Mit der Zeit aber, der Jahreszeit nämlich und dem Kalender, stimmte es auch nicht hier unten.

Es war im achtundzwanzigsten Jahr der Regierung Pharaos, nach unserer Ausdrucksweise Mitte Dezember. Die Leute von Keme sagten, man schreibe den „ersten Monat der Überschwemmung", Thot genannt, wie Joseph mit Vergnügen erfuhr, oder Djehuti, wie sie den Namen des mondfreundlichen Affen sprachen. Die Angabe aber stimmte mit den natürlichen Umständen nicht überein: Das hiesige Jahr lag mit der Wirklichkeit fast immer in Widerstreit; es wandelte, und nur von Zeit zu Zeit, in ungeheuren Abständen, fiel sein Neujahrstag einmal wieder mit dem tatsächlich-eigentlichen zusammen, an dem der Hundsstern wieder am Morgenhimmel erschien und die Wasser zu schwellen begannen. Gemeinhin herrschte konfuse Unstimmigkeit zwischen dem gedachten Jahr und den Gezeiten der Natur, und so konnte praktisch auch jetzt nicht davon die Rede sein, daß man sich am Anfang der Überschwemmung befunden hätte: Bereits hatte der Strom sich so verringert, daß er fast wieder im alten Bett ging; das Land war hervorgekommen, die Aussaat vielfach geschehen, das Wachstum im Gange, – denn dermaßen saumselig war die Reise der Ismaeliter gewesen hier herab, daß, seitdem Joseph in die Grube gefahren, um Sommerssonnenwende, ein halber Jahreslauf hingegangen war.

Etwas verwirrt also in Dingen der Zeit und des Raumes, zog er in seinen Stationen dahin ... In welchen Stationen? Wir wissen es genau; die Umstände lehren es. Denn seine Führer, die Ismaeliter, die sich Zeit ließen auch jetzt und sich nach alter Gewohnheit um die Zeit überhaupt nicht kümmerten, sondern nur achtgaben, daß sie in der Saumseligkeit leidlich Zielrichtung hielten, zogen mit ihm entlang dem Stromarme von Per-Bastet nach Süden gegen den Punkt, wo sich der Arm mit dem Strom vereinigte, an der Spitze des Dreiecks der Mündungen. So kamen sie denn nach dem goldenen On, da es dort an der Spitze gelegen war, einer allerseltsamsten Stadt, der größten, die Joseph bis dahin gesehen, vorwiegend aus Gold gebaut, wie dem Geblendeten schien, dem Hause der Sonne; aber von dort würden sie eines Tages nach Mempi gelangen, auch Menfe genannt, der ureinstigen Königsstadt, deren Tote der Wasserfahrt nicht bedurften, da sie schon selber am westlichen Ufer lag. Das war es, was sie im voraus von Mempi wußten. Ihr Reiseplan aber war, von dort an nicht länger zu Lande zu reisen, sondern ein Schiff zu chartern und auf dem Wasserwege No-Amun, Pharaos Stadt, zu gewinnen. So hatte der Alte sich's ausgesonnen, nach dessen Kopf alles ging, und demgemäß schritten sie vorderhand unter schacherndem Verweilen am Ufer des Jeôr hin, hier „Chapi" geheißen, der bräunlich in seinem Bette ging und nur noch hie und da in verlorenen Tümpeln auf den Fluren stand, die zu grünen begannen, so weit beiderseits zwischen Wüste und Wüste das Fruchtland reichte.

Wo die Ufer steil waren, schöpften Männer an Brunnengerüsten mit Lederbeuteln, denen ein Lehmklumpen am andern Ende des Wiegebalkens als Gegengewicht diente, das schlammige Zeugungswasser aus dem Fluß und gossen's in Rinnen, daß es in die unteren Gräben laufe und sie Korn hätten, wenn Pharaos Schreiber kämen, es einzuziehen. Denn hier war das ägyptische Diensthaus, das Jaakob mißbilligte, und die einnehmenden Staatsschreiber waren von nubischen Exekutoren begleitet, die Palmruten trugen.

Die Ismaeliter handelten unter den Fronbauern in den Dörfern ihre Lampen und Harze in Halskrägen, Kopfstützen und jene Leinwand um, die die Weiber der Bauern aus dem Flachs der Felder webten und die von den Steuerschreibern eingezogen wurde, – redeten mit den Leuten und sahen Ägyptenland. Joseph sah es und nahm seine Lebensluft auf im Handeln und Wandeln, die eigentümlich genug war, stark und fast beißend nach dem Schmack ihrer Würze in Glaube, Sitte und Form; aber man muß nicht denken, daß es ganz Neues, Wildes und Fremdes war, was er da mit Geist und Sinnen erprobte. Sein Vaterland, wenn man das Jordangebiet und seine Gebirge nebst dem Bergland, darin er aufgewachsen war, als eine vaterländische Einheit betrachten will, war, als das Zwischen- und Durchgangsland, als das es geschaffen worden, von Süden her, von ägyptischer Art und Gesittung, ebensowohl wie vom östlichen Herrschaftsgebiete Babels bestimmt; Feldzüge Pharaos waren darüber hingegangen und hatten Besatzungen, Statthalter, Baulichkeiten zurückgelassen. Joseph hatte Ägypter gesehen und ihre Tracht; der Anblick ägyptischer Tempel war ihm nicht fremd; und alles in allem war er nicht nur das Kind seiner Berge, sondern das einer größeren Raumeseinheit, des mittelländischen Morgenlandes, worin nichts ihn ganz toll und unvertraut anmuten konnte, überdies aber ein Kind seiner Zeit, der versunkenen, in der er wandelte und in die wir zu ihm hinabgefahren sind, wie Ischtar zum Sohne fuhr. Auch die Zeit, zusammen mit dem Raum, schuf Einheit und Gemeinsamkeit des Aspektes der Welt und der Geistesform; das eigentlich Neue, dessen Joseph auf Reisen gewahr wurde, war wohl gar dies, daß er und seine Art nicht allein auf der Welt, nicht ganz unvergleichlich waren; daß viel vom Sinnen und Trachten der Väter, ihrer sorgenden Gottesausschau und inständigen Spekulation nicht so sehr ihre unterscheidende Vorzugssache gewesen war, als es der Zeit und dem Raum, dem Gebiet der Gemeinsamkeit angehörte – vorbehaltlich bedeutender Unterschiede natürlich in Segen und Wohlgeschick seiner Ausübung.

Wenn etwa Abram so lange und angelegentlich mit Malchisedek über den Grad von Einerleiheit verhandelt hatte, der zwischen El eljon, dem sichemitischen Bundesbaal, und seinem eigenen Adôn bestehen mochte, so war das eine sehr zeit- und weltläufige Unterhaltung gewesen, und zwar nach ihrem Problem sowohl wie auch in bezug auf die Wichtigkeit, die man ihm beimaß, die Anteilnahme, die man ihm öffentlich entgegenbrachte. So hatten, gerade um die Zeit, als Joseph nach Ägypten kam, die Priester von On, der Stadt Atum-Rê-Horachtes, des Sonnenherrn, das Verhältnis ihres heiligen Stieres Merwer zu dem Horizontbewohner dogmatisch als „lebende Wiederholung" bestimmt – eine Formel, in der die Gedanken des Nebeneinander und der Einheit gleichermaßen zu ihrem Rechte kamen, weshalb sie auch ganz Ägypten lebhaft beschäftigte und selbst bei Hofe großen Eindruck gemacht hatte. Alle Welt sprach davon, das kleine Volk sowohl wie die Vornehmen, und die Ismaeliter konnten nicht für fünf Deben Ladanum verhandeln gegen entsprechend viel Bier oder eine gute Rindshaut, ohne daß in dem einleitenden und umrahmenden Gespräch der Geschäftspartner die ausgezeichnete neue Bestimmung des Verhältnisses Merwers zu Atum-Rê berührte und den Eindruck zu erfahren wünschte, den sie auf die Fremden mache. Er konnte, wenn nicht auf ihren Beifall, so jedenfalls auf ihr Interesse rechnen; denn sie kamen zwar weither, aber doch aus demselben Raum, und vor allem war es die gemeinsame Zeit, die sie der Neuigkeit mit einer gewissen Aufregung lauschen ließ. –

On also, das Sonnenhaus, nämlich das Haus dessen, der Chepre am Morgen ist, Rê an seinem Mittag und Atum am Abend, der die Augen öffnet, und es entsteht das Licht, der die Augen schließt, und es entsteht das Dunkel, – dessen, der Eset, seiner Tochter, seinen Namen genannt hatte: On in Ägypterland, tausendjährig an seiner Stätte, lag auf dem Wege der Ismaeliter gen Süden, überfunkelt von der vergoldeten Vierkantspitze des riesigen, gleißend polierten Granitobelisken, welcher auf ausladendem Unterbau zu Häupten des großen Sonnentempels stand, dort, wo lotusbekränzte Weinkrüge, Kuchen, Honigschalen, Vögel und jederlei Feldfrucht den Alabastertisch Rê-Horachtes bedeckten und Hausbetreter in gestärkt vorstehenden Schurzen, geschwänzte Pantherfelle auf dem Rücken, vor jenem Rinde Weihrauch verbrannten: Merwer, dem Großen Stier, der lebendigen Wiederholung des Gottes, mit einem Nacken aus Erz gleich hinter den Leierhörnern und machtvoll baumelnden Hoden. Es war nun allerdings eine Stadt, wie Joseph sie nie gesehen, anders nicht nur als die Städte der Welt, sondern anders auch als sonst die Städte Ägyptens, und ihr Tempel selbst, neben dem hochgebordet, aus vergoldeten Ziegeln gebaut, das Sonnenschiff lag, war völlig anders von Grundriß und Ansehen als andere ägyptische Tempel. Die ganze Stadt gleißte und blitzte von Sonnengold, dergestalt, daß alle ihre Einwohner entzündlich tränende Augen davon hatten und Fremde meist Kapuzen und Mäntel über den Kopf zogen gegen den Glast. Die Dächer ihrer Ringmauern waren aus Gold, goldene Strahlen zuckten und sprühten überall von den Spitzen der phallischen Sonnenspieße, mit denen sie gespickt, – den goldenen Sonnenmalen in Tiergestalt, all diesen Löwen, Sphinxen, Böcken, Stieren, Adlern, Falken und Sperbern, von denen sie voll war; und nicht genug, daß jedes ihrer Nilziegelhäuser, auch das ärmste noch, mit einem vergoldeten Sonnenzeichen, einer Flügelscheibe, einem Hakenrad oder Wagen, einem Auge, einer Axt oder einem Skarabäus glänzte, auf seinem Dache etwas wie einen goldenen Ball oder Apfel trug, – so war dies auch bei den Wohnstätten, Speichern und Bansen der umliegenden Dörfer im Weichbilde Ons der Fall: auch von ihnen ließ jedes ein solches Emblem, einen kupfernen Schild, eine Schlangenspirale, einen goldenen Hirtenstab oder Becher den Schein des Gestirnes widerblitzen; denn Sonnengebiet war hier und Bannmeile des Blinzelns.

Eine Stadt zum Blinzeln war On, das tausendjährige, nach seinem äußeren Augenschein. Es war aber auch eine solche nach seiner inneren Eigenart und von Geistes wegen. Urweise Lehrhaftigkeit war hier zu Hause, die auch der Fremde gleich zu spüren bekam – durch die Poren, wie man wohl sagt, trat sie in ihn ein. Es war aber eine Lehrhaftigkeit, die Messung betreffend und das Gefüge genau und rein im dreifachen Raum gedachter Körper und der sie bestimmenden Flächen, wie sie in gleichen Winkeln sich abgrenzen, in reinen Kanten aneinanderstoßen, in einem Punkte, der keinerlei Ausdehnung mehr hat und keinen Raum einnimmt, obgleich er vorhanden ist, zusammenlaufen – und dergleichen Heiligkeit mehr. Diese zu On waltende Anteilnahme an gedankenreiner Figur, der Sinn für das Raumlehrhafte, der diese sehr alte Stadt auszeichnete und offenbar mit ihrem Ortskult, dem Dienst des Tagesgestirnes, zusammenhing, bekundete sich schon in ihrer baulichen Anordnung. Denn gerade an dem Spitzenpunkt des triangulären Gebietes der auseinandergehenden Strommündungen gelegen, bildete sie selbst mit ihren Häusern und Gassen ein gleichschenkliges Dreieck, dessen Spitze – gedachterweise, aber so ziemlich auch in Wirklichkeit – mit der Spitze des Deltalandes zusammenfiel; und an dem Spitzenpunkt stieg denn auch auf einem gewaltigen Rhombus von Unterbau aus feuerfarbenem Granit der vierflächige, hoch oben, wo seine Kanten zur Spitze zusammenliefen, mit Gold bedeckte Obelisk empor, der täglich den ersten Morgenstrahl aufglimmend empfing und in seiner steinernen Hofumfriedung den Abschluß der ganzen, schon mitten im Stadtdreieck beginnenden Tempelanlage bildete.

Hier, vor dem beflaggten Tempeltor, welches in Gänge führte, die mit den lieblichsten Schildereien der Vorkommnisse und Geschenke aller drei Jahreszeiten ausgemalt waren, lag ein offener Platz, mit Bäumen bepflanzt, wo die Ismaeliter beinahe den ganzen Tag verbrachten; denn es war der Ort der Zusammenkunft und des Tauschmarktes für die blinzelnden Leute von On wie auch für Fremde. Und auf den Markt kamen auch Diener des Gottes heraus, tränenäugig vom vielen Indie-Sonne-Sehen, mit spiegelnden Köpfen und angetan nur mit dem knappen Schurze der Urzeit nebst einer Priesterbinde, mischten sich unter das Volk und hatten nichts gegen ein Gespräch mit solchen, die sich nach ihrer Weisheit erkundigen wollten. Dazu, wie es schien, waren sie geradezu von oben her angehalten und warteten nur darauf, befragt zu werden, um für ihren ehrwürdigen Kult und die urwissenschaftlichen Überlieferungen ihres Hauses zu zeugen. Unser Alter, Josephs Herr, machte denn auch mehrfach von der stillschweigend, aber deutlich erteilten Erlaubnis Gebrauch und unterhielt sich mit den Sonnengelehrten auf dem Platz, wobei Joseph zuhörte.

Gottesdenkertum und die Gabe der Glaubensgesetzgebung waren, so sagten sie, erblich in ihrer Körperschaft. Heiliger Scharfsinn war ihr Besitztum von alters. Sie, nämlich ihre Vorfahren im Dienst, hatten zuerst die Zeit geteilt und gemessen und den Kalender verfaßt, was so gut wie der lehrende Sinn für reine Figur mit dem Wesen des Gottes zusammenhing, durch dessen Augenaufschlag es Tag wurde. Denn vordem hatten die Menschen in blinder Zeitlosigkeit, maßlos und unaufmerksam dahingelebt; Er aber, der die Stunden machte – da entstanden die Tage –, hatte ihnen durch seine Gelehrten die Augen geöffnet. Daß sie, ihre Vorgänger nämlich, die Sonnenuhr erfunden hatten, verstand sich von selbst. Von dem Meßgerät für die Nachtstunden, der Wasseruhr, stand dies weniger fest; aber wahrscheinlich gemacht wurde es dadurch, daß der krokodilgestaltige Wassergott Sobk von Ombo, wie so manche andere Verehrungsgestalt, genau ins tränende Auge gefaßt, nur Rê mit anderem Namen war und des zum Zeichen die schlangenbewaffnete Scheibe führte.

Übrigens war diese Zusammenschau ihrer, der Spiegelköpfe, Werk und Lehrbehauptung; sie waren nach ihrer eigenen Aussage sehr stark im Zusammenschauen und darin, alle möglichen Gau- und Ortsbeschirmer dem Atum-Rê-Horachte von On gleich zu achten, der seinerseits schon eine Zusammenschau und Sternbildfigur ursprünglich eigenständiger Numina war. Aus mehrerem eins zu machen, war ihr Vorzugsbetreiben, ja, wenn man sie hörte, gab es im Grunde nur zwei große Götter: einen der Lebenden, das war Hor im Lichtberge, Atum-Rê; und einen Totenherrn, Usir, das thronende Auge. Das Auge aber war auch Atum-Rê, nämlich das Sonnenrund, und so ergab sich bei zugespitztem Denken, daß Usir der Herr der Nachtbarke war, in welche, wie jedermann wußte, Rê nach Untergang umstieg, um von Westen nach Osten zu fahren und den Unteren zu leuchten. Mit andern Worten: auch diese beiden großen Götter waren genaugenommen ein und derselbe. Wenn aber der Scharfsinn solcher Zusammenschau zu bewundern war, so war es nicht minder die Kunst der Lehrer, niemanden dabei zu kränken und ungeachtet ihres identifizierenden Betreibens die tatsächliche Vielheit der Götter Ägyptens unangetastet zu lassen.

Das gelang ihnen vermittels der Wissenschaft vom Dreieck. Ob ihre Zuhörer, fragten die Lehrer von On, sich allenfalls auf die Natur dieses herrlichen Zeichens verständen? Seiner Spannseite, sagten sie, entsprächen die vielnamig-vielgestaltigen Gottheiten, die das Volk anrufe und deren in den Städten der Länder die Priester pflegten. Darüber aber erhöben sich die zusammenstrebenden Schenkelseiten der schönen Figur, und der so eigentümliche Raum, den sie begrenzten, mochte der „Raum der Zusammenschau" genannt sein, ausgezeichnet durch die Eigenschaft, daß er sich ständig verengere und die etwa durch ihn gelegten weiteren Grundseiten immer kürzer und kürzer würden, bis sie nur noch eine äußerst geringe Ausdehnung hätten und schließlich gar keine mehr. Denn die Schenkel träfen einander in einem Punkt, und dieser Schluß- und Schnittpunkt, unterhalb dessen alle Breiten des Sinnbildes gleichseitig bestehen blieben, sei der Herr ihres Tempels, sei Atum-Rê.

Soweit die Theorie des Dreiecks, der schönen Figur der Zusammenschau. Die Atumsdiener taten sich nicht wenig zugute darauf. Sie hätten Schule damit gemacht, sagten sie; überall werde neuerdings zusammengeschaut und gleichgesetzt, aber eben doch nur auf schülerhafte und linkische Weise, nicht in dem rechten Geist, nämlich ohne Geist und statt dessen vielmehr mit gewalttätiger Plumpheit. Amun, der Rinder- reiche, zum Beispiel, zu Theben in Oberägypten, habe sich durch seine Propheten dem Rê gleichsetzen lassen und wolle nun Amun-Rê genannt sein in seiner Kapelle – gut, aber es geschehe nicht im Geiste des Dreiecks und der Versöhnung, es geschehe vielmehr in dem Sinn, als ob Amun den Rê besiegt und verzehrt und sich einverleibt habe, als ob Rê, sozusagen, ihm seinen Namen habe nennen müssen, – eine brutale Hand- habung der Lehre, eine engstirnige Anmaßung, dem Sinne des Dreiecks gerade entgegen. Atum-Rê für sein Teil hieß nicht umsonst der Horizontbewohner; sein Horizont war weit und vielumfassend, und vielumfassend war der Dreiecksraum sei- ner Zusammenschau. Ja, er war weltweit und weltfreundlich, der Sinn dieses uralten und längst zu heiterer Milde gereiften Gottes. Er erkenne sich wieder, sagten die Glatzköpfigen, nicht nur in den wechselnden Formen seiner selbst, denen das Volk diene in den Gauen und Städten von Keme, nein, er sei auch heiter geneigt, sich mit den Sonnengottheiten der anderen Völker in ein weltläufig-ausschauendes Einvernehmen zu setzen – ganz im Gegensatze zu dem jungen Amun in Theben, dem jede spekulative Anlage fehle und dessen Horizont in der Tat so eng sei, daß er nicht nur nichts kenne und wisse als Ägyptenland, sondern auch hier wieder, statt gelten zu lassen, nichts könne als verzehren und einverleiben, indem er sozu- sagen nicht über seine eigene Nase hinaussehe.

Doch wollten sie, sagten die Plieräugigen, beim Widerspruch gegen den jungen Amun zu Theben nicht stehenbleiben; denn nicht der Widerspruch sei ihres Gottes Natur und Sache, sondern das verbindliche Einvernehmen. Das Fremde liebe er wie sich selbst, darum sprächen auch sie, seine Diener, so gern mit ihnen, den Fremden, nämlich dem Alten und seinen Gesellen. Welchen Göttern sie auch dienten und mit welchen Namen sie sie nennten: getrost und ohne Verrat an jenen könnten sie sich dem Alabastertische Horachtes nahen und nach ihrem Vermögen einige Tauben, Brote, Früchte und Blumen dort niederlegen. Ein Blick in das mildlächelnde Angesicht des Vater-Oberpriesters, der, ein goldenes Käppchen auf der von weißem Haar umwehten Glatze, das weiße Gewand weit um sich her geordnet, in einem goldenen Stuhl am Fuße des großen Obelisken sitze, eine geflügelte Sonnenscheibe in seinem Rücken, und heiterer Güte voll die Darbringungen überwache, – ein jeder solcher Blick werde sie lehren, daß zugleich mit dem Atum-Rê auch ihre heimischen Götter die Gaben empfingen und auch diesen damit Genüge geschehe im Sinne des Dreiecks.

Und die Sonnendiener umarmten und küßten den Alten und die Seinen, auch Joseph mit eingeschlossen, einen nach dem anderen im Namen des Vater-Großpropheten, worauf sie sich anderen Marktbesuchern zuwandten, um weiter noch Propaganda zu machen für Atum-Rê, den Herrn des weiten Horizontes. Die Ismaeliter aber schieden, sehr angenehm berührt, von On an der Spitze des Dreiecks, indem sie ihre Schritte tiefer hinab- oder hinauflenkten in Ägyptenland.

Joseph bei den Pyramiden

Der Nil flutete langsamen Ganges zwischen seinen flachen, schilfigen Ufern, aber noch mancher Palmenschaft stand in spiegelnden Resten seiner rückgängigen Ergießung, und während viele mit Weizen oder Gerste bestellte Ackerparzellen der Segenszone zwischen Wüste und Wüste schon grünten, wurden auf anderen Rinder und Schafe von braunen, weißgeschürzten Stockträgern über die Flur getrieben, daß sie die Saat in den feuchtweichen Boden träten. Geier und weiße Falken schwebten äugend unter dem sonnig gewordenen Himmel und stießen gegen Dorfsiedelungen hinab, die, überragt von den Wedelkronen der Dattelbäume, mit den pylonenhaft fliehenden Schlammziegelmauern ihrer mistgedeckten Häuser an Bewässerungskanälen lagen, – geprägt von dem grundeigentümlichen, alles durchdringenden, Mensch und Ding in seinem Bilde bestimmenden Formen- und Gottesgeist Ägyptenlandes, den Joseph in der Heimat nur aus dem und jenem Bauwerk, einzelnen, hinübergreifenden Lebenserscheinungen erspürt hatte und der ihn nun in waltender Eigenständigkeit ansprach aus dem Größten und Kleinsten.

An den Landungsplätzen der Dörfer spielten nackte Kinder unter schlachtbarem Federvieh, dort, wo aus Stangen und Zweigwerk Schattendächer errichtet waren und von notwendigen Wegen heimkehrende Leute aus ihren auf dem Kanale herangestakten, hinten hochaufgeschwungenen Schilfnachen traten. Denn wie der segelreiche Strom das Land von Norden nach Mittag in zwei Teile schied, so gingen auch in die Quere, zwischen Abend und Morgen, überall feuchtende und ein oasenhaft fächerschattendes Grünen zeugende Wasserläufe dadurch hin und zerlegten's in Inseln; die Wege aber waren Dämme, auf denen man hinzog zwischen Graben, Feldbecken und Hain, und so zogen die Ismaeliter gen Süden unter allerlei Leuten des Landes, Eselreitern, Lastkarren, mit Rindern und Maultieren bespannt, und zu Fuß gehenden Schurzträgern, die an Nackenstangen Enten und Fische zu Markte brachten, – mageres, rötliches Volk ohne Bäuche, mit ebenen Schultern, harmlos gelaunt, zum Lachen geneigt, alle mit dünnknochig vorgebauten Untergesichtern, breitspitzen Näschen und kindlichen Backen, eine Schilfblüte im Mund, hinterm Ohr oder hinter den oft gewaschenen schräg übergeschlagenen Schurz gesteckt, der hinten höher reichte als vorn, das glattfallende

Haar über der Stirn und unter den Ohrläppchen gerade abgeschnitten. Dem Joseph gefielen die Wegtreter; für Totenländler und Scheolsvolk waren sie lustig zu sehen und lachten den chabirischen Dromedarreitern Grüße zu, die Späße waren, denn Fremdes war ihnen drollig. Insgeheim versuchte er seine Zunge an ihrer Sprache und übte sich hörend, daß er bald flink und bequem möchte reden mit ihnen in landläufigen Anspielungen.

Hier war Ägyptenland enge, der Fruchtstreifen schmal. Zur Linken im Morgen ging, nahe herantretend, arabisches Wüstengebirge nach Süden, und libysche Sandberge taten's im Westen, deren Todesöde sich trügerisch-purpurlieblich verklärte, wenn die Sonne hinter sie sank. Dort aber, vor dieser Kette, dem Grünenden nah, am Rande der Wüste, sahen die Reisenden, geradeausblickend, ein anderes Gebirge von Sonderart sich erheben – ebenmäßig-figürlich gestaltet, aus Dreiecksflächen, deren reine Kanten in riesiger Schräge zu Spitzenpunkten zusammenliefen. Es war aber nicht erschaffenes Gebirge, was sie da sahen, sondern gemachtes; es waren die großen Austritte, von denen die Welt wußte und die der Alte dem Joseph angezeigt auf der Reise, die Grabmäler Chufus, Chefrens und anderer Könige der Vorzeit, errichtet von hunderttausend Hustenden unter der Geißel in jahrzehntelanger Fron und heiliger Schinderei aus Millionen tonnenschwerer Bauklötze, die sie jenseits in den arabischen Brüchen gemetzt und zum Flusse geschleppt, hinübergeschifft und ächzend weitergeschlittet bis zum libyschen Rande, wo sie sie mit Hebezeugen unglaublich gehißt und zu Bergeshöhe emporgespitzt hatten, fallend und sterbend mit hängender Zunge im Wüstenbrand vor übernatürlicher Anstrengung, auf daß Gottkönig Chufu tief innen darunter ruhe, durch ein Kämmerlein abgesperrt vom ewigen Gewicht sieben Millionen Tonnen schwerer Steine, ein Mimosenzweiglein auf seinem Herzen.

Es war nicht Menschenwerk, was die Kinder Kemes da aufgerichtet, und dennoch das Werk derselben Leutchen, die auf den Dammwegen trabten und stapften, ihrer blutenden Hände, mageren Muskeln und hustenden Lungen – abgewonnen dem Menschlichen, wenngleich übers Menschliche gehend, weil Chufu Gottkönig war, der Sohn der Sonne. Die Sonne aber, die das Bauvolk schlug und fraß, mochte zufrieden sein mit dem übermenschlichen Menschenwerk, Rahotep, die zufriedene Sonne; denn in schriftbildhafter Beziehung zu ihr standen die großen Austritte und Auferstehungen in ihrer gedankenreinen Figur, Grab- und Sonnenmale auf einmal; und ihre ungeheueren Dreiecksflächen, schimmernd poliert von den Basen bis zum gemeinsamen Spitzenpunkt, waren fromm-genau den vier Himmelsgegenden zugewandt.

Joseph blickte mit großen Augen hinaus zu dem stereo-metrischen Grabesgebirge, aufgeschuftet im ägyptischen Diensthause, das Jaakob mißbilligte, und hörte dabei dem Geplauder des Alten zu, der sich in Geschichten von König Chufu erging, wie das Volk sie sich heute von ihm, dem übermenschlichen Bauherrn, erzählte, düsteren Anekdoten, für ein schlimmes Gedenken zeugend, das Kemes Leute über tausend Jahre und mehr hinweg dem Schrecklichen bewahrten, der ihnen das Unmögliche abgewonnen. Denn er sollte ein böser Gott gewesen sein, der um seinetwillen alle Tempel geschlossen habe, daß niemand ihm die Zeit stehle mit Opfern. Danach aber habe er alles Volk ohne Ausnahme in die Fron gespannt zum Bau seines Wundergrabes und keinem durch dreißig Jahre auch nur ein Stündchen gegönnt zum eigenen Leben. Zehn Jahre nämlich hätten sie schleppen und metzen müssen und zweimal zehn Jahre bauen, unter Hergabe aller Kräfte, die sie besaßen, und einiger darüber hinaus. Denn wenn man alle ihre Kräfte zusammenrechnete, so waren es nicht ganz genug gewesen, diese Pyramide damit zu bauen. Der Überschuß, der noch nötig gewesen, war ihnen aus König Chufus Gottheit gekommen, aber es war nicht dankenswert gewesen. Große Schätze habe der Bau gekostet, und da der Majestät dieses Gottes die Schätze ausgegangen seien, habe er seine eigene Tochter im Palaste bloßgestellt und jedem zahlenden Manne preisgegeben, daß sie den Bauschatz auffülle mit ihrem Huren-lohn.

So das Volk nach den Worten des Alten, und leicht möglich, daß es zu einem Großteil Mären und Irrtümer waren, die es sich tausend Jahre nach Chufus Tode von ihm erzählte. Aber soviel ging daraus hervor, daß es dem Seligen nur schreck-haften Dank dafür wußte, daß er ihm das Über-Äußerste ab-gepreßt und es zum Unmöglichen angehalten hatte.

Da die Reisenden näher kamen, zog sich das Spitzgebirge auseinander im Sande, und man sah die Schadhaftigkeit seiner Dreiecksflächen, deren polierte Deckplatten zu bröckeln be-gannen. Öde war zwischen den Riesenmalen, wie sie dort ein-zeln und allzu massig, als daß die Zeit mehr als ihre Ober-fläche hätte benagen können, auf dem klippigen Sandgeschiebe der Wüstenplatte standen. Sie allein maßen sich siegreich mit der furchtbaren Zeitmasse ihres Alters, unter der längst alles vergangen und vergraben war, was die Räume zwischen ihren ungeheuren Figuren einstmals in frommer Pracht gefüllt und geteilt hatte. Von den Totentempeln, die an ihren Schrägen gelehnt hatten und in denen der Dienst der zur Sonne Ver-storbenen „für ewig" gestiftet worden; von den gedeckten, bildstarrenden Gängen, die dorthin geführt, und den breit-ständigen Torbauten, die östlich am Rande des Grünen den Eingang zu den Schlußwegen ins Zauberreich der Unsterb-lichkeit gebildet hatten, sah Joseph nichts mehr an seinem Tage und wußte nicht einmal, daß sein Nichtssehen ein Nicht-mehrsehen, ein Sehen der Vernichtung war. Er war wohl früh daran nach seiner Stellung zu uns, aber ein grüner Spätling in andersgerichtetem Vergleich, und sein Blick stieß gegen die kahl überdauernde Riesenmathematik, dies Großgerümpel des Todes, wie ein Fuß stößt nach Plunder. Behüt' es, daß nicht Staunen und Ehrfurcht ebenfalls ihn berührt hätten im Anblick der Dreiecksdome; aber die furchtbare Dauer, mit der sie, verlassen von ihrer Zeit, übrig hereinstanden in Gottes Gegenwart, verlieh ihnen etwas Greuliches unter anderem und Verfluchtes in seinen Augen, und er gedachte des Turmes.

Auch das Geheimnis im Kopftuch, Hor-em-achet, die große Sphinx, lag hier irgendwo überständig und unvermittelt im Sande, stark schon wieder verweht und bedeckt von diesem, obgleich doch der letzte Vorgänger Pharaos erst, Tutmose der Vierte, sie daraus befreit und errettet hatte, gehorsam gegen den Verheißungstraum eines Mittagsschlafes. Schon ging der Sand dem ungeheueren Wesen, das immer dagelegen hatte, so daß kein Mensch zu sagen vermochte, wann und wie es sich aus dem Felsen hervorgetan, wieder schräg bis zur Brust hinauf und bedeckte die eine seiner Tatzen, deren andere, noch frei, allein so groß war wie drei Häuser. An dieser Bergesbrust hatte der Königssohn, püppchenklein gegen das maßlose Gott-Tier, geschlummert, indes die Diener in einiger Entfernung den Jagdwagen gehütet hatten und hoch über dem Menschlein das Rätselhaupt mit dem starren Nackenschutz, der ewigen Stirn, der zerfressenen Nase, die ihm etwas Ausgelassenes verlieh, dem Felsengewölb seiner Oberlippe, dem breiten Munde darunter, den eine Art ruhig-wilden und sinnlichen Lächelns zu formen schien, aus hell-offenen Augen, intelligent und berauscht vom tiefen Zeitentrunke, gen Osten geblickt hatte wie eh und je.

So lag sie auch jetzt, die unvordenkliche Chimäre, in einer Gegenwart, deren Abstand und Unterschied von der damaligen in ihren Augen zweifellos nichtig war, und blickte in wilder und sinnlicher Unveränderlichkeit hoch hinweg gen Aufgang über die winzige Gruppe der Käufer Josephs. Ein Tafelstein, übermannshoch, beschrieben, lehnte an ihrer Brust, und da die Minäer ihn lasen, war's ihnen wie Wohltat und Herzensstärkung. Denn festen Zeitgrund bot dieser späte Stein; wie eine schmale Plattform war er, der Halt dem Fuße gewährte über dem Abgrund: der Denkstein war es, den Pharao Tutmose hier aufgerichtet, seinem Traum zum Gedächtnis und der Entlastung des Gottes vom Sande. Der Alte las den Seinen den Text und die Kunde: wie der Prinz im Schatten des Monstrums vom Schlafe sei übermannt worden, zur Stunde, da die Sonne am höchsten steht, und er im Traum die Majestät dieses herrlichen Gottes erblickt habe, Harmachis-Chepere-Atum-Rês, seines Vaters, der väterlich zu ihm gesprochen und ihn seinen lieben Sohn genannt habe. „Es ist schon eine lange Zeit an Jahren", habe er gesagt, „daß mein Antlitz auf dich gerichtet ist und mein Herz desgleichen. Ich will dir, Tutmose, die Königsherrschaft geben, die Kronen der beiden Länder sollst du tragen auf dem Throne Gebs, und dir soll die Erde nach ihrer Länge und Breite gehören nebst allem, was des Allherrn Strahlenauge bescheint. Die Schätze Ägyptens und die großen Tribute der Völker sollen dir beschieden sein. Unterdessen aber bedrängt mich Anbetungswürdigen der Sand der Wüste, auf der ich stehe. Mein berechtigter Wunsch ergibt sich aus dieser Beschwerde. Ich zweifle nicht, daß du ihm nachkommen wirst, sobald du kannst. Denn ich weiß, du bist mein Sohn und mein Retter. Ich aber will mit dir sein." Da Tutmose erwacht sei, hieß es, habe er noch die Worte dieses Gottes gewußt und sie bei sich bewahrt bis zur Stunde seiner Erhöhung. Und in der Stunde noch sei sein Befehl ergangen, daß man sofort den Sand beseitige, der dem Harmachis, der großen Sphinx, zur Last falle bei Mempi in der Wüste.

Also die Kunde. Und Joseph, der zuhörte, wie der Alte, sein Herr, sie ablas, hütete sich wohl, auch nur ein Wörtchen daran zu knüpfen; denn er gedachte der Mahnung des Alten, seine Zunge zu wahren in Ägyptenland, und wollte beweisen, daß man notfalls auch solche Gedanken verschweigen könne, wie er sie hegte. Im stillen aber ärgerte er sich um Jaakobs willen an diesem Verheißungstraum und fand ihn aus solchem Ärger sehr trocken und mager. Pharao, fand er, machte allzuviel Aufhebens davon mit seinem Denkstein. Was war ihm schließlich verheißen worden? Nichts anderes, als was ohnehin von Geburt schon seine Bestimmung gewesen war, nämlich zu seiner Stunde König zu werden über die beiden Länder. In dieser bestimmten Aussicht hatte der Gott ihn bestätigt, falls nämlich Pharao sein Bild vor dem Sande errette, der es bedrängte. Da sah man, wie läppisch es war, sich ein Bild zu machen. Das Bild kam in Sandesnot und der Gott in die Lage, zu betteln: „Rette mich, Sohn!" und einen Bund einzugehen, darin er gegen klägliche Wohltat das ohnehin Wahrscheinliche verhieß. Es war recht abgeschmackt. Da war es ein anderer Bund gewesen, ein feinerer, den Gott der Herr geschlossen hatte mit den Vätern: auch aus Bedürftigkeit, aber aus beiderseitiger; daß sie einander erretteten aus dem Sande der Wüste und heilig würden der eine im andern! Übrigens war der Königssohn König geworden zu seiner Stunde, aber den Gott deckte der Wüstensand schon wieder weitgehend zu. Für so vorübergehende Erleichterung war wohl nur eine überflüssige Verheißung als Gegengabe am Platze gewesen, dachte Joseph und äußerte es auch unter vier Augen gegen Kedma, den Sohn des Alten, der sich verwunderte über so viel Krittlertum.

Aber mochte Joseph auch kritteln und spötteln zu Ehren Jaakobs, so hatte der Anblick der Sphinx ihm doch auf die oder jene Weise mehr Eindruck gemacht als alles, was er bis dahin gesehen von Ägyptenland, und seinem jungen Blut eine Unruhe zugefügt, gegen die der Spott nicht aufkommen wollte und die ihn nicht schlafen ließ. Es war nämlich die Nacht eingefallen, während sie bei den großen Dingen der Wüste verweilten; und so schlugen sie hier ihre Hütten auf, daß sie schliefen und am Morgen weiter hinaufzögen gen Menfe. Joseph aber, der schon in der Hütte gelegen bei Kedma, seinem Schlafkumpan, wandelte noch einmal hinaus unter den Sternen, während im Weiten die Schakale heulten, und trat vor das Riesen-Idol, es recht und auf eigene Hand, ganz allein, ohne Zeugen, nochmals zu betrachten im Schimmer der Nacht und seine Ungeheuerlichkeit zu befragen.

Denn ungeheuerlich war es, das Untier der Zeiten im felsigen Königskopftuch, nicht nur seiner Größe nach und selbst nicht nur nach der Dunkelheit seines Ursprunges. Wie lautete sein Rätsel? Es lautete überhaupt nicht. Im Schweigen bestand es, in diesem ruhig-trunkenen Schweigen, mit dem das Unwesen hell und wüst über den Fragend-Befragten dahinblickte – mit seiner unvorhandenen Nase, die wirkte, als trage einer die Kalotte schief auf dem Ohr. Ja, wär' es ein Rätsel gewesen wie das des guten Alten vom Grundstück des Nachbarn Dagantakala – und wären seine Zahlen auch noch so verdeckt und versteckt gewesen, so hätte man hin und her schieben mögen das Unbekannte und abwiegen die Verhältnisse, daß man nicht nur die Lösung hätte finden, sondern auch noch plaudernd hätte sein Spiel damit treiben mögen im Übermut. Dies Rätsel aber war lauter Schweigen; sein war der Übermut, nach seiner Nase zu urteilen; und hatte es einen Menschenkopf, so war es doch nichts für einen solchen, und mochte er noch so helle sein.

Zum Beispiel . . . von welcher Beschaffenheit war es – Mann oder Weib? Die Leute hier nannten es „Hor im Lichtberge" und hielten es für ein Bild des Sonnenherrn, wie auch Tutmose kürzlich getan. Doch war das eine neuzeitliche Auslegung, die nicht immer gegolten, und wenn's auch der Sonnenherr war, der sich kundtat im lagernden Bilde – was sagte das aus über des Bildes Beschaffenheit? Verdeckt und versteckt war diese, da es lagerte. Falls es aufstand, würde es dann majestätisch baumelnde Hoden haben wie Merwer zu On – oder sich von weiblicher Bildung erweisen, als Löwenjungfrau? Darauf gab es keine Antwort. Denn hatte es sich einst auch selbst hervorgetan aus dem Steine, so hatte es sich gemacht, wie die Künstler ihre Schau- und Trugbilder machten, oder eigentlich darstellten und nicht machten, so daß nicht da war, was nicht zu sehen war; und ließe man hundert Steinmetzen kommen, das Unwesen mit Hammer und Meißel nach seiner Beschaffenheit zu befragen, so hätte es keine.

Es war eine Sphinx, das hieß ein Rätsel und ein Geheimnis – und zwar ein wildes, mit Löwenpranken, lüstern nach jungem Blut, gefährlich dem Gotteskinde und eine Nachstellung dem Sprößlinge der Verheißung. Ach über des Königssohnes Denktafel! An dieser Felsenbrust, zwischen den Tatzen des Drachenweibes, träumte man keine Verheißungsträume – sehr magere höchstens kamen zustande! Es hatte nichts mit Verheißung zu schaffen, wie es da grausam offenäugig, mit zeitzerfressener Nase, gelagert in wüster Unwandelbarkeit zu seinem Strome hinüberblickte, und nicht von solcher Beschaffenheit war sein drohendes Rätsel. Es dauerte trunken hinaus in die Zukunft, doch diese Zukunft war wild und tot, denn eben nur Dauer war sie und falsche Ewigkeit, bar der Gewärtigung.

Joseph stand und versuchte sein Herz an der üppig lächelnden Majestät der Dauer. Er stand ganz nahe ... Würde das Unwesen nicht seine Tatze vom Sande heben und ihn, den Knaben, an seine Brust reißen? Er wappnete sein Herz und gedachte Jaakobs. Neugierssympathie ist ein lockersitzendes Kraut, nur ein Jungentriumph der Freiheit. Aug in Auge mit dem Verpönten, spürt man, wes Geistes Kind man ist, und hält's mit dem Vater.

Lange stand Joseph unter den Sternen vorm Riesenrätsel, auf ein Bein gestützt, den Ellenbogen in einer Hand und das Kinn in der anderen. Wie er dann wieder bei Kedma lag in der Hütte, träumte ihm von der Sphinx, daß sie zu ihm sagte: „Ich liebe dich. Tu dich zu mir und nenne mir deinen Namen, von welcher Beschaffenheit ich nun auch sei!" Aber er antwortete: „Wie sollte ich ein solches Übel tun und wider Gott sündigen?"

Das Haus des Gewickelten

Sie waren am westlichen Ufer hingezogen, dem rechten, wie ihre Gesichter standen, und das rechte war's allerdings. Denn sie brauchten nicht über das Wasser zu setzen, um Mempi, das große, zu erreichen, welches vielmehr schon selber im Westen lag, – der riesigste Menschenpferch, der Rahels Erstem bis dahin vor Augen gekommen, überragt von Höhen, in denen man Steine schlug und in denen die Stadt ihre Toten barg.

Schwindelnd alt war Mempi und ehrwürdig also, sofern das zusammenfällt. Der am Beginn des Gedenkens und der Geschlechterfolge der Könige stand, Meni, der Urkönig, hatte die Stätte befestigt, zu bannen das zum Reiche gezwungene Niederland; und auch das Haus des Ptach, mächtig, aus ewigen Steinen erbaut, war Urkönig Menis Werk und stand hier also viel länger schon als draußen die Pyramiden, seit Tagen, hinter die kein Mensch zu blicken vermochte.

Aber nicht wie dort, in starrendem Schweigen, bot sich in Mempis Bild das Uralte den Sinnen dar, sondern als wimmelndes Leben und geweckteste Gegenwart, als eine Stadt, darinnen mehr als hunderttausend Menschen und die aus verschieden benannten Quartieren sich ungeheuer zusammensetzte – mit einem Gewirr hügelauf, hügelab sich windender Enggassen, in denen es kochte und roch von handelndem, wandelndem, sich plackendem und schwatzendem Kleinvolk und die vertieft waren gegen die Mitte, wo Abwasser in der Rinne lief. Lachende Viertel der Reichen gab es da, wo schöntürige Villen, heiter gesondert, in lieblichen Gärten lagen, und grünende, wimpelüberwehte Tempelbezirke, wo zierbunte Hochhallen sich in heiligen Teichen spiegelten. Es gab fünfzig Ellen breite Sphinxalleen und baumbepflanzte Ehrenstraßen, auf denen die Wagen der Großen dahinrollten, feurige Rosse davor, mit Federbüschen gekrönt, und atemstoßende Läufer voran, die riefen: „Abrek!", „Nimm zu dir dein Herz!", „Gib Obacht!"

Ja, „Abrek!" Das mochte auch Joseph wohl zu sich sagen und sein Herz in Gewahrsam nehmen, daß es nicht unförderlicher Blödigkeit verfalle vor so viel Lebenserlesenheit. Denn dies war Mempi oder Menfe, wie die Leute hier sagten, indem sie keck den Namen zusammenzogen aus „Men-nefru-Mirê", „Es bleibt die Schönheit Mirês" – des Königs nämlich vom sechsten Geschlecht, der einst die Tempelfeste des Anfangs erweitert hatte um sein Königsquartier und nahehin auch seine Pyramide gebaut hatte, worin seine Schönheit bleiben sollte. Das Grab war es eigentlich gewesen, das „Men-nefru-Mirê" geheißen hatte, und endlich hatte die ganze zusammenwachsende Stadt sich mit dem Begräbnisnamen genannt: Menfe, die Waage der Länder, die königliche Grabesstadt.

Wie seltsam, daß Menfes Name ein keck zusammengezogener Grabesname war! Den Joseph beschäftigte es sehr. Gewiß hatten die Leutchen der Rinnsteingassen ihn sich so lässig zurechtgemacht und mundgerecht hergerichtet, das rippenmagere Volk der Massenquartiere, in deren einem auch die Herberge der Ismaeliter gelegen war: eine von allerlei Menschengeblüt, syrischem, libyschem, nubischem, mitannischem und sogar kretischem, vollgestopfte Karawanserei, deren kotiger Ziegelhof von Tiergeblök und dem Gequarr und Geklimper blinder Bettelmusikanten erfüllt war. Wandelte Joseph daraus hervor, so ging es zu wie in den Städten der Heimat auch, nur in vergrößertem Maßstabe und auf ägyptisch. Zu beiden Seiten des Abwassers schabten Barbiere ihre Kunden, und Schuster zogen mit den Zähnen den Riemen an. Es formten Töpfer mit geübten und erdigen Händen das rasch umgetriebene Hohlgefäß, indem sie Chnum, dem Schöpfer, dem ziegenköpfigen Herrn der Drehscheibe, Lieder sangen; Sargtischler dechselten an menschenförmigen Schreinen mit Kinnbärten, und Betrunkene torkelten, verhöhnt von Buben, denen die Kinderlocke noch überm Ohr hing, aus lärmenden Bierhäusern. Wieviel Volk! Sie trugen alle denselben Leinenschurz und denselben Haarschnitt; dieselben waagerechten Schultern und dünnen Arme hatten sie alle und zogen alle auf ein und dieselbe naive und unverschämte Weise die Brauen hoch. Sie waren sehr zahlreich und spöttisch gelaunt auf Grund ihrer gleichförmigen Menge. Es sah ihnen ähnlich, daß sie die Todesumständlichkeit fidel zu „Menfe" vereinfacht hatten, und in Josephs Brust erneuerten sich bei dem Namen vertraute Empfindungen, wie er sie einst erprobt, wenn er vom heimischen Hügel auf Hebron, die Stadt, und auf die zwiefache Höhle, das Erbbegräbnis der Ahnen, hinabgeblickt und Frömmigkeit, deren Quelle der Tod ist, sich in seinem Herzen vermischt hatte mit der Sympathie, die der Anblick der bevölkerten Stadt darin erregte. Das war eine feine und liebliche Vermischung, ihm eigentümlich gemäß und in geheimer Entsprechung stehend zu dem doppelten Segen, als dessen Kind er sich fühlte – und auch zum Witz als Sendboten hin und her zwischen diesem und jenem. Als solch ein Witz denn erschien ihm der volkstümliche Name der Grabes-Großstadt, und sein Herz neigte sich denen zu, die ihn zusammengezogen, den Rippenmageren zu seiten der Abwässer, so daß er sich's angelegen sein ließ, mit ihnen zu schwatzen in ihren Worten, zu lachen mit ihnen und ebenso unverschämt wie sie die Brauen emporzuziehen, was ihm nicht schwerfiel.

Übrigens spürte er wohl, und es sagte ihm in der Seele zu, daß ihre Spottlust nicht nur daher kam, daß sie so viele waren, und sich nicht nur nach außen richtete, ins andere, sondern über sich selber machten die Leute von Menfe sich lustig um dessentwillen, was ihre Stadt einst gewesen und was sie längst nicht mehr war. Ihr Witz war die Form, die in der großen Stadt jene Grämlichkeit annahm, die aus den Worten der Leute Per-Sopds und seiner bitteren Hausbetreter geklungen hatte, – die Seelenstimmung überholten Altertums, die hier zur Lustigmacherei wurde und zum mokanten Zweifel an aller Welt und sich selber. Denn so war es: Als Königsstadt hatte Menfe, die Waage der Länder, dick an Mauern, dereinst zur Zeit der Pyramidenerbauer gethront. Von Theben aber im oberen Süden, das niemand gekannt hatte, als Menfe schon weltberufen gewesen war seit unendlichen Jahren, – von dort war nach Fluchzeiten der Wirrnis und Fremdherrschaft die neue Zeit, die Befreiung und Wiedervereinigung ausgegangen durch das jetzt herrschende Sonnengeschlecht, und Wêse trug nun die Doppelkrone und führte das Szepter, Menfe aber, ob auch wimmelnd volkreich und groß nach wie vor, war eine gewesene Königin, das Grab seiner Größe, eine Weltstadt mit schnoddrig abgekürztem Todesnamen.

Nicht so zu verstehen, daß Ptach, der Herr in seiner Kapelle, ein beiseite gedrängter und verarmter Gott gewesen wäre wie Sopdu im Osten. Nein, groß war sein Name über die Gaue hin und schwer an Stiftungen, Ländereien und Viehbestand der Menschengestaltige, das sprang in die Augen angesichts der Schatzhäuser, Speicher, Ställe und Scheunen, die der Komplex seines Hauses umfaßte. Herr Ptach, den niemand sah – denn auch wenn er Prozession hielt in seiner Barke und bei einer anderen hier ansässigen Gottheit Besuch ablegte, war sein Standbildchen hinter goldenen Vorhängen verborgen, und nur die Priester, die seinen Dienst taten, kannten sein Angesicht –, wohnte in seinem Hause zusammen mit seinem Weibe, Sachmet oder die Mächtige genannt, die an den Tempelwänden mit einem Löwenkopf dargestellt war und den Krieg lieben sollte, und ihrer beider Sohn Nefertêm, schön schon dem Namen nach, doch undeutlicher als Ptach, der Menschengestaltige, und Sachmet, die Grimmige. Er war der Sohn, mehr wußte man nicht, und Joseph konnte nichts weiter erfragen. Allenfalls dies wußte man noch von Nefertêm, dem Sohne, daß er eine Lotusblume auf dem Kopfe trage, ja, einige hielten dafür, er selbst im ganzen sei überhaupt nichts anderes als eine blaue Wasserrose. Die Unwissenheit über ihn aber hinderte nicht, daß der Sohn die allerbeliebteste Person der Dreiheit von Menfe war, und da soviel feststand, daß der himmelblaue Lotus seine Vorzugsblume und geradezu der Ausdruck seines Wesens war, so war seine Wohnung immerfort reichlich mit Sträußen der schönen Pflanze begabt, und auch die Ismaeliter ließen es sich nicht nehmen, ihm blauen Lotus zuzutragen und händlerisch seiner Volkstümlichkeit zu huldigen.

Noch nie war Joseph, der Entführte, so sehr im Verbotenen gewandelt wie hier, sofern das Verbot seiner Überlieferung lautete: „Du sollst dir kein Bild machen." Nicht umsonst nämlich war Ptach der Gott, welcher Kunstwerke schuf, der Schutzherr der Bildmetzen und Handwerker, von dem es hieß, daß seines Herzens Pläne verwirklicht und seine Gedanken ausgeführt würden. Ptachs große Wohnung war lauter Bild; voll von Figur waren sein Haus und seines Hauses Höfe. Gehauen aus dem Härtesten, oder aus Kalk- und Sandstein, Holz und Kupfer, bevölkerten die Gedanken Ptachs seine Hallen, deren Säulen sich von mühlsteinförmigen Basen elefantenhaft, mit glimmenden Schildereien bedeckt, von Schilfbündelknäufen gekrönt, zum staubig vergoldeten Gebälk erhoben. Überall standen, schritten und saßen die Werke, zu zweien und dreien, umschlungen, auf Thronbänken, an denen in viel kleinerem Maßstabe ihre Kinder zu sehen waren, oder allein: Königsbilder mit Mützenkrone und Krummstab, das gefältelte Vorderblatt des Schurzes vorm Schoß ausgebreitet, oder im Kopftuch, vor dessen über die Schultern fallenden Flügeln ihre Ohren abstanden, mit vornehm verschlossener Miene und zarter Brust, die Hände flach auf den Oberschenkeln ausgestreckt, – breitschultrig-schmalhüftige Herrscher der Urzeit, geführt von Göttinnen, die linkische Fingerchen um die muskulösen Oberarme des Schützlings legten, während ein Falke in seinem Nacken die Flügel spreitete. König Mirê, der die Stadt groß gemacht, schritt aus am Stabe in Kupfergestalt, sein unverhältnismäßig kleines Söhnchen zur Seite, fleischig von Nase und Lippen, und versäumte es, wie die anderen auch, die nachzuziehende Sohle vom Grund zu erheben: auf beiden Sohlen ging er, im Gehen stehend und gehend im Stehen. Sie traten auf starken Beinen, erhobenen Hauptes, von Steinpilastern hinweg, die sich an der Rückseite ihrer Piedestale erhoben, und ließen von rechtwinkligen Schultern die Arme hängen, kurze, walzenförmige Zapfen in den geschlossenen Fäusten. Sie saßen als Schreiber mit untergeschlagenen Schenkeln und tätigen Händen und blickten über die im Schoße ausgebreitete Arbeit hin mit klugen Augen auf den Beschauer. Sie waren bemalt, wie sie da mit geschlossenen Knien nebeneinander saßen, Mann und Frau, in den natürlichsten Farben der Haut, des Haares und der Gewandstücke, so daß sie wie lebende Tote waren und starres Leben. Des öfteren hatten Ptachs Künstler ihnen Augen gemacht, höchst schreckhaft – nicht aus dem Stoffe ihrer Gestalten, sondern besonders in die Höhlen gefügt: ein schwarzes Steinchen im Glasfluß als Sehloch, aber in diesem wieder ein Silberstiftchen, das als Lichtblitzlein darin auflebte und die weiten Augen der Bilder im Hinausschauen greulich erglimmen ließ, also daß man sich nicht zu retten wußte vor dem Andrang ihrer zuckenden Blicke und das Gesicht in den Händen verbarg.

Das waren Ptachs starre Gedanken, die mit ihm, der Löwenmutter und dem Lotussohne sein Haus bewohnten. Er selbst, der Menschengestaltige, war an den lückenlos überzauberten Wänden hundertmal dargestellt in seinem Kapellenschrein: von Menschengestalt allerdings, aber sonderbar puppenhaft und von gleichsam abstrakter Form, in einbeiniger Seitenansicht mit langem Auge, den Kopf mit einer eng anliegenden Kappe bedeckt, am Kinn den künstlich befestigten Keil eines Königsbartes. Unausgebildet auf eine seltsame Art und allgemein umrissen wie seine Fäuste, die den Stab der Macht vor ihn hin hielten, war seine ganze Gestalt; sie schien in einem Futteral, einem engen, entformenden Überzuge zu stecken, schien, offen gestanden, gewickelt und balsamiert . . . Was war es mit Ptach, dem Herrn, und wie stand es mit ihm? Verdiente die uralte Großstadt ihren Grabesnamen nicht nur um der Pyramide willen, nach der sie hieß, und nicht nur ihrer Gewesenheit halber, sondern besonders noch und eigentlich erst als Haus ihres Herrn? Es war dem Joseph bekannt gewesen, wohin es mit ihm ging, als seine Käufer ihn hinabführten nach Ägypten, dem Land der Mißbilligung Jaakobs. Auch anerkannte er völlig, daß er seinem eigenen Zustand zufolge hierher gehörte und daß das Verbotene ihm nicht verboten, sondern ihm sinnreich angemessen sei. Hatte er sich nicht unterwegs schon beizeiten einen Namen gegeben, der ihn als Einheimisch-Zugehörigen kennzeichnen sollte? Und doch hatte er seine neue Umgebung unausgesetzt auf dem Strich im Sinne des Vaters, und immerfort jückte es ihn, die Landeskinder mit Fragen zu versuchen darüber, wie es stehe mit ihren Göttern und mit Ägyptenland selbst, daß sie es verrieten, ihm, der es wußte, und auch sich selbst, da sie's nicht recht zu wissen schienen.

So war es mit Bäckermeister Bata von Menfe, den sie beim Apis-Opfer trafen im Tempel des Ptach.

Wer nämlich außer dem Unförmigen selbst, der Löwin, dem undeutlichen Sohn und den starren Gedanken dort wohnte, das war Chapi, der große Stier, die „lebende Wiederholung" des

Herrn, erzeugt von einem Lichtstrahl des Himmels in einer Kuh, die nachher nie wieder gebar; und ebenso gewaltig baumelten seine Hoden wie diejenigen Merwers zu On. Er wohnte hinter Bronzetüren im Hintergrunde eines himmeloffenen Säulenhofs mit Tafelfüllungen von herrlicher Steinarbeit zwischen den Säulen, in deren halber Höhe ihre feinen Gesimse liefen; und auf des Hofes Fliesen stand in dichtem Gedränge das Volk, wenn Chapi aus dem Lampendämmer seines Kapellenstalles von den Pflegern einige Schritte hervorgeführt wurde, daß es leben sähe den Gott und man ihm Opfer brächte.

Joseph schaute mit seinen Besitzern einer solchen Verehrung zu: Es war ein merkwürdiger Greuel und lustig übrigens auch dank der guten Laune der Menfe-Leute, Männer und Frauen mit strampelnden Kindern – dieser volksfestlich belebten Menge, die in Erwartung des Gottes schwatzend und lachend Sykomorenfeigen und Zwiebeln „küßte", wie sie für „essen" sagten, sich das Wasser der Melonenscheiben, in die sie bissen, von den Mundwinkeln träufeln ließ und mit den Händlern schacherte, die zu seiten des Hofes Weihbrote, Opfergeflügel, Bier, Räucherwerk, Honig und Blumen feilboten.

Ein wanstiger Mann in Bastsandalen stand bei den Ismaelitern, und da die Menge sie preßte, sprachen sie miteinander. Er trug einen knielangen Schurzrock aus derbem Leinen, mit dreieckigem Überfall, und hatte um Rumpf und Arme allerlei Bänder gewunden, in die er fromme Knoten geknüpft. Sein Haar lag kurz und glatt am runden Schädel, und seine glasig gewölbten Augäpfel traten gutmütigen Ausdrucks noch mehr hervor, wenn er den wohlgeformten, rasierten Mund laufen ließ in der Rede. Er hatte den Alten und die Seinen längere Zeit von der Seite gemustert, bevor er sie ansprach und sie nach ihrem Woher und Wohin befragte, neugierig auf ihre Fremdheit. Er selbst war Bäcker, wie er erklärte, das hieß: er buk nicht mit eigenen Händen und steckte den Kopf nicht in den Ofen. Er beschäftigte ein halbes Dutzend Gesellen und Austräger, die seine sehr guten Kipfel und Kringel in Körben auf ihren Köpfen durch die Stadt trugen; und wehe ihnen, wenn sie nicht achtgaben und es versäumten, mit dem Arm über der Ware zu wedeln, so daß die Vögel des Himmels darauf niederstießen und aus dem Korbe stahlen! Der Brotträger, dem solches geschah, erhielt eine „Belehrung", wie Bäckermeister Bata sich ausdrückte. So war sein Name. Auch einiges Feld besaß er vor der Stadt, dessen Korn er verbuk. Aber es war nicht genug, denn sein Betrieb war bedeutend, und er mußte hinzukaufen. Heut sei er ausgegangen, den Gott zu sehen, was zuträglich sei insofern, als es nicht zuträglich sei, es zu unterlassen. Sein Weib unterdessen besuche die Große Mutter im Eset-Hause und bringe ihr Blumen, denn ihr sei sie besonders anhänglich, während er, Bata, mehr Befriedigung an dieser Stelle finde. Und ihrerseits bereisten sie also in Geschäftsinteressen die Länder? fragte der Bäcker.

So sei es, versetzte der Alte. Und sie seien sozusagen am Ziele, indem sie zu Menfe seien, mächtig an Toren, reich an Wohnungen und ewigen Baulichkeiten, und könnten nun ebensogut wieder umkehren.

Recht sehr verbunden, sagte der Meister. Sie könnten, aber sie würden wohl nicht; denn wie alle Welt würden sie doch wohl dies alte Nest nur als eine Stufe betrachten, darauf sie den Fuß setzten, um aufzusteigen in die Pracht Amuns. Sie würden die ersten sein, die's anders machten und deren Wanderziel nicht Weset sei, das nagelneue, Pharaos Stadt (er lebe, sei heil und gesund!), wo die Menschen und Schätze zusammenströmten und für das Menfes verwitterter Name eben gut genug sei, in Titeln zu prunken von Pharaos Höflingen und Großeunuchen, wie denn des Gottes Oberbäcker, der Aufsicht übe über die Palastbäckerei, „Fürst von Menfe" heiße – nicht ganz mit Unrecht, das müsse man einräumen; denn soviel sei richtig, daß man zu Menfe schon feine Kuchen in Kuh- und Schneckengestalt in die Häuser getragen habe, als die Amunsleute sich noch begnügt hätten, angeröstetes Korn zu verschlingen.

Der Alte erwiderte eben: Nun ja, auch auf Weset würden sie wohl noch, nach vorwiegendem Verweilen zu Menfe, einen

Blick werfen, um zu sehen, wie weit es unterdessen nachgerückt sei in Dingen der Lebensverfeinerung und des entwickelten Gebäckes, – da öffnete sich unter Paukenschlägen das hintere Tor, und man führte den Gott in den Hof, nur einige Schritte weit vor die offenen Flügel, – die Aufregung der Menge war groß. Man schrie: „Chapi! Chapi!", indem man auf einem Beine hüpfte, und wem das Gedränge es erlaubte, der warf sich aufs Angesicht, die Erde zu küssen. Man sah viele gekrümmte Wirbelsäulen, und die Luft war erfüllt vom kehligen Gefauch des Lautes, mit dem der hundertfach hervorgestoßene Gottesname begann. Es war zugleich der Name des Stromes, der das Land geschaffen hatte und es erhielt. Es war der Name des Sonnenstieres, der Inbegriff aller Fruchtbarkeitsmächte, von denen diese Leute sich abhängig wußten, der Name des Bestehens von Land und Menschen, der Name des Lebens. Sie waren tief ergriffen, ein so leichtes und schwatzhaftes Volk sie sein mochten, denn ihre Andacht setzte sich aus aller Hoffnung und Ängstlichkeit zusammen, womit das genau bedingte Dasein die Brust erfüllt. Sie gedachten der Überschwemmung, die nicht eine Elle zu hoch oder zu niedrig sein durfte, wenn das Leben Bestand haben sollte; der Tüchtigkeit ihrer Weiber und der Gesundheit ihrer Kinder; ihres eigenen Leibes und seiner der Anfälligkeit preisgegebenen Funktionen, die Lust und Behagen gewährten, wenn's glatt mit ihnen vonstatten ging, jedoch arge Qual bereiteten, wenn sie versagten, und die es durch Zauber gegen Zauber zu sichern galt; der Feinde des Landes im Süden, Osten und Westen; Pharaos, den sie den „starken Stier" nannten ebenfalls und den sie im Palaste zu Theben ebenso sorgfältig gehegt und aufbewahrt wußten wie Chapi hier, da er sie schützte und in seiner übergänglichen Person die Verbindung herstellte zwischen ihnen und dem, worauf alles ankam. „Chapi! Chapi!" riefen sie in ängstlichem Jubel, bedrängt vom Gefühl des knapp bedingten, gefährdeten Lebens, und starrten hoffnungsvoll auf die vierkantige Stirn, die eisernen Hörner, die gedrungene, ohne Einbuchtung vom Rücken zum Schädel verlaufende Nackenlinie des Gott-Tieres und seinen Geschlechtsapparat, dies Unterpfand der Fruchtbarkeit. „Sicherheit!" meinten sie mit dem Ruf. „Schutz und Bestand!", „Hoch Ägyptenland!"

Ungeheuer schön war Ptachs lebende Wiederholung – nun ja, wenn die Kundigsten in jahrelanger Umschau den schönsten Stier zwischen den Mündungssümpfen und der Elefanteninsel aussuchten – der sollte wohl schön sein! Er war schwarz; und prächtig, um nicht zu sagen göttlich, stand zu seiner Schwärze die scharlachne Schabracke, die er auf dem Rücken trug. Zwei kahlköpfige Pfleger in Schurzen aus gefälteltem Goldstoff, die vorn den Nabel frei ließen und hinten bis zur halben Höhe des Rückens reichten, hielten ihn beiderseits an vergoldeten Stricken, und der zur Rechten hob ein wenig die Decke vor den Augen des Volkes, um ihm den weißen Flecken an Chapis Flanke zu zeigen, in dem man das Abbild der Mondsichel zu erkennen hatte. Ein Priester, dem ein Leopardenfell mitsamt den Tatzen und dem Schwanze im Rücken hing, erniedrigte die Stirn und streckte dann, ein Bein vor das andre gestellt, den gestielten Räuchernapf gegen den Bullen aus, der mit gesenktem Kopfe witternd die dicken und feuchten, vom Würzrauch gekitzelten Nüstern blähte. Er nieste wuchtig, und das verdoppelte die dringlichen Zurufe des Volkes und seine Freudensprünge auf einem Bein. Kauernde Harfenisten, die mit zum Himmel gewandten Gesichtern Hymnen sangen, während hinter ihnen andere Sänger mit ihren Händen den Takt klatschten, begleiteten die Räucherhandlung. Auch kamen Frauen zum Vorschein, Tempelmädchen mit offenem Haar, nackt immer die eine und nur mit einem Gürtelbande oberhalb der ausladenden Hüften angetan, in einem langen, schleierfeinen Gewande die zweite, das vorne offenstand und ebenfalls ihre ganze Jugend erblicken ließ. Im Tanz die Szene umschreitend, schüttelten sie Sistren und Tamburine über ihren Köpfen und hoben das gerade ausgestreckte Bein erstaunlich hoch aus der Hüfte. Ein Vorlesepriester, zu Füßen des Stieres sitzend, der Menge zugewandt, begann mit wiegendem Kopfe aus seiner Buchrolle einen Text zu psalmodieren, in dessen wiederkehrende Worte das Volk einfiel: „Chapi ist Ptach. Chapi ist Rê. Chapi ist Hor, der Eset Sohn!" Danach wurde unter Federfächern ein offenbar hochgestellter Hausbetreter in langem und weitem Batistschurz mit Achselbändern herangeleitet, kahlköpfig und stolz, eine goldene Schüssel mit Wurzeln und Kräutern in Händen, die er alsbald in einer Art von kunstfertigem Kriechen, das eine Bein weit hinter sich gespreizt, das andere Knie bei aufgestellten Zehen so weit wie möglich unter sich gezogen, mit beiden Armen dem Gotte spendend entgegenschob.

Chapi kümmerte sich nicht darum. Gewöhnt an all diese ihm gewidmeten Umständlichkeiten, an ein Dasein feierlicher Langenweile, das dank einer bestimmten Körperbeschaffenheit sein melancholisches Teil geworden war, blickte er, breitbeinig dastehend, aus seinen kleinen, blutbedrängten Bullenaugen mit schwerem Lauern über den Darbringenden hinweg auf das Volk, das hüpfend und springend, die eine Hand auf der Brust, die andere ihm entgegengestreckt, seinen heiligen Namen rief. Sie waren so froh, ihn mit goldenen Seilen gehalten zu sehen und ihn im sicheren Gewahrsam des Tempels zu wissen, eingeengt von dienenden Wächtern. Er war ihr Gott und ihr Gefangener. Seiner Gefangenschaft und der Sicherheit, die sie ihnen gewährleistete, jauchzten sie eigentlich zu und machten Freudensprünge deswegen; und vielleicht blickte er darum so lauernd und böse auf sie, weil er begriff, daß sie es aller Ehrenumständlichkeiten ungeachtet keineswegs so sehr gut mit ihm meinten.

Bäckermeister Bata machte seiner Leibesschwere wegen keine Freudensprünge, aber dem Vorlesepriester respondierte auch er mit kräftiger Stimme und grüßte den Gott verschiedentlich durch Prostration und Handaufhebung, sichtlich erbaut von seinem Anblick.

„Es tut sehr gut, ihn zu sehen", erklärte er seinen Nachbarn. „Es stärkt die Lebensgeister und wirkt wiederherstellend auf die Zuversicht. Meine Erfahrung ist, daß ich den ganzen Tag nichts mehr zu essen brauche, wenn ich Chapi gesehen, denn es ist wie eine starke Mahlzeit Rindfleisches in meinen Gliedern, ich bin schläfrig und satt hinterdrein, ich tue einen Schlaf und erwache wie neugeboren. Er ist ein sehr großer Gott, die lebende Wiederholung des Ptach. Ihr müßt wissen, daß sein Grab auf ihn wartet im Westen, denn Befehl ist ergangen, daß er im Tode gesalzen und gewickelt werde nach oberstem Kostenanschlag, mit guten Harzen und Binden von Königsleinen, und in der Totenstadt beigesetzt werde den Bräuchen gemäß im ewigen Hause der Gottestiere. Man hat es befohlen", sagte er, „und so geschieht es. Schon zwei Usar-Chapis ruhen in steinernen Laden im ewigen Hause des Westens."

Der Alte streifte Joseph mit einem Blick, den dieser als Ermutigung zu einer Frage nahm, daß er den Mann versuche. „Lasse doch", bat er, „diesen Mann dir erklären, warum er sagt, daß den Usar-Chapi sein ewiges Haus im Westen erwarte, da es doch gar nicht der Westen ist, wo es wartet, sondern Menfe, die Stadt der Lebenden, selber am westlichen Ufer liegt und kein Toter über das Wasser fährt."

„Dieser Jüngling", wandte der Alte sich an den Bäcker, „fragt so und so. Magst du's beantworten?"

„Wie man redet, sprach ich", erwiderte der Ägypter, „und bedachte es nicht einmal. Denn wir reden alle so und überlegen's nicht weiter. Der Westen, das ist der Westen, nämlich die Totenstadt nach unserer Sprache. Aber wahr ist es, die Toten von Menfe reisen nicht über den Fluß wie anderwärts, sondern die Stadt der Lebenden liegt im Westen schon ebenfalls. Nach der Vernunft hat dein Jüngling recht mit seinem Bedenken. Aber nach der Redeweise sagte ich's richtig."

„Frage ihn doch noch dies", sagte Joseph. „Wenn Chapi, der schöne Stier, der lebende Ptach ist für die Lebenden, was ist dann Ptach in seiner Kapelle?"

„Ptach ist groß", antwortete der Bäcker.

„Sage ihm doch, daß ich daran nicht zweifle", versetzte Joseph. „Aber Chapi heißt Usar-Chapi, wenn er verstorben ist, und hinwiederum Ptach in seiner Barke ist Usir und heißt menschengestaltig, weil er die Gestalt hat der Laden mit Kinnbart, an denen die Schreiner dechseln, und scheint gewickelt. Was ist er also?"

„Gib deinem Jüngling zu verstehen", sagte der Bäcker zum Alten, „daß der Priester täglich hereintritt zu Ptach und ihm den Mund öffnet mit dem dazu kräftigen Werkzeug, daß er trinken und essen möge, und erneuert ihm täglich auf seinen Wangen die Schminke des Lebens. Das ist der Dienst und die Pflege."

„Danach nun lasse ich höflich fragen", erwiderte Joseph, „wie man's wohl hält mit dem Toten vor seinem Grabe, wenn Anup hinter ihm steht, und worin wohl etwa der Dienst bestehen mag, den der Priester übt an der Mumie?"

„Das weiß er nicht einmal?" antwortete der Bäcker. „Man sieht wohl, daß er ein Sandbewohner ist, wildfremd und erst kürzlich im Lande. Der Dienst, so lass' ich ihm sagen, besteht in der sogenannten Mundöffnung vor allem, die wir so nennen, weil der Priester dabei mit einem geeigneten Stabe den Mund öffnet dem Toten, daß er wieder essen und trinken und die Nähropfer genießen möge, die man ihm darbringt. Dazu kommt, daß der Totenpriester, zum Zeichen der Wiederbelebung nach Usirs Beispiel, der Mumie blühende Schminke auftut, trostreich zu sehen für die Klagenden."

„Ich höre mit Dank", sagte Joseph. „Darin besteht also der Unterschied zwischen dem Dienst der Götter und dem der Toten. Frage Herrn Bata doch jetzt, womit man baut in Ägyptenland."

„Dein Jüngling", antwortete der Bäcker, „ist zierlich, doch etwas stupide. Mit Nilziegeln baut man für die Lebenden. Die Wohnungen der Toten dagegen sowie die Tempel sind aus ewigen Steinen."

„Mit vielem Dank", sagte Joseph, „höre ich das. Gilt aber von zwei Dingen das gleiche, so sind sie gleich, und ungestraft mag man die Dinge vertauschen. Die Gräber Ägyptens sind Tempel, die Tempel aber –"

„– sind Gotteshäuser", ergänzte der Bäcker.

„Du sagst es. Die Toten Ägyptens sind Götter, und euere Götter, was sind sie?"

„Die Götter sind groß", erwiderte Bata, der Bäcker. „Ich

spüre es an der Sattheit und Müdigkeit, die mich beschleicht nach Chapis Anblick. Ich will nach Hause gehen und mich zum Schlaf der Neugeburt niederlegen. Auch mein Weib wird unterdessen zurück sein vom Mutterdienste. Seid gesund, ihr Fremden! Freut euch und reiset in Frieden!"

So ging er. Der Alte aber sagte zu Joseph:

„Der Mann war gottesmüde, und du hättest ihn nicht mit quengelnden Fragen bedrängen sollen durch mich."

„Muß sich doch aber", rechtfertigte sich dieser, „dein Knecht nach allem wohl erkundigen, damit er sich in das Leben Ägyptens finde, wo du ihn lassen willst und soll seines Bleibens sein hier auf die Dauer. Fremd und neuartig genug ist alles hier für den Knaben. Denn die Kinder Ägyptens beten in Gräbern an, ob sie sie nun Tempel heißen oder ewige Wohnungen; wir aber zu Hause tun es nach Väter Brauch unter grünen Bäumen. Ist es nicht zum Sinnen und Lachen mit diesen Kindern? Da heißt ihnen Chapi nun die lebende Form des Ptach, und eine solche, meine ich, kann Ptach wohl brauchen, da er selber offenkundig gewickelt ist und ist eine Leiche. Sie aber ruhen nicht, bis sie auch die lebende Form gewickelt haben und haben einen Usir ebenfalls aus ihr gemacht und eine Gottesmumie, eher ist's ihnen nicht recht. Ich aber habe was übrig für Menfe, dessen Tote nicht übers Wasser zu reisen brauchen, weil's schon selber im Westen liegt, – diese große Stadt, so voller Menschen, die bequem seinen Grabesnamen zusammenziehen. Es ist schade, daß das Segenshaus, vor das du mich bringen willst, Peteprês Haus, des Wedelträgers, nicht zu Menfe liegt, denn es könnte mir passen unter den Städten Ägyptens."

„Viel zu unreif bist du", erwiderte ihm der Alte, „um zu unterscheiden, was dir frommt. Ich aber weiß es und wende dir's zu wie ein Vater; denn ein solcher bin ich dir wohl, wenn wir setzen, daß deine Mutter die Grube ist. Morgen mit dem frühesten gehn wir zu Schiffe und schiffen neun Tage lang durch Ägyptenland den Strom hinauf gegen Mittag, daß wir unseren Fuß setzen auf die schimmernde Uferlände von Weset-per-Amun, der Königsstadt."

DIE ANKUNFT

Stromfahrt

„Glänzend durch Schnelligkeit" hieß das Schiff, das die Ismaeliter am Platze der Anpflockung mit ihren Tieren über eine Laufplanke beschritten, nachdem sie sich in den Handelsbuden, die hier aufgeschlagen waren, mit Mundvorrat für neun Tage versehen hatten. Dies war sein Name, der zu beiden Seiten seines mit dem Kopfe einer Gans geschmückten Vorderteils geschrieben stand, – ein von dem Prahlsinn Ägyptenlandes geprägter Name, denn es war der plumpste Lastkahn, der überhaupt an Menfes Pflockplatz zu finden war, sehr bauchig gebaut, damit er mehr Laderaum gewänne, mit hölzernen Bordgittern, einer Kajüte, die nur aus einem gewölbten, vorne offenen Mattenzelt bestand, und einem einzigen, aber sehr schweren Steuerruder, das steil an einem am Hinterteil aufgerichteten Pfahl befestigt war.

Der Bootsherr hieß Thot-nofer, ein Mann aus dem Norden, mit Ohrringen und weißem Haar auf Kopf und Brust, dessen Bekanntschaft der Alte in der Herberge gemacht hatte und mit dem er wegen eines billigen Fahrgeldes einig geworden war. Thot-nofers Schiff hatte Bauholz, je einen Posten Königsleinen und gemeines Leinen, Papyrus, Rindshäute, Schiffstaue, zwanzig Sack Linsen und dreißig Faß Dörrfisch geladen. Außerdem hatte „Glänzend durch Schnelligkeit" die Bildnisstatue eines reichen Bürgers von Theben an Bord, die ganz vorn an der Spitze in einer Umhüllung aus Latten und Sackleinen stand. Sie war für das „Gute Haus", das hieß: das Grab des Auftraggebers im Westen des Stromes, bestimmt, wo sie, aus einer Scheintür tretend, ihre, des Bewohners, ewige Habe und die gemalten Darstellungen seines gewohnten Lebens an den Wänden betrachten sollte. Die Augen, mit denen sie das tun würde, waren ihr noch nicht eingesetzt, sie war auch noch nicht mit den Farben des Lebens getönt, und es fehlte der Stock, der durch die Faust gehen sollte, die sie neben der schräg vorstehenden Vorderfläche ihres Schurzes ausstreckte. Aber ihr Vorbild hatte Wert darauf gelegt, daß sein Doppelkinn und seine dicken Beine wenigstens im Rohen unter den Augen Ptachs und von der Hand seiner Künstler ausgeführt würden; das Letzte mochte dann in einer Werkstatt der Totenstadt Thebens daran geschehen.

Um Mittag täuten die Bootsleute das Schiff vom Pflocke los und zogen das braune, geflickte Segel auf, das sich sofort mit dem kräftig von Norden gehenden Winde füllte. Der Steuermann, auf der hintern Schnabelschräge des Schiffes sitzend, fing an, mit dem herabhängenden Hebelholz das Ruder zu bewegen, ein Mann prüfte vom vorderen Ganskopf mit einer Stange das Fahrwasser, während Thot-nofer, der Schiffsherr, um die Götter einer glücklichen Fahrt günstig zu stimmen, vor der Kajüte einiges von dem Harze verbrannte, das die Ismaeliter in Zahlung gegeben; und so trieb die Barke, die Joseph trug, vorn und hinten hoch aufgeschwungen und nur mit der Mitte des Kiels das Wasser schneidend, auf den Strom hinaus, wobei der Alte, der mit den Seinen auf dem hinter der Kajüte gestapelten Bauholz saß, sich in Betrachtungen über die Weisheit des Lebens erging, in welchem fast immer die Vorteile und Nachteile dergestalt einander ausglichen und aufhöben, daß die mittlere Vollkommenheit eines Nichtallzugut und Nichtallzuschlecht sich herstelle. So denn fahre man jetzt stromauf, dem Wasser entgegen, dafür aber stehe der Wind von Norden, wie er's fast immer tue, und drücke hilfreich ins Segel, so daß Hemmung und Antrieb sich zu maßvollem Fortschritt ergänzten. Gehe es aber stromab, so sei das zwar lustig, weil man sich treiben lassen könne: nur daß dabei gar leicht die Bewegung verwildere, das Schiff sich quer lege und man zu ermüdender Ruder- und Steuertätigkeit angehalten sei, damit es nicht drunter und drüber gehe mit solcher Fahrt. So würden immer des Lebens Vorteile durch Nachteile eingedämmt und die Nachteile durch Vorteile wettgemacht, also daß rein rechnerisch das Ergebnis null und nichts sei, praktisch aber die Weisheit des Ausgleichs und der mittleren Vollkommenheit, angesichts deren weder Jubel noch Fluch am Platze sei, sondern Zufriedenheit. Denn das Vollkommene bestehe nicht in der einseitigen Häufung der Vorteile, wobei andererseits durch lauter Nachteile das Leben unmöglich würde. Sondern es bestehe in der beiderseitigen Aufhebung von Vorteil und Nachteil zum Nichts, das da heiße Zufriedenheit.

So der Alte mit aufgehobenem Finger und schiefem Kopf, und gelösten Mundes hörten die Seinen ihm zu, tauschten auch störrig-beschämte Blicke untereinander dabei, wie gewöhnliche Leute es machen, denen man Höheres bietet, und hätten es lieber nicht anhören müssen. Aber auch Joseph achtete schlecht auf des Alten Abgezogenheiten, denn ihn freute die neue Erfahrung der Wasserfahrt, der frische Wind, das melodische Glucksen der Wellen am Buge, das sanft schaukelnde Hingleiten auf dem geräumigen Strom, dessen Flut ihnen glitzernd entgegensprang, wie einst dem Eliezer die Erde entgegengesprungen war auf seiner Reise. Immer wechselten die heiteren, fruchtbaren und heiligen Bilder der Ufer; Säulenhallen säumten sie häufig, und zuweilen waren das Haine von Palmen, die sie geleiteten, ebensooft aber steinerne Gänge aus Menschenhand, zu den Tempeln der Städte gehörig. Dörfer zogen vorbei mit hohen Taubenschlägen, grünendes Fruchtland und wieder bunte städtische Pracht mit goldblitzenden Sonnennadeln, bewimpelten Toren und Paaren von Riesen, welche, die Hände auf ihren Knien, am Ufer saßen und in erhabener Starre über Strom und Land hin ins Wüste blickten. Nahe war das alles zuzeiten und dann wieder weit entrückt – wenn sie nämlich in Stromes Mitte fuhren, dessen Wasser sich manchmal seeartig weiteten oder in Windungen gingen, hinter denen sich neue Bilder Ägyptens verbargen und auftaten. Aber wie sehr unterhaltend war auch das Leben der heiligen Straße selbst, des großen Reiseweges Ägyptenlandes, wie vieler Schiffe Segel, grobe und kostbare, schwellte der Wind – und wie viele Ruder stemmten sich in seine Flut! Voll von Menschenstimmen war die hellhörige Luft über den Wassern, von Schiffergrüßen und -späßen, von den warnenden Rufen der Stangenmänner am Schnabel vor Strudeln und Bänken, den gesungenen Weisungen der Schiffer auf den Kajütendächern an Segler und Steuerer. Gemeine Kähne gleich dem Thot-nofers gab es die Menge, aber auch feine und schlanke Barken kamen daher, überholten „Glänzend durch Schnelligkeit" oder begegneten ihm: blau bemalt, mit niedrigem Mast und breitem, taubenweißem Segel, das sich in gefälligem Schwunge blähte, mit Steven in Lotusform und zierlichen Pavillons statt der Kajütenverschläge. Es gab Tempelbarken mit Purpursegeln und großen Gemälden am Buge; hochnoble Reiseschiffe der Mächtigen, zwölf Ruderer an jeder Seite, bebaut mit säulentorigen Lusthäusern, auf deren Dach das Gepäck und der Wagen des Herrn verstaut waren und zwischen deren prunkenden Teppichwänden der Vornehme saß, die Hände im Schoß, in Schönheit und Reichtum gleichsam erstarrt und weder rechts noch links blickend. Ein Leichenzug begegnete ihnen auch, drei Schiffe hintereinander, zusammengetäut, auf deren letztem, einem weißen Kahn ohne Segel und Ruder, der bunte Osiris, den Kopf voran, unter Jammernden auf einem löwenfüßigen Schragen lag.

Ja, viel gab es zu sehen, am Ufer wie auf dem Strome, und Joseph, dem Verkauften, dem zum erstenmal eine Wasserfahrt lachte und nun gleich eine solche, vergingen die Tage gleich Stunden. Wie gewohnt sollte ihm diese Art des Reisens werden und wie geläufig gerade die Strecke hier zwischen Amuns Haus und dem grabeswitzigen Menfe! Ganz wie die Hochnoblen in ihren Teppichkapellen, so sollte er selber dasitzen dereinst, nach dem Ratschluß, in der würdigen Unbeweglichkeit, die er würde erlernen müssen, weil das Volk sie von Göttern und Großen erwartete. Denn so klug sollte er sich halten und so viel Geschicklichkeit bewähren in der Behandlung Gottes, daß er der Erste ward unter den Westlichen und dasitzen mochte, ohne rechts oder links zu blicken. Dies war ihm aufgespart. Vorderhand blickte er noch rechts und links, soviel er nur konnte, um das Land und des Landes Leben in Geist und Sinne aufzunehmen, immer darauf bedacht, daß seine Neugier nicht ausarte in Verwirrung und unförderliche Blödigkeit, sondern sich vorbehaltvoll und munter halte zu Ehren der Väter.

So wurden aus Abend und Morgen die Tage und mehrten sich. Menfe lag zurück nebst dem Tage, an dem sie von dort gesegelt. Wenn die Sonne sank, die Wüste draußen sich violett färbte und der arabische Himmel zur Linken den überschwenglichen Orangeschein des libyschen zur Rechten sanfter zurückspiegelte, so pflockten sie an, wo es sich traf, und schliefen, um morgens weiterzufahren. Der Wind blieb ihnen fast immer günstig, mit Ausnahme der Tage, da er sich legte. Dann mußten sie rudern, wobei der verkäufliche Usarsiph und die jüngeren Ismaeliter halfen, denn sehr viel Mannschaft hatte die Barke nicht, und kamen in Rückstand, was dem Thot-nofer peinlich war von wegen der pünktlich abzuliefernden Grabesstatue. Doch war die Versäumnis nicht schwer, da an anderen Tagen die Leinwand desto voller war und Vorteil und Nachteil sich zur Zufriedenheit aufhoben; und an dem neunten Abend sahen sie zackige Anhöhen sich in der Ferne durchsichtig rosinfarben und wunderlieblich gebärden wie roter Korundstein, obgleich sie, wie jedermann wußte, so todesdürr und verflucht waren wie alle Berge Ägyptens. Diese anerkannte der Schiffsherr sowohl wie der Alte als Amuns Berge, die Höhen von No; und als sie geschlafen hatten und wieder segelten und vor Ungeduld auch noch ruderten außerdem, da ging es an, da blitzte es auf vor ihnen von Gold und schimmerte fein von Farben des Regenbogens, und sie zogen in die Stadt Pharaos ein, die ungeheuer namhafte, noch auf ihrem Schiff und bevor sie an Land gegangen: denn der Fluß wurde zur Ehrenstraße und ging hin in einer Flucht himmlischer Bauten, umgrünt von Gartenwonne, zwischen Tempeln und Palästen rechts und links am Ufer des Lebens sowohl wie an dem des Todes, zwischen Papyruskolonnaden und Lotusbündelkolonnaden, zwischen Obelisken mit Goldspitzen, Kolossalstatuen, Tortürmen, zu denen Sphinxalleen vom Ufer führten und deren Türflügel und Flaggenstangen mit Gold überzogen waren: davon kam das Blitzen, welches die Augen zu blinzeln zwang, so daß vor ihnen die Farben von Bild und Schrift an den Baulichkeiten, das Zimtrot, der Pflaumenpurpur, das Emeraldgrün, Ockergelb und Lasurblau, zu einem wirren Tintenmeere verschwammen.

„Das ist Epet-Esowet, die große Wohnung Amuns", sagte der Alte zu Joseph, indem er ihn mit dem Finger bedeutete. „Die hat einen Saal, fünfzig Ellen breit, mit zweiundfünfzig Säulen und Pfeilern, die Zeltpfählen gleichen, und ist der Saal, wenn's dir recht ist, mit Silber gepflastert."

„Gewiß ist mir's recht", antwortete Joseph. „Ich wußte ja, daß Amun ein sehr reicher Gott ist."

„Das da sind die göttlichen Werften", sagte der Alte wieder, auf Hafenbecken und Trockendocks zur Linken weisend, wo zahlreiche Schurzträger, Zimmerleute des Gottes, mit Bohren, Hämmern und Pichen um Schiffsgerippe beschäftigt waren. „Das ist Pharaos Totentempel und das da das Haus seines Lebens", sprach er und deutete da- und dorthin nach Westen ins Land hinaus auf Baukomplexe von teils gewaltiger, teils lieblicher Pracht. „Das ist Amuns Südliches Frauenhaus", sagte er und ging wieder zum anderen Ufer über, auf gestreckte Tempelanlagen unmittelbar am Flusse den Finger richtend, deren grell besonnte Front an den Vorbauten von scharfen Winkelschatten geschnitten war und bei denen es von sich rührenden, sichtlich noch in Bautätigkeit begriffenen Menschen wimmelte. „Siehst du diese Schönheit? Siehst du die Stätte des Geheimnisses der königlichen Empfängnis? Bemerkst du, wie Pharao vor den Saal und den Hof noch eine Halle baut, höher an Säulen als alles? Mein Freund, das ist Nowet-Amun, die

Stolze, die uns erscheint! Fällt dir die Widder-Straße wohl auf, die dort über Land vom Südlichen Frauenhause zur Großen Wohnung führt? Fünftausend Ellen ist die lang, mußt du wissen, mit lauter Amuns-Widdern besetzt zur Rechten und Linken, die Pharaos Bild zwischen den Beinen tragen."

„Es ist mehr als nett", sagte Joseph.

„Nett?" ereiferte sich der Alte. „Worte wählst du mir aus dem Sprachschatz – lächerlich fehlgehende, das muß ich sagen, und befriedigst mich wenig mit deiner Rückäußerung auf die Erscheinung Wesets."

„Ich sagte ja ‚mehr' als nett", erwiderte Joseph. „Beliebig mehr. Wo ist aber das Haus des Wedelträgers, vor das du mich bringen willst? Kannst du mir's weisen?"

„Nein, das unterscheidet man nicht von hier", versetzte der Alte. „Dort, gegen die östliche Wüste, wo die Stadt nicht mehr dicht ist, sondern sich in Gärten und Villen der Herren löst, da ist's gelegen."

„Und wirst du mich heute noch vor das Haus bringen?"

„Du kannst es wohl gar nicht erwarten, daß ich dich hinbringe und dich verkaufe? Weißt du denn, ob der Meier des Hauses dich nimmt und mir genug für dich bietet, daß ich auf meine Kosten komme und einen kleinen, gerechten Nutzen noch dabei einstreiche? Es ist manchen Mondwechsel her, daß ich dich aus dem Brunnen entband, deiner Mutter, und manche Tagereise, daß du mir Fladen bäckst und neue Worte hebst aus dem Sprachschatz, mir gute Nacht zu sagen. Leicht mag es also sein, daß die Zeit dir lang geworden und du es leid bist mit uns und nach neuem Dienste verlangst. Aber ebensogut könnte die Menge der Tage Gewöhnung bei dir gezeitigt haben und daß dir's schwer würde, dich vom alten Minäer aus Ma'on zu trennen, deinem Entbinder, und du die Stunde erwarten könntest, da er davonzieht und dich in den Händen der Fremden läßt. Das sind die zwei Möglichkeiten, die sich aus der Menge gemeinsamer Wandertage ergeben."

„Der letzteren", sagte Joseph, „ganz überwiegend der letzteren gehört die Wirklichkeit. Gewißlich, ich habe nicht Eile, mich von dir, meinem Erlöser, zu trennen. Ich habe nur Eile, dahin zu gelangen, wo Gott mich haben will."

„Gedulde dich", entgegnete der Alte. „Wir landen an und unterziehen uns den Scherereien, die die Kinder Ägyptens den Ankommenden auferlegen und die lange währen. Danach ziehen wir hin, wo die Stadt dicht ist, in eine Herberge, die ich weiß, und übernachten. Morgen aber bringe ich dich vor das Segenshaus und biete dich feil dem Meier Mont-kaw, meinem Freunde."

Unter solchen Reden langten sie an im Hafen, oder vielmehr am Platze der Anpflockung, zu dem sie von Stromesmitte herüberkreuzten, während Thot-nofer, der Schiffsmann, zum Dank für die glücklich vollbrachte Reise neuerdings vor der Kajüte Balsam verbrannte; und war die Ankunft so umständlich-langwierig und mit so zeitraubenden Scherereien verknüpft, wie nur je eine solche zu Schiffe es irgendwo war oder ist. Denn sie gerieten in den Trubel und das Geschrei der Lände und des Wassers davor, wo viele Schiffe, einheimische und fremde, sich drängten, die schon angepflockt waren oder nach Anpflockung verlangten, um ihre Taue zu schleudern, wenn ein Pflock für sie frei war; und „Glänzend durch Schnelligkeit" wurde von Hafenwächtern und Zollschreibern geentert, die Protokolle über Mann und Maus und jederlei Stückgut aufzunehmen begannen, während am Ufer die Dienstleute des Mannes, der seine Gestalt bestellt hatte, mit gereckten Armen nach der Figur schrien, auf die sie schon lange gewartet hatten, und ebendort viele Händler, die den Ankommenden Sandalen, Mützen und Honigkuchen verkaufen wollten, ihre Stimmen erhoben, in die sich das Geblök von Herden mischte, die nebenan ausgeladen wurden, und die Musik von Gauklern, die am Kai sich auffallend zu machen suchten. Es war ein sehr großer Wirrwarr, und Joseph und seine Gefährten saßen still und betreten am Hinterteil ihres Schiffes auf dem Bauholz und warteten des Augenblicks, da sie von Bord gehen und die Herberge aufsuchen könnten, was aber noch ferne war. Denn auch der Alte mußte heran vor die

Zöllner, sich selbst und all das Seine zu Protokoll geben und Hafengebühren erlegen von seinem Kram. Er wußte sie wohl zu nehmen und weise Menschlichkeit herzustellen statt der Amtlichkeit zwischen sich und ihnen, so daß sie lachten und es gegen kleine Geschenke nicht allzu genau nahmen mit der Landung der Wanderhändler; und ein paar Stunden, nachdem man das Tau geworfen, konnten Josephs Käufer ihre Kamele über die Laufplanke führen und sich, sehr unbeachtet von einer Menge, die jederlei Haut und Kleid gewohnt war, ihren Weg bahnen durch den gemischten Tumult des Hafenquartiers.

Joseph zieht durch Wêse

Die Stadt, deren Namen später die Griechen, um ihn sich bequem und heimatlich zu machen, „Thebai" sprachen, befand sich, als Joseph dort landete und lebte, noch keineswegs auf der Höhe ihres Ruhmes, obgleich sie bereits so berühmt war, wie es aus der Art des Ismaeliters, von ihr zu reden, und aus den Empfindungen hervorging, die Joseph überkamen, als er erfuhr, daß sie sein Ziel sei. Seit langem, aus dunklen und schmalen Tagen des Ursprungs her, war sie im Zunehmen und auf dem Wege zu voller Schönheit; aber noch manches fehlte bis zu dem Punkte, wo ihre Herrlichkeit nicht mehr zu wachsen vermochte, unmöglich ferner zu steigern war, sondern vollendet stehenblieb und eines der sieben Weltwunder darstellte: im Ganzen sowohl wie auch bereits, und zwar hauptsächlich, durch einen ihrer Teile — die beispiellose Prunksäulenhalle ungeheuren Umfanges, die ein späterer Pharao mit Namen Ra-messu oder „Die Sonne hat ihn erzeugt" dem Bautenkomplex des großen Amuntempels im Norden mit einem Kostenaufwand hinzufügte, der dem erreichten Höchstmaß der Schwere dieses Gottes entsprach. Von dieser also sahen Josephs Augen so wenig, wie sie von den Vergangenheiten in der Umgebung der Pyramiden gesehen hatten, nur eben aus entgegengesetztem Grunde: weil sie nämlich noch

112

nicht Gegenwart gewonnen und niemand Mut hatte, sie sich einzubilden. Denn damit dies möglich würde, mußte erst noch manches errichtet werden, was dann durch die hieran schon gewöhnte und zunehmend ungenügsame Einbildungskraft des Menschen überboten werden konnte: zum Beispiel der silbergepflasterte Festsaal zu Epet-Esowet, den der Alte kannte und dessen zweiundfünfzig Säulen Zeltpfählen glichen, erbaut von dem dritten Vorgänger des gegenwärtigen Gottes; oder die Halle, die dieser selbst eben jetzt, wie Joseph gesehen hatte, dem Südlichen Frauenhause Amuns, dem schönen Tempel am Fluß, das schon Vorhandene überbietend, anbauen ließ. Diese Schönheit mußte erst eingebildet und in dem Glauben ausgeführt sein, sie sei das Äußerste, damit des Menschen Ungenügsamkeit darauf fußen und zu seiner Zeit sich das eigentlich Äußerste, die volle, nicht weiter zu steigernde Schönheit, nämlich das Weltwunder des Ramses-Saales einbilden und sie verwirklichen mochte.

Obgleich nun also dieses zu Josephs und unserer Zeit noch nicht gegenwärtig, sondern sozusagen noch unterwegs war, nahm Wêse, auch Nowet-Amun genannt, die Hauptstadt am Nilstrom, auch auf dieser Stufe schon alle Welt bis fern hinaus und soweit sie sich nur selber bekannt war, im höchsten Grade wunder, und sogar übertrieben war dies Geschrei: eine Ruhmesübereinkunft, wie die Menschen sie lieben und auf der sie vom Hörensagen mit einmütigem Eigensinn und geradezu von Schicklichkeits wegen bestehen, so daß überall derjenige sehr sonderbar angeschaut worden wäre und sich gewissermaßen außerhalb der Menschheit gestellt hätte, der öffentlich hätte bezweifeln wollen, daß No in Ägypterland über die Maßen groß und schön, der Inbegriff baulicher Herrlichkeit und einfach ein Traum von einer Stadt sei. Uns, die wir zu ihr hinabgelangt sind – „hinab" im räumlichen Sinn, nämlich mit Joseph den Strom hinauf, „hinab" auch im zeitlichen Sinn, nämlich in die Vergangenheit, wo sie in vergleichsweise mäßiger Tiefe immer noch lärmt, brodelt, strahlt und ihre Tempel in den unbeweglichen Spiegeln heiliger Seen klar-genau sich abbilden läßt, – uns ergeht es notwendig mit ihr ein wenig so, wie es uns mit Joseph selbst, dem von Sang und Sage ebenfalls idealisch Beschrienen, erging, als wir am Brunnen seiner zuerst in Wirklichkeit ansichtig wurden: wir führten seine angeblich unsinnige Schönheit auf das Menschenmaß seiner Gegenwart zurück, wobei der gewinnenden und vom Gerüchte ganz unnötig aufgedonnerten Anmut immer genug übrigblieb.

So auch mit No, der himmlischen Stadt. Sie war nicht aus himmlischem Stoffe erbaut, sondern aus gestrichenen, mit Stroh untermischten Ziegeln wie irgendeine andere auch, und ihre Gassen waren, wie Joseph zu seiner Beruhigung feststellte, so eng, krumm, schmutzig und übelriechend, wie die Gassen menschlicher Siedelungen, großer und kleiner, unter diesem Himmelsstrich es jederzeit waren und sein werden, – wenigstens in den ausgedehnten Quartieren des armen Volkes waren sie so, welches an Zahl die freilich locker und lieblich wohnenden Reichen, wie üblich, bei weitem übertraf. Wenn man draußen in der Welt, auf den Inseln des Meeres und an noch ferneren Küsten, sagte und sang, daß zu Wêse „die Häuser reich seien an Schätzen", so traf das, von den Tempeln abgesehen, wo man das Gold allerdings mit Scheffeln maß, nur für sehr wenige Häuser zu, die Pharao reich gemacht hatte; die große Mehrzahl barg durchaus keine Schätze, sondern war so arm wie die Leute der Inseln und ferneren Küsten, die sich in dem Sagenglanz von Wêses Reichtum sonnten.

Nos Größe angehend, so galt sie für ungeheuer und war es auch, mit der Einschränkung, daß „ungeheuer" kein selbstgenügsam-eindeutiger, sondern ein bezüglicher und schon da oder auch erst dort anzusetzender Begriff ist, bei dem es auf die persönlichen und allgemeinen Begriffe entscheidend ankommt. Um das Hauptmerkmal der Größe Wêses aber in den Augen der Welt stand es geradezu mißverständlich: nämlich um seine „Hunderttorigkeit". Ägyptens Stadt habe hundert Tore, hieß es auf Zypern-Alaschia, in Kreta und weiterhin. „Die Hunderttorige" nannte man sie dort in mythischer Bewunderung

und fügte hinzu, daß aus jedem dieser hundert Tore zweihundert Mann mit Rossen und Geschirr zum Streite auszu-
ziehen vermöchten. Man sieht wohl: diese Schwätzer dachten
an eine Ringmauer solchen Umfanges, daß sie nicht durch vier
oder fünf, sondern durch hundert Stadttore unterbrochen sein
konnte, – eine kindliche Vorstellung, nur möglich, wenn man
Wêse nie mit Augen gesehen hatte und es allein aus der Sage,
vom Hörenschwätzen kannte. Die Idee der Vieltorigkeit verband sich in gewissem Sinne zu Recht mit derjenigen der
Amunsstadt; sie hatte in der Tat viele „Tore", aber das waren
nicht Mauer- und Ausfalltore, sondern es waren die lustig-
gewaltigen, in den Farben ihrer zauberdichten Inschriften und
kolorierten Tief-Reliefschildereien erstrahlenden, von bunten
Wimpelbändern an vergoldeten Flaggenstangen überflatter-
ten Pylonbauten, mit denen die Träger der Doppelkrone nach
und nach, im Zuge der Jubiläen und großen Umläufe, die
Heiligtümer der Götter geschmückt und ausgestaltet hatten.
Ihrer waren denn wirklich eine Menge, wenn auch bis zum
Tage von Wêses voller und unübertrefflicher Schönheit immer
noch welche hinzukamen. „Hundert" waren es weder jetzt
noch später. Aber hundert ist nur eine runde Zahl und will
auch in unserem Munde oft nicht mehr besagen als einfach
„sehr viele". Amuns Große Wohnung im Norden, Epet-
Esowet, schloß schon damals allein sechs oder sieben dieser
„Tore" in sich und die kleineren Tempel in seiner Nähe, die
Häuser des Chonsu, der Mut, des Mont, des Min, der nilpferd-
gestaltigen Epet wiederum eine Anzahl. Der andere Groß-
tempel am Fluß, Amuns Südliches Frauenhaus genannt, oder
auch einfach „der Harem", wies weitere Turmtore auf, und
aber andere gehörten zu den kleineren Wohnungen hier nicht
besonders beheimateter, doch immerhin ansässiger und mit
Nahrung versehener Gottheiten, den Häusern des Usir und
der Eset, des Ptach von Menfe, des Thot und anderer mehr.
Diese Tempelbezirke, umfriedet mit ihren Gärten, Hainen
und Seen, bildeten den Kern der Stadt, sie waren im Grunde
diese selbst, und was profan an ihr war und Menschenbehau-

sung, füllte die Räume zwischen ihnen; es erstreckte sich namentlich von dem südlichen Hafenviertel und Amuns Frauenhaus gegen den Tempelkomplex im Nordosten, der Länge nach durchzogen von des Gottes großer Feststraße, der Widder-Sphinxallee, auf die der Alte den Joseph schon vom Schiffe aus hingewiesen hatte. Das war eine stattliche Strecke, fünftausend Ellen lang, und da die Prozessionsstraße nord-östlich landeinwärts vom Nile abwich und die Wohnstadt den sich verbreiternden Raum zwischen ihr und dem Flusse aus-füllte und auf der anderen Seite landeinwärts gegen die öst-liche Wüste reichte, wo sie weitläufig wurde und sich in die Gärten und Villen der Vornehmen löste (dort „waren reich die Häuser an Schätzen") – so war sie in der Tat sehr groß, sogar ungeheuer, wenn man wollte: mehr als hunderttausend Menschen, sagte man, wohnten darin; und wenn die Zahl Hundert für die Tore eine poetische Abrundung nach oben war, so bedeutete die hohe Ziffer Hunderttausend, den Volks-reichtum Wêses betreffend, zweifellos eine solche nach unten: es waren, wenn wir unserem schätzenden Überblick und dem-jenigen Josephs trauen dürfen, der Einwohner nicht nur „mehr", sondern viel mehr, sehr möglicherweise geradezu doppelt und dreimal soviel, besonders und sicherlich, wenn man die Zahl der Bewohner der Totenstadt drüben im Westen, jenseits des Flusses, geheißen „Gegenüber ihrem Herrn", mit einbezog – natürlich nicht der Toten, sondern der Lebenden, die dort von ernsten Berufes wegen wohnten, weil sie zum Dienste der Abgeschiedenen, die über das Wasser gefahren waren, in irgendeiner handwerklichen oder kultischen Be-ziehung standen. All diese also mit ihren Wohnungen bildeten dort drüben eine Stadt für sich, die, zu Wêses Ganzem ge-schlagen, dieses überaus groß machte. Pharao selbst gehörte zu ihnen; er wohnte nicht in der Stadt der Lebenden, er wohnte im Westen draußen: am Rande der Wüste und unter ihren roten Felsen, dort lag sein Palast in luftiger Zierlichkeit und lagen die Wonnegärten seines Palastes mit ihrem See und Lustgewässer, das früher nicht vorhanden gewesen.

Eine sehr große Stadt also – und groß nicht nur nach ihrer Ausdehnung und Menschenzahl, sondern groß erst recht durch die Spannung ihres inneren Lebens, ihre Gemischtheit und rassenbunte Jahrmarktslustigkeit, groß als Kernpunkt und Fokus der Welt. Sie selbst hielt sich für deren Nabel – eine übermütige Annahme in den Augen Josephs, aber strittig auch sonst. Schließlich gab es noch Babel am verkehrt fließenden Euphrat, wo man im Gegenteil fand, der Strom Ägyptens fließe verkehrt, und nicht zweifeln wollte, daß um Bab-ilu herum die übrige Welt in bewunderndem Kreise geordnet sei, obgleich man auch dort in baulicher Hinsicht damals noch nicht zu voller Schönheit gediehen war. Nicht umsonst aber liebte man in Josephs Heimat von der Amunsstadt zu sagen, daß „Nubier und Ägypter ohne Zahl ihre Stärke seien und Leute von Punt und Libyer ihre Helferschaft bildeten". Schon bei seinem ersten Durchzuge mit den Ismaeliten von der Uferlände zur Herberge, die tief im Inneren der Engstadt lag, empfing Joseph hundert Eindrücke, die diese Sangesaussage bestätigten. Ihn selbst und die Seinen sah niemand an, da Fremdheit hier alltäglich und die seine nicht wunderlich-kraß genug war, um Aufmerksamkeit zu erregen. Desto ungestörter mochte er schauen, und höchstens die Besorgnis, der Andrang von so viel großer Welt möchte seinen geistlichen Stolz verwirren und ihn der Zaghaftigkeit anheimgeben, legte seinen Augen einige Zurückhaltung auf.

Was sah er nicht alles auf dem Wege vom Hafen zur Herberge! Welche Warenschätze quollen aus den Gewölben, und wie wimmelte und wallte es in den Gassen von den Arten und Schlägen der Adamskinder! Die Einwohnerschaft von Wêse schien vollzählig auf den Beinen zu sein und sich auf der irgendwie notwendigen Wanderung von einem Ende der Stadt zum anderen sowie in umgekehrter Richtung zu befinden, und unter das ursässige Volk mischten sich die Menschentypen und Trachten der vier Weltgegenden. Gleich an der Lände hatte es einen Auflauf gegeben, der einer Gruppe ebenholzschwarzer Mohren mit unglaublich gepolsterten Lippenbergen und Straußenfedern auf den Köpfen gegolten hatte: Männern und tieräugigen Weibern mit Brüsten wie Schläuchen und lächerlichen Kindern in Körben auf den Rücken. Sie führten scheußlich miauende Panther sowie Paviane, die auf vier Händen schritten, an Ketten; eine Giraffe, vorn hoch wie ein Baum und hinten nur wie ein Pferd, ragte unter ihnen, Windhunde waren auch dabei, und unter goldenen Tüchern trugen die Mohren Gegenstände, deren Wert einer solchen Umhüllung zweifellos entsprach – aus Gold vermutlich und Elfenbein. Es war, wie Joseph erfuhr, der Tribut tragenden Abordnungen eine aus dem Lande Kusch, mittäglich-jenseits des Landes Weset, weit stromaufwärts, aber nur eine ganz kleine, unpflichtige und zwischeneinfallende, gesandt vom Vorsteher der südlichen Länder, Vizekönig und Fürst von Kusch, um das Herz Pharaos zu erfreuen und es überraschend für ihn, den Fürsten, einzunehmen, damit Seine Majestät nicht auf den Gedanken komme, ihn abzuberufen und ihn durch einen der Herren seiner Umgebung zu ersetzen, die ihm wegen des kostbaren Postens in den Ohren lagen und im Morgengemach Hechelreden gegen seinen Inhaber vorbrachten. Das Sonderbare war, daß das Hafenvolk, welches die Gesandtschaft begaffte, die Straßenbuben, die sich über den palmenlangen Hals der Giraffe lustig machten, diese Hintergründe des Schauspieles, die Besorgnis des Vizekönigs und die Hechelreden im Morgengemach, ganz genau kannten und sich vor Josephs und der Ismaeliter Ohren in lauten und kritischen Redensarten darüber ergingen. Es war schade für sie, dachte Joseph, daß ihre Lust an der bunten Erscheinung durch ein so kaltes Wissen der Reinheit und Einfalt verlustig ging. Vielleicht aber auch empfing sie dadurch gar noch eine besondere Würze, und er für sein Teil fing, was sie redeten, mit Vergnügen auf, weil er es als förderlich erachtete, von den inneren Geheimnissen und Vertraulichkeiten dieser Welt, wie daß der Prinz von Kusch um sein Amt zitterte, die Höflinge ihn hechelten und Pharao sich gern überraschen ließ, unterderhand etwas in Erfahrung zu bringen; denn das stärkte das Selbstgefühl und wappnete gegen die Blödigkeit.

Behütet und gelenkt von ägyptischen Beamten, wurden die Neger über den Fluß gebootet, daß sie vor Pharao stünden: Joseph sah es noch; und einzelne von ihrer Haut sah er auch sonst auf seinem Wege. Aber er sah Häute in allen Abschattungen vom Obsidian-Schwarz über viele Stufen von Braun und Gelb bis zum Käseweiß, er sah sogar gelbes Haar und azurfarbene Augen, Gesichter und Kleider von jedem Schnitt, er sah die Menschheit. Das kam, weil die Schiffe der Fremdländer, mit denen Pharao Handel trieb, sehr vielfach nicht in den Häfen des Mündungsgebietes haltmachten, sondern lieber gleich vor dem Nordwind den Strom hinauf und hierher fuhren, um ihre Frachten, Tribute und Tauschwaren an Ort und Stelle zu löschen, wo doch alles zusammenkam, nämlich in Pharaos Schatzhaus, der damit Amun und seine Freunde reich machte, so daß jener seine Ansprüche in baulicher Hinsicht steigern und das Vorhandene überbieten mochte, diese ihr Leben aufs letzte zu verfeinern in die Lage kamen, welches auf diese Weise an Ausgesuchtheit sich äußerst zuspitzte und vor Feinheit sogar ins Närrische verfiel.

So erklärte es der Alte dem Joseph, und darum sah dieser außer den Kusch-Mohren unter den Leuten Wêses: Bedus aus dem Gotteslande vorm Roten Meer; hellgesichtige Libyer von den Oasen der westlichen Wüste in bunten Wirkröcken und geflochtenen, starr vom Kopfe stehenden Zöpfen; Amu-Leute und Asiaten gleich ihm, in farbiger Wolle, mit den Bärten und Nasen der Heimat; chattische Männer von jenseits des Amanusgebirges in Haarbeuteln und engen Hemden; Mitanni-Händler in der würdig-überfallreichen und befransten Tracht Babels; Kauf- und Seeleute von den Inseln und von Mykene in weißer Wolle, deren Falten erfreulich fielen, erzene Ringe an dem Arm, den sie nicht im Gewand verbargen, – und dies alles, obgleich der Alte aus Bescheidenheit seinen kleinen Zug möglichst armselig-volkstümliche Wege führte und die edlen Straßen vermied, um nicht ihre Schönheit zu verletzen. Ganz unverletzt aber konnte er sie doch nicht lassen: die schöne Straße des Chonsu, die der Feststraße des Gottes gleichlief, die „Straße des Sohnes", wie man sie hieß, denn der mondverbundene Chons war des Amun Sohn und der Mut, seiner Baalat, er war, was Nefertêm, der blaue Lotus, zu Menfe war, und bildete mit den großen Eltern die Dreiheit von Weset, – seine Straße also, eine Hauptader und rechte Abrek-Avenue, wo man immerfort gut tat, sein Herz fest zu sich zu nehmen – diese mußten die Ismaeliter notgedrungen betreten und eine Strecke weit verfolgen auf die Gefahr hin, ihrer Schönheit verwiesen zu werden; und Joseph sah Paläste wie den der Verwaltung der Schatzhäuser und Kornspeicher und den Palast der ausländischen Prinzen, in welchem die Söhne syrischer Stadtfürsten erzogen wurden, wunderbare und weitläufige Gebäude aus Ziegeln und Edelhölzern, glänzend an Farben. Er sah Wagen vorüberrollen, völlig mit gehämmertem Golde bedeckt, in denen Stolze standen und die Geißel über den Rücken augenrollend dahinstürmender Rosse schwangen. Die Rosse aber schnoben Feurigkeit, sie schleuderten Schaum von den Mäulern, ihre Beine waren wie die von Rehen, und ihre an den Hals gedrückten Köpfe waren mit Straußenfedern gekrönt. Er sah Sänften dahinziehen, an Stangen auf den Schultern getragen in behutsam federndem Geschwindschritt von hohen Jünglingen in Goldschurzen. Geschnitzt waren die Stuhlbahren, vergoldet und behängt, und Männer saßen darin mit verborgenen Händen, das lackierte Haar aus der Stirn in den Nacken gestrichen, ein Bärtchen am Kinn, durch hohe Stellung zur Unbeweglichkeit verpflichtet und mit gesenkten Wimpern, einen großen Windschutzkasten aus Rohr und bemaltem Stoffe im Rücken. Wer sollte wohl einstmals auch so sitzen und vor sein Haus getragen werden, das Pharao reich gemacht? Das liegt in der Zukunft, und diese Feststunde der Erzählung ist noch nicht gekommen, obgleich sie an ihrem Ort schon vorhanden und jedem bekannt ist. Gegenwärtig sah Joseph nur, was er einst sein sollte, blickte darauf mit Augen, so groß und fremd wie diejenigen, die auf ihm ruhen oder sich vor ihm verkriechen würden, dem Fremden und Großen, – Jungsklave Osarsiph, des Brunnens Sohn, gestohlen und verkauft hier hinab, im armen Kapuzenhemd und mit schmutzigen Füßen, der an die Wand gedrückt wurde, als lanzenstachlichte Kriegsmacht plötzlich mit Zinkengeschmetter die „Straße des Sohnes" dahergeeilt kam in hellen, genauen Scharen, mit Schilden, Bogen und Keulen. Er hielt die grimmig Gleichmäßigen für Pharaos Waffenvolk; an den Standarten jedoch und den Zeichen der Schilde erkannte der Alte, daß es Truppen des Gottes waren, Tempelmilitär, Amuns Stärke. Wie, dachte Joseph, hatte Amun Heerscharen und Feldhaufen wie Pharao? Es gefiel ihm nicht, und zwar nicht nur, weil die Rotte ihn an die Wand gedrückt hatte. Eine Eifersucht regte sich in ihm um Pharaos willen und von wegen der Frage, wer hier der Höchste sei. Die Nähe von Amuns Stolz und Ruhm bedrückte ihn ohnedies, das Vorhandensein eines anderen Höchsten, Pharaos nämlich, schien ihm ein wohltätig Gegengewicht, und daß der Götze es diesem auf seinem eigenen Felde gleichtat und Kriegsvolk hielt, mutete ihn ärgerlich an; ja, er glaubte zu erraten, daß es auch Pharao ärgerte, und schlug sich auf dessen Seite gegen den Anmaßenden.

Bald also verließen sie wieder die „Straße des Sohnes", um sie nicht lange zu verunzieren, zogen weiter im Engen und Geringen und kamen zur Herberge, genannt „Sipparer Hof", weil ihr Herr und Wirtsmann ein Chaldäer aus Sippar am Euphrat war und vorzugsweise chaldäische Leute, wenn auch sonst noch allerlei Volk, bei ihm herbergten. Hof aber hieß sie, weil sie wirklich fast nichts war als ein Brunnenhof, ebenso voll von Schmutz, Lärm und Gerüchen, von Tiergeblök, Menschenzank und Gauklergequarr wie der Fremdenhof zu Menfe; und noch diesen Abend gleich schlug der Alte dort einen kleinen Tauschhandel auf, der Zulauf hatte. Da sie aber geschlafen hatten unter ihren Mänteln, wobei immer einer von ihnen, außer dem Alten, der die ganze Nacht schlafen durfte, die Augen offenhalten und Wache stehen mußte, daß sie nicht bestohlen würden an Kram und Schätzen von seiten der Gemischten, und hatten nach langem Anstehen am Brunnen sich waschen können, auch ein chaldäisch Morgenmus zu sich ge

121

nommen, das hier gereicht wurde, einen Mehlbrei, mit Sesam bereitet, genannt „Pappasu", da sprach der Alte und sah den Joseph nicht an dabei:

„Nun denn, meine Freunde, du, Mibsam, mein Eidam, Epher, mein Neffe, und ihr, Kedar und Kedma, meine Söhne! Wir wollen hinziehen mit unseren Gütern und Angeboten gegen Aufgang von hier und gegen die Wüste, wo die Stadt sich herrschaftlich löst. Dort weiß ich Kundschaft und hochbedürftige Abnehmer, die ich erbötig hoffe, von dem Unsrigen dies und das in ihre Vorratskammern zu kaufen und es uns so zu bezahlen, daß wir nicht eben nur auf unsere Kosten kommen, sondern noch einen gerechten Vorteil dabei einstreichen und uns bereichern, gehorsam unserer Händlerrolle auf Erden. Legt also den Tieren die Waren auf und sattelt mir meines, daß ich euch führe!"

So geschah es, und zogen aus vom „Sipparer Hof" nach Osten gegen die Gärten der Reichen. Vorn führte Joseph das Dromedar des Alten an langem Zügel.

Joseph kommt vor Peteprês Haus

Gegen die Wüste zogen sie und die glühenden Hügel der Wüste, wo Rê am Morgen erschien und wo es also ins Gottesland ging, vor dem Meere der Roten Erde. Auf einem geebneten Wege zogen sie, ganz wie sie eingezogen waren in Dotans Tal, nur daß jetzt nicht der wulstlippige Knabe, der Jupa hieß, sondern Joseph das Tier des Alten führte. Da kamen sie an eine Ringmauer mit fliehenden Wänden, lang und viel umfassend, aus deren innerem Bereiche schöne Bäume ragten, Sykomoren, Dornakazien, Dattel-, Feigen- und Granatbäume, außerdem die Oberteile lichtweißer und farbig bemalter Baulichkeiten. Joseph blickte darauf hin und dann zu seinem Herrn empor, um an seinen Mienen zu erkennen, ob dies das Haus des Wedelträgers sei, denn ein Segenshaus war es offenbar. Aber der Alte sah schiefköpfig geradeaus, indes sie die Mauer entlangzogen, und ließ sich nichts merken, bis sich die Mauer zu einem Torbau erhob und einem gedeckten Torwege; da hielt er an.

Im Schatten des Torweges war eine Ziegelbank, darauf saßen Burschen in Schurzen, vier oder fünf, und spielten ein Spiel mit den Händen.

Der Alte sah ihnen vom Tier herab eine Weile zu, bis sie anfingen, sich um ihn zu kümmern, die Hände sinken ließen, verstummten und ihn alle mit hochgezogenen Brauen spöttisch-verwundert ansahen, um ihn in Verlegenheit zu bringen.

„Seid gesund", sprach der Alte.

„Freue dich", antworteten sie achselzuckend.

„Was mag es für ein Spiel gewesen sein", fragte er, „worin ihr euch um meiner Ankunft willen unterbrachet?"

Sie sahen einander an und lachten abwechselnd.

„Um deiner Ankunft willen?" wiederholte einer. „Wir haben uns aus Unmut unterbrochen, weil du andauernd Maulaffen feilhieltest."

„Mußt du deine Kenntnisse aufbessern, alter Wüstenhase", rief ein anderer, „genau hier und sonst nirgends, daß du uns nach unserem Spiele fragst?"

„Ich halte manches feil", erwiderte der Alte, „nur Maulaffen nicht, so reich vervollständigt auch sonst meine Lasten sind, denn ich kenne die Ware nicht, entnehme aber aus eurem Unmut, daß ihr Überfluß daran habt. Daher denn auch wohl euer Trachten nach Zeitvertreib, das ihr, wenn ich nicht irre, in dem lustigen Spiele ‚Wieviel Finger' befriedigtet."

„Nun also", sagten sie.

„Ich fragte nur nebenbei und einleitend", fuhr er fort. „Dies sind hier also Haus und Garten des edlen Peteprê, Wedelträgers zur Rechten?"

„Woher weißt du denn das?" fragten sie.

„Meine Erinnerung lehrt es mich", antwortete er, „und eure Antwort bestätigt es mir. Ihr aber seid, wie es scheint, zu Wächtern eingesetzt an des heiligen Mannes Tor und zu Meldeläufern, wenn vertrauter Besuch sich zeigt?"

„Ihr seid uns vertraute Besucher!" sagte der eine. „Nämlich Schnapper und Buschklepper der Wildnis. Ich danke."

„Junger Torwart und Meldeläufer", erwiderte der Alte, „du täuschest dich, und deine Weltkenntnis ist unreif wie grüne Feigen. Wir sind keine Schnapper und Strauchdiebe, sondern hassen solche und sind in der Ordnung das genaue Gegenteil von ihnen. Denn Wanderhändler sind wir, die hin und her handeln zwischen den Reichen und schöne Verbindungen pflegen, so daß wir wohl aufgenommen sind, wie überall, so auch hier und in diesem vielbedürfenden Hause. Nur für den Augenblick sind wir's noch nicht, durch Schuld deiner Herbheit. Aber ich rate dir, werde nicht schuldig vor Montkaw, deinem Vorsteher, der über dem Hause ist und mich seinen Freund nennt und schätzt meine Schätze! Sondern erfülle deinen Stand, der dir verliehen ist in der Ordnung, und laufe, dem Meier zu melden, die vertrauten Reisehändler aus Ma'on und von Mosar, kurzum die midianitischen Kaufleute, seien wieder einmal zur Stelle mit guten Dingen für des Hauses Kammern und Scheuern."

Die Torhüter hatten Blicke gewechselt, als er den Namen des Vorstehers zu nennen gewußt hatte. Nun sagte der, zu dem er gesprochen, ein Pausback mit engen Äuglein:

„Wie soll ich dich ihm wohl melden? Bedenke das, Alter, und zieh deines Weges! Kann ich zu ihm gelaufen kommen und melden: Die Midianiter von Mosar sind da, darum hab' ich das Tor verlassen, wo um Mittag der Herr einfährt, und störe dich? Er wird mich ja einen Hundesohn nennen und mich beim Ohre nehmen. Er rechnet ab in der Bäckerei und bespricht sich mit dem Schreiber des Schenktisches. Er hat mehr zu tun, als mit dir zu krämern um deinen Kram. Darum zieh!"

„Es ist schade um dich, junger Wächter", sagte der Alte, „daß du dich zum Hindernis machst zwischen mir und meinem langjährigen Freunde Mont-kaw und legst dich mittenein wie ein Fluß voller Krokodile und wie ein Berg von unbesiegbarer Schroffheit. Heißt du nicht Scheschi?"

„Ha, ha, Scheschi!" rief der Torhüter. „Teti heiße ich!"

„Das meinte ich", versetzte der Alte. „Es liegt nur an meiner Aussprache und daran, daß mir Altem die Zähne schon fehlen, wenn ich's anders sagte. Also Tschetschi (ei, es gelingt mir nicht besser), laß mich doch sehen, ob nicht eine trockene Furt durch den Fluß führt und vielleicht ein Ringelpfad um die Schroffen des Berges. Du hast mich versehentlich einen Schnapphahn genannt, hier aber", sagte er und griff in sein Gewand, „ist in Wirklichkeit so ein Ding und ein hübsches, das dir gehört, wenn du springen und melden willst und Mont-kaw zur Stelle bringen. Da, hole es dir aus meiner Hand! Es ist nur ein kleines Beispiel meiner Schätze. Sieh, die Schale ist aus härtestem Holz, schön gebeizt, und hat einen Schlitz. Daraus biegst du die diamantscharf schneidende Klinge hervor, und siehe, das Messer steht fest. Drückst du aber die Klinge zum Griffe nieder, so schnappt sie ein in ihr Bette, eh du zu Ende gedrückt, und ruht versichert in ihrer Scheide, daß du das Ding im Schurze verbirgst. Nun also?"

Der junge Mensch kam heran und prüfte das Schnappmesser.

„Nicht dumm", sagte er. „Ist es meins?", und er steckte es ein. „Vom Lande Mosar?" fragte er. „Und aus Ma'on? Midianitische Händler? Wartet ein Weilchen!"

Und er ging hinein durch das Tor.

Der Alte sah ihm mit lächelndem Kopfschütteln nach.

„Wir haben die Feste Zel bezwungen", sagte er, „und sind fertig geworden mit Pharaos Grenzwachen und Truppenschreibern. Wir werden wohl durchdringen hier zu meinem Freunde Mont-kaw."

Und er ließ ein Schnalzen hören, das für sein Tier das Zeichen war, sich zu legen, damit er abstiege, wobei ihm Joseph behilflich war. Auch seine anderen Reiter gingen nieder; und sie warteten.

Nach einer Weile kam Teti wieder und sagte:

„Eintreten sollt ihr in den Hof. Der Vorsteher will kommen."

„Gut", erwiderte der Alte, „wenn er Wert darauf legt, uns zu sehen, so wollen wir uns Zeit lassen und ihm willfahren, obgleich wir noch weitermüssen."

Und von dem jungen Wächter geführt, zogen sie durch den gedeckten Torweg, wo es hallte, in den Hof ein, der ganz mit gestampftem Lehme bedeckt war, die Gesichter den offenstehenden und von schattenden Palmbäumen flankierten Torflügeln des inneren, aus Ziegeln erbauten und mit Scharten versehenen Mauervierecks zugewandt, aus welchem, mit übermaltem Säulenportal, schönen Gesimsen und dreieckigen, nach Westen offenen Windkaminen auf dem Dache, das Herrenhaus sich erhob.

Es lag in der Mitte des Grundstücks, an zwei Seiten, der westlichen und mittäglichen, umfaßt von den grünen Gründen eines Gartens. Der Hof war geräumig, und zwischen den Gebäuden, die, ohne Ummauerung, in dem mitternächtlichen Teile des Anwesens, die Stirn gegen Süden gewandt, standen, waren reichliche Freiheiten. Das bedeutendste davon erstreckte sich zur Rechten der Einziehenden, lang, licht und zierlich, von Wächtern bewacht, und durch seine Tür gingen Dienerinnen mit Fruchtschalen und hohen Kannen aus und ein. Andere Frauen saßen auf des Hauses Dach, spannen und sangen. Weiter zurück nach Westen und gegen die Nordmauer war wieder ein Haus, von dem es dampfte und vor dem Leute bei Braukesseln und Kornmühlen beschäftigt waren. Noch ein Haus war abermals weiterhin gegen Westen hinter dem Baumgarten, und Handwerker waren tätig davor. Dahinter, im nordwestlichen Winkel der Ringmauer, lagen Viehställe und Kornspeicher mit Leitern.

Ein Segensanwesen ohne Zweifel. Joseph überflog es mit raschen Augen, die überall hinzudringen suchten, aber sich's recht zu eigen zu machen war ihm jetzt nicht gegönnt, denn er mußte helfen bei dem, was sein Herr sogleich nach ihrem Einzuge ins Werk setzte: nämlich die Lasten von den Kamelen zu nehmen und auf dem Lehmestrich des Hofes zwischen Torweg und Herrenhaus den Laden aufzuschlagen und auszubreiten die Angebote, damit der Verwalter, oder wer handelslustig wäre unter den Seinen, einen lockenden Überblick habe über den Kram der Ismaeliter.

Wirklich war dieser bald von viel neugierigem Hofvolk umstanden, das die Ankunft der Asiaten beobachtet hatte und in dem Vorkommnis, an dem übrigens nichts Rares war, eine willkommene Ablenkung von seiner Arbeit oder auch vom bloßen Lungern erblickte. Es kamen nubische Wächter vom Frauenhause und Dienerinnen, deren Weibesgestalt nach Landesbrauch klar und anschaulich durch den überfeinen Batist ihrer Gewandung schien; Gesinde vom Haupthause, je nach der Stufe, die sie auf der dienstbaren Rangstaffel einnahmen, nur mit dem kurzen Schurz oder noch mit dem längeren darüber und mit dem kurzärmeligen Oberkleide angetan; Leute vom Küchenhause, etwas Halbgerupftes in Händen, Stallknechte, Handwerker vom Dienerhause und Gartenpfleger: diese alle kamen heran, schauten und schwatzten, beugten sich zu den Waren nieder, nahmen dies und das in die Hand und erkundigten sich nach dem Tauschwerte, ausgedrückt in Silber- und Kupfergewichten. Auch zwei Kleinwüchsige fanden sich ein, Zwergmänner: gleich ein Paar solcher schloß der Hausstand des Wedelträgers ein; aber wiewohl beide nicht mehr als drei Schuh hoch waren, wiesen sie große Unterschiede des Betragens auf, denn der eine war ein Matz, der andere würdigen Wesens. Dieser kam zuerst, vom Haupthause her; auf Beinchen, die gegen den Oberkörper noch wiederum verkümmert erschienen, kam er bemüht verständigen Ganges heran, in aufrechter, sogar etwas hintübergelehnter Haltung, angelegentlich um sich blickend und in raschem Takt mit den Stummelärmchen rudernd, wobei er die Handflächen nach hinten kehrte. Er trug einen gestärkten Schurz, der in schräger Dreiecksfläche vor ihm dahinstand. Sein hinten ausladender Kopf war groß im Verhältnis, mit kurzem Haar bedeckt, das in die Stirn und die Schläfen wuchs, seine Nase stark und seine Miene gleichmütig, ja bestimmt.

„Bist du der Führer des Handelszuges?" fragte er, vor den Alten tretend, der sich neben den Waren auf seine Fersen niedergelassen hatte, was dem Däumling sichtlich willkommen war, da er so einigermaßen von gleich zu gleich mit ihm reden mochte. Seine Stimme war dumpf, er drückte sie möglichst tief hinab, wobei er das Kinn auf die Brust senkte und die Unterlippe einwärts über die Zähne zog. „Wer hat euch eingelassen? Die Außenwächter? Mit Erlaubnis des Vorstehers? Dann ist es gut. Ihr könnt bleiben und seiner warten, obgleich es ungewiß ist, wann er Zeit für euch findet. Führt ihr nützliche Dinge, schöne Dinge? Es ist wohl mehr Trödel? Oder sind auch höherwertige Objekte darunter, ernsthafte, schickliche und gediegene? Ich sehe Balsame, ich sehe Stöcke. Einen Stock könnte ich persönlich wohl brauchen, wenn er aus härtestem Holz und nach seiner Ausstattung für voll zu nehmen ist. Vor allem: habt ihr Leibesschmuck, Ketten, Halskrägen, Ringe? Ich bin der Pfleger der herrschaftlichen Kleider und des Geschmeides, der Vorsteher des Ankleidezimmers. Dûdu ist mein Name. Auch meinem Weibe könnte ich mit einem soliden Schmuckstücke eine Freude bereiten, Zeset, meiner Frau, zum Dank ihrer Mutterschaft. Seid ihr in dieser Richtung versehen? Ich sehe Glasfluß, ich sehe Tand. Worauf mir ankäme, das wäre Gold, Elektron, es wären gute Steine, Blaustein, Kornalin, Bergkristall . . ."

Während dies Männlein dergestalt redete und forderte, kam aus der Richtung des Harems, wo es wohl vor den Damen Possen getrieben hatte, das andre gesprungen: Verspätet, so schien es , war ihm der Zwischenfall zu Ohren gekommen, und voll kindischen Eifers sputete es sich, dabeizusein – laufend, so schnell seine dicken Beinchen es trugen, und dann und wann den Lauf auf ihnen beiden unterbrechend, um bloß auf einem zu hüpfen, wobei es mit dünner und scharfer Stimme, in einer Art von Freudenkrampf, kurzatmig hervorstieß:

„Was ist? Was ist? Was kommt vor in der Welt? Ein Auflauf, ein groß Getümmel? Was gibt es zu schauen? Was gibt's zu bestaunen auf unserem Hof? Handelsmänner – gar wilde Männer – Männer des Sandes? Da fürchtet der Zwerg sich, da ist er voll Neubegier, hopp, hopp, da kommt er zur Stelle gerannt . . ."

Mit der einen Hand hielt er eine rostfarbene Meerkatze auf seiner Schulter fest, die vorgestreckten Halses mit grell und schreckhaft aufgerissenen Augen von ihrem Sitze hinausstarrte. Die Kleidung dieses Wichtels war insofern lächerlich, als sie in einer Art von Festtracht bestand, die närrischerweise seine alltägliche zu sein schien, weshalb denn auch die feine Preßfältelung seines bis über die Waden reichenden Schurzleins mit dem fransenbesetzten Überfall sowie das durchsichtige Kamisölchen mit den ebenfalls plissierten Ärmeln zerknittert und unfrisch waren. Um die embryonischen Handgelenke trug er goldene Spiralringe, um das Hälschen einen zerzausten Blumenkranz, in den mehrere andere eingehängt waren, welche um seine Schultern herumstanden, und oben auf der braunen Lockenperücke aus Wolle, die sein Köpfchen bedeckte, einen Salbkegel, der aber nicht wirklich aus schmelzendem Duftfett, sondern nur aus einem mit Wohlgeruch getränkten Filzzylinder bestand. Anders als bei dem zuerst gekommenen war das Gesicht dieses Zwerges kindlich-greis, kleinfaltig, verhutzelt und alraunenhaft.

Während die Umstehenden Dûdu, den Kleiderwart, anständig begrüßt hatten, nahmen sie die Ankunft seines Schicksalsgenossen und Bruders im Untermaß mit Heiterkeit auf. „Wesir!" riefen sie (das war wohl sein Spottname). „Bes-em-heb!" (Das war der Name eines vom Auslande eingeführten komischen Zwerggottes, verbunden mit der Bezeichnung „im Feste", womit man auf die ewige Gala des Männchens anspielte.) „Willst du kaufen, Bes-em-heb? Wie er die Beine unter die Arme nimmt! Lauf, Schepses-Bes!" (das hieß „herrlicher Bes", „Pracht-Bes"). „Laufe und kaufe, doch erst verschnaufe! Kauf dir eine Sandale, Wesir, und mach Rinderbeinchen darunter, dann hast du ein Bett, darin du dich ausstrecken kannst, aber einen Tritt mußt du ansetzen zum Einsteigen!"

So riefen sie ihm zu, und anlangend erwiderte er asthmatisch, mit seiner Grillenstimme, die wie aus einiger Ferne kam:

„Versucht ihr's mit Witzen, ihr Ausgedehnten? Und gelingt es euch schon recht leidlich damit nach euerer Meinung? Der Wesir aber muß gähnen dabei – huh, huh –, denn ihn dünkt langweilig euer Witz, wie's die Welt tut, auf die ein Gott ihn gesetzt hat und in der alles für Riesen gemacht ist, die Waren, der Witz und die Weile. Denn wäre die Welt nach seinem Maße gemacht und ihm zur Heimat, so wäre sie kurzweilig auch, und man müßte nicht gähnen. Hurtige Jährlein und Doppelstündlein gäbe es dann und flinke Nachtwachen. Pick, pick, pick eilte das Herz, und flugs wär' es abgelaufen, so daß geschwinde wechselten die Geschlechter der Menschen – kaum hätte eines Frist, einen guten Spaß zu machen auf Erden, so wär's schon dahin und ein anderes am Lichte. Lustig wäre das kleine Leben. So aber ist der Zwerg gesetzt ins Ausgedehnte und muß gähnen. Ich will eure ungeschlachten Waren nicht kaufen, und euren vierschrötigen Witz nehm' ich auch nicht geschenkt. Ich will nur sehen, was es Neues gibt in der Riesenweile auf unserem Hof – fremde Männer, Männer des Elends, Sandmänner und wilde Nomaden, in Kleidern, wie der Mensch sie nicht trägt ... Pfui!" unterbrach er plötzlich sein Zirpen, und sein Gnomengesicht zog sich in knittrigem Ärger zusammen. Er hatte Dûdu bemerkt, seinen Mitzwerg, der vor dem sitzenden Alten stand und Vollwertiges forderte, indem er mit den Stummelärmchen gestikulierte.

„Pfui!" sagte der sogenannte Wesir. „Da ist der Gevatter, der Ehrenwerte! Muß mir der Kerl aufstoßen, da ich meine Neubegier stillen will – wie unangenehm! Schon steht er da, der Herr Kleiderbewahrer, ist mir zuvorgekommen und führt dumpfe Rede, höchst achtbar zu hören ... Guten Morgen, Herr Dûdu!" zirpte er, indem er, der Knirps, sich neben den anderen stellte. „Recht guten Vormittag, Euer Stattlichkeit, und jederlei Hochachtung vor Eurer kernhaften Person! Darf man sich allenfalls nach dem Befinden Frau Zesets erkundigen, die den Arm um Euch schlingt, sowie nach dem der überragenden Sprossen, Esesi und Ebebi, der Herzigen –?"

Sehr abschätzig wandte Dûdu den Kopf nach ihm über die

Schulter, ohne ihn scheinbar recht mit dem Blicke zu finden, vielmehr ließ er seine Augen irgendwohin vor den Füßen des anderen zu Boden gehen.

„Du Maus", sagte er, indem er den Kopf gleichsam über ihn schüttelte und die Unterlippe einzog, so daß die obere darüber stand wie ein Dach. „Was krabbelst und pfeifst du? Ich achte dich nicht mehr als einen Taschenkrebs oder als eine taube Nuß, aus der nur ein Dämpflein stäubt, so achte ich dich. Wie magst du nach meinem Weibe Zeset fragen und verbirgst auch noch heimlichen Spott in deiner Erkundigung nach ihr und nach meinen aufstrebenden Kindern, Esesi und Ebebi? Sie kommt dir nicht zu, die Nachforschung, weil sie nicht deine Sache ist, dir auch nicht ziemt, gebührt oder ansteht, du Wurstl und Bruchstück ..."

„Sehe doch einer an!" erwiderte der, den sie „Schepses-Bes" gerufen hatten, und sein Mienchen zerknitterte sich noch mehr. „Willst du dich über mich erheben, wer weiß wie hoch, und läßt deine Stimme wie aus einer Tonne kommen vor Ehrpußlichkeit, da du doch selbst über keinen Maulwurfshügel gucken kannst und bist deiner Brut nicht gewachsen, geschweige denn der, die den Arm um dich schlingt? Ein Zwerg bist du immerdar, vom Zwergengeschlechte, so achtbar du dich gebärdest, und verweisest es mir als Ungebühr, dich höflich nach deiner Familie zu fragen, weil's mir nicht zieme. Ei, aber dir ziemt es wohl und steht dir recht zu Figur, unter den Ausgewachsenen den Eheherrn und Nestvater zu spielen, und beweibst dich mit einer Vollwüchsigen und verleugnest die kleine Art ..."

Das Hofvolk lachte laut über die zankenden Männlein, deren wechselseitige Abneigung ihnen allen eine vertraute Quelle der Lustbarkeit zu sein schien, und trieb sie mit Dreinrufen recht zum Keifen an: „Gib's ihm, Wesir!" – „Tränk es ihm ein, Dûdu, Gatte der Zeset!" – Aber der, den sie „Besem-heb" gerufen hatten, hörte zu zanken auf und zeigte sich plötzlich unbeteiligt am Streite. Es war so, daß er neben dem Verhaßten stand und dieser vor dem sitzenden Alten. Aber neben diesem stand Joseph, so daß Bes sich dem Sohne der Rahel gegenüber befand; und da er seiner gewahr wurde, ließ er die Rede fallen und betrachtete ihn unverwandt, indes sein ältliches Heinzelgesicht, das eben noch voll kleinen Ärgers gewesen, sich glättete und einen Ausdruck selbstvergessenen Forschens gewann. Der Mund blieb ihm offen, und wo die Brauen hätten sein sollen (aber er hatte keine), die Gegenden standen ihm hoch in der Stirne. Dieserart sah er zu dem jungen Chabiren empor, und übrigens tat das Äffchen auf seiner Schulter es ihm gleich im gefesselten Schauen: weit vorgeschobenen Halses, mit weit und grell aufgerissenen Augen, starrte auch dieses hinauf in das Gesicht des Abramsenkels.

Joseph ließ sich die Prüfung gefallen. Lächelnd erwiderte er den Aufblick des Gnomen, und so verharrten sie, während der ernsthafte Zwerg, Dûdu, seine fordernde Rede gegen den Alten fortführte und auch die Aufmerksamkeit der anderen Hofleute den fremden Männern und Waren wieder zugewandt war.

Endlich sagte das Männchen mit seinem sonderbar fernklingenden Stimmchen und deutete sich mit dem Zwergenfinger auf die Brust:

„Se'ench-Wen-nofre-Neteruhotpe-em-per-Amun."

„Wie meint Ihr?" fragte Joseph ...

Der Zwerg ließ seinen Spruch noch einmal hören, indem er fortfuhr, sich vor die Brust zu weisen. „Name!" erklärte er. „Des Kleinen Name. Nicht Wesir. Nicht Schepses-Bes. Se'-ench-Wen-nofre..." Und er wispelte die Phrase zum drittenmal, seinen Vollnamen, ebenso lang und prächtig, wie er selber nichtig war von Person. Sein Sinn war: „Es erhalte das gütige Wesen" (nämlich Osiris) „den Götterliebling" (oder den Gottlieb) „im Hause des Amun am Leben"; und Joseph verstand es auch.

„Ein schöner Name!" sagte er.

„Ja, schön, doch nicht wahr", raunte der Kleine von fern. „Ich nicht wohlgefällig, ich nicht Gottlieb, ich nur ein Lurch. *Du* wohlgefällig, *du* Neteruhotpe, so ist's schön und wahr."

„Woher wißt Ihr denn das?" fragte Joseph lächelnd.

„Sehen!" kam es wie von unter der Erde. „Deutlich sehen!" und er führte das Fingerchen an seine Augen. „Klug", setzte er hinzu. „Klein und klug. Du nicht von den Kleinen, aber auch klug. Gut, schön und klug. Gehörst du jenem?" Und er deutete auf den Alten, der mit Dûdu verhandelte.

„Ich gehöre ihm", sagte Joseph.

„Von Kindesbeinen?"

„Ich wurde ihm geboren."

„So ist er dein Vater?"

„Ein Vater ist er mir."

„Wie heißest du?"

Joseph antwortete nicht sogleich. Er schickte der Antwort ein Lächeln voran.

„Osarsiph", sagte er.

Der Zwerg blinzelte. Er bedachte den Namen.

„Bist du vom Schilfe gebürtig?" fragte er. „Bist du ein Usir in den Binsen? Hat dich die herumirrende Mutter im Feuchten gefunden?"

Joseph schwieg. Der Kleine fuhr fort zu blinzeln.

„Mont-kaw kommt!" hieß es da unter den Hofleuten, und sie fingen an, sich von hier zu verdrücken, damit „Der über dem Hause" sie nicht beim Gaffen und Feiern beträfe. Man sah ihn, wenn man zwischen Herren- und Frauenhaus hindurch in die Gegend des Hofes blickte, die vor den im nordwestlichen Winkel des Anwesens gelegenen Baulichkeiten offenlag: Dort ging und stand er, ein älterer, schön weiß gekleideter Mann, begleitet von einigen Schreibsklaven, die sich um ihn bückten und, Rohrfedern hinter den Ohren, seine Worte auf ihre Tafeln schrieben.

Er näherte sich. Das Hofvolk hatte sich zerstreut. Der Alte war aufgestanden. Doch unter diesen Bewegungen vernahm Joseph das gleichsam von unter dem Boden heraufwispernde Stimmchen:

„Bleib bei uns, junger Sandmann!"

Der Vorsteher war vor das offene Tor in der Zinnenmauer des Haupthauses gelangt. Diesem halb schon zugewandt, blickte er über die Schulter nach der Gruppe der Fremden, dem aufgeschlagenen Warenlager. „Was ist das?" fragte er ziemlich unwirsch. „Was für Männer?"

Wie es schien, hatte er die erstattete Meldung über anderen Geschäften vergessen, und wenig halfen die Reverenzen, in denen der Alte sich aus dem Abstande gegen ihn erging. Ein Schreiber erinnerte ihn, indem er auf seine Tafel deutete, auf der er offenbar den Zwischenfall schon verzeichnet hatte.

„Ja, so, die Reisehändler aus Ma'on oder von Mosar", sagte der Hausmeier. „Gut, gut, aber ich habe keinen Mangel, außer an Zeit, und die haben sie nicht zu verkaufen!" Und er ging auf den Alten zu, der ihm geschäftig entgegenkam. „Nun, Alter, wie geht's, nachdem sich die Tage vervielfacht?" fragte Mont-kaw. „Sieht man dich auch einmal wieder vorm Hause mit deinem Kram, daß du uns damit bemogelst?"

Sie lachten. Beide hatten in ihren Mündern nur noch die unteren Eckzähne, die einsam wie Pfosten ragten. Der Vorsteher war ein kräftig untersetzter Mann von fünfzig, mit ausdrucksvollem Haupt und dem entschiedenen Gebaren, das seine Stellung mit sich brachte, gemildert durch Wohlwollen. Sehr stark ausgebildete Tränensäcke waren unter seinen Augen und bedrängten sie von unten, so daß sie verschwollen und klein, fast als Schlitzaugen erschienen, von starken und noch ganz schwarzen Brauen überspannt. Tiefe Furchen gingen von seiner wohlgeformten, wenn auch breitgelagerten Nase zum Munde hinab, zu seiten der gewölbten und, wie die Wangen, glänzend rasierten Oberlippe, die sie stark aus dem Antlitz hervorhoben. Am Kinn saß ein grau gesprenkelter Knebelbart. Das Haar war schon weit von der Stirn und über den Schädel zurückgewichen, aber am Hinterhaupt von dichter

Masse und stand ihm fächerförmig hinter den Ohren, die Goldringe trugen. Etwas erbschlau Bäuerliches und wieder humoristisch Schiffsmannsmäßiges war in Mont-kaws Physiognomie, deren dunkel rotbraune Tönung kräftig gegen das Blütenweiß seiner Kleidung abstach – dieses unnachahmlichen ägyptischen Leinens, das sich so köstlich fälteln ließ, wie das unter dem Nabel ansetzende und auseinanderstrebend weit herabhängende, aber nicht ganz bis zum Saume reichende Vorderblatt seines fußlangen Schurzrockes gefältelt war. Auch die weiten halblangen Ärmel des in den Schurz geschobenen Leibstückes waren in feine Querfalten gepreßt. Die muskulösen Formen seines Oberkörpers schimmerten mitsamt der Leibesbehaarung durch den Batist.

Zu ihm und dem Alten hatte Dûdu, der Zwerg, sich gesellt; denn die beiden Unterwüchsigen hatten sich die Freiheit genommen, zu bleiben. Mit den Stummeln rudernd war Dûdu wichtig herangekommen.

„Ich fürchte, Vorsteher, du vergeudest deine Zeit an diese Leute", sagte er mit ebenbürtigem Gehaben, wenn auch sehr von unten. „Ich habe das Ausgebreitete überprüft. Ich sehe Plunder, ich sehe Tand. Was fehlt, ist das Höherwertige und Ernstzunehmende, das sich schickte für des sehr Erhabenen Hof und Haus. Du wirst dir kaum seinen Dank erwerben, indem du etwas erwirbst von diesem Bettel."

Der Alte war betrübt. Mimisch gab er zu verstehen, daß es ihm leid sei um die freundschaftliche und vielversprechende Heiterkeit, die des Vorstehers Begrüßungsworte erregt hatten und die durch Dûdus Strenge zerstört worden war.

„Aber ich habe schätzbare Schätze!" sagte er. „Schätzbar, mag sein, nicht für euch Hochbeamtete oder gar für den Herrn, ich will's nicht gesagt haben. Aber wieviel Dienervolk ist nicht auf dem Hof, als da sind Bäcker, Bratköche, Gartenbewässerer, Läufer, Wächter und Wandsteher – zahlreich wie der Sand, wiewohl immer so viele noch nicht, daß ihrer genug oder gar zu viele wären für einen so Großen wie Gnaden Peteprê, Pharaos Freund, und man sie nicht immer noch vermehren könnte um einen oder den anderen Wohlschaffenen und Gewandten, sei es ein Inländer oder Ausländer, wenn er nur brauchig ist. Aber was schweife ich ab und plaudere, statt nur einfach zu sagen: für die vielen und ihren Bedarf kommst du auf als ihr Haupt, großer Meier, und dir dabei zur Hand zu gehen, ist des alten Minäers Sache, des Wanderhändlers, mit seinen vielbeförderten Schätzen. Sieh diese irdenen Lampen an, schön bemalt, von Gilead überm Jordan – sie kosten mich wenig, sollt' ich sie also hoch veranschlagen vor dir, meinem Gönner? Nimm einige davon geschenkt und laß mich deine Huld dafür sehen, so bin ich reich! Andererseits diese Krüklein mit Augenschminke nebst Zänglein und Löffeln aus Kuhhorn – ihr Wert ist nennenswert, ihr Preis aber nicht. Hier sind Hacken, ein unentbehrliches Werkzeug: ich gebe das Stück für zwei Töpfe Honig. Kostbarer schon ist dieser Säckchen Inhalt, denn es sind Askalunzwiebeln darin, von Askaluna, selten und schwer zu gewinnen, die alle Speisen würzen mit säuerlichstem Wohlgeschmack. Aber der Wein dieser Krüge ist achtmal guter Wein von Chazati im Land der Fenechier, wie es geschrieben steht. Siehe, ich staffele meine Angebote, ich steige vom Minderen zum Vorzüglichen auf und von ihm zum Erlesenen, das ist meine überlegte Gepflogenheit. Denn die Balsame hier und Weihrauchharze, der Bocksdorngummi, das bräunliche Labdanum, sie sind der Stolz meines Handels und sind meines Hauses erklärte Leibartikel. Wir sind berühmt dafür in der Welt und beschrien zwischen den Strömen, daß wir in Schwitzwaren stärker sind als irgendein Kaufmann, sei es ein ziehender oder sitzender, ein Mann des Gewölbes. ,Das sind die Ismaeliter von Midian', heißt es von uns, ,die tragen Würze, Balsam und Myrrhe von Gilead hinab gen Ägypten.' So ist es im Munde der Leute – gerade als ob wir nicht noch ganz anderes trügen und führten, wie es sich trifft und findet, Totes und Lebendes, das Geschaffene oder auch wohl das Geschöpf, also daß wir die Männer sind, ein Haus nicht nur zu versorgen, sondern auch zu vermehren. Aber ich schweige."

„Was, du schweigst?" verwunderte sich der Verwalter. „Bist du krank? Wenn du schweigst, so kenn' ich dich nicht, sondern nur, wenn dir die Rede in sanftem Schwatz überm Bärtchen hervorgeht – ich hab's noch im Ohre vom vorigen Male und erkenn' dich dran wieder."

„Ist nicht", versetzte der Alte, „die Rede des Menschen Ehre? Wer seine Worte wohl zu setzen weiß und hat Ausdrucksform, dem nicken Götter und Menschen Beifall, und er findet geneigte Ohren. Aber dein Diener ist wenig gesegnet mit Ausdrucksform und nicht Herr des Sprachschatzes, ich sage es offen, also daß er durch Beharrlichkeit der Rede ersetzen muß und ihren Dauerfluß, was ihr abgeht an schöner Gewähltheit. Denn der Handelsmann muß in der Rede wohl fertig sein, und seine Zunge muß wissen sich einzuschmeicheln beim Kunden, sonst gewinnt er sein Leben nicht und bringt nicht an den Mann seine Siebensachen . . ."

„Sechse", hörte man da das wispernde Stimmchen des Wichtels Gottlieb wie von fern, obgleich er ganz nahe stand, „sechs Sachen, Alter, hast du angeboten: Lampen, Salbe, Hacken, Zwiebeln, Myrrhen und Wein. Wo ist die siebente?"

Der Ismaeliter legte die Linke als Muschel ans Ohr und die Rechte suchend über die Augen.

„Welches war", fragte er, „die Anmerkung dieses mittelgroßen, festlich gekleideten Herrn?"

Von den Seinen einer verdeutlichte ihm den Einwurf.

„Ei", erwiderte er darauf, „auch die siebente findet sich wohl noch unter alldem, was wir über die Myrrhen hinaus, die im Munde der Leute sind, hinab gen Ägypten geführt haben, und auch für sie will ich meine Zunge wohl laufen lassen, mit Beharrlichkeit, wenn schon nicht mit Gewähltheit, daß ich die Ware an den Mann bringe und an das Haus und die Ismaeliter aus Midian sich einen Namen machen um dessentwillen, was alles sie gen Ägypten tragen und führen."

„Seid so gut!" sagte da aber der Vorsteher. „Meint ihr, ich kann hier stehen und euch schwatzen hören die Tage des Rê? Er ist schon fast in seinem Mittag, erbarmt euch! Jeden Augen-

137

blick kann der Herr heimkehren aus dem Westen und wieder dasein aus dem Palaste. Soll ich's dem Gesinde anheimgeben und mich weiter nicht danach umtun, ob alles seine Richtigkeit habe im Speisegemach mit den gebratenen Enten, den Kuchen, den Blumen und der Herr sein Mahl finde, wie er's gewohnt ist, nebst der Herrin und den heiligen Eltern vom Oberstock? Macht fort oder macht euch fort! Ich muß ins Haus. Alter, ich kann dich schlecht brauchen mit deinen Siebensachen, sehr schlecht, um offen zu sein –"

„Denn sie sind eines Bettlers Bettel", flocht Dûdu, der Ehezwerg, ein.

Der Verwalter blickte flüchtig auf den Gestrengen hinab.

„Du aber brauchst Honig, wie mir schien", sagte er zum Alten. „Also, ich gebe dir ein paar Töpfe von unserem gegen zwei solche Hacken, um dich nicht zu kränken noch deine Götter. Gib mir ferner fünf Sack von den Würzzwiebeln da, in des Verborgenen Namen, und fünf Gemäße von deinem Fenechierwein, im Namen der Mutter und des Sohnes! ... Wie berechnest du das? Aber nenne nicht erst den dreifachen Preis, als Umstandskrämer, daß wir uns niederlassen und feilschen, sondern höchstens den doppelten, daß wir rascher auf den gerechten kommen und ich kann ins Haus. Ich gebe dir Schreibpapier dafür im Truck und von dem Leinen des Hauses. Wenn du willst, kannst du auch Bier und Brote haben. Nur mach, daß ich fortkomme!"

„Du bist bedient", sagte der Alte, indem er die Handwaage vom Gürtel löste. „Du bist auf Wink und Wort sofort und sonder Anstand bedient von deinem Diener. Was sage ich: sonder Anstand! Mit Anstand natürlich, doch sonder Anstände! Müßte ich nicht leben, die Sachen wären dein ohne Preis. So aber mache ich dir einen, daß ich zwar knapp lebe, aber mich gerade noch deinen Diensten erhalte, denn das ist die Hauptsache. – Heda!" sagte er über die Schulter gegen Joseph hin. „Nimm die Warenliste, die du gemacht hast, die Dinge schwarz, Gewicht und Menge aber in Rot! Nimm und lies uns das Gewicht der Askalotten sowie des Weines, das ihr Preis ist, aber rechne ihn stehenden Fußes und aus dem Stegreif in des Landes Wertmaße um, in Deben und Lot, daß wir wissen, was die Sachen wert sind in Pfunden Kupfers und uns der hohe Meier für ebensoviel Kupfer vom Leinen und Schreibpapiere des Hauses spende! Ich aber will dir, mein Gönner, wenn du willst, die Güter noch einmal darwägen zu Probe und Prüfung."

Joseph hielt die Rolle schon in Bereitschaft und trat damit vor, indem er sie entrollte. Neben ihm hielt sich Meister Gottlieb, der zwar bei weitem nicht in das Register zu blicken vermochte, aber aufmerksam zu den entrollenden Händen hinaufsah.

„Befiehlt mein Herr, daß sein Sklave den doppelten Preis nennt oder den gerechten?" fragte Joseph bescheiden.

„Den gerechten, versteht sich; was faselst du?" schalt der Alte.

„Aber der hohe Meier hat verordnet, daß du den doppelten nennst", erwiderte Joseph mit dem anmutigsten Ernst. „Nenne ich nun den gerechten, so möchte er ihn für den doppelten halten und dir nur die Hälfte bieten – wie willst du dann leben? Besser wäre es, er hielte vielleicht den doppelten für den gerechten, und wenn er ihn auch noch etwas drückte, so lebtest du nicht allzu knapp."

„He, he", machte der Alte. „He, he", wiederholte er und sah den Verwalter an, wie der das fände. Die Schreibdiener, mit den Binsen hinter den Ohren, lachten. Das Heinzel Gottlieb schlug sich sogar mit den Händchen aufs Bein, das er emporzog, indem er auf dem anderen hüpfte. Sein Alraunengesicht war in tausend Fältchen zwergischen Vergnügens zerknittert. Dûdu freilich, sein Bruder im Untermaß, schob das Dach seiner Lippe nur noch würdiger vor und schüttelte das Haupt.

Was Mont-kaw betraf, so hatte er den klugen jungen Registerträger, dem er bisher begreiflicherweise noch keine Aufmerksamkeit geschenkt, mit einer Verwunderung ins Auge gefaßt, die sich rasch zur Betroffenheit verstärkte und schon nach kurzer Dauer eine vom Namen der Verwunderung nur wenig verschiedene, aber ungleich tiefer lautende Bezeichnung verdient hätte. Es ist möglich – wir wollen nur eine Vermutung blicken lassen, keine Behauptung wagen –, daß in diesem Augenblick, an dem vieles hing, der planende Gott seiner Väter ein übriges für Joseph tat und ein Licht auf ihn fallen ließ, geeignet, im Herzen des Anschauenden das Zweckdienliche hervorzurufen. Derjenige, von dem die Rede ist, hat uns Gesicht, Gehör und alle Sinne zwar zu unserer eigenen Lebenslust frei vermacht; mit dem Reservate jedoch, sich ihrer auch wohl als Mittel und Eingangspforten seiner Absichten und zur Beeinflussung unseres Gemütes im Sinne mehr oder weniger weittragender Anschläge zu bedienen – daher unser Anheimgeben, das wir aber zurückzuziehen bereit sind, wenn seine Übernatürlichkeit dieser natürlichen Geschichte nicht angemessen erscheinen sollte.

Natürliche und nüchterne Deutungen sind hier besonders am Platze, denn Mont-kaw selbst war ein nüchterner und natürlicher Mann und dazu einer Welt angehörig, die schon weitab lag von solchen, denen die Vorstellung, unverhofft, am hellen Tage und sozusagen auf der Straße einem Gotte zu begegnen, etwas ganz Geläufiges gewesen war. Näher als die unsrige stand seine Welt immerhin solchen Möglichkeiten und Gewärtigungen, mochten sie sich auch schon ins nur noch Halb und Halbe, nicht mehr ganz Eindeutige, Eigentliche und Wörtliche zurückgezogen haben. Es geschah, daß er den Sohn der Rahel erblickte und sah, daß er schön war. Die Idee des Schönen aber, die sich ihm gesichtsweise aufdrängte und sein Bewußtsein mit Beschlag belegte, hing denkgesetzlich für ihn mit der Vorstellung des Mondes zusammen, der seinerseits das Gestirn Djehutis von Chmunu, die Himmelserscheinung Thots, des Meisters von Maß und Ordnung, des Weisen, des Zauberers und des Schreibers war. Nun stand da Joseph vor ihm, eine Schriftrolle in der Hand, und sprach für einen Sklaven, auch selbst für einen Schreibersklaven, recht schalkhaft spitzfindige und kluge Worte – das fügte sich beunruhigend in die Gedankenverbindung. Der junge Bedu und Asiat hatte keinen Ibiskopf auf den Schultern und war also selbstverständlich ein Mensch, kein Gott, nicht Thot von Chmunu. Aber er hatte gedanklich mit ihm zu tun und erschien zweideutig, wie gewisse Worte es sind, zum Beispiel das Eigenschaftswort „göttlich": diese Ableitung, die gegen das hehre Hauptwort, von dem sie stammt, zwar auch eine gewisse Abschwächung bedeutet, nicht seine ganze Wirklichkeit und Majestät beinhalten, sondern nur daran erinnern will und sich auf diese Weise halb im Uneigentlichen und Übertragenen hält, aber, schwankenden Sinnes, auch wieder Eigentlichkeit beansprucht, insofern „göttlich" das Wahrnehmbar-Eigenschaftliche, die Erscheinungsform also des Gottes besagt.

Dergleichen Zweideutigkeiten ereigneten sich in dem Hausvorsteher Mont-kaw während seines ersten Blickes auf Joseph und erregten seine Aufmerksamkeit. Es war etwas Wiederkehrendes, was sich da abspielte. Schon in anderen hatte es sich so oder ähnlich ereignet und sollte in wieder anderen sich ereignen. Man muß nicht glauben, daß es den Betroffenen sehr heftig bewegte. Was er dabei empfand, war nicht wesentlich mehr, als was wir in den Ausruf „Teufel auch!" zusammenfassen würden. Er sagte das nicht. Er fragte:

„Was ist denn das?"

„Was" sagte er aus Geringschätzung und Vorsicht und erleichterte damit dem Alten die Antwort.

„Das", entgegnete dieser schmunzelnd, „ist die siebente Sache."

„Es ist eine wilde Gewohnheit", versetzte der Ägypter, „in Rätseln zu reden."

„Liebt mein Gönner die Rätsel nicht?" erwiderte der Alte. „Schade darum! Ich wüßte solcher noch mehr. Aber dies ist ganz einfach: Man hat mich bedeutet, meiner Sachen und Angebote seien nur sechs gewesen und nicht sieben, wie ich mich wohl gerühmt hätte und wie es auch schöner ist. Nun, dieses Stück Sklave hier, der mein Register führt, ist die siebente, ein kenanitischer Jüngling, den ich nebst meinen vielberufenen

Myrrhen herab nach Ägypten geführt habe und der mir feil ist. Nicht unbedingt ist er es mir und nicht, weil er mir nicht taugte. Er kann backen und schreiben und hat einen hellen Kopf. Doch für ein wertes Haus, ein Haus wie deines, kurzum: für dich ist er mir feil, wenn du ihn mir vergüten willst, daß ich auch nur knapp das Leben habe. Denn ich gönne ihm eine gute Unterkunft."

„Wir sind komplett!" erklärte der Vorsteher kopfschüttelnd mit einer gewissen Hast. Denn er war nicht fürs Zweideutige weder im üblen, noch sogar auch im höheren Sinne und sprach wie ein praktischer Mann, der den ihm unterstellten Geschäftsbereich, nüchtern wie er ist, gegen das Eindringen des Ordnungswidrigen und Höheren, des „Göttlichen" sozusagen, in Schutz zu nehmen wünscht.

„Bei uns gibt es keine Vakanz", sagte er, „und das Haus ist vollzählig. Wir brauchen keinen Bäcker noch einen Schreiber noch helle Köpfe, denn mein Kopf ist hell genug für das Haus, um es in Ordnung zu halten. Nimm deine siebente Sache wieder mit auf den Weg und laß sie dir frommen!"

„Denn ein Bettel ist sie und ein Bettler und eines Bettlers Bettel!" setzte Dûdu, Gatte der Zeset, gravitätisch hinzu. Aber ein anderes Stimmchen antwortete seiner dumpfen: das Grillenstimmchen Gottliebs, des Närrchens, das wisperte:

„Die siebente Sache ist die beste. Erwirb sie, Mont-kaw!"

Der Alte fing wieder an:

„Je heller der eigene Kopf, desto ärgerlicher die Dunkelheit der anderen, denn er leidet Ungeduld um ihretwillen. Ein heller Oberkopf braucht helle Unterköpfe. Diesen Diener habe ich deinem Hause schon zugedacht, als noch große Mengen Raum und Zeit lagen zwischen mir und dir, und ihn vor dein Haus herabgeführt, um dir ein Vorzugs- und Freundesangebot mit dem Stücke zu machen. Denn der Jüngling ist hell und beredt, daß es eine Annehmlichkeit ist, und hebt dir Zierlichkeiten aus dem Sprachschatz, daß es dich kitzelt. Dreihundertsechzigmal im Jahr sagt er dir in verschiedener Ausdrucksform gute Nacht und weiß auch noch für die fünf

Übertage was Neues. Sagt er aber nur zweimal dasselbe, so magst du ihn mir zurückgeben gegen Erstattung der Kaufsumme."

„Höre, Alter!" erwiderte der Vorsteher. „Alles gut. Aber da wir von Ungeduld sprechen – mit meiner Geduld bin ich nun so ziemlich am Rande. Ich finde mich gutmütig bereit, dir ein paar Kinkerlitzchen abzunehmen von deinem Kram, die ich gar nicht benötige, nur, um deine Götter nicht vor den Kopf zu stoßen und um endlich ins Haus zu können, – und sogleich willst du mir einen Gutenachtsage-Sklaven aufschwatzen und tust, als sei er dem Haus des Peteprê bestimmt seit der Gründung des Landes."

Hier ließ Dûdu, der Kleiderwart, von unten ein sehr vollwertiges Spottgelächter hören, welches „Hoho!" lautete; und der Vorsteher warf einen raschen, ärgerlichen Blick zu ihm hinab.

„Woher hast du es denn, dein Stück Wohlredenheit?" fuhr er fort und streckte gleichzeitig, ohne hinzusehen, die Hand nach der Schreibrolle aus, die Joseph, herantretend, ihm artig überreichte. Mont-kaw rollte sie auf und hielt sie sich in großer Entfernung vor die Augen, da er schon stark übersichtig war. Unterdessen erwiderte der Alte:

„Es ist, wie ich sagte. Schade darum, daß mein Gönner die Rätsel nicht liebt. Ich wüßte ihm eines zur Antwort, woher ich den Knaben habe."

„Ein Rätsel?" wiederholte der Vorsteher zerstreut, denn er betrachtete das Register.

„Rate es, wenn's gefällig ist!" sagte der Alte. „Was ist das? ‚Eine dürre Mutter gebar ihn mir.' Kannst du das lösen?"

„Schrieb er das also?" fragte Mont-kaw in Betrachtung. „Hm – tritt zurück du! Es ist mit Frömmigkeit und Genuß vollzogen und mit Schmucksinn verrichtet, das will ich nicht abstreiten. Es könnte wohl ein Stück Wand zieren und taugte zur Inschrift. Ob es außerdem Hand und Fuß hat, kann ich nicht wissen, denn es ist Kauderwelsch. – Dürr?" fragte er, denn mit halbem Ohr hatte er des Alten Worte gehört. „Dürre

Mutter? Was redest du? Ein Weib ist dürr, oder es gebiert. Was soll ich mit beiden auf einmal?"

„Es ist ein Rätsel, Herr", erläuterte der Alte. „Ich war so frei, die Antwort in das Gewand eines Scherzrätsels zu kleiden. Gefällt es dir, so gebe ich die Lösung. Weit von hier stieß ich auf einen dürren Brunnen, woraus es wimmerte. Da zog ich diesen zu Tage, der drei Tage im Bauche gewesen war, und gab ihm Milch ein. So ward mir der Brunnen zu einer Mutter und war dürr."

„Nun", sagte der Vorsteher, „es geht an mit deinem Rätsel. Aus vollem Halse lachen kann man nicht wohl darüber. Wenn man lächelt, so ist es schon pure Höflichkeit."

„Vielleicht", versetzte der Alte still-empfindlich, „würdest du es scherzhafter finden, wenn du es selbst gelöst hättest."

„Löse du mir", gab der Meier zurück, „ein anderes Rätsel, das viel schwieriger ist, nämlich daß und warum ich noch immer hier stehe und mit dir schwatze! Löse es mir besser, als du das deine gelöst hast, denn meines Wissens gibt es keine Unholde, die in Brunnen zeugen, so daß diese gebären. Wie kam also das Kind in den Bauch und der Sklave in den Brunnen?"

„Harte Herren und Vorbesitzer, von denen ich ihn kaufte", sagte der Alte, „hatten ihn hineingeworfen um vergleichsweise geringer Fehler willen, die seinen Sachwert nicht mindern, denn nur auf Weisheitsdinge bezogen sie sich und feine Unterscheidungen, wie die zwischen ‚Auf daß' und ‚So daß' – es ist nicht der Rede wert. Ich aber erstand ihn, weil ich's hier gleich zwischen den schätzenden Fingern hatte, daß der Bursche fein ist nach Faser und Maser, der Dunkelheit seiner Herkunft ungeachtet. Auch hat er seine Fehler bereut im Brunnen, und hat die Strafe ihn derart davon gesäubert, daß er mir ein vollwertiger Diener war und kann nicht nur reden und schreiben, sondern auch Fladen auf Steinen rösten von ungewöhnlichem Wohlgeschmack. Man soll das Seine nicht rühmen und es den andern anheimgeben, es außergewöhnlich zu nennen; aber für den Verstand und die Anstelligkeit dieses durch harte Strafe

Gesäuberten gibt es im Sprachschatze nur dieses Wort: sie sind außergewöhnlich. Und da nun einmal dein Auge auf ihn gefallen ist und ich dir eine Sühne schulde für meine Torheit, dich mit Rätseln zu plagen, so nimm ihn zum Geschenk von mir für Peteprê und sein Haus, über das du gesetzt bist! Weiß ich doch wohl, daß du auf ein Gegengeschenk für mich denken wirst aus den Reichtümern Peteprês, auf daß und so daß ich lebe und auch zukünftig dein Haus versorgen kann und es sogar vermehren."

Der Vorsteher sah Joseph an.

„Ist es wahr", fragte er mit angemessener Barschheit, „daß du beredt bist und ergötzliche Sprüche zu sagen weißt?"

Jaakobs Sohn nahm all sein Ägyptisch zusammen.

„Dieners Rede ist keine Rede", antwortete er mit einem Wort des Volkes. „Daß der Geringe verstumme, wenn Große sich besprechen, ist der Anfang jeder Buchrolle. Auch ist mein Name, mit dem ich mich nenne, ein Name des Schweigens."

„Wieso! Wie heißt du denn?"

Joseph zögerte. Dann schlug er die Augen auf.

„Osarsiph", sagte er.

„Osarsiph?" wiederholte Mont-kaw. „Den Namen kenne ich nicht. Er ist zwar nicht fremd, und man kann ihn verstehen, da der von Abôdu darin vorkommt, der Herr des ewigen Schweigens. Doch ist er auch wieder nicht landesbräuchlich, und man heißt nicht so in Ägypten, weder jetzt, noch tat man es unter früheren Königen. Hast du nun aber auch einen Schweigenamen, Osarsiph, so sagte doch dein Herr, daß du angenehme Wünsche sprechen kannst und weißt verschiedentlich gute Nacht zu sagen am Tagesende. Nun, auch ich gehe schlafen heute abend und kauere mich auf mein Bett im Sondergemach des Vertrauens. Wie sagst du zu mir?"

„Ruhe sanft", antwortete Joseph mit Innigkeit, „nach des Tages Mühsal! Mögen deine Sohlen, die versengt sind von der Glut seines Pfades, selig hinwandeln auf den Moosen des Friedens und deine ermattete Zunge geletzt werden von den murmelnden Quellen der Nacht!"

„Na, das ist ja allerdings rührend", sagte der Vorsteher und bekam Tränen in die Augen. Er nickte dem Alten zu, der ebenfalls nickte und sich schmunzelnd die Hände rieb. „Wenn man Plage hat in der Welt wie ich, und fühlt sich zuweilen auch nicht ganz extra, weil einen die Niere drückt, dann rührt einen das geradezu. Können wir denn", wandte er sich zurück an seine Schreiber, „im Namen des Set einen Jungsklaven brauchen – allenfalls einen Lampenanzünder oder Bodenbesprenger? Was meinst du, Cha'ma't?" sagte er zu einem Langen mit vorfallenden Schultern und mehreren Rohren hinter jedem Ohr. „Brauchen wir einen?"

Die Schreiber gebärdeten sich unentschieden und bezweifelten das Ja und das Nein, indem sie die Münder vorschoben, die Köpfe zwischen die Schultern zogen und mit den Händen halbhoch in die Luft fuhren.

„Was ist ‚brauchen‘?" antwortete der Cha'ma't genannte. „Ist ‚brauchen‘: ‚ermangeln und nicht missen können‘ – dann nicht. Zu brauchen aber ist auch das Entbehrliche. Es käme auf den Preis an fürs Angebot. Will dir der Wilde einen Schreibsklaven verkaufen, so verjage ihn, denn Schreiber sind wir genug und brauchen weder einen, noch können wir einen brauchen. Bietet er dir aber einen Niedrigen für die Hunde oder das Badezimmer, so laß ihn seinen Preis dafür machen."

„Also, Alter", sagte der Vorsteher, „beeile dich! Was willst du haben für deinen Brunnensohn?"

„Er ist der Deine!" erwiderte der Ismaelit. „Da wir überhaupt auf ihn zu sprechen gekommen und du fragst mich nach ihm, gehört er schon dir. Wahrlich, es schickt sich nicht, daß ich den Wert des Gegengeschenkes bestimme, das du mir, wie es scheint, zu reichen beabsichtigst. Aber da du befiehlst – der Pavian sitzt neben der Waage! Wer da Maß und Gewicht verletzt, wird überführt durch die Macht des Mondes! Zweihundert Deben Kupfers, so muß man den Wert des Dieners schätzen nach seinen außergewöhnlichen Eigenschaften. Die Zwiebelchen aber und den Wein von Chazati bekommst du in einem damit als Dreingabe und Zuwaage der Freundschaft."

Der Preis war gepfeffert, zumal da der Alte sehr recht getan, den wildwüchsigen Askalotten und dem stark populären Fenechierwein den Charakter der Zuwaage zu geben, und eigentlich die ganze Forderung auf den Jungsklaven Osarsiph zu rechnen war, – eine dreiste Bewertung, selbst zugegeben, daß von den Siebensachen der Reisehändler, die berühmten Myrrhen nicht ausgenommen, nur diese eine den Transport nach Ägypten lohnte, ja, dann selbst, wenn man die Dinge unter dem Gesichtswinkel betrachtet, daß der ganze Handel der Ismaeliter nur eine Zugabe war und ihr alleiniger Lebenssinn darin bestand, daß sie den Knaben Joseph hinab nach Ägypten brächten, damit sich die Pläne erfüllten. Man wagt nicht zu unterstellen, daß irgendein Anflug der Ahnung solcher Bewandtnis die Seele des alten Minäers berührt hatte; dem Vorsteher Mont-kaw jedenfalls lag solche Auffassung weltenfern, und es ist anzunehmen, daß er selbst gegen die Überforderung protestiert haben würde, wenn nicht Ehren-Dûdu, der Kleinmann, sich eingemischt hätte und ihm zuvorgekommen wäre. Vollwertig ging ihm die Verwahrung unterm Dache der Oberlippe hervor, und seine Händchen am Ende der Stummelarme gestikulierten vor seiner Brust.

„Das ist lächerlich!" sagte er. „Das ist hochgradig und unleidlich lächerlich, Vorsteher; wende dich zornig ab! Es ist unverschämt von diesem alten Gaudiebe, dir von Freundschaft zu reden, als ob es dergleichen geben könnte zwischen dir: einem ägyptischen Manne, der da den Gütern vorsteht eines Großen, und ihm, dem Wilden des Sandes! Mit seinem Handel aber ist es ein Leim und ist ein Falleisen, denn soviel wie zweihundert Kupferdeben will er dir abnehmen für den Tölpel hier" – und er fuhr mit dem flachen Händchen zu Joseph hinauf, neben dem er Posto gefaßt hatte –, „für solche Rotznase der Wüste und für eine verdächtige Bettelware. Denn das Stück ist mir äußerst verdächtig und kann zwar süßes Geschwätz geben von Moosen und Murmelquellen, aber wer weiß, um welcher untilgbarer Laster willen in Wahrheit er mit der Grube Bekanntschaft gemacht hat, aus der ihn der alte Schelm will gezogen haben. Meine Rede aber ist, daß du den Gimpel nicht kaufen sollst, und mein Rat, daß ich dir abrate, ihn zu erwerben für Peteprê, denn er wird dir's nicht danken."

So Dûdu, der Vorsteher der Schmuckkästen. Aber nach seiner Stimme vernahm man ein Stimmchen wie das einer Grille aus dem Grase: die Stimme Gottliebchens im Festkleide, des „Wesirs", der an Josephs anderer Seite stand – sie beide hatten ihn in die Mitte genommen.

„Kaufe, Mont-kaw!" wisperte er und stand auf den Zehen. „Kaufe den Sandknaben! Von allen Siebensachen kaufe nur ihn allein, denn er ist die beste! Traue dem Kleinen, der sieht! Gut, schön und klug ist der Osarsiph. Gesegnet ist er und wird dem Hause ein Segen sein. Nimm feinen Rat!"

„Nimm keinen unterwertigen Rat, sondern gediegenen!" rief der andre dagegen. „Wie will dieser Hutzel dir wohl gediegenen Rat erteilen, da er selbst nicht gediegen ist und nicht für voll zu nehmen, sondern eine Nuß voller Wind? Hat er doch kein Schwergewicht in der Welt und kein Bürgertum, sondern treibt obenauf wie ein Kork, der Springer und Juxer, – wie will er da vollgültig raten und urteilen in Dingen der Welt, über Waren und Menschen und Menschenware?"

„Ach, du ehrpußlichter Gauch, du ganz biderber!" schrie Bes-em-heb, und sein Gnomengesicht war in tausend Runzeln der Wut zerknittert. „Wie willst denn urteilen du und im geringsten noch feinen Rat geben, abtrünniger Wicht? Hast die kleine Weisheit vertan, da du verleugnet dein Zwergentum und dich mit einer Ausgedehnten beweibt, auch lattenlange Kinder ins Leben gesetzt, Esesi genannt und Ebebi, und spielst den Würdebold. Bist zwar ein Zwerg geblieben nach deiner Statur und siehst nicht über den Grenzstein des Feldes. Aber deine Dummheit ist vollwüchsig und gänzlich verplumpt dein Urteil über Waren und Menschen und Menschenware ..."

Es war kaum zu glauben, wie sehr den Dûdu diese Vorwürfe erbitterten und diese Kennzeichnung seines Geisteszustandes ihn in Wut versetzte. Er wurde käsefarben in seinem

Gesicht, das Dach seiner Oberlippe bebte, und er stieß giftige Gegenreden hervor über Gottliebs Windigkeit und Mangel an Vollwert, die dieser mit Bosheiten über den Verlust aller feineren Intelligenz zugunsten der Ehrpußlichkeit heimzuzahlen nicht faul war; und so zankten und keiften die Männlein, ihre Hände auf den Knien, zu beiden Seiten Josephs und um ihn herum aufeinander hin, wie um einen Baum, der sie trennte und voreinander schützte; und die Versammelten alle, Ägypter und Ismaeliter, der Vorsteher mit eingeschlossen, lachten herzlich über den Kleinkrieg da unten; – doch kam plötzlich alles zum Stehen.

Potiphar

Auf der Straße nämlich, von fern, ward Geräusch laut und schwoll: Pferdegetrappel, Räderrollen, auch das Dappeln laufender Menschenfüße sowie vielstimmige Rufe zur Achtsamkeit; und das näherte sich in großer Schnelle, war schon gleich vor dem Tor.

„Da haben wir's", sagte Mont-kaw. „Der Herr. Und die Ordnung im Speisegemach? Große Dreiheit von Theben, für lauter Possen hab' ich die Zeit vertan! Still, ihr Untervolk, oder es gibt Ledernes! Cha'ma't, mache den Handel fertig, ich muß mit dem Herrn ins Haus! Nimm die Waren für einen vernünftigen Preis! Sei gesund, Alter! Komm einmal wieder vors Haus in fünf oder sieben Jahren!"

Und er wandte sich eilig. Die Torwächter der Ziegelbank schrien in den Hof hinein. Von verschiedenen Seiten kamen Dienstleute gelaufen, die auf ihren Stirnen die Einfahrt des Gebieters zu säumen wünschten. Und schon rasselte auch der Wagen und widerhallte der Trapp der Läufer im steinernen Torbau: Peteprê fuhr herein, keuchende Warnrufer voran, keuchende Fächerträger daneben und hinterdrein, zwei schimmernde, schön geschirrte, mit Straußenfedern geschmückte Braune von übermütigem Gehaben vor der kleinen zweirädrigen Karosse, einer Art von Galanteriegefährt mit leicht geschwungenem Geländer: – nur eben zu zweien mit seinem Lenker mochte er darin stehen –, doch stand dieser müßig und schien nur ehrenhalber dabei, denn Pharaos Freund fuhr selbst, man sah es ihm an der Miene und am Schmucke an, daß es der Herr war, der da Zügel und Geißel führte: ein überaus großer und dicker Mann mit kleinem Munde, wie Joseph in großem Zuge bemerkte; doch war seine Aufmerksamkeit hauptsächlich von dem Feuerwerk in Anspruch genommen, das die in die Radspeichen des Wagens eingelassenen bunten Steine, in der Sonne umlaufend, verursachten – ein Schauspiel farbig sich drehenden Gefunkels, das Joseph Benjamin, dem Kleinen, gegönnt hätte und dessen Schönheit sich, wenn auch nicht so umgetrieben, an Peteprês Person wiederholte: an seinem Halskragen nämlich, einem prächtigen Stück Kunstgewerbe, bestehend aus zahllosen, länglichen und reihenweise mit den Schmalseiten aneinander gesetzten Email- und Edelsteinplättchen von jederlei Kolorit, welche ebenfalls in dem gewaltigen Weißlichte, das der gipfelnde Gott auf Weset und diesen Ort herniederprallen ließ, einen prasselnden Farbenbrand von Geglitzer zeitigten.

Die Rippen der Läufer flogen. Das geputzte Gespann stand stampfend, augenrollend und schnaubend, und ein Diener, der ihm in die Zügel gegriffen, klopfte ihm unter guten Reden die schweißigen Hälse. Gerade zwischen der Gruppe der Handelsleute und dem Tore der Ringmauer des Haupthauses, bei den Palmbäumen, hielt der Wagen, und vor dem Tore hatte Mont-kaw sich zur Begrüßung aufgestellt und trat nun, lächelnd gebückt, mit beglückten Gebärden und vor Bewunderung sogar den Kopf schüttelnd heran, um dem Herrn die Hand zum Aussteigen zu bieten. Peteprê gab Zügel und Geißel dem Wagenlenker, worauf er nur noch einen kurzen, aus Rohr und vergoldetem Leder gemachten Stab, der sich vorne knollenartig verdickte, eine Art von verfeinerter Keule, in seiner kleinen Hand behielt. „Mit Wein waschen, gut zudecken, herumführen!" sagte er mit feiner Stimme, indem er dies elegante, zum leichten Zeichen der Befehlshaberschaft gewordene Überbleibsel einer wilden Waffe gegen die Pferde hob, wies die erbötige Hand zurück und sprang selbständig, lebhaft in seiner Schwere, vom Korbe, obgleich er geruhig hätte hinabsteigen können.

Joseph sah und hörte ihn vorzüglich, besonders, da der Wagen langsam gegen die Ställe hin weiterfuhr und den Ismaelitern den Blick auf den Herrn und den Hausmeier, die dem Gespanne nachblickten, freigab. Der Würdenträger war vielleicht vierzig Jahre alt, oder fünfunddreißig, und wirklich von Turmesgröße – Joseph mußte an Ruben denken angesichts dieser Säulenbeine, sich abzeichnend unter dem Königsleinen des nicht ganz knöchellangen Gewandes, das auch die Falten und hängenden Bänder des Schurzes durchblicken ließ; doch war diese Leibesmassigkeit ganz anderer Art als die des heldischen Bruders: sehr fett nämlich überall, besonders aber in Gegend der Brust, die doppelhügelig unter dem zarten Batiste des Obergewandes vorsprang und beim unnötig unternehmenden Absprung vom Wagen nicht wenig geschwappt hatte. Ganz klein war der Kopf, im Verhältnis zu dieser Höhe und Fülle, und edel gebildet, mit kurzem Haar, kurzer, fein gebogener Nase, zierlichem Munde, einem angenehm vorspringenden Kinn und lang bewimperten, stolz verschleiert blickenden Augen.

Mit dem Verwalter im Schatten der Palmen stehend, folgte er wohlgefällig den im Schritt sich entfernenden Hengsten mit seinen Blicken.

„Sie sind äußerst feurig", hörte man ihn sagen. „Weser-Min noch mehr als Wepwawet. Sie waren ungezogen, sie wollten mir durchgehen. Ich aber bin fertig mit ihnen geworden."

„Nur du wirst das", antwortete Mont-kaw. „Es ist erstaunlich. Dein Lenker Neternacht würde nicht wagen, es mit ihnen aufzunehmen. Keiner vom Hause würde das wagen, so toll sind die Syrer. Sie haben Feuer in ihren Adern anstatt des Blutes. Es sind keine Pferde, es sind Dämonen. Du aber bezwingst sie. Sie spüren die Hand des Herrn, da beugt sich ihr

Mutwille, und gebändigt laufen sie dir im Geschirr. Du aber, nach dem siegreichen Kampfe mit ihrer Wildheit, bist nicht etwa ermüdet, sondern springst, mein Herr, aus deinem Wagen wie ein kühner Knabe!"

Peteprê lächelte flüchtig mit den vertieften Winkeln seines kleinen Mundes.

„Ich beabsichtige", sagte er, „diesen Nachmittag noch dem Sebek zu huldigen und auf Wasserjagd zu gehen. Triff die Vorkehrungen und wecke mich rechtzeitig, wenn ich schlafen sollte. Es sollen Wurfhölzer im Kahne sein und Speere zum Fischestechen. Aber auch für Harpunen sorge, denn man hat mir gemeldet, daß ein Flußpferd von großer Stärke sich in den toten Arm verirrt hat, wo ich jage, und um dieses vor allem ist mir's zu tun; ich will es erlegen."

„Die Gebieterin", erwiderte der Vorsteher mit niedergeschlagenen Augen, „Mut-em-enet, wird zittern, wenn sie es hört. Laß dich erbitten, das Flußpferd wenigstens nicht eigenhändig anzugehen, sondern diese Gefahr und Beschwerde den Dienern zu überlassen! Die Herrin . . ."

„Das freut mich nicht", antwortete Peteprê. „Ich werfe selbst."

„Aber die Herrin wird zittern!"

„Sie zittere! – Es hat doch", fragte er, indem er sich dem Verwalter mit plötzlicher Bewegung zuwandte, „gute Ordnung im Hause? Kein Mißgeschick oder Zwischenfall? Nichts? Was sind das für Leute? Gut, Wanderhändler. Die Herrin ist heiter? Die hohen Eltern im Oberstock sind gesund?"

„Ordnung und Wohlsein sind vollkommen", gab Montkaw zur Antwort. „Die holdselige Herrin hat sich am späteren Morgen zu Besuch tragen lassen bei Renenutet, der Gemahlin des Ober-Rindervorstehers des Amun, um sich mit ihr im Gottesgesange zu üben. Sie ist zurückgekehrt und hat Tepem'anch, dem Schreiber des Hauses der Abgeschlossenen, befohlen, Märchen vorzulesen, wobei sie die Geneigtheit hatte, die Süßigkeiten zu küssen, die dein Knecht ihr darbieten ließ. Was die allerwürdigsten Eltern betrifft, im Oberstock, so geruhten sie, über den Fluß zu setzen und im Totentempel des mit der Sonne vereinigten Gottesvaters, Tutmoses, zu opfern. Aus dem Westen zurückgekehrt, haben die hohen Geschwister, Huij und Tuij, die Zeit verbracht, indem sie sehr friedlich und heilig Hand in Hand im Lusthäuschen am Teich deines Gartens saßen und die Stunde deiner Heimkehr erwarteten, auf daß das Hauptmahl gereicht werde."

„Du kannst auch sie", sagte der Hausherr, „unterrichten und es einfließen lassen unter der Hand, daß ich noch heute das Flußpferd angehen will: Sie dürfen es wissen."

„Nur leider", erwiderte der Verwalter, „werden sie deswegen in große Ängstlichkeit verfallen."

„Das macht nichts", erklärte Peteprê. – „Man hat hier", setzte er hinzu, „wie es scheint, nach Gefallen gelebt diesen Vormittag, indes ich Ärger hatte bei Hofe und Verdruß im Palaste Merima't."

„Du hattest –?" fragte Mont-kaw bestürzt. „Wie ist das möglich, da doch der gute Gott im Palaste . . ."

„Man ist Truppenoberst", hörte man den Herrn noch im Sichwegwenden sagen – und er zuckte die massigen Schultern dabei –, „und Oberster der Scharfrichter, oder man ist es nicht. Ist man's aber nur . . . und es gibt da so einen . . ." Seine Worte verloren sich. Mit dem Hausmeier, der, lauschend und antwortend gegen ihn geneigt, sich etwas hinter ihm hielt, schritt er zwischen handerhebenden Dienern hin durch das Tor und gegen sein Haus. Joseph aber hatte „Potiphar" gesehen, wie er bei sich selbst den Namen zu sprechen pflegte, den Großen Ägyptens, an den er verkauft wurde.

Joseph wird zum andern Mal verkauft
und wirft sich aufs Angesicht

Denn das geschah nun. Cha'ma't, der lange Schreiber, tätigte im Namen des Vorstehers mit dem Alten das Geschäft, in Gegenwart der Zwerge. Aber Joseph hatte kaum acht darauf, wie es zuging und wie hoch er's im Preise brachte, so umfangen war er von Nachdenklichkeit und so beschäftigt mit seinen ersten Eindrücken von der Person seines neuen Besitzers. Sein Glitzerkragen nebst Lobgold und seine überfette, doch stolze Gestalt; sein Absprung vom Wagen und die Schmeicheleien, die Mont-kaw ihm über seine Kraft und Kühnheit als Pferdebändiger gesagt; sein Vorhaben, eigenhändig das wilde Flußpferd zu bekämpfen, unbekümmert darum, ob Mut-em-enet, seine Gemahlin, und Huij und Tuij, seine Eltern, deswegen zitterten (wobei das Wort „Unbekümmertheit" sein Verhalten noch nicht einmal erschöpfend zu kennzeichnen schien); sein rasches Fragen andererseits nach der ungestörten Ordnung im Hause und der Heiterkeit der Herrin; sogar noch die bruchstückhaften Andeutungen über erlittenen Verdruß bei Hofe, die im Weggehen von seinen Lippen gefallen waren: – all dies gab dem Sohne Jaakobs aufs angelegentlichste zu denken, zu prüfen, zu raten, er arbeitete im stillen daran, es zu ergründen, zu deuten und zu ergänzen, wie jemand, der sich so schnell wie möglich zum geistigen Herrn der Umstände und Gegebenheiten zu machen sucht, in die er von ungefähr versetzt worden und mit denen er zu rechnen hat.

Ob er, so gingen seine Gedanken, eines Tages neben „Potiphar" im Wagen stehen würde als sein Rosselenker? Ob er ihn auf die Lustjagd im toten Nilarm begleiten würde? Tatsächlich, man glaube es oder nicht, sann er schon zu dieser Stunde, kaum vors Haus gebracht und nach erstem aufmerksam-raschem Überblick über Dinge und Menschen, darauf, wie er wohl, früher oder später, doch ehetunlichst, an die Seite des Herrn gelangen könne, des Höchsten in diesem Kreise, wenn auch des Höchsten nicht in Ägyptenland, – und aus dem Zusatz erhellt, daß die unabsehbaren Schwierigkeiten, die vor dem ersten, nur allzu fernen Ziele lagen, ihn schon damals nicht hinderten, entlegenerer noch zu gedenken, die Verbindung mit noch endgültigeren Verkörperungen des Höchsten sich vorschweben zu lassen.

So war es; wir kennen ihn. Hätte er es bei weniger Anspruch gebracht im Lande, wohin er's brachte? Er war in der Unterwelt, zu welcher der Brunnen der Eingang gewesen, – nicht Joseph mehr: Usarsiph; und daß er der Letzte war von den Unteren, das durfte nicht lange währen. Rasch flog sein Blick hin über Gunst und Ungunst. Mont-kaw war gut. Er hatte Tränen in die Augen bekommen beim sanften Gruß, weil er sich öfters nicht extra fühlte. Auch Gottlieb, das Närrchen, war gut und offenbar beseelt und bestellt, ihm zu helfen. Dûdu war ein Feind – solange er's blieb; vielleicht war ihm beizukommen. Die Schreiber hatten Eifersucht an den Tag gelegt, weil er auch einer war: dies Mißgefühl war schonend in acht zu nehmen. So wog er die nächsten Aussichten ab, – und fehlerhaft wäre es, deswegen mit ihm zu rechten und ihn einen niedrig Bestrebten zu nennen. Das war Joseph nicht, und nicht so sind seine Gedanken richtig beurteilt. Er dachte und sann nach höherer Pflicht. Gott hatte seinem Leben, das töricht gewesen war, ein Ende gemacht und ihn auferstehen lassen zu einem neuen. Er hatte ihn vermittelst der Ismaeliter in dieses Land geführt. Er hatte dabei, wie bei jedem Dinge, zweifellos Großes vor. Er tat kein Ding, das nicht Großes nach sich zog, und es galt, ihm dabei getreulich zur Hand zu gehen mit allen empfangenen Geisteskräften, statt etwa durch träge Unbestrebtheit seine Absichten lahmzulegen. Gott hatte ihm Träume gesandt, die der Träumer hätte für sich behalten sollen: den von den Garben, den von den Sternen; und solche Träume waren nicht sowohl eine Verheißung als eine Weisung. Sie sollten sich so oder so erfüllen; auf welche Weise, das wußte nur Gott, aber die Entrückung in dieses Land war der Anfang davon. Von selbst indessen würden sie es nicht tun – man mußte nachhelfen. Der stillen Vermutung oder Überzeugung gemäß zu leben, daß Gott es einzigartig mit einem vorhat, ist keine niedrige Bestrebtheit, und nicht Ehrgeiz ist das gerechte Wort dafür; denn es ist Ehrgeiz für Gott, und der verdient frömmere Namen.

Kaum acht hatte also Joseph auf den Verlauf seiner zweiten Verhandlung und kümmerte sich fast nicht darum, welchen Preis er erzielte, – so sehr war er beschäftigt, seine Eindrücke zu verarbeiten und sich im Geiste zum Herrn der Umstände zu machen. Der lange Cha'ma't mit den Rohren hinter dem Ohr, die er erstaunlich balancierte, denn sie saßen wie angeleimt, und kein einziges fiel herunter, so sehr er zappelte beim Feilschen – ritt zähe auf seiner Unterscheidung herum zwischen „brauchen" und „allenfalls brauchen können", um damit den Preis zu drücken, während der Alte dagegen sein altes und starkes Beweismittel ins Feld führte: der Wert des Gegengeschenkes müsse ausreichen, ihn leben zu lassen, damit er auch ferner dem Hause dienen könne; und er wußte diese Notwendigkeit als so selbstverständlich hinzustellen, daß der Schreiber, zu seinem Nachteil, gar nicht auf den Gedanken kam, sie zu bestreiten. Unterstützt wurde der eine durch Dûdu, den Kleiderkämmerer, der sowohl das „brauchen" wie das „brauchen können" in Abrede stellte, und zwar für alle drei Waren: die Zwiebeln, den Wein und den Sklaven; der andere durch Schepses-Bes, der zirpend seinen Zwergenscharfblick geltend machte und den Osarsiph unbedingt und ohne geiziges Gefackel zum erstgeforderten Preis erstanden wissen wollte. Und erst spät und nur ganz vorübergehend mischte auch der Umstrittene selbst sich ein, indem er einwarf, einhundertfünfzig Deben erachte er als zu wenig für ihn, und auf einhundertsechzig wenigstens möge man sich doch einigen. Er tat es aus Ehrgeiz für Gott – aufgeregt verwiesen freilich vom Schreiber Cha'ma't, der es als völlig unstatthaft hinstellte, daß der Handelsgegenstand sich in die Erörterung seines Preises mische; und so schwieg er denn wieder und ließ es gehen.

Schließlich sah er einen gefleckten jungen Stier auftreten, den Cha'ma't aus dem Stalle hatte heranführen lassen; und es war sonderbar, Wert und Schätzbarkeit seiner selbst so außen in Tiergestalt sich gegenüber zu sehen – sonderbar, wenn auch nicht kränkend hierzulande, wo die meisten Götter sich in

Tieren wiedererkannten und die Vereinbarkeit der Einerleiheit und des Nebeneinander so viel gedankliche Pflege genoß.

Übrigens blieb es nicht bei dem jungen Stier; sein Wert war noch nicht einerlei mit demjenigen Josephs, denn über hundertundzwanzig Deben weigerte sich der Alte bei seiner Einschätzung hinauszugehen, und verschiedene Güter noch: ein Panzer aus Rindshaut, mehrere Ballen Schreibpapiers und gemeinen Leinens, ein paar Weinschläuche aus Pantherfell, ein Posten Natron zum Einsalzen von Leichen, ein Gebinde Angelhaken und einige Handbesen mußten noch bei ihm niedergelegt werden, damit die vom Pavian bewachte Waage in heiligem Gleichstande schwebte, und zwar mehr nach Übereinkunft und Augenmaß als rein rechnerisch; denn auf ein zahlenmäßiges Aufgehen des Handels verzichtete man schließlich nach langem Streit um das einzelne und beschied sich beiderseits bei dem Gefühle, nicht allzu sehr betrogen zu sein. Ein Kupfergewicht zwischen einhundertfünfzig und -sechzig Deben, das mochte der obschwebende Tauschwert sein, und dafür ward Rahels Sohn nebst seinen Zutaten dem Peteprê zu eigen, einem Großen Ägyptens.

Es war getan. Die Ismaeliter von Midian hatten ihren Lebenszweck erfüllt, sie hatten abgeliefert, was nach Ägypten hinunterzuführen sie ausersehen gewesen, sie mochten weiterziehen und in der Welt verschwinden – es bedurfte ihrer nicht mehr. Ihr Selbstbewußtsein war übrigens unbeeinträchtigt durch diese Sachlage, sie nahmen sich so wichtig wie eh und je, da sie wieder aufpackten, und kamen sich keineswegs überflüssig vor. Und hatte nicht des guten Alten Wunsch und väterlicher Antrieb, für den Findling zu sorgen und ihn unterzubringen im besten Haus, das er kannte, sein volles Eigengewicht an Würde in der moralischen Welt, mochte, anders gesehen, seine Laune auch nur ein Mittel und Werkzeug und ein Vehikel zu Zielen sein, die er nicht ahnte? Auffallend genug, daß er überhaupt den Joseph weiterverkaufte, als müsse es so sein, – mit einem Nutzen, der ihn, wie er sagte, „am

Leben ließ" und sein Händlergewissen leidlich beschwichtigte. Aber um des Nutzens willen tat er es offenbar nicht und hätte, wenn wir recht sehen, den Brunnensohn recht gern behalten, um sich von ihm gute Nacht sagen und Röstfladen backen zu lassen. Nicht aus Eigennutz handelte er, so sehr er sein Interesse wenigstens kaufmännisch zu wahren bemüht war. Aber was heißt denn auch „Eigennutz"? Es trieb ihn, für Joseph zu sorgen und ihn gut unterzubringen im Leben, und mit der Befriedigung dieses Wunsches diente er gleichfalls und immer noch seinem Eigennutz, woher nun auch dieser überwiegende Wunsch mochte in ihn gelegt sein.

Auch war Joseph ganz der Jüngling, die Freiheitswürde zu achten, die das Notwendige menschlich beseelt; und als der Alte nach geschlossenem Handel zu ihm sprach: „Nun siehe, Heda, oder Usarsiph, wie du dich nennst, du bist nicht mehr mein, du bist dieses Hauses, und was ich ersonnen, das habe ich wahr gemacht" – da bezeigte er ihm alle Erkenntlichkeit, die ihm zukam, küßte wiederholt den Saum seines Gewandes und nannte ihn seinen Heiland.

„Lebe wohl, mein Sohn", sagte der Alte, „und halte dich würdig der Wohltat! Übe Klugheit und Zuvorkommenheit gegen jedermann und gebiete deiner Zunge, wenn es sie jückt, sich krittlerisch zu betätigen und sich an mißliebigen Unterscheidungen zu versuchen, wie der zwischen dem Ehrwürdigen und dem Überständigen, – damit bringt man sich in die Grube! Deinem Munde ist Süßigkeit gegeben, und weißt lieblich gute Nacht zu sagen und anderes mehr – halte dich daran und erfreue die Menschen, statt sie in Widerwillen zu stürzen durch Krittlertum, denn es tut nicht gut. Kurz, lebe wohl! Daß du die Fehler vermeiden mögest, mit denen du dein Leben in die Grube gebracht: sträflich Vertrauen und blinde Zumutung, dessentwegen brauche ich dich wohl nicht zu ermahnen, denn in dieser Hinsicht, denke ich, bist du gewitzigt. Ich habe nicht geforscht, wie es sich des näheren damit verhielt, und nicht versucht, in deine Bewandtnisse zu dringen, denn es genügt mir, zu wissen, daß viel Geheimnis sich in der geräuschvollen Welt verbirgt, und meine Erfahrung lehrt mich, das Verschiedenste für möglich zu halten. Wäre es so, wie deine Sitten und Gaben mich manchmal vermuten lassen, daß deine Bewandtnisse schön waren und du dich salbtest mit Freudenöl, ehe du eingingest in den Leib des Brunnens, nun, so ist dir ein Förderseil zugeworfen und eine Glücksaussicht gegeben, daß du dich wieder erhebest ins Gemäßere dadurch, daß ich dich in dies Haus verkaufte. Lebe wohl, zum drittenmal! Denn zweimal sagte ich's schon, und was man dreimal sagt, ist kräftig. Alt bin ich und weiß nicht, ob ich dich wiedersehe. Dein Gott Adôn, welcher, soviel ich weiß, der untergehenden Sonne gleichkommt, behüte und bewahre deine Schritte, daß sie nicht straucheln. Und sei gesegnet!"

Joseph kniete zu Boden hin vor diesem Vater und küßte noch einmal den Saum seines Kleides, indes der Alte die Hand auf sein Haupt legte. Auch von Mibsam, dem Eidam, verabschiedete der Verkaufte sich dann und dankte ihm, daß er ihn aus der Grube gefördert; ferner von Epher, dem Neffen, und von Kedar und Kedma, den Söhnen des Alten, wie auch, in lässigeren Formen, von Ba'almahar, dem Packknechte, und Jupa, dem wulstlippigen Knaben, der Josephs tierischen Gegenwert, den jungen Stier, am Stricke hielt. Und dann zogen die Ismaeliter davon über den Hof und durch den hallenden Torweg hinweg, wie sie gekommen waren, nur ohne Joseph, der stand und ihnen nachschaute, nicht ohne ein Weh und Zagen in der Herzgrube ob dieses Scheidens und all des Neuen und Ungewissen wegen, das ihn erwartete.

Da sie entschwunden waren und er sich umsah, ward er gewahr, daß alle Ägypter ihrer Wege gegangen waren und er sich allein befand oder fast allein; denn wer bei ihm geblieben war, das war nur Se'ench-Wen-nofre-Neteruhotpe-em-per-Amun, Gottlieb, der Spottwesir, der neben ihm stand, seine rote Meerkatze auf der Schulter, und mit knittrigem Lächeln zu ihm emporblickte.

„Was tu' ich nun, und wohin wende ich mich?" fragte Joseph.

Der Zwerg antwortete nicht. Er nickte nur zu ihm hinauf und fuhr fort, sich zu freuen. Plötzlich aber wandte er zusammenschreckend den Kopf und wispelte:

„Wirf dich aufs Angesicht!"

Zugleich tat er selber nach diesem Geheiß und preßte die Stirn an den Erdboden, ein bäuchlings zusammengekauertes Häufchen, mit dem Tier obenauf; denn dieses hatte die jähe Bewegung geschickt pariert und sich nur von der Schulter des Herrchens zum Rücken bequemt, wo es nun aufgestellten Schwanzes hockte und mit seinen von stehendem Schrecken erweiterten Augen dorthin starrte, wohin zu blicken auch Joseph sich nicht nehmen ließ; denn er folgte wohl Gottliebs Beispiel, hielt aber in der Erniedrigung die Stirne frei zwischen den auf den Ellenbogen erhobenen Händen, um zu sehen, wovor oder vor wem er Andacht bekundete.

Ein Zug ging vom Frauenhause schräg über den Hof gegen das Herrenhaus: fünf Diener in Schurzen und knappen Leinenkappen voran, fünf Dienerinnen mit offenem Haar hinterdrein, aber inmitten über ihnen auf den nackten Schultern nubischer Knechte schwebend, mit gekreuzten Füßen hingelehnt in den Kissen einer Art von vergoldeter Stuhlbahre, die rachenoffene Tierköpfe schmückten, eine Dame Ägyptens, hochgepflegt, blitzenden Schmuck in den Pudellocken, Gold auf dem Halse, beringt die Finger und Lilienarme, deren einen sie – es war ein sehr weißer und wonniger Arm – zur Seite der Trage lässig herniederhängen ließ, – und Joseph sah unter dem Geschmeidekranz ihres Hauptes ihr persönlich-besonderes, dem Modesiegel zum Trotze ganz einmaliges und vereinzeltes Profil mit den kosmetisch gegen die Schläfen verlängerten Augen, der eingedrückten Nase, den schattigen Gruben der Wangen, dem zugleich schmalen und weichen, zwischen vertieften Winkeln sich schlängelnden Munde.

Das war Mut-em-enet, des Hauses Herrin, die sich zur Mahlzeit begab, Peteprês Ehegemahl, eine verhängnisvolle Person.

DER HÖCHSTE

Wie lange Joseph bei Potiphar blieb

Es war ein Mann, der hatte eine störrige Kuh, die das Joch nicht tragen wollte, da es den Acker zu pflügen galt, sondern es immer abwarf vom Nacken. Nahm der Mann ihr das Kalb weg und brachte es auf den Acker, der gepflügt werden sollte. Wie nun die Kuh das Blöken ihres Kindes vernahm, ließ sie sich treiben dorthin, wo das Kalb war, und trug das Joch.

Das Kalb ist auf dem Acker, der Mann hat es hingebracht, aber es blökt nicht, es verhält sich totenstill, indem es erste Umschau hält auf dem fremden Acker, den es für einen Totenacker erachtet. Es fühlt, daß es zu früh wäre, seine Stimme hören zu lassen; aber es hat durchaus eine Idee von des Mannes Zwecken und langfristigen Anschlägen, dies Kalb Jehosiph oder Osarsiph. Wie es den Mann kennt, mutmaßt es ohne weiteres und ist sich träumerisch im klaren darüber, daß seine Entrückung auf diesen Acker, gegen den man sich zu Hause so störrig verhält, kein zusammenhangsloses Ungefähr bedeutet, sondern daß sie einem Plane angehört, worin das eine das andere nach sich zieht. Das Thema des „Nachsichziehens" und des „Nachkommenlassens" ist eins von denen, die sich in seiner intelligenten und träumerischen Seele, in welcher sozusagen, wie das vorkommt, Sonne und Mond zugleich am Himmel stehen, musikalisch gegeneinandersetzen, und der Leitgedanke vom Monde, der schimmernd den Weg der Sterngötter, seiner Brüder, bahnt, ist auch im Spiel. Joseph, das Kalb, – hat er nicht schon von sich aus und auf eigene Hand, wenn auch im Einklange mit des Mannes Ratschlüssen, angesichts der blanken Wiesen des Landstriches Gosem sich seine Gedanken gemacht? Verfrühte und weit vorausspielende Gedanken, seiner eigenen Einsicht nach, die vorderhand stumm bleiben müssen. Denn vieles muß sich erfüllen, ehe sie ihrerseits Erfüllbarkeit gewinnen, und mit der Entrückung allein ist es nicht getan; ein anderes noch muß hinzutreten, dem die stillste Gewärtigung und kindlich geheimste Zuversicht gilt, von dem aber nicht einmal zu vermuten ist, wie es wohl etwa wird sich auf den Weg zu bringen und vonstatten zu gehen wissen. Das steht bei dem Mann, der das Kalb auf den Acker versetzt, das steht bei Gott. –

Nein, uneingedenk des erstarrten Alten daheim war Joseph nicht; sein Schweigen, das Schweigen so vieler Jahre, darf keinen Augenblick zu so vorwurfsvoller Meinung verführen – am wenigsten zu dem Zeitpunkt, an dem wir halten und von dem wir mit Empfindungen erzählen, die aufs Haar seinen eigenen gleichen, – es sind die seinen. Wenn uns nämlich zumute ist, als wären wir bis zu diesem Punkt unserer Geschichte schon einmal gediehen und hätten das alles schon einmal erzählt; wenn die besondere Empfindung des Wiedererkennens, des „Schongesehen" und „Schongeträumt" uns bedeutend anrührt und uns auffordert, ihr nachzuhängen: – so ist das genau dieselbe Erfahrung, die unseren Helden damals erfüllte: eine Übereinstimmung, mit der es wohl seine Ordnung hat. Das, was wir in unserer Sprache seine Vaterbindung zu nennen versucht sind, eine Bindung, desto tiefer und inniger, als sie kraft einer weitgehenden Gleichsetzung und Verwechselung zugleich Gottesbindung war, bewährte sich außerordentlich stark gerade jetzt, – und wie hätte sie sich nicht in ihm bewähren sollen, da sie sich mit ihm, an ihm und außer ihm bewährte? Was er erlebte, war Imitation und Nachfolge; in leichter Abwandlung hatte sein Vater es ihm einst vorerlebt. Und geheimnisvoll ist es, zuzusehen, wie im Phänomen der Nachfolge Willentliches sich mit Führung vermischt, so daß ununterscheidbar wird, wer eigentlich nachahmt und es auf Wiederholung des Vorgelebten anlegt: die Person oder das

Schicksal. Inneres spiegelt sich ins Äußere hinaus und versachlicht sich scheinbar ungewollt zum Geschehnis, das in der Person gebunden und mit ihr eins war schon immer. Denn wir wandeln in Spuren, und alles Leben ist Ausfüllung mythischer Formen mit Gegenwart.

Joseph spielte mit allerlei Nachfolge und fromm verblendenden Selbstverwechselungen, mit denen er Eindruck zu machen und für die er die Menschen wenigstens augenblicksweis zu gewinnen wußte. Jetzt aber erfüllte und beschäftigte ihn ganz die Wiederkehr des Väterlichen und dessen Auferstehung in ihm: Er war Jaakob, der Vater, eingetreten ins Labansreich, gestohlen zur Unterwelt, unmöglich geworden zu Hause, flüchtig vor Bruderhaß, vor des Roten schnaubendem Eifer auf Segen und Erstgeburt, – zehnfach wandelte Esau diesmal, das war eine Abwandlung, und auch Laban sah etwas anders aus in dieser Gegenwart: auf feuerwerkenden Rädern und in Königsleinen gekleidet war er dahergekommen, Potiphar, der Rossebändiger, dick, fett und kühn, daß man um ihn zittere. Aber er war es, das litt keinen Zweifel, mochte das Leben auch mit immer neuen Formen des Gleichen spielen. Wieder, nach der Verkündigung des „Einst", war Abrams Same fremd in einem Lande, das nicht ihm gehörte, und Joseph würde dem Laban dienen, der in der Wiederkehr einen Namen Ägyptens trug und hochtrabend „Geschenk der Sonne" hieß, – wie lange denn wird er ihm dienen?

Wir haben so gefragt in der Gegenwart Jaakobs und die Frage nach dem Verstande bereinigt. Wir fragen wieder so im Falle des Sohnes, entschlossen, auch diesmal alles endgültig richtigzustellen und das Träumerische im Wirklichen zu befestigen. Das verwirklichende Bedenken der Zeit- und Altersfrage ist im Fall der Geschichte Josephs stets sehr lässig gewesen. Die obenhin träumende Phantasie schreibt einer Gestalt jene Unveränderlichkeit und zeitliche Unberührtheit zu, die sie in Jaakobs Augen gewonnen hatte, da er ihn für tot und zerrissen hielt, und die tatsächlich nur der Tod verleiht. Der nach des Vaters Meinung verewigte Knabe aber lebte und nahm zu an Jahren, und es gilt, sich klarzumachen, daß der Joseph, vor dessen Stuhle eines Tages die bedürftigen Brüder standen und sich neigten, ein vierzigjähriger Mann war, den nicht nur Würde, Rang und Kleid, sondern auch die Veränderungen, welche die Zeit an seiner Person hervorgebracht, den Bittstellern unkenntlich machten.

Dreiundzwanzig Jahre waren damals verflossen, seit die Esau-Brüder ihn nach Ägypten verkauft hatten, – fast so viele, wie Jaakob alles in allem verbrachte im Lande „Nimmerwiederkehr"; und auch das Land, in dem Abrams Same dieses Mal fremd war, mochte so heißen, ja mit mehr Recht noch als jenes, denn nicht vierzehn und sechs und fünf Jahre blieb Joseph dort, oder sieben, dreizehn und fünf, sondern tatsächlich sein Leben lang, und erst im Tode kehrte er heim. Völlig undeutlich aber ist und wird wenig bedacht, wie seine Unterweltsjahre sich auf die doch so deutlich sich voneinander abhebenden Epochen seines gesegneten Lebens verteilten – namentlich auf die ersten, entscheidenden, die seines Aufenthaltes in Potiphars Haus und die der Grube, in die er aufs neue geriet.

Es sind dreizehn zusammen, die auf diese beiden Abschnitte fallen, ebenso viele, wie Jaakob brauchte, um seine zwölf mesopotamischen Kinder aufzureihen, – nämlich gesetzt, daß Joseph dreißig Jahre zählte, als ihm das Haupt erhoben und er der Erste wurde der Unteren. Wohlgemerkt, es steht nirgends geschrieben, daß er damals so alt war – oder doch nicht dort, wo es stehen müßte, um maßgebend zu sein. Und doch ist es ein allgemein angenommenes Faktum, ein Axiom, das keines Beweises bedarf, sondern für sich selber spricht und gleichsam, wie die Sonne, mit der eigenen Mutter sich selbst erzeugt, mit dem klarsten Anspruch auf einfaches „Sich so verhalten". Denn es ist immer so. Dreißig Jahre sind das richtige Alter zum Beschreiten der Lebensstufe, die Joseph damals beschritt; mit dreißig Jahren tritt man hervor aus Dunkel und Wüste der Vorbereitungszeit ins wirkende Leben; es ist der Zeitpunkt der Sichtbarwerdung und der Erfüllung.

Dreizehn Jahre also vergingen von des Siebzehnjährigen Eintritt in Ägyptenland, bis daß er vor Pharao stand, das ist sicher. Wie viele aber kommen davon auf den Lebensabschnitt in Potiphars Haus, und wie viele, folglich, auf die Grube? Die befestigte Überlieferung läßt es im ungewissen; wenig besagende Wendungen sind alles, was ihr zur Klärung der Zeitverhältnisse innerhalb unserer Geschichte abzugewinnen ist. Welche denn sollen wir ihr verleihen? Welche Anordnung der Jahresgruppen werden wir darin treffen?

Die Frage scheint unschicklich. Kennen wir unsere Geschichte, oder kennen wir sie nicht? Ist es gehörig und dem Wesen der Erzählung gemäß, daß der Erzähler ihre Daten und Fakten nach irgendwelchen Überlegungen und Deduktionen öffentlich errechnet? Sollte der Erzähler anders vorhanden sein denn als anonyme Quelle der erzählten oder eigentlich sich selber erzählenden Geschichte, in welcher alles durch sich selbst ist, so und nicht anders, zweifellos und sicher? Der Erzähler, wird man finden, soll in der Geschichte sein, eins mit ihr und nicht außer ihr, sie errechnend und beweisend. – Wie aber ist es mit Gott, den Abram hervordachte und erkannte? Er ist im Feuer, aber er ist nicht das Feuer. Er ist also zugleich in ihm und außer ihm. Es ist freilich zweierlei: ein Ding sein und es betrachten. Und doch gibt es Ebenen und Sphären, wo beides auf einmal statthat: der Erzähler ist zwar in der Geschichte, aber er ist nicht die Geschichte; er ist ihr Raum, aber sie nicht der seine, sondern er ist auch außer ihr, und durch eine Wendung seines Wesens setzt er sich in die Lage, sie zu erörtern. Niemals sind wir darauf ausgegangen, die Täuschung zu erwecken, wir seien der Urquell der Geschichte Josephs. Bevor man sie erzählen konnte, geschah sie; sie quoll aus demselben Born, aus dem alles Geschehen quillt, und erzählte geschehend sich selbst. Seitdem ist sie in der Welt; jeder kennt sie oder glaubt sie zu kennen, denn oft genug ist das nur ein unverbindliches und ohne viel Rechenschaft obenhin träumendes Ungefähr von Kenntnis. Hundertmal ist sie erzählt worden und durch hundert Mittel der Erzählung gegangen. Hier nun und heute geht sie durch eines, worin sie gleichsam Selbstbesinnung gewinnt und sich erinnert, wie es denn eigentlich im Genauen und Wirklichen einst mit ihr gewesen, also, daß sie zugleich quillt und sich erörtert.

Sie erörtert zum Beispiel, wie sich die dreizehn Jahre gliederten, die von Josephs Verkauf bis zu seiner Haupterhebung verstrichen. So viel nämlich ist ja gewiß, daß auch der Joseph schon, der ins Gefängnis kam, bei weitem nicht mehr der Knabe war, den die Ismaeliter vor Peteprês Haus brachten; daß vielmehr der weitaus größte Teil der dreizehn Jahre auf seinen Aufenthalt in diesem Hause entfiel. Wir könnten peremptorisch aufstellen, es sei so gewesen; aber wir lassen uns mit Vergnügen herbei, zu fragen, wie es denn anders hätte sein können. Joseph war, gesellschaftlich gesehen, eine vollkommene Null, als er mit siebzehn oder knapp achtzehn Jahren bei dem Ägypter eintrat, und zu der Laufbahn, die er in seinem Hause zurücklegte, gehört die Zeit, die er tatsächlich dort zubrachte. Nicht am zweiten oder dritten Tage setzte „Potiphar" den chabirischen Sklaven über all sein Eigen und ließ es unter Josephs Händen. Es dauerte seine Zeit, bis er seiner auch nur gewahr wurde – er und andere Personen, die für den Ausgang dieser bedeutenden Lebensepisode entscheidend waren. Außerdem aber mußte jene steil aufstrebende Laufbahn im Wirtschaftlich-Verwalterischen sich notwendig über Jahre erstrecken, um zu der Vorschule zu werden, als die sie gedacht war: eines Hausmeiertums größten Maßstabes nämlich, das ihr folgte.

Mit einem Worte: Zehn Jahre lang blieb Joseph bei Potiphar und wurde ein Siebenundzwanzigjähriger darüber, ein ebräischer „Mann", wie es von ihm heißt, der von gewisser Seite wohl gelegentlich ein „ebräischer Knecht" genannt wird, was aber krankhaft-verzweiflungsvollen Akzent trägt, da er praktisch damals schon lange kein „Knecht" mehr war. Der Punkt, an dem er, nach Stellung und Ansehen, aufhörte, es zu sein, ist mit Genauigkeit nicht zu erkennen und zu bestimmen – heute sowenig, wie er es jemals wurde. Im Grunde nämlich und rein rechtlich gedacht blieb Joseph immer ein „Knecht", ein Sklave, blieb es bis in sein höchstes Herrentum hinein und bis an sein Lebensende. Denn wir lesen wohl, daß er verkauft und wieder verkauft worden sei; aber von seiner Freilassung oder Auslösung lesen wir nirgends. Seine außerordentliche Laufbahn ging stillschweigend über das rechtliche Faktum seines Sklaventums hinweg, und keiner fragte nach seiner jähen Erhöhung mehr danach. Aber auch in Peteprês Hause schon blieb er ein Knecht in des Wortes niedrigem Sinn nicht lange, und keineswegs nahm sein Segensaufstieg in den Eliezer-Rang eines Hausvogtes die sämtlichen Potiphar-Jahre in Anspruch. Es waren sieben, die dazu genügten, das ist *eine* Gewißheit; und eine weitere ist, daß erst der Rest des Dezenniums von den Wirren beherrscht und überschattet war, die durch die Gefühle einer unglücklichen Frau erzeugt wurden und die Beendigung dieses Abschnittes herbeiführten. Die Überlieferung verfehlt nicht, wenigstens mit einer allgemeinen und ungefähren Zeitbestimmung zu verstehen zu geben, daß diese Wirren nicht etwa gleich oder sehr bald nach Josephs Eintritt ins Haus begannen, nicht schon mit seinem Aufstieg zusammenliefen, sondern erst einsetzten, nachdem dieser seine Höhe erreicht hatte. „Nach dieser Geschichte", heißt es, hätten sie begonnen: nach der Geschichte nämlich von Josephs Eroberung des höchsten Vertrauens; so daß also jene unselige Leidenschaft nur über drei Jahre – lange genug für die Beteiligten! – sich hinziehend zu denken ist, bis sie in der Katastrophe untergeht.

Das Ergebnis einer solchen Selbstprüfung der Geschichte besteht die Gegenprobe. Wenn, ihm zufolge, auf die Potiphar-Episode zehn Lebensjahre Josephs zu rechnen sind, so kommen auf den ihr folgenden Abschnitt, das Gefängnis, deren drei. Nicht mehr und nicht weniger; und wirklich sind selten auf überzeugendere Weise Wahrheit und Wahrscheinlichkeit zusammengefallen als in dieser Tatsache. Was könnte einleuchtender und richtiger sein, als daß Joseph, entsprechend den drei Tagen, die er zu Dotan im Grabe verbrachte, drei Jahre lang und weder kürzer noch länger in diesem Loche lag? Man kann so weit gehen, zu behaupten, daß er selbst dies von vornherein vermutet, ja gewußt und nach allem, was er als ordnungsschön, sinnvoll und richtig ansah, gar keine andere Möglichkeit auch nur in Betracht gezogen habe, – bestätigt hierin von einem dem reinen Erfordernis gefügigen Schicksal.

Drei Jahre – nicht genug, daß es so war: es konnte auch gar nicht anders sein. Und die Überlieferung bestimmt mit einer Zeitangabe von ungewöhnlicher Genauigkeit im näheren, wie diese dreie sich einteilten; sie hält fest, daß Josephs berühmte Erlebnisse mit dem Oberbäcker und dem Obermundschenk, seinen vornehmen Mitgefangenen, denen er aufzuwarten hatte, schon in das erste davon fielen. „Nach zweien Jahren", heißt es, habe Pharao geträumt und Joseph ihm seine Träume gedeutet. Zwei Jahre wonach? Man könnte darüber streiten. Es könnte sagen wollen: zwei Jahre, nachdem Pharao eben Pharao geworden war, das heißt nach der Thronbesteigung desjenigen Pharao, dem die rätselhaften Träume zuteil wurden. Oder es könnte bedeuten: zwei Jahre, nachdem Joseph den Herren ihre Träume gedeutet hatte und der Oberbäcker, wie man weiß, erwürgt worden war. Der Streit aber wäre unnütz, denn in beiderlei Beziehung trifft die Aussage zu. Ja, zwei Jahre nach den Geschehnissen mit den inkriminierten Höflingen träumte Pharao; und er tat es zugleich zwei Jahre, nachdem er Pharao geworden, denn während des Aufenthaltes Josephs im Gefängnis, und zwar am Ende des ersten Jahres, geschah es, daß Amenhotep, seines Namens der Dritte, sich mit der Sonne vereinigte und sein Sohn, der Träumer, die Doppelkrone aufs Haupt setzte.

Da sehe man, wie kein Falsch ist an der Geschichte, wie alles stimmt mit den zehn und drei Jahren, bis Joseph dreißig war, und alles rein genau im Wahren und Richtigen harmonisch aufgeht!

Das Spiel des Lebens, sofern es die Beziehungen der Menschen untereinander betrifft und die vollständige Ahnungslosigkeit ebendieser Menschen hinsichtlich der Zukunft ihrer Beziehungen, welche bei erstem Blickewechsel nicht dünner, leichter, weitläufiger, fremder und gleichgültiger sein könnten und eines unvorstellbaren Tages den Charakter brennender Verschlingung und furchtbarer Atemnähe anzunehmen bestimmt sind, – dies Spiel und diese Ahnungslosigkeit mögen dem vorwissenden Betrachter wohl zum Gegenstande kopfschüttelnden Nachsinnens werden.

Da kauerte Joseph nun bäuchlings, in Knielage, neben dem Zwerge Gottlieb, genannt Schepses-Bes, auf des Hofes Estrich und blickte aus Neugier zwischen seinen Händen auf die kostbare, durch und durch unbekannte Erscheinung, die wenige Schritte von ihm entfernt auf goldenem Löwenlager vorüberschwebte, – dieses Stück unterweltlicher Hochzivilisation, das ihm keine anderen Empfindungen erregte als die einer stark mit kritischer Ablehnung versetzten Ehrfurcht und keinen anderen Gedanken als etwa: „Holla! Das muß die Herrin sein! Potiphars Weib, die um ihn zittern soll. Gehört sie zu den Guten oder den Bösen? Ihr Aussehen läßt das unentschieden. Eine sehr große Dame Ägyptens. Der Vater würde sie mißbilligen. Ich bin lässiger im Urteil, aber einschüchtern lass' ich mich auch nicht . . ." Das war alles. Auf ihrer Seite war es noch weniger. Sie wandte im Vorüberschweben einen Augenblick den geschmückten Kopf nach der Seite der Anbetenden. Sie sah sie und sah sie nicht – ein so mattes und blindes Drüberhinblicken war das. Den Heinzel erkannte sie wahrscheinlich, da sie ihn kannte, und es mochte sein, daß für eine Sekunde die Andeutung eines Lächelns in ihre ausgepinselten Emailleaugen trat und ganz leicht die Winkel ihres Schlängelmundes vertiefte – man hätte auch das bestreiten können. Den anderen kannte sie nicht, legte sich aber kaum Rechenschaft davon ab. Er fiel etwas aus dem Rahmen durch den verwaschenen ismaelitischen Kapuzenmantel, den er immer noch trug, und auch seine Haartracht war noch unangepaßt. Sah sie es? Allenfalls. Aber bis zu Bereichen der Rechenschaft drang die Wahrnehmung nicht vor in ihrem stolzen Bewußtsein. Gehörte er nicht hierher, so mochten die Götter wissen, wie er hierherkam, – es genügte vollkommen, wenn *sie* es wußten; sie, Mut-em-enet, Eni genannt, war sich zu kostbar, darüber nachzudenken. Sah sie, wie hübsch und schön er war? Aber was sollen die Fragen! Ihr Sehen war kein Sehen; sie kam nicht darauf, es war ihr verhüllt, daß hier ein Anlaß war, die Augen zu brauchen. Keinen von beiden berührte der blasseste Schatten und Anflug einer Vermutung, wohin es binnen einiger Jahre mit ihnen kommen und was zwischen ihnen sich abspielen sollte. Daß dieses unbekannte Häuflein Verehrung dort drüben eines Tages ihr ein und alles, ihre Wonne und Wut, ihr krankhaft ausschließlicher Gedanke sein werde, der ihr den Sinn zerstören, sie Wahnsinnstaten begehen lassen, die ganze Fassung, Würde und Ordnung ihres Lebens vernichten würde, – der Frau kam es nicht bei. Welches Weinen sie ihm bereiten, in welche äußerste Gefahr seine Gottesbrautschaft und der Kranz seines Hauptes durch sie geraten und daß es ihrer Narrheit um ein Haar gelingen würde, ihn mit Gott auseinanderzubringen, – der Träumer ließ sich's nicht träumen, obgleich der vom Lager hängende Lilienarm ihn hätte bedenklich stimmen dürfen. Dem Betrachter, der die Geschichte kennt in allen ihren Stunden, sei es verziehen, wenn er bei der Unwissenheit derer, die in der Geschichte sind und nicht auch außer ihr, einen Augenblick mit Kopfschütteln verweilt.

Er nimmt sogleich den Vorwitz zurück, mit dem er den Vorhang der Zukunft lüftete, und hält sich an die regierende Feststunde. Sie umfaßt sieben Jahre, die Jahre des anfänglich so unwahrscheinlichen Aufstieges Josephs in Peteprês Haus von dem Augenblick an, wo, nach Vorüberschweben der Herrin, das Närrchen Bes-em-heb auf dem Hofe ihm zuwisperte:

„Wir müssen dich scheren und einkleiden, daß du wie alle bist –"

– und ihn zu den Badern des Dienerhauses hinüberführte, die ihm, mit dem Kleinen scherzend, das Haar nach ägyptischer Weise stutzten, so daß er aussah wie die Wegetreter der Dämme; und von da in die Gewandkammer und ins Schurzmagazin desselben Gebäudes, wo ein Schreiber ihm aus den Beständen ägyptische Kleider verabfolgte, Peteprês Liefertracht für Arbeit und Feierzeit, so daß er vollends einem Jünglinge Kemes glich und vielleicht schon damals die Brüder ihn auf den ersten Blick nicht erkannt haben würden –

– diese sieben Umläufe, die eine Nachahmung und eine Wiederkehr väterlicher Jahre im Leben des Sohnes waren und der Zeitspanne entsprachen, in welcher Jaakob aus einem flüchtigen Bettler zum Schwerbesitzer und unentbehrlichen Teilhaber an Labans durch Segenskraft aufstrotzender Wirtschaft geworden war. Nun war es für Joseph die Stunde, sich unentbehrlich zu machen, – wie geschah es denn, und wie machte er's? Fand er Wasser gleich Jaakob? Das war vollkommen überflüssig. Es gab Wasser die Hülle und Fülle bei Peteprê, denn nicht allein der Lotusteich im Lustgärtchen war vorhanden, sondern auch zwischen den Pflanzungen des Baum- und des Gemüsegartens noch waren viereckige Becken eingesenkt, die keine Verbindung mit dem Ernährer hatten und dennoch den Garten ernährten, da sie voll Grundwasser waren. An Wasser war keine Not; und wenn auch Potiphars Haus nach seinem inneren Leben kein Segenshaus war – im Gegenteil, es zeigte sich bald, daß es in aller Würde ein närrisches und peinliches Haus war, worin viel Kummer spukte –, so strotzte es doch von wirtschaftlichem Wohlstande ohnehin; sich darin zum „Mehrer" zu machen, war schwer und fast überflüssig; genug, wenn der Besitzer eines Tages zu der Überzeugung kam, unter dieses jungen Ausländers Händen sei all das Seine am besten aufgehoben und er brauche sich, wenn dieser walte, um gar nichts zu kümmern noch irgendeines Dinges sich selber anzunehmen – wie es seinem hohen

Range zukam und wie er's gewohnt war. In der Erzeugung eines umfassenden Vertrauens also bewährte sich hier vor allem die Segenskraft; und der natürliche Abscheu davor, ein solches Vertrauen in irgendeinem Punkt – und nun gar dem allerheikelsten – zu täuschen, sollte seinem Träger zu einer mächtigen Hilfe werden, das Zerwürfnis mit Gott zu vermeiden.

Ja, Labanszeit war es, die nun anbrach für Joseph, und doch war alles ganz anders als im Fleischesfalle des Vaters, und anders fügten sich für den Nachfolger die Dinge. Denn Wiederkehr ist Abwandlung, und wie im Guckrohr ein immer gleicher Bestand an farbigen Splittern in immer wechselnde Schauordnungen fällt, so bringt das spielende Leben aus dem Selben und Gleichen das immer Neue hervor, die Sohnes-Sternfigur aus denselben Teilchen, aus welchen der Lebensstern des Vaters sich bildete. Die Guckunterhaltung ist lehrreich; denn in wie andere Ordnungen werden dem Sohne die Splitter und Steinchen sich fügen, die Jaakobs Lebensschaubild ergaben, – um wieviel reicher, verwickelter, aber auch schlimmer werden sie fallen! Er ist ein späterer, heiklerer „Fall", dieser Joseph, ein Sohnesfall, leichter und witziger wohl als der des Vaters, aber auch schwieriger, schmerzlicher, interessanter, und kaum sind die einfachen Gründungen und Muster des väterlichen Vor-Lebens wiederzuerkennen in der Gestalt, worin sie wiederkehren in seinem. Was wird zum Beispiel darin aus dem Rahel-Gedanken und -Vorbild werden, der holden und klassischen Lebens-Grundfigur, – welch eine vertrackte und lebensgefährliche Arabeske! – Man sieht wohl: was sich da vorbereitet, was schon vorhanden ist, weil es sich abgespielt hat, als die Geschichte sich selber erzählte, und was nur, nach wieder eingeschaltetem Gesetze der Zeit und des Nacheinander, noch nicht wieder an der Reihe ist, – es zieht uns mächtig-unheimlich an; unsere Neugier danach, eine eigentümliche Art der Neugier, die alles schon weiß und nicht sowohl der Erfahrung als der Mitteilung gilt, ist lebhaft, und immer wieder versucht uns der Vorwitz, der herrschen-

172

den Feststunde voranzuschweifen. So geht es, wenn der Doppelsinn des „Einst" seinen Zauber übt; wenn die Zukunft Vergangenheit ist, alles längst sich abgespielt hat und nur wieder sich abspielen soll in genauer Gegenwart!

Was wir tun können, um unserer Ungeduld etwas die Zügel zu lockern, ist, den Begriff der Gegenwart aus dem Engsten ein wenig zu erweitern und größere Mengen von Nacheinander zur Einheit und einer frei bewirtschafteten Gleichzeitigkeit zusammenzuziehen. Zu einer solchen Umschau eignet sich die Jahresgruppe recht wohl, die Joseph zu Peteprês Leibdiener und dann zu seinem Oberverwalter machte; ja sie verlangt danach, und zwar, weil Umstände, die sehr zu seinem Erfolge beitrugen (obgleich man glauben sollte, daß sie ihn hätten hemmen müssen) und ihre Wirkungen über dies ganze Zeitgebiet, ja noch weiterhin, ausdehnten, auch gleich im Anfang schon eine bestimmende Rolle spielten, so daß man vom Anfange nicht sprechen kann, ohne diese atmosphärisch alles durchdringenden Verhältnisse überhaupt zur Sprache zu bringen.

Das Wort, nachdem es die Tatsache von Josephs anderem Verkaufe erhärtet, hält vor allem Weiteren fest, daß Joseph „in seines Herrn, des Ägypters, Hause war". Nun freilich, dort war er. Wo denn sonst? Er war verkauft in das Haus, und in dem Hause war er, – das Wort scheint da das ohnehin Feststehende zu erhärten und sich müßig zu wiederholen. Es will jedoch richtig gelesen sein. Die Aussage, daß Joseph in Potiphars Hause „war", will uns belehren, daß er dort *blieb*, was mit dem Vorigen keineswegs schon erhärtet, sondern eine betonenswerte Neuigkeit ist. Joseph blieb, nachdem er gekauft worden, in Peteprês Hause selbst, das heißt: er entging, nach Gottes Willen, der nur allzu naheliegenden Gefahr, zur Fron auf des Ägypters Ländereien hinausgeschickt zu werden, wo er hätte am Tage vor Hitze verschmachten, nachts aber vor Frost hätte beben und unter der Fuchtel eines wenig gesitteten Vogtes in Dunkel und Dürftigkeit, unerkannt, ungefördert seine Tage hätte beschließen mögen.

Dies Schwert schwebte über ihm, und wir haben zu bewundern, daß es nicht auf ihn niederfiel. Es saß lose genug. Joseph war ein nach Ägypten verkaufter Ausländer, ein Asiatensohn, ein Amu-Knabe, ein Chabire oder Ebräer, und der Verachtung, der er als solcher in diesem dünkelhaftesten aller erschaffenen Länder grundsätzlich anheimgegeben war, muß man ins Auge sehen, bevor man dazu übergeht, ihre Abschwächung, ja Aufhebung durch entgegenstehende Einflüsse zu erläutern. Daß es den Meier Mont-kaw einige Sekunden lang angefochten hatte, den Joseph halb und halb für einen Gott zu halten, beweist nicht, daß er ihn, vor allem einmal, *mehr* als halb und halb für einen Menschen hielt. Offen gestanden tat er das eigentlich nicht. Der Bürger von Keme, dessen Ahnen aus den Wellen des heiligen Stromes getrunken hatten und in dessen unvergleichlichem, mit Bauwerk, urübermachter Schrift und Figur vollgestopftem Heimatlande der Sonnenherr in Person einst König gewesen war, nannte sich selbst zu ausdrücklich „Mensch", als daß genaugenommen für Nicht-Ägypter, Kuschneger etwa, libysche Zopfträger und asiatische Lausebärte, von dieser Einschätzung viel übriggeblieben wäre. Der Begriff der Unreinheit und des Greuels war keine Erfindung des Abramssamens und mitnichten vorbehalten den Kindern Sems. Einiges war ihnen und den Leuten Ägyptens gemeinsam ein Greuel: zum Beispiel das Schwein. Außerdem aber waren diesen die Ebräer selber ein solcher, und zwar in dem Grade, daß es ihnen gegen Würde und frommen Anstand ging, mit solchen Leuten das Brot zu essen – das verstieß gegen ihre Speisesitten, und einige zwanzig Jahre nach dem Zeitpunkt, an dem wir halten, als Joseph mit Erlaubnis Gottes in allen seinen Gewohnheiten und seinem ganzen Gebaren nach völlig zum Ägypter geworden war und gewisse Barbaren bei sich zu Tische sah, da ließ er selbst sich und seiner ägyptischen Umgebung besonders auftragen und jenen besonders, um das Gesicht zu wahren und sich nicht zu verunreinigen vor seinem Gesinde.

So stand es, grundsätzlich, mit Amu- und Charu-Leuten in Ägyptenland; so stand es mit Joseph selbst, als er dort ankam.

Daß er im Hause blieb und nicht auf dem Felde verkümmern mußte, ist ein Wunder – oder es ist doch zum Verwundern; denn ein Wunder Gottes im vollen Sinne des Wortes war es nicht, sondern viel Menschlich-Landläufiges, Modisch-Geschmacksmäßiges war dabei im Spiel – kurz, jene Einflüsse, von denen wir sagten, daß sie dem Grundsätzlichen entgegengestanden seien und es abgeschwächt, ja aufgehoben hätten. Übrigens machte dieses sich geltend, zum Beispiel durch Dûdu, den Gatten der Zeset: er vertrat es; er wollte und beantragte, daß Joseph zur Feldfron hinausgeschafft werde. Denn er war nicht nur ein Mann – oder Männlein – des Vollwertes und der Gediegenheit, sondern auch ein Anhänger und Verteidiger des heilig Althergebrachten und der Überlieferungsstrenge, ein grundsatzfrommer Zwerg; und er war damit ein Parteigänger, er hielt es mit einer Gesinnungsschule und -richtung, welche, aus allerlei sittlich-staatlich-glaubensmäßigen Willensmeinungen zur natürlichen und streitbaren Einheit verbunden, überall im Lande ihre Stellungen gegen andere, weniger eingeschränkte und altertumstreue zu behaupten hatte und auf Peteprês Anwesen ihren Stützpunkt hauptsächlich im Frauenhause besaß, genauer: in den Eigengemächern Mut-em-enets, der Herrin, wo ein Mann aus und ein ging, dessen starre Person mit Recht als der Mittel- und Sammelpunkt dieser Strebungen galt: der erste Prophet des Amun, Beknechons.

Von diesem später. Joseph hörte von ihm und sah ihn erst nach einiger Zeit, wie er denn in die Verhältnisse, die wir hier andeuten, nur allmählich Einblick gewann. Aber er hätte weniger aufmerksam sein müssen und weniger rasch im Überblick der Gunst und Ungunst, um nicht sehr bald, eigentlich schon beim ersten Schwatz und Austausch mit des Hauses übriger Dienerschaft, etwas und sogar das Wesentliche davon loszuhaben. Seine Art dabei war, so zu tun, als ob er alles im voraus schon loshabe und mit den inneren Geheimnissen und Vertraulichkeiten des Landes Bescheid wisse wie einer. In seinem den Ohren der Leute noch etwas drollig lautenden, in der Wortfindung aber sehr umsichtigen und aufgeweckten

Ägyptisch, das ihnen sichtlich Vergnügen machte, weshalb er sich nicht sonderlich beeilte, es regelmäßiger zu gestalten, erzählte er etwa von den „Gummiessern" – so sagte er kundig; es war ein beliebter Spottname für nubische Mohren –, die er hatte zur Audienz über den Strom befördern sehen, und fügte hinzu, die Hechelreden der neidischen Herren im Morgengemach würden nun wohl fürs erste nichts ausrichten können gegen den Fürsten-Statthalter von Kusch, da dieser das Herz Pharaos durch den überraschenden Tribut zu erfreuen und jenen das Wasser abzugraben gewußt habe. Darüber lachten sie mehr, als wenn er ihnen Neuigkeiten erzählt hätte, denn gerade der oft wiederholte und allen vertraute Klatsch war ihnen behaglich; und wie sie sich über seine fremdartige Sprechweise erheiterten, ja sie gewissermaßen bewunderten und auf die kenanitischen Worte lauschten, die er aushilfsweise in seine Rede flocht, das steckte ihm gleich ein Licht auf über Gunst und Ungunst.

Sie taten es nämlich selbst, so gut sie konnten. Sie versuchten selber, ausländische Brocken, akkadisch-babylonische sowohl wie solche aus Josephs Sprachsphäre, in ihre Rede zu mischen; und dieser empfand sogleich, noch bevor er es bestätigt fand, daß sie es darin den vornehmen Leuten gleichzutun suchten, daß aber auch diese wieder die Narretei nicht aus eigenem Antriebe übten, sondern eine noch höhere Gegend, den Hof, dabei nachahmten. Joseph begriff diese Abhängigkeiten, wie gesagt, bevor er sie erprobte. Es war wirklich so, er stellte es mit heimlichem Lächeln fest: Dies Völkchen, das sich doch Grenzenloses darauf einbildete, mit Nilwasser aufgezogen und dem Lande der Menschen, dem einzig wahren Geburtslande der Götter angehörig zu sein; das den geringsten Zweifel an der urgesetzten und überhaupt nicht zu erörternden Überlegenheit seiner Gesittung über die ganze ringsum gelagerte Welt nicht mit Zorn, sondern nur mit Lachen beantwortet hätte und bis zum Halse angefüllt war mit dem Kriegsruhm seiner Könige, dieser Achmose, Tutmose und Amenhotep, welche den Erdkreis bis zum verkehrtgehenden Euphrat erobert und ihre Grenzsteine bis zum nördlichsten Retenu und bis zu den südlichsten Wüsten- und Bogenvölkern vorgeschoben hatten, – dies seiner Sache so sichere Völkchen also war zugleich schwach und kindisch genug, ihn unverhohlen darum zu beneiden, daß das Kanaanäische seine Muttersprache war, ja, ihm seine natürliche Geläufigkeit darin, unwillkürlich und gegen alle bessere Vernunft, als ein geistiges Verdienst anzurechnen.

Warum? Weil das Kanaanäische fein war. Und warum fein? Weil es ausländisch und fremd war. Aber mit dem Ausländischen war es doch ein Elend und Minderwert? Das wohl, aber es war trotzdem fein, und diese unfolgerichtige Schätzung beruhte ihrer eigenen Meinung nach nicht auf kindischer Schwäche, sondern auf Freigeisterei – Joseph spürte es. Er war der erste in der Welt, der es zu spüren bekam, denn zum erstenmal war die Erscheinung in der Welt. Es war die Freigeisterei von Leuten, die das elende Ausland nicht selbst besiegt und unterworfen hatten, sondern das durch Frühere hatten besorgen lassen und sich nun erlaubten, es fein zu finden. Die Großen gaben das Beispiel – Peteprês, des Wedelträgers, Haus machte dem Joseph das deutlich, denn je besser er Einblick darein gewann, desto mehr überzeugte er sich, daß seine Schätze zum größten Teil Hafengüter, das heißt: eingeführte Fremderzeugnisse waren, und zwar ganz vorwiegend solche aus Josephs weiterer und engerer Heimat, aus Syrien und Kanaan. Das war ihm schmeichelhaft, zugleich damit, daß es ihn schwachköpfig anmutete; denn auf seiner gemächlichen Durchreise vom Mündungsgebiet bis zum Hause des Amun hatte es ihm nicht an Gelegenheit gefehlt, der schönen und eigengeprägten Gewerbstüchtigkeit der Länder Pharaos gewahr zu werden. Die Pferde Potiphars, seines Käufers, waren syrisches Blut – nun ja, man bezog diese Tiere am besten von dort oder von Babelland her; die ägyptische Zucht war wenig bedeutend. Aber seine Wagen ebenfalls, gerade auch der mit dem Edelsteinfeuerwerk an den Speichen, waren ein solcher Import, und daß er sein Vieh aus Amoriterland kommen ließ, war angesichts des liebenswerten einheimischen Rinderschlages mit den Leierhörnern, der sanftäugigen Hathorkühe, der starken Stiere, aus denen Merwer und Chapi erlesen wurden, nicht anders denn als modische Verschrobenheit zu beurteilen. Pharaos Freund ging an einem eingelegten Spazierstock aus Syrien, und das Bier, der Wein, die er trank, waren von dort. „Vom Hafen" waren auch die Krüge, darin man ihm diese Getränke bot, und die Waffen und Musikinstrumente, die seine Zimmer schmückten. Das Gold der fast mannshohen Prunkgefäße, die sowohl in der nördlichen wie der westlichen Säulenhalle des Hauses in ausgemalten Nischen und auch im Speisezimmer zu beiden Seiten der Estrade standen, stammte zweifellos aus nubischen Gruben, aber hergestellt waren die Vasen in Damask und Sidon, und in dem schöntürigen Gästeempfangs- und Bankettzimmer, das dem Familienspeisegemach vorgelagert und gleich vom Flure aus zu betreten war, zeigte man dem Joseph andere Krüge, etwas exzentrisch von Form und Bemalung, die nirgendwoher stammten denn aus Edomland, dem Ziegengebirge, und ihm wie ein Gruß waren von Esau, seinem fremden Oheim, den man hier offenbar ebenfalls fein fand.

Auch die Götter Emors und Kanaans, Baal und Astarte, fand man sehr fein: Joseph merkte es gleich an der Art, wie Potiphars Dienstleute, die annahmen, daß es die seinen wären, sich nach ihnen erkundigten und ihm Komplimente über sie machten. Das wirkte darum so sehr als schwächliche Starkgeisterei, weil doch die Beziehungen und Machtverhältnisse zwischen den Völkern und Ländern sich für das allgemeine Denken und Vorstellen in den Göttern verkörperten und nur der Ausdruck ihres persönlichen Lebens waren. Freilich, was war hier die Sache selbst, und was war ihr Bild? Welches die Wirklichkeit, und welches ihre Umschreibung? War es nur Redeweise, zu sagen, Amun habe die Götter Asiens besiegt und sich tributpflichtig gemacht, während eigentlich Pharao die Könige Kanaans sich unterworfen hatte? Oder war eben dies nur der uneigentlich-irdische Ausdruck für jenes? Joseph wußte wohl, daß das nicht zu unterscheiden war. Sache und Bild, das Eigentliche und Uneigentliche, bildeten eine untrennbar verschränkte Einerleiheit. Eben darum aber gaben die Leute Mizraims den Amun nicht nur dann gewissermaßen preis, wenn sie Baal und Ascherat fein fanden, sondern auch dann schon, wenn sie verballhornte Worte der Kinder Sems in ihrer Götter Sprache mischten und statt „Schreiber" – „seper" oder statt „Fluß" – „nehel" sagten, weil es in Kanaan „sofer" und „nahal" hieß. Es war tatsächlich Freigeisterei, was diesen Sitten, Launen und Moden zum Grunde lag, und zwar Freigeisterei gegen den ägyptischen Amun. Sie bewirkte, daß es mit der grundsätzlichen Verabscheuung des Semitisch-Asiatischen nicht mehr so weit her war; und beim Überschlagen von Gunst und Ungunst verbuchte Joseph das auf seiten der Gunst.

Er nahm da von schwebenden Meinungsverschiedenheiten, Strömungen und Gegenströmungen Notiz, mit denen er, wie gesagt, erst in dem Grade besser vertraut wurde, als er in das Leben des Landes hineinwuchs. Da Potiphar ein Hofmann war, von den Freunden Pharaos einer, so lag die Vermutung nahe, daß die Quelle der locker auslandsfreundlichen, dem Amun aufsässigen Gesinnung, die seine Gewohnheiten durchblicken ließen, drüben im Westen, jenseits des „nehel", im Großen Hause gelegen war. Hatte das, überlegte Joseph, möglicherweise mit Amuns Heerscharen und Feldhaufen zu tun, der lanzenstachlichten Tempelmacht, die ihn auf der „Straße des Sohnes" an die Wand gedrückt hatte? Mit Pharaos Unmut darüber, daß Amun, der allzu schwere Staatsgott, auf seinem eigenen Gebiete, dem streitbaren, mit ihm in Wettbewerb trat?

Sonderbar weitläufige Zusammenhänge! Pharaos Verstimmung über Amuns oder seines Tempels anmaßende Stärke war vielleicht die letzte Ursache davon, daß Joseph nicht aufs Feld kam, sondern bleiben durfte im Hause seines Herrn und mit dem Felde erst zu vorgeschrittener Stunde, nicht als Fronender, sondern als Aufseher und Verwalter zu tun bekam. Diese Beziehung, die ihn zum stillen Nutznießer fernerhabener Regungen machte, erfreute den Jungsklaven Osarsiph und verband ihn über das Mittel seines hohen Herrn hinweg mit dem Höchsten. Aber es erfreute ihn noch mehr und Allgemeineres, was ihn anwehte aus der Welt, in die er verpflanzt worden, und was er beim Spüren nach Gunst und Ungunst erschnupperte mit seiner hübschen, wenn auch etwas zu dicknüstrigen Nase; ein Element, vertraut seinem Wesen, darin er sich wohl fühlte wie der Fisch im Wasser. Es war Spätheit, das Schon-fernab-Sein einer Gesellschaft von Enkeln und Erben von den Gründungen und Mustern der Väter, deren Siege sie in den Stand gesetzt hatten, das Besiegte fein zu finden. Das sprach den Joseph an, weil er selbst schon spät daran war nach Zeit und Seele, ein Sohnes- und Enkelfall, leicht, witzig, schwierig und interessant. Darum war ihm hier gleich als wie dem Fisch im Wasser, und gute Hoffnung erfüllte ihn, daß er es mit Gottes Hilfe und ihm zu Ehren weit bringen werde in Pharaos Unterland.

Der Höfling

Dûdu also, der Ehezwerg, handelte altertumstreu und als Parteigänger des Guten-Alten, er handelte geradezu in Amuns Namen, indem er Mont-kaw, mit tiefer Stimme und eifrigen Gebärden seiner Stummelärmchen an ihm hinaufredend, ermahnte, den jüngst erstandenen chabirischen Knecht der Feldfron zu überantworten, weil er von den Feinden der Götter stamme und nicht auf den Hof gehöre. Aber der Hausmeier wollte sich anfangs gar nicht erinnern, wovon überhaupt die Rede sei und wen der Zwerg meine – ein Amu-Sklave? Von Mináern gekauft? Namens Osarsiph? Ach so! Und nachdem er dem Mahner durch seine Vergeßlichkeit ein Beispiel des Gleichmutes und der Nichtachtung gegeben, womit diese Sache passenderweise zu betrachten sei, drückte er ihm seine Verwunderung darüber aus, daß er, der Kleiderbewahrer, ihr nicht nur Gedanken, sondern sogar Worte widme. Es sei wegen des Anstandes, antwortete Dûdu. Den Menschenkindern des Hofs sei es ein Abscheu, mit so einem das Brot zu essen. Aber der Vorsteher leugnete, daß die gar so zimperlich seien, und erwähnte einer babylonischen Dienerin, die im Hause der Abgeschlossenen beschäftigt sei, Ischtarummi, mit der die Weiber und Frauen sich recht gut vertrügen. – Amun! sagte der Vorsteher der Schmuckkästen. Er nannte den Namen des erhaltenden Gottes und blickte eindringlich, ja nicht ohne Drohung zu Mont-kaw empor. Es sei Amuns wegen, sagte er. – „Amun ist groß", erwiderte der Verwalter, ohne ein Achselzucken ganz zu verbergen. „Ich werde übrigens", setzte er hinzu, „den Gekauften möglicherweise aufs Feld schicken. Vielleicht verschicke ich ihn, vielleicht auch nicht, doch wenn ich's tue, dann nur, wenn ich gerade selbst daran denke. Ich liebe es nicht, daß man einen Strick wirft nach meinen Gedanken und führt sie am Gängelbande."

Mit einem Worte, er ließ den Gatten der Zeset ablaufen mit seiner Mahnung – zum Teil gewiß, weil er ihn nicht recht leiden konnte, und zwar aus Gründen und Hintergründen. Der Grund für seine Abneigung war die überhebliche Gediegenheit des Zwerges, die ihn ärgerte; der Hintergrund aber seine große und wahre Diener-Ergebenheit für Peteprê, seinen Herrn, in welcher eben er sich durch diese Überheblichkeit gekränkt und geärgert fand. Das wird noch verständlich werden. Doch war der Widerwille gegen Dûdus kernige Person nicht der einzige Beweggrund für Mont-kaws Harthörigkeit. Das Närrchen Gottlieb nämlich, das er recht wohl leiden konnte, weniger um seiner selbst willen als in Umkehrung seiner Beziehungen zu Dûdu, – diesen hatte er geradeso abfahren lassen, als er sich schon vorher, in entgegengesetztem Sinne, wegen Josephs an ihn gewandt hatte. Schön, gut und klug, hatte er gewispert, sei der junge Sandmann und sei ein Götterliebling; er, Gottlieb, der zwar so heiße, es aber nicht sei, habe es mit unverdorbenem Zwergenscharfblick erkannt, und der Verwalter möge doch dafür sorgen, daß dem Osarsiph, sei es im inneren oder äußeren Dienst, eine Beschäftigung angewiesen werde, in der seine Tugenden sich bewähren könnten. Aber auch hier schon hatte der Meier sich anfangs überhaupt nicht erinnern wollen und sich dann, verdrießlich, geweigert, der Frage nachzuhängen, wie der gleichgültig-überflüssige Gelegenheits- und Gefälligkeitskauf dem Hause nutzbar zu machen sei. Das habe doch wahrlich keine Eile, und er, Mont-kaw, habe an andres zu denken.

Das ließ sich sagen und hören; für einen überlasteten Mann, den überdies zuweilen die Niere drückte, war es eine ganz geziemende Antwort, und Gottlieb mußte vor ihr verstummen. In Wirklichkeit wollte der Vorsteher darum von Joseph nichts wissen und tat nicht nur vor anderen, sondern auch vor sich selber so, als habe er ihn vergessen, weil er sich der zweideutigen Gedanken oder Eindrücke schämte, die ihn, den nüchternen Mann, beim ersten Gewahrwerden des Verkäuflichen angewandelt hatten, dergestalt, daß er ihn halb und halb für einen Gott, den Herrn des weißen Affen, gehalten hatte. Dessen also schämte er sich und wollte weder daran erinnert sein noch Anregungen entgegennehmen, deren Befolgung in seinen eigenen Augen irgendwelcher Nachgiebigkeit gegen diese Eindrücke geähnelt hätte. Er weigerte sich sowohl, den Gekauften in die Feldfron zu schicken, wie auch, auf seine Verwendung im Hause bedacht zu sein, weil er sich überhaupt nicht und in keinem Sinne um ihn zu kümmern und völlig die Hand von ihm zu lassen wünschte. Er merkte nicht, der Gute, und verhehlte es vor sich selbst, daß er gerade mit dieser Enthaltsamkeit seinen ersten Eindrücken Rechnung trug. Sie entsprang der Scheu; sie entsprang, unter uns gesagt, dem Gefühl, das auf dem Grunde der Welt liegt und also auch auf dem Grunde von Mont-kaws Seele lag: der Erwartung.

So also kam es, daß Joseph, ägyptisch zugestutzt und eingekleidet wie er war, Wochen und Monde lang unbeschäftigt oder, was dasselbe sagen will, einmal da, einmal dort, heute so, morgen so, notweise und sporadisch und nur ganz leicht und niedrig beschäftigt auf Peteprês Hof umherlungerte, was übrigens nicht weiter auffiel, da es bei dem Reichtum des Segenshauses der Lungerer und Herumsteher viele gab. Auch war es ihm in gewissem Sinne lieb und recht, daß man sich nicht um ihn kümmerte, das heißt: nicht vorzeitig und ehe denn daß man es ernstlich und ehrenvoll tun würde. Worauf es ihm ankam, war, seine Laufbahn nicht falsch und schief zu beginnen, indem man ihn etwa zu einem Handwerk heranzöge unter den Werkenden des Hauses und ihn in solch eine dunkle Tätigkeit einschlösse für immer. Er hütete sich davor und wußte sich unsichtbar zu machen im rechten Augenblick. Er saß wohl und schwatzte mit den Torhütern auf der Ziegelbank, indem er Asiatisches einmischte, das ihnen zu lachen gab. Aber er mied die Bäckerei, weil dort so kostbare Brötchen gebacken wurden, daß er mit seinen außergewöhnlich guten Röstfladen keinen Staat hätte machen können, und ließ sich tunlichst nicht blicken weder bei den Sandalenmachern noch bei den Papierklebern, den Flechtern bunter Palmbastmatten, den Tischlern und Töpfern. Eine innere Stimme lehrte ihn, daß es nicht klug sein würde, unter ihnen den Ungelernten und den linkischen Anfänger zu spielen, mit Rücksicht aufs Spätere.

Dagegen durfte er ein- und das anderemal in der Wäscherei und bei den Kornspeichern eine Liste oder Rechnung anfertigen, wozu seine Kenntnis der Landesschrift bald genügte. In zügiger Führung setzte er den Vermerk darunter: „Geschrieben hat es der Jungsklave Osarsiph, vom Auslande, für Peteprê, seinen großen Herrn, ach, möge der Verborgene seine Lebenszeit lang machen!, und für Mont-kaw, den Vorsteher aller Dinge, hochgeschickt in seinem Amt, dem zehntausend Lebensjahre hinaus über sein Schicksalsende von Amun erfleht seien, an dem und dem Tage des dritten Monats der Jahreszeit Achet, das ist der Überschwemmung." So abtrünniglandesüblich drückte er sich aus vor Gott bei seinen Segnungen, in der bestimmten und offenbar gerechtfertigten Zuversicht, daß dieser es ihm um seiner Lage und um der Notwendigkeit willen, sich beliebt zu machen, nicht verargen werde. Mont-kaw sah solche Listen und Unterfertigungen das eine und andere Mal, sagte aber kein Wort dazu.

Das Brot aß Joseph mit Potiphars Leuten im Dienerhause und trank sein Bier mit ihnen, indes sie schwatzten. Bald brachte er es so weit wie jene, und noch weiter, im Schwatzen; denn nach der Seite des Sprachlichen, nicht der des Handlichen, gingen seine Anlagen. Er hörte ihnen das Landläufige ab und nahm ihren Mund an, um vorerst mit ihnen zu schwatzen und ihnen später zu befehlen. Er lernte sagen: „So wahr der König lebt!" und: „Bei Chnum, dem Großen, dem Herrn von Jeb!" Er lernte sagen: „Ich bin in der größten Freude der Erde" oder: „Er ist in den Zimmern unterhalb der Zimmer", nämlich im Erdgeschoß, oder von einem zornigen Aufseher: „Er wurde wie ein oberägyptischer Leopard." Er gewöhnte sich, wenn er ihnen etwas erzählte, dem hinweisenden Fürwort nach Landesbrauch große Vorliebe zu erweisen und immerfort so zu reden: „Und als wir vor diese unbezwingliche Feste kamen, sagte dieser gute Alte zu diesem Offizier: ‚Sieh diesen Brief!' Als aber dieser junge Befehlshaber diesen Brief erblickte, sprach er: ‚Bei Amun, diese Ausländer ziehen durch.'" – So gefiel es ihnen.

An Festtagen, von denen jeder Monat etliche brachte, nach dem Kalender sowohl wie nach der wirklichen Jahreszeit, zum Beispiel: wenn Pharao zur Eröffnung der Ernte einen Schnitt in die Ähren tat, oder am Tage der Thronbesteigung und der Vereinigung beider Länder oder an dem Tage, da man den Pfeiler des Usir aufrichtete unter Sistrengeklirr und Maskenspielen, zu schweigen von den Mondtagen und den großen Tagen der Trinität, des Vaters, der Mutter und des Sohnes – an solchen Tagen gab es geröstete Gänse und Rindskeulen im Dienerhause; aber dem Joseph trug Gottlieb, sein unterwüchsiger Gönner, außerdem allerlei Gutes und Süßes zu, das er im Frauenhause für ihn beiseite gebracht: Trauben und Feigen, Kuchen in Gestalt liegender Kühe und Früchte in Honig, indem er wisperte:

„Nimm, junger Sandmann, es ist besser als Lauch zum Brote, und der Kleine nahm es für dich vom Tische der Abgeschlossenen, nachdem sie gegessen. Denn ohnehin werden sie allzu vollbeleibt vom Naschen und Präpeln und sind schnatternde Stopfgänse allzumal, vor denen ich tanze. Nimm sie hinauf zu dir, die Zehrung, die dir der Zwerg bringt, und laß sie dir schmecken, denn die anderen haben nicht solche."

„Und gedenkt Mont-kaw meiner noch nicht, daß er mich fördere?" fragte dann Joseph wohl, nachdem er dem Darbringenden gedankt.

„Noch nicht so recht", antwortete Gottliebchen kopfschüttelnd. „Er ist schläfrig und taub deinethalben und mag nicht gemahnt sein. Aber der Kleine betreibt und steuert es schon, daß dein Schiff vor den Wind kommt, laß ihn walten und wirken! Er sinnt darauf, daß der Osarsiph vor Peteprê stehe, es wird geschehen."

Joseph hatte ihn nämlich dringlich gebeten, es doch einzurichten, daß er auf irgendeine Weise einmal vor Potiphar zu stehen komme; aber das war wirklich fast untunlich, und nur schritt- und versuchsweise konnte der Hilfsbereite dabei zu Werke gehen. Die Dienste, die zu der Person des Herrn auch nur in weitläufigen Beziehungen standen, und nun gar die Kammer- und Leibdienste, waren in allzu festen und eifersüchtigen Händen. Es war mißglückt, daß Joseph etwa zur Pferdewartung, zum Füttern, Striegeln, Auf- und Anschirren der Syrer wäre zugelassen worden – keine Rede davon. Vorführen hätte er das Gespann darum noch immer nicht dürfen, nicht einmal dem Lenker Neternacht, geschweige dem Herrn. Eine Stufe allenfalls dahin wär's gewesen, nur war sie nicht zugänglich. Nein, vorderhand war es sein Teil noch nicht, mit dem Herrn zu sprechen, sondern nur, seine Diener über ihn sprechen zu hören, sie über ihn und über die Bewandtnisse des Hauses im ganzen auszuforschen, in das er verkauft war, und ihnen beim dienstlichen Umgang mit dem Gebieter, wo es anging, recht eindringlich zuzusehen: Vor allem dem Hausmeier Mont-kaw, wie schon anfangs gleich, am Mittag des Verkaufes.

Es war jedesmal wieder dasselbe wie damals, er sah es und hörte es: Mont-kaw schmeichelte dem Herrn, er ging ihm,

185

hätte man sagen mögen, um den Bart, wenn diese Redewendung bei einem ägyptischen Manne, rein vom Barte, am Platze gewesen wäre; er redete ihm zu – das mochte der treffendere Ausdruck sein –, er brachte sein Leben in Worte, pries dessen Reichtumsglanz und hohe Würde, hielt ihm bestätigend und bewundernd die kühne Mannhaftigkeit seiner Führung als Jäger und Rossebändiger vor, die alle Welt um ihn zittern mache, – und dies alles tat er, wie Joseph mit Sicherheit zu erkennen meinte, nicht, um sich einzuschmeicheln, nicht um seiner selbst, sondern um des Herrn willen, keineswegs also aus Bedientenhaftigkeit und Speichelleckerei – denn Montkaw schien ein biederer Mann, weder grausam nach unten noch kriecherisch nach oben –, sondern wenn hier von Liebedienerei die Rede sein sollte, so war das Wort nach seinem untadeligen Grundsinne zu nehmen und einfach so zu verstehen, daß der Vorsteher seinen Herrn liebte und in aufrichtiger Dienertreue mit jenen schmeichelhaften Vorhaltungen seiner Seele behilflich zu sein wünschte. Dies also war Josephs Eindruck, der durch das zarte, zugleich melancholische und triumphierende Lächeln bekräftigt wurde, mit welchem Pharaos Freund, dieser turmhohe und doch dem Ruben so unähnliche Mann, solche Liebesdienste entgegennahm; und je besser er sich mit der Zeit die Bewandtnisse des Hauses zu eigen machte, desto deutlicher wurde dem Joseph, daß das Verhältnis Mont-kaws zu seinem Gebieter nur eine Abwandlung war des wechselseitigen Verhaltens aller Hausgenossen untereinander. Sie alle waren sehr würdevoll und brachten einander viel Ehrfurcht, Zartheit und schmeichelhaft schonende Rücksicht entgegen, eine stützende Höflichkeit etwas gespannter und überbesorgter Art: so Potiphar seiner Gemahlin, der Herrin Mut-em-enet, und sie ihm; so die „heiligen Eltern im Oberstock" ihrem Sohne, dem Peteprê, und er ihnen; so wiederum diese ihrer Söhnin, der Mut, und sie ihnen. Es war, als stehe ihrer aller Würde, die doch durch die äußeren Umstände so sehr begünstigt schien und auch das Benehmen ihrer aller durchaus beherrschte, da sie in ihrem Bewußtsein stark sein mochte, – dennoch nicht auf den festesten Füßen und etwas sei hohl und scheinhaft daran, weshalb es das Grundbestreben aller sei, sich gegenseitig durch zarteste Höflichkeit und liebende Ehrerbietung in ihrem Würdegefühl zu befestigen und zu bestärken. Wenn etwas närrisch und peinlich war in diesem Segenshause, – hier lag es, und spukte ein Kummer darin, – hier deutete er sich an. Er nannte nicht seinen Namen, doch Joseph meinte ihn zu vernehmen. Ihm war, als lautete er: Hohle Würde.

Peteprê besaß viele Titel und Ehren; Pharao hatte ihm hoch das Haupt erhoben und ihm mehrfach vom Erscheinungsfenster herab, in Anwesenheit der königlichen Familie und alles Hofvolkes, Lobgold zugeworfen, wobei das Gesinde Beifall gejauchzt und zeremonielle Freudensprünge vollführt hatte. Im Dienerhause erzählten sie es dem Joseph. Der Herr hieß Wedelträger zur Rechten und Freund des Königs. Seine Hoffnung, eines Tages „Einziger Freund des Königs" zu heißen (wovon es nur wenige gab), war begründet. Er war Vorsteher der Palasttruppen, Oberster der Scharfrichter und Befehlshaber der königlichen Gefängnisse – das heißt: er hieß so, es waren Hofämter, die er bekleidete, und leere oder fast leere Gnadentitel, die er da trug. In Wirklichkeit – so hörte es Joseph von den Dienern – befehligte ein rauher Soldat und Oberst-Hauptmann die Leibwache und war Herr der Exekutionen, ein Großoffizier namens Haremheb, oder Hor-em-heb, der dem höfischen Titularkommandanten und Ehrenvorsteher des Strafhauses wohl einige Rechenschaft schuldete, aber auch dies nur der Form halber; und mochte es auch für den fetten Ruben-Turm mit der zarten Stimme und dem melancholischen Lächeln ein Glück sein, daß er nicht selbst den Leuten mit fünfhundert Stockschlägen den Rücken zermalmen und sie, wie man sagte, „ins Haus der Marter und Hinrichtung eintreten lassen" mußte, um sie „in Leichenfarbe zu versetzen", weil es wenig schicklich für ihn und bestimmt nicht nach seinem Geschmack gewesen wäre, so verstand Joseph doch nun, daß seinem Herrn aus solchem Verhältnis häufiger Ärger und manche vergoldete Demütigung erwachsen mußte.

So war es: Potiphars Offiziers- und Kommandantentum, sinnbildlich ausgedrückt durch die verfeinerte und schwache, in die Abbildung einer Pinienfrucht auslaufende Keule in seiner kleinen Rechten, war eine Ehrenfiktion, bei deren Aufrechterhaltung in seinem Selbstbewußtsein nicht nur der treue Mont-kaw, sondern alle Welt und alle äußeren Umstände ihn stündlich unterstützten, die er aber dennoch insgeheim und ohne es selbst zu wissen als das empfinden mochte, was sie war, nämlich als Unwirklichkeit und hohlen Schein. Wie aber die Zierkeule das Sinnbild war seiner hohlen Würden, so – schien es dem Joseph – mochte das Gleichnis weiterreichen, tiefer hinab zu den Wurzeln, wo es sich nicht mehr um Dienstlich-Berufliches, sondern um eine natürlich-menschliche Würde handelte; es mochte die Hohlheit der Ämter wiederum ein Gleichnis sein für diejenige einer wurzelhafteren Würde.

Joseph besaß außerpersönliche Erinnerungen daran, wie wenig die Ehrenannahmen der Sitte, die gesellschaftliche Übereinkunft, auszurichten vermögen gegen das dunkle und schweigende Ehrgewissen der Tiefe, das sich nicht betrügen läßt von den hellen Fiktionen des Tages. Er dachte an seine Mutter – ja, sonderbar genug, indem er den Bewandtnissen des ägyptischen Mannes Peteprê, seines Käufers und Herrn, nachspürte und nachdachte, schlugen seine Gedanken den Bogen zu Rahel, der Lieblichen, und zu ihrer Verwirrung, von der er wußte, weil sie ein Kapitel war seiner Überlieferung und Vorgeschichte und weil Jaakob so manches Mal gekündet und erzählt hatte von jener Zeit, da Rahel, die Bereitwillige, ihm unfruchtbar gewesen war nach Gottes Ratschluß und Bilha hatte für sich lassen eintreten müssen, daß sie gebäre auf Rahels Schoß. Joseph glaubte das wirre Lächeln mit Augen zu sehen, das damals auf dem Antlitz der von Gott Verschmähten gelegen hatte, – dies Lächeln des Stolzes auf eine Mutterwürde, die eine Ehrenannahme der Menschen war, nicht Wirklichkeit und ohne Halt in Rahels Fleisch und Blut, halb Glück, halb Betrug, notdürftig gestützt durch die Sitte, im Grunde aber hohl und abscheulich. Er nahm diese Erinnerung zu Hilfe bei Erforschung der Bewandtnisse seines Herrn, beim Nachdenken über den Widerspruch von Fleischesgewissen und Ehrenbehelf der Sitte. Ohne Zweifel waren die Stärkungen, Tröstungen, Entschädigungen der gedanklichen Übereinkunft in Potiphars Fall weit stärker und ausgiebiger als im Falle von Rahels unterstellter Mutterschaft. Sein Reichtum, der ganze Würdenglanz seines edelstein- und straußenfederbuschgeschmückten Lebens, der gewohnte Anblick niederfallender Sklaven, schätzevoller Wohn- und Gastgemächer, strotzender Speicher und Vorratskammern und seines Frauenhauses, voll von zwitscherndem, kakelndem, lügendem und naschendem Zubehör eines Gebieterlebens, worunter die lilienarmige Mut-em-enet die Erste und Rechte war, – dies alles kam der Aufrechterhaltung seines Würdebewußtseins zustatten. Und doch mußte er dort unten, wo Rahel sich des stillen Greuels geschämt hatte, wohl heimlich wissen, daß er nicht in Wirklichkeit Truppenoberst war, sondern nur dem Titel nach, da Mont-kaw es für nötig hielt, ihm zu „schmeicheln".

Er war ein Höfling, ein Kämmerer und Königsdiener, ein sehr hochgestellter und mit Ehren und Gütern überschütteter, aber ein Höfling ganz und gar; und dieses Wort hatte einen hämischen Nebensinn, oder vielmehr: es deckte zwei verwandte Begriffe, die darin zu einem verschmolzen; es war ein Wort, das heute nicht mehr – oder nicht mehr allein – in seiner ursprünglichen Bedeutung gebraucht wurde, sondern in übertragener, außerdem aber auch seinen eigentlichen Sinn bewahrte, so daß es auf eine ehrenvoll-hämische und heilige Weise doppelsinnig war und auf doppelte Weise zur Schmeichelei Anlaß gab: von wegen seiner Würde und seiner Unwürde. Ein Gespräch, das Joseph belauschte – und zwar keineswegs listigerweise, sondern ganz offen und in dienstlicher Eigenschaft, gab ihm manchen Aufschluß über diese Bewandtnisse.

Es war neunzig Tage oder hundert nach seinem Eintritt ins Haus der Ehre und Auszeichnung, daß dem Joseph durch Se'ench-Wen-nofre-Neteruhotpe-em-per-Amun, den Zwerg, ein glückhafter und einfach auszuführender, wenn auch etwas beschwerlich-schmerzlicher Auftrag zuteil wurde. Er machte eben wieder einmal, wohl oder übel und in stiller Erwartung seiner Stunde, den Lungerer und Herumsteher auf Potiphars Hof, als der Kleine in seiner zerknitterten Festtracht, den Salbkegel aus Filz auf dem Kopfe, gelaufen kam und ihm wispernd verkündete, er habe etwas für ihn, eine Glückssache, gut und schön zu hören, eine förderliche Gelegenheit. Von Mont-kaw habe er's ihm erwirkt, welcher nicht nein und nicht ja gesagt habe, er lasse es zu. Nein, nicht vor Peteprê solle Joseph stehen, das noch nicht. „Höre aber, Osarsiph, was du sollst und was dir blüht durch des Zwerges Betreiben, der es für dich ausgewirkt, indem er dein gedachte: Heut um die vierte Stunde über Mittag, wenn sie vom Mahle geruht haben, werden die heiligen Eltern vom Oberstock ins Lusttempelchen eintreten des schönen Gartens, daß sie dort sitzen, geschützt vor Sonne und Wind, und sich der Kühlung des Wassers sowie des Friedens ihres Alters erfreuen. Sie lieben es, dort zu sitzen Hand in Hand auf zwei Stühlen, und niemand ist um sie in diesen Stunden ihres Friedens, ausgenommen ein Stummer Diener, der kniet in der Ecke und hält eine Schüssel mit Labsal, davon sie sich erquicken, wenn sie erschöpft sind vom friedlichen Sitzen. Der Stumme Diener sollst du sein, Mont-kaw hat's befohlen oder doch nicht verboten, und sollst die Schüssel halten. Nur darfst du dich nicht rühren, indes du kniest und hältst, und nicht einmal mit den Augen blinzeln, sonst störst du ihren Frieden und nimmst dir allzuviel Gegenwart heraus. Sondern mußt ganz und gar ein Stummer Diener sein und wie eine Figur des Ptach, so sind sie's gewohnt. Nur wenn sie Zeichen von Erschöpfung geben, die hohen Geschwister, dann mußt du dich flink in Bewegung setzen, ohne aufzustehen, und mußt ihnen so gewandt du nur kannst das Labsal heranbringen, ohne auf deinen Knien zu stolpern noch Unheil anzurichten mit deiner Tracht. Haben sie sich aber erquickt, so mußt du ebenso leise und flink wieder rückwärts knien in deinen Winkel und den Leib anhalten, daß du nicht schnaufst und eine unschickliche Gegenwart gewinnst, sondern sofort wieder ganz ein Stummer Diener bist. Wirst du das können?"

„Gewiß doch!" antwortete Joseph. „Danke, Gottliebchen, das will ich schon machen, ganz wie du's gesagt hast, und will sogar die Augen starr machen wie aus Glas, daß ich ganz einer Kunstfigur gleiche und nicht mehr Gegenwart habe, als mein Leib Raum einnimmt in der Luft – so sachlich will ich mich halten. Meine Ohren aber sollen still offen sein, ohne daß sie's merken, die heiligen Geschwister, wenn sie sich unterreden vor mir, daß die inneren Bewandtnisse des Hauses mir ihren Namen nennen und ich Herr über sie werde in meinem Geist."

„Schon gut", erwiderte der Zwerg. „Aber stelle es dir nicht zu leicht vor, das lange Verweilen als Stummer Diener und Ptachfigur und dies Hin- und Hereilen auf den Knien mit dem Labsal in Händen. Es wäre gut, wenn du es vorher etwas übtest für dich allein. Das Labsal läßt du dir ausfolgen vom Schreiber des Schenktisches, nicht im Küchenhause, sondern in der Vorratskammer des Hauses des Herrn, dort hält man's bereit. Gehe ein durch das Haustor in die Vorhalle und wende dich linkshin, wo die Treppe ist und wo es ins Sondergemach des Vertrauens geht, das Bettzimmer Mont-kaws. Geh schräge hindurch und öffne die Tür zur Rechten, so tut sich dir eine lange Kammer auf oder ein Gang, voll von Vorräten des Speisezimmers, so daß du erkennst, es ist die Vorratskammer. Dort findest du den Schreiber, der dir das Notwendige einhändigt, und trägst es mit Andacht durch den Garten und vors Häuschen, eine Zeit vor der Zeit, daß du beileibe schon da bist, wenn die Heiligen eintreten. Da kniest du nieder im Winkel und lauschest. Hörst du sie aber kommen, so rührst du kein Wimperchen mehr und atmest nur heimlich, bis daß sie Erschöpfung an den Tag legen. Weißt du den Dienst nun?"

„Vollkommen", antwortete Joseph. „Es war eines Mannes Weib, das ward zur Salzsäule, weil es sich umsah nach der Stätte des Verderbens. So will ich werden in meiner Ecke und mit meiner Schüssel."

„Die Geschichte kenne ich nicht", sagte Neteruhotpe.

„Ich will sie dir bei Gelegenheit erzählen", erwiderte Joseph.

„Tu das, Osarsiph", raunte der Kleine, „zum Dank, daß ich dir den Dienst ausgewirkt habe als Stummer Diener! Erzähle mir auch einmal wieder die Geschichte von der Schlange im Baum und wie der Unangenehme den Angenehmen erschlug und die vom Kistenschiff des vorschauenden Mannes! Auch die Geschichte vom verwehrten Opfer des Knaben hörte ich gern noch einmal, sowie die von dem Glatten, den die Mutter rauh machte mit Fellen und der im Dunkeln die Unrechte erkannte!"

„Ja", sagte Joseph, „unsere Geschichten lassen sich hören. Jetzt aber will ich den flinken Knielauf vorwärts und rückwärts üben und nach dem Schatten sehen der Uhr, daß ich beizeiten mich schmuck mache zum Dienst und mir aus der Vorratskammer das Labsal hole, und will es alles machen, wie du gesagt hast."

So tat er, und als er meinte, er könne den Kunstlauf, salbte und schnatzte er sich , legte seine Feierkleider an, den unteren Schurz und den oberen, längeren, der jenen durchscheinen ließ, schob das Hemdjäckchen hinein, das aus etwas dunklerem Leinen war, ungebleicht, und versäumte nicht, sich um Stirn und Brust herum mit Blumen zu kränzen für den Ehrendienst, zu dem er erlesen. Dann sah er nach der Sonnenuhr, die auf der Hoffreiheit zwischen Herrenhaus, Dienerhaus, Küchenhaus und Frauenhaus stand, und trat ein durch die Ringmauer und das Haustor in Potiphars Vorhalle, die sieben Türen hatte aus rotem Holz mit edlem und breitem Schmuckwerk darüber. Rundsäulen trugen sie, ebenfalls rot und aus Holz, schimmernd poliert, mit steinernen Basen und grünen Häuptern; der Fußboden aber der Halle stellte den Himmel der Sternbilder dar, hundertfältig von Figur: den Löwen, das Nilpferd, Skorpion, Schlange, Steinbock und Stier sah man da im Kreise unter allerlei Götter- und Königsgestalt, dazu den Widder, den Affen und den gekrönten Falken.

Über den Fußboden ging Joseph schräge hin, und unter der Treppe, die zu den Zimmern über den Zimmern führte, trat er ein durch die Tür ins Sondergemach des Vertrauens, wo „Der über dem Hause", Mont-kaw, sich abends zur Ruhe kauerte. Joseph, der mit dem Gesinde im Dienerhause irgendwo auf der Matte des Bodens in seinem Mantel schlief, sah sich um im Sondergemach mit der zierlichen, fellbedeckten Bettstatt auf Tierfüßen, deren Kopfbrett die Bilder schlummerbeschützender Gottheiten, des krummen Bes und Epets, des schwangeren Nilpferdes, zeigten, mit den Truhen, dem steinernen Waschgerät, dem Kohlenbecken, dem Lampenständer, und dachte bei sich, daß man hoch aufsteigen müsse im Vertrauen, um es in Ägyptenland zu solcher Sonderbehaglichkeit zu bringen. Darum sah er zu, daß er weiterkäme zu seinem Dienst, und kam in den langen Vorratsgang, so schmal, daß er keine Säulen und Stützen brauchte, welcher bis an die westliche Rückseite des Hauses durchlief, so daß nicht nur das Gästeempfangs- und das Speisezimmer daran stießen, sondern auch noch die dritte, westliche Säulenhalle; denn außer dieser und der Vorhalle im Osten gab es noch eine im Norden – so reichlich und überflüssig war Peteprês Haus gebaut. Der Kammergang aber war, wie es der Zwerg verkündet hatte, voll von Gerüsten, Borten und Fächern mit Vorräten und Geschirr des Speisezimmers: Früchten, Broten, Kuchen, Gewürzbüchsen, Schüsseln, Bierschläuchen, langhalsigen Weinkrügen in schönen Gestellen und Blumen dazu, sie zu bekränzen; und es war Cha'-ma't, der lange Schreiber, den Joseph hier traf: Rohre hinter den Ohren, zählte und griffelte er in der Kammer.

„Nun, du Grünhorn und Stutzer vom Sande?" sagte er zu Joseph. „Wie hast du dich herausgeputzt? Es gefällt dir wohl im Lande der Menschen und bei den Göttern? Ja, du darfst den heiligen Eltern aufwarten, ich hab's schon gehört – hier stehst du auf meiner Tafel. Wahrscheinlich ist's Schepses-Bes, der dir das verschafft hat; denn im Grunde, wie kommst du dazu? Er aber wollte dich gleich gekauft wissen und hat auch noch aufgeschraubt deinen Preis bis ins Lächerliche. Denn bist wohl du einen Ochsen wert, du Kalb?"

‚Sieh lieber beizeiten nach deinen Worten', dachte Joseph bei sich, ‚denn ich werde bestimmt noch über dich gesetzt sein hier im Hause.'

Laut sagte er:

„Sei so gut, Zögling des Bücherhauses, Cha'ma't, der du lesen, schreiben und zaubern kannst, und gib diesem geringen Bittsteller das Labsal für Huij und Tuij, die verehrten Greise, daß ich es ihnen bereithalte als Stummer Diener für die Stunde ihrer Erschöpfung."

„Das muß ich wohl tun", erwiderte der Schreiber, „da du auf der Tafel stehst und der Narr hat es durchgesetzt. Meiner Voraussicht nach wirst du den Heiligen den Trank über die Füße schütten, und dann wirst du abgeführt, um deinesteils Labsal zu empfangen, bis du erschöpft bist und der, der es dir erteilt."

„Ich sehe gottlob ganz andres voraus", antwortete Joseph.

„So, tust du das?" fragte der lange Cha'ma't und blinzelte. „Bitte schön, es steht schließlich bei dir. Die Labung ist schon zur Hand und ist aufgeschrieben: die silberne Schüssel, das goldene Kännchen mit Granatapfelblut, die goldenen Becherchen dazu und fünf Muscheln des Meeres mit Trauben, Feigen, Datteln, Dumfrüchten und Mandelküchlein. Du wirst ja wohl nicht naschen oder gar stehlen?"

Joseph sah ihn an.

„So, das wirst du also nicht", sagte Cha'ma't in etlicher Verwirrung. „Desto besser für dich. Ich fragte nur so, obgleich ich mir gleich dachte, daß du nicht Nase und Ohren abgeschnitten haben magst, und auch außerdem ist's wohl nicht deine Gewohnheit. Es ist nur", fuhr er fort, da Joseph schwieg, „weil doch bekannt ist immerhin, daß deine Vorbesitzer sich entschließen mußten, dir die Brunnenstrafe angedeihen zu lassen

194

um gewisser Fehle willen, die ich nicht kenne, – sie mögen ja gering gewesen sein und sich nicht auf Mein und Dein, sondern nur auf Weisheitsdinge bezogen haben, ich kann es nicht wissen. Auch hört man ja, daß die Strafe dich gründlich davon gesäubert habe, so daß ich also meine Frage nur allgemeiner Vorsicht halber zu stellen für richtig fand ..."

,Was rede ich eigentlich', dachte er bei sich, ,und lasse meinen Mund in Windungen laufen? Ich wundere mich über mich selbst, habe aber sonderbarerweise den Herzenswunsch, weiterzureden und noch allerlei zu sagen, was mir nicht dringlich sein sollte, es aber gleichwohl ist.'

„Mein Amt gebot mir", sagte er, „zu fragen, wie ich fragte; es ist meine Pflicht, mich der Ehrlichkeit eines Dieners zu versichern, den ich nicht kenne, und ich kann nicht umhin, es zu tun um meiner selbst willen, denn an mir bleibt es hängen, wenn etwas abhanden kommt vom Geschirr. Dich aber kenne ich nicht, denn deine Herkunft ist dunkel, insofern es dunkel ist in einem Brunnen. Dahinter mag sie ja heller sein, aber der Name, mit dem man dich nennt – Osarsiph, heißt du nicht so? –, scheint anzudeuten in seiner dritten Silbe, daß du ein Findling bist aus dem Schilfe und bist vielleicht in einem Binsenkörbchen umhergetrieben, bis dich ein Wasserschöpfer herauszog, – dergleichen kommt immer einmal wieder vor in der Welt. Übrigens ist ja möglich, daß dein Name auf etwas anderes zielt, ich lass' es dahinstehn. Jedenfalls hab' ich gefragt, wie ich gefragt habe, nach meiner Pflicht, oder wenn nicht gerade unbedingt nach meiner Pflicht, so doch nach der Üblichkeit und der Redeweise. Es ist die Redeweise so und die Übereinkunft unter den Menschen, daß man zu einem Jungsklaven spricht, wie ich sprach, und nennt ihn im üblichen Tone ein Kalb. Ich wollte nicht sagen, daß du eigentlich und nach der Wirklichkeit ein Kalb bist, – wie sollte auch das wohl sein. Sondern ich redete bloß wie alle und nach der Übereinkunft. Auch ist es gar nicht meine Voraussicht und meine Erwartung, daß du den Heiligen wirst den Granatsaft über die Füße schütten; ich sagte es nur um der üblichen Grobheit willen und log gewissermaßen. Ist es nicht sonderbar in der Welt, daß der Mensch meistens gar nicht das Eigene sagt, sondern das, wovon er glaubt, daß andere es sagen würden, und spricht nach dem Bandmuster?"

„Geschirr und Reste des Labsals", sagte Joseph, „bringe ich dir zurück nach getanem Dienst."

„Gut, Osarsiph. Du kannst gleich durch diese Tür hinausgehen am Ende der Kammer und brauchst nicht wieder den Weg zu nehmen durchs Sondergemach des Vertrauens. Hier kommst du sogleich vor die Ringmauer und vor das Pförtchen der Ringmauer. Da gehe hindurch, so bist du schon unter Bäumen und Blumen und siehst den Teich, und es lacht dir entgegen das Gartenhäuschen."

Joseph ging hinaus.

‚Na‘, dachte der zurückbleibende Cha'ma't, ‚ich habe geschwätzt, daß Gott erbarm'! Was dieser Asiat von mir denken mag, ist unerfindlich. Hätte ich nur geredet wie ein anderer und nach dem Bandmuster, statt daß mir auf einmal zumute war, ich müsse was ganz eigentümlich Wahrhaftiges sagen, und habe gekohlt ganz wider Willen, daß mir nachträglich die Wangen warm werden davon! Zum Erdferkel! Wenn er mir wieder vor Augen kommt, will ich grob mit ihm sein nach voller Üblichkeit!‘

Huij und Tuij

Unterdessen trat Joseph durch das Pförtchen der Ringmauer in Potiphars Garten hinaus und fand sich unter den schönsten Sykomoren, Dattel- und Dumpalmen, Feigen-, Granat- und Perseabäumen, die in Reihen auf grüner Grasnarbe standen, und Wege aus rotem Sande gingen hindurch. Zwischen den Bäumen halb versteckt, lag auf einer kleinen Aufschüttung mit Rampe das zierlich buntbemalte Lusthäuschen und blickte auf das viereckige, von Papierschilf umstandene Teichbassin, auf dessen grünlichem Spiegel schöngefiederte Enten schwammen. Zwischen Lotusrosen lag dort ein leichter Kahn.

Joseph erstieg, das Labsal in Händen, die Stufen zum Kiosk. Er kannte die Anlage, die sehr herrschaftlich war. Über den Teich hinweg sah man von hier auf die Platanenallee, die zu dem doppelt getürmten Tore führte, welches sich in der südlichen Außenmauer öffnete und von dieser Seite unmittelbaren Zutritt zu Potiphars Segensanwesen gewährte. Der Baumgarten, mit seinen kleinen Becken voll Grundwassers, setzte sich auch vom Ostrande des Teiches noch fort, und dann kam ein Weingarten. Liebliche Blumenfelder gab es auch: zu seiten der Platanenallee und um das Lusthäuschen herum. Das Heranbringen der schönen Fruchterde für all dies Sprießen im ursprünglich Dürren mußte den Kindern des ägyptischen Diensthauses viel sauren Schweiß gekostet haben.

Das Häuschen, gegen den Teich ganz offen, von weißen, rotkannelierten Säulchen flankiert, war wohleingerichtet und ein feiner, heimlicher Aufenthalt, geschaffen sowohl für einsame Betrachtung und den geschützten Einzelgenuß der Gartenschönheit wie auch für intime Geselligkeit oder doch ein Zusammensein zu zweien, wie ein Brettspiel andeutete, das seitwärts auf einer Platte stand. Lustige und natürliche Malereien bedeckten die Wände, aufgetragen auf ihren weißen Grund, blumig-schmuckhaft zum Teil und reizende Nachahmungen von Spann- und Hängegewinden aus Kornblumen, gelben Perseablüten, Weinlaub, rotem Mohn und den weißen Blütenblättern des Lotus, teils auch szenischer Art und auch dann von dem heitersten Leben; denn man sah eine Eselherde, aus der man es iahen zu hören meinte, einen Fries fettbrüstiger Gänse, eine grünblickende Katze im Schilf, stolzierende Kraniche in feiner Rostfarbe, Leute, die schlachteten und Rindskeulen und Geflügel im Opferzuge trugen, und andere Augenweide mehr. Das alles war vorzüglich gemacht, aus einem frohen, geistreichen und zärtlich spöttischen Verhältnis des Machers zu seinem Gegenstande, mit kecker und dennoch fromm gebundener Hand, wahrhaftig in dem Grade, daß es einen ankam, lachend auszurufen: „Ja, ja, ach ja, die herrliche Katze, der dünkelnde Kranich!", und dennoch in eine strengere zugleich und lustigere Sphäre, eine Art von Himmelreich des hochtragenden Geschmacks emporverklärt, für das Joseph, dessen Augen darüber hingingen, den Namen nicht wußte, auf das er sich aber sehr wohl verstand. Es war Kultur, was auf ihn herniederlächelte, und Abrams später Enkel, der Jaakobsjüngste, etwas verweltlicht wie er war, geneigt zur Neugierssympathie und zu Jungentriumphen der Freiheit, hatte seine Freude daran mit heimlichem Rückblick auf den allzu geistlichen Vater, der all diese Bildmacherei mißbilligt hätte. ‚Es ist höchlich hübsch‘, dachte er, ‚laß das gut sein, alter Israel, und schilt es nicht, was die Kinder Kemes da weltlich vermocht in lächelnder Anspannung und hochwandelnd im Geschmack, denn es könnte sein, daß es selbst Gott gefällt! Siehe, ich bin gut Freund damit und finde es reizend, vorbehaltlich des stillen Bewußtseins in meinem Blut, daß es das Eigentlichste und Wichtigste wohl nicht sein mag: was da ist, in den Himmel des feinen Geschmacks zu tragen, sondern daß dringlich notwendiger ist die Gottessorge ums Zukünftige.‘

Also jener bei sich. Auch die Einrichtung des Häuschens war himmlisch geschmackvoll: das elegant gestreckte Ruhebett aus Schwarzholz und Elfenbein, auf seinen Löwenfüßen, mit Daunenkissen belegt und Fellen vom Panther und Luchs; die breiten Armsessel mit Rückenlehnen in kunstreicher Preßarbeit des vergoldeten Leders, schwellende Fußschemel davor und staffiert mit gestickten Kissen; die bronzierten Räucherständer, auf denen Köstliches schwelte. War aber das Innere hier eine wohnliche Zuflucht und Häuslichkeit, so war es zugleich auch eine Andachtsstätte und Kapelle; denn kleine silberne Teraphim, Götterkronen auf den Häuptchen, standen nebst dargebrachten Blumensträußen auf einer Bankempore des Hintergrundes, und allerlei Kultgerät zeigt an, daß man ihnen diente.

So kniete denn Joseph hin, um in Bereitschaft zu sein, in den Winkel beim Eingang, indem er vorläufig noch das Labsal vor sich auf die Matte stellte, um seiner Arme zu schonen. Nicht lange aber, so nahm er es eilig auf und machte sich unbeweglich, denn Huij und Tuij kamen auf Schnabelsandalen durch den Garten geschlurft, an je einem Arme gestützt von einem dienenden Kinde, zwei kleinen Mädchen mit dünnen Stengelärmchen und töricht offenen Mündern. Denn solche nur wollten und duldeten die greisen Geschwister zu ihrer Wartung, und von ihnen ließen sie sich die Rampe emporstützen und ins Häuschen hinein. Huij war der Bruder und Tuij die Schwester.

„Vor die Herrschaften zuerst", verlangte der alte Huij mit heiserer Stimme, „daß wir uns bücken!"

„Recht so, recht so", bestätigte die alte Tuij, die ein großes, ovales Gesicht von heller Farbe hatte. „Vor die Silbernen zuallererst, daß wir ihre Erlaubnis erflehen, bevor wir's gut haben auf den Stühlen, im Frieden der Lusthütte!"

Und sie ließen sich von den Kindlichen vor die Teraphim stützen, wo sie die welken Hände erhoben und die Rücken krümmten, die ohnedies schon krumm waren; denn ihrer beider Wirbelsäulen hatte das Alter verbogen und bucklig eingezogen. Auch wackelte Huij, der Bruder, stark mit dem Kopf, sowohl vor- und rückwärts wie manchmal auch seitlich. Tuij war im Nacken noch fest. Dagegen hatte sie eigentümlich verborgene Faltaugen, ein Paar blinder Ritzen nur, die weder Farbe noch Blick erkennen ließen, und ein unbewegliches Lächeln hielt ihr großes Gesicht in Bann.

Nachdem die Eltern angebetet, führten die Dünnarmigen sie zu den beiden Armsesseln, die gegen den Vordergrund des Häuschens für sie bereitstanden, und ließen die Seufzenden behutsam darauf nieder, nahmen auch ihre Füße und setzten sie auf die mit goldenen Schnüren eingefaßten Fußkissen.

„Ach ja, ach ja, ach ja, ja, ja, ja!" sagte Huij wieder mit heiserem Flüstern, denn eine andere Stimme hatte er nicht. „Geht nun, dienende Kindlein, ihr habt uns versorgt nach euerer Pflicht, die Beinchen stehen, die Glieder ruhen, und alles ist recht. Laßt gut sein, laßt gut sein, ich sitze. Sitzest du auch, Tuij, mein Bettgeschwister? Dann ist es recht, und ihr, geht fort bis auf weiteres und verzieht euch, denn wir wollen für uns sein und ganz allein der schönen Stunde genießen des

Vorabends und Nachmittags überm Schilf und Ententeich und überm Baumwege hin bis zu den Türmen des Tors in der sichernden Mauer. Ganz ungestört und von niemandem gesehen wollen wir sitzen und ohne Lauscher die traulichen Worte des Alters tauschen!"

Dabei kniete Joseph mit seinem Geschirr schräg nahe vor ihnen in der Ecke. Aber er wußte wohl, daß er nur ein Stummer Diener war, von nicht mehr als dinglicher Gegenwart, und blickte mit gläsernen Augen dicht an den Köpfen der Alten vorbei.

„Tut also, Mädchen, folget dem milden Befehl!" sagte Tuij, die im Gegensatz zu der Heiserkeit ihres Ehebruders eine recht weiche und volle Stimme hatte. „Geht und haltet euch gerade so fern und nahe, daß ihr allenfalls unser Händeklatschen vernehmen mögt, womit wir euch rufen. Denn sollte uns eine Schwäche befallen oder überraschend der Tod uns antreten, so werden wir in die Hände klatschen, zum Zeichen, daß ihr uns beistehen sollt und gegebenen Falles die Seelenvögel aus unseren Mündern sollt entflattern lassen."

Die kleinen Mädchen fielen nieder und gingen. Huij und Tuij saßen nebeneinander auf ihren Stühlen, die beringten Greisenhände auf den inneren Armlehnen vereinigt. Sie trugen ihr eisgraues Haar, von der Farbe sehr unrein angelaufenen Silbers, der eine ganz wie der andere: in dünnen Strähnen fiel es beiden von den gelichteten Scheiteln über die Ohren nicht ganz bis zu den Schultern hinab, nur daß bei Tuij, der Schwester, der Versuch war gemacht worden, je zwei oder drei dieser Strähnen unten zusammenzudrehen, um eine Art von Fransenbesatz zu schaffen, was aber bei der Dünne des Haars nur schlecht noch hatte gelingen können. Huij war statt dessen mit einem ebenfalls trüb-silbernen Bärtchen an der Unterseite des Kinns versehen. Auch trug er goldene Ohrringe, die durch das Haar drangen, während Tuijs alter Kopf mit einem breiten Stirnband in schwarz und weißer Emaille bekränzt war, Blütenblätter darstellend, – ein kunstreich gearbeitetes Schmuckwerk, dem man ein minder hinfälliges Haupt zum

Träger gewünscht hätte. Denn wir hegen eine Eifersucht auf schöne Dinge im Namen der frischen Jugend und gönnen sie heimlich dem Haupte nicht, das mehr schon ein Schädel ist.

Auch sonst war Peteprês Mutter sehr vornehm gekleidet: Ihr blütenweißes Gewand, in seinem oberen Teil gleich einem Pilgerkragen geschnitten, war in der Taille mit einem kostbar buntfarbig gestickten Bande gegürtet, dessen Enden, leierförmig ausgebogen, fast bis zu ihren Füßen hinabfielen, und ein breites Kollier aus ebensolchem schwarz-weißen Glasfluß wie dem des Kopfschmucks bedeckte ihre vergreiste Brust. In der Linken trug sie ein Lotussträußchen, das sie hinüber an das Gesicht des Bruders führte.

„Da, alter Schatz!" sprach sie. „Berieche mit deiner Nase die heiligen Blüten, die Schönheit des Sumpfes! Erquicke dich nach dem ermüdenden Wege vom Oberstock zu diesem Friedensort an ihrem Duft von Anis!"

„Dank, Zwillingsbraut!" sagte heiser der alte Huij, der ganz in ein großes Manteltuch aus feiner weißer Wolle gehüllt war. „Es ist genug, laß gut sein, ich habe gerochen und bin erquickt. Dein Wohl!" sagte er, indem er sich steif-altedelmännisch verbeugte.

„Das deine!" erwiderte sie. Dann saßen sie eine Weile schweigend und blinzelten in die Gartenschönheit, die lichte Perspektive von Ententeich, Baumgang, Blumenfeldern und Tortürmen hinaus. Übrigens blinzelte er greisenhafter als sie, mit erloschenen und mühsamen Augen, und kaute seine entzahnten Kiefer, so daß das Bärtchen am unteren Kinn in gleichmäßiger Bewegung auf und nieder ging.

Tuij übte solches Gemummel nicht. Ihr großes, zur Seite geneigtes Gesicht hielt sich ruhig, und die Blindritzen ihrer Augen schienen teilzuhaben an seinem stehenden Lächeln. Sie war wohl gewohnt, des Gatten Geist zu ermuntern und ihn zum Bewußtsein der Umstände anzuhalten, denn sie sagte:

„Ach ja, mein Fröschchen, da sitzen wir und haben es gut mit Erlaubnis der Silbernen. Die jugendzarten Dinger haben uns Ehrwürdige versorgen müssen in den Kissen der schönen

Stühle und sind davongeschlichen, daß wir für uns zu zweien allein sind wie das Gottespaar im Leibe der Mutter. Nur daß es nicht finster ist in unserer Höhle, sondern daß wir uns an ihrer Artigkeit weiden mögen, den schmucken Bilderchen, den wohlgestalten Beweglichkeiten. Siehe, man hat unsere Füße auf betreßte Weichschemel gestellt, zum Lohne, daß sie so lang schon auf Erden pilgern, immer zu vieren. Schlagen wir aber von diesen unsere Augen auf, so breitet überm Eingang der Höhle das schöne Sonnenrund seine bunten Flügel aus, mit Blähschlangen bewehrt, Hor, der Herr des Lotus, der dunkeln Umarmung Sohn. Eine gestaltete Alabasterlampe des Steinmetzen Mer-em-opet hat man zur Linken gestellt auf ihre Unterbank, und in dem Winkel zur Rechten kniet uns der Stumme Diener, kleine Annehmlichkeiten auf seinen Händen, die uns bereit sind, wenn's uns gelüstet. Gelüstet's dich etwa schon, meine Rohrdommel?"

Furchtbar heiser erwiderte der Bruder:

„Mich gelüstet's schon, liebe Erdmaus, aber ich argwöhne, daß es nur Geist und Gaumen sind, die es verlangt, nicht aber der Magen, welcher sich übel dawidersetzen und sich in mir aufheben möchte zu kaltem Schweiße und Todesängsten, wenn ich's ihm unzeitig zuführte. Besser wär' es, wir warteten, bis wir erschöpft sind vom Sitzen und der Aufbesserung wahrhaft bedürftig."

„Recht so, mein Dotterblümchen", antwortete sie, und nach der seinen klang ihre Stimme sehr weich und voll. „Mäßige dich, so ist's weiser, du lebst noch lange, und es läuft der Stumme Diener uns nicht davon mit seinen Erquickungen. Sieh, er ist jung und hübsch. Er ist ebenso ausgesucht hübsch wie alle Dinge, die man uns heiligen Alten vor Augen führt. Er ist mit Blumen bekränzt wie ein Weinkrug; Blüten der Bäume sind es, Blüten des Schilfs und Blumen der Beete. Seine netten schwarzen Augen sehen an deinem Ohre vorbei, sie sehen nicht auf den Ort, wo wir sitzen, sondern in der Häuslichkeit Hintergrund, und so sehen sie in die Zukunft. Verstehst du mein Wortspiel?"

„Das ist leicht zu verstehen", krächzte der alte Huij mit Anstrengung. „Denn deine Worte spielen auf die Bestimmung der Zierhütte an, daß man auch eine Zeit und Weile lang die Toten des Hauses darin aufbewahrt und stellt sie hinter uns vor den Silbernen auf in ihren Bildschreinen, auf schönen Schragen, wenn sie ausgeweidet sind und mit Narden und Binden gefüllt von den Ärzten und Wickelbadern, ehe denn daß man sie aufs Schiff bringt und flußaufwärts nach Abôdu geleitet, wo er selber begraben liegt, und ihnen eine sehr schöne Beisetzung bereitet nach der Art dieser, die für den Chapi vollzogen wird und den Merwer und für Pharao, und sie verschließt in dem guten und ewigen Hause und seinen Pfeilerzimmern, wo ihnen ihr Leben in seinen Farben von allen Wänden lacht."

„Richtig, mein Sumpfbiber", erwiderte Tuij. „Klaren Geistes hast du das Spiel und Ziel meiner Worte erfaßt, wie auch ich stets im Nu erfasse, worauf du zielst, und redetest du noch so verblümt, denn wir sind sehr aufeinander eingespielt als alte Ehegeschwister, die alle Spiele des Lebens zusammen spielten, zuerst die der Kindheit und die der Mannbarkeit später, – nicht schamloserweise redet dein altes Blindmäuschen so, sondern im Sinn der Vertraulichkeit und weil wir im Häuschen allein sind."

„Nun, ja, nun ja", sagte der alte Huij entschuldigend. „Es war das Leben, das Leben zu zweien von Anfang bis zu Ende. Wir waren viel in der Welt und unter den Leuten der Welt, denn wir sind edel gezeugt und nahe dem Throne. Aber im Grunde waren wir immer zu zweien im Häuschen allein, dem Häuschen unserer Geschwisterschaft, gleichwie in diesem hier: erst in der Mutterhöhle, im Gehäuse der Kindheit sodann und im dunkeln Gemache der Ehe. Nun sitzen wir Greise im beschaulichen Zierhüttlein unseres Alters, leicht gebaut für den Tag, eine flüchtige Berge. Aber ewiger Schutz ist dem heiligen Pärchen bereitet in der Pfeilerhöhle des Westens, die uns endgültig umhegen wird durch unzählige Jubiläen, und von den umnachteten Wänden lächeln die Träume des Lebens."

„Stimmt, guter Löffelreiher!" versetzte Tuij. „Aber ist's nicht sonderlich, daß wir zu dieser Stunde noch auf unseren Stühlen sitzen im Vordergrunde des Tempelchens und reden, – aber über ein kleines sollen wir im Hintergrund ruhn auf den Löwenschragen, in unseren Hüllen, mit hochragenden Füßen, und haben unsre Gesichter außen noch einmal mit Gottesbärten am Kinn: Der Usir Huij, der Usir Tuij, und über uns beugt sich Anup mit spitzen Ohren?"

„Es ist wahrscheinlich sehr sonderlich", krächzte Huij. „Nur vermag ich's mir nicht so klarzumachen und scheue die Anstrengung, denn mein Kopf ist müde, du dagegen bist noch so kräftig in deinen Gedanken, und dein Nacken ist noch so fest. Das ist mir bedenklich, denn es möchte sein, daß du in deiner Frische nicht mit mir abschiedest und bliebest auf deinem Stuhl, indes ich liege, und ließest mich allein ziehen den engen Pfad."

„Da sei nur zuversichtlich, mein Steinkauz!" antwortete sie. „Es läßt dein Blindmäuschen dich nicht allein ziehen, und solltest du verseufzen vor demselben, so nimmt es eine Gabe Labkraut in seinen Leib, die das Leben gerinnen macht, und wir bleiben zu zweien. Ich muß unbedingt bei dir sein nach dem Tode, daß ich dir auf die Gründe und auf die Gedanken helfe zu unserer Rechtfertigung und Erläuterung, wenn es Gericht gibt."

„Wird es Gericht geben?" fragte unruhig Huij.

„Man muß damit rechnen", antwortete sie. „Es ist die Lehre. Aber es ist ungewiß, ob ihr noch volle Gültigkeit zukommt. Es gibt Lehren, die wie verlassene Häuser sind; sie stehen aufrecht und dauern, aber niemand wohnt mehr darin. Ich habe mit Beknechons, dem Großen Propheten des Amun, darüber gesprochen und ihn befragt, wie es sei mit der Halle der Rechtsgöttinnen, mit der Waage des Herzens und mit dem Verhör vor dem Angesichte des Westlichen, zu dessen Seiten die zweiundvierzig gräßlich Benannten sitzen. Beknechons hat mir nicht deutlich geredet. Die Lehre sei aufrecht, hat er deiner Maulwürfin geantwortet. Alles sei ewig aufrecht in Ägyptenland, das Alte gleichwie das Neue, daneben Errichtete, daß das Land dicht voll sei von Bild, Bau und Lehre, Totem und Lebendem, und man dazwischen wandle in Züchten. Denn das Tote sei desto heiliger nur, weil es tot sei, die Mumie der Wahrheit, und ewiglich zu bewahren dem Volke, wenn's auch verlassen sei vom Geiste der neu Unterrichteten. So sagte Beknechons, der Weise. Aber er ist des Amun starker Diener und eifrig für seinen Gott. Der untere König, der den Krummstab hält und den Wedel, kümmert ihn weniger, und wenig kümmern ihn dieses großen Gottes Geschichten und Lehren. Daß er sie ein verlassen Bauwerk nennt und gewickelte Wahrheit, macht's noch nicht sicher, daß wir nicht hintreten müssen, wie das Volk es glaubt, und unsere Unschuld erläutern, auch unsere Herzen müssen wägen lassen auf der Waage, bevor Thot uns freischreibt von den zweiundvierzig Sünden und der Sohn unsere Hände nimmt und uns zuführt dem Vater. Man muß damit rechnen. Darum muß deine Käuzin unbedingt an deiner Seite sein, gleichwie im Leben, so auch im Tode, daß sie das Wort ergreift vor dem Thronenden im Saal und den gräßlich Benannten und unser Tun erläutert, falls dir die Gründe abhanden gekommen und die Rechtfertigung dir nicht einfallen will im entscheidenden Augenblick. Denn mein Fledermäuserich ist zuweilen schon etwas dämmrig im Kopf."

„Sage das nicht!" brachte Huij äußerst heiser hervor. „Denn bin ich dämmrig und müde, so bin ich's nur vom langen und schwierigen Nachsinnen über die Gründe und die Erläuterung; aber wovon er dämmrig ist, davon mag auch der Dämmrige reden. War nicht ich es, der uns drauf brachte und entzündete im heilig Dunklen den Gedanken des Opfers und der Versöhnung? Das kannst du nicht leugnen, denn natürlich war ich's, weil ich der Mann bin und der Zeugende von uns Geschwistern – zwar ein Dunkelmann als dein Ehebruder im heiligen Hohlgemach unserer Paarung, aber der Mann eben doch, dem es einfiel, und entzündete im altheiligen Gehäuse den Einfall der Abschlagszahlung ans heilig Neue."

„Leugne ich's denn?" erwiderte Tuij. „Nein, das leugnet dein altes Gespons ja gar nicht, daß es ihr Dunkelmann war, der's aufs Tapet brachte und zu unterscheiden begann zwischen dem Heiligen und dem Herrlichen, nämlich dem Weltneuen, das vielleicht an der Tagesordnung sei und worauf es möglicherweise hinauswolle mit uns, also daß man ihm vorsichtshalber müsse eine Darbringung leisten, es zu versöhnen. Denn deine Mäusin sah's nicht", fügte sie bei, indem sie auf eine blinde Art ihr großes Gesicht mit den Faltaugen hin und her bewegte, „und war beruhigt im Heilig-Alten, unfähig, was zu begreifen von neuer Tagesordnung."

„Nicht doch", widersprach Huij ihr krächzend, „du begriffst es recht wohl, als ich's aufs Tapet brachte, denn gelehrig bist du aufs höchste, wenn auch nicht anschlägig; aber den Anschlag des Bruders und seine Beklemmung von wegen der Tagesordnung und des Äons hast du sehr wohl begriffen, – wie hättest du sonst gewilligt ins Opfer und in den Abschlag? Wenn ich aber sage ‚gewilligt', ist's wohl noch gar nicht genug; denn mir ist ganz, als hätte ich dich nur die Sorge gelehrt um den Äon und die Tagesordnung, auf den Einfall aber, daß wir den Dunkelsohn unserer heiligen Ehe dem Herrlich-Neuen weihen wollten und ihn entziehen dem Alten, wärst du von dir aus gekommen zuallererst."

„Nein, du bist gut –!" sagte die Alte und zierte sich. „Ein durchtriebener Wachtelkönig bist du mir, denn nun soll ich es wohl gar gewesen sein, die's aufs Tapet brachte, und willst es am Ende auf mich schieben vorm unteren König und vor den gräßlich Benannten! Du Ausgepichter! Wo ich's doch höchstens nur verstanden und empfangen habe von dir, nachdem du Mann es mir eingegeben, gerade wie ich den Hor, unser Dunkelsöhnchen, Peteprê, den Höfling, von dir empfing, den wir zum Lichtsohn gemacht und haben ihn dem Herrlichen geweiht nach einer Eingebung, die von dir kam und die ich nur hegte und heckte und an den Tag gebar als Eset-Mutter. Nun aber, da es die Rechtfertigung gilt und sich vorm Richter vielleicht herausstellen mag, daß wir linkisch gehandelt und einen Schnitzer begangen, möchtest du Schlingel es nicht gewesen sein und willst etwa wahrhaben, daß ich's gezeugt und geboren ganz allein und auf eigene Hand!"

„Ei, Unsinn doch!" krächzte er ärgerlich. „Es ist nur gut, daß wir allein sind im Gehäuse und niemand den Mißverstand hört, den du kakelst. Denn ich hab' es ja selber wahrhaben wollen, daß ich der Mann war und den Einfall entzündete im Dunkeln, du aber unterstellst und schiebst mir's unter, als ob ich meinte, es könnte Zeugung und Geburt sich verschränken und eines sein, wie es allenfalls in den Sümpfen ist und in der Schwärze des Flußschlamms, wo sich der brodelnde Mutterstoff selber umarmt und befruchtet im Dunkeln, aber doch nicht in der höheren Welt, wo der Mann anständig die Männin besucht."

Er hustete stimmlos und kaute die Kiefer. Sein Kopf wackelte stark.

„Ob es nicht", sagte er, „liebe Unke, der Augenblick wäre, den Stummen Diener in Bewegung zu setzen, daß er uns Labung heranbringe? Denn mir scheint, dein Grünfrosch ist schon stark erschöpft von diesen Gedanken, und seine Kräfte sind aufgezehrt von der Mühe, sich die Beweggründe gegenwärtig zu machen und klarzustellen die Rechtfertigung."

Joseph, unentwegt und sachlich an ihnen vorbeiblickend, machte sich schon bereit zum flinken Knielauf; doch ging es vorüber, denn Huij fuhr fort:

„Aber ich glaube, es ist die Erregung durch diese Mühe und nicht wahre Erschöpfung, was mich aufs Labsal verfallen läßt, und der erregte Magen möchte es von sich stoßen. Es gibt nichts Erregenderes in der Welt als die Gedankensorge um die Tagesordnung und um den Äon, sie ist das Allerwichtigste, und höchstens daß der Mensch esse, das steht noch voran. Erst muß er essen und satt werden, das ist wahr, aber sobald er satt ist und dieser Sorge ledig, tritt die Gedankensorge ihn an ums Heilige und ob's auch noch heilig ist und nicht schon verhaßt, weil angebrochen ein neuer Äon und man sich sputen muß, aufs laufende zu kommen der neu ausgerufenen

Tagesordnung und sich mit ihr zu versöhnen durch irgendein Weihopfer, um nicht zu verkommen. Da wir aber reich sind und vornehm, wir Ehegeschwister, und selbstverständlich aufs feinste zu essen haben, so gibt es nichts Wichtigeres für uns und nichts Erregenderes als diese Sache, und wackelt deinem alten Lurch schon lange der Kopf von dieser Erregung, in der man sehr leicht einen linkischen Schnitzer begehen mag, nur um es recht zu machen und sich zu versöhnen . . ."

„Sei ruhig, mein Pinguin", sagte Tuij, „und verkürze dein Leben nicht ohne Not durch so viel Erregung! Wenn es Gericht gibt und die Lehre hat Gültigkeit, so will ich schon reden und das Wort führen für uns beide und werde geläufig erläutern die Sühnetat, daß die Götter und gräßlich Benannten es verstehen und es den zweiundvierzig Untaten nicht zuzählen, sondern Thot schreibt uns frei."

„Ja, das wird gut sein", erwiderte Huij, „daß du sprichst, denn du hast's gegenwärtiger und bist nicht so übererregt davon, weil du's von mir hast und hast's nur empfangen und verstanden, da redet sich's besser. Ich, der Erzeuger, könnte mich leicht verwirren vor Übererregung und in ein Stammeln geraten vor diesen Richtern, so daß wir verspielten. Du sollst unsere Zunge sein für uns beide; denn die Zunge, wie du wohl weißt, im schlüpfrigen Dunkel der Höhle hat Zwienatur und steht für beide Geschlechter, wie der Sumpf und der brodelnde Schlamm, der sich selber umarmt, ehe daß in der höheren Ordnung der Mann die Männin besucht."

„Du aber pflegtest mich anständig zu besuchen, der Mann die Männin", sagte sie und bewegte faltblind und zierlich verschämt ihr großes Gesicht hin und her. „Lange und oft mußtest du's tun, ehe Segen einfiel und die Schwester dir ehelich fruchtbar wurde. Denn in aller Lebensfrühe hatten die Eltern uns weihlich verbunden, aber viele Umläufe währte es, wohl zwanzig, bis fruchtbar wurde unsere Geschwisterschaft und wir zeugten. Da brachte ich dir Peteprê, den Höfling, unsern Hor, den schönen Lotus, Pharaos Freund, in dessen Oberstock wir heiligen Alten nun die späten Tage verbringen."

„Wohl wahr, wohl wahr", bestätigte Huij. „So trug sich's zu, wie du sagst, mit Anstand und sogar Heiligkeit, und war doch ein Haken dabei für das stillste Vermuten und für die heimliche Sorge, die achthat auf den Äon und auf dem laufenden bleiben möchte der Tagesordnung. Denn wir zeugten wohl, Mann und Männin, mit höherem Anstand, aber wir taten's in der Dunkelkammer unsrer Geschwisterschaft, und die Umarmung von Bruder und Schwester – sage, ist sie nicht noch eine Selbstumarmung der Tiefe und nahe noch dem Zeugewerk brodelnden Mutterstoffes, verhaßt dem Lichte und den Mächten neuerer Tagesordnung?"

„Ja, so gabst du mir's ein als Gatte", sagte sie, „und ich nahm mir's zu Herzen und trug dir's wohl etwas nach, daß du unser schönes Ehetum ein Gebrodel heißen mochtest, wo es doch fromm und ehrbar war bis zur Heiligkeit, im Einklang mit vornehmster Sitte und Göttern und Menschen ein Wohlgefallen. Gibt es denn wohl etwas Frömmeres als die Nachahmung der Götter? Sie aber zeugen alle im eigenen Blut und sind ehelich beigetan der Mutter und Schwester. Es steht geschrieben: ‚Ich bin Amun, der seine Mutter geschwängert hat!' So aber lautet's, weil jeden Morgen die himmlische Nut den Strahlenden gebiert, aber am Mittag, zum Mann geworden, zeugt er sich selber mit seiner Mutter wieder, den neuen Gott. Ist nicht Eset dem Usir Schwester, Mutter und Gattin zugleich? Schon im voraus und vor der Geburt im Gehäuse des Mutterschoßes umfingen einander ehelich die hohen Geschwister, wo's freilich so finster und schlüpfrig war wie im Hause der Zunge und wie in Sumpfestiefe. Aber heilig ist das Dunkel und hochansehnlich im Urteil der Menschen die Ehe nach diesem Vorbild."

„Das sagst du wohl und sagst es mit Recht", versetzte er mühsam-heiser. „Aber im Dunkeln umarmten einander auch die falschen Geschwister, Usir und Nebthot, und es war ein arges Versehen. So rächte sich das Licht, das herrliche, dem verhaßt ist das Mutterdunkel."

„Ja, so sprichst und sprachst du als Mann und Herr", entgegnete sie, „und bist natürlich fürs Herrliche, aber ich Mutterfrau bin mehr fürs Heilige und fürs Altfromme, darum betrübten mich deine Aspekte. Wir sind edle Leute, wir Alten, und nahe dem Thron. Aber die Große Gemahlin, war sie nicht Pharaos Schwester meist, nach göttlichem Vorbild, und dem Gotte vorbestimmt zur Gattin eben als Schwester? Er, dessen Name ein Segen ist, Men-cheper-Rê-Tutmose, – wen hätte er umfangen sollen als Gottesmutter, wenn nicht Hatschepsut, die heilige Schwester? Sie war ihm zur Männin geboren, und waren ein göttlich Fleisch. Mann und Männin sollen ein Fleisch sein, und sind sie's von vornherein gleich, so ist ihre Ehe der Anstand selbst und kein Gebrodel. So bin ich dir geboren im Bunde und zum Bunde, und haben uns die edlen Eltern einander vorbestimmt vom Tage unsrer Geburt, weil sie wohl annahmen, daß schon in der Höhle einander umfangen habe das Götterpärchen."

„Davon weiß ich nichts und kann mich durchaus nicht erinnern", erwiderte heiser der Alte. „Ebensogut könnten wir uns gestritten haben in der Höhle und einander Tritte versetzt, das wüßte ich auch nicht, denn man hat kein Gedenken an diese Stufe. Auch draußen haben wir uns manchmal gestritten, wie du wohl weißt, wenn auch natürlich nicht nacheinander getreten, denn wir waren edel erzogen und hochansehnlich, ein Wohlgefallen den Menschen, und lebten glücklich, im Einklang mit vornehmster Sitte. Und du, meine Blindmaus, warst vollkommen zufrieden in deiner Seele, gleich einer heiligen Kuh mit zufriedenem Antlitz, besonders seit du mir fruchtbar geworden mit Peteprê, unserm Hor, du Schwester, Gattin und Mutter."

„So war es", nickte sie wehmütig. „Heilig zufrieden war ich, ich Blindmaus und fromme Kuh, im Gehäus unseres Glückes."

„Ich aber war Manns genug", fuhr er fort, „in meines Geistes starken Tagen und hinlänglich verwandt nach meinem Geschlechte dem Herrlichen in der Welt, daß mich nicht befrieden wollte das Heilig-Alte. Denn ich hatte satt zu essen und dachte. Ja, ich erinnere mich, es lichtet sich meine Dämmrigkeit, und diesen Augenblick könnt' ich's in Worte fassen vorm Totengericht. Denn wir lebten dem Muster nach von Göttern und Königen, ganz im Einklang mit frommer Sitte und zum Wohlgefallen der Menschen. Und doch war ein Stachel in mir, dem Manne, und eine Sorge von wegen der Rache des Lichtes. Denn herrlich ist das Licht, nämlich männlich, und verhaßt ist ihm das Gebrodel des Mutterdunkels, dem unser Zeugen noch nahe war und hing noch an seiner Nabelschnur. Siehe, man muß sie durchschneiden, die Nabelschnur, daß sich das Kalb von der Mutterkuh löse und werde zum Stiere des Lichtes! Welche Lehren noch gültig, und ob's überhaupt Gericht gibt nach unserm Verseufzen, das ist das Wichtige gar nicht. Wichtig ist einzig die Frage nach dem Äon und ob denn die Gedanken, nach denen wir leben, noch auf der Tagesordnung. Das ist allein von Belang, nächst der Sättigung. Nun aber ist's in die Welt gekommen, mir ahnte es lange schon, daß das Männische die Nabelschnur zerreißen will zwischen ihm und der Kuh und sich setzen will als Herr über den Mutterstoff auf den Thron der Welt, daß es die Tagesordnung des Lichts begründe."

„Ja, so lehrtest du mich's", erwiderte Tuij. „Und wie zufrieden ich war in der heiligen Höhle, so nahm ich's mir doch zu Herzen und trug es für dich. Denn das Weib liebt den Mann, und so liebt und empfängt es auch seine Gedanken, ob's gleich die ihren nicht sind. Dem Heiligen gehört das Weib, um des Mannes und Herrn willen aber liebt es das Herrliche. Und so kamen wir auf das Opfer und auf die Versöhnung."

„Auf diesem Wege", stimmte der Alte ihr bei. „Heute vermöcht' ich es klar zu erläutern vorm unteren König. Unseren Hor, den wir gezeugt als Usir- und Eset-Geschwister im finsteren Grunde, ihn wollten wir entziehen dem dunklen Bereich und ihn dem Reineren weihen. Das war die Abschlagszahlung ans neue Alter, auf die wir uns einigten. Und fragten nach seiner Meinung nicht, sondern taten mit ihm, wie wir taten, und vielleicht war's ein Schnitzer, aber ein gutgemeinter."

„War es einer", entgegnete sie, „so haften wir beide für
ihn, denn gemeinsam heckten wir's aus, so zu tun, mit dem
Dunkelsöhnchen; aber du hattest deine Gedanken dabei und
ich die meinen. Denn für mein mütterlich Teil dachte ich nicht
so sehr an das Licht dabei und seine Begütigung als an unseres
Sohnes Größe und Ehre auf Erden: Einen Höfling und Kämmerer wollte ich machen aus ihm durch diese Zubereitung und
einen Königsämtling, daß er zum Titelobersten vorbestimmt
wäre durch seine Verfassung und Pharao Lobgold und Gunst
ausschütte über den Dienstgeweihten. Das waren, offen gestanden, meine Gedanken, die mich versöhnten mit der Versöhnung, denn sie wurde mir schwer."

„Es war nur in der Ordnung", sagte er, „daß du meine
Eingebung trugst auf deine Art und von dir aus das Deine
hinzutatest, so daß unsere Tat daraus wurde, die wir liebevoll
taten am Söhnchen, da es noch keine Meinung hatte. Auch
nahm ich die Vorteile gern in Kauf, die dem Weihknaben erflossen aus solcher Zubereitung nach deinen Weibesgedanken;
aber meine waren Mannesgedanken und zum Lichte gewandt."

„Ach, altes Brüderchen", sagte sie, „die Vorteile, die ihm
erflossen, die sind, so meine ich, nur allzu notwendig, daß
wir darauf verweisen mögen nicht nur bei der Herzensprobe
im unteren Saal, sondern auch vor ihm selbst, unserm Sohne.
Denn so zärtlich ehrerbietig er sich beträgt gegen uns Würdige, und wie hoch und teuer er auch die edlen Erzeuger hält
in seinem Hause, so meine ich doch und fürcht' es zuweilen zu
lesen in seinen heimlichen Mienen, daß er im verborgenen
ein wenig verstimmt ist gegen uns beide, weil wir ihn zustutz-
ten zum Hofherrn, ohne nach seiner Meinung zu fragen und über
seinen Kopf hinweg, da er sich nicht verwahren konnte."

„Das wäre", ereiferte sich der heisere Huij, „daß er heimlich murrte wider die heiligen Eltern im Oberstock! Denn er
soll sie mit dem Äon versöhnen und mit der Tagesordnung
als Weihesohn, das ist seine Aufgabe, und hat die schmeichel-
haftesten Vorteile davon, die alles gutmachen, so soll er kein
Maul ziehen. Ich will's auch nicht glauben, daß er ein Maul

zieht, und gar wider uns, denn er ist Mann von Natur und von Geistes wegen und also dem Herrlichen verwandt, so daß ich nicht zweifeln will, er billige der Eltern Versöhnungstat und trage mit Stolz seine Verfassung."

„Wohl, wohl", nickte sie. „Und doch bist du selber nicht sicher, mein Alter, ob nicht der Schnitt, mit dem wir zerschnitten die Nabelschnur zwischen ihm und dem Mutterdunkel, ein Schnitzer war allenfalls. Denn ist wohl dadurch zum Sonnenstiere geworden der Weihesohn? Nein, sondern ist nur ein Höfling des Lichtes."

„Sprich du mir nicht meine Skrupel nach!" verwies er sie heiser, „denn sie sind zweiter Ordnung. Der Skrupel oberster, das ist die Sorge um den Äon und die Tagesordnung und um das versöhnende Zugeständnis. Daß es nicht ganz rein aufgeht und etwas linkisch ausfallen mag in seiner Gutgemeintheit, das liegt im Wesen des Zugeständnisses."

„Wohl, wohl", sagte sie wieder. „Und schmeichelhafteste Tröstungen genießt er unzweifelhaft, unser Hor, und Überentschädigungen stattlichster Art als Sonnenkämmerer und Ehrenämtling des Herrlichen, das ist keine Frage. Aber da ist auch noch Eni, unser Schnürchen, Mut-em-enet, die Schöne, des Hauses Erste, Peteprês Ehegemahl. Auch um ihretwillen mache ich Mutterfrau mir zuweilen Gedanken, denn so liebreich und fromm sie sich hält gegen uns Heilige, so argwöhne ich doch, daß auch sie auf dem untersten Grund ihrer Seele eine leichte Verstimmung hegt und einen heimlichen Vorwurf gegen die Eltern, weil wir den Sohn zum Hofherrn machten und er ihr ein rechter Truppenoberst nicht ist, sondern nur nach dem Titel. Glaube mir, sie ist Weibs genug, unsere Eni, um insgeheim ein wenig zu schmollen deswegen, und ich bin es genug, ihr den Verdruß aus der Miene zu lesen, wenn sie sie nicht bewacht."

„Geh!" antwortete Huij. „Das wäre der Undank selbst, wenn sie dergleichen Verdrossenheit verbärge in ihrem geheiligten Busen! Denn es sind ihrer der Tröstungen und Über-Tröstungen ja ebenso viele und mehr noch als Peteprês, und ich will's nicht glauben, daß sie der Neidwurm plagt ums Irdische, da sie im Göttlichen wandelt und Nebenfrau Amuns heißt vom Hause der Gottesgattin in Theben! Ist es nichts, oder ist's eine Kleinigkeit, Hathor zu sein, des Rê Gemahlin, und mit den andern vom Orden vor Amun zu tanzen im Kleide der Göttin, das eng den Gliedern anliegt, und vor ihm zu singen zur Handpauke, die Goldhaube auf dem Kopf mit den Hörnern darauf und der Sonnenscheibe dazwischen? Das ist weder nichts noch ist's ein Geringes, sondern ist eine Über-Tröstung der allerherrlichsten Art, die ihr zuteil ward als unseres Sohnes, des Hofherrn, Ehrenweibe, und es wußten die Ihren wohl, was sie taten, als sie sie ihm zur Ehe gaben als Erste und Rechte, schon da beide noch Kinder waren und noch gar keine Fleischesehe hätte statthaben können zwischen ihnen: so war es weise, denn eine Ehrenehe war es und blieb es."

„Ja, ja", erwiderte Tuij, „die blieb es notwendigerweise. Und ist doch, wenn ich's als Weib bedenke, ein hartes Ding darum, zwar glänzend von Ehren am Tageslicht, aber ein Harm bei der Nacht. Mut ist sie genannt, unsere Söhnin, Mut im Wüstental, und hat einen Urmutternamen. Aber Mutter kann und darf sie nicht werden von wegen der Hofämtlich-keit unseres Sohnes, und ich fürchte, sie trägt es uns heimlich nach und verbirgt eine Übelnahme hinter der Zartheit, die sie uns widmet."

„Sie soll keine Gans sein", schalt Huij, „und nicht der wasserschwangeren Erde Vogel! Das lass' ich ihr sagen, der Schnur, von meiner Seite, wenn sie schmollt! Es ist nicht schön, daß du ihr das Wort redest als Mutterweib auf Kosten des Sohnes, ich hör' es nicht gerne. Ihm trittst du zu nahe damit, unserm Hor, überdies aber auch dem weiblichen Wesen, dem du das Wort zu reden gedenkst, und setzest es herab in der Welt, so, als wär' es beim besten Willen in keinem anderen Bilde zu sehen als in dem der hochträchtigen Nilpferdkuh. Du bist freilich nur eine Blindmaus nach deiner Natur, und den Gedanken des neuen Äons und der Abschlagszahlung hab' ich dir eingeflößt von Mannes wegen. Und doch hättest du ihn gar nicht zu empfangen vermocht und zu verstehen und hättest dich nicht zu der Sühnetat verstanden an unserem Söhnchen, wenn gar kein Weg ginge vom Weibeswesen zum Herrlichen, Reineren und keinerlei Anteil ihm zukäme an diesem! Ist denn notwendig immer nur die schwarzschwangere Erde sein Bild und Teil? Keineswegs; sondern auch als mondkeusche Priesterin wohl mag das Weib erscheinen in voller Würde. Ich lass' ihr sagen, deiner Eni, sie soll keine Gans sein! Zu den ersten Frauen der Länder zählt sie als unseres Sohnes Erste und Rechte, und seiner Größe dankt sie's, daß sie Freundin der Königin heißt, Tejes, des Gottesweibes, und selber ein Gottesweib ist von Amuns Südlichem Frauenhause und vom Hathoren-Orden, welchem Beknechons', des Großen Propheten, Ehegemahlin vorsteht als Oberin und erste Haremsfrau. So weit geht die geistliche Über-Tröstung, daß sie kurzweg eine Göttin ist mit Hörnern und Sonnenbild und eine weiße Mondnonne nach ihrem heiligen Stande. Schickt es sich dazu nicht trefflich, daß ihre irdische Ehe ein Ehrenschein und ihr Gatte hienieden ein Sühnesohn und ein Höfling des Lichtes? Unübertrefflich sogar schickt sich das nach meiner Meinung, und was ich ihr sagen lasse für den Fall, daß sie's an Verstand fehlen läßt für diese Schicklichkeit, das weißt du!"

Aber Tuij entgegnete kopfschüttelnd:

„Ich kann's ihr nicht ausrichten, mein Alter, denn keinerlei Anlaß gibt sie der Schwieger zu solcher Ermahnung und würde, wie man zu sagen pflegt, aus den Wolken fallen, wenn ich nach deinem Auftrage täte und führe sie an mit dem Gänsenamen. Sie ist ja stolz, unsre Eni, stolz wie Peteprê, ihr Gemahl, unser Sohn, und wissen beide nichts als ihren Tagesstolz, Mondnonne und Sonnenkämmerer. Leben sie nicht glücklich und hochansehnlich vorm Angesichte des Tages, im Einklang mit vornehmster Sitte, und sind ein Wohlgefallen den Menschen? Was sollten sie wissen als ihren Stolz? Und wüßten sie auch noch anderes, sie würden's nicht einräumen und ihrer Seele nicht zugestehen, sondern immer nur alle Ehre dem Stolze geben. Wie soll ich die Schnur eine Gans heißen von dir aus, da sie keine ist, sondern weiß sich hoch-mutsvoll als Aufgesparte des Gottes, und duftet all ihr Wesen so herb wie das Laub der Myrte? Wenn ich von Harm rede und Übelnahme, so habe ich nicht den Tag im Sinn und die Ehrenordnung des Tages, sondern die stille Nacht und das schweigende Mutterdunkel, in das man nicht hineinschelten kann mit dem Gänsenamen. Hast du aber die Rache des Lichtes gefürchtet ob unserer Dunkelehe, so fürchte ich Frau zuweilen die Rache des Mutterdunkels."

Hier begann Huij zu kichern, worüber Joseph sich leicht entsetzte, so daß er etwas zusammenfuhr mit seinem Labsal und für einen Augenblick der Sachlichkeit verlustig ging als Stummer Diener. Rasch zog er seinen Blick aus dem Hintergrunde der Hütte und richtete ihn auf die Alten, um zu erforschen, ob sie seiner Schreckensregung innegeworden; doch waren sie's nicht; ganz verloren an ihr Gespräch über die gemeinsame Tat, achteten sie seiner sowenig wie der gestalteten Alabasterlampe des Steinmetzen Mer-em-opet, die im Raume sein Gegenstück bildete. Darum rückte er seine Augen wieder beiseite, daß sie an Huijs Ohre vorbei gläsern in den Hintergrund gingen. Aber den Atem verschlug es ihm immer noch etwas, nach allem, was er hier schon vernommen, den alten Huij nun auch noch greisenhaft kichern zu hören, – es dünkte ihn unheimlich.

„Hi, hi", machte Huij. „Keine Furcht, das Dunkel ist stumm und weiß nicht einmal von seiner Verstimmung. Söhnchen und Schnur sind stolz und wissen nichts von Groll und Schmoll gegen die Elterlein, die es taten und es ihnen anrichteten dazumal und zum Barch das Eberlein machten, da es noch keine Meinung hatte, sondern nur zappelte und sich nicht verwahren konnte. Hi, hi, hi, keine Furcht! Sicher gebannt ins Dunkel sind Groll und Schmoll, und spitzten sie auch ein wenig hervor ans Licht, so wären sie doch noch einmal gebannt in fromme Sittsamkeit und in zärtliche Ehrerweisung vor uns Lieben, die wir hoch und heilig gehalten sind im Oberstock, ob wir den Kinderlein gleich einstmals ein Schnippchen schlugen zu unserer Versöhnung! Hi, hi, hi, zweimal gebannt, doppelt versichert, zwiefach versiegelt, nichts zu machen gegen die wohligen Elterlein – ist es nicht listig und lebensdrollig?"

Tuij hatte sich anfangs stutzig beunruhigt gezeigt durch des Ehebruders Gebaren, ließ sich aber durch seine Worte dafür gewinnen und kicherte ebenfalls, die Faltaugen zu blinden Ritzen verkniffen. Die Hände über den Mägen gefaltet, die Schultern vorgebogen, die alten Köpfe dazwischengezogen, saß das Pärchen auf seinen Prunkstühlen und gluckste in sich hinein.

„Ja, hihihi, du hast recht", gluckste Tuij. „Deine Blindmaus versteht diese Lebensdrolligkeit, daß wir den Kinderlein ein Schnippchen schlugen, aber die Übelnahme ist doppelt gebannt und versiegelt und kann uns nichts anhaben. Das ist recht listig und wohlig. Und ich bin froh, daß mein Maulwurf heiter ist und der Sorge vergaß ums Verhör im unteren Saal. Macht sich nicht aber nun vielleicht doch Erschöpfung bemerkbar in deiner Natur, und soll ich dem Stummen Diener winken, daß er uns Labsal heranbringe?"

„Keine Spur!" erwiderte Huij. „Nicht eine Spur von Erschöpftheit deutet sich auch nur an in meiner Verfassung. Sondern diese ist geradezu frisch belebt vom Plauderstündchen. Laß uns die Eßlust sparen bis zur Stunde des Abendmahls, wenn im Speisegemach die Heilige Sippe zusammentritt und einander die Lotussträußchen zum Riechen hinhält in zarter Schonung. Hihi! Vorerst wollen wir den Dienenden klatschen, daß sie uns etwas im Baumgarten herumstützen, denn mir ist nach Bewegung zu Sinn in meinen belebten Gliedern."

Und er klatschte. Die kleinen Mädchen kamen gelaufen, die Münder offen in eifriger Torheit, liehen den Alten die Stengelärmchen und stützten sie die Rampe hinab und davon.

Joseph setzte hochaufatmend seine Tracht auf den Boden. Die Arme waren ihm fast so krampfig lahm wie damals, als die Ismaeliter ihn aus dem Brunnen gezogen.

‚Das sind mir Narren vor dem Herrn', dachte er, ‚diese heiligen Elterlein! Und Einblicke habe ich gewonnen in dieses Segenshauses peinliche Hinterbewandtnisse, daß Gott erbarm'! Da sieht man, daß es vor Narrheit nicht schützt und nicht vor den ärgsten Schnitzern, im Himmel des hochtragenden Geschmacks zu wohnen. Dem Vater müßte ich erzählen von der Heiden Gottesdummheit. Armer Potiphar!'

Und er legte sich erst einmal auf die Matte hier, um, ehe er dem Cha'ma't das Labsal zurückbrächte, die schmerzenden Glieder auszuruhen vom Dienste als Stummer Diener.

Joseph erwägt diese Dinge

Er war bestürzt und bewegt von dem dienstlich Erlauschten, und vielfach beschäftigte es damals seine Gedanken. Sein Widerwille gegen die heiligen Elterlein war lebhaft, und nur von kluger Höflichkeit und Ehrerweisung würde er versiegelt und in Bann gehalten sein, keineswegs aber vom Dunkel des Unwissens, denn weder seinem Ärger über die unverantwortliche Gottesdummheit der Alten noch seinem Abscheu vor dem Behagen, mit dem sie sich gegen Vorwürfe würdig gesichert wußten, gebrach es im geringsten an Klarheit über sich selbst.

Doch auch der belehrende Einschlag, den seine in versachlichtem Zustande gemachten Erfahrungen für ihn, den Abramsenkel, besaßen, entging ihm nicht, und er wäre nicht Joseph gewesen ohne die Bereitwilligkeit, sich davon fördern zu lassen. Was er gehört, war danach angetan, seinen Gesichtskreis zu erweitern und ihm eine Warnung zu sein, in der engsten geistigen Heimat, der Väterwelt und ihrer Gottesmühe, deren Sprößling und Zögling er war, etwas allzu Einzig-Einmaliges und Unvergleichliches zu erblicken. Nicht Jaakob allein sorgte sich in der Welt. Das geschah überall unter den Menschen, und überall gab es den Gram, ob man sich denn auch noch auf den Herrn verstehe und auf die Zeiten, – mochte er auch zu den linkischsten Auskünften führen da und dort, und mochte freilich Jaakobs Erbgedanke des Herrn ihm die feinsten und angreifendsten Prüfungsmittel bieten für die sorgende Frage nach dem Abstand, in den etwa Brauch und Sitte vom Willen und Wachstum ebendieses Herrn geraten sein mochten.

Immerhin, wie nahe lag auch hier beständig das Fehlerhafte! Man brauchte gar nicht an den am Ursprunge sitzengebliebenen Laban und an sein Söhnchen in der Kruke zu denken. Da hatte es einfach an jeder Aufgeweckkheit gefehlt für das Problem, wie weit etwa schon der Brauch zum Greuel geworden. Aber die entwickelte Empfindlichkeit gerade für solche Veränderungen – wie so leicht führte sie irre! Hatten nicht Jaakobs schwermütige Bedenken in Sachen des Festes ihn in Versuchung gebracht, das Fest und seine Bräuche überhaupt zu zerstören um seiner Wurzeln willen, die wohl sich nähren mochten im unteren Unflat? Um Schonung hatte der Sohn ihn bitten müssen fürs Fest der Verschonung, den schattenspendenden Wipfelbaum, der mit dem Herrn hinausgekommen war über die kotige Wurzel, aber dorren mußte, wenn man sie ausrodete. Joseph war für Verschonung, er war nicht fürs Ausroden. Er sah in Gott, der schließlich auch nicht immer gewesen, der er war, einen Gott des Verschonens und des Vorübergehens, der nicht einmal im Falle der Flut bis zum Letzten und an die Wurzel der Menschheit gegangen war, sondern in einem Gescheiten den Gedanken des Rettungskastens erweckt hatte. Gescheitheit und Verschonung, das schienen dem Joseph geschwisterliche Gedanken, die ihr Kleid trugen im Austausch und wohl gar einen gemeinsamen Namen trugen: den Namen der Güte. Gott hatte den Abram versucht, ihm den Sohn zu bringen, dann aber hatte er ihn nicht genommen, sondern lehrhafterweise den Widder untergeschoben. Die Überlieferung dieser Leute hier, so hoch sie wandelten im Himmelreich des Geschmacks, ermangelte leider so gescheiter Geschichten – es war ihnen manches nachzusehen, so widrig sie waren mit ihrem Gekicher über das schnitzerhafte Schnippchen, das sie den Kindern geschlagen. Auch ihnen war

Weisung geworden vom Vatergeist, in Gestalt eines unsicher umgehenden und selber noch gar sehr im Dunkelreich wesenden Seelengerüchtes, daß es hinauswolle mit uns übers Alt-Heilige und über Brauch und Stufe ins Lichtere, und sie hatten die Opfer-Zumutung vernommen. Aber wie sehr, wie labanmäßig waren sie im Alten verharrt, gerade indem sie dem Weltneuen ein Zugeständnis zu machen versuchten! Denn kein Widder war ihnen erschienen, den Gottverlassenen, daß sie ihn zum Hammel des Lichtes machten, sondern hatten Potiphar, das zappelnde Söhnchen, dazu gemacht.

Das mochte man wohl eine gottverlassene Handlungsweise nennen und es kennzeichnen als närrische Ungeschicklichkeit einer Weihung ans Herrliche und Weltneue! Denn die Annäherung an das Vatergeistige, dachte Joseph, geschah nicht durch Ausrottung, und groß war der Unterschied zwischen der Vollkommenheit des Zwiegeschlechtlichen und der Abwesenheit des Geschlechtes im Höflingstum. Die Mannweiblichkeit, die beide Geschlechtsmächte in sich vereinigte, war göttlich wie des Niles Gestalt mit einer Weibesbrust und einer des Mannes und wie der Mond, der Weib war der Sonne, aber männlich der Erde, der er mit seinem Samenstrahl den Stier zeugte in der Kuh; und sie verhielt sich nach Josephs Rechnung zum Höflingstum wie zwei zu null.

Armer Potiphar! Er war eine Null in aller Pracht seiner feurigen Wagenräder und all seiner Größe unter den Großen Ägyptens. Der Jungsklave Osarsiph hatte eine Null zum Herrn, einen Rubenturm ohne Kraft und Fehlbarkeit, ein schnitzerhaftes Opfer, nicht verwehrt und nicht angenommen, ein Weder-Noch von ungöttlicher Außermenschlichkeit, sehr stolz und würdevoll am hellen Tag seiner Ehren, doch seiner verstümperten Nullheit bewußt in der Nacht seines Wesens und äußerst bedürftig der Würdenstütze und Schmeichelei, die alle Umstände und besonders noch die Dienertreue Montkaws ihm zukommen ließen.

Im Licht des Vernommenen faßte Joseph die schmeichelnde Dienertreue aufs neue ins Auge und zögerte nicht, sie nach-

ahmenswert zu finden. Es ist so: Auf Grund seiner Einsicht-
nahmen als Stummer Diener beschloß er, seinem ägyptischen
Herrn, sobald und soweit er nur Gelegenheit dazu haben
würde, ebenfalls „behilflich" zu sein, nach dem Muster Mont-
kaws und, wie er nicht zweifelte, feiner und mehr zu Danke
dem Herrn als jener. Denn auf diese Weise am besten, sagte
er sich, würde er einem anderen Herrn, dem Höchsten, „behilflich" sein bei seinem, des Jungsklaven Osarsiph, Fortkommen in der Welt, darein er verpflanzt.

Es ist an dieser Stelle, zur Steuer der Wahrheit, der Vorwurf kalter Spekulation von ihm abzuwehren, den vorschnelle
Sittenrichterei nicht verfehlen wird zu erheben. Nicht so einfach lagen die Dinge dem moralischen Spruche bereit. Denn
auch Mont-kaw, des Hauses ältesten Knecht, hatte Joseph ja
längst ins Auge gefaßt und zu erkennen gemeint, daß er ein
braver Mann sei, dessen Liebedienerei vor dem Herrn einen
besseren Namen verdiente als diesen: den Namen des Liebesdienstes nämlich; und daraus wieder folgerte er, daß Peteprê,
der Titeloberst, solcher Dienerliebe wohl wert und würdig
sein mußte, – ein Schluß, den Josephs eigene Eindrücke von
der Person des Herrn bestätigten. Dieser Große Ägyptens
war ein edler und würdiger Mann von zarter Seele und gütig
nach Josephs Bedünken; denn daß er es darauf anlegte, die
Leute um ihn zittern zu lassen, mußte man seiner Verfassung
als Opfer geistlicher Unbelehrtheit zugute halten: Das Recht
auf einige Bosheit, fand Joseph, war ihm wohl zuzu-
billigen.

Man sieht: vor sich selbst zuerst und in den eigenen Gedanken diente Joseph dem Potiphar, verteidigte ihn und
suchte ihm behilflich zu sein, nicht erst im Umgang mit ihm.
Vor allem war der Ägypter *sein* Herr, dem er verkauft war,
der Höchste in nächster Runde; und die Idee des Herrn und
Höchsten schloß für Joseph von Natur und von alters ein
Element liebesdienstlicher Schonung ein, das sich als über-
tragbar vom Oberen auf das Untere, gewissermaßen als an-
wendbar aufs Irdische und auf den Fall der nächsten Runde

erwies. Man verstehe das nur! Der Gedanke des Herrn und Höchsten schuf bereits eine Einheitsordnung, die eine gewisse Verwechslung und Gleichsetzung des Oberen mit dem Unteren begünstigte. Was diese Neigung verstärkte, war das Konzept der „Behilflichkeit" und die Erwägung, daß Joseph dem planenden Herrn der Träume am besten behilflich sein würde, indem er, nach dem Muster Mont-kaws, Peteprê, dem Herrn, „behilflich" war. Aber noch mehr kam hinzu, sein Verhältnis zum Herrn des Himmels in einem gewissen Grade auf das zum Herrn der Feuerräder abfärben zu lassen. Er hatte das schwermütige, stolze und heimlich dankbare Lächeln gesehen, mit dem Potiphar die Schmeicheleien des Hausmeiers beantwortet hatte, – die bedürftige Einsamkeit, die sich darin malte. Es mag kindisch zu sagen sein, aber Joseph fand eine zu ähnlichem Mitgefühl auffordernde Verwandtschaft zwischen der einsamen Außerweltlichkeit des Vätergottes und der stolzen, mit Lobgold behangenen Außermenschlichkeit des verstümperten Rubenturmes. Ja, auch Gott, der Herr, war einsam in seiner Größe, und Joseph hatte es im Blut und Gedächtnis, wie sehr das Alleinsein des weib- und kinderlosen Gottes beitrug zur Erklärung seiner großen Eifersucht auf den mit den Menschen geschlossenen Bund.

Er erinnerte sich der ganz besonderen Wohltat, die einem Einsamen schonende Dienertreue – des ganz besonderen Schmerzes, den einem solchen die Untreue bereitet. Er übersah natürlich nicht, daß Gott nur darum nichts mit Zeugung und Tod zu schaffen hatte nach seiner Beschaffenheit, weil er Baal und Baalat war in einem und auf einmal; der gewaltige Unterschied zwischen zwei und null entging ihm nicht einen Augenblick. Dennoch verhelfen wir nur dem stillen Tatbestande zum Worte, indem wir sagen, daß gewisse Mitgefühle und Schonungen ihm träumerisch in eins zusammenliefen, also daß er beschloß, Menschentreue zu halten der bedürftigen Null, wie er sie der hochbedürftigen Zwei zu halten gewohnt war.

Und somit kommen wir zu jener ausschlaggebenden ersten Begegnung und Unterhaltung Josephs mit Potiphar, im Baumgarten, deren in keiner der mannigfachen Darstellungen dieser Geschichte, weder den morgen- noch den abendländischen, auch nur gedacht wird und von der weder die prosaischen noch die in Versen abgefaßten etwas zu melden wissen – sowenig wie von zahlreichen anderen Einzelheiten, Genauigkeiten und sichernden Begründungen, die zutage zu fördern und den schönen Wissenschaften einzuverleiben unsere Version und Fassung sich rühmen darf.

Es steht fest, daß es wiederum Bes-em-heb, der Spottwesir, war, dem Joseph das längst ersehnte und in der Tat für alle Zukunft entscheidende Zusammentreffen mittelbar zu danken hatte, wenn der Zwerg es auch nicht geradezu veranstalten, sondern nur die Vorbedingungen dazu schaffen konnte. Diese bestanden darin, daß der überflüssig da und dort sich umtuende Jungsklave Osarsiph eines schönen Tages zum Gärtner gesetzt wurde in Potiphars Garten – nicht zum Obergärtner, versteht sich: der Obergärtner war ein gewisser Chun-Anup, Sohn des Dedi, auch Glutbauch genannt, aus dem Grunde, weil er einen auffallend sonnenroten Bauch hatte, der dem sinkenden Gestirne gleich über den unterhalb des Nabels befestigten Schurz hing, – ein Mann von den Jahren Mont-kaws, aber geringer von Klasse, wenn auch würdig fußend in dem Fach und Geschäft, dessen er Meister: ein Kenner und Vorsteher der Pflanzen und ihres Lebens, nicht nur sofern es der Zier und dem Wirtschaftsnutzen diente, sondern zugleich in Ansehung ihrer Gift- und Segenskräfte, also daß er dem Hause nicht nur Gärtner, Förster und Besteller der Blumentische war, sondern auch Apotheker und säftekundiger Salbader, Herr der Absude, Auszüge, Salben, Klistiere, Brechmittel und Kataplasmen, die er Menschen und Tieren in Krankheitsfällen bereitete, aber von jenen freilich nur Dienenden; denn der Herrschaft half ein strenger berufener Arzt vom

Tempel des Gottes zum Leben oder zum Tode. – Auch die Glatze Chun-Anups war rot, da er die Kappe verschmähte, und hinterm Ohr pflegte er eine Lotusblüte zu tragen wie ein Schreiber die Binse. Auch hingen ihm stets allerlei Kräuterbüschel oder Proben von Wurzel- und Schößlingswerk aus dem Schurz hervor, im Vorübergehen abgeschnitten mit einer Gartenschere, die zusammen mit einem Grabstichel und einer kleinen Säge an seiner Lende klapperte. Das Gesicht des untersetzten Mannes war kräftig gefärbt und mit nicht unfreundlichem Ausdruck in sich zusammengezogen: knollig von Nase und mit einem Munde, der sich in eigentümlicher Entstellung, man wußte nicht recht, ob verdrießlicher- oder behaglicherweise, gegen dieselbe emporhob, war es mit unregelmäßig wachsenden und nie geschorenen Barthaaren besetzt, die gleich Wurzelfasern daran hingen und die tellurische, wenn auch augenzwinkernd in Sonnenröte getauchte Prägung von Glutbauchs Antlitz verstärkten. Der kurze, erdig-zinnoberrote Finger, womit er das untergebene Völkchen, war es nicht fleißig, bedrohte, hatte viel von einer eben ausgezogenen Rübe.

Den Obergärtner also war Gottliebchen angegangen von wegen des ausländischen Käuflings, der, wie er ihm zuwisperte, in Dingen der Erde und ihrer Gaben von Kind auf und Grund aus geschickt und bewandert sei, da er, bevor er veräußert worden, in seiner Heimat, dem elenden Retenu, seines Vaters Ölhain betreut und sich aus Liebe zur Frucht mit seinen Gesellen überworfen habe, welche sie mit Steinwürfen gepflückt und unfein gepreßt hätten. Auch habe er ihm, dem Zwerge, glaubhaft zu machen gewußt, daß er einen Zauber ererbt oder einen sogenannten Segen empfangen habe, nämlich einen doppelten: oben vom Himmel herab und aus der Tiefe, die unten liegt. Das sei doch genau das, was ein Gärtner brauche, und Chun-Anup möge den Burschen, der müßig gehe zum Schaden der Wirtschaft, doch einstellen unter die Seinen; die kleine Weisheit rate es ihm, der nachzuhandeln niemanden noch gereut habe.

So sprach der Wesir, weil er Josephs Wunsch, vor dem Herrn zu stehen, im Herzen trug und wohl wußte, daß die Beschäftigung im Garten weitaus die besten Glücksaussichten auf seine Erfüllung bot. Denn wie irgendein Großer Ägyptens liebte der Wedelträger seinen bewässerten Park, dessengleichen er im Leben nach dem Leben ganz ebenso wieder zu besitzen und zu genießen hoffte, ruhte und erging sich zu verschiedenen Tageszeiten darin, stand auch wohl und sprach mit den Pflegern, wenn die Laune ihn ankam: nicht nur mit Glutbauch, dem Vorsteher, sondern auch mit den werkenden Leuten, den Hackern und Wasserschöpfern; und darauf eben baute der Zwerg seinen Plan, der vollkommen gelang.

Wirklich wurde Joseph vom Glutbauch eingesetzt zur Gartenpflege; und zwar war es der Baumgarten, wo er Arbeit erhielt, – noch genauer der Palmengarten, welcher im Süden des Haupthauses östlich an den Ententeich stieß und noch weiter gen Osten und gegen den Hofplatz hin in den Weingarten überging. Aber der Palmenhain selber schon war ein Weingarten, denn überall zwischen seinen hochgefiederten Säulen rankten sich Rebengehänge, die nur hie und da offengelassen waren, so daß freie Wege durch das Wäldchen dahinführten. Diese Vereinigung der Fruchtbarkeiten – denn das Gerank war von Trauben voll, und die Fiederpalmen trugen Datteln, mehrere hundert Liter alljährlich – war paradiesisch und dem Auge erfreulich, so daß nicht wundernehmen kann, daß Peteprê an seinem Palmengarten mit den da und dort eingesenkten Bewässerungsbecken besonders hing und sich öfters sogar ein Ruhebett dort aufschlagen ließ, um im Schatten der leise rauschenden Kronenschöpfe seinem Vorleser zuzuhören oder einen Bericht der Schreiber entgegenzunehmen.

Hier also ward dem Sohne Jaakobs Beschäftigung zugewiesen, und es war eine, die ihm auf nachdenklich-schmerzliche Art ein teures und schrecklich verlorenes Besitztum seines vorigen Lebens in die Erinnerung zurückrief: den Schleier, das bunte Kleid, sein und seiner Mutter Ketônet passîm.

Unter seinen Bildstickereien war eine gewesen, die ihm schon bei erster Besichtigung in Jaakobs Zelt, als das Brautgewand schimmernd zwischen des Vaters Armen hing, auffallend gewesen war: Einen heiligen Baum hatte sie dargestellt, zu dessen Seiten zwei bärtige Engel einander gegenübergestanden und ihn zur Befruchtung mit dem Zapfen der männlichen Blüte berührt hatten. Josephs Arbeit nun war die jener Genien. Die Dattelpalme ist ein zweihäusiger Baum, und die Bestäubung ihrer fruchtbaren Exemplare mit dem Samenstaube derjenigen, die keine Blüten mit Griffel und Narbe, sondern nur solche mit Staubgefäßen tragen, ist des Windes Sache. Doch hat diesem der Mensch von jeher das Geschäft auch wohl abgenommen und künstliche Befruchtung ausgeübt, nämlich so, daß er eigenhändig die abgeschnittenen Blütenstände eines unfruchtbaren Baumes mit denen fruchtbarer in Berührung brachte und sie besamte. Dies eben hatte man die Geister des Schleiers am heiligen Baum vollziehen sehen, und ebendies bekam Joseph zu tun; Glutbauch, des Dedi Sohn, Potiphars Obergärtner, trug es ihm auf.

Er betraute ihn damit um seiner Jugend willen und von wegen der Gelenkigkeit seiner Jahre; denn es ist mühselig und bedarf des Klettermutes und der Freiheit von Schwindel, um des Windes Amt zu versorgen. Mit Hilfe eines besonderen Polsterstrickes, der zugleich um den eigenen Leib und um den der Palme geschlungen ist, muß der Mensch mit einem Holzgefäß oder Körbchen unter Benutzung von Blätterstümpfen oder anderen Vorsprüngen und Anhaltspunkten, wie sie der Schuppenstamm eben bietet, sich in die Krone des staubblütentragenden Baumes emporarbeiten, indem er immer, mit der Bewegung eines Wagenlenkers, der den Pferden die Zügel schießen läßt, das Seil auf beiden Seiten um soviel in die Höhe wirft, wie er gestiegen ist, muß, oben angelangt, die Rispen abschneiden und mit Behutsamkeit im Behälter sammeln, dann wieder hinabgleiten, dann auf dieselbe Weise an dem Stamm eines fruchtbaren Baumes und wieder eines und abermals eines anderen hinaufgehen und dort überall die samentragenden Rispen „reiten lassen", das heißt: sie in die frucht-knotentragenden Blütenstände hineinhängen, damit diese empfangen und bald hellgelbe Dattelfrüchte ansetzen, die man schon pflücken und essen kann, wenn auch erst die von den Hitzemonaten Paophi und Hathyr gezeitigten die rechten und guten sind.

Mit seinem erdig-roten Rübenfinger wies Chun-Anup dem Joseph unter den Palmen die staubblütentragenden, von denen es nur wenige gab; denn eine solche mag wohl dreißig fruchtbare bestäuben. Er gab ihm den Strick, der beste Landesware war, kein Hanfseil, sondern aus Schilffasern gemacht, vorzüglich geweicht, geklopft und geschmeidigt, und überwachte das erstemal selbst die Umstrickung; denn er war verantwortlich und wollte nicht, daß der Neuling vom Baum falle und sein Eingeweide ausschütte, so daß der Herr um den Kaufwert komme. Danach, als er gesehen, daß der Bursche geschickt war und kaum der Einspannung bedurft hätte, sondern durch die Behendigkeit, mit der er ins Gefieder des Baumes emporgelangte, ein Eichkätzchen hätte beschämen können und auch sonst das Geschäft mit Sorglichkeit und Verstand erfüllte, überließ er ihn sich selbst und versprach ihm weitere Anstellung im Garten, daß er mit der Zeit ein rechter Gärtner werde, wenn sich zeige, daß er des Auftrages hier sich erfolgreich entledige und bald und reichlich die Früchte ansetzten an den fruchtbaren Bäumen.

Joseph, ehrgeizig für Gott wie er war, fand überdies viel Gefallen an dem kecken und sinnigen Werk und betrieb es, um dem Obergärtner durch so rasche wie vollkommene Arbeit Eindruck zu machen, so daß er stutzen sollte – eine Bewegung, die Joseph bei allen Menschen hervorzurufen trachtete –, mit großem Eifer, einen Tag und noch einen zweiten bis in den Abend hinein, also daß er noch um Sonnenuntergang, da im Westen hinter dem Lotusteich, der Stadt und dem Nile das täglich überschöne Gepränge von Karmesin und Tulpenrot sich entfaltete und der Garten von anderen Bestellern sich schon geleert hatte, allein bei seinen Bäumen oder eigentlich in ihnen verweilte und die Reste des schnell schwindenden Lichtes benützte, um „reiten zu lassen". Er saß behutsam handelnd im Gewipfel eines Hochschäftig-Schwanken, der fruchtbar war, als er unter sich ein Trippeln und Wispern vernahm und hinabblickend das Zwerglein Gottlieb erkannte, das, klein in der Tiefe wie ein Pilz, mit beiden Ärmchen zu ihm hinaufwinkte, darauf aus seinen Händchen eine Muschel vorm Munde machte und aus Leibeskräften flüsterte: „Osarsiph! er kommt!" – Dann war er gleich wieder verschwunden.

Joseph beeilte sich, seine zarte Hantierung im Stich zu lassen, und fuhr mehr, denn daß er gestiegen wäre, vom Baum herunter, um, unten angelangt, zu gewahren, daß wirklich, vom Teiche her, auf dem Pfade, den die Weinreben offenließen, Potiphar, der Herr, mit kleinem Gefolge zwischen den Palmen herankam – hochwandelnd und weiß unterm Himmelsrot, begleitet vom Meier Mont-kaw, an seiner Seite fast und nur ein wenig schräg hinter ihm; ferner von Dûdu, dem Vorsteher der Schmuckkästen, zwei Schreibern des Hauses und Bes-em-heb, dem Verkünder, der auf Schleichwegen schon wieder zu jenen gestoßen war. ‚Siehe da', dachte Joseph, den Blick auf den Herrn gerichtet, ‚er geht im Garten, da der Tag kühl worden.' Und als die Gruppe noch näher herangekommen, warf er sich nieder am Fuße des Baumes und barg die Stirn am Boden, die Handflächen allein gegen die Nahenden aufgehoben.

Peteprê, auf das gekrümmte Rückgrat zur Seite seines Pfades hinabblickend, blieb stehen, und mit ihm tat es seine Begleitung.

„Auf deine Füße", sagte er kurz, aber sanft; und Joseph kam mit einer einzigen raschen Bewegung diesem Befehle nach. Er stand, hart am Schafte der Palme, in bescheidenster Haltung, die Hände am Halse gekreuzt, den Kopf geneigt. Sein Herz war überaus wach und bereit. Es war an dem: er stand vor Potiphar. Potiphar war stehengeblieben. Nicht allzubald durfte er wieder von der Stelle gehen. Worauf alles ankam, war, daß er stutzte. Welche Frage würde er stellen?

Hoffentlich eine, die eine stutzenswerte Antwort ermöglichte. Joseph wartete mit niedergeschlagenen Augen.

„Bist du vom Hause?" hörte er vor sich die zarte Stimme sich knapp erkundigen.

Nun, das bot vorläufig geringe Möglichkeiten. Höchstens durch die Gesittung des Wie, kaum auch durch das Was war der Erwiderung ein Gepräge zu geben, das, wenn nicht stutzen, so doch gelinde aufhorchen ließ und vor allem einmal das eine verhinderte, daß der Verhörende gleich weiterging. Joseph murmelte:

„Mein großer Herr weiß alles. Der letzte und niedrigste seiner Sklaven ist dieser hier. Der letzte und niedrigste seiner Diener ist glücklich zu preisen."

‚Mäßig!' dachte er. ‚Er wird doch wohl nicht gleich weitergehen? Nein, erst wird er fragen, warum ich noch hier bin. In hübschem Stil muß ich ihm darauf antworten.'

„Du bist von den Gärtnern?" hörte er nach kurzem Schweigen die milde Stimme über sich. Er entgegnete:

„Alles weiß und sieht mein Herr, wie Rê, der ihn schenkte. Von seinen Gärtnern der unterste."

Darauf die Stimme:

„Aber was hältst du dich noch im Garten um die Stunde des Scheidens, da deine Gesellen schon den Abend feiern und ihr Brot essen?"

Joseph senkte den Kopf noch tiefer über die Hände.

„Der du den Heerscharen Pharaos vorstehst, mein Herr, du Größter unter den Großen der Länder!" sprach er betend. „Du gleichst dem Rê, der über den Himmel fährt in seiner Barke mitsamt seinem Gefolge. Ägyptens Steuer bist du, und des Reiches Boot fährt nach deinem Willen. Du bist der nächste nach Thot, der da richtet ohn' Unterschied. Schutzdamm der Armen, dein Erbarmen komme über mich wie die Sättigung, die den Hunger stillt. Wie ein Kleid, das das Nacktsein endet, komme über mich dein Vergeben dafür, daß ich mich bei der Arbeit versäumte an deinen Bäumen bis zur Stunde, da du im Garten gehst, und dir ein Anstoß wurde auf deinem Pfade!"

Stillschweigen. Es mochte sein, daß Peteprê nach seinen Begleitern sah aus Anlaß dieser gepflegten Bittrede, die mit etwas sandigem Akzente noch, aber gewandt und eben, formelhaft zwar, aber nicht ohne innigen Ausdruck gesprochen worden war. Joseph sah nicht, ob jener die Seinen ansähe, aber er hoffte es und wartete. Wenn man genau hinhörte, war es erkennbar, daß Pharaos Freund leise lächelte, als er erwiderte:

„Nicht Eifer im Amt und überstündiger Fleiß im Dienste des Hauses rufen den Zorn des Herrn hervor. Nimm Atem! Du bist also beflissen in deinem Geschäft und liebst dein Handwerk?"

Hier hielt Joseph es für angebracht, Haupt und Augen zu erheben. Rahels Augen, schwarz und tief wie sie waren, begegneten in beträchtlicher Höhe rehbraunen, sanften und etwas traurigen Augen, die, lang bewimpert, in stolzer Verschleierung, aber mit gütigem Forschen, in jene blickten. Potiphar stand vor ihm, groß, fett und aufs zarteste gekleidet, die Hand auf der Stützscheibe seines hohen Wandelstabes, die oben, ein Stück unter dem kristallenen Endknaufe, saß, in der anderen Pinienkeule und Fliegenwedel. Die bunte Fayence seines Halskragens ahmte Blumen nach. Gamaschen aus Leder schützten seine Schienbeine. Aus Leder ebenfalls, Bast und Bronze waren die Schuhe, auf denen er stand und deren Stangen ihm zwischen der großen und zweiten Zehe hindurchliefen. Sein zierlich geschnittener Kopf, in dessen Stirn vom Scheitel herab eine frische Lotusblüte hing, war lauschend gegen Joseph geneigt.

„Wie sollte ich des Gärtners Amt nicht lieben", antwortete dieser, „und nicht darin eifrig sein, mein großer Herr, da es ja wohlgefällig ist Göttern und Menschen und das Geschäft der Hacke dem des Pfluges voransteht an Schönheit sowie vielen anderen noch, wenn nicht den meisten? Denn es ehrt seinen Mann, und Erwählte übten es aus in der Vorzeit. War nicht Ischullânu eines großen Gottes Gärtner, und blickte nicht Sins Tochter selbst freundlich auf ihn, da er ihr täglich Sträuße brachte und ließ ihren Tisch erstrahlen? Ich weiß von einem Kinde, das sie aussetzten in einem Schilfkorbe, aber der Strom trug ihn zu Akki, dem Wasserschöpfer, der lehrte den Knaben die feine Kunst des Gartens, und Scharuk-inu, dem Gärtner, gab Ischtar ihre Liebe und gab ihm das Reich. Noch einen großen König weiß ich, Urraimitti von Isin, der tauschte im Scherze die Rolle mit Ellil-bani, seinem Gärtner, und setzte ihn auf seinen Thron. Aber siehe, Ellil-bani blieb sitzen daselbst und ward König, er selber."

„Schau, schau!" sagte Peteprê und blickte wieder lächelnd auf den Vorsteher Mont-kaw, der mit verlegener Miene den Kopf schüttelte. Auch die Schreiber gleich ihm, aber besonders Dûdu, der Zwerg, schüttelten ihre Köpfe, und nur Gottlieb-chen-Schepses-Bes nickte knittrigen Beifall mit dem seinen. „Woher weißt du denn alle diese Geschichten? Bist du von Karduniasch?" fragte der Höfling auf akkadisch, denn Babylonien war es, was er mit jenem Namen gemeint hatte.

„Dort gebar mich die Mutter", antwortete Joseph ebenfalls in der Sprache Babels. „Aber in Zahi-Land, in der Täler Kanaans einem, wuchs auf, der dir angehört, bei seines Vaters Herden."

„Ah?" ließ Potiphar flüchtig vernehmen. Es machte ihm Spaß, sich babylonisch zu unterhalten, und ein gewisser poetischer Tonfall der Antwort, etwas unbestimmt Anspielungshaftes, das namentlich in der Wendung „bei seines Vaters Herden" gelegen hatte, fesselte ihn – und genierte ihn zugleich. Eine vornehme Ängstlichkeit, durch seine Fragen allzuviel Intimität herauszufordern und zu vernehmen, was ihn nichts anging, kreuzte sich in ihm mit schon geweckter Neugier und Aufmerksamkeit, mit dem Wunsche, aus diesem Munde ein mehreres zu vernehmen.

„Du sprichst aber", sagte er, „die Sprache des Königs Kadaschmancharbe nicht schlecht." Und ins Ägyptische zurückfallend: „Wer lehrte dich die Mären?"

„Ich las sie, Herr, mit meines Vaters Ältestem Knechte."

„Wie, du kannst lesen?" fragte Peteprê, froh, daß er sich hierüber verwundern konnte; denn von dem Vater, und daß er einen Ältesten Knecht, also überhaupt Knechte hatte, wollte er nichts wissen.

Joseph beugte den Kopf mehr, als daß er ihn neigte, nämlich so, als bekenne er sich schuldig.

„Und schreiben?"

Der Kopf ging noch tiefer.

„Welche Arbeit war es", fragte Potiphar nach einem Augenblick des Zögerns, „bei der du dich versäumtest?"

„Ich ließ Blüten reiten, mein Herr."

„Ah? – Ist das ein männlicher Baum oder ein weiblicher, der hinter dir?"

„Es ist ein fruchtbarer, Herr, er wird tragen. Ob aber ein solcher weiblich zu nennen sei oder männlich, das ist nicht ausgemacht, und verschiedentlich meinen es damit die Menschen. In Ägyptenland gibt man den fruchtbaren den männlichen Namen. Aber mit Leuten sprach ich von den Inseln des Meeres, Alaschia und Kreta, die hießen weiblich die früchtetragenden und männlich die unfruchtbaren, die nur den Staub führen und sind hagestolz."

„Ein fruchtbarer also", sagte der Truppenoberst kurz. „Und wie alt ist der Baum?" fragte er, da ein Gespräch wie dieses nur den Zweck haben konnte, die fachlichen Kenntnisse des Angeredeten zu prüfen.

„Seit zehn Jahren blüht er, o Herr", antwortete Joseph lächelnd, mit einer gewissen Begeisterung, die ihm teils von Herzen kam (denn er hatte viel Sinn für die Bäume), teils auch ihm nützlich erschien. „Und siebzehn sind es, daß man den Schößling setzte. In zwei Jahren oder dreien wird er ein Vollträger sein – oder sie – und auf der Höhe seiner Ergiebigkeit. Aber schon jetzt trägt er dir an die zweihundert Hin der besten Früchte im Jahr, von wundersamer Schönheit und Größe, an Farbe dem Bernstein gleich, gesetzt nämlich, daß man's dem Winde nicht überläßt, sondern mit Menschenhand sorgt für des Baumes Bestäubung. Das ist ein herrlicher Baum unter den deinen", sagte er mit sich entfesselndem Eifer und legte die Hand an des Stammes schlanken Säulenschaft,

„männlich im Stolz seiner ragenden Kraft, so daß man's mit den Leuten Ägyptens zu halten geneigt ist und ihrer Art der Benennung; und weiblich wieder in seiner spendenden Fülle, so daß man den Leuten des Meeres beipflichten möchte und ihrer Redeweise. Kurz gesagt, ist das ein göttlicher Baum, wenn du deinem Diener gestatten willst, in diesem Wort zu vereinigen, was da geschieden ist in der Völker Mund."

„Sieh da", sagte Peteprê mit lauschender Ironie, „vom Göttlichen weißt du mir auch zu melden? Du betest wohl Bäume an von Hause aus?"

„Nein, Herr. Allenfalls unter Bäumen, doch nicht die Bäume. Fromm gesinnt sind wir freilich den Bäumen, denn etwas Heiliges ist es um sie, und man sagt, daß sie älter seien als selbst die Erde. Es hörte dein Sklave vom Baume des Lebens, in dem die Kraft gewesen sei, alles hervorzubringen, was ist. Soll man aber die alles hervorbringende Kraft männlich nennen oder weiblich? Ptachs Künstler zu Menfe und die Bildmeister Pharaos hier, die da fruchtbar sind an Gestalt und die Welt erfüllen mit schöner Figur: ist die Kraft männlich zu heißen oder weiblich, zeugend oder gebärend, aus der sie's vollbringen? Das ist nicht auszumachen, denn von beiderlei Art ist diese Kraft, und ein zwitterblütiger Baum muß wohl der Baum des Lebens gewesen sein, zwiegeschlechtig, wie meistens die Bäume es sind und wie Chepre es ist, der Sonnenkäfer, der sich selber erzeugt. Siehe, die Welt ist zerrissen im Geschlecht, also daß wir reden von männlich und weiblich und sind nicht einmal einig im Unterscheiden, da ja die Völker streiten, ob der fruchtende Baum männlich zu nennen ist oder der hagestolze. Aber der Welt Grund und des Lebens Baum sind weder männlich noch weiblich, sondern beides in einem. Was heißt aber beides in einem? Es heißt keines von beidem. Jungfräulich sind sie, wie die bärtige Göttin, und sind Vater und Mutter zugleich dem Entstandenen, denn erhaben sind sie übers Geschlecht, und nichts zu schaffen hat ihre spendende Tugend mit der Zerrissenheit."

Potiphar schwieg, die Turmesgestalt gestützt auf seinen schönen Stab, und blickte zu Boden hin vor die Füße des Prüflings. Er spürte eine Wärme im Angesicht, in der Brust und in allen seinen Gliedern, eine leichte Erregung, die ihn an diese Stelle fesselte und nicht wollte, daß er sich weiterhöbe, obgleich er, der Weltgewandte, nicht wußte, wie dieses Gespräch weiterzuleiten sei. Aus vornehmer Scheu hatte er nicht geglaubt, von den persönlichen Verhältnissen des Sklaven noch mehr vernehmen zu dürfen; nun schien ihm aus anderer Scheu, auch in der Richtung, die sie statt dessen genommen, die Unterhaltung verbaut. Er hätte weitergehen können und den jungen Fremdling an seinem Baume stehenlassen; das aber mochte und durfte er nicht. Er zögerte, und in sein Zögern drang die ehrbare Stimme Dûdus, des Unterwüchsigen, des Gatten der Zeset, der zu mahnen für gut fand:

„Wie wäre es, großer Herr, wenn du den Gang wieder aufnähmest und lenktest deine Schritte zum Hause? Die Feuer des Himmels wollen schon blasser werden, und jeden Augenblick kann's kalt einfallen von der Wüste her, also daß du den Nasenfluß davontragen könntest, denn du bist ohne Mantel."

Zu Dûdus Ärger hörte der Wedelträger ihn gar nicht. Die Wärme in seinem Haupt verschloß ihm die Ohren gegen des Zwerges verständige Worte. Er sagte:

„Ein nachdenklicher Gärtner scheinst du mir, Jüngling von Kanaan." Und indem er sich an ein Wort hielt, das ihm klanglich und sachlich Eindruck gemacht hatte, fragte er:

„Waren sie zahlreich – deines Vaters Herden?"

„Sehr zahlreich, Herr. Kaum wollte das Land sie tragen."

„So war dein Vater ein sorgloser Mann?"

„Außer der Gottessorge, Herr, kannte er keine."

„Was ist die Gottessorge?"

„Die ist verbreitet in aller Welt, o Herr. Mit mehr oder weniger Segen und Wohlgeschick wird sie betreut von den Menschen. Aber den Meinigen war sie auferlegt von langer

234

Hand her besonders, also, daß man meinen Vater, den Herdenkönig, wohl auch einen Gottesfürsten hieß."

„Sogar einen König und Fürsten nennst du ihn! Verlebtest du also denn die Tage der Kindheit in so großem Wohlsein?"

„Dein Knecht", erwiderte Joseph, „mag wohl sagen, daß er sich salbte mit Freudenöl die Tage der Kindheit hin und lebte in schönem Range. Denn der Vater liebte ihn mehr als seine Gesellen und machte ihn reich mit seiner Liebe Geschenken. So schenkte er ihm ein heilig Kleid, worein allerlei Lichter verwoben waren und hohe Zeichen, – ein Truggewand war es und ein Kleid der Vertauschung, vermacht von seiten der Mutter, und er trug es statt ihrer. Aber zerrissen wurde es ihm vom Zahn des Neides."

Potiphar hatte nicht den Eindruck, daß der da log. Das ins Vergangene schauende Auge des Jünglings, die Innigkeit seiner Rede sprachen dagegen. Eine gewisse schwebende Verschwommenheit seiner Ausdrucksweise mochte auf Rechnung seiner Fremdheit zu setzen sein, und sie barg überdies einen Kern von Genauigkeit, der nicht trügen konnte.

„Wie gerietest du denn –", forschte der Würdenträger. Er wollte sich zart ausdrücken und fragte: „Wie aber wurde aus deiner Vergangenheit deine Gegenwart?"

„Ich starb den Tod meines Lebens", antwortete Joseph, „und ein neues ward mir zuteil in deinen Diensten, o Herr. Was soll ich dein Ohr bemühen mit den Umständen meiner Geschichte und mit meines Laufes Stationen? Einen Weh-Froh-Menschen muß ich mich nennen. Denn der Beschenkte wurde getrieben in Wüste und Elend, gestohlen wurde er und verkauft. Er trank sich satt im Leid nach dem Glücke, Weh war seine Nahrung. Denn seine Brüder sandten ihm nach ihren Haß und legten Fangstricke seinen Schritten. Sie gruben ein Grab vor seinen Füßen und stießen sein Leben in die Grube, daß ihm zur Wohnung wurde die Finsternis."

„Sprichst du von dir?"

„Vom Letzten der Deinen, Herr. Drei Tage lag er gefesselt im Unteren, so daß er wahrlich schon übel roch; denn besudelt hatte er sich wie ein Schaf mit seinem eigenen Unrat. Da kamen Fahrende und milde Seelen, die hoben ihn heraus in der Güte ihres Herzens und entbanden ihn dem Schlunde. Sie stillten mit Milch den Neugeborenen und gaben ein Kleid seiner Nacktheit. Danach aber brachten sie ihn herab vor dein Haus, o Akki, großer Wasserschöpfer, und du machtest ihn zu deinem Gärtner in der Güte deines Herzens und zum Helfer des Windes bei deinen Bäumen, also daß seine Neugeburt so wundersam zu nennen ist wie seine erste."

„Wie seine erste?"

„Vergangen und versprochen, Herr, hat sich dein Diener in der Verwirrung. Mein Mund wollte nicht sagen, was er sagte."

„Du sagtest aber, deine Geburt sei wundersam gewesen."

„Es entschlüpfte mir, großer Herr, da ich vor dir rede. Sie war jungfräulich."

„Wie kann das sein?"

„Lieblich war meine Mutter", sagte Joseph, „von Hathor geprägt mit dem Kusse der Lieblichkeit. Aber ihr Leib war verschlossen durch viele Jahre hin, also daß sie verzagte an ihrer Mutterschaft und von den Menschen keiner sich noch einer Frucht versah ihrer Lieblichkeit. Nach zwölf Jahren aber empfing sie und gebar unter übernatürlichen Schmerzen, da im Osten das Himmelszeichen heraufkam der Jungfrau."

„Nennst du das eine jungfräuliche Geburt?"

„Nein, Herr, wenn es dir mißfällt."

„Man kann nicht sagen, daß diese Mutter jungfräulich gebar, nur weil es im Zeichen der Jungfrau geschah."

„Nicht darum allein, o Herr. Man muß die weiteren Umstände mit in Betracht ziehen, das Gepräge der Lieblichkeit und daß durch so lange Jahre verschlossen gewesen war der Leib der Gottesmagd. Dies alles zusammen mit dem Zeichen macht's aus."

„Aber es gibt keine jungfräuliche Geburt."

„Nein, Herr, da du es sagst."

„Oder gibt es sie deiner Meinung nach?"

„Viel tausendmal, Herr!" sprach Joseph freudig. „Vieltausendmal gibt es sie in der Welt, die zerrissen ist im Geschlecht, und ist das All von Zeugung und Niederkunft voll, die übers Geschlecht erhaben. Segnet nicht ein Mondesstrahl den Leib der rindernden Kuh, die den Chapi gebiert? Lehrt uns nicht alte Kunde, daß die Biene aus den Blättern der Bäume geschaffen worden? Da hast du wieder die Bäume, deines Dieners Pfleglinge, und ihr Geheimnis, darin die Schöpfung ihr Spiel treibt mit dem Geschlechte, legt es zusammen in eins und verteilt's unter sie je nach Laune, und ist's einmal so damit bestellt und ein andermal anders, also daß niemand Ordnung und Namen weiß ihres Geschlechtes oder ob's überhaupt eines ist und die Völker sich streiten. Denn öfters geschieht es ja gar nicht durch das Geschlecht, daß sie sich fortpflanzen, sondern außerhalb seiner, – durch Bestäubung nicht und Empfängnis, sondern durch Ableger und Ausläufer oder daß man sie steckt, und der Gärtner setzt Schößlinge ein, aber nicht Kerne, des Palmbaums, damit er weiß, ob er einen fruchtbaren zieht oder hagestolzen. Pflanzen sie sich aber fort im Geschlecht, so sind manchmal Staub und Empfängnis zusammengetan in ihren Blüten und manchmal verteilt auf die Blüten desselbigen Baumes, manches Mal aber auch auf verschiedene Bäume des Gartens, die fruchtbaren und unfruchtbaren, und des Windes Geschäft ist's, den Samen zu tragen von der Blüte des Staubes zu der der Empfängnis. Ist das aber so recht noch, wenn man's bedenkt, ein Zeugen und ein Empfangen im Geschlecht? Ist nicht, was der Wind tut, schon dem Zeugen verwandt des Mondstrahles in der Kuh, ein Mittelding oder Übergang bereits zu höherer Zeugung und zur jungfräulichen Empfängnis?"

„Nicht der Wind ist's, der zeugt", sagte Potiphar.

„Sage das nicht, o Herr, in deiner Größe! Oftmals, so hörte ich, befruchtet des Zephyrs süßer Hauch die Vögel, ehe noch die Hegzeit sich naht. Denn es ist ein Hauch Gottes Geist, und der Wind ist Geist, und wie Ptachs Bildmeister die Welt erfüllen mit schöner Figur, ohne daß jemand zu unterscheiden wüßte, ob männlich ihr Tun zu nennen sei oder weiblich, weil's nämlich beides ist und keins von beidem, das heißt jungfräulich-fruchtbar, – also ist die Welt von Befruchtung voll und Hervorbringung ohne Geschlecht und von Zeugung des Geisteshauchs. Vater und Schöpfer der Welt ist Gott und aller entstandenen Dinge, nicht weil sie durch Samen hervorgebracht werden, sondern es legte der Unerzeugte durch andere Kraft in den Stoff eine fruchtbare Ursache, welche ihn wandelt und ändert ins Mannigfache. Denn in Gottes Gedanken waren die vielgestaltigen Dinge zuerst, und das Wort, getragen vom Geisteshauch, ist ihr Erzeuger."

Es war eine kuriose Szene, nicht dagewesen bisher in Haus und Hof des Ägypters. An seinem Stabe stand Potiphar und lauschte. In seinen feinen Zügen kämpfte die duldsame Ironie, die er schicklicherweise hineinzulegen suchte, mit einem Wohlgefallen, stark genug, daß man es Freude, ja Glück hätte nennen können, – so stark in der Tat, daß von einem Kampf mit dem Spotte kaum noch die Rede sein konnte, sondern sichtbarlich für das dankbare Wohlgefallen der Sieg entschieden war. – Bei ihm hielt sich Mont-kaw, der Knebelbart, des Hauses Meier, und blickte mit seinen kleinen tränensackunterhangenen Augen, die sich gerötet hatten, verblüfft, ungläubig, dankbar und mit einer Anerkennung, welche schon mehr der Bewunderung glich, in das redende Gesicht seines Käuflings – dieses Knaben, der etwas tat, was zu tun ihn selbst, den Vorsteher, Dienertreue, die Liebe zum edlen Herrn, gelehrt hatte, der es aber auf viel höhere, zartere und wirksamere Weise tat. – Da war ferner, hinter diesen, Dûdu, Gatte der Zeset, aufs würdigste verärgert darüber, daß der Herr seinem Mahnworte taub gewesen, und durch die Aufmerksamkeit, die dieser dem Jungsklaven schenkte, gehindert, eine neue Unterbrechung zu wagen und eine Unterhaltung zu beenden, bei welcher der Laffe offenbar sehr günstig abschnitt – und zwar zu seiner, des Ehezwerges, Verkürzung. Denn ihm war ganz, als ob des Sklaven unverschämte und gar nicht statthafte Reden, die der Herr trank wie Lebenswasser, in etwas seiner, des

Zwerges, Würde Abbruch täten und zu entwerten geeignet seien, was den gediegenen Stolz seines Lebens und sein Übergewicht über gewisse kleine sowie gewisse große Leute ausmachte. – Die Kleinen angehend, so war da außerdem noch Gottliebchen, das Alräunchen, knittrig entzückt über seines Schützlings Erfolg, geschwellt von Genugtuung darüber, wie dieser den Augenblick zu nutzen verstand, beweisend, daß er mit Fug und Recht ihn herbeigesehnt. – Dazu standen die beiden Schreiber da, denen so etwas auch noch nicht vorgekommen und denen durch das beflissene Studium der Mienen des Herrn und des Vorstehers sowie auch durch eigene Eindrücke das Lachen vergangen war. An seinem Baume aber vor dieser Gruppe von Zuhörern stand Joseph lächelnden Mundes und perorierte zauberhaft. Längst hatte er die sklavische Haltung gelöst, die ihn anfänglich gebunden, und stand da in angenehmer Freiheit, mit rednerisch einnehmenden Gebärden die Worte begleitend, die ihm flüssig und ungesucht, in heiterem Ernst von den Lippen gingen, auf höhere Empfängnis bezüglich und Zeugung des Geisteshauchs. Nicht anders stand er da im dämmernden Säulenbau dieses Baumgartens als im Tempel ein begeistertes Kind, in dem Gott sich verherrlicht und ihm die Zunge löst, daß es kündet und lehrt zum Staunen der Lehrer.

„Gott ist nur einmal", so fuhr er freudig fort, „aber des Göttlichen ist viel in der Welt und der spendenden Tugend, die weder männlich noch weiblich, sondern erhaben ist übers Geschlecht und hat nichts zu schaffen mit der Zerrissenheit. Laß mich singen mit flinker Zunge, o Herr, da ich vor dir stehe, von solcher Tugend! Denn meine Augen wurden aufgetan im Traum, und sah eines gesegneten Hauses Wesen und ein Gehöfte der Wohlfahrt in fernem Lande, Häuser, Speicher, Gärten, Felder und Werkereien, Menschen und Vieh ohne Zahl. Emsigkeit waltete da und Gelingen, Aussaat und Ernte geschahen, es feierten nicht die Ölmühlen, aus den Kufen der Kelterer strömte der Wein, fette Milch aus den Eutern und aus den Waben das süße Gold. Aber durch wen regte sich dieses alles in seiner Ordnung, geschah und gedieh? Ei, von wegen des Herrn an der Spitze, dem es zu eigen! Denn am Wink seiner Augen hing alles, und wie er den Odem einzog und ausgab, danach ging's vonstatten. Sprach er zu einem: ‚Gehe!‘, so ging er, zu einem anderen: ‚Tu das!‘, so tat er's. Ohne ihn aber hätte nichts gelebt, sondern wäre verdorrt und gestorben. Von seiner Fülle nährte sich alles Gesinde und pries seinen Namen. Vater und Mutter zugleich war er dem Haus und der Wirtschaft, denn der Blick seines Auges war wie der Mondesstrahl, der da schwängert die Kuh, daß sie den Gott gebiert, seines Wortes Hauch wie der Wind, der den Fruchtstaub trägt von Baum zu Baum, und aus dem Schoß seiner Gegenwart quoll all Beginnen und Gedeihen wie aus den Waben das Honiggold. Also träumte mir von spendender Tugend, fern von hier, daß ich erführe, es gebe Zeugung und Fruchtbarkeit, die nicht irdisch ist nach Art und Geschlecht und nicht vom Fleische, sondern göttlich und geistig. Siehe, da streiten die Völker, ob der fruchtende Baum männlich zu nennen sei oder der stäubende, und sind sich in der Rede nicht einig. Warum aber sind sie's nicht? Weil das Wort Geist ist, und weil strittig werden die Dinge im Geiste. Ich sah einen Menschen – greulich war der dir, o Herr, von Körperpracht und schrecklich von Kraft des Fleisches, ein Recke und Enakssohn, und seine Seele war rindsledern. Er zog aus gegen den Löwen und schlug den Wildstier, das Krokodil und das Nashorn und brachte sie alle zur Strecke. Fragte man ihn aber: ‚Hast du keine Furcht?‘, so antwortete er: ‚Was ist das, die Furcht?‘ Denn er kannte sie nicht. Aber ein ander Menschenkind sah ich in der Welt, das war zart in der Seele, wie er's am Fleische war, und fürchtete sich. Da nahm er Schild und Spieß und sprach: ‚Komm an, meine Furcht!‘ Und schlug den Löwen, den Wildstier, das Krokodil und das Nashorn. Wolltest du, Herr, nun prüfen deinen Knecht, und es fiele dir ein, ihn zu fragen, welchem von diesen beiden der Mannesname gebühre vor dem anderen, – vielleicht, daß Gott mir die Antwort gäbe.“

240

Potiphar stand an seinem hohen Spazierstabe, ein wenig vornübergeneigt, eine angenehme Wärme in Haupt und Gliedern. Ein solches Wohlgefühl, hieß es, hatten Leute empfunden, zu denen in der Gestalt eines Wanderers oder Bettlers oder irgendeines Verwandten oder Bekannten ein Gott sich gesellt, um Zwiesprache mit ihnen zu halten. Sie hatten ihn, sagte man, daran erkannt oder doch einen glücklichen Verdacht daraus geschöpft. Das eigentümliche Wohlgefühl, das sie durchströmte, war diesen Leuten ein Merkmal gewesen, daß derjenige, der mit ihnen sprach, zwar ein Wanderer oder Bettler oder der und der Bekannte oder Verwandte sei und daß sie dieser Wirklichkeit gesunden Sinnes Rechnung zu tragen und sich ihr gemäß zu benehmen hätten, aber – eben in Anbetracht des auffallenden Wohlgefühls – unter Berücksichtigung gleichzeitig darüber hinausgehender Möglichkeiten. Gleichzeitigkeit ist die Natur und Seinsart aller Dinge, ineinander vermummt erscheinen die Wirklichkeiten, und nicht weniger ist der Bettler ein Bettler, weil möglicherweise ein Gott sich in ihn verstellt. Ist nicht der Strom ein Gott, von Stiergestalt oder auch von der eines bekränzten Mannweibes mit doppelartiger Brust, hat er das Land nicht geschaffen, und nährt er es nicht? Das hindert nicht ein sachliches Verhalten zu seinem Wasser, nüchtern gleich diesem: man trinkt's, man befährt es, man wäscht sein Leinen darin, und nur das Wohlgefühl, das man empfindet beim Trinken und Baden, mag einer Mahnung an höhere Gesichtspunkte gleichkommen. Zwischen Irdischem und Himmlischem ist die Grenze fließend, und nur ruhen zu lassen brauchst du dein Auge auf einer Erscheinung, damit es sich breche ins Doppelsichtige. Auch gibt es Zwischen- und Vorstufen des Göttlichen, Andeutungen, Halbheiten, Übergänge. In dem, was der Jüngling am Baum über sein Vorleben ausgesagt, war mehreres Vertraute, schelmisch Erinnernde und Anmahnende gewesen, das in gewissem Grade als literarische Reminiszenz anzusehen sein mochte, wovon aber schwer zu sagen war, wieweit es auf willkürlicher Anordnung und Angleichung beruhen und wieweit im Sachlichen begründet sein mochte: Züge, die das Leben ins Göttliche übergehender, heilbringender, tröstender und errettender Wohltätergestalten kennzeichneten. Der junge Gärtner kannte diese Züge; er hatte sie sich geistig zu eigen gemacht und seine persönlichen Lebensangaben damit in Einklang zu setzen gewußt. Das konnte ein Werk seines zitierenden Witzes sein; daß aber auch die Dinge selbst und von sich aus ihm mindestens dabei zu Hilfe gekommen waren, dafür sprach Potiphars auffallendes Wohlgefühl. Er sagte:

„Geprüft, mein Freund, habe ich dich schon, und du hast die Prüfung nicht übel bestanden. Von einer jungfräulichen Geburt kann aber nicht wohl die Rede sein", setzte er freundlich belehrend und ermahnend hinzu, „nur weil die Geburt im Zeichen der Jungfrau steht. Merke dir das." Er sagte es aus gesundem Sinn für die praktisch ihm zugewandte Seite der Wirklichkeit und gleichsam, um den Gott nicht merken zu lassen, daß er ihn erkannte. „Feiere nun", sagte er, „den Abend mit deinen Gesellen und nimm bei neuer Sonne den Dienst wieder auf an meinen Bäumen." Damit wandte er sich geröteten Angesichts und lächelnd zum Gehen, brachte aber nach zwei Schritten die Seinen, die ihm auf den Fersen folgen wollten, noch einmal zum Stehen, indem er wieder haltmachte und, um nicht die Schritte zurücktun zu müssen, Joseph vor sich hinwinkte.

„Wie heißt du?" fragte er. Denn so zu fragen hatte er vergessen.

Nicht ohne jene Pause voranzuschicken, die nicht gut dem Nachdenken gelten konnte, antwortete dieser mit ernstem Aufblick:

„Osarsiph."

„Gut", erwiderte der Wedelträger rasch und kurz und nahm beschleunigt seinen Gang wieder auf. Beschleunigt waren auch seine Worte, als er (das Zwerglein Gottlieb hörte es und gab noch in der Stunde dem Joseph Nachricht davon) im Gehen zu Mont-kaw, seinem Hausmeier, sagte:

„Das ist ein ausnehmend kluger Diener, den ich da prüfte. Ich glaube wohl, daß der Baumdienst bei ihm in guten Händen ist. Sehr lange aber, dünkt mich, wird man ihn nicht festhalten dürfen bei diesem Geschäft."

„Du hast gesprochen", antwortete Mont-kaw und wußte, was er zu tun hatte.

Joseph schließt einen Bund

Nicht umsonst haben wir dieses Gespräch, dessen sonst nirgends gedacht ist, Wort für Wort, ganz wie es sich fügte und nach allen seinen Windungen und Wendungen hier aufgeführt. Denn Josephs berühmte Laufbahn in Potiphars Haus nahm von ihm seinen Ausgang; daß der Ägypter ihn zu seinem Leibdiener machte und ihn in der Folge über all sein Eigen setzte, um es unter seinen Händen zu lassen, schrieb sich von dieser Begegnung her: wie ein schnelles Tier hat der Bericht davon uns mitten hineingetragen in die sieben Jahre, die Jaakobs Sohn zu neuer Lebenshöhe vor neuem Todessturz führten. Denn er hatte bewiesen bei dieser Prüfung, daß er begriff, worauf es in dem peinlichen Segenshause ankomme, darein er verkauft: nämlich einander schmeichelhaft behilflich zu sein und mit schonender Liebesdienstlichkeit seine hohle Würde zu stützen. Und nicht nur daß er dies begreife, hatte er dabei bewiesen, sondern auch, daß er das Erforderliche besser und geschickter auszuüben vermöge als irgend jemand.

Dies war namentlich die Erfahrung Mont-kaws, welcher sich in seinem dienertreuen Bemühen um die Seele des edlen Herrn durch die unglaubliche Geschicklichkeit Josephs im behilflichen Schmeicheln so sehr übertrumpft fand – ohne Eifersucht und mit Freuden, wie wir zu Ehren seiner Biederkeit und des bedeutsamen Unterschiedes zwischen Liebesdienst und Liebedienerei ausdrücklich hinzufügen. Tatsächlich hätte es des herrschaftlichen Befehlswinkes gar nicht bedurft, um den Vorsteher zu bestimmen, seinen Käufling nach dem Auftritt im Baumgarten sofort aus dem Dunkel des untersten Dienerstandes zu ziehen und ihm hellere Möglichkeiten der Bewährung zu eröffnen. Wissen wir doch längst, daß, was ihn bisher davon abgehalten hatte, nichts als schamhafte Scheu gewesen war vor dem, was ihn beim ersten Anblick des Rollenträgers heimlich angewandelt hatte und was den Regungen Potiphars selbst beim Gespräch mit dem Gartensklaven so sehr verwandt gewesen war.

Darum ließ er unter der nächsten Sonne schon, kaum daß Joseph nach dem Morgenmus seinen Dienst als Untergeselle Chun-Anups und Helfer des Windes wieder aufgenommen, den Ebräer vor sich kommen und kündigte ihm in betreff seiner Verwendung einschneidende Änderungen an, die er als überfällig hinzustellen für gut fand und deren Verschleppung er dem Joseph gewissermaßen zum Vorwurf machte. Wie die Menschen doch sind, und wie sie die Dinge glauben drehen zu müssen! Er spielte geradezu den Unwirschen und verkündigte dem Beorderten sein Glück in der sonderbaren Form, daß er so tat, als sei durch dessen Schuld ein unhaltbarer Zustand ganz ungehörig in die Länge gezogen worden.

Es war in dem Hofrevier zwischen Diener-, Küchen- und Frauenhaus, nahe den Ställen, daß er ihn empfing.

„Da bist du ja!" sagte er zu dem Grüßenden. „Nur gut, daß du wenigstens kommst, wenn man dich ruft. Denkst du, es kann immer so weitergehen und du kannst dich in den Bäumen herumtreiben bis zum Ende der Tage? Da denkst du fehl, das laß dir gesagt sein! Jetzt ziehen wir der Laute andere Saiten auf, und die Bummelei hat ein Ende. Du kommst in den inneren Dienst, ohne Federlesen. Du sollst der Herrschaft aufwarten im Speisegemach, sollst Schüsseln reichen und hinter dem Stuhle stehen von Pharaos Freund. Man hat nicht vor, dich viel zu fragen, ob es dir recht ist. Lange genug hast du Allotria getrieben und dich den höheren Pflichten entzogen. Wie siehst du aus? Voll von Baumschorf und Staub des Gartens die Haut und das Leinzeug! Geh und säubere dich! Laß dir den Silberschurz der Darreichenden geben auf der

Kammer und von den Blumengärtnern einen anständigen Kranz fürs Haar – oder wie dachtest du sonst zu stehen hinter Peteprês Stuhl?"

„Ich gedachte nicht, dort zu stehen", erwiderte Joseph stille.

„Ja, es geht nicht nach deinen Gedanken. Mach dich ferner gefaßt: nach der Mahlzeit sollst du zur Probe dem Herrn vorlesen, bevor er schläft, in der Säulenhalle des Nordens, wo's kühle ist, aus den Buchrollen. Wirst du das wohl erträglich machen?"

„Thot wird mir helfen", war Joseph so frei zu antworten, im Vertrauen auf das schonende Vorübergehen dessen, der ihn nach Ägypten entrückt, und nach dem Grundsatze: „Ländlich, sittlich." „Wer aber durfte vorlesen dem Herrn bis jetzt?" setzte er hinzu.

„Wer bis jetzt? Amenemuje war es, der Zögling des Bücherhauses. Was fragst du?"

„Weil ich um des Verborgenen willen niemandem ins Feld treten möchte", sagte Joseph, „und möchte keines Mannes Grenzstein verletzen, indem ich ihn des Amtes beraube, das seine Ehre ist."

Mont-kaw war sehr angenehm berührt von dieser unerwarteten Bedenklichkeit. Er hatte seit gestern – wenn erst seit gestern – durchaus eine Ahnung davon, daß Befähigung und Berufung dieses jungen Menschen zum Wettbewerb um Ämter in diesem Hause weiter reichten, als ihm selbst bewußt sein mochte, weiter als bis zu Amenemujes, des Vorlesers, Amt und Person – viel weiter sogar; und darum tat dieser Zartsinn ihm wohl, ungeachtet, daß er zu den Ruben-Menschen gehörte, die das Glück und die Würde ihrer Seele darin finden, „gerecht und billig" zu sein, anders gesagt: darin, daß sie ihre Pläne, selbst im Sinne der eigenen Abdankung, freudig mit denen höherer Mächte vereinigen. Nach dieser Freude und Würde trachtete Mont-kaw von Natur, vielleicht, weil er nicht recht gesund war und öfters die Niere ihn drückte. Dennoch, so wiederholen wir, war Josephs Sorge ihm angenehm. Was er sagte, war:

„Mir scheint, du bist rücksichtsvoll über deine Verhältnisse. Laß Amenemujes Ehre und Verwendung seine und meine Sorge sein! Auch wächst solche Rücksicht mit dem Vorwitz auf einem Holz. Du hörst den Befehl."

„Hat es der sehr Erhabene befohlen?"

„Was der Vorsteher befiehlt, ist befohlen. Und was befahl ich dir diesen Augenblick?"

„Zu gehen und mich zu reinigen."

„So tu's!"

Joseph neigte sich und schritt rückwärts.

„Osarsiph!" sagte der Meier mit sanfterer Stimme, und der Gerufene näherte sich wieder.

Mont-kaw legte ihm die Hand auf die Schulter.

„Liebst du den Herrn?" fragte er, und seine kleinen Augen mit den dicken Tränensäcken darunter blickten mit eindringlich-schmerzlichem Forschen in Josephs Miene.

Sonderbar bewegende, erinnerungsvolle Frage, dem Joseph vertraut von Kindesbeinen! So hatte Jaakob gefragt, wenn er den Liebling an seine Knie gezogen, und ebenso schmerzlich forschend hatten seine braunen Augen mit den zarten Drüsenschwellungen darunter in des Kindes Miene geblickt. Unwillkürlich antwortete der Verkaufte mit der Formel, die in diesem immer wiederkehrenden Falle am Platze gewesen war und deren Gegebenheit ihrem inneren Leben keinen Abbruch getan hatte:

„Von ganzer Seele, von ganzem Herzen und ganzem Gemüte."

Der Vorsteher nickte genau so befriedigt, wie Jaakob es einst getan hatte.

„So ist es recht", sagte er. „Er ist gut und groß. Du hast löblich vor ihm gesprochen gestern im Dattelgarten und wie nicht jeder es könnte. Ich sah wohl, daß du mehr kannst als gute Nacht sagen. Es liefen dir Fehler unter wie der, daß du jungfräulich nanntest eine Geburt, nur weil sie im Zeichen der Jungfrau geschehen, – nun, das hält man deiner Jugend zugute. Die Götter gaben dir feine Gedanken und lösten dir die

Zunge, sie auszusprechen, daß sie sich fügen und schmiegen als wie im Reigen. Der Herr hatte Wohlgefallen daran, und du sollst hinter seinem Stuhle stehen. Aber auch mit mir sollst du sein als mein Lehrling und Junggeselle, wenn ich durch die Wirtschaft gehe, daß du dich umtust in Haus, Hof und Feld und Einblick gewinnst in die Betriebe und in die Bestände und erwirbst eine Übersicht, also daß du mir allenfalls mit der Zeit zum Gehilfen erwächst, denn ich habe viel Plage in der Welt und fühle mich öfters auch nicht ganz extra. Bist du's zufrieden?"

„Wenn ich bestimmt niemandem ins Feld trete hinterm Stuhl des Herrn und an deiner Seite", sagte Joseph, „so will ich's gewiß mit allem Dank zufrieden sein, wenn auch nicht ohne ein leises Zagen. Denn heimlich gestanden, wer bin ich, und was kann ich? Mein Vater, der Herdenkönig, ließ mich wohl etwas schreiben lernen und reden, sonst aber durfte ich mich einfach salben mit Freudenöl und kann kein Handwerk, weder schustern noch kleben noch töpfern. Wie soll ich mich denn ermutigen, daß ich unter denen wandle, die sitzen und können das Ihre, der eine dies, der andere das, ich aber vermesse mich der Über- und Aufsicht?"

„Meinst du, ich kann schustern und kleben?" erwiderte Mont-kaw. „Ich kann auch nicht töpfern noch Stühle und Särge machen, das ist nicht nötig, und niemand verlangt es von mir, am wenigsten die, die es können. Denn von anderer Geburt bin ich als sie und aus anderem Holz und habe einen allgemeinen Kopf, darum bin ich Vorsteher geworden. Die Werkenden in den Betrieben fragen dich nicht, was du kannst, sondern wer du bist, denn ein ander Können ist es, das damit verbunden, und zur Aufsicht ist es geschaffen. Wer da reden kann vor dem Herrn wie du, und wem sich derart die feinen Gedanken fügen nebst ihren Worten, der soll nicht gebückt sitzen übers einzelne, sondern soll zwischendurch wandeln an meiner Seite. Denn im Worte und nicht in der Hand ist Herrschaft und Überblick. Hast du daran was auszustellen und etwas zu kritteln an meinem Dafürhalten?"

„Nein, großer Meier. Mit vielem Dank bin ich einverstanden."

„Das, Osarsiph, ist das Wort! Und ein Wort soll es sein zwischen mir und dir, dem Alten und dem Jungen, daß wir einverstanden sein wollen im Dienst und in der Liebe des Herrn, Peteprês, des Edlen, Pharaos Truppenoberstem, und wollen einen Bund machen um seines Dienstes willen, der eine mit dem anderen, den wir halten wollen ein jeder bis an sein Ende, so daß auch der Tod des Älteren diesen Bund nicht lösen soll, sondern weiterhalten soll ihn der andere über dessen Grabe gleich dem Sohne und Nachfolger, der seinen Vater schützt und rechtfertigt, dadurch, daß er schützt und rechtfertigt den edlen Herrn im Bund mit dem Toten. Kannst du das sehen, und leuchtet dir's ein? Oder kommt es dir grillenhaft vor und bizarr?"

„Nicht im geringsten, mein Vater und Vorsteher", antwortete Joseph. „Deine Worte sind ganz nach meinem Sinn und Verstand, denn von langer Hand her verstehe ich mich auf solchen Bund, den man macht mit dem Herrn sowohl wie auch untereinander zum Dienst seiner Liebe, und wüßte nicht, was mir geläufiger wäre und von geringerer Bizarrerie in meinen Augen. Bei meines Vaters Haupt und Pharaos Leben: ich bin der Deine."

Der ihn gekauft, hatte noch immer die Hand auf seiner Schulter und nahm nun mit der andern die seine.

„Gut", sagte er, „Osarsiph, gut. Geh denn und reinige dich zum Leib- und Lesedienste des Herrn. Wenn er dich aber entläßt, so komm zu mir, daß ich dich einführe in des Hauses Wirtschaft und dich lehre den Überblick!"

DER GESEGNETE

Joseph tut Leib- und Lesedienst

Kennt man das Lächeln und Augenniederschlagen unterer Leute, wenn einem aus ihrer Mitte, von dem sie's am wenigsten gedacht, mit scheinbarer Ungerechtigkeit das Haupt erhoben wird, ohne daß sie's begreifen, und wird abberufen zu Höherem? Dies Lächeln, einander Ansehen und Niedersehen, betreten, boshaft, neidisch und auch wieder nachsichtig, ja halb entzückt einwilligend in die Laune des Glücks und der Oberen, nahm Joseph in jener Zeit alle Tage wahr: zuerst gleich damals im Garten, als es hieß, Mont-kaw wolle ihn sehen – gerade ihn unter allen, den Kletterjungen und Baumbestäuber –, und dann immer wieder. Denn nun ging es an, und das Haupt wurde ihm erhoben auf mehrfache Weise: daß er Potiphars nächster Diener ward und dieser danach allmählich sein ganzes Haus unter des Ebräers Hände tat, wie die Geschichte es aufstellt, das war schon alles vorbereitet und keimweise enthalten in den Worten Mont-kaws und in dem Bunde, den er mit Joseph geschlossen, und war fix und fertig darin wie der langsam und jahrweise wachsende Baum es ist in dem Keime, so daß es nur Zeit brauchte, sich zu entfalten und zu erfüllen.

Joseph also bekam den Silberschurz und den Blumenkranz, welche die Liefertracht der Darreichenden ausmachten im Speisegemach und in denen er, wie kaum gesagt zu werden brauchte, überaus günstig aussah. Denn so mußten diejenigen aussehen, die dem Peteprê und den Seinen beim Speisen aufwarten durften; aber dieser Sohn einer Lieblichen stach noch durch höheren Schimmer, der nicht rein lieblich war, sondern worin Geistiges und Körperliches sich vermählten und einander erhoben, unter ihnen hervor.

Er ward angestellt hinter Peteprês Stuhl auf der Estrade, oder vielmehr zuerst bei der steinernen Plattform an der entgegengesetzten Schmalseite, wo auch die Wand mit steinernen Platten belegt war und ein Krug und Becher aus Erz ihren Platz hatten. Denn wenn die erlauchte Familie eintrat zur Mahlzeit, sei es von der Nordhalle her oder der westlichen, so mußte ihr auf dieser Erhöhung, zu der eine Stufe führte, Wasser über die Hände gegossen sein; und Josephs Teil war es, das Wasser über Potiphars kleine und weiße, mit Siegel- und Käferringen geschmückten Hände zu gießen und ihm das wohlriechende Tuch zum Trocknen zu reichen. Während aber der Herr sich trocknete, mußte er sachten Fußes über die Matten und bunten Wirkläufer des Saales hin zum erhöhten Tritt gegenüber eilen, wo die Sessel der Herrschaft waren, der heiligen Eltern vom Oberstock sowie ihres Sohnes und Mutem-enets, der Herrin. Hinter Potiphars Stuhl mußte er treten, den Herrn dort erwarten und ihn bedienen mit dem, was andere Silbergeschürzte ihm zureichten. Denn Joseph lief weiter nicht hin und her, die Dinge zu holen und wegzutragen, sondern andere gaben sie ihm, und er bot sie Pharaos Freunde, so daß dieser alles, was er wählte und aß, aus seinen Händen nahm.

Das Speisegemach war hoch und licht, obgleich der Tag nicht unmittelbar, sondern nur von den anstoßenden Räumen her, besonders der westlichen Außenhalle, durch die sieben Türen hereinfiel, die es hatte, und durch die Fenster darüber, die schöndurchbrochene Steinplatten waren. Aber die Wände waren sehr weiß und verstärkten den Tag, von gemalten Friesen umlaufen unter der ebenfalls weißen und von himmelblauem Gebälk durchzogenen Decke, an welches die bunten Häupter der hölzernen, blau bemalten, auf weißen Rundbasen stehenden Säulen des Saales stießen. Die himmelblauen Holzsäulen waren eine schöne Zierde, und zierlich und schön, voll heiteren Schmuckes und Überflusses war alles in Potiphars täglichem Eßzimmer: die Sitze der Herrschaft aus Ebenholz und Elfenbein, geschmückt mit Löwenköpfen und mit gestickten Daunenkissen belegt, die edlen Lampenträger und Dreifüße zum Räuchern an den Wänden, die Standschalen, Salburnen und breitgehenkelten, blumenumwundenen Weinkrüge in ihren Gestellen und was sonst an Gerät und Zubehör vornehmer Bedienung in der Halle erglänzte. In ihrer Mitte stand eine umfängliche Anrichte, hochauf bedeckt, wie Amuns Opfertisch, mit Speisen, von denen die verbindenden Diener den unmittelbar aufwartenden zureichten und deren es viel zu viele waren, als daß sie von den vier Erhabenen auf der Estrade nur annähernd hätten verzehrt werden können: mit Röstgänsen, Bratenten und Rindskeulen, Gemüsen, Kuchen und Broten, mit Gurken, Melonen und syrischem Obst in üppiger Schaustellung. Ein kostbarer Tafelaufsatz aus Gold tat sich inmitten der Eßwaren hervor, ein Neujahrsgeschenk Pharaos an Peteprê, darstellend ein Tempelhaus unter fremden Bäumen, in deren Zweigen Affen kletterten.

Gedämpftheit herrschte im Saal, wenn Peteprê und die Seinen zu Tische saßen. Die bloßen Sohlen der Dienenden blieben unhörbar auf den Belagen, und das Gespräch der Herrschaft war spärlich und leise vor wechselseitiger Ehrfurcht. Schonend beugten sie sich gegeneinander, gaben der eine dem andern in den Pausen des Speisens die Lotusblüte zu riechen, führten sich auch wohl wechselseitig einen Leckerbissen zum Munde, und die zarte Behutsamkeit eines jeden gegen den anderen war beängstigend. Die Sessel waren paarweise aufgestellt, mit einigem Freiraum dazwischen. Peteprê saß an der Seite derer, die ihn geboren, und Mut, die Herrin, neben dem alten Huij. Nicht immer war diese anzusehen, wie sie dem Joseph auf dem Hofe zuerst erschienen, da sie vorüberschwebte, mit goldbestäubten Pudellocken, die ihr eigen Haar waren. Oft trug sie eine bis weit über die Schultern herabhängende Kunstperücke, blau, blond oder braun, in ganz kleinen Löckchen gearbeitet, mit Drehfransen unten besetzt und gekrönt mit einem anliegenden Kranzgeschmeide. Die

Haartour, halb einem sphinxhaften Kopftuch gleich, war herzförmig ausgebuchtet über der weißen Stirne, und ein paar Strähnen oder Quasten, mit deren einer die Frau zuweilen spielte, hingen beiderseits an den Wangen davon herunter, noch eigens das eigentümliche Antlitz einfassend, in welchem die Augen sich mit dem Munde stritten; denn jene waren streng, finster und langsam beweglich, dieser aber geschlängelt und seltsam vertieft in den Winkeln. Die bloßen und weißen, wie von Ptachs Künstlern gemeißelten und polierten, man konnte wohl sagen: göttlichen Arme, mit denen die Herrin beim Speisen hantierte, waren nahebei nicht weniger bemerkenswert als von ferne gesehen.

Pharaos Freund aß viel mit seinem zierlichen Munde, von allem Angebotenen, denn einen Fleischesturm hatte er zu unterhalten. Auch mußte man ihm mehrmals bei jeder Mahlzeit aus der langhalsigen Kanne den Becher füllen, denn der Wein erwärmte ihm wohl das Gefühl seiner selbst und ließ ihn glauben, daß er trotz jenem Hor-em-heb ein rechter und wirklicher Truppenoberst sei. Die Herrin dagegen, von einer zieren und auch sehr gezierten Leibsklavin umschwebt, an der es wie Spinnweb so dünn herunterfloß, worunter sie (daß nur Jaakob, der Vater, es nicht gesehen hätte!) so gut wie nackend war, – Mut-em-enet also bewies wenig Eßlust, also daß sie nur zu kommen schien, weil's einmal Sitte und Zeremonie war: sie nahm eine Bratente, biß einmal obenhin in ihre Brust, ohne den Mund viel zu öffnen, und warf sie ins Becken. – Nun gar die heiligen Eltern, denen die törichten kleinen Mädchen aufwarteten (denn sie ertrugen und duldeten keine erwachsene Bedienung) – diese quengelten und mängelten nur so herum und saßen ebenfalls nur aus Kultur zu Tische, da sie mit zwei oder drei Bissen von irgendeinem Gemüse oder Backwerk genug hatten und namentlich der alte Huij immer besorgen mußte, daß sich gegen Weiteres sein Magen aufheben möchte zu kaltem Schweiß. – Manchmal saß Bes-em-heb, Gottlieb, der ledige Zwerg, auf dem Stufentritt zur Estrade, knabbernd zu Füßen der Herrschaft, obgleich er eigentlich seine Mahlzeiten an einer Art von Marschallstafel nahm, an der auch Mont-kaw selbst, Dûdu, der Vorsteher der Schmuckkästen, Glutbauch, der Obergärtner, und ein paar Schreiber, kurz, die gehobene Dienerschaft des Hauses, und bald auch Joseph, genannt Osarsiph, der chabirische Leibsklave, sich sättigten; – oder der Spottwesir führte in seinem Knitterstaat um die große Anrichte herum schnurrige Tänze auf. In einem entfernten Winkel kauerte meistens ein alter Harfenspieler, der mit dürren Krummfingern sacht in die Saiten griff und undeutliche Murmellieder sprach. Er war blind, wie es sich für einen Sänger gehörte, und konnte auch etwas weissagen, obwohl nur stockend und ungenau.

So ging es zu bei Peteprês täglichen Mahlzeiten. Oft war der Kämmerer im Palaste Merima't jenseits des Stromes, bei Pharao, oder er begleitete den Gott auf der königlichen Barke nilauf- oder -abwärts zur Besichtigung von Steinbrüchen, Bergwerken und Land- oder Wasserbauten. In solchen Tagen entfiel der Speisedienst, und leer lag der blaue Saal. War aber der Herr zugegen und die Mittagsmahlzeit unter vielen Bekundungen gegenseitigen Zartgefühls beschlossen, worauf die heiligen Eltern sich wieder hinaufstützen ließen in den Oberstock und ihre Schwieger, die Mondnonne, sich entweder in das Ruhegemach begab, das im Haupthause ihr gehörte und von dem Schlafzimmer ihres Gemahls durch die große Nord-Säulenhalle getrennt war, oder zwischen Vorantritt und Gefolge auf ihrer Löwentrage ins Haus der Abgeschlossenen zurückkehrte, – so mußte Joseph dem Potiphar in eine der anstoßenden Hallen folgen, luftige Räume mit gemalten Nischen an ihren drei Wänden und offen vorn zwischen leichten Pfeilern: jene nördliche, breit vorgelagert dem Speise- und dem Empfangszimmer, oder die westliche, die noch schöner war, weil sie auf den Garten, die Bäume des Gartens und das erhöhte Lusthäuschen blickte. Dagegen hatte die andere den Vorteil, daß der Herr von dort den Wirtschaftshof, die Speicher und Ställe überblicken konnte. Auch war sie kühler.

Hier wie dort gab es viele herrliche Gegenstände, die Joseph mit dem Gemisch aus Bewunderung und zweifelndem Spott betrachtete, womit er die Hochgesittung Ägyptenlandes ins Auge faßte: Geschenke von Pharaos Huld an seinen Kämmerer und Titelobersten, von denen das goldene Wunderwerk im Speisezimmer ein Beispiel war und die auf Truhen und Wandborte verteilt und an den Wänden aufgehängt waren, – kleine Statuen, in Silber und Gold ausgeführt oder aus Ebenholz und Elfenbein, welche alle den königlichen Spender, Neb-ma-rê-Amenhotpe, einen fetten und untersetzten Mann, in unterschiedlichen Ornaten, Kronen und Haartrachten zeigten; erzene Sphinxe, die ebenfalls den Kopf des Gottes trugen; allerlei Kunstwerke in Tiergestalt, wie etwa eine laufende Elefantenherde, hockende Paviane oder eine Gazelle mit Blumen im Maul; kostbare Gefäße, Spiegel, Wedel und Peitschen; vor allem aber Waffen, Kriegswaffen in großer Zahl und von allen Arten: Beile, Dolche und Schuppenpanzer, Schilde, mit Fellen bespannt, Bogen und bronzene Sichelschwerter; und man wunderte sich, wie doch Pharao, der zwar der Nachfolger großer Eroberer, aber für seine Person kein Mann der Schlachten mehr, sondern ein ewig planender Bauherr und reicher Friedensfürst war, seinen Höfling dermaßen mit Kriegsgerät hatte überschütten mögen – diesen Rubenturm, dessen Verfassung auch nicht darauf gerichtet schien, unter den Gummiessern und Sandbewohnern Blutbäder anzurichten.

Schöne und bildlich ausgestattete Bücherschreine waren auch unter den Einrichtungsgegenständen der Hallen, und während Potiphar seine Fleischesmasse auf einem Edelbettchen ausstreckte, das, zierlich schon an sich selbst, unter ihm noch gebrechlicher wirkte, trat Joseph vor solchen Behälter hin, um Vorschläge zu machen von wegen der Lesung: ob er die Abenteuer des Schiffbrüchigen entrollen sollte auf der Insel der Ungeheuer; die Geschichte von König Chufu und jenem Dedi, der einen abgehauenen Kopf wieder aufsetzen konnte; die wahre und zutreffende Geschichte von der Eroberung der

Stadt Joppe dadurch, daß Thuti, der große Offizier Seiner Majestät Men-cheper-Rê-Tutmoses des Dritten, fünfhundert Krieger in Säcken und Körben hatte hineinbringen lassen; das Märchen vom Königskind, dem die Hathoren geweissagt hatten, es werde durch ein Krokodil, eine Schlange oder einen Hund zu Tode kommen – oder was sonst. Die Auswahl war bedeutend. Peteprê besaß eine schöne und vielseitige Bücherei, die sich auf die Schreine der beiden Hallen verteilte und sich teils aus unterhaltenden Einbildungen und scherzhaften Fabeln zusammensetzte, gleich dem „Kampf der Katzen und Gänse", teils aus dialektisch anregenden Schriften von der Art des streitbaren und scharfen Briefwechsels zwischen den Schreibern Hori und Amenemone, aus religiösen und magischen Texten und Weisheitstraktaten in dunkler und künstlicher Sprache, Königsverzeichnissen von den Zeiten der Götter an bis zu denen der fremden Hirtenkönige mit Angabe der Regierungszeit eines jeden Sonnensohnes und Annalen geschichtlicher Denkwürdigkeiten einschließlich außerordentlicher Steuererhebungen und wichtiger Jubiläen. Es fehlte nicht das „Buch vom Atmen", das Buch „Vom Durchschreiten der Ewigkeit", das Buch „Es blühe der Name" und eine gelehrte Ortskunde des Jenseits.

Potiphar kannte das alles genau. Wenn er lauschte, so war es, um das Bekannte wiederzuhören, wie man Musik wiederhört. Solches Verhalten zu dem Gebotenen lag um so näher, als es bei der großen Mehrzahl dieser Schriftwerke aufs Sachliche und auf die Fabel fast gar nicht ankam, sondern alles Schwergewicht auf den Reizen des Stils, der Seltenheit und Eleganz der Redeformen lag. Joseph, seine Füße unter sich gezogen oder an einer Art von liturgischem Lesekatheder stehend, trug ausgezeichnet vor: fließend, exakt, scheinbar ohne Anspruch, mit mäßiger Dramatik und so natürlicher Beherrschung des Wortes, daß das Schwierigste, Schriftlichste auf seinen Lippen das Gepräge improvisatorischer Leichtigkeit und einer plauderhaften Mundgerechtheit gewann. Er las sich buchstäblich in das Herz seines Zuhörers hinein, und zu näherem Verständnis seines nur der Tatsache nach bekannten Aufstieges in des Ägypters Gunst sind diese Lesestunden keineswegs außer acht zu lassen.

Oft übrigens entschlummerte Potiphar bald überm Lauschen, eingelullt von der spröden, doch angenehmen Stimme, die so eben und klug zu ihm sprach. Oft auch wieder mischte er sich wachsam in die Lektüre ein, verbesserte Josephs Aussprache, machte sich selbst und den Vorleser auf den Kunstwert einer rhetorischen Floskel aufmerksam oder übte literarische Kritik an dem Vernommenen, dessen Meinung er, wenn sie dunkel war, auch wohl mit Joseph erörterte, höchst angetan von des Jünglings Scharfsinn und exegetischer Anlage. Eine persönliche und gefühlsmäßige Neigung für bestimmte Erzeugnisse der schönen Kunst trat mit der Zeit bei dem Herrn hervor: zum Beispiel die Vorliebe für das „Lied des Lebensmüden zum Lob des Todes", das er sich, wie die Tage von Josephs Lesedienst sich mehrten, oft und immer wieder von diesem vorsprechen ließ und worin der Tod mit vielen guten und zärtlichen Dingen sehnsüchtig-gleichmäßigen Tonfalls verglichen wurde: mit der Genesung nach schwerer Krankheit, dem Duft von Myrrhen und Lotusblumen, dem Sitzen unterm Schutzsegel an windigem Tage, einem kühlen Trunk am Gestade, einem „Wege im Regen", der Heimkehr eines Matrosen im Kriegsschiff, dem Wiedersehen mit Haus und Herd nach vielen Jahren der Gefangenschaft und anderen Wünschbarkeiten mehr. So wie dies alles, sagte der Dichter, stehe vor ihm der Tod; und Potiphar lauschte seinen von Josephs sorgfältig formenden Lippen kommenden Worten, wie man einer Musik lauscht, die man genauestens kennt.

Ein anderes Literaturstück, das ihn fesselte und öfters vor ihm gesprochen sein mußte, war die finstere und schauderhafte Prophezeiung einreißender Unordnung in den beiden Ländern und wilder Herrschaftslosigkeit in ihrem Endgefolge, einer greulichen Umkehrung aller Dinge, also daß die Reichen arm und die Armen reich sein würden, welcher Zustand mit der Verödung der Tempel, der völligen Vernachlässigung jedes Gottesdienstes Hand in Hand gehen sollte. Warum Peteprê diese Aufzeichnung eigentlich so gern hörte, blieb ungewiß; vielleicht nur des Schauders wegen, der angenehm sein mochte, insofern vorläufig noch die Reichen reich und die Armen arm waren und es auch bleiben würden, wenn man Unordnung vermied und der Götter Opfergut speiste. Er äußerte sich nicht darüber, sowenig wie er je über das „Lied des Lebensmüden" etwas anmerkte, und auch über die sogenannten „Erfreuenden Lieder", als welches Honigworte und Liebesklagen waren, beobachtete er Schweigen. Diese Romanzen drückten die Leiden und Freuden der vernarrten kleinen Vogelstellerin aus, die nach dem Jüngling girrt und so dringlich wünscht, seine Hausfrau zu sein, damit immerdar sein Arm auf dem ihren liege. Komme er nicht zu ihr bei der Nacht, so klagte sie in honigsüßer Sprache, so werde sie wie eine sein, die im Grabe liegt, denn er sei Gesundheit und Leben. Aber es war ein Mißverständnis, denn auch jener für sein Teil legte sich in seinem Schlafzimmer nieder und machte die Kunst der Ärzte zuschanden mit seiner Krankheit, die Liebe war. Dann aber fand sie ihn auf seinem Lager, und nicht länger kränkten sie einander das Herz, sondern machten einander zu den ersten Leuten der Welt, Hand in Hand wandelnd mit heißen Wangen im Blumengarten ihres Glücks. Von Zeit zu Zeit einmal ließ Peteprê sich das Gegirre lesen. Sein Gesicht war unbeweglich dabei, seine Augen, langsam im Raum hin und her gehend, zeigten ein aufmerksam-kaltes Lauschen, und niemals äußerte er Geschmack oder Mißfallen an den Liedern.

Wohl aber fragte er einmal, als die Tage zahlreich geworden waren, den Joseph, wie diesem die „Erfreuenden" zusagten, und das war das erstemal, daß Herr und Diener das Gebiet jenes Prüfungsgesprächs im Palmengarten schwebenden Fußes wieder streiften.

„Recht gut", sagte Potiphar, „und gleichsam mit dem Munde der Vogelfängerin und ihres Knaben sprichst du mir ihre Lieder. Sie gefallen dir wohl vor anderen?"

„Mein Bestreben", antwortete Joseph, „deine Zufriedenheit zu erwerben, mein großer Herr, ist bei allen Gegenständen das nämliche."

„Das mag sein. Aber einem solchen Bestreben, denke ich mir, wird aus dem Geiste und Herzen des Lesenden eine mehr oder weniger wirksame Unterstützung zuteil. Die Gegenstände stehen uns näher oder ferner. Ich will nicht sagen, daß du das Buch besser liest als anderes. Das braucht nicht zu hindern, daß du es lieber als anderes liest."

„Vor dir", sagte Joseph, „vor dir, mein Herr, lese ich gern, das eine wie das andere."

„Ja, gut. Allein ich möchte dein Urteil hören. Du findest die Lieder schön?"

Es war eine abgebrühte und hochmütig prüfende Miene, die Joseph hier aufsetzte.

„Recht schön", sagte er mit gerümpften Lippen. „Schön allenfalls und in Honig getaucht nach allen ihren Worten. Etwas zu einfältig indessen vielleicht; eine Spur zu sehr."

„Einfältig? Aber das Werk der Schrift, welches das Einfältige vollkommen aussagt und meisterhaft darstellt das Musterhafte, wie es immer ist zwischen den Menschenkindern, das wird durch unzählige Jubiläen bestehen. Deine Jahre berufen dich, zu beurteilen, ob diese Reden das Musterhafte musterhaft wiedergeben."

„Es mutet mich an", erwiderte Joseph mit Abstand, „als ob die Worte dieser Netzestellerin und des bettlägrigen Jünglings das Musterhaft-Einfältige wohl recht zutreffend mitteilten und haltbar befestigten."

„Mutet's dich nur so an?" fragte der Wedelträger. „Ich rechnete auf deine Erfahrung. Du bist jung und bist schön von Angesicht. Aber du sprichst, als wärest du niemals, für dein Teil, mit so einer Netzestellerin im Blumengarten gewandelt."

„Jugend und Schönheit", versetzte Joseph, „mögen auch wohl einen strengeren Schmuck bedeuten als den, womit jener Garten die Menschenkinder kränzt. Dein Sklave, Herr, weiß ein Immergrün, das ein Gleichnis der Jugend und Schönheit ist und ein Opferschmuck auch zugleich. Wer es trägt, der ist aufgespart, und wen es schmückt, der ist vorbehalten."

„Du sprichst von der Myrte?"

„Von ihr. Die Meinen und ich, wir nennen sie wohl das Kräutlein Rührmichnichtan."

„Trägst du dies Kräutlein?"

„Mein Same und Geschlecht, wir tragen es. Unser Gott hat sich uns verlobt und ist uns ein Blutsbräutigam voller Eifer, denn er ist einsam und brennt auf Treue. Wir aber sind wie eine Braut seiner Treue, geweiht und aufgespart."

„Wie, ihr alle?"

„Grundsätzlich alle, mein Herr. Aber unter den Häuptern und Gottesfreunden unseres Geschlechts pflegt Gott sich einen auszuersehen, der ihm verlobt sei noch besonders im Schmucke geweihter Jugend. Dem Vater wird's zugemutet, daß er den Sohn darbringe als Ganzopfer. Kann er's, so tut er's. Kann er's nicht, so wird's ihm getan."

„Ich kann nicht gut davon hören", sagte Potiphar, sich auf seinem Lager hin und her wendend, „daß einem etwas getan wird, was er nicht will und nicht kann. Sprich, Osarsiph, von etwas anderm!"

„Ich kann es gleich abmildern, das Gesagte", versetzte Joseph, „denn einige Nachsicht und Erbittlichkeit walten wohl ob beim Ganzopfer. Da's nämlich geboten ist, ist's auch verwehrt und zur Sünde gesetzt, also daß das Blut eines Tieres eintreten soll für das Blut des Sohnes."

„Was für ein Wort brauchtest du da? Gesetzt – wozu?"

„Zur Sünde, mein großer Herr. Zur Sünde gesetzt."

„Was ist das – die Sünde?"

„Ebendies, mein Gebieter: Was gefordert ist und doch verwehrt, geboten, aber verflucht. Wir wissen's so gut wie allein in der Welt, was die Sünde ist."

„Das muß ein beschwerlich Wissen sein, Osarsiph, und scheint mir ein leidvoller Widerspruch."

„Gott leidet auch um unserer Sünde willen, und wir leiden mit ihm."

„Und wäre", fragte Potiphar, „wie ich anfange zu vermuten, auch wohl das Wandeln im Garten der Netzstellerin
nach euerem Sinn eine Sünde?"

„Es hat einen starken Einschlag davon, mein Herr. Wenn
du mich fragst – entschieden, ja. Ich kann nicht sagen, daß
wir es sonderlich lieben, obgleich wir solche Lieder wie die
,Erfreuenden' zur Not wohl auch noch zustande brächten.
Der Garten da – nicht daß er uns Scheolsland wäre geradezu,
ich will nicht zu weit gehen. Er ist uns kein Greuel, doch eine
Scheu und ein dämonisch Bereich, ein Spielraum verfluch-
ten Gebotes, von Gottes Eifersucht voll. Zwei Tiere liegen
davor: ,Scham' heißt das eine, das andere ,Schuld'. Und
noch ein drittes blickt aus den Zweigen, des Name ist Spottgelächter."

„Nach alldem", sagte Peteprê, „fange ich an zu verstehen,
warum du die ,Erfreuenden Lieder' einfältig heißt. Dennoch
kann ich nicht ganz umhin, zu denken, daß es sonderbar steht
und lebensgefährlich um ein Geschlecht, dem das Musterhaft-
Einfältige eine Sünde ist und ein Spottgelächter."

„Es hat seine Geschichte bei uns, mein Herr, es steht an
seinem Platze in der Zeit und in den Geschichten. Das Musterhafte ist zuerst, und dann geht's mehrfältig zu. Es war ein
Mann und Gottesfreund, der hing einer Lieblichen an so stark,
wie er Gott anhing, und war eine musterhafte Einfalt mit dieser Vätergeschichte. Gott aber nahm sie ihm im Eifer und
tauchte sie in den Tod, daraus sie dem Vater hervorging in
anderer Beschaffenheit, nämlich als Jüngling-Sohn, in dem er
nun liebte die Liebliche. Also hatte der Tod aus der Geliebten
den Sohn gemacht, in dem sie lebte und der ein Jüngling war
nur kraft des Todes. Aber die Liebe des Vaters zu ihm war
eine durch das Todesbad gewandelte Liebe, – Liebe, nicht
mehr in Lebens-, sondern in Todesgestalt. Da sieht mein Herr,
daß es schon mehrfältiger zuging in der Geschichte auf allen
Seiten und weniger mustergültig."

„Der Jüngling-Sohn", sagte Potiphar lächelnd, „war wohl
derselbe, von dem du zu weitgehenderweise sagtest, seine Ge-

burt sei jungfräulich gewesen, nur weil sie im Zeichen der Jungfrau geschah?"

„Vielleicht bist du, Herr, in deiner Güte geneigt", erwiderte Joseph, „nach dem Gesagten den Vorwurf zu mildern oder ihn gnädig aufzuheben sogar – wer weiß? Denn da der Sohn ein Jüngling nur ist durch den Tod, die Mutter in Todesgestalt, und ist, wie's geschrieben steht, am Abend ein Weib, am Morgen aber ein Mann, – kann da nicht, wenn du's erwägst, von Jungfräulichkeit mit allerlei Fug die Rede sein? Gott hat erwählt meinen Stamm, und alle tragen den Opferschmuck der Verlobten. Aber der eine trägt ihn noch einmal und ist vorbehalten dem Eifer."

„Lassen wir's", sagte der Kämmerer, „auf sich beruhen, mein Freund. Wir sind weit abgekommen im Plaudern vom Einfältigen aufs Mehrfältige. Wenn du drum bittest und einkommst, so will ich den Vorwurf wohl mildern, ja ihn zurückziehen bis auf ein Restchen. Lies mir nun etwas anderes! Lies mir die Nachtfahrt der Sonne durch die zwölf Häuser der Unterwelt – das hörte ich lange nicht, obgleich einige sehr schöne Sprüche und erlesene Worte darin eingefaßt sind nach meiner Erinnerung."

Und Joseph las die Unterweltsreise der Sonne mit großem Geschmack, so daß Potiphar unterhalten war: das Wort ist am Platze, denn unterhalten wurde durch des Lesenden Stimme und durch das Vorzügliche, dem er sie lieh, das Wohlgefühl, mit dem das vorige Gespräch den Zuhörer erfüllt hatte, – unterhalten, wie man die Flamme des Opfersteins unterhält, indem man sie speist von unten und Gutes hineinstreut von oben, – dies Wohlgefühl, das der ebräische Sklave dem Freunde Pharaos immer aufs neue zu erregen wußte und das dem Vertrauen gleichkam, sei es dem in die eigene Person oder in die des Dieners. Auf das Vertrauen kommt's an, das Potiphar faßte zu Joseph in doppelter Hinsicht, und auf das Wachstum dieses Vertrauens, und es ist darum, daß wir auch dieses Zwiegespräch wenigstens noch, dessen in früheren Fassungen der Geschichte sowenig gedacht ist wie der

Prüfung im Palmengarten, hier genau wiederhergestellt haben.

Wir können nicht alle Unterhaltungen anführen, in denen das Wohlgefühl dieses Vertrauens Nahrung erhielt und zu dem Grade unbedingter Vorliebe erstarkte, die Josephs Glück machte. Genug, daß wir mit einigen treffenden Beispielen seine Methode kennzeichnen, dem Herrn zu „schmeicheln" und ihm dienend „behilflich zu sein" gemäß dem Bunde, den er mit dem guten Mont-kaw geschlossen um Potiphars willen. Ja, ohne Furcht vor der Kälte, die davon ausgehen mag, können wir das Wort „Methode" hier einsetzen, da wir ja wissen, daß Berechnung und Herzlichkeit in Josephs Kunst, den Herrn zu behandeln, auf vollkommen verwandte Art ineinanderliefen wie in seinem Verhältnis zu höheren Einsamkeiten. Kann denn auch, fragen wir außerdem, Herzlichkeit je ohne Rechenkunst und kluge Technik auskommen, wenn es ihre Verwirklichung gilt – beispielsweise in der Erzeugung vertrauenden Wohlgefühls? Selten ist Vertrauen unter den Menschen; aber bei Herren von Potiphars Fleischesbeschaffenheit, Titel-Herren mit einer Titel-Herrin an ihrer Seite, bildet ein allgemeines und unbestimmt eiferndes Mißtrauen gegen alle, denen nicht wie ihnen geschehen, sogar alles Lebens Grund, daher denn nichts so geeignet ist, sie mit dem ungewohnten und darum desto beglückenderen Gefühl des Vertrauens zu beschenken, wie die Entdeckung, daß einer aus der beeiferten Gesamtheit ein strenges Grün im Haare trägt, welches seine Person des üblichen beunruhigenden Charakters tröstlich entkleidet. Es war Berechnung, es war Methode, daß Joseph dem Potiphar diese Entdeckung gewährte. Wer aber meint, er müsse Anstoß nehmen daran, möge von dem Vorteil Gebrauch machen, daß er die Geschichte, die wir erzählen, schon kennt, und sich vorausschauend erinnern, daß Joseph das so erzeugte Vertrauen nicht etwa täuschte, sondern ihm im Sturm der Versuchung wahrhaftige Treue hielt, dem Bunde gemäß, den er mit Montkaw bei Jaakobs Haupt und nebenbei noch bei Pharaos Leben geschlossen.

Mit dem Vorsteher also, den er schon „Vater" nannte, ging er, wenn er vom Leibdienste frei war, unterm Lächeln und Augenniederschlagen der Leute durch die Wirtschaft als sein Lehrling und Junggeselle und erlernte den Überblick. Meist waren noch andere Hausbeamte in des Meiers Gefolge, wie Cha'ma't, der Schreiber des Schenktisches, und ein gewisser Meng-pa-Rê, der Schreiber der Ställe und Zwinger. Aber das waren mittlere Leute, die froh waren, wenn sie dem engen Kreis und Sonderbereich ihres Geschäftes nach mäßigem Anspruch gerecht wurden, Mensch, Tier, Gerät und schriftliche Rechnung in Ordnung hielten zu des Meiers Zufriedenheit und es auf Weiteres und Höheres, wozu ein allgemeiner Kopf gehört, gar nicht anlegten noch sich innerlich scharf dazu machten, – schlaffe Seelen, die am liebsten nur aufschrieben, was man ihnen in die Binse diktierte, und überhaupt nicht auf den Gedanken kamen, sie könnten zu Überblick und Herrschaft geboren sein, was sie ebendarum denn auch nicht waren. Man muß nur auf den Gedanken kommen, daß Gott es besonders mit einem vorhat und daß man ihm helfen muß: dann spannt sich die Seele, und der Verstand ermannt sich, die Dinge unter sich zu bringen und sich zum Herrn aufzuwerfen über sie, wären sie selbst so vielfältig, wie Peteprês Segenshausstand es war zu Wêse in Oberägypten.

Denn vielfältig war der, und von dem Zwiefachen, daß Joseph dem Potiphar ein tröstlich-unentbehrlicher Leibdiener wurde und daß dann dieser sein ganzes Haus unter seine Hände gab, war dieses Zweite der ungleich schwieriger zu erfüllende Teil. Mont-kaw, unter dessen Händen Joseph das Hauswesen antraf, hatte wohl recht zu sagen, daß er Plage habe in der Welt: Selbst bei sehr gutem allgemeinen Kopf war es für einen Mann, der sich ohnehin oft von der Niere her nicht ganz extra fühlt, der Plackerei ein wenig viel, und nachträglich kann man es wohl verstehen, daß Mont-kaw die gute Gelegenheit, eine junge Hilfskraft an sich zu ziehen und sie sich zum Stellvertreter heranzubilden, gern ergriff, da er sich gewiß im stillen schon längst danach umgesehen hatte.

Peteprê, Pharaos Freund, der Vorsteher der Palasttruppen und Oberster der Scharfrichter (seinem Titel nach), war ein sehr reicher Mann – in viel größerem Stile reich, als Jaakob es war zu Hebron, und wurde noch zusehends immer reicher; denn nicht nur, daß er als Höfling hochbezahlt und außerdem königlich beschenkt war, sondern auch sein Wirtschaftswesen, das ebenfalls nur zum Teil sein Erbe, zum größeren aber, besonders in Ansehung des Landbesitzes, ein Gnadengeschenk des Gottes war und in das jene Bezüge beständig hineinflossen und es speisten, – auch dieses also trug und heckte ihm ausgiebig; er aber kannte es nicht anders, als daß er sich durchaus duldend dabei verhielt, ausschließlich der Unterhaltung seiner Leibesmasse durch Essen, derjenigen seines Mannesbewußtseins durch die Jagd in den Sümpfen und derjenigen seines Geistes durch die Bücher oblag und alles übrige unter den Händen des Verwalters ließ, in dessen Abrechnungen er, wenn jener ihn ehrerbietig zwang, sie zu prüfen, nur gleichgültig hineinblinzelte, indem er sagte:

„Gut, gut, Mont-kaw, mein Alter, es ist schon gut. Ich weiß, du liebst mich und machst deine Sache, so gut du kannst, was viel sagen will, denn du kannst es gut. Stimmt das hier mit dem Weizen und Spelt? Natürlich stimmt es, ich sehe schon. Ich bin überzeugt, daß du treu bist wie Gold und mir ergeben mit Leib und Seele. Könnte es denn auch anders sein? Das könnte es gar nicht in Ansehung deiner Natur und in Ansehung der großen Abscheulichkeit, die es bedeutete, mir zu nahe zu treten. Aus Liebe zu mir machst du meine Angelegenheiten zu den deinen, – gut, ich lasse sie dir um deiner Liebe willen, du wirst dich nicht selbst verkürzen durch Nachlässigkeit oder Schlimmeres, in eigener Sache. Außerdem sähe es der Verborgene, und du hättest später nur Qual davon. Was du mir vorlegst, stimmt. Nimm es wieder mit, ich danke dir sehr. Du hast kein Weib mehr und keine Kinder – für wen solltest du mich benachteiligen? Für dich? Du bist ja nicht recht gesund – zwar stark und haarig von Körper, aber von innen her etwas wurmig, so daß du oft gelblich aussiehst, die Hautsäcke unter deinen Augen sich vergrößern und du wahrscheinlich nicht sehr alt werden wirst. Was sollte dir also daran liegen, deine Liebe zu mir zu bezwingen und mich zu verkürzen? Übrigens wünsche ich von Herzen, daß du alt wirst in meinen Diensten, denn ich wüßte nicht, wem ich vertrauen könnte wie dir. Wie ist Chun-Anup, der Salbader, zufrieden mit deinem Befinden? Gibt er dir ordentliche und taugliche Kräuter und Wurzeln? Ich verstehe nichts davon, ich bin gesund, obgleich nicht so haarig. Wenn er dir aber nichts Rechtes weiß und du schwerer kränkelst, werden wir zum Tempel schicken und einen Arzt berufen. Denn obgleich du dienenden Standes bist und eigentlich der Glutbauch für dich zuständig ist im Falle der Krankheit, so bist du mir teuer genug, daß ich dir einen gelehrten Arzt bestelle, vom Bücherhause, wenn dein Leib dessen bedarf. Nichts zu danken, mein Freund, ich tue es um deiner Liebe willen und weil deine Rechnungen so sichtbarlich stimmen. Hier, nimm sie wieder mit und halte es in allem ganz wie bisher!"

So Potiphar bei solchen Gelegenheiten zu seinem Hausvorsteher. Denn er nahm sich keiner Sache an: aus feiner Vornehmheit, aus der Uneigentlichkeit seines Wesens, die ihn die praktischen Wirklichkeiten des Lebens scheuen ließ, und aus Vertrauen in die Liebe und Fürsorge der anderen für ihn, den heiligen Fleischesturm. Daß er recht hatte mit diesem und Mont-kaw ihm wirklich in liebender Dienertreue ergeben war und ihn durch Umsicht und uneigennützigste Genauigkeit immer reicher machte, ist eine Sache für sich. Aber wie, wenn es anders gewesen wäre und der alleinherrschende Hauswart ihn ausgeplündert hätte, so daß er in Armut gefallen wäre mitsamt den Seinen? Dann hätte er es sich selber zuzuschreiben gehabt, und nicht hätte man ihm den Vorwurf träger Vertrauensseligkeit ersparen können. Allzusehr pochte und baute Potiphar auf die zärtliche und tiefgerührte Ergebenheit, die jedermann seiner heiklen und heiligen Verfassung als Sonnenhöfling entgegenbringen mußte, – dies Urteil zu fällen, können wir uns schon an dieser Stelle nicht enthalten.

So nahm er sich keines Dinges an, als daß er aß und trank; Mont-kaw aber hatte desto mehr Plackerei in der Welt, als seine eigenen Geschäfte neben denen des Gebieters herliefen und sich mit ihnen verwoben. Denn was er zum Lohn seiner Dienste aus der Wirtschaft bezog: Korn, Brote, Bier, Gänse, Leinen und Leder, das konnte er für sein Teil natürlich nicht aufessen und verbrauchen, sondern mußte es zu Markte bringen und gegen Dauerwerte eintauschen, die seine feste Habe vermehrten. Und so war es auch im großen mit den herrschaftlichen Gütern, den eigen-erzeugten und denen, die von außen dazukamen.

Der Wedelträger stand hoch auf der Liste von Pharaos Zuwendungen, und reichlich strömten die Belohnungen und Über-Tröstungen für sein uneigentlich-tituläres Dasein. Der gute Gott zahlte ihm alljährlich eine bedeutende Menge an Gold, Silber und Kupfer, an Kleidern, Garn, Weihrauch, Wachs, Honig, Öl, Wein, Gemüse, Korn und Flachs, an Vögeln der Vogelfänger, Rindern und Gänsen, ja auch an Lehnstühlen, Truhen, Spiegeln, Wagen und ganzen hölzernen Schiffen. Dies alles wurde nur zu einem Teil für den Bedarf des Hauses gebraucht, und nicht anders war es mit dem, was die eigene Wirtschaft hervorbrachte, Handwerksgütern und Früchten des Feldes und Gartens. Zum großen Teil wurde es verhandelt, auf Schiffen flußaufwärts und -abwärts den Märkten zugeführt und Kaufleuten gegen andere Waren sowie geformte und ungeformte Metallwerte überlassen, die Potiphars Schatzkammer füllten. Dies Handelsgeschäft, das mit der eigentlichen, hervorbringenden und verzehrenden Wirtschaft verquickt war, ergab viele rechnerische Buchungen und forderte scharfen Überblick.

Es war den Werkenden und Dienenden die Verpflegung bereitzustellen und nach Rationen zu bestimmen: das Brot, das Bier und der Brei aus Gerste und Linsen für den Alltag, die Gänse für Festtage. Die Sonderwirtschaft des Frauenhauses war da und stellte Tag für Tag ihre Ansprüche in Hinsicht auf Belieferung und Verrechnung. Den Handarbeitern, den Bäckern, Sandalenmachern, Papyrusklebern, Bierbrauern, Mattenflechtern, Tischlern und Töpfern, den Weberinnen und Spinnerinnen waren die Rohstoffe zuzumessen und ihre Produkte teils für den täglichen Bedarf zu verteilen, teils in die Vorratskammern zu leiten oder nach außen zu bringen gleich den Erzeugnissen der Nutzbäume und Gemüsepflanzungen des Gartens. Potiphars Tierbestand war zu besorgen und zu ergänzen: die Pferde, die ihn zogen, die Hunde und Katzen, mit denen er jagen ging, – große und wilde Hunde für die Jagd in der Wüste und ebenfalls sehr große, schon jaguarähnliche Katzen, die ihn auf die Geflügeljagd ins Sumpfige begleiteten. Auch Rinder gab es einige auf dem Hofe selbst; aber der Großteil von Potiphars Viehherde war draußen auf dem Felde zu finden, nämlich auf einer Insel mitten im Fluß, etwas stromabwärts gegen Dendera zu und das Haus der Hathor gelegen, die Pharao ihm aus Liebe geschenkt hatte: fünfhundert Ruten Ackers groß, von denen jede ihm zwanzig Sack Weizen und Gerste und vierzig Korb Zwiebeln, Knoblauch, Melonen, Artischocken und Flaschenkürbisse brachte: man überschlage, was das ausmacht auf fünfhundert Ruten und was solche Einkünfte für Sorgen verursachen! Zwar war ein Landverwalter da, geschickt in seinem Amt, der Schreiber der Ernte und Vorsteher der Gerste, der den Scheffel überlaufen ließ, der den Weizen vermaß für seinen Herrn. So selbstgefällig, im Stil einer Grabschrift, drückte der Mann sich aus über sich selbst; doch letzter Verlaß war darum durchaus nicht auf ihn; am Meier Mont-kaw blieb alles hängen, durch seine Hände gingen schließlich die Rechnungen über Aussaat und Ernte so gut wie die über die Ölmühlen, die Weinkelter, das Groß- und Kleinvieh, kurz über alles, was solch ein Segenshaus hervorbringt, verzehrt, aus- und einführt, und auch auf dem Felde draußen mußte er letztlich selbst nach dem Rechten sehen, da der, dem alles gehörte, Potiphar, der Höfling, nicht gewohnt war, nach irgendeinem Dinge zu

sehen noch sich eines anzunehmen in seiner zarten Uneigentlichkeit.

So ward es gefügt, daß Joseph zur rechten Zeit und unter
den rechten Umständen dennoch aufs Feld kam – und gottlob
nicht zur unrechten und unter den unrechten. Denn er kam
dorthin nicht als Fronender, wie es gewesen wäre, wenn
Dûdus, des Ehezwerges, erhaltende Weltanschauung sich
durchgesetzt und man den Sandknaben sogleich dorthin ver-
schickt hätte, ehe er vor Potiphar hatte reden dürfen, sondern
als Begleiter und Junggeselle des Vorstehers und als Lehrling
des Überblicks kam er hinaus, mit Schreibtafel und Binsen;
auf einer Segelbarke mit Ruderern fuhr er im Gefolge Mont-
kaws stromabwärts nach Potiphars Korninsel, wobei der
Meier ganz ebenso feierlich unbeweglich zwischen den Teppichwänden seiner Kapelle saß wie die reisenden Großen, die
Joseph auf seiner ersten Stromfahrt hatte vorbeigleiten sehen,
und er selbst saß hinter ihm mit anderen Schreibern. Die aber,
die ihnen begegneten, kannten die Barke wohl und sprachen
untereinander:

„Da reist Mont-kaw, des Peteprê Hausbewahrer, und begibt sich zu einer Inspektion, wie man sieht. Wer aber ist der,
der durch fremdartige Jugendschönheit hervorsticht unter seinen Begleitern?"

Dann stiegen sie aus und gingen über die Fruchtinsel, in-
spizierten Aussaat oder Ernte, ließen sich das Vieh vortreiben
und machten scharfe Augen zum Schrecken dessen, der „den
Scheffel überlaufen ließ"; und dieser verwunderte sich über
den Jüngling, dem der Vorsteher alles zeigte, ja, dem er es
seinerseits gewissermaßen vorführte, und bückte sich vorsorg-
lich vor ihm. Joseph aber, im Gedanken daran, wie leicht jener
sein Fronvogt und Fuchtelmeister hätte werden können, wenn
er zur Unzeit aufs Feld gekommen wäre, sagte wohl unter der
Hand zu ihm:

„Daß du den Scheffel nicht etwa zu deinen eigenen Gunsten
überlaufen läßt, Mann! Wir merkten es gleich, und du kämst
in die Asche!"

Dies „In-die-Asche-Kommen" war eine Redensart von zu Hause, hier gar nicht üblich. Aber desto mehr erschrak der Schreiber der Ernte davor. –

Wenn Joseph daheim auf dem Hof mit Mont-kaw zwischen den Tischen der Handwerker hindurchging, ihre Arbeit musterte und aufmerksam sowohl den Rapporten lauschte, die der Hausvorsteher von den Vorarbeitern und Ressortschreibern entgegennahm, wie auch den Erläuterungen, die jener ihm dazu gab, so beglückwünschte er sich, daß es ihm gelungen war, sein Ansehen unter den Werkenden zu schonen, und es vermieden hatte, seine Ungelerntheit vor ihnen bloßzustellen; sie hätten es sonst schwerer gehabt, einen allgemeinen Kopf in ihm zu erblicken, geschaffen zur Über- und Aufsicht. Wie schwer ist es aber, aus sich zu machen, wozu man geschaffen ist, und sich auf die Höhe zu bringen von Gottes Absichten mit uns, mögen diese sogar auch nur mittlerer Art sein; die Absichten Gottes mit Joseph aber waren sehr groß, und er mußte nachkommen. Viel saß er damals und arbeitete Rechnungen durch der Haushaltung und Wirtschaft, indem er, Zahlen und Aufstellungen vor Augen, seinen geistigen Blick auf die Wirklichkeit gerichtet hielt, von denen sie abgezogen waren. Auch mit Mont-kaw, seinem Vater, arbeitete er zusammen im Sondergemach des Vertrauens, und dieser verwunderte sich ob der Raschheit und Eindringlichkeit seines Verstandes, dieses Vermögen eines so schönen Kopfes, die Dinge und Verhältnisse zu ergreifen und zu verknüpfen, ja, noch freihändig Vorschläge zu ihrer Verbesserung zu machen. Denn da man große Mengen von Sykomorenfeigen, die der Garten lieferte, in die Stadt, namentlich aber in die westliche Totenstadt verkaufte, wo man die Früchte für die Opfertische der Totentempel und als Grabbeigabe und Zehrung für die Verstorbenen massenweise benötigte, so verfiel Joseph darauf, von den Töpfern des Hauses in Ton gearbeitete Modelle und Nachahmungen der Frucht herstellen zu lassen, die in natürlichen Farben bemalt wurden und in den Gräbern ihren Zweck ebenso gut erfüllten wie die natürlichen Früchte. Ja, da dieser

Zweck magisch war, erfüllten sie ihn als magische Andeutungen sogar noch besser, so daß drüben bald große Nachfrage nach den Zauberfeigen war, die den Erzeuger wenig kosteten und sich in beliebiger Masse herstellen ließen, also daß dieser Zweig von Potiphars Hausindustrie bald in Blüte kam, zahlreiche Werkleute beschäftigte und zur Bereicherung des Herrn zwar im Verhältnis zum Ganzen kaum erheblich, dennoch aber in unverächtlichem Maße beitrug.

Meier Mont-kaw dankte es seinem Gehilfen, daß er so den Bund zu halten wußte, den sie eines Tages von wegen des edlen Herrn geschlossen, und nicht selten, wenn er das helle Streben des Jünglings und das Ingenium beobachtete, mit dem er das Vielfältige seinem Geist unterwarf, erneuerten sich ihm die eigentümlich wankenden Gefühle, die ihn einst, als jener zuerst, die Buchrolle in Händen, vor ihm stand, so zweideutig bewegt hatten.

Auch auf Handelsfahrten schickte er, zu seiner eigenen Entlastung, den jungen Eleven bald und auf die Märkte mit Waren: flußabwärts sowohl, gegen Abôdu hin, die Ruhestätte des Zerrissenen, ja, bis nach Menfe, wie auch aufwärts gegen Süden zur Elefanteninsel, so daß Joseph Herr der Barke war oder auch mehrerer, die Peteprês Güter führten: Bier, Wein, Gemüse, Felle, Leinen, irden Geschirr und Öl des Rizinusstrauchs, zum Brennen wie auch das feine zur inneren Glättung, so daß binnen kurzem die Begegnenden sprachen:

„Da segelt Mont-kaws Gehilfe, vom Hause Peteprês, ein asiatischer Jüngling, schön von Gesicht und geschickt von Benehmen, und führt Güter zu Markt, denn der Meier vertraut ihm, und das nicht mit Unrecht, denn er hat einen Zauber in seinen Augen und spricht dir die Sprache der Menschen besser als ich und du, so daß er für seine Waren einzunehmen weiß, indem er für sich einnimmt, und Preise erzielt, erfreulich für Pharaos Freund."

So etwa die Schiffer des Nehel im Vorüberfahren. Und es traf zu, was sie sagten; denn Segen war bei Josephs Tun, er wußte reizend umzugehen mit den Käufern der Märkte in

Dörfern und Städten, und seine Ausdrucksform war eine Wonne für jedermann, also daß man sich zu ihm drängte und seinen Produkten und er dem Vorsteher Erlöse heimbrachte, günstiger, als dieser selbst wohl erzielt hätte oder sonst irgendein Sachwalter. Und doch durfte Mont-kaw den Joseph nicht häufig auf Reisen schicken, und schleunig mußte dieser immer zurück sein von solchen Fahrten; denn Peteprê sah es höchst ungern, wenn dieser Diener fehlte im Speisegemach, wenn er es nicht war, der ihm das Wasser über die Hände goß und ihm die Speisen, die Trinkschale reichte, und wenn er seiner entbehren mußte zur Schlummerlektüre nach vollbrachter Tafel. Ja, nur wenn man bedenkt, daß der Leib- und Lesedienst bei Potiphar immer herlief neben der vielfachen Aufgabe, den Überblick zu erlernen über sein Hauswesen, ermißt man die Strenge der Ansprüche ganz, die zu jener Zeit an Josephs Kopf und seine Spannkraft gestellt wurden. Doch war er jung und voller Lust und Entschlossenheit, sich auf die Höhe zu bringen von Gottes Absichten. Der Letzte von denen hier unten war er bereits nicht mehr; schon mancher fing an, sich vor ihm zu bücken. Aber noch ganz anders mußte es kommen, er war von Gottes wegen durchdrungen davon, und nicht nur einige sollten sich vor ihm bücken, sondern alle, mit Ausnahme von einem, nämlich dem Höchsten, welchem allein er dienen durfte, das war nun einmal des Abramsenkels fixe und unerörtert die Richtung seines Lebens bestimmende Überzeugung. Wie es geschehen und dahin kommen würde, wußte er nicht und konnte sich kein Bild davon machen; es galt aber, willig und mutig den Weg zu gehen, den Gott unter seine Füße getan, so weit zu sehen, wie dem Menschen auf seinem Wege zu sehen gegeben ist, und nicht zu zagen, wenn der Weg steil war, denn eben das deutete auf ein hohes Ziel.

So ließ er sich's nicht verdrießen, die Wirtschaft und das Geschäft mehr und mehr seinem Kopfe zu unterwerfen, indem er sich als Gehilfe von Tag zu Tag unentbehrlicher zu machen suchte dem Mont-kaw, und auch noch außerdem den Bund zu halten, den er mit dem Meier geschlossen in betreff Potiphars, des guten Herrn, des Höchsten im nächsten Kreise, sich ihm zu widmen als Leib- und Seelendiener und sich in seinem Vertrauen zu befestigen auf die Art, wie er's bei den Bäumen und im Gespräch über den Garten der Netzestellerin getan. Viel Geist und Kunst gehörte dazu, so zu tun und dem Herrn behilflich zu sein in seiner Tiefe, ihm das Gefühl seiner selbst zu erwärmen, besser als der Wein es vermochte bei Tische. Und wär' es nur das gewesen! Aber um sich wahrhaft ein Bild zu machen von dem, was alles Jaakobs Sohn zu besorgen hatte, indem er zugleich Gehilfe dem Hausmeier war und behilflich dem Herrn, muß man mit einstellen, daß er auch noch jeden Abend dem Mont-kaw gute Nacht sagen mußte, und zwar immer mit anderen Worten, die aus dem Sprachschatz gehoben sein wollten; denn dessentwegen war er ja ursprünglich gekauft worden, und Mont-kaw war beim erstenmal, als es zur Probe geschah, zu angenehm berührt gewesen, als daß er in der Folge auf das Vergnügen hätte verzichten mögen. Auch war er ein schlechter Schläfer, die Säcke, die unter seinen Augen hingen und sie verkleinerten, bezeugten es. Schwer fand sein beanspruchter Kopf aus dem geschäftigen Tage zur Ruhe hinüber; auch die Niere, mit der es bei ihm nicht ganz extra stand, mocht' es ihm wohl erschweren, den guten Weg zu finden, und so konnte er milde Wünsche und wohllautende Einflüsterungen dieses Sinnes am Tagesende wohl brauchen. Darum durfte Joseph es nie versäumen, vor ihn hinzutreten vor Nacht und ihm etwas Stillendes ins Ohr zu träufeln, was auch, unter allem andern und nebenhin, bei Tage ein wenig bedacht und zubereitet sein mußte; denn es sollte Ausdrucksform haben.

„Sei gegrüßt, mein Vater, zur Nacht!" sagte er wohl mit erhobenen Händen. „Siehe, der Tag ist ausgelebt, er hat seine Augen zugetan, müd seiner selbst, und über alle Welt kam die Stille. Horch, wie wundersam! Da ist ein Stampfen noch aus dem Stall, und ein Hund gibt Laut, aber dann ist das Schweigen nur desto tiefer; besänftigend dringt es dem Menschen auch in die Seele ein, ihn schläfert's, und über Hof und Stadt,

Fruchtland und Wüste gehen die wachsamen Lampen Gottes auf. Die Völker freuen sich, daß es Abend ward zur rechten Zeit, da sie müde wurden, und daß morgen der Tag seine Augen wieder aufschlagen wird, wenn sie gelabt sind. Wahrlich, die Einrichtungen Gottes sind dankenswert! Denn es bilde der Mensch sich nur ein, es gäbe die Nacht nicht, und die glühende Straße der Mühsal erstreckte sich vor ihm ungeteilt, in greller Einförmigkeit unabsehbar dahin. Wär' es nicht zum Entsetzen und zum Verzagen? Aber Gott hat die Tage gemacht und einem jeden sein Ziel gesetzt, das wir mit Sicherheit erreichen zu seiner Stunde: der Hain der Nacht ist es, der uns lädt zu heiliger Rast, und mit gebreiteten Armen, rückwärts sinkenden Hauptes, mit offenen Lippen und selig brechenden Augen gehen wir in seinen köstlichen Schatten ein. Denke doch nicht, lieber Herr, auf deinem Bett, daß du ruhen *mußt!* Denke vielmehr, daß du ruhen *darfst,* und versteh es als große Gunst, so wird dir Friede werden! Strecke dich, mein Vater, denn hin, und der süße Schlaf senke sich auf dich, über dich, fülle die Seele ganz dir mit wonniger Ruh', daß gelöst du von Plack und Plage atmest ihm an der göttlichen Brust!"

„Dank, Osarsiph", sagte der Meier dann, und wie damals schon, als Joseph ihm am hellen Tage zuerst gute Nacht gewünscht, waren die Augen ihm etwas feucht. „Ruhe wohl auch du! Gestern hast du vielleicht noch eine Spur harmonischer geredet, aber auch heute war's tröstlich und dem Mohne verwandt, so daß ich wohl glaube, es wird mir helfen gegen die Wachheit. Sonderlich deine Unterscheidung, daß ich schlafen darf und nicht muß, hat mir zugesagt; ich nehme mir vor, dran zu denken, es wird mir ein Anhalt sein. Wie machst du es nur, daß die Worte dir fallen zum Zauberspruch und es lautet wie ‚Auf dich, über dich, fülle die Seele ganz –'? Das kannst du wohl selber nicht sagen. Und so, gute Nacht denn, mein Sohn!"

So war es, viele und vielfältige Zumutungen wurden damals an Joseph gestellt, und nicht genug damit, daß er sie erfüllte, so mußte er auch noch Sorge tragen, daß man ihm sein Glück verzieh; denn das Lächeln und Augenniederschlagen, womit die Menschen einen Aufstieg wie den seinen begleiten, birgt viel Böses in sich, das es mit Klugheit, Schonung und zarter Kunst nach rechts und links zu begütigen gilt: eine Zumutung mehr an die Umsicht und Wachsamkeit, die zum übrigen kommt. Daß einer, der wächst wie an einer Quelle, gleich Joseph, nicht sollte dem oder jenem ins Feld treten und manches Mannes Grenzstein verletzen, ist ganz unmöglich; er kann's nicht vermeiden, weil die Verkürzung anderer mit seinem Dasein unweigerlich verbunden ist, und ein gut Teil seines Verstandes muß immerfort daran gewandt sein, die Überschatteten und Untertretenen mit seiner Existenz zu versöhnen. Der Joseph von vor der Grube hatte des Sinnes und Feingefühls für solche Wahrheiten entbehrt; die Meinung, daß alle Leute ihn mehr liebten als sich selbst, hatte ihn unempfindlich dagegen gemacht. Im Tode und als Osarsiph war er gescheiter geworden, oder klüger, wenn man will, denn Gescheitheit schützt, wie gerade Josephs Frühleben zeigt, vor Torheit nicht; und die zarte Bedenklichkeit, die er im Gespräch mit Mont-kaw wegen seines Vorgängers im Leseamt, Amenemuje, an den Tag gelegt, war in erster Linie auf den Meier selbst berechnet gewesen, in dem Bewußtsein, daß sie ihn angenehm berühren werde, gesetzt auch, daß er ein zu freudiger Abdankung veranlagter Mann war. Aber auch hinsichtlich Amenemujes tat er sein Bestes, ging hin zu ihm und sprach zu ihm so höflich und bescheiden, daß dieser Schreiber am Ende ganz gewonnen war und aufrichtig gern seine Absetzung vom Leseamt in den Kauf nahm, um dessentwillen, daß sein Nachfolger so reizend zu ihm gewesen war. Denn Joseph faßte es, die Hände auf der Brust, in bewegliche Worte, wie in der Seele peinlich der Beschluß und die heilige Laune des Herrn ihm sei, zu deren Herbeiführung er wissentlich gar nichts getan, wofür der beste Beweis seine Überzeugung sei, daß Amenemuje, der Zögling des Bücherhauses, viel besser lese als er, schon weil er ein Sohn der schwarzen Erde sei, er, Osarsiph, aber ein radebrechender Asiat. Aber es sei nun einmal so gekommen, daß er im Garten vor dem Herrn habe sprechen müssen, wobei er ihm in seiner Verlegenheit allerlei von Bäumen, Bienen und Vögeln erzählt habe, was er zufällig wisse, und das habe fast unbegreiflicherweise dem Herrn so unverhältnismäßig zugesagt, daß er mit dem raschen Sinne der Großen und Mächtigen jenen Entschluß gefaßt habe – nicht zu seinem Besten, wie er nun selbst wohl einsehen müsse. Denn öfters und immer wieder halte er ihm, Joseph, den Amenemuje als Beispiel vor und spreche: „So und so las und betonte das Amenemuje, mein früherer Vorleser, so mußt du es auch lesen, wenn du Gnade finden willst bei mir; denn verwöhnt bin ich von früher her." Dann versuche er, Joseph, es auch so zu machen, also daß er Leben und Atem eigentlich nur von jenem, seinem Vorgänger habe. Der Herr aber widerrufe nur darum nicht seinen Befehl, weil ja die Großen nie zugeben wollten und dürften, daß sie zu schnell und sich selber zum Schaden befohlen. Darum suche er, Joseph, ihn in seiner heimlichen Reue zu trösten, indem er täglich zu ihm spreche: „Du mußt, o Herr, dem Amenemuje zwei Festkleider schenken und ihm außerdem den guten Posten zuerteilen als Schreiber der Süßigkeiten und Lustbarkeiten im Hause der Abgeschlossenen, so wird es dir leichter sein, und mir gleichfalls, um seinetwillen."

Das alles war natürlich Balsam für Amenemuje. Er hatte gar nicht gewußt, daß er ein so guter Vorleser gewesen, da meistens der Herr bald eingeschlafen war, nachdem er den Mund aufgetan; und da er sich sagte, daß er habe verabschiedet werden müssen, um es zu erfahren, so mußte er mit dem Abschied wohl einverstanden sein. Auch taten ihm seines Nachfolgers Gewissensbisse und die uneingestandene Reue des Herrn in der Seele wohl; und da er tatsächlich die beiden Festkleider erhielt, dazu auch zum Vorsteher der Lustbarkeiten in Peteprês Frauenhause, was ein sehr guter Posten war, bestellt wurde, zum Zeichen, daß Joseph wirklich beim Herrn für ihn gesprochen hatte, so trug er keinerlei Bosheit gegen den Kenaniter, sondern war guter Dinge für ihn und fand, daß er sich allerliebst gegen ihn benommen habe.

Dem Joseph freilich machte es gar nichts aus, anderen gute Posten zu verschaffen, da er selber mit Gott aufs Ganze ging und sich, wenn auch von weitem noch, auf den allgemeinen Überblick einrichtete an der Seite Mont-kaws. Mit demjenigen Hausbeamten, der Peteprê sonst auf die Geflügeljagd und zum Fischestechen begleitet hatte, einem gewissen Merab, machte er es geradeso. Denn auch zu diesen männlichen Vergnügungen nahm Potiphar jetzt seinen Günstling, den Osarsiph, mit als Geselle, und nicht mehr den Merab, was eigentlich gleich einem Stachel hätte sein müssen, und zwar einem giftigen, getrieben in Merabs Fleisch. Aber Joseph nahm dem Stachel Gift und Schärfe, indem er zu Merab sprach wie zu Amenemuje und ihm gleichfalls ein Ehrengeschenk sowie einen guten Ersatzposten, nämlich den als Vorsteher der Bierbrauerei, verschaffte, so daß er ihn sich, statt zum Feinde, geradezu zum Freunde machte und Merab vor allen Leuten von ihm sagte: „Er ist zwar vom elenden Retenu und von den Wandervölkern der Wüste, aber ein eleganter Bursch ist er doch, das muß man ihm lassen, und hat allerliebste Lebensart. Bei allen Dreien! er macht noch Fehler beim Reden der Menschensprache, und doch ist's so und nicht anders, daß, muß man vor ihm zurücktreten, es einen noch freut, es zu tun, und einem beim Zurücktreten die Augen leuchten. Wolle mir keiner erklären, warum dem so ist, denn man kann's nicht und redet nur schief dran vorbei; aber die Augen leuchten."

So jener Merab, ein gewöhnlicher ägyptischer Mann; und es war Se'ench-Wen-nofre und so weiter, das Zwerglein Gottlieb, welches den Joseph wispernd davon verständigte, daß der Verabschiedete so unter den Leuten gesprochen habe. „Nun, dann ist es ja gut", antwortete Joseph. Aber er wußte wohl, daß nicht jeder so redete; über den kindlichen Wahn, daß alle ihn mehr lieben müßten als sich selbst, war er hinweg und verstand sehr genau, daß sein Aufstieg im Hause Potiphars, ärgerlich für manchen schon an und für sich, durch den Umstand seines Ausländertums, und daß er ein „Sandbewohner" und von den Ibrim war, noch eine besondere, zur größten Taktentfaltung auffordernde Anstößigkeit gewann. Wir sind hier wieder bei jenen inneren Gegensätzen und Parteiungen, die das Land der Enkel beherrschten und zwischen denen Josephs Laufbahn daselbst sich vollzog; bei den gewissen frommen und patriotischen Grundsätzlichkeiten, die dieser Laufbahn entgegenstanden und fast bewirkt hätten, daß er zur Unzeit aufs Feld hinausgekommen wäre, – und ebenso gewissen anderen, die man freigeistig-duldsam oder auch modisch und schwächlich nennen mochte und die sein Aufkommen begünstigten. Diese letzteren waren Mont-kaws, des Hauptvorstehers, Sache, einfach darum, weil sie die Sache Peteprês, seines Herrn, des großen Höflings, waren. Warum aber seine? Natürlich weil sie bei Hofe galten; weil man sich dort ärgerte an der lastenden Schwere und Tempelmacht Amuns, welcher die Verkörperung patriotisch bewahrender Sittenstrenge war im späten Lande, und weil die Großen des Hofs darum einem anderen Gotteskult zuneigten und Vorschub leisteten – man vermutet schon, welchem. Es war der Dienst Atum-Rês zu On an der Spitze des Dreiecks, dieses sehr alten und milden Gottes, welchem Amun sich gleichgesetzt hatte, nicht auf verbindliche, sondern auf gewalttätige Weise, so daß er Amun-Rê hieß, der Reichs- und Sonnengott. Sie waren beide die Sonne in ihrer Barke, Rê und Amun, aber in wie ungleichem Sinn waren sie es und auf wie verschiedene Weise! An Ort und Stelle hatte Joseph Proben bekommen, im Gespräch mit den triefäugigen Priestern Horachtes, von dieses Gottes beweglichem und heiter-lehrhaftem Sonnensinn; er wußte von seiner Ausdehnungslust und von seiner Neigung, sich in Beziehung und in ein weltläufiges Einvernehmen zu setzen mit allen möglichen Sonnengöttern der Völker, mit Asiens Sonnenjünglingen, die wie ein Bräutigam hervorgingen aus ihrer Kammer, wie ein froher Held liefen den Weg und um die Klage war in ihrem Untergange, Klage von Frauen. Rê, wie es schien, wollte, wie Abraham seinerzeit zwischen Malchisedeks El eljon und seinem Gott, keinen großen Unterschied mehr wahrhaben zwischen sich und ihnen. Er hieß Atum in seinem Untergange, darin er sehr schön und beklagenswert war; aber neuerdings hatte er sich aus beweglicher Spekulation durch seine lehrhaften Propheten einen ähnlich lautenden Namen für sein ganzes und allgemeines Sonnentum, nicht nur für den Untergang, sondern für Morgen, Mittag und Abend zugelegt: Er nannte sich Atôn – mit eigentümlichem Anklang, der niemandem entging. Denn er näherte damit seinen Namen dem Namen des vom Eber zerrissenen Jünglings an, um den die Flöte klagte in Asiens Hainen und Schluchten.

So ausländisch angehaucht, beweglich und weltfreundlich-allgemein von Neigung war der Sonnensinn Rê-Horachtes, und bei Hof galt er viel; die Gelehrten Pharaos kannten nichts Besseres, als sich denkerisch an ihm zu versuchen. Amun-Rê dagegen zu Karnak, Pharaos Vater in seinem gewaltigen und schätzereichen Haus, war von allem, was Atum-Rê war, das Gegenteil. Er war starr und streng, ein verbietender Feind jeder ins Allgemeine ausschauenden Spekulation, unhold dem Ausland und unbeweglich beim nicht zu erörternden Völkerbrauch, beim heilig Angestammten verharrend – und dieses alles, obgleich er viel jünger war als der zu On, also, daß hier das Uralte sich als beweglich und weltfroh, das Neuere aber sich als unbeugsam bewahrend erwies, eine konfuse Stellung der Umstände.

Wie aber Amun zu Karnak scheel blickte auf die Geschätztheit Atum-Rê-Horachtes bei Hofe, so fühlte Joseph wohl, daß er auch scheel blicke auf ihn, den ausländischen Leib- und Lesediener des Höflings; und beim Überschlagen von Gunst und Ungunst hatte er's bald herausgehabt, daß der Sonnensinn Rês ihm günstig war, derjenige Amuns aber ungünstig und daß diese Ungunst große Taktentfaltung erforderte.

Die ihm nächste Verkörperung des Amun-Sinnes war Dûdu, der Würdebold, der Vorsteher der Schmuckkästen. Daß dieser ihn nicht mehr liebte als sich selbst, sondern bedeutend weniger, war von Anbeginn nur zu klar gewesen; und es ist nicht zu sagen, welche Mühe sich Jaakobs Sohn all diese Zeit hin, ja, durch Jahre mit dem gediegenen Zwerge gab, wie er durch die sorgfältigste Artigkeit nicht nur gegen ihn selbst, sondern auch gegen die, die den Arm um ihn schlang, sein Weib Zeset, die im Frauenhause eine gehobene Stellung einnahm, und gegen seine langen, aber garstigen Kinder, Esesi und Ebebi, ihn zu versöhnen und zu gewinnen suchte und es peinlich vermied, im mindesten seine Grenzsteine zu verletzen. Wer zweifelt denn, daß es ihm, wie er dank gewissen erwärmenden Hilfeleistungen mit Potiphar stand, ein leichtes gewesen wäre, Dûdu zur Seite zu drängen und sich selbst zum Kleidervorsteher ernennen zu lassen? Der Herr wünschte sich ja nichts Besseres, als ihn mehr und mehr in seinen persönlichen Dienst zu ziehen, und es ist so gut wie gewiß, daß er ihm den Posten des Obergarderobiers ganz ungebeten und von sich aus geradezu anbot, besonders da er den überheblichen Ehezwerg, wie Joseph wohl bemerkte und wie er es schon aus des treuen Meiers Abneigung gegen jenen geschlossen hatte, nicht ausstehen konnte. Aber so strikt wie unterwürfig lehnte Joseph das Anerbieten ab, erstens, weil er sich wegen der Erwerbung des Überblicks keine neuen Kammer- und Leibpflichten aufladen durfte, und dann, wie er betonte, weil er sich nicht überwinden konnte und wollte, dem würdigen Kleinmann ins Feld zu treten.

Meint ihr aber, der Zwerg hätte es ihm gedankt? Durchaus nicht – in dieser Beziehung hatte Joseph sich falschen Hoffnungen hingegeben. Die Feindseligkeit, die Dûdu ihm vom ersten Tage, nein, von der ersten Stunde an erwiesen, indem er bereits seinen Ankauf gleich zu hintertreiben versucht hatte, war durch keine Schonung und Höflichkeit zu überwinden oder nur abzumildern; und wem es um die Einsicht in die Untergründe und Bewegkräfte dieser ganzen Geschichte zu tun ist, wird zur Erklärung einer so zähen Abneigung nicht bei dem Widerwillen des ägyptischen Parteimannes gegen die Begünstigung eines Ausländers und sein Wachstum im Hause stehenbleiben. Vielmehr sind hier ganz gewiß die eigentümlichen Zaubermittel mit heranzuziehen, kraft deren Joseph dem Herrn „behilflich" zu sein und ihn für sich einzunehmen wußte und von denen Dûdu Proben hatte. Sie waren ihm äußerst mißliebig gewesen, weil er sich durch sie in seinem Vollwerte und in Vorzügen beeinträchtigt fand, die den Stolz und das Gediegenheitsbewußtsein seines unterwüchsigen Lebens ausmachten.

Joseph ahnte das auch. Er verhehlte sich nicht, daß er durch sein Perorieren im Dattelgarten den einen in denselben geheimen Seelentiefen verletzt hatte, wo ihm dem anderen wohlzutun gelungen war, und daß er dem Ehezwerg, in gewisser Weise, ohne es zu wollen, also dennoch ins Feld getreten war. Ebendeshalb bot er so große Zartheit auf gegen Dûdus Weib und Ehebrut. Aber es half nichts, dieser bewies ihm, von unten herauf, Abgunst, wie er nur konnte, und besonders durch die würdig-altsittenstrenge Betonung von Josephs Unreinheit als chabirischen Fremdlings gelang ihm dies. Denn bei Tische, wenn die höheren Diener des Hauses und unter ihnen Joseph mit dem Meier Mont-kaw das Brot aßen, hielt er, indem er seine Oberlippe über der eingezogenen unteren ein würdiges Dach bilden ließ, unerbittlich darauf, daß den Ägyptern besonders aufgetragen werde und dem Ebräer besonders, ja, wenn der Verwalter und die anderen es nach dem Sonnensinne Atum-Rês nicht so genau damit nehmen wollten, so rückte er amunfromm-kundgebungsstreng weitab von dem Greuel, spie auch wohl nach den vier Himmelsgegenden und führte im Kreise um sich herum allerlei exorzisierende und die Besudelung absühnende Zaubereien aus, welchen die Beflissenheit, den Joseph zu kränken, überdeutlich abzumerken war.

Wäre es nur das gewesen! Aber Joseph erfuhr sehr bald, daß Ehren-Dûdu geradezu gegen ihn arbeite und ihn aus dem

Hause zu drängen suche, – durch sein Freundchen Gottlieb wiederum, den Bes im Feste, erfuhr er es brühwarm und haarklein; denn dieser war dank seiner Winzigkeit zum Spähen und Horchen außerordentlich geschickt, zur heimlichen Gegenwart wie geschaffen, dort, wo es etwas zu lauschen gab, und Herr von Verstecken, die als solche auch nur in Betracht zu ziehen den Ausgewachsenen nicht einmal in den Sinn kam. Dûdu, vom Zwergengeschlechte ebenfalls und wesensgleich ihm in den Maßen der kleinen Welt, hätte sich weniger grob und wehrlos erweisen sollen als sie. Aber es mochte schon zutreffen, was Gottliebchen wahrhaben wollte, daß jener durch sein Ehebündnis mit der Welt der Ausgedehnten sich mancher Feinheit des kleinen Lebens begeben hatte und wohl schon kraft der Gediegenheit, die ihn zu solchem Bündnis befähigte, der Zwergenfeinheit nur unvollkommen teilhaftig war. Genug, er ließ sich beschleichen und unvermerkt ausspionieren vom verachteten Brüderchen, und dieses kannte bald die Wege, die Dûdu ging, um Josephs Wachstum zu hindern: sie führten ins Haus der Abgeschlossenen, sie führten zu Mut-em-enet, Potiphars Titelgemahlin; was aber der Zwerg vor ihr redete, das beredete sie wiederum, sei es in seiner Gegenwart oder unter vier Augen, mit einem Gewaltigen, der aus und ein ging in Peteprês Frauenhaus und ihren Eigengemächern: mit Beknechons, dem Ersten Propheten des Amun.

Man weiß es schon aus der Unterredung von Potiphars argen Elterlein, in welchem nahen Verhältnis Josephs Herrin zum Tempel des schweren Reichsgottes, Amun-Rês Hause, stand. Sie gehörte, wie zahlreiche Frauen ihrer Gesellschaftsklasse, wie zum Beispiel auch ihre Freundin Renenutet, die Frau des Ober-Rindervorstehers des Amun, dem vornehmen Hathoren-Orden an, dessen Schutzherrin Pharaos Große Gemahlin und dessen Oberin jeweilig die Gattin des Ober-Hausbetreters des Gottes zu Karnak, zur Zeit also des frommen Beknechons, war. Sein Mittelpunkt und geistiges Heim war der schöne Tempel am Fluß, „Amuns Südliches Frauenhaus" oder „der Harem" geheißen, den die erstaunliche Widder-

Allee mit der Großen Wohnung zu Karnak verband und den Pharao eben um eine alles überhöhende Säulenhalle zu erweitern im Begriffe war; und „Haremsfrauen des Amun" war denn auch die feierbräuchliche Bezeichnung der Ordensmitglieder, womit übereinstimmte, daß ihre Oberschwester, des Hohenpriesters Gattin, den Titel der „Ersten der Haremsfrauen" führte. Warum denn aber hießen diese Damen „Hathoren", da doch Amun-Rês große Gemahlin Mut oder „Mutter" genannt war und Hathor, die Kuhäugige, schön von Antlitz, vielmehr zu Rê-Atum, dem Herrn von On, als seine Herrin gehörte? Ja, das waren die Feinheiten und staatsklugen Gleichsetzungen Ägyptenlandes! Denn da es dem Amun politisch beliebte, sich dem Atum-Rê gleichzusetzen, so setzte auch Mut, die Mutter des Sohnes, sich der bezwingenden Hathor gleich, und Amuns irdische Haremsfrauen, die Damen der hohen Gesellschaft Thebens, taten dasselbe: eine jede von ihnen war Hathor, die Liebesherrin, in Person, wenn sie in der Maske der Sonnengemahlin, in ihrem engen Kleid, die Kuhhörner auf der Goldhaube und die Gestirnscheibe dazwischen, an großen Festen für Amun musizierten, tanzten und so gut sangen, wie Damen der Gesellschaft eben zu singen vermögen; denn nicht nach dem Wohllaut ihrer Stimmen wurden sie ausgewählt, sondern nach Reichtum und Vornehmheit. Mut-em-enet aber, Potiphars Hausherrin, sang sehr schön und unterwies auch andere, wie jene Rindervorsteherin Renenutet, im schönen Singen, galt überhaupt viel im Frauenhaus Gottes, also daß ihr Platz im Orden fast an der Seite der Oberin war; und deren Gemahl, Beknechons eben, der Große Prophet des Amun, ging bei ihr ein und aus als Freund und frommer Vertrauter.

Beknechons

Joseph kannte diesen Gestrengen längst von Ansehen; er hatte ihn wiederholt im Hof und vorm Frauenhaus zu Besuch erscheinen sehen und sich in Pharaos Seele hinein an dem

Staat und Aufwand geärgert, in dem er daherkam: Gottes-
militär mit Speeren und Keulen eilte seinem Tragstuhl voran,
der an langen Stangen auf den Schultern von viermal vier
spiegelköpfigen Tempeldienern schwebte; eine weitere Heer-
schar folgte der Sänfte, Straußenfächer wurden ihr zu den
Seiten getragen, als wie der Barke Amuns selbst auf dem
Festwege, und vor dem vorderen Haufen liefen noch Stockträger, welche vormeldend den Hof mit ihrem anspruchsvoll
aufgeregten Geschrei erfüllten, auf daß man zusammenlaufe
und „Der über dem Hause", wenn nicht gar Peteprê selbst, den
großen Gast an der Schwelle empfange. Potiphar pflegte sich
verleugnen zu lassen bei solchen Gelegenheiten, aber Mont-
kaw war unweigerlich zur Stelle, und hinter ihm war es auch
Joseph schon mehrmals gewesen, aufmerksam diesen sehr
Großen ins Auge fassend, weil er in ihm die höchste und
fernste Verkörperung des feindlichen Sonnensinns zu erblicken
hatte, von dem Dûdu die nächste und kleinste war.

Beknechons war hochgewachsen und trug sich außerdem
noch sehr stolz und strack aus den Rippen emporgereckt, die
Schultern zurückgenommen, das Kinn erhoben. Sein eiför-
miger Kopf mit dem niemals bedeckten, glattrasierten Schädel
war bedeutend und nach seinem Ausdruck gänzlich bestimmt
durch ein tief und scharf cingeschnittenes Zeichen zwischen
seinen Augen, das immer da war und an Strenge nichts ein-
büßte, wenn der Mann lächelte, was herablassenderweise und
zum Lohne besonderer Unterwürfigkeit immerhin vorkam.
Des Oberpriesters sorgfältig vom Bart gereinigtes, gemeißelt-
ebenmäßiges und unbewegtes Gesicht mit den hochsitzenden
Wangenknochen und den wie das Augenzeichen sehr stark
eingeschriebenen Furchen um Nüstern und Mund hatte eine
Art, über Menschen und Dinge hinwegzublicken, die mehr als
hochmütig war, denn sie kam der Ablehnung alles gegenwärtigen Weltwesens gleich, einer Verneinung und Verurteilung
des gesamten Lebensfortganges seit Jahrhunderten oder auch
Jahrtausenden, wie denn auch seine Kleidung zwar kostbar
und fein, aber altfränkisch war und sich nach Priesterweise

von der Mode um ganze Epochen zurückhielt: man sah deutlich, daß er unter seinem unter den Achseln ansetzenden und bis zu den Füßen hinabfallenden Obergewand einen Lendenschurz trug, so einfach, eng und kurz, wie er unter den ersten Dynastien des Alten Reiches geschnitten gewesen war; und in noch fernere und also wohl frömmere Zeiten wies das geistliche Leopardenfell zurück, das er um die Schultern geschlungen trug, nämlich so, daß der Kopf und die Vordertatzen der Katze ihm im Rücken hingen und die Hinterpranken sich über seiner Brust kreuzten, auf welcher noch andere Abzeichen seiner Würde: eine blaue Binde, ein verwickelt geformter Goldschmuck mit Widderköpfen, zu sehen waren.

Das Leopardenfell war bei Licht besehen eine Anmaßung, denn es gehörte zum Ornat des Ersten Propheten des Atum-Rê zu On und kam den Dienern des Amun nicht zu. Beknechons aber war ganz der Mann, selbst zu bestimmen, was ihm zukam, und niemand, auch Joseph nicht, verkannte, warum er das Ur-Kleid der Menschen, das heilige Tierfell, trug: Er wollte damit bekunden, daß Atum-Rê aufgegangen sei in Amun, daß er nur eine Erscheinungsform war des Großen zu Theben, ihm untertan gewissermaßen, und nicht nur gewissermaßen. Denn Amun, das heißt: Beknechons hatte es erreicht, daß Rês Oberprophet zu On das Amt eines zweiten Priesters des Amun zu Theben ehrenhalber hatte annehmen müssen, so daß des Großpriesters Oberhoheit über ihn und dessen Anspruch auf seine Abzeichen hierorts am Tage war. Doch auch zu On selbst, am Sitze des Rê, hatte der Vorrang Geltung. Denn nicht nur, daß Beknechons sich „Vorsteher der Priester aller Götter von Theben" nannte – auch den Titel des „Vorstehers der Priester aller Götter von Ober- und Unterägypten" hatte er angenommen und war also auch im Hause des Atum-Rê der Über-Erste: Wie hätte er da das Leopardenfell nicht sollen tragen dürfen? Nicht ohne Schrecken konnte man den Mann betrachten, im Gedanken daran, was er alles vorstellte; und Joseph war ins Leben und Treiben Ägyptenlandes schon hinlänglich hineingewachsen, daß das Herz ihm

284

klopfte vor Bedenklichkeit, wie Pharao den Gewaltigen noch immer feister und stolzer machte durch unendliche Zuwendungen an Gütern und Schätzen, in der gemütvollen Vorstellung, daß es sein Vater Amun sei, dem er so Gutes tue, und daß er's also sich selber tue. Joseph, für den Amun-Rê nur ein Götze war wie andere mehr, wenn er sich's auch nicht merken ließ – teils ein Schafbock in seiner Kammer, teils ein Puppenbild in seinem Kapellenschrein, das man in einer Prunkbarke auf dem Jeor spazierenfuhr, weil man es nun einmal nicht besser wußte: Joseph unterschied hier freier und schärfer als Pharao; er fand es nicht gut und nicht klug, daß dieser seinen vermeintlichen Vater nur immer noch feister machte, und so war es schon höhere Sorge, mit der er den Großen Amuns im Frauenhause verschwinden sah, und ging staatsklug hinaus über die um sein eigenes Wohl, obgleich ihm bekannt war, daß dieses dort drinnen auf fragwürdige Weise in Rede stand.

Er wußte von Gottliebchen, seinem frühesten Gönner in Potiphars Haus, daß Dûdu schon mehrmals vor Mut, der Herrin, geredet und Klage geführt hatte seinetwegen: in unwahrscheinlichen Verstecken hatte der Kleine den Unterredungen beigewohnt und wispernd dem Joseph alles so haarklein zugetragen, daß dieser mit Augen sah, wie der Kleiderbewahrer im gestärkten Schurz vor der Gebieterin stand, das Dach seiner Oberlippe würdevoll über die untere schob und sich mit seinen Stummelärmchen entrüstet gebärdete, indem er mit möglichst tiefer Stimme zur Herrin emporredete über den Anstoß und über das Ärgernis. Der Sklave Osarsiph, wie er sich undeutlicher- und wahrscheinlich willkürlicherweise nenne, hatte er geredet, der Chabirengauch, der Laffe des Elends, – es sei eine Schande mit seinem Wachstum dahier und ein Krebsschaden mit der Gunst, die er im Hause genieße, – unzweifelhaft sehe der Verborgene es böse an. Gleich viel zu teuer, gegen seinen, des Zwerges, gediegenen Rat, für hundertundsechzig Deben, sei er gekauft worden von minderen Wanderkrämern der Wüste, die ihn gestohlen hätten aus einem Brunnen und Strafloch, und sei eingestellt worden in

Peteprês Haus auf Betreiben der tauben Nuß, des ledigen Possenreißers Schepses-Bes. Statt aber daß man den Fremdtölpel aufs Feld geschickt hätte zur Fron, wie achtbare Leute es dem Meier geraten, habe dieser ihn müßig gehen lassen auf dem Hof, ihm dann aber gestattet, im Dattelgarten zu reden vor Peteprê, was sich der Galgenstrick zunutze gemacht habe auf eine Weise, die schamlos zu nennen nicht etwa streng, sondern zu milde sei. Denn er habe dem Herrn in den Ohren gelegen mit ränkevoller Rabulisterei, die ein Schimpf Amuns gewesen sei und eine Lästerung aller höchsten Sonnenkraft; aber dem heiligen Gebieter habe er damit den Sinn benommen und ihn sträflich behext, so daß dieser ihn zu seinem Aufwärter und Vorleser erhoben habe, während inzwischen Montkaw ihn halte wie seinen Sohn, richtiger aber noch wie einen Sohn des Hauses, der die Wirtschaft erlerne, als ob sie sein Erbe sei, und Miene mache, den Vize-Vorsteher zu spielen – der räudige Asiat in einem ägyptischen Hause! Er, Dûdu, erlaube sich unterwürfigst, die Herrin hinzuweisen auf diesen Greuel, über den der Verborgene leicht ergrimmen und den verderbten Freisinn rächen könnte an denen, die ihn begingen und die ihn duldeten.

„Was antwortete die Herrin?" hatte Joseph auf diese Wiedergabe gefragt. „Sage es mir genau, Gottliebchen, und wiederhole mir tunlichst ihre eigenen Worte!"

„Ihre Worte", hatte der Kleine geantwortet, „waren die folgenden. ‚Während Ihr redetet, Vorsteher der Schmuckkästen', sagte sie, ‚habe ich darüber nachgedacht, wen Ihr eigentlich meintet und was für einen Fremdsklaven Ihr allenfalls im Sinne hättet bei Eurer Beschwerde, denn ich kam nicht darauf und forschte vergebens in meiner Erinnerung nach dem Betreffenden. Ihr könnt nicht fordern, daß ich des Hauses ganzes Gesinde im Kopfe habe und gleich im Bilde bin, wenn Ihr nur hindeutet auf irgendeinen davon. Da Ihr mir aber Zeit ließet, ist mir die Vermutung aufgestiegen, daß Ihr einen Diener meint, noch jung an Jahren, der seit einigem Peteprê, meinem Gemahl, den Becher füllt bei der Mahlzeit. An diesen

Silberschurz kann ich mich, wenn ich meine Gedanken zwinge, allerdings dunkel erinnern.'"

„Dunkel?" hatte Joseph nicht ohne Enttäuschung erwidert. „Wie kann ich wohl gar so dunkel sein unsrer Herrin, da ich alle Tage so nahe vor ihr und dem Herrn bin bei Tische und ihr auch sonst die Gnade nicht ganz entgangen sein kann, die ich vor ihm und Mont-kaw gefunden? Des wundere ich mich doch, daß sie so lange und angestrengt bei sich forschen mußte, eh sie vermutete, wen der boshafte Dûdu meinte. Was sagte sie noch?"

„Sie sagte", hatte der Zwerg seinen Bericht weiter fortgesetzt, „sie sagte: ,Warum tut Ihr mir's aber an und erzählt mir dies, Kleiderbewahrer? Ihr beschwört ja Amuns Zorn über mich herauf. Denn Ihr sagt selbst, daß er ergrimmen wird über die, die den Anstoß dulden. Weiß ich aber nichts, so dulde ich nichts, und so hättet Ihr's lassen sollen und meiner schonen, statt mich wissend zu machen, so daß ich Gefahr laufe.'"

Über diese Worte hatte Joseph gelacht und ihnen großen Beifall gegeben. „Was für eine vorzügliche Antwort und welch ein kluger Verweis! Sage mir noch mehr von der Herrin, kleiner Bes! Wiederhole mir alles genau, denn hoffentlich hast du gut achtgegeben!"

„Es war der boshafte Dûdu", hatte Gottlieb erwidert, „welcher noch mehr sagte. Denn er rechtfertigte sich und sprach: ,Ich habe der Herrin den Greuel verkündet, nicht, daß sie ihn duldet, sondern daß sie ihn abstellt, und habe ihr aus Liebe eine Gelegenheit verschafft, Amun einen Dienst zu erweisen, indem sie beim Herrn dahin spricht, daß der unreine Knecht aus dem Hause komme und werde, da er einmal gekauft ist, der Feldfron überantwortet, wie es sich gehört, statt daß er sich hier zum Meister macht und sich frech über des Landes Kinder setzt.'"

„Sehr häßlich", hatte Joseph gesagt. „Eine gehässige, schlimme Rede! Aber die Herrin, was antwortete nun wieder sie darauf?"

„Sie antwortete:", hatte Gottlieb gemeldet, „‚Ach, ernsthafter Zwerg, es trifft sich nur selten, daß es der Herrin gegönnt ist, mit dem Herrn vertraulich zu sprechen, bedenke des Hauses Förmlichkeit und denke nicht, daß es stehe und gehe zwischen ihm und mir wie etwa zwischen dir und der, die den Arm um dich schlingt, Frau Zeset, die dir vertraut ist. Die kommt wohl zu dir schlicht und beherzt und spricht zu dir, ihrem Gatten, von allem, was sie angeht und dich, und mag dich auch wohl bestimmen zu dem und jenem. Denn sie ist Mutter und gebar dir zwei ansehnliche Kinder, Esesi und Ebebi, so bist du dem Weibe zu Dank verbunden und hast allen Grund, der fruchtbar Verdienten dein Ohr zu leihen und ihrer Wünsche zu achten und Mahnungen. Was aber bin ich dem Herrn, und welchen Anlaß hat er, auf mich zu hören? Groß ist sein Eigensinn, wie du weißt, und stolz und taub seine Laune; so bin ich ohnmächtig vor ihm mit meinen Erinnerungen.' "

Geschwiegen hatte da Joseph und in Gedanken über das Freundchen hinweggeblickt, das sorgenvoll sein knittriges Gesicht ins Händchen gestützt hatte.

„Nun, und der Kleiderwart daraufhin?" hatte Jaakobs Sohn nach einer Weile geforscht. „Gab er wohl eine Antwort und ließ sich noch weiter aus in der Sache?"

Aber das hatte der Kleine verneint. Dûdu sei auf diese Antwort würdig verstummt; die Herrin dagegen habe hinzugefügt, mit dem Vater Oberpriester wolle sie ehestens reden über die Sache. Denn da Peteprê den Fremdsklaven erhoben habe, nachdem dieser vor ihm über Sonnendinge geredet, sehe man wohl, daß Glaubenspolitisches hier im Spiele wäre, und das gehe Beknechons an, den Großen Amuns, ihren Freund und Beichtiger: Er müsse es wissen, und in sein Vaterherz wolle sie ausschütten zu ihrer Erleichterung, was Dûdu ihr über den Anstoß zu wissen gegeben.

So weit die Nachrichten des Heinzels. Aber Joseph erinnerte sich später, wie Bes-em-heb damals noch länger bei ihm gesessen hatte, in seinem komischen Putz, den Salbkegel auf der Perücke, das Kinn im Händchen und grämlich blinzelnd.

„Was blinzelst du, Gottlieb in Amuns Haus", hatte er gefragt, „und grübelst noch nach über diese Dinge?"

Der aber hatte mit seinem Grillenstimmchen geantwortet:

„Ach, Osarsiph, der Kleine sinnt darüber nach, wie es nicht gut ist, daß der böse Gevatter von dir redet vor Mut, der Herrin, – wie so gar nicht und keineswegs gut!"

„Natürlich", hatte Joseph erwidert. „Was sagst du mir das? Das weiß ich doch selbst, daß es nicht gut ist und sogar gefährlich. Aber siehe, ich nehme es heiter auf, denn ich vertraue auf Gott. Hat nicht die Herrin selber gestanden, daß sie nicht allzuviel vermag über Peteprê? Es genügt durchaus nicht ein Wörtchen und Wink von ihr, um mich in die Feldfron zu bringen, da sei nur ruhig!"

„Wie soll ich ruhig sein", hatte Bes gewispert, „da es doch gefährlich ist noch anders herum und auf anderem Wege, daß der Gevatter die Herrin gemahnt und ihre Dunkelheit aufhellet deinetwegen."

„Das verstehe, wer kann!" hatte Joseph darauf gerufen, „denn ich verstehe es nicht, und dunkel ist mir dein kleines Gefasel. Gefährlich noch anders herum und von anderer Seite? Was wisperst du da für Dunkelheiten?"

„Ich wispere, wispere meine Angst und Ahnung", hatte Gottliebchen sich wieder vernehmen lassen, „und raune dir kleine Sorgenweisheit, die dir noch nicht beikommen will, dem Ausgedehnten. Denn der Gevatter will's böse machen, aber es könnte sein, daß er's gut machte wider Willen, nur allzu gut, also daß es schon wieder böse wäre, viel böser noch, als er's zu machen gedachte."

„Nun, Männlein, nimm mir's nicht übel, aber was keinen Verstand hat, kann der Mensch nicht verstehen. Böse, gut, allzu gut, noch viel böser? Das ist ja Zwergenkrimskrams und kleinliches Kauderwelsch, ich kann beim besten Willen nichts damit anfangen!"

„Warum hat sich aber dein Angesicht rötlich getrübt, Osarsiph, und bist unwirsch wie schon vorhin, als ich dir meldete, du seiest dunkel gewesen der Herrin? Die kleine Weisheit wünschte, du bliebest ihr dunkel immerdar, denn es ist gefährlich, zweimal gefährlich, gefährlicher als die Gefahr, daß der verfluchte Gevatter ihr Augen macht aus seiner Bosheit. Ach", hatte der Kleine gesagt und sich in seine Ärmchen verkrochen, „der Zwerg fürchtet sich sehr und entsetzt sich vorm Feinde, dem Stier, dessen feuriger Atem die Flur verheert!"

„Welche Flur aber?" hatte Joseph mit betonter Verständnislosigkeit gefragt. „Und was für ein Feuerstier? Du bist heute nicht ganz bei Troste, so kann auch ich dich nicht trösten. Laß dir einen stillenden Wurzelsaft einmischen vom Glutbauch, der dir den Sinn kühlt. Ich gehe an mein Geschäft. Kann ich's ändern, daß Dûdu wider mich klagte bei der Herrin, so gefährlich es sein mag? Du aber siehst mein Gottvertrauen und brauchst dich nicht dergestalt zu gebärden. Gib nur weiter fein acht und laß dir womöglich kein Wort entgehen von dem, was Dûdu spricht vor der Herrin, noch namentlich, was sie ihm antwortet, daß du mir's haargenau meldest. Denn daß ich Bescheid weiß, ist wichtig."

So also war damals (und Joseph gedachte es später) das Gespräch gegangen, bei dem Gottliebchen sich so sonderbar ängstlich benommen. War es aber wirklich nur Gottvertrauen und gar nichts weiter, was Joseph die Nachricht von Dûdus Schritten verhältnismäßig so heiter aufnehmen ließ?

Bis dahin war er der Gebieterin, wenn nicht gerade Luft, so doch eine bewandtnislose Figur, ein Stück im Raum gewesen, wie als Stummer Diener für Huij und Tuij. Dûdu, der es böse zu machen gedachte, hatte darin nun jedenfalls einmal eine Änderung hervorgebracht. Wenn jetzt bei Tafel im Saal, während Joseph dem Herrn die Speisen reichte und ihm den Becher füllte, ihr Blick auf ihn traf, so war es nicht aus bloßem Zufall und wie ein Blick eine Sache trifft, sondern sie sah persönlich nach ihm wie nach einer Erscheinung mit Hintergründen und Bezüglichkeiten, die, sei es im Freundlichen oder Ärgerlichen, Anlaß zum Nachdenken gibt. Mit einem Wort, diese große Dame Ägyptens, seine Herrin, beachtete ihn seit kurzem. Sie tat es, versteht sich, auf sehr matte und flüchtige

Art; daß ihre Augen auf ihm geruht hätten, wäre zuviel gesagt gewesen. Aber sie kamen für der Weile Dauer, die man etwa einen Augenblick nennt, das eine und andere Mal forschend zu ihm hinüber – in dem Gedanken wohl und zur Erinnerung, daß sie vorhabe, mit Beknechons zu reden von wegen seiner; und Joseph nahm hinter seinen Wimpern von diesen Augenblicken Notiz: es entging ihm, bei aller Aufmerksamkeit, die er Peteprês Dienst zuzuwenden hatte, nicht einer davon, wenn er es auch nur ein- oder zweimal vorkommen ließ, daß der Augenblick zweiseitig wurde und ihrer Augen Blicke, der Herrin und des Dieners, von ungefähr offen einander trafen – matt, stolz und mit Strenge aushaltend der ihre, ehrfürchtig erschrocken der seine und unterm Lidschlage schleunigst in Demut vergehend.

Dergleichen ereignete sich, seit Dûdu mit der Herrin gesprochen hatte. Vorher hatte es sich nicht ereignet, und unter uns gesagt war es dem Joseph nicht vollständig unlieb. Gewissermaßen sah er einen Fortschritt darin und war versucht, Dûdu, dem Widersacher, dankbar zu sein für seinen Hinweis. Auch war ihm, als er das nächste Mal den Beknechons ins Frauenhaus eintreten sah, der Gedanke nicht unangenehm, daß wahrscheinlich von ihm und seinem Wachstum die Rede sein werde; eine gewisse Genugtuung, ja Freude war ebenfalls mit diesem Gedanken verknüpft – soviel Bedenklichkeit und Sorge er auch enthielt.

Wie denn die Rede gegangen war, erfuhr er ebenfalls wieder vom Spottwesir, der es verstanden hatte, in irgendeiner Falte und Spalte ihr heimlich zu folgen: Erst hatten Priester und Ordensfrau über gottesdienstliche und gesellschaftspersönliche Dinge mehreres ausgetauscht, – sie hatten „Zunge gemacht", wie die Kinder Kemes mit einer Redensart, die eigentlich babylonisch war, es nannten, mit anderen Worten: einigen hauptstädtischen Klatsch gepflogen; und als dann auf Peteprê und sein Haus die Rede gekommen war, hatte die Herrin wirklich dem geistlichen Freund Dûdus Klage vorgetragen und ihm von der häuslichen Ungebühr mit dem Ebräersklaven berichtet, welchem der Höfling und sein Oberverwalter so große und aufsehenerregende Gunst und Förderung zuwandten. Kopfnickend hatte Beknechons die Aussage entgegengenommen, so, als bestätige sie seine allgemeinen trüben Erwartungen und füge sich nur zu gut in das Sittenbild einer Zeit, die an Gottesfurcht so viel eingebüßt hatte gegen jene Epochen, in denen man den Schurz so eng und kurz geschnitten hatte, wie er, Beknechons, ihn trug. Ein schweres Merkmal, ohne Zweifel, so hatte er geäußert. Das sei der Geist der Lockerung und der Mißachtung urfrommer Volkesordnung, welcher, fein zwar und heiter am Anfang, dann aber ins Wüste und Wilde sich notwendig verlierend, die heiligsten Bande zerrütte und die Länder entnerve, so daß kein Schrecken mehr sei vor ihrem Zepter an den Küsten und das Reich verfalle. Und Amuns Erster war nach Gottliebchens Bericht vom Thema gleich abgekommen, indem er ins Große ging und staatskluge Fragen der Herrschaft und Machtbewahrung, mit den Händen in mehrere Himmelsgegenden weisend, ausgreifend erörterte: Vom Mitannikönig Tuschratta hatte er gesprochen, der behindert sein müsse in seiner Ausbreitung durch Schubbilulima, Großkönig des Chattireiches in Mitternacht, aber nicht allzu erfolgreich auch wieder dürfe der ihn behindern. Denn wenn das kriegsfreudige Cheta Mitanni gänzlich unter seine Botmäßigkeit bringe und sich nach Süden ergieße, werde es dem syrischen Besitzstande Pharaos, den Erwerbungen Men-cheper-Rê-Tutmoses, des Eroberers, gefährlich werden, da es ohnehin eines Tages, unter Umgehung Mitannis, das Land Amki am Meere, zwischen dem Amanus- und dem Zederngebirge, überfluten möge, wenn seine wilden Götter es dazu antrieben. Dem stehe freilich im Brettspiel der Welt die Figur Abdaschirtus, des Amoriters, entgegen, welcher, Pharaos Vasall, das Land zwischen Amki und Chanigalbat beherrsche und dazu da sei, der Ausbreitung Schubbilulimas gen Mittag einen Damm zu setzen. Das aber werde der Amoriter nur solange tun, als der Schrecken Pharaos in seinem Herzen größer sei als die Furcht Chattis – sonst werde er sich unfehlbar mit diesem verständigen und Amun verraten. Denn Verräter seien sie alle, die tributpflichtigen Könige der syrischen Eroberung, sobald nur der Schrecken sich lockere, auf welchen denn alles ankomme, nicht zuletzt bei den Bedus und Wandervölkern der Steppe, die ins Fruchtland fielen und Pharaos Städte verwüsteten ohne den Schrecken. Kurzum, der Sorgen gebe es viele, welche Ägyptenland mahnten, sich nervig zu halten und mannstüchtig, vorausgesetzt, daß es seinem Zepter den Schrecken zu wahren wünsche und den Kronen das Reich. Darum aber müsse es volksfromm und sittenstreng sein wie vor alters.

„Ein gewaltiger Mann", meinte Joseph nach Anhörung dieser Rede. „Dafür, daß er des Gottes ist und ein Blankschädel vor dem Herrn, der da ein guter Vater sein soll den Seinen und die Hand reichen den Strauchelnden, – dafür hat er viel Sinn übrig fürs Irdische und für staatskluge Bewandtnisse, das muß man bewundern. Unter uns gesagt, Gottliebchen, er sollte des Reiches Sorge und die um den Schrecken der Völker Pharao überlassen im Palast, der dafür verordnet und eingesetzt ist an seiner Stätte; denn so ist's zweifelsohne gehalten worden zwischen Tempel und Palast in den Tagen, die er lobt vor den heutigen. Unsere Herrin aber, sagte sie nichts mehr auf seine Worte?"

„Ich hörte", sagte der Zwerg, „wie sie darauf antwortete und sprach: ‚Ach, mein Vater, ist es nicht so: Als Ägyptenland fromm und volkszüchtig war in seinen Bräuchen, da war es klein und arm, und weder gen Mittag über die Stromschnellen ins Negerland noch gegen Morgen bis vor den Verkehrtfließenden waren seine Grenzsteine so weit gesetzt unter zinsende Völker. Aus der Armut aber ist Reichtum geworden und aus der Enge das Reich. Nun wimmeln die Länder und Wêse, die Große, von Fremden, die Schätze strömen, und alles ist neu worden. Freut dich aber das Neue nicht auch, das aus dem Alten kam und sein Lohn ist? Reichlich opfert Pharao vom Zinse der Völker dem Amun, seinem Vater, also daß der Gott bauen kann nach seiner Lust und anschwillt wie der Strom im

Frühjahr, wenn er schon hoch am Pegel steht. Muß also mein Vater den Gang der Dinge nicht gutheißen seit frommer Frühzeit?'"

„Vollkommen wahr", hatte nach Gottliebs Bericht Beknechons hierauf zur Antwort gegeben, „sehr zutreffend spricht meine Tochter zur Frage der Länder, wie sie sich stellt. Denn also stellt sie sich: Das gute Alte trug in sich das Neue, nämlich das Reich und den Reichtum, als seinen Lohn; aber der Lohn, nämlich das Reich und der Reichtum, dieser trägt in sich die Lockerung sowie die Entnervung und den Verlust. Was ist da zu tun, daß nicht der Lohn zum Fluche werde – und nicht das Gute sich endlich mit Bösem lohne? Das ist die Fragestellung, und der Herr von Karnak, Amun, des Reiches Gott, beantwortet sie so: Herr werden muß das Alte im Neuen und gesetzt werden das Nervig-Volkszüchtige über das Reich, daß es der Lockerung steuere und nicht um den Lohn komme, der sein ist. Denn nicht den Söhnen des Neuen, sondern den Söhnen des Alten gebührt das Reich und kommen die Kronen zu, die weiße, die rote, die blaue und dazu die Götterkrone!"

„Stark", sagte Joseph, nachdem er das vernommen. „Eine starke, eindeutige Rede, Gottliebchen, hast du da angehört dank deiner Kleinheit. Ich bin erschrocken darüber, wenn auch nicht überrascht, denn im Grunde hat mir's immer geahnt, daß Amun es also meine in seinem Herzen, schon seit ich zuerst seine Feldhaufen sah auf der Straße des Sohnes. Da hatte nun unsere Herrin nur ein wenig von mir gesprochen, und gleich ging Beknechons dermaßen ins Große, daß sie meiner wohl ganz darüber vergaßen. Kamen sie denn, soviel du hörtest, überhaupt noch einmal auf mich zurück?"

Nur ganz zuletzt, berichtete Schepses-Bes, hätten sie das getan, und Amuns Erster habe beim Abschiede zugesagt, den Peteprê ehetunlichst einmal ins Gebet zu nehmen und ihm den Fall des begünstigten Fremdsklaven bedenklich zu machen in Hinsicht aufs volkszüchtig Alte.

„Da muß ich wohl zittern", sagte Joseph, „und sehr befürchten, daß Amun meinem Wachstum ein Ende macht, denn wenn er wider mich ist, wie will ich leben? Es ist schlimm, Gottliebchen, denn wenn ich jetzt noch in die Feldfron komme, nachdem der Schreiber der Ernte sich schon vor mir gebückt, so wird das ärger sein, als wäre ich gleich dahin gekommen, und ich könnte vor Hitze verschmachten am Tage und vor Frost beben bei Nacht. Glaubst du aber, daß es dem Amun gegeben sein wird, so mit mir zu verfahren?"

„So dumm bin ich nicht", wisperte Gottliebchen da. „Ich bin doch kein Ehezwerg, daß ich vertan hätte die kleine Weisheit. Zwar bin ich aufgewachsen – wenn ich mich so ausdrücken darf – in der Furcht Amuns. Aber ich habe es längst heraus, daß mit dir, Osarsiph, ein Gott ist, stärker als Amun und klüger als er, und nimmermehr glaube ich, daß er dich in seine Hände geben und Dem in der Kapelle erlauben wird, deinem Wachstum ein Ziel zu setzen, das nicht er ihm gesetzt."

„Also sei munter, Bes-em-heb", rief Joseph, indem er den Kleinen mit Schonung auf die Schulter schlug, um ihn nicht zu beschädigen, „und guter Dinge um meinetwillen! Schließlich habe auch ich das Ohr des Herrn und kann ihm dies und das bedenklich machen unter vier Augen, was bedenklich vielleicht auch ist für Pharao, seinen Herrn. So wird er hören uns beide, Beknechons und mich. Der Hohepriester wird ihm von einem Sklaven sprechen und der Sklave von einem Gott: wir werden sehen, wem er sein Ohr neigen wird mit mehr Angelegentlichkeit – versteh mich recht, nicht wem, will ich sagen, sondern welchem Gegenstand. Du aber bleib achtsam, mein Freund, und weislich gegenwärtig für mich in Spalten und Falten, wenn Dûdu aufs neue klagt vor der Herrin, daß ich seine Worte höre und ihre!"

So geschah es. Denn es ist ausgemacht, daß es bei *einer* Klage nicht blieb des Kleiderbewahrers vor Mut-em-enet, sondern daß Dûdu nicht lockerließ und auf die krasse Begünstigung des Fremdlings vom Strafloch immer von Zeit zu Zeit vor der Herrin beschwerdeführend zurückkam. Gottliebchen war dabei auf seinem Posten, trug es dem Joseph zu und verständigte ihn treulich von Dûdus Schritten. Wäre er aber auch weniger wachsam gewesen, so hätte Joseph es doch erfahren, wann immer der Ehezwerg wieder einmal Klage geführt hatte ob seines Wachstums; denn dann gab es Augenblicke im Speisesaal. Ja, wenn solche schon viele Tage sich nicht mehr ereignet hatten, so daß Joseph schon traurig war, so ließ ihre Wiederkehr und daß die Frau aufs neue mit strengem Forschen, wie nach einer Person und nicht wie nach einer Sache, zu ihm herüberblickte, ihn klar erkennen, daß Dûdu neuerdings vor ihr geklagt hatte, und er sprach bei sich: ‚Er hat sie erinnert. Wie gefährlich ist das!‘ Er meinte damit aber auch: ‚Wie erfreulich ist das!‘ und dankte es Dûdu gewissermaßen, daß er die Herrin erinnert hatte.

Joseph wird zusehends zum Ägypter

Nicht mehr sichtbar dem Vaterauge, aber an seinem Orte sehr lebhaft vorhanden und bei sich selbst, schaute und regte sich Joseph denn also in den ägyptischen Tag hinein, – rasch eingespannt in strenge Ansprüche, da er doch als Knabe im ersten Leben gar keine Pflicht und Anstrengung gekannt, sondern es ganz beliebig getrieben hatte, – tätig bemüht nunmehr, um sich auf die Höhe zu bringen von Gottes Absichten, den Kopf voll von Zahlen, Dingen und Werten, geschäftlichen Sachlichkeiten, versponnen außerdem in ein Netz menschlichheikler und immerfort aufmerksam zu betreuender Beziehungsprobleme, dessen Fäden zu Potiphar liefen, zum guten Montkaw, zu des Hauses Zwergen, zu Gott weiß wem noch in und auch außer dem Hause, lauter Lebendigkeiten, von denen man an seiner früheren Stätte, dort, wo Jaakob war und die Brüder waren, gar keine Ahnung noch Vorstellung hatte.

Das war weit weg, weiter als siebzehn Tage weit und weiter noch, als Isaak und Rebekka von Jaakob entfernt gewesen waren, während er in den mesopotamischen Tag hinein schaute und lebte. Damals hatten auch sie nichts gewußt und sich kein Bild gemacht von den Lebendigkeiten und Beziehungsproblemen um den Sohn, und er war weit entfremdet gewesen ihrem Tage. Wo man ist, da ist die Welt – ein enger Kreis zum Leben, Erfahren und Wirken; das übrige ist Nebel. Zwar haben immer die Menschen getrachtet, ihren Lebenspunkt einmal zu verlegen, den gewohnten in den Nebel sinken zu lassen und in einen anderen Tag zu schauen. Auch der Naphtalitrieb war stark unter ihnen, in den Nebel zu laufen und seinen Bewohnern, die nur das Ihre wußten, das Hiesige zu melden, dagegen aus ihrem Tage einiges Wissenswerte nach Hause zurückzubringen. Kurzum, es gab den Verkehr und den Austausch. Auch zwischen den weit entlegenen Stätten der Jaakobsleute einerseits und Potiphars andererseits gab es dergleichen schon längst und seit je. War doch der Ur-Wanderer schon, gewohnt, seinen Gesichtskreis zu wechseln, im Land des Schlammes gewesen, wenn auch nicht so weit unten, wie Joseph nun war, und hatte doch seine Eheschwester, Josephs „Urgroßmutter", zeitweise sogar dem Frauenhaus Pharaos angehört, der damals noch nicht zu Wêse, sondern weiter oben, der Jaakobssphäre näher, in seinem Horizonte geglänzt hatte. Stets hatte es Beziehungen gegeben zwischen dieser Sphäre und der, die nun Joseph einschloß, denn hatte nicht der dunkelschöne Ismael eine Tochter des Schlammes zum Weibe genommen, welcher Vermischung die Ismaeliter ihr Dasein verdankten, die halbe Ägypter waren, berufen und ausersehen, den Joseph hinabzubringen? Wie sie, handelten viele hin und her zwischen den Strömen, und geschürzte Boten gingen in der Welt herum, Ziegelsteinbriefe in ihren Gewandfalten, seit tausend Jahren und länger schon. Hatte es aber dies Naphtaliwesen so früh schon gegeben, wie üblich, geläufig und dicht ausgebildet war es erst jetzt, zu Josephs Zeit, wo das Land seines zweiten Lebens und seiner Entrückung schon ein ausgesprochenes Land der Enkel war – nicht mehr recht volkszüchtig in sich gekehrt und eigenfromm, wie Amun es immer noch haben wollte, sondern weltgewohnt-weltlustig und dermaßen sittenlocker bereits, daß es für einen aufgelesenen Asiatenjungen nur einer gewissen Durchtriebenheit im Gutenachtsagen und in der Kunst bedurfte, aus null zwei zu machen, um eines ägyptischen Großen Leibdiener und was nicht noch alles zu werden!

O nein, an Kommunikationsmöglichkeiten fehlte es nicht zwischen den Stätten Jaakobs und seines Lieblings; aber dieser, an dem es gewesen wäre, Gebrauch davon zu machen (denn er kannte des Vaters Stätte, nicht aber dieser die seine), und dem das ein leichtes gewesen wäre, da er, als eines großen Hausmeiers rechte Hand und hochgeschult schon im Überblick, auch die Gelegenheiten der Benachrichtigung klar überblickte, – er tat es nicht, tat es durch viele Jahre nicht, aus Gründen, für die wir uns längst schon einsichtig gemacht haben und von denen fast keiner außen bleibt, wenn man sie auf den einen Namen bringt: auf den der Erwartung. Das Kalb blökte nicht, es verhielt sich totenstill und ließ die Kuh nicht wissen, auf welchen Acker der Mann es gebracht, indem es, zweifellos mit des Mannes Zustimmung, auch ihr die Erwartung zumutete, so schwer sie ihr fallen mochte, denn notgedrungen hielt die Kuh ihr Kalb für tot und zerrissen.

Wunderlich und gewissermaßen verwirrend ist das zu denken, daß Jaakob, der Alte dort hinten im Nebel, den Sohn während all der Zeit für tot hielt, – verwirrend, insofern man sich einerseits für ihn freuen möchte, weil er sich täuschte, und es andererseits einen auch wieder jammert eben um dieser Täuschung willen. Denn der Tod des Geliebten hat bekanntlich auch seine Vorteile für den, der liebt, mögen sie auch etwas hohler und öder Natur sein; und so kommt, wenn man's recht besieht, ein doppeltes Erbarmen zustande mit dem büßenden Alten daheim, weil er nämlich den Joseph für tot hielt und der es nicht einmal war. Das Vaterherz wiegte sich seinetwegen – mit tausend Schmerzen, aber auch zu seinem sanften Trost – in Todessicherheit; es wähnte ihn bewahrt und geborgen im Tode, unveränderlich, unverletzlich, der Fürsorge nicht mehr bedürftig, stehend verewigt als der siebzehnjährige Knabe, der abgeritten war auf der weißen Hulda: ein völliger Irrtum, sowohl was die Schmerzen wie namentlich auch was die allmählich das Übergewicht gewinnende Trostessicherheit betrifft. Denn unterdessen lebte Joseph und war bloß allen Lebensfährnissen. Entrafft, war er doch nicht der Zeit enthoben und blieb nicht siebzehn, sondern wuchs und reifte an seinem Ort, wurde neunzehn und zwanzig und einundzwanzig, immer noch Joseph, gewiß, aber schon hätte der Vater ihn nicht recht wiedererkannt, nicht auf den ersten Blick. Der Stoff seines Lebens wechselte, indem er freilich sein wohlgelungenes Formgepräge bewahrte; er reifte und wurde ein wenig breiter und fester, weniger ein Knaben-Jüngling, schon mehr ein Jüngling-Mann. Einige Jahre noch, und von dem Stoffe des Joseph, den Jaakob-Rebekka zum Abschied umarmte, wird gar nichts mehr übrig sein – so wenig, wie wenn der Tod sein Fleisch aufgelöst hätte; nur daß, da nicht der Tod ihn veränderte, sondern das Leben, die Joseph-Form einigermaßen erhalten blieb. Sie tat es weniger treu und genau, als der bewahrende Tod sie im Geiste erhalten hätte und als er es, täuschungsweise, in Jaakobs Geist wirklich tat. Es bleibt aber bedenklich genug, daß, in Ansehung von Stoff und Form, der Unterschied, ob uns der Tod eine Gestalt aus den Augen nimmt oder das Leben, nicht gar so erheblich ist, wie der Mensch es wohl wahrhaben möchte.

Es kam aber hinzu, daß Josephs Leben den Stoff, mit dem es im Wechsel und unter den Veränderungen des Reifens seine Form erhielt, aus ganz anderer Sphäre zog, als er es unter Jaakobs Augen getan hätte, und daß dadurch auch das Formgepräge berührt wurde. Die Lüfte und Säfte Ägyptens nährten ihn, er aß Kemes Speise, das Wasser des Landes tränkte und schwellte die Zellen seines Körpers, und seine Sonne durchstrahlte sie; er kleidete sich in die Leinwand seines Flachses, wandelte auf seinem Boden, der seine alten Kräfte und stillen Formgesinnungen in ihn hinaufsandte, nahm lebendig Tag für Tag mit den Augen die von Menschenhand dargestellten Verwirklichungen und Ausprägungen dieser still entschiedenen und alles bindenden Grundgesinnung auf und sprach die Sprache des Landes, die seine Zunge, seine Lippen und Kiefer anders stellte, als sie gestellt gewesen waren, so daß bald schon Jaakob, der Vater, zu ihm gesagt haben würde: „Damu, mein Reis, was ist mit deinem Munde? Ich kenne ihn nicht mehr."

Kurzum, Joseph wurde zusehends zum Ägypter nach Physiognomie und Gebärde, und das ging rasch, leicht und unmerklich bei ihm, denn er war weltkindlich-schmiegsam von Geist und Stoff, auch sehr jung noch und weich, als er ins Land kam, und desto williger und bequemer vollzog sich die Einformung seiner Person in den Landesstil, als erstens, körperlich, Gott wußte woher, sein Habitus immer schon eine gewisse verwandte Annäherung an den ägyptischen gezeigt hatte, mit schlanken Gliedern und waagrechten Schultern, und zweitens, seelisch betrachtet, die Lebenslage als mitlebend sich einfügender Fremdling unter „Landeskindern" ihm nicht neu, sondern altvertraut und nach seiner Überlieferung war: auch daheim schon hatten er und die Seinen, die Abramsleute, immer als „gerim" und Gäste unter den Kindern des Landes gewohnt, angepaßt wohl, verbunden und eingesessen von langer Hand, aber mit innerem Vorbehalt und einem abgerückt-sachlichen Blick auf die greulich-gemütlichen Baalsbräuche der rechten Kanaanskinder. So nun auch Joseph wieder in Ägyptenland; und bequem gingen seiner Weltkindlichkeit Vorbehalt und Anpassung zusammen, denn es war jener, der ihm diese erleichterte und ihr den Stachel der Untreue nahm gegen Ihn, Elohim, der ihn in dieses Land gebracht und auf dessen Dispens und schonendes Vorübergehen vertrauensvoll zu rechnen war, wenn Joseph es in allen Stücken ägyptisch trieb und äußerlich ganz zum Kinde des Chapi und Untertan Pharaos wurde – vorbehaltlich nur immer des stillen Vorbehaltes. So war es ein eigen Ding um seine Weltkindlichkeit; denn sie war es wohl, die ihn heiter angepaßt wandeln ließ unter den Leuten Ägyptens und ihm erlaubte, gut Freund zu sein mit ihrer schönen Kultur; dann aber, im stillen und anders herum, waren wieder sie die Weltkinder, denen er mit wohlwollender Nachsicht und abgerückten

Blickes zusah, in der geistlichen Ironie seines Blutes gegen die zierlichen Greuel ihrer Volksbräuche.

Das ägyptische Jahr ergriff ihn und führte ihn mit sich im Kreise herum mit den Gezeiten seiner Natur und dem in sich laufenden Rundreigen seiner Feste, als dessen Anfang man dies oder jenes ansehen mochte: das Neujahrsfest zu Beginn der Überschwemmung, das ein unglaublich tumult- und hoffnungsreicher Tag war – verhängnisvoll bedeutsam übrigens für Joseph, wie sich zeigen wird –, oder den wiederkehrenden Tag der Thronbesteigung Pharaos, an welchem ebenfalls alle jubelnden Volkshoffnungen sich jährlich erneuerten, die an den Urtag selbst, den Beginn der neuen Herrschaft und Zeit, geknüpft gewesen waren: daß nämlich nun das Recht das Unrecht vertreiben und man in Lachen und Staunen leben werde – oder welche Gedächtnis- und Tagesfeier nun immer; denn es war ein Rundlauf der Wiederkehr.

Eingetreten war Joseph in Ägyptens Natur zur Zeit der Verringerung des Stromes, da das Land hervorgekommen und schon die Aussaat geschehen war. Da war er verkauft worden; und dann trieb er weiter ins Jahr hinein und mit dem Jahre herum: die Erntezeit kam, die dem Namen nach bis in den flammenden Sommer und bis in Wochen dauerte, die wir Juni nennen, wo denn der kleingewordene Strom zum andächtigen Jubel alles Volks wieder zu steigen begann und langsam aus seinen Ufern trat, genau beobachtet und gemessen von den Beamten Pharaos, denn von erster und letzter Wichtigkeit war es, daß der Strom richtig kam, zu wild nicht und nicht zu schwach, weil's davon abhing, ob die Kinder Kemes zu essen hätten und es ein ergiebiges Steuerjahr würde, daß Pharao bauen könnte. Sechs Wochen stieg er und stieg, der Ernährer, ganz stille und Zoll für Zoll, bei Tag und auch bei Nacht, wenn die Menschen schliefen und schlafend an ihn glaubten. Dann aber, um die Zeit der flammendsten Sonne, wenn wir die zweite Hälfte Juli geschrieben hätten und die Kinder Ägyptens vom Monde Paophi sprachen, dem zweiten ihres Jahres und ihrer ersten Jahreszeit, die sie Achet nannten, schwoll er erst mächtig, trat weithin beiderseits über die Äcker und bedeckte das Land – dies sonderbare und einmalig bedingte Land, das in der Welt seinesgleichen nicht hatte und das nun also zu Josephs anfänglichem Staunen und Lachen in einen einzigen heiligen See verwandelt war, aus welchem jedoch, ihrer Hochgelegenheit halber, die Städte und Dörfer, durch gangbare Dämme verbunden, als Inseln hervorragten. So stand der Gott und ließ sein Fett sinken und seinen Nährschlamm auf die Äcker vier Wochen lang, bis in die Jahreszeit Peret, die zweite, die Winterzeit: da begann er zu schwinden und wieder in sich zurückzugehen – „die Wasser verliefen sich", wie Joseph, tief gemahnt, für sein Teil diesen Vorgang bezeichnete, also daß sie unterm Mond unseres Januar schon wieder im alten Bette gingen, worin sie aber immer noch weiter schwanden und abnahmen bis in den Sommer; und zweiundsiebzig Tage waren es, die Tage der zweiundsiebzig Verschwörer, die Tage der Wintertrockenheit, in denen der Gott schwand und starb, bis zu dem Tage, da Pharaos Stromwarte verkündeten, daß er wieder zu wachsen beginne, und ein neues Segensjahr seinen Anfang nahm, mäßig bis üppig, jedenfalls aber, verhüt' es Amun, ohne Hungersnot und schlimmere Steuerausfälle für Pharao, so daß er gar am Ende nicht hätte bauen können.

Das war schnell herum, fand Joseph, von Neujahr zu Neujahr oder von dem Jahresaugenblick an, da er ins Land eingetreten war, bis wieder zum selben – schnell herum, wie er's nun rechnete und wo er den Anfang setzte, durch die drei Jahreszeiten Überschwemmung, Aussaat und Ernte, mit den vier Monaten einer jeden im Schmuck ihrer Feste, an denen er weltkindlich teilnahm im Vertrauen auf höhere Indulgenz und mit Vorbehalt; aber daran teilnehmen und gute Miene dazu machen mußte er schon darum, weil die Götzenfeste vielfach mit dem Wirtschaftsleben verquickt waren und er in Peteprês Diensten und als Geschäftsstatthalter Mont-kaws die Messen und Märkte nicht hätte meiden können, die mit den heiligen Veranstaltungen verbunden waren, weil überall der

Handel aus dem Boden schießt, wo Menschen zahlreich zusammenströmen. In den Vorhöfen von Thebens Tempeln gab es Markt und Geschäft immerfort, des laufenden Opferbetriebes wegen; aber viele Wallfahrtsorte wurden gezählt stromauf und stromab, wohin von überallher das Volk in hellen Scharen strömte, wenn da oder dort ein Gott im Feste war, sein Haus schmückte, sich orakelgesprächig zeigte und zugleich mit geistlicher Labung drängelnde Massenbelustigung, Rummel und Meßverkehr verhieß. Nicht Bastet allein, die Kätzin im Delta drunten, hatte ihr Fest, von dem Joseph gleich so Ausgelassenes sich hatte erzählen lassen. Zum Bock von Mendes oder Djedet, wie Kemes Kinder sagten, nicht weit von dort, ging jedes Jahr von nah und fern ein ganz ähnlicher Volksausflug, noch fröhlicher sogar als der nach Per-Bastet, weil Bindidi, der Bock, derb und geil wie er war, dem Volkesgemüte noch näher stand als die Kätzin und sich in seinem Feste öffentlich mit einer Jungfrau des Landes vermischte. Doch können wir mit Bestimmtheit versichern, daß Joseph, der auch zur Bocksmesse geschäftlich hinabfuhr, sich nach dieser Handlung nicht umsah, sondern einzig darauf bedacht war, als seines Meiers Vertrauensmann, sein Papier, Geschirr und Gemüse unter die Leute zu bringen.

Es gab vieles im Lande und in des Landes Bräuchen, seinen Festbräuchen namentlich – denn das Fest ist recht die Hochstunde des Brauches, wo er obenauf kommt und Selbstverherrlichung treibt –, wonach er sich, bei aller Weltkindlichkeit, im Gedanken an Jaakob nicht umsah oder was er doch nur sehr kühl abgerückten Blickes betrachtete. So liebte er die Liebe der Landeskinder zum Trunke nicht: schon die Erinnerung an Noah hinderte ihn an solcher Sympathie, ferner das nüchtern-besinnliche Vatervorbild in seiner Seele sowie die eigene Natur, die zwar hell und lustig war, aber die taumelnde Trübung verabscheute. Die Kinder Kemes dagegen kannten nichts Besseres, denn daß sie sich recht betränken, mit Bier oder Wein, bei jeder Gelegenheit, so Männer wie Weiber. Bei Festlichkeiten erhielten sie alle reichlich Wein, so daß sie mit Kindern und Weibern vier Tage lang trinken konnten und unterdessen zu gar nichts taugten. Aber es gab noch besondere Trinktage wie das große Bierfest zu Ehren der alten Geschichte, da Hathor, die Mächtige, die löwenköpfige Sachmet, unter den Menschen gewütet hatte, sie zu vernichten, und an der völligen Austilgung unseres Geschlechtes nur dadurch gehindert worden war, daß Rê sie durch eine sehr schöne List betrunken machte mit gerötetem Blutbier. Daher tranken die Kinder Ägyptens an dem Tage Bier in ganz unzuträglichen Mengen: dunkles Bier, ein Bier namens Ches, das sehr stark war, Bier mit Honig, Bier aus dem Hafen und im Lande Gebrautes – am meisten in der Stadt Dendera, dem Sitze Hathors, wohin man zu diesem Zweck wallfahrtete und die geradezu „Sitz der Trunkenheit" hieß als Haus der Herrin der Trunkenheit.

Danach sah Joseph sich nicht viel um und trank nur andeutungsweise und aus Höflichkeit ein wenig mit, soweit das Geschäft und die Anpassung es eben verlangten. Auch manche Volksbräuche, die beim großen Feste Usirs, des Herrn der Toten, um die Zeit des kürzesten Tages, wenn die Sonne starb, sich hervortaten, betrachtete er um Jaakobs willen sehr abgerückt, obgleich er diesem Fest und seinen Spielen und Vorstellungen mit neigungsvoller Aufmerksamkeit folgte. Denn es kehrten darin die Leidenstage des zerrissenen und begrabenen Gottes wieder, der erstanden war, und wurden von Priestern und Volk in sehr schönen Maskenspielen vergegenwärtigt, nach ihren Schrecknissen sowohl wie nach ihrem Erstehungsjubel, bei welchem alles Volk vor Freuden auf einem Beine sprang und bei dem übrigens viel bodenständige Narretei und niemandem recht mehr erklärliches Altertumswesen mit unterlief, als da waren: sehr harte Prügeleien zwischen verschiedenen Gruppen von Menschen, von denen die einen „die Leute der Stadt Pe", die anderen „die Leute der Stadt Dep" – niemand wußte mehr, was das für Städte waren – vergegenwärtigten, oder daß eine Eselherde mit großem Hohngeschrei und unter ebenfalls sehr harten Stockschlägen rund um die

Stadt getrieben wurde. Das war in gewissem Sinne ein Widerspruch, daß sie die Kreatur, die als Sinnbild phallischer Körigkeit galt, mit Hohn und Prügeln traktierten, denn andererseits war das Fest des toten und begrabenen Gottes auch wieder die Heiligung starrender Mannesbereitschaft, die Usirs Mumienwickel zerriß, so daß Eset als Geierweibchen den rächenden Sohn von ihm empfing, und in den Dörfern trugen in diesen Jahrestagen die Weiber lobpreisend das Mannsbild, ellenlang, in Prozessionen herum und bewegten's an Stricken. So widersprachen im Feste Verhöhnung und Prügel der Lobpreisung, und zwar aus dem deutlichen Grunde, weil die starrende Zeugung wohl einerseits eine Sache des lieben Lebens und fruchtenden Fortbestandes war, doch andererseits, und dies namentlich, eine solche des Todes. Denn Usir war tot, wenn die Geierin mit ihm zeugte; die Götter wurden zeugungsstarr alle im Tode, und hier lag, still unter uns gesprochen, der Grund, weshalb Joseph bei aller persönlichen Sympathie für das Fest Usirs, des Zerrissenen, sich nach manchen dabei gepflogenen Bräuchen nicht umsah und sich abgerückt dazu verhielt in seinem Innern. Was für ein Grund? Ja, es ist zart und schwierig davon zu reden, wenn der eine es weiß und der andere es noch nicht sieht, – was übrigens um so verzeihlicher ist, als Joseph selbst es kaum sah und sich nur halbwegs und dreiviertels im dunkeln Rechenschaft davon ablegte. Eine leise und fast nicht gewußte Gewissensfurcht war da rege, von wegen Untreue nämlich, der Untreue gegen den „Herrn" – versetzte man nun dieses Wortes Begriff auf diese oder auf jene Stufe. Man darf nicht vergessen, daß er sich für tot und dem Totenreich angehörig betrachtete, darin er wuchs, und muß des Namens gedenken, den er in sinniger Anmaßung dort angenommen. Nicht einmal so groß war die Anmaßung, da Mizraims Kinder es längst durchgesetzt hatten, daß jeder von ihnen, auch der Geringste, zum Usir wurde, wenn er starb, und seinen Namen mit dem des Zerstückelten verband, wie Chapi, der Stier, zum Serapis wurde im Tode, also daß die Verbindung sagen wollte: „Zum Gotte verstorben sein" oder

„Wie Gott sein". Dies aber eben, „Gott sein" und „tot", brachte den Gedanken des wickelzerreißenden Zeugungsstandes hervor; und Josephs halb unbewußte Gewissensfurcht hing mit der heimlichen Einsicht zusammen, daß gewisse von Dûdu veranlaßte Augenblicke, die damals ängstlich-erfreulich in sein Leben hineinzuspielen begannen, von weitem bereits mit göttlicher Todesstarre und also mit Untreue gefährlich zu tun hatten.

Nun ist es heraus und mit möglichster Schonung in Worte gebracht, weshalb Joseph sich nach den Volksbräuchen des Usirfestes, nach den Prozessionen der Dorfweiber weder, noch nach den geprügelten Eseln, viel umsehen wollte. Sonst aber sah er sich wohl um in Stadt und Land im festgeschmückten Rundlauf des ägyptischen Jahres. Das eine und andere Mal, wie die Jahre liefen, sah er sogar Pharao... denn es kam vor, daß der Gott erschien: nicht nur am „Erscheinungsfenster", wenn er Lobgold hinabwarf auf Beglückte in Gegenwart Auserwählter, sondern daß er glänzend hervortrat aus dem Horizont seines Palastes und in voller Pracht über allem Volke erstrahlte, welches einhellig dabei vor Freuden auf einem Bein herumsprang, wie es Vorschrift war und auch den Landeskindern von Herzen kam. Pharao war dick und untersetzt, so bemerkte Joseph, die Farbe seines Antlitzes war nicht die beste, wenigstens nicht, als Rahels Sohn zum zweiten- oder drittenmal seiner ansichtig wurde, und sein Gesichtsausdruck erinnerte sehr an denjenigen Mont-kaws, wenn ihn die Niere drückte.

Wirklich begann Amenhotep der Dritte, Neb-ma-rê, in den Jahren, die Joseph in Potiphars Hause verbrachte und groß darin wurde, zu kränkeln und zeigte nach dem Urteil der heilkundigen Priester vom Tempel und Zauberer vom Bücherhause in seinem körperlichen Verhalten eine wachsende Neigung, sich wieder mit der Sonne zu vereinigen. Dieser Neigung zu steuern waren die Heilpropheten auf keine Weise in der Lage, weil ihr allzuviel natürliche Berechtigung innewohnte. Der göttliche Sohn Tutmoses des Vierten und der mitannischen Mutemweje beging, als Joseph zum zweitenmal den ägyptischen Jahreskreis durchlief, sein Regierungsjubiläum, Hebsed genannt, das heißt: Dreißig Jahre waren es damals, daß er unter unzähligen Förmlichkeiten, welche sich am Tage der großen Wiederkehr genauestens wiederholten, die Doppelkrone aufs Haupt gesetzt hatte.

Ein prachtvolles, von Kriegen so gut wie freies Herrscherleben, mit hieratischem Pomp und Landessorgen wie mit goldenen Mänteln beladen, durchsetzt mit Jagdfreuden, zu deren Gedächtnis er Käfersteine hatte ausgeben lassen, und in erfüllter Baulust prangend, lag hinter ihm, und seine Natur war im Abbau begriffen, wie diejenige Josephs im Zunehmen war: Früher hatte die Majestät dieses Gottes nur öfters am Zahnwurm laboriert, ein Leiden, das sie durch das gewohnheitsmäßige Knabbern balsamischen Zuckerwerks beförderte, so daß sie nicht selten Audienzen und Staatsempfänge im Thronsaal mit einer dicken Backe hatte zelebrieren müssen. Seit dem Hebsed aber (bei dem Joseph den Ausfahrenden erblickte) waren die Leibesbeschwerden von anderen, tiefer verborgenen Organen her gekommen: Pharaos Herz wankte zuweilen oder paukte in viel zu zahlreichen Schlägen gegen die Brust, so daß ihr der Atem verging; seine Ausscheidungen führten Stoffe, die der Körper hätte halten sollen, aber nicht halten mochte, da er an seinem Abbau arbeitete; und noch später war es nicht mehr nur die Backe, die dick und geschwollen war, sondern es waren der Bauch und die Beine. Damals geschah es, daß des Gottes ferner, in seiner Sphäre gleichfalls für göttlich geltender Mitbruder und Korrespondent, König Tuschratta von Mitanniland, Sohn des Schutarna, Vaters der Mutemweje, die Amenhotep seine Mutter nannte, – daß also sein Schwager vom Euphrat (denn von Schutarna hatte er die Prinzessin Giluchipa als Nebengemahlin in sein Frauenhaus empfangen) ihm ein heilbringendes Ischtarbild, unter sicherster Bedeckung, von seiner entlegenen Hauptstadt nach Theben sandte, da er von Pharaos Leibesbeschwerden gehört und selbst bei leichteren Zufällen mit dem Segensbild gute Erfahrungen gemacht hatte. Die ganze Hauptstadt, ja ganz Ober- und Unterägypten von den Negergrenzen bis hinab zum Meere sprach von der Ankunft dieser Sendung im Palaste Merima't, und auch im Hause Potiphars war mehrere Tage lang fast ausschließlich davon die Rede. Es steht aber fest, daß die Ischtar des Weges sich als unfähig oder unwillig erwies, der Atemnot und den Schwellungen Pharaos eine mehr als nur ganz vorübergehende Abminderung zu bringen, zur Genugtuung seiner einheimischen Zauberer, deren Heilgifte auch nichts Wesentliches ausrichteten, einfach weil die Neigung zur Wiedervereinigung mit der Sonne stärker als alles war und sich langsam-unaufhaltsam durchsetzte.

Joseph sah Pharao beim Hebsed, als ganz Weset auf den Beinen war, um des Gottes Ausfahrt zu schauen, die zu den feierlichen Handlungen und Förmlichkeiten gehörte, welche den ganzen Jubeltag erfüllten. Sie vollzogen sich, all diese Investituren, Thronersteigungen, Hauptbekrönungen, von Priestern in Göttermasken vorgenommenen Reinigungsbäder, Beräucherungen und ursinnbildlichen Hantierungen, zumeist im Inneren des Palastes, vor den Augen allein der Großen des Hofes und Landes, während draußen das Volk sich bei Trunk und Tänzen der Vorstellung hingab, daß mit diesem Tage die Zeit sich von Grund auf erneuere und eine Ära des Segens, des Rechtes, des Friedens, des Lachens und allgemeiner Brüderlichkeit mit ihm ihren Anfang nehme. Diese frohe Überzeugung war schon mit dem Originaltage des Thronwechsels selbst, vor einem Menschenalter, inbrünstig verbunden gewesen und hatte sich alljährlich am wiederkehrenden Tage in etwas abgeschwächter und flüchtigerer Form erneuert. Am Hebsed aber erstand sie in voller Frische und Festeskraft in allen Herzen, Triumph des Glaubens über jede Erfahrung, Kult einer Gewärtigung, die keine Erfahrung ausreißen kann aus dem Menschengemüt, weil sie ihm eingepflanzt worden ist von höherer Hand. – Die Ausfahrt Pharaos aber, um Mittag, wenn er sich zum Hause Amuns begab, ihm zu opfern, war öffentlicher Schaugegenstand, und viel Volks, darunter auch

Joseph, erwartete sie im Westen, vorm Tor des Palastes selbst, während andere Massen den Weg umdrängten, den am anderen Ufer der königliche Zug durch die Stadt nehmen würde, den großen Prospekt der Widdersphinxe zumal, die Feststraße Amuns.

Der königliche Palast, Pharaos Großes Haus, nach welchem eben Pharao seinen Namen hatte, denn Pharao, das hieß „Großes Haus", wenn auch im Munde der Kinder Ägyptens das Wort sich etwas anders ausnahm und sich von „Pharao" auf ähnliche Weise unterschied wie „Peteprê" von „Potiphar": der Palast also lag am Rande der Wüste zu Füßen der farbig leuchtenden thebanischen Felsenhöhen, inmitten einer weitläufigen Ringmauer mit behüteten Toren, welche die schönen Gärten des Gottes mit umfaßten wie auch den unter Blumen und Fremdbäumen lachenden See, den Amenhoteps Wort hauptsächlich zur Lust Tejes, der Großen Gemahlin, im Osten der Gärten hatte erglänzen lassen.

Das hälsereckende Volk draußen sah nicht viel von Merima'ts lichter Pracht: Es sah Palastwachen vor den Toren, mit keilförmigen Lederblättern vor dem Schurz und Federn auf den Sturmhauben, es sah besonntes Blätterwerk im immer wehenden Winde glitzern, sah zierliche Dächer auf buntem Gedrechsel schweben, an goldenen Masten vielfarbig lange Wimpelbänder flattern und witterte syrische Düfte, die den Beeten des unsichtbaren Gartens entstiegen und besonders gut mit der Idee von Pharaos Göttlichkeit übereinstimmten, da süßer Wohlgeruch das Göttliche meistens begleitet. Dann aber erfüllte sich die Gewärtigung der lustig-gierigen Schwätzer, Schmatzer und Staubschlucker vor dem Tor, und es geschah, als Rês Barke genau ihren Höchstpunkt erreicht hatte, daß ein Ruf erscholl, die Schildwachen an dem Tor ihre Speere hoben und die Bronzeflügel zwischen den Wimpelmasten sich auftaten, freigebend den Blick auf den mit blauem Sande bestreuten Sphinxweg, der durch den Garten ging und auf dem Pharaos Wagenzug hervorbrach durchs Haupttor, in die weichende, stiebende, vor Spaß und Schrecken schreiende

Menge hinein. Denn es fuhren Stockträger in sie, den Wagen und Rossen die Wege zu öffnen unter durchdringenden Rufen: „Pharao! Pharao! Herz zu dir! Köpfe weg! Ausfahrt! Raum, Raum, Raum für die Ausfahrt!" Und die taumelnde Menge, geteilt, hüpfte auf einem Bein, daß sie in Wellen wogte wie das Meer im Sturm, reckte die mageren Arme in Ägyptens Sonne, warf begeisterte Kußhände; die Weiber aber ließen ihre greinenden Bälger in den Lüften zappeln oder hoben, die Köpfe zurückgeworfen, darbringend mit beiden Händen ihre Brüste auf, während ihrer aller Gejauchz und sehnlicher Zuruf die Luft erfüllte: „Pharao! Pharao! Starker Stier deiner Mutter! Hoch an Federn! Lebe Millionen Jahre! Lebe in alle Ewigkeit! Liebe uns! Segne uns! Wir lieben und segnen dich ungestüm! Goldener Falke! Hor! Hor! Rê bist du in deinen Gliedern! Chepre in seiner wahren Gestalt! Hebsed! Hebsed! Wende der Zeit! Ende der Mühsal! Aufgang des Glücks!"

Solch ein Volksjubel ist sehr erschütternd und greift ans Herz, auch dem nicht ganz Zugehörigen, innerlich Abgerückten. Joseph jauchzte ein wenig mit und hüpfte auch etwas nach Art der Landeskinder, hauptsächlich aber schaute er, still ergriffen. Was ihn aber ergriff und sein Schauen so angelegentlich machte, war, daß er den Höchsten erblickte, Pharao, der aus seinem Palast hervorging wie der Mond inmitten der Sterne, und daß, einem alten, in ihm leicht weltkindlich abgearteten Vermächtnis gemäß, dem Höchsten sein Herz entgegenschlug, dem allein der Mensch dienen soll. Viel noch hatte gefehlt, daß er vorm Nächsthöchsten, Potiphar, hatte stehen dürfen, als sein Sinnen schon, wie wir zu bemerken hatten, auf noch letztgültigere, unbedingtere Verkörperungen dieser Idee gerichtet gewesen war. Jetzt werden wir sehen, daß sein Vorwitz sogar dabei nicht stehenblieb.

Pharaos Anblick war wunderbar. Sein Wagen war pures Gold und nichts andres – er war golden nach seinen Rädern, seinen Wänden und seiner Deichsel und mit getriebenen Bildern bedeckt, die man aber nicht zu unterscheiden vermochte nach dem, was sie darstellten, denn im Prall der Mittagssonne blendete und blitzte der Wagen so gewaltig, daß die Augen es kaum ertrugen; und da seine Räder, wie auch die Hufe der Rosse davor, dichte Staubwolken aufwirbelten, die die Räder umhüllten, so war es, als ob Pharao in Rauch und Feuersgluten daherkäme, schrecklich und herrlich anzusehen. Man erwartete unbedingt, daß auch die Rosse vorm Wagen, Pharaos „Großes erstes Gespann", wie die Leute sagten, Feuer aus ihren Nüstern blasen würden, so tänzerisch wild traten die muskelblanken Hengste daher im Schmuck ihres Gezäumes, mit goldenen Brustschildern, darin sie zogen, und goldenen Löwenköpfen auf den Häuptern, von denen bunte Federn hochaufstanden und nickten. Pharao lenkte selbst; er stand allein im feurigen Wolkenwagen und führte mit der Linken die Zügel, indes er sich mit der Rechten Geißel und Krummstab, den schwarz und weißen, auf eine bestimmte stehend-heilige Weise gleich unterm Geschmeidekragen des Halses schräg vor die Brust hielt. Pharao war schon ziemlich greis, man sah es an seinem Munde, der einfiel, an dem mühsamen Blick seiner Augen und an seinem Rücken, der unter dem lotusweißen Linnen des Obergewandes etwas gekrümmt erschien. Seine Backenknochen standen mager vor, und es sah aus, als hätte er etwas Röte darauf getan. Wieviel verwickeltes Schutzwerk an bunten, verschiedentlich geknüpften und geschlungenen Bändern und starren Emblemen hing ihm unterm Kleid von der Hüfte herab! Sein Haupt bedeckte bis hinter die Ohren und bis in den Nacken die blaue Tiare, mit gelben Sternen besetzt. An ihrer Stirnseite aber, über Pharaos Nase, stand aufgerichtet und in Emaillefarben schimmernd die giftige Blähschlange, der Abwehrzauber des Rê.

So fuhr der König von Ober- und Unterägypten, ohne nach rechts oder links zu blicken, vorüber vor Josephs Augen. Hochwedel von Straußenfedern schwankten über ihm, Krieger der Leibwache, Schildträger und Bogenvolk, Ägypter, Asiaten und Neger, eilten unter Standarten zu seiten seiner Räder, und Offiziere folgten in Wagen, deren Körbe mit Purpurleder bezogen waren. Dann aber schrie alles Volk wieder betend auf, denn nach diesen kam wieder ein Einzelwagen, dessen Räder golden im Staube gingen, und es stand ein Knabe darin, acht- oder neunjährig, unter Straußenfächern auch er und selber lenkend mit schwachen, beringten Armen. Sein Gesicht war lang und bläßlich, mit vollen, himbeerroten Lippen in dieser Blässe, die den schreienden Menschen verzagt und liebreich zulächelten, und schlecht aufgetanen Augen, deren Verschleierung Stolz oder Trauer bedeuten konnte. Das war Amenhotep, der göttliche Same und Folgeprinz, Erbe der Throne und Kronen, wenn Der vor ihm je beschließen würde, sich wieder mit der Sonne zu vereinigen, Pharaos einziger Sohn, ein Kind seines Alters, sein Joseph. Der kindlich magere Oberkörper dieses Umschrienen war bloß bis auf die Armringe, den glimmenden Blütenkragen des Halses. Sein Schurzgewand aus gefälteltem Goldstoff aber ging ihm hoch am Rücken hinauf und zu den Waden hinab, während er vorn, wo der goldbefranste Durchzug überhing, tief unter den Nabel ausbog und den Trommelbauch frei ließ eines Negerkindes. Ein Kopftuch, aus Goldstoff ebenfalls und glatt der Stirn anliegend, wo wie beim Vater die Natter stand, umhüllte das Haupt des Knaben, im Nacken zu einem Haarbeutel gebunden, und übers eine Ohr hing ihm in Form eines breiten Fransenbandes die Kinderlocke der Königssöhne.

Das Volk schrie aus vollem Halse zu ihm, der schon gezeugten, doch noch nicht aufgegangenen Sonne, der Sonne unter dem Ost-Horizont, der Sonne von morgen. „Friede des Amun!" schrie es. „Lang lebe Gottes Sohn! Wie so schön erscheinst du im Lichtorte des Himmels! Du Knabe Hor in der Locke! Du Falke zauberreich! Beschützer des Vaters, beschütze uns!" – Es hatte noch viel zu schreien und zu beten, denn nach der Rotte, die hinter der Sonne des nächsten Tages hereilte, kam wieder ein hochbeschirmter Feuerwagen, worin, hinter ihrem über das Geländer gebeugten Lenker, Teje stand, die Gottesgattin, Pharaos Große Gemahlin, die Herrin der Länder. Die war klein und dunkel von Antlitz; ihre langgemalten Augen blitzten, ihr zierlich-festes Götternäschen bog sich entschlossen, und ihr aufgeworfener Mund lächelte satt. Etwas so Schönes wie ihren Kopfputz gab es auf Erden nicht, denn es war die Geierhaube, der ganze Vogel, aus Gold gemacht, dessen Leib ihr mit vorgestrecktem Kopfe den Scheitel deckte, indes die Schwingen in wundervoller Arbeit über Wangen und Schultern hinabgingen. Auf den Rücken des Vogels aber war noch ein Reif geschmiedet, von dem ein Paar hoher und starrer Federn stiegen, die Haube zur Götterkrone steigernd; und vorn an der Stirn stand der Frau außer dem nackten Raubschädel des Geiers mit krummem Schnabel zum Überfluß auch wieder noch der giftgeblähte Uräus. Es war der großen Zeichen und göttlichen Merkmale übergenug, es war zuviel, daß das Volk nicht in Verzückung geraten und besinnungslos hätte schreien sollen: „Eset! Eset! Mut, Himmlische Mutterkuh! Gottesgebärerin! Die du den Palast mit Liebe füllst, süße Hathor, erbarme dich unser!" Auch zu den Königstöchtern schrie es, die umschlungen hinter dem tiefgebückt die Rosse antreibenden Lenker im Wagen standen, und noch bei den Hofdamen tat es so, die auch zu Paaren fuhren, den Ehrenwedel im Arm, sowie bei den Großen der Nähe und der Vertrautheit, den wirklichen und einzigen Freunden Pharaos, den Betretern des Morgengemaches, die folgten. So ging der Hebsedzug vom Hause Merima't über Land durch die Menge zum Strom, wo die bunten Barken lagen, Pharaos himmlische Barke zumal, „Stern beider Länder" geheißen, daß der Gott und die Gebärerin und der Same und aller Hofstaat hinübersetzten und am Ostufer mit anderen Gespannen durch die Stadt der Lebendigen zögen, wo in den Gassen und auf den Dächern auch alles schrie, – zum Hause Amuns und zur großen Räucherung.

Also hatte Joseph „Pharao" gesehen, wie er einst, der verkäufliche, „Potiphar" zuerst erblickt auf dem Hofe des Segenshauses, den Höchsten des nächsten Umkreises, und sich bedacht hatte, wie er wohl ehetunlichst an seine Seite gelangen könnte. Da war er nun, dank kluger Gesprächigkeit; aber die Geschichte wollte wissen, daß er schon damals die Verbindung mit ferneren und endgültigeren Erscheinungen des Höchsten heimlich sich vorgesetzt habe, und dann traute sie seinem Mutwillen sogar ein noch weitergehendes Trachten zu. Wie denn aber das? Gibt es etwa ein Höheres noch als das Höchste? Allerdings; wenn einem der Sinn für die Zukunft im Blute liegt, nämlich das Höchste von morgen. Joseph hatte im Jubel der Menge, an dem er sich mit gewisser Zurückhaltung beteiligte, Pharao auf seinem Feuerwagen angelegentlich genug ins Auge gefaßt. Und doch war seine innerste und letzte Neugier und Anteilnahme nicht bei dem alten Gott gewesen, sondern bei dem, der nach ihm kam, dem Lockenknaben mit den kränklich lächelnden Lippen, Pharaos Joseph, der Folgesonne. Ihm sah er nach, seinem schmalen Rücken und goldenen Haarbeutel, wie er mit schwachen, beringten Armen dahinlenkte; ihn sah er in seiner Seele noch, und nicht Pharao, als alles vorüber war und die Menge zum Nile drängte; um den Kleinen, Kommenden war es seinen Gedanken zu tun, und es mochte wohl sein, daß er darin mit den Kindern Ägyptens übereingestimmt hatte, die auch beim Anblick des jungen Horus inständiger noch geschrien und gebetet hatten, als da Pharao selbst vorüberfuhr. Denn Zukunft ist Hoffnung, und aus Güte ward dem Menschen die Zeit gegeben, daß er in der Erwartung lebe. Mußte Joseph denn nicht auch noch kräftig wachsen an seinem Ort, ehe daß der Gedanke, vor dem Höchsten zu stehen und gar an seiner Seite, die geringste und allgemeinste Aussicht auf Erfüllung gewinnen würde? So hatte es schon guten Fug, daß sein Schauen beim Hebsedfeste hinaustrachtete übers Gegenwärtig-Höchste, ins Zukünftige und zur noch nicht aufgegangenen Sonne.

Bericht von Mont-kaws bescheidenem Sterben

Siebenmal hatte das ägyptische Jahr den Joseph mit sich im Kreise herumgeführt, vierundachtzigmal das Gestirn, das er liebte und dem er verwandt war, alle seine Zustände durchlaufen, und von dem Stoffe des Jaakobssohnes, worin der Vater ihn sorgend und segnend entlassen, war nun im Lebenswechsel wirklich gar nichts mehr übrig; er trug, sozusagen, einen ganz neuen Leibrock, mit dem Gott sein Leben überkleidet hatte und an dem keine Faser mehr von dem alten war, den der Siebzehnjährige getragen: einen aus ägyptischen Zutaten gewobenen, darin Jaakob ihn nur noch mit Unglauben erkannt hätte, – schon hätte der Sohn ihm sagen und ihn versichern müssen: Joseph bin ich. Sieben Jahre waren ihm vergangen in Schlafen und Wachen, in Denken, Fühlen, Tun und Geschehen, wie Tage vergehen, das heißt: weder schnell noch langsam, sondern vergangen waren sie eben, und seines Alters war er nun vierundzwanzig, ein Jüngling-Mann, sehr schön von Gestalt und von Angesicht, der Sohn einer Lieblichen, ein Kind der Liebe. Gewichtiger und entschiedener war sein Gebaren geworden in der Gewohnheit der Geschäfte und volltönender die einst spröde Knabenstimme, wenn er hindurchgehend zwischen den Werkenden und dem Gesinde des Hauses als Herr des Überblicks ihnen seine Weisungen gab oder die Mont-kaws überlieferte als des Vorstehers Stellvertreter und oberster Mund. Denn das war er nun schon seit Jahr und Tag, und auch sein Auge, sein Ohr oder seinen rechten Arm hätte man ihn nennen können. Die Leute des Hauses aber nannten ihn einfach den „Mund", denn das ist ägyptische Art und Ausdrucksweise, eines Herrn Bevollmächtigten, durch den die Befehle gehen, so zu nennen, und im Falle Josephs wurde ihnen die Gewohnheit aufgefrischt durch den Doppelsinn, den hier der Name gewann; denn der Jüngling sprach wie ein Gott, was höchst wünschenswert, ja ein Lachen und Hochgenuß ist bei den Kindern Ägyptens, und sie wußten wohl, daß er durch schöne und kluge Rede, wie sie sie nicht fertiggebracht hätten, seinen Weg gemacht oder ihn sich doch bereitet hatte beim Herrn und beim Meier Mont-kaw.

Dieser vertraute ihm nachgerade in allen Stücken, in Verwaltung, Verrechnung, Aufsicht und Geschäft, und wenn es in der Überlieferung heißt, Potiphar habe all sein Haus unter

Josephs Hände getan und sich keines Dinges mehr angenommen, außer daß er aß und trank, so war das eigentlich und
zuletzt eine Übertragung: vom Herrn auf den Meier und von
diesem auf den Käufling, mit dem er einen Bund geschlossen
zum Liebesdienste des Herrn; und Herr und Haus konnten
froh sein, daß Joseph es war und kein anderer, bei dem diese
Übertragung endete und der schließlich in Wahrheit die Wirtschaft versah, denn er versah sie mit hochgewandter Treue um
des Herrn und seiner weittragenden Pläne willen und sann
auf den Vorteil des Hauses Tag und Nacht, so daß er es, ganz
den Worten des alten Ismaeliters und seinem eigenen Namen
gemäß, nicht nur versorgte, sondern auch mehrte.

Warum Mont-kaw gegen das Ende dieses Zeitabschnittes
hin, der sieben Jahre, den Joseph mehr und mehr und dann
zur Gänze mit der Aufsicht des Hauses betraute und sich am
Ende von allen Geschäften zurückzog ins Sondergemach des
Vertrauens – davon sogleich, nur wenig weiter unten. Vorher
ist zu sagen, daß es dem boshaften Dûdu bei aller Bemühung
nicht gelang, dem Joseph den Weg zu verlegen, den er glück-
haft ging und der ihn, noch ehe sieben Jahre verflossen waren,
wie über alles Gesinde des Hauses, so auch über den Rang und
das Ansehen von Potiphars kleinwüchsigem Schmuckbewahrer
weit hinausgeführt hatte. Dûdus Kammeramt war zwar aller
Ehren wert, wie es denn gewiß schon um seiner Ehren, Gediegenheit und zwergigen Vollwertigkeit willen dem Männlein zugefallen war, und hielt ihn in der persönlichen Nähe
des Herrn, so daß seiner Natur nach die Gelegenheit zu vertraulicher Einflußnahme, bedrohlich für Joseph, damit hätte
verbunden sein sollen. Aber Potiphar mochte den Ehezwerg
nicht leiden; seine Würde und Wichtigkeit war ihm in der
Seele zuwider, und ohne sich für berechtigt zu erachten, ihn
seines Amtes zu berauben, hielt er ihn sich tunlichst vom
Leibe, indem er zum Dienste des Morgengemachs und Ankleidezimmers geringere Mittelspersonen zwischen seine Person und den Kleiderbewahrer einschob, welchem er nur eben
die Oberaufsicht über den Schmuck, die Gewänder, Amulette

und Ehrenzeichen anheimgab, ohne ihn öfter und länger, als unbedingt notwendig, vor sein Angesicht zu lassen, also daß Dûdu vor ihm nicht recht zu Worte kam, auch zu dem vorstelligen Worte nicht, das er so gern gegen den Fremdling und das Ärgernis seines Wachstums im Hause gesprochen hätte.

Wäre es ihm aber auch durch die Umstände gewährt gewesen, so hätte er's doch nicht zu sprechen gewagt – nicht vor dem Gebieter selbst. Denn er kannte wohl den Widerwillen, den dieser ihm, dem ernsthaften Zwerge, entgegenbrachte, nämlich um heimlicher Überheblichkeit willen, welche er vor sich selbst gar nicht in Abrede stellen konnte und wollte, sowie von wegen seiner Parteigängerei für Amuns höchste Sonnenkraft, und mußte befürchten, daß sein Wort ohnmächtig sein würde vor Peteprê. Hatte er, Dûdu, Gatte der Zeset, es nötig, sich einer solchen Erfahrung auszusetzen? Nein, er zog es vor, mittelbare Wege zu gehen: den über die Herrin, vor der er öfters klagte und die ihn zum wenigsten achtungsvoll anhörte; den über Beknechons, den starken Amunsmann, den er scharfmachen konnte, wenn er jene besuchte, gegen die altertumswidrige Begünstigung des Chabiren; und auch Zeset, sein vollwüchsiges Weib, die Dienst tat bei Mut-em-enet, stellte er an, daß sie auf sie einwirke im Sinne seiner Gehässigkeit.

Doch auch der Tüchtige kann erfolglos sein – man setze nur etwa, Frau Zeset hätte ihrem Gatten nicht Frucht gebracht, so hat man die Einbildung eines Beispiels dafür. So war hier Dûdu erfolglos in seinem Betreiben; es wollte dem Guten nicht fruchten. Zwar steht gesichert fest, daß Amuns Erster, Beknechons, eines Tages bei Hofe, im Vorsaal Pharaos, den Peteprê von wegen des Ärgernisses, das die Frommen seines Hauses zu erleiden hätten durch eines Unreinen Wachstum, in eine Art von diplomatischem Gebet nahm, ihm deswegen väterlich-höfliche Vorhaltungen machte. Aber der Wedelträger verstand nicht, erinnerte sich kaum, blinzelte, schien zerstreut, und Beknechons war infolge seiner großen Anlage gar nicht fähig, länger als einen Augenblick am Einzelnen, Kleinen, Häuslichen zu haften: alsbald ging er ins Gewaltige, fing an, in die vier Himmelsgegenden zu weisen, von staatsklugen Fragen der Machtbewahrung zu reden, indem er auf die Fremdkönige Tuschratta, Schubbilulima und Abdaschirtu kam, und so zerflatterte das Gespräch ins Große. – Mut aber, die Herrin, hatte sich gar nicht erst überwunden, in dieser Sache an ihren Gemahl das Wort zu richten, weil sie seinen tauben Eigensinn kannte, auch nicht gewohnt war, Sachliches mit ihm zu bereden, sondern nur, überbesorgte Zartheiten mit ihm zu tauschen, und es ihr nicht gefiel, irgendeine Forderung an ihn zu stellen. Dies waren die zureichenden Gründe für ihr stummes Gewährenlassen. In unseren Augen aber ist es zugleich ein Zeichen, daß noch zu jener Zeit, das heißt noch gegen Ende der sieben Jahre, Josephs Gegenwart die Frau im Gleichmut ließ und daß ihr an seiner Entfernung von Haus und Hof damals noch nichts gelegen war. Der Zeitpunkt, zu wünschen, daß er versetzt und ihr aus den Augen getan werde, sollte noch kommen für des Ägypters Weib, nämlich zugleich mit der Furcht vor sich selbst, die jetzt ihr Stolz noch nicht kannte. Und noch ein andres Zugleich sollte damit sich wunderlich herstellen: Zugleich damit, daß die Herrin erkannte, daß es besser für sie wäre, sie sähe Joseph nicht mehr, und sich nun in der Tat bei Peteprê für seine Ausschließung verwandte – schien es, daß Dûdu sich zu dem Chabiren bekehrt habe und sein Anhänger geworden sei; denn er fing an, ihm schönzutun und gegen ihn den Dienstwilligen zu spielen, dermaßen, daß ein Rollentausch zwischen Zwerg und Herrin sich ereignet und diese den Haß übernommen zu haben schien, indes jener den Jüngling vor ihr rühmte und pries. Beides war völlig scheinbar. Denn in dem Augenblick, da die Herrin wünschen wollte, Joseph wäre nicht mehr da, konnte sie es in Wahrheit schon nicht mehr und betrog sich selbst, indem sie danach zu streben schien. Dûdu aber, der davon recht wohl einen Dunst hatte, meinte es tückisch und hoffte nur, dem Sohne Jaakobs besser schaden zu können, indem er sich zu seinem Gesellen machte.

Von dem allen sofort, nur ein kleines Stück weiter unten. Das Geschehen aber, das diese Veränderungen zeitigte oder sie jedenfalls im Gefolge hatte, war die leidige Todeskrankheit Mont-kaws, des Meiers und Josephs Bundesgenossen im Liebesdienste des Herrn, – leidig für ihn, leidig für Joseph, der herzlich an ihm hing und sich aus seinem Leiden und Sterben fast ein Gewissen machte, und leidig für jede Anteilnahme an dem einfachen, aber ahnungsvollen Mann, möge sie auch mit der Einsicht in die planmäßige Notwendigkeit seines Hintritts verbunden sein. Denn darin, daß Joseph in ein Haus gebracht wurde, dessen Vorsteher ein Kind des Todes war, ist entschieden etwas Planmäßiges zu erblicken, und gewissermaßen war des Vorstehers Sterben ein Opfertod. Ein Glück nur, daß er ein Mann war, der in seiner Seele zur Abdankung neigte, eine Bereitschaft, die wir anderswo auf sein altes Nierenleiden zurückführen wollten. Es ist aber ebensogut möglich, daß dieses nur die körperliche Fassung der seelischen Neigung war, dasselbe wie sie, unterschieden von ihr nur wie das Wort vom Gedanken und wie das Bildzeichen vom Wort, so daß im Lebensbuche des Vorstehers eine Niere die Hieroglyphe für „Abdankung" gewesen wäre.

Was kümmert uns Mont-kaw? Was sprechen wir mit einer gewissen Rührung von ihm, ohne viel mehr von ihm aussagen zu können, als daß er ein wissentlich schlichter, das ist: bescheidener, und ein redlicher, das ist: ein zugleich praktischer und gemütvoller Mann war – ein Mensch, der damals auf Erden und im Lande Keme wandelte, spät oder früh, wie man es nimmt, zu der Zeit, da das vielfach gebärende Leben gerade ihn hervorgebracht, aber so früh immerhin bei aller Späte, daß seine Mumie längst nach ihren kleinsten Teilen in alle Winde und ins Allgemeine zerstäubt ist? Ein nüchterner Erdensohn war er, der sich nicht einbildete, besser zu sein als das Leben, und vom Gewagten und Höheren im Grunde nichts wissen wollte – nicht aber aus Niedrigkeit, sondern aus Bescheidenheit und obgleich er im Still-Geheimen höheren Einflüsterungen sehr wohl zugänglich war, was ihn ja eben in den

Stand setzte, eine Rolle, und eine nicht ganz unbedeutende, in Josephs Leben zu spielen, wobei er sich im Grunde ganz ähnlich benahm, wie eines Tages der große Ruben getan hatte: bildlich gesprochen trat auch Mont-kaw drei Schritte zurück vor Joseph mit gesenktem Haupt und wandte sich danach von ihm hinweg. – Zu einer gemessenen Anteilnahme an seiner Person verpflichtet diese vom Schicksal ihm übertragene Rolle uns ohne weiteres. Aber rein von uns aus und von der Verpflichtung ganz abgesehen, haben wir Blick und Sinn für die einfache und doch feinsinnige, von einer anspruchslosen Melancholie umflossene Lebensgestalt des Mannes, die wir hier kraft einer sympathisch-geistigen Ansprache, welche er Zauber genannt haben würde, aus ihrer jahrtausendelangen Verflüchtigung noch einmal wiederherstellen.

Mont-kaw war der Sohn eines mittleren Beamten vom Schatzhause des Montu-Tempels zu Karnak. Früh, schon mit fünf Jahren, weihte sein Vater, Achmose mit Namen, ihn dem Thot und gab ihn in das der Tempelverwaltung angegliederte Haus des Unterrichts, in welchem bei strenger Zucht, karger Kost und reichlichen Prügeln (denn es galt der Satz, daß der Zögling die Ohren auf seinem Rücken habe, und daß er höre, wenn man ihn schlage) der Beamtennachwuchs Montus, des falkenköpfigen Kriegsgottes, herangezogen wurde. Nicht dies allein übrigens war der Zweck der Schule, die, von Kindern verschiedener Herkunft, vornehmer und geringer, besucht, allgemein die Grundlagen literarischer Bildung, die Gottesworte, nämlich die Schrift, die Kunst der Binse und eines lieblichen Stils übermittelte und sowohl die Voraussetzungen für die Laufbahn des Amtsschreibers wie für die des Gelehrten schuf.

Was Achmoses Sohn betraf, so wollte er kein Gelehrter werden: nicht weil er zu dumm dafür gewesen wäre, sondern aus Bescheidenheit und weil er von Anfang mit aller Entschiedenheit sich im Mäßig-Anständigen zu halten entschlossen war und um keinen Preis hoch hinauswollte. Daß er nicht, wie sein Vater, die Tage seines Lebens als Aktenschreiber in

Montus Amtsstuben verbrachte, sondern Hausvorsteher eines Großen wurde – sogar dies schon geschah fast gegen seinen Willen; denn seine Lehrer und Vorgesetzten empfahlen ihn dort und brachten ihn auf den schönen Posten ohne sein Zutun, bewogen von der Achtung, die seine Gaben zusammen mit seiner Zurückhaltung ihnen einflößten. Von Prügeln bekam er im Unterrichtshause nur das Unvermeidlichste, was jedenfalls auch auf den Besten entfiel, damit er höre; denn er bewies seinen allgemeinen Kopf durch die Raschheit, mit der er des Affen hohes Geschenk, die Schrift, sich zu eigen machte, die kluge Sauberkeit, mit der er das ihm Vorgelegte, diese Anstandsregeln und stilbildenden Musterbriefe, diese aus alten Jahrhunderten stammenden Unterweisungen, Lehrgedichte, Mahnreden und Lobpreisungen des Schreiberstandes, langzeilig in seine Schulrollen übertrug, indem er zugleich schon die Rückseiten mit Rechnungen über entgegengenommene und eingelagerte Kornsäcke und Vormerkungen zu Geschäftsbriefen versah, denn fast von Anfang an wurde er auch zu praktischen Arbeiten in der Verwaltung verwendet – mehr nach eigenem Willen als nach dem seines Vaters, der gern etwas Höheres, als er selbst war, einen Gottespropheten, Zauberer oder Sternbeschauer, aus ihm gemacht hätte, während Mont-kaw schon als Knabe bescheiden entschieden sich der geschäftlichen Praxis des Lebens bereitstellte.

Es ist etwas Eigentümliches um diese Art von eingeborener Resignation, die sich als redliche Tüchtigkeit äußert und auch als ruhige Duldsamkeit gegen Unbilden des Lebens, um derentwillen ein anderer die Götter mit zeternden Vorwürfen überschütten würde. Mont-kaw heiratete ziemlich frühzeitig die Tochter eines Amtskollegen seines Vater, der er sein Herz geschenkt hatte. Aber sein Weib starb, da sie zum erstenmal kreißte, und mit ihr das Kind. Mont-kaw beweinte sie bitterlich, wunderte sich aber nicht allzusehr über den Schlag und fuchtelte nicht viel vor den Göttern herum, weil es so gegangen war. Er versuchte es mit dem Familienglück nicht wieder, sondern blieb Witwer und allein. Eine Schwester von ihm war mit einem Gewölbebesitzer zu Theben vermählt; sie besuchte er zuweilen bei Mußezeit, von der er sich niemals viel nahm. Er arbeitete nach vollendeter Ausbildung anfänglich in der Verwaltung des Montu-Tempels, wurde später Hausvorsteher des Ersten Propheten dieses Gottes und gelangte dann an die Spitze des schönen Hauses Peteprês, des Höflings, wo er schon zehn Jahre lang mit jovialer, aber fester Autorität seines Amtes waltete, als die Ismaeliter ihm den überlegenen Helfer im Liebesdienste des zarten Herrn und zugleich seinen Nachfolger zuführten.

Daß Joseph zu seinem Nachfolger ersehen sei, hatte er früh geahnt, denn überhaupt war er bei aller geflissentlichen Schlichtheit ein ahnungsvoller Mann, und man kann sagen, daß diese Schlichtheit selbst, die Neigung zur Selbsteinschränkung und zum Verzicht, ein Produkt der Ahnung war: derjenigen der Krankheit nämlich, die in seinem kräftigen Leibe schlummerte und ohne deren den Lebensmut zwar still herabsetzende, aber das Gemüt verfeinernde Wirkung er kaum der delikaten Eindrücke fähig gewesen wäre, die er bei Josephs erstem Anblick gewonnen hatte. Um diese Zeit kannte er schon seinen schwachen Punkt, da Glutbauch, der Salbader, ihm auf Grund eines gewissen dumpfen Druckes, den der Meier öfters im Rücken und in der linken Lende spürte, herumziehender Schmerzen in der Herzgegend, häufiger Schwindelgefühle, stockender Verdauung, mangelnden Schlafes und übermäßigen Harndranges auf den Kopf zugesagt hatte, daß er an wurmiger Niere leide.

Dies Übel ist oft versteckt und schleichend seinem Wesen nach, faßt Wurzeln zuweilen schon in sehr früher Lebenszeit und läßt Zwischenperioden anscheinender Gesundheit, in denen es sich die Miene gibt, zum Stillstande, ja zur Heilung gekommen zu sein, um dann wieder Merkmale seines Fortschreitens hervorzubringen. Im zwölften Jahre seines Alters hatte Mont-kaw, wie er sich erinnerte, schon einmal blutigen Harn gelassen, aber nur einmal, und dann viele Jahre nie wieder, so daß das erschreckende und zeichenhafte Vorkommnis in Vergessenheit geraten war. Erst als er zwanzig war, trat es wieder auf, zusammen mit den oben vermerkten Beschwerden, unter denen Schwindel und Kopfschmerz sich zu galligem Erbrechen steigerten. Auch das ging vorüber; seitdem aber hatte er, ruhig und tüchtig, sein Leben im Kampf mit der intermittierenden, oft monate-, ja jahrelang ihn scheinbar frei lassenden, dann wieder mit größerer oder minderer Heftigkeit von ihm Besitz ergreifenden Krankheit zu führen. Die Bescheidenheit, die sie erzeugte, artete öfters in eine tiefe Mattigkeit, Unlust und Niedergeschlagenheit des Körpers und der Seele aus, gegen welche Mont-kaw seine tägliche Arbeitsleistung in stillem Heldentum durchzusetzen gewohnt war und die von Heilkundigen oder solchen, die es sein wollten, mit Aderlässen bekämpft wurden. Da übrigens sein Appetit zufriedenstellend, seine Zunge rein, seine Hautausdünstung ungehindert und sein Puls von ziemlich regelrechter Frequenz war, so hielten diese Behandelnden ihn auch dann noch nicht für ernstlich berührt, als eines Tages seine Fußknöchel bleiche Schwellungen aufwiesen, welche bei Einstich eine wässerige Flüssigkeit entleerten. Ja, da diese Entleerungen eine offenkundige Entlastung seiner Gefäße und eine Ermutigung seines Herzens mit sich brachten, so begrüßte man die Erscheinung sogar als günstig, weil in ihr die Krankheit nach außen trete und zum Abfluß gelange.

Man muß sagen, daß er das Jahrzehnt bis zu Josephs Eintritt ins Haus, mit Hilfe Glutbauchs und seiner Gartenmedizin, recht leidlich verbracht hatte, wenn auch die selten unterbrochene Aufrechterhaltung seiner Leistungsfähigkeit als Wirtschaftshaupt mehr seiner bescheidenen Willenskraft, welche das langsam fortschwärende Übel im Zaume hielt, als der volkstümlichen Kunst Glutbauchs zuzuschreiben gewesen sein mochte. Den ersten wirklich schweren Anfall, mit solchem Ödem der Hände und Beine, daß er sie umwickeln mußte, wild pochendem Kopfschmerz, sehr stürmischen Umkehrungen des Magens und sogar Umnebelung der Augen, hatte er fast unmittelbar nach dem Ankauf Josephs zu überwinden; ja, dieser Ausbruch war während seiner Verhandlungen mit dem alten Ismaeliter und der Prüfung der Kaufware schon im Anzuge gewesen. So wenigstens geht unsere Mutmaßung; denn uns will scheinen, als ob seine empfindlichen Ahnungen beim Anblicke Josephs und die besondere Rührung, mit der des Sklaven Probe-Gutenacht-Gruß es ihm angetan hatte, schon Boten des Anfalls und Merkmale einer krankhaft erhöhten Empfänglichkeit gewesen seien. Aber auch die andere ärztliche Auffassung ist möglich, daß umgekehrt jener allzulinde Friedensgruß eine gewisse Erweichung seiner Natur und ihrer Widerstandskraft gegen das immer sie belagernde Übel erzeugt hatte, – und wirklich neigen wir zu der Befürchtung, daß Josephs allabendliche Gutenacht-Sprüche, so wohltuend sie dem Meier eingingen, seinem unbewußt mit der Krankheit im Kampfe liegenden Lebensbehauptungswillen keineswegs besonders zuträglich waren.

Auch daß Mont-kaw sich anfangs um Joseph so gar nicht kümmerte, ist großenteils auf den Leidensanfall von damals, der seine Initiative lähmte, zurückzuführen. Er ging, wie mancher spätere, schwächere oder ebenso starke, vorüber dank Chun-Anups Aderlässen, Blutegeln, Phantasiemixturen pflanzlicher wie tierischer Herkunft und Lendenumschlägen mit alten Schriftstücken, die er in warmem Öl erweichte. Genesung oder Scheingenesung trat wieder ein und beherrschte große Zeiträume von des Vorstehers weiterem Leben, auch während Joseph im Hause war und zu seinem ersten Gehilfen und obersten Munde heranwuchs. Im siebenten Jahre jedoch von Josephs Anwesenheit zog sich Mont-kaw beim Leichenbegängnis eines Verwandten – seines Schwagers, des Gewölbebesitzers, nämlich, der das Zeitliche gesegnet hatte – eine Erkältung zu, die dem Verderben Tür und Tor öffnete und ihn sofort aus dem Sattel hob.

Allezeit war dieses Sichanstecken am Tode, das sogenannte „Mitgenommenwerden" von einem, dem man in zugiger Friedhofshalle die letzte Ehre erweist, etwas sehr Häufiges, damals so gut wie heute. Es war Sommer und sehr heiß, dabei aber, wie so oft in Ägyptenland, recht windig, – eine gefährliche Verbindung, da der fächelnde Wind die Verdunstung der Hauttranspiration zu fortwährend jäher Abkühlung beschleunigt. Mit Geschäften überhäuft, hatte der Meier sich im Hause versäumt und sah sich in Gefahr, zu den Feierlichkeiten zu spät zu kommen. Er mußte eilen, er schwitzte, und schon bei der Überfahrt über den Strom gen Westen, im Gefolge der Leichenbarke, fror den nicht warm genug Gekleideten bedenklich. Der Aufenthalt nachher vor dem kleinen Felsengrabe, das der Gewölbebesitzer, nun Usir, sich erspart hatte und vor dessen bescheidenem Portal ein Priester in der Hundsmaske Anups die Mumie aufrecht hielt, während ein anderer mit dem mystischen Kalbsfuß die Zeremonie der Mundöffnung an ihr vornahm und die kleine Gruppe der Leidtragenden, die Hände auf den mit Asche bestreuten Köpfen, dem Zauberakt zusah, war wegen des gesteinskalten Zuges und Höhlenhauches, der dort ging, auch nicht besonders zuträglich. Mont-kaw kam mit einem Schnupfen und einem Blasenkatarrh nach Hause; am nächsten Tage schon klagte er vor Joseph, wie es ihm so seltsam schwerfalle, seine Arme und Beine zu bewegen; eine Art von Betäubung zwang ihn, von häuslicher Tätigkeit abzustehen und sich zu Bette zu legen, und als der Obergärtner ihm gegen die unerträglichen, mit Erbrechen und halber Erblindung einhergehenden Kopfschmerzen Blutegel an die Schläfe setzte, bekam er einen apoplektischen Anfall.

Joseph erschrak sehr, als er Gottes Absichten erkannte. Menschliche Vorkehrungen dagegen zu treffen, bedeutete, so entschied er bei sich, keinen sündlichen Versuch, den planenden Willen zu durchkreuzen, sondern hieß nur, ihn auf eine notwendige Probe stellen. Darum bestimmte er Potiphar sofort, zum Hause Amuns zu schicken und einen gelehrten Arzt zu bestellen, vor dem Glutbauch, gekränkt zwar, doch auch erleichtert von einer Verantwortung, deren Schwere zu erkennen er wissend genug war, zurückzutreten hatte.

Der Heilkundige vom Bücherhause verwarf denn auch das meiste von Glutbauchs Vorkehrungen, wobei aber der Unterschied zwischen seinen und des Gärtners Verordnungen in den Augen aller Welt und auch in den seinen nicht so sehr medizinischer als gesellschaftlicher Art war: diese waren fürs Volk, wo sie recht Gutes ausrichten mochten, jene für die oberen Schichten, die man eleganter kurierte. So verwarf der Tempelweise die ölerweichten alten Schriftstücke, mit denen sein Vorgänger Bauch und Lenden des Heimgesuchten bedeckt hatte, und verlangte Umschläge von Leinsamen auf guten Handtüchern. Er rümpfte auch die Nase über Glutbauchs populäre Allheilrezepte, die einst von den Göttern selbst für Rê, als er alt und krank wurde, erfunden worden sein sollten und sich aus vierzehn bis siebenunddreißig Widrigkeiten, als da waren: Eidechsenblut, zerstoßene Schweinszähne, Feuchtigkeit aus den Ohren desselben Tiers, Milch einer Wöchnerin, vielerlei Kot, auch dem von Antilopen, Igeln und Fliegen, Menschenharn und dergleichen mehr, zusammensetzten, außerdem aber auch Dinge enthielten, die der Gelehrte ebenfalls dem Meier verabfolgte, nur ohne die Widrigkeiten, nämlich Honig und Wachs, ferner Bilsenkraut, geringe Gaben von Mohnsaft, Bitterrinde, Bärentraube, Natron und Brechwurz. Das Zerkauen von Beeren der Rizinusstaude mit Bier, auf das der Gärtner viel hielt, hatte auch des Arztes Zustimmung; ebenso die Zuführung einer harzreichen Wurzel, die stark abführend wirkte. Dagegen erklärte er die drastischen Aderlässe, die Glutbauch beinahe jeden Tag praktiziert hatte, weil nur durch sie dem qualvollen Klopfen im Kopfe und der Verdunkelung der Augen zu steuern war, für abwegig und wollte sie zum mindesten mit Zurückhaltung geübt wissen; denn bei dem blassen Aussehen des Kranken, so lehrte er, werde die zeitliche Erleichterung mit dem Verlust an nährenden und das Leben anreizenden Blutbestandteilen zu hoch bezahlt.

Hier handelte es sich wohl um ein unlösliches Dilemma; denn offenbar war es gerade das an nützlichen Stoffen verarmte und statt ihrer falsche führende, aber auch wieder unentbehrliche Blut, das, indem es schleichende Entzündungen erzeugte, den Körper mit wechselnden und auch zugleich auftretenden Krankheiten überschwemmte, die alle in ihm, mittelbar aber, wie beide Ärzte wußten, in der von jeher ihren Dienst nur schlecht verrichtenden Niere ihre Quelle hatten. So erlitt Mont-kaw – unbeschadet der Namen, mit denen seine Pfleger diese argen Erscheinungen benannten, und der Auffassung, die sie davon hegten – nach- und nebeneinander eine Brust- und Bauchfell-, eine Herzbeutel- und Lungenentzündung; und dazu kamen noch schwere Hirnsymptome, als da waren: Erbrechen, Blindheit, Kongestionen und Gliederkrämpfe. Kurzum, der Tod fiel ihn von allen Seiten und mit allen Waffen an, und es kam einem Wunder gleich, daß er ihm, von seinem Bettlägrigwerden an, noch wochenlang Widerstand leistete und die Einzelkrankheiten zum Teil noch wieder überwand. Er war ein kräftiger Kranker; aber so gut er sich hielt und sein Leben verteidigte – durchaus sollte er sterben.

Dies war es, was Joseph früh erkannte, während Chun-Anup und der Amunsgelehrte dem Meier noch aufzuhelfen hofften, und er nahm es sich sehr zu Herzen: nicht nur aus Anhänglichkeit für den biederen Mann, der ihm Gutes getan und für dessen Schicksalsmischung er viel übrighatte, weil auch sie die eines „Weh-Froh-Menschen" war, die Gilgameschmischung, begünstigt und geschlagen zugleich, – sondern auch und besonders, weil er sich ein Gewissen machte aus seinem Leiden und Sterben; denn dieses war offenbar eine Veranstaltung zu seinen und seines Wachstums Gunsten und der arme Mont-kaw ein Opfer der Pläne Gottes: er ward aus dem Wege geräumt, das war klar und deutlich, und Joseph hätte Lust gehabt, zum Herrn der Pläne zu sprechen: „Was du da anstellst, Herr, ist ausschließlich nach deinem Sinn und nicht nach dem meinen. Nachdrücklich muß ich erklären: ich will nichts damit zu schaffen haben, und daß es für mich geschieht, soll hoffentlich nicht heißen, daß ich schuld daran bin – in Demut möcht' ich's mir ausgebeten haben!" – Aber das half nichts, er machte sich doch ein Gewissen aus des Freundes Opfertod und sah wohl, daß, wenn hier überall von Schuld die Rede sein konnte, sie auf ihn, den Nutznießer, kam, denn Gott kannte keine Schuld. ‚Das ist es eben‘, dachte er bei sich, ‚daß Gott alles tut, uns aber das Gewissen davon gegeben hat, und daß wir schuldig werden vor ihm, weil wir's für ihn werden. Der Mensch trägt Gottes Schuld, und es wäre nicht mehr als billig, wenn Gott sich eines Tages entschlösse, unsere Schuld zu tragen. Wie er das anfangen wird, der Heilig-Schuldfremde, ist ungewiß. Meiner Ansicht nach müßte er geradezu Mensch werden zu diesem Zweck.‘

Er kam nicht von des Opfers Leidensbette durch die vier oder fünf Wochen hin, in denen es sich des vielfältig andringenden Todes noch erwehrte, – ein solches Gewissen machte er sich aus seinem Leiden. Hingebungsvoll pflegte er den Heimgesuchten bei Tag und Nacht, aufopfernd, wie man sagt und hier mit Recht gesagt haben würde, denn um ein Gegenopfer handelte sich's, und Joseph trieb es bis zum Verzicht auf den eigenen Schlaf und zur Abmagerung des eigenen Leibes. Er schlug sein Bett bei dem Kranken auf im Sondergemach des Vertrauens und tat ihm stündlich, was er vermochte: machte ihm die Kompressen warm, gab ihm Arznei ein, rieb ihm Mixturen in die Haut, ließ ihn nach Vorschrift des Gottesdoktors den Dampf zerriebener Pflanzen einatmen, die er auf Steinen erhitzt hatte, und hielt ihm die Glieder, wenn er Krampfanfälle bekam; denn unter solchen litt der Arme während der letzten Tage sehr heftig, so daß er aufschrie unter dem brutalen Zugriff des Todes, welcher es nicht erwarten zu können schien, daß er sich ihm ergäbe, und gröblich Hand an ihn legte. Besonders wenn Mont-kaw einschlafen wollte, fuhr jener darein und jagte mit Krämpfen den müden Leib fast vom Bette empor, als wollte er sagen: „Was, schlafen willst du? Auf, auf, und stirb!“ Da waren denn Josephs stillende Gutenacht-Sprüche mehr als jemals am Platze, und er übte sie kunstreich, indem er lispelnd-besprechend dem Meier eingab, nun werde er gewiß den Pfad ins Land des Trostes, wonach er sich sehne, finden und ungestört hinschreiten, ohne daß Arm und Bein seiner Linken, die er ihm sorglich mit Leinenstreifen befestigt, ihn mit Schmerzens-schreck zurückreißen würden an den Tag seiner Leiden.

Das war schon recht und half in gewissen Grenzen. Aber Joseph erschrak selbst, da er zu bemerken glaubte, daß seine Friedenslockreden am Ende nur zu gut halfen und der Meier, der durch so viele Jahre nicht gut geschlafen hatte, nun gar der Schlafsucht zuzuneigen begann, in Giftbenommenheit sich verlieren wollte, so daß der gute Pfad zu einem bösen wurde und zu besorgen stand, der Wanderer möchte die Rückkehr vergessen. So mußte denn Joseph es anders anfassen und, statt ihm Lullelieder zu dichten, den Freund dahier zu fesseln suchen, indem er ihm mit Geschichten und Schnurren die Lebensgeister unterhielt, aus dem weitläufig-tief zurückreichen-den Historien- und Anekdotenvorrat nämlich, über den er dank Jaakobs und Eliezers Unterweisungen von klein auf verfügte. Denn immer hatte der Vorsteher gern von des Käuf-lings erstem Leben gehört, von seiner Kindheit im Lande Kanaan, der lieblichen Mutter, die am Wege gestorben war, und des Vaters groß-selbstherrlicher Zärtlichkeit, die ihr ge-golten und dann dem Sohne, so daß sie eins waren im Feier-kleid dieser Liebe. Auch vom wilden Neide der Brüder hatte er schon vernommen sowie von der Schuld sträflichen Ver-trauens und blinder Zumutung, die Joseph kindisch auf sich geladen, von der Zerreißung und vom Brunnen. Im übrigen hatte der Vorsteher, so gut wie Potiphar und jedermann hier im Hause, in Josephs Vergangenheit und Jugendland stets etwas sehr Fernes und Staubig-Dürftiges gesehen, dem man sich begreiflicherweise rasch entfremdete, wenn man durch Schicksalsfügung zu den Menschen und ins Land der Götter versetzt worden war; und so hatte er sich sowenig wie alle anderen darüber gewundert, noch Anstoß daran genommen, daß der ägyptische Joseph auf jeden Versuch verzichtete, die Verbindung mit der barbarischen Welt seiner Kindheit wie-der aufzunehmen. Von den Geschichten dieser Welt aber hatte Mont-kaw immer gern gehört, und während seiner letzten Krankheit war es ihm die liebste und linderndste Zerstreuung, mit gefalteten Händen zu liegen und seinem jungen Pfleger zu lauschen, wie dieser die Sippschaftserinnerungen anmutig-spannend und feierlich-lustig zum besten gab, vom Rauhen und Glatten kündete und wie sie einander schon im Bauche gestoßen; vom Fest des Segensbetrugs und des Glatten Wanderung in die Unterwelt; vom bösen Ohm und seinen Kindern, die er vertauscht in der Hochzeitsnacht, und wie der feine Schalk dem plumpen das Seine abgewonnen mit Pfiffen kluger Natursympathie. Vertauschung hier und da, Vertauschung der Erstgeburt und des Segens, der Bräute und der Besitztümer. Vertauschung des Sohnes auf dem Schlachtopfertisch mit dem Tiere, des Tieres mit dem ähnelnden Sohn, da er blökend verschied. So viel Vertauschung und Täuschung tat es dem Hörer mit reizender Unterhaltung an und fesselte ihn; denn was ist reizender als die Täuschung? Auch spielte ein Ab- und Widerschein hin und her zwischen dem Erzählten und dem Erzähler: Täuschungslicht und -reiz fiel auf ihn von den Geschichten, die er kündete, und er selbst auch wieder von sich aus verlieh ihnen davon aus der eigenen Person, die das Liebes-Schleierkleid getragen im Austausche mit der Mutter und der in den Augen Mont-kaws immer etwas freundlich und schalkhaft Vexatorisches angehaftet hatte, das den Sinn beschäftigte – von dem Augenblick an, da er zuerst mit der Schriftrolle vor ihm gestanden und lächelnd dazu verleitet hatte, ihn mit dem Ibisköpfigen zu verwechseln.

Sehen konnte Mont-kaw fast gar nicht mehr und nicht mehr die Zahl der Finger nennen, die man ihm vor Augen hielt. Aber noch konnte er lauschen und sich von den fremden, seltsamen Geschichten, die an seinem Bette so klug erklangen, den komatösen Schlummer vertreiben lassen, zu dem sein Gifte führendes Blut ihn verlocken wollte: Vom immer vorhandenen Eliezer vernahm er, der mit seinem Herrn die Könige von Osten geschlagen und dem die Erde entgegengesprungen war auf der Brautfahrt für das verwehrte Opfer. Von der Brunnenjungfrau, die vom Kamele gesprungen war und sich verschleiert hatte angesichts dessen, dem sie gefreit worden. Von dem wildschönen Wüstenbruder, der den geprellten Rotpelz hatte bereden wollen, den Vater zu schlachten und aufzuessen. Vom Urwanderer, dem Vater aller, und dem, was ihm mit seiner Eheschwester dereinst hier in Ägyptenland zugestoßen war. Von seinem Bruder Lot, den Engeln vor dessen Tür sowie der außerordentlichen Unverschämtheit der Sodomiter. Von dem Schwefelregen, der Salzfigur und davon, wie es die um die Menschheit besorgten Töchter Lots gemacht. Vom Nimrod zu Sinear und dem Turm der Vermessenheit. Von Noah, dem zweiten Ersten, dem Erzgescheiten, und seinem Kasten. Von dem Ersten selbst, aus Erde gemacht im Garten des Ostens, der Männin aus seiner Rippe und von der Schlange. Aus diesem Erbschatze der wunderlichsten Geschichten spendete Joseph, am Bette des Todkranken sitzend, beredt und witzig, zur Beschwichtigung seines Gewissens und um jenen noch etwas dahier zu fesseln. Mont-kaw aber fing schließlich selber zu reden an, vom epischen Geiste ergriffen, ließ sich hochstützen in den Kissen und legte mit vom nahenden Tode erregter Miene tastend die Hand auf Joseph, als sei er Jizchak im Zelt, der die Söhne befühlte.

„Laß mich sehen mit sehenden Händen", sprach er, das Gesicht zur Decke gerichtet, „ob du Osarsiph seiest, mein Sohn, den ich segnen will vor meinem Ende, mächtig gestärkt zum Segen von den Geschichten, womit du mich reichlich gespeist! Ja, du bist's, ich seh' und erkenne dich wohl nach Art der Blinden, und kein Zweifel kann sich hier einschleichen noch eine Täuschung, denn ich habe nur einen Sohn, den ich segnen kann, das bist du, Osarsiph, den ich liebgewonnen im Lauf der Jahre an Stelle des Kleinen, den die Mutter mit sich dahinnahm in ihren Nöten, worin er erstickte, denn sie war zu eng gebaut. Am Wege? Nein, in ihrer Kammer zu Hause starb sie am Kinde, und ich wage nicht, ihre Qualen übernatürlich zu nennen, aber gräßlich waren sie und grausam, daß ich aufs Angesicht fiel und die Götter um ihren Tod bat, den sie gewährten. Auch den des Knaben gewährten sie, obgleich ich sie nicht darum gebeten. Aber was sollte mir auch das Kind ohne sie?

‚Ölbaum' hieß sie, die Tochter Kegbois, des Schatzbeamten. Beket war sie genannt, und ich habe mich nicht erkühnt, sie zu lieben, wie der Gesegnete sich herausnahm, die Seine zu lieben, jene Liebliche von Naharin, deine Mutter, – ich maßte es mir nicht an. Aber lieblich war auch sie, unvergeßlich lieblich im Schmuck ihrer Seidenwimpern, die sie über die Augen senkte, wenn ich ihr Worte des Herzens sagte, Worte der Lieder, deren ich mich nie zu vermessen gedacht, die aber meine Worte wurden um diese Zeit, diese schöne Zeit. Ja, wir hatten einander lieb, ihrer Enggebautheit ungeachtet, und als sie starb mit dem Kinde, weinte ich viele Nächte um sie, bis mir die Zeit und die Arbeit die Augen trockneten, – sie trockneten sie aus, und ich weinte auch nachts nicht mehr, aber die Dickheiten unter ihnen, und daß sie so klein waren, das rührt, glaube ich, von jenen vielen Nächten her, – ich weiß es nicht sicher, mag es so sein, mag es nicht so sein, da ich sterbe und meine Augen vergehen, die um Beket geweint, wird es ganz gleich sein in der Welt, wie es sich einst damit verhalten. Aber mein Herz stand leer und war öde, seit meine Augen getrocknet waren; es war auch klein und eng worden, wie meine Augen, und mutlos, weil es so fehlgeliebt hatte, so daß nur der Verzicht noch darin Raum zu haben schien. Aber etwas muß doch das Herz hegen außer dem Verzicht und will einer Sorge schlagen, zarter als Vorteil und Arbeitsnutzen. Peteprês Hausvogt war ich und Ältester Knecht und kannte nichts als seines Hauses Blüte und schönes Gedeihen. Denn wer verzichtet hat, taugt zur Dienstschaft. Siehe, das war ein Ding zum Hegen für mein verkleinertes Herz: Dienstschaft und zarte Behilflichkeit für Peteprê, meinen Herrn. Denn ist auch einer bedürftiger des Liebesdienstes als er? Er nimmt sich keiner Sache an, denn er ist fremd allen Sachen und nicht geschaffen für das Geschäft. Fremd, zart und stolz ist er, der Titelämtling, vor allem Menschengeschäft, daß es einen sorgend erbarmt um seinetwillen, denn er ist gut. Ist er nicht zu mir gekommen und hat mich besucht in meiner Krankheit? Hierher an mein Bett hat er sich bemüht, während du bei den

Geschäften warst, um sich nach mir umzutun, dem kranken Manne, in der Güte seines Herzens, ob man ihm schon anmerkte, daß er fremd und scheu auch vor der Krankheit stand, denn er ist nie krank, wiewohl sich der Mensch besinnen würde, ihn gesund zu nennen oder zu glauben, daß er sterben wird, – ich kann es kaum glauben, denn man muß gesund sein, um krank zu werden, und leben, um zu sterben. Mindert das aber die Sorge um ihn und die Notwendigkeit, seiner zarten Würde behilflich zu sein? Eher im Gegenteil! Diese Sorge hegte mein Herz über den Vorteil hinaus und den Arbeitsnutzen und ließ sich angelegen sein diesen Liebesdienst, daß ich seiner Würde behilflich war und ihm nach dem Stolze redete, so gut ich es nur verstand und vermochte. Du aber, Osarsiph, weißt es ganz unvergleichlich besser zu machen, da deinem Geiste die Götter Feinheiten verliehen haben und höhere Anmutigkeiten, deren der meine ermangelt, sei es, weil er zu stumpf dafür ist und trocken, sei es, weil er sich des Höheren nur nicht vermaß und es sich nicht getraute. Darum habe ich einen Bund mit dir errichtet um dieses Dienstes willen, den du halten sollst, wenn ich nun sterbe und nicht mehr bin; und wenn ich dich segnen soll und dir mein Amt vermachen als Meier des Hauses, so mußt du mir angeloben auf meinem Sterbebett, daß du nicht nur das Haus bewahren willst und die Geschäfte für unsern Herrn nach deinem besten Witz und Geschäftsverstand, sondern auch treulich halten willst unseren zarteren Bund, dadurch, daß du Liebesdienst versiehst an Peteprês Seele und seine Würde schützest und rechtfertigst mit all deiner Kunst – geschweige denn, daß du ihr, der beängstigend heiklen, jemals zu nahe trätest und ließest dich gar versuchen, sie zuschanden zu machen mit Wort oder Tat. Sagst du mir's heilig zu, mein Sohn Osarsiph?"

„Heilig und gern", erwiderte Joseph auf diese Sterberede. „Sei deswegen unbesorgt, mein Vater! Ich gelobe dir, seiner Seele behilflich zu sein mit schonender Dienertreue nach unserem Bunde und Menschentreue zu halten seiner Bedürftigkeit, und will deiner gedenken, wenn je die Versuchung mich anfechten sollte, ihm den besonderen Schmerz zu bereiten, den Untreue zufügt dem Einsamen – verlaß dich darauf!"

„Das beruhigt mich sehr", sagte Mont-kaw, „obgleich das Gefühl des Todes mich stark erregt, was es nicht tun sollte; denn nichts ist gewöhnlicher als der Tod, und nun gar der meine – eines so einfachen Mannes, der immer entschieden das Höhere mied: so sterbe ich auch keinen höheren Tod und will kein Aufhebens davon machen, sowenig wie ich welches gemacht habe von meiner Liebe zum Ölbäumchen, noch mich erkühnte, ihre Kindesqualen übernatürlich zu nennen. Aber segnen will ich dich doch, Osarsiph, an Sohnes Statt, nicht ohne Feierlichkeit, denn feierlich ist der Segen, nicht ich bin's, darum neige dich unter des Blinden Hand! Haus und Hof vermache ich dir, meinem wahrhaften Sohn und Folger im Meieramt Peteprês, des großen Höflings, meines Herrn, und danke ab zu deinen Gunsten, was meiner Seele ein großes Vergnügen ist, – ja, diese Freude bringt mir der Tod, daß ich abdanken kann, und freudig bin ich von ihm erregt, wie ich merke, nicht anders. Daß ich dir aber alles lasse, das geschieht nach dem Willen des Herrn, der unter seinen Dienern mit dem Finger auf dich deutet und dich statt meiner als seinen Vorsteher bezeichnet nach meinem Tode. Denn als er mich letzthin besuchte in der Güte seines Herzens und mich ratlos betrachtete, habe ich's mit ihm abgeredet und mir von ihm ausgebeten, daß er auf dich allein seinen Finger lenke und dich aufrufe bei Namen, wenn ich vergöttlicht bin, damit ich getröstet dahingehen könne von wegen des Hauses und aller Geschäfte. ,Ja', sprach er, ,schon gut, Mont-kaw, mein Alter, es ist schon gut. Auf ihn will ich deuten, wenn du wirklich verscheiden solltest, was mir recht leid täte, – ohne Wanken auf ihn und keinen anderen, das ist ausgemacht, und soll's nur einer mit Dreinreden probieren, er wird gewahr werden, daß mein Wille erzen ist und gleich schwarzem Granit aus den Brüchen von Rehenu. Er selbst hat es gesagt, daß von dieser Art mein Wille ist, und ich mußte ihm zustimmen. Er erregt mir das Wohlgefühl des Vertrauens, mehr noch, als sogar du es getan hast zu deinen Lebzeiten, und oft habe ich zu bemerken geglaubt, daß ein Gott mit ihm ist oder mehrere, die alles, was er zu tun hat, in seiner Hand gelingen lassen. Auch wird er mich eher noch weniger hintergehen als du in deiner Redlichkeit, denn er weiß von Hause aus, was die Sünde ist, und trägt so etwas wie einen Opferschmuck im Haar, der ihn gegen die Sünde feit. Kurzum, es bleibt dabei, Osarsiph soll nach dir über dem Hause sein und sich aller Dinge annehmen, um die ich mich unmöglich bekümmern kann. Auf ihn deutet mein Finger.' – Das waren die Worte des Herrn – genau hab' ich sie bei mir verwahrt. So segne ich dich denn nur, nachdem schon er dich gesegnet, denn macht man's je anders? Man segnet immer nur den Gesegneten und beglückwünscht den Glücklichen. Auch jener Blinde im Zelt segnete den Glatten nur, weil er gesegnet war und nicht der Rauhe. Man kann nicht mehr tun. Sei also gesegnet, wie du es bist! Du hast frohen Mut und vermissest dich keck alles Höheren, nimmst dir heraus, deiner Mutter Qualen übernatürlich und deine Geburt jungfräulich zu nennen aus immerhin anfechtbarem Grunde: das sind die Zeichen des Segens, den ich nicht hatte und also auch nicht vergeben kann, aber segnend beglückwünschen kann ich dich dazu, da ich sterbe. Neige tiefer dein Haupt unter meine Hand, mein Sohn, das Haupt des Hochstrebenden unter die Hand des Bescheidenen. Dir vermache ich Haus, Hof und Feld im Namen Peteprês, für den ich's verwaltete; ihr Fett gebe ich dir und ihre Reichlichkeit, daß du vorstehen sollst den Werkereien, den Vorräten in ihren Kammern, den Früchten des Gartens, dem Groß- und Kleinvieh sowie dem Feldbau der Insel, der Verrechnung und jeglichem Handel, und setze dich ein über Aussaat und Ernte, Küche und Keller, den Tisch des Herrn, die Dürfte des Frauenhauses, die Ölmühlen, die Weinkeller und alles Gesinde. Ich habe hoffentlich nichts vergessen. Vergiß aber du, Osarsiph, auch meiner nicht, wenn ich nun vergöttlicht bin und gleich dem Osiris. Sei mein Hor, der den Vater schützt und rechtfertigt, laß meine Grabschrift nicht unleserlich werden und unterhalte mein Leben! Sprich,

willst du Sorge tragen, daß Meister Min-neb-mat, der Wickel-
bader, und seine Gesellen aus mir eine sehr schöne Mumie
machen, nicht schwarz, sondern schön gelb, wofür ich alles
Nötige hinterlegt habe, nicht daß sie's selber verzehren, sondern mich salzen mit gutem Natron und feine Balsame ver-
wenden zu meiner Verewigung, Styrax, Wacholderholz,
Zedernharz aus dem Hafen, Mastix vom süßen Pistazien-
strauch und zarte Binden nahe dem Körper? Willst du acht-
haben, mein Sohn, daß meine ewige Hülle schön bemalt sei
und innen mit Schutzsprüchen bedeckt ohne Lücke und Durchlaß? Versprichst du mir, Sorge zu tragen, daß Imhôtep, der
Totenpriester im Westen, die Stiftung, die ich bei ihm errichtet
für meine Opferspeisen an Brot, Bier, Öl und Weihrauch,
nicht unter seine Kinder verteilt, sondern daß sie bei einem
bleibe und dein Vater ewig versorgt sei mit Speise und Trank
an den Festtagen? Es ist lieb und gut, daß du mir alles dies
mit andächtiger Stimme versprichst, denn der Tod ist gewöhnlich, aber mit großen Sorgen verbunden, und der Mensch
muß sich sichern nach vielen Seiten. Stelle auch eine kleine
Küche in meine Kammer, daß das Gesinde Stierschenkel darin
für mich brate! Gib einen Gänsebraten aus Alabaster dazu,
die Holzgestalt eines Weinkruges, und von deinen tönernen
Sykomorenfeigen gib mir auch reichlich hinein! Ich höre es
gern, wie du mir das mit frommen Worten beruhigend zu-
sagst. Stell ein Schiffchen, mit Ruderern besetzt, neben meinen
Sarg für alle Fälle und laß sonst noch einige Schurzknechtchen
bei mir drinnen sein, daß sie sich für mich melden, wenn der
Westliche mich aufruft zur Arbeit auf seinem fruchtbaren
Acker, denn ich hatte einen allgemeinen Kopf, der zur Übersicht taugte, kann aber selber Pflug und Sichel nicht führen.
Oh, wieviel Vorsorge verlangt der Tod! Habe ich auch nichts
vergessen? Versprich mir, daß du auch an das denken wirst,
was ich vergaß, zum Beispiel, du mögest ein Auge darauf
haben, daß sie mir an die Stelle des Herzens den schönen
Käfer aus Jaspis legen, den Peteprê mir schenkte in der Güte
seines Herzens und auf dem geschrieben steht, daß mein Herz

auf der Waage nicht möge als Zeuge aufstehen gegen mich! Er
liegt in der Truhe gleich rechts im Kästchen aus Taxusholz,
zusammen mit meinen beiden Halskragen, die ich dir ver-
erbe. – Genug damit, ich schließe meine Sterbereden. An alles
kann man doch nicht denken, und viel Unruhe bleibt zurück,
die der Tod selber mit sich bringt und nur scheinbar die Notwendigkeit, vorzusorgen. Selbst die Frage und Ungewißheit,
wie wir leben werden nach unserem Verscheiden, ist mehr ein
Vorwand der Todesunruhe und die Gestalt, die sie annimmt
in unsern Gedanken, aber meine Gedanken sind's nun einmal,
Gedanken der Unruhe. Werde ich auf den Bäumen sitzen als
Vogel unter den Vögeln? Werde ich dies und das sein dürfen
nach Belieben: ein Reiher im Sumpf, ein Skarabäus, der seine
Kugel rollt, ein Lotuskelch auf dem Wasser? Werde ich in
meiner Kammer leben und mich der Opfer erfreuen aus meiner Stiftung? Oder werde ich dort sein, wohin Rê leuchtet bei
Nacht und wo alles ganz sein wird wie hier, so Himmel wie
Erde, Strom, Feld und Haus, und ich werde wieder Peteprês
Ältester Knecht sein, wie ich's gewohnt bin? Ich hörte es so
und so und noch anders und alles auf einmal, und steht wohl
eines fürs andere dabei und alles für unsere Unruhe, die aber
geht unter im Rauschen des Schlafes, der nach mir ruft. Bette
mich wieder hinab, mein Sohn, denn ich bin von Kräften und
habe an den Segen und die Sorgen mein Letztes gewandt. Ich
will mich dem Schlafe geben, der berauschend in meinem
Haupte rauscht, aber bevor ich mich ihm überlasse, wüßte ich
freilich rasch noch gern, ob ich auch das Ölbäumchen, das mir
zugrunde ging, wieder antreffen werde am Nile des Westens.
Ach, voran sollte jetzt die Sorge mir stehen, daß nicht wieder
im letzten Augenblick, wenn ich entschlummern will, der
Krampf mich zurückreißt. Sage mir gute Nacht, mein Sohn,
wie du's verstehst, halte mir Arm und Bein und beschwöre
den Krampf mit stillenden Worten! Walte noch einmal deines
feinen Amtes – zum letztenmal! Und nicht zum letzten; denn
wenn am Nil der Verklärten alles ganz ist wie hier, dann
wirst wohl auch du, Osarsiph, wieder an meiner Seite sein als

mein Junggeselle und mir den Abendsegen sprechen, lieblich abgewandelt nach deiner Gabe für jede Nacht. Denn du bist gesegnet und magst Segen verspenden, während ich dich nur zu beglückwünschen – – Ich kann nicht mehr sprechen, mein Freund! Mit meinen Sterbereden ist's aus. Aber glaube nicht, daß ich dich nicht noch höre!"

Josephs Rechte lag auf den bleichen Händen des Abscheidenden, und mit der Linken hielt er ihm befestigend den Schenkel.

„Friede sei mit dir!" sprach er. „Ruhe selig, mein Vater, zur Nacht! Siehe, ich wache und sorge für deine Glieder, während du völlig sorglos den Pfad des Trostes dahinziehen magst und dich um nichts mehr zu kümmern brauchst, denke doch nur und sei heiter: um gar nichts mehr! Um deine Glieder nicht, noch um die Geschäfte des Hauses, noch um dich selbst und was aus dir werden soll und wie es sein mag mit dem Leben nach diesem Leben, – das ist es ja eben, daß alles dies und das Ganze nicht deine Sache und Sorge ist und keinerlei Unruhe dich deswegen zu plagen braucht, sondern du's alles sein lassen kannst, wie es ist, denn irgendwie muß es ja sein, da es ist, und sich so oder so verhalten, es ist dafür bestens gesorgt, du aber hast ausgesorgt und kannst dich einfach betten ins Vorgesorgte. Ist das nicht herrlich bequem und beruhigend? Ist's nicht mit Müssen und Dürfen heut wie nur jemals, wenn dir mein Abendsegen empfahl, doch ja nicht zu denken, du müßtest ruhen, sondern du dürftest? Siehe, du darfst! Aus ist's mit Plack und Plage und jeglicher Lästigkeit. Keine Leibesnot mehr, kein würgender Zudrang noch Krampfesschrecken. Nicht ekle Arznei, noch brennende Auflagen, noch schröpfende Ringelwürmer im Nacken. Auf tut sich die Kerkergrube deiner Belästigung. Du wandelst hinaus und schlenderst heil und ledig dahin die Pfade des Trostes, die tiefer ins Tröstliche führen mit jedem Schritt. Denn anfangs ziehst du durch Gründe noch, die du schon kennst, jene, die dich allabendlich aufnahmen durch meines Segens Vermittlung, und noch ist einige Schwere und Atemlast mit dir, ohne daß du's recht weißt, vom Körper her, den ich hier halte mit meinen Händen. Bald aber – du achtest des Schrittes nicht, der dich hinüberführt – nehmen Auen dich auf der völligen Leichtigkeit, wo auch von ferne nicht und auf das unbewußteste eine Mühsal von hier aus mehr an dir hängt und zieht, und allsogleich bist du jeglicher Sorge und Zweifelsnot ebenfalls ledig, wie es sei und sich etwa verhalte mit dir und was aus dir werden solle, und du staunst, wie du dich jemals mit solchen Bedenklichkeiten hast plagen mögen, denn alles ist, wie es ist, und verhält sich aufs allernatürlichste, richtigste, beste, in glücklichster Übereinstimmung mit sich selbst und mit dir, der du Mont-kaw bist in alle Ewigkeit. Denn was ist, das ist, und was war, das wird sein. Zweifeltest du in der Schwere, ob du dein Ölbäumchen finden würdest in drüberen Gefilden? Du wirst lachen über dein Zagen, denn siehe, sie ist bei dir – und wie sollte sie nicht, da sie dein ist? Und auch ich werde bei dir sein, Osarsiph, der verstorbene Joseph, wie ich für dich heiße, – die Ismaeliter werden mich dir bringen. Immer wirst du über den Hof kommen mit deinem Knebelbart, deinen Ohrringen und mit den Tränensäcken unter deinen Augen, die dir mutmaßlich geblieben sind von den Nächten her, die du heimlich-bescheiden um Beket verweint hast, das Ölbäumchen, und wirst fragen: ‚Was ist das? Was für Männer?‘ und reden: ‚Seid so gut! Meint ihr, ich kann euch schwatzen hören die Tage des Rê?‘ Denn da du Mont-kaw bist, wirst du nicht aus der Rolle fallen und dir vor den Leuten das Ansehen geben, als glaubtest du wirklich, daß ich nichts anderes sei als Osarsiph, der verkäufliche Fremdsklave, da du doch heimlich wissen wirst in bescheidener Ahnung, schon vom vorigen Mal, wer ich bin und welchen Bogen ich hinziehe, daß ich den Weg der Götter, meiner Brüder, bahne. Fahr wohl denn, mein Vater und Vorsteher! Im Lichte und in der Leichtigkeit sehen wir beide uns wieder.“

Hier tat Joseph seinen Mund zu und hörte auf, gute Nacht zu sagen, denn er sah, daß des Meiers Rippen und Bauch stillestanden und daß er schon unmerklich war aus den Gründen hinausgelangt in die Auen. Er nahm eine Feder, die er ihm öfters vor Augen gehalten, ob er sie noch sähe, und legte sie auf seine Lippen. Aber sie regte sich nicht mehr. Die Augen brauchte er ihm nicht zu schließen, da er sie friedlich schon selber zugetan hatte im Vorschlummer.

Die Leichenärzte kamen und salzten und würzten den Leib Mont-kaws vierzig Tage lang, da war er fertig gewickelt und in eine Lade getan, in die er genauestens paßte nach seiner Größe, und durfte, ein bunter Osiris, noch einige Tage im Hintergrunde des Gartenhäuschens vor den silbernen Herrschaften stehen. Danach mußte er noch eine Schiffsreise tun, stromabwärts, nach Abôdus heiligem Grabe, um dem westlichen Herrn Besuch abzulegen, bevor er die ersparte Felsenkammer beziehen konnte, in Thebens Bergen, mit mittlerem Gepränge.

Joseph aber gedachte dieses Vaters nie, ohne daß die Augen ihm feucht wurden. Sie glichen dann täuschend den Augen Rahels, wenn sie in Tränen der Ungeduld gestanden hatten zur Zeit, da Jaakob und sie aufeinander warteten.

DIE BERÜHRTE

Das Wort der Verkennung

Und es begab sich nach dieser Geschichte, daß seines Herrn Weib ihre Augen auf Joseph warf und sprach –

Die ganze Welt weiß, was Mut-em-enet, Potiphars Titelgemahlin, gesprochen haben soll, da sie ihre Augen auf Joseph, ihres Gatten jungen Hausvorsteher, „geworfen", und wir wollen und dürfen nicht in Abrede stellen, daß sie eines Tages, schließlich, in äußerster Verwirrung, im höchsten Fieber der Verzweiflung, tatsächlich so sprach, ja, daß sie sich wirklich dabei genau der furchtbar geraden und unumwundenen Formel bediente, welche die Überlieferung ihr in den Mund legt, und zwar so unvermittelt, als ob es sich dabei um einen der Frau sehr naheliegenden und sie gar nichts kostenden Antrag von liederlicher Direktheit gehandelt hätte und nicht vielmehr um einen späten Schrei aus letzter Seelen- und Fleischesnot. Offen gestanden, erschrecken wir vor der abkürzenden Kargheit einer Berichterstattung, welche der bitteren Minuziosität des Lebens sowenig gerecht wird wie die unserer Unterlage, und haben selten lebhafter das Unrecht empfunden, welches Abstutzung und Lakonismus der Wahrheit zufügen, als an dieser Stelle. Man meine doch nicht, daß wir stumpf seien gegen den schwebenden Tadel, der, ausgesprochen oder nicht, nur etwa aus Höflichkeit verschwiegen, sich gegen diesen unseren ganzen Vortrag, unsere Auseinandersetzung mit der Geschichte richtet, dahingehend, in der Bündigkeit, worin sie an ihrem Ur-Orte erscheine, sei sie gar nicht zu übertreffen und unser ganzes, nun schon so lang hinlaufendes Unternehmen verlorene Müh. Seit wann aber, darf man fragen, nimmt ein Kommentar den Wettstreit mit seinem Texte auf? Und dann: Kommt nicht der Erörterung des „Wie" soviel Lebenswürde und -wichtigkeit zu wie der Überlieferung des „Daß"? Ja, erfüllt sich das Leben nicht recht erst im „Wie"? Es ist daran zu erinnern, was schon früher bedacht wurde, daß, bevor die Geschichte erstmals erzählt wurde, sie sich selber erzählt hat – und zwar mit einer Genauigkeit, deren allein das Leben Meister ist und die zu erreichen für den Erzähler gar keine Hoffnung und Aussicht besteht. Nur ihr sich anzunähern vermag er, indem er dem Wie des Lebens treulicher dient, als der Lapidargeist des Daß zu tun sich herbeiließ. Wenn aber je die kommentatorische Treulichkeit sich rechtfertigte, so hier in Sachen von Potiphars Weib und dessen, was sie der Überlieferung nach so geradehin gesagt haben soll.

Das Bild, das man sich danach von Josephs Herrin zu machen gezwungen oder doch fast unwiderstehlich versucht ist und das, so fürchten wir, tatsächlich weite Kreise der Welt sich von ihr machen, ist so irrtümlich, daß man sich, indem man es auf dem Wege der Treulichkeit richtigstellt, ein wahres Verdienst um den Urtext erwirbt – verstehe man unter diesem nun das Erstgeschriebene oder, richtiger, das sich selbst erzählende Leben. Dieses Trugbild lüsterner Hemmungslosigkeit und schamentblößten Verführertums stimmt mit dem, was wir, zusammen mit Joseph, im Gartengehäuse aus dem Munde der immerhin ehrwürdigen alten Tuij über die Söhnin vernommen haben und worin sich uns schon ein wenig genaueres Leben auftat, jedenfalls schlecht überein. „Stolz" nannte Peteprês Mutter sie, indem sie es für unmöglich erklärte, sie anzufahren mit dem Gänsenamen; hochmutsvoll nannte sie sie, eine Mondnonne und Aufgesparte, deren Wesen so herb dufte wie das Laub der Myrte. Spricht eine solche, wie die Überlieferung sie sprechen läßt? Dennoch, sie sprach so, sprach sogar wörtlich und wiederholt so, als ihr Stolz durch die Leidenschaft völlig gebrochen war, – wir bestätigten es schon. Aber die Überlieferung versäumt hinzuzufügen, wieviel Zeit verging, während der sie sich eher die Zunge abge-

342

bissen hätte, denn daß sie so gesprochen hätte. Sie versäumt zu sagen, daß sie sich in der Einsamkeit tatsächlich, wörtlich und körperlich in die Zunge biß, ehe sie zum erstenmal, vor Schmerzen lispelnd, das Wort über die Lippen brachte, das sie auf immer zu einer Verführerin stempelt. Zur Verführerin? Eine Frau, über die es kommt wie über sie, wird selbstverständlich zur Verführerin – das Verführerische ist die Außenseite und physiognomische Erscheinung ihrer Heimsuchung; die Natur ist es, die ihre Augen schimmern läßt, süßer, als die künstlichen Eintröpfelungen, die die Kunst der Toilette sie lehrte, es bewirken mögen; die das Rot ihrer Lippen lockender erhöht als Rötelschminke und ihr dieselben zum seelenvoll-vieldeutigen Lächeln schwellt; die sie anhält, sich mit unschuldig-ausgepichter Berechnung zu kleiden und zu schmücken, ihre Bewegungen zweckhaft verholdseligt, ihrem ganzen Körper, soweit seine gegebene Beschaffenheit es nur irgend zuläßt und wirklich zuweilen ein Stück darüber hinaus, das Gepräge der Wonneverheißung aufdrückt. Dies alles will von vornherein und im Grunde gar nichts anderes bedeuten und besagen, als was Josephs Herrin schließlich zu ihm sagte. Aber ist die, der es von innen her geschieht, dafür verantwortlich zu machen? Veranstaltet sie's wohl aus Teufelei? Weiß sie auch nur davon – nämlich anders als durch ihr folterndes Leiden, das sich darin reizend nach außen schlägt? Kurzum, wenn sie verführerisch gemacht wird, ist sie darum eine Verführerin?

Vor allem werden Art und Form der Verführung durch die Geburt und Erziehung der Berührten manche Abwandlung erfahren. Gegen die Annahme, daß Mut-em-enet, familiär Eni oder auch Enti geheißen, sich im Stande der Berührtheit wie eine Metze benommen hätte, spricht schon ihre Kinderstube, die nicht adelig genug zu denken ist. Was dem redlichen Mont-kaw recht war, muß der Frau, die auf Josephs Schicksal denn doch noch einen ganz anderen Einfluß übte als jener, billig sein: nämlich, daß man von ihrer Herkunft das Nötigste mitteilt.

Es wird niemanden überraschen, zu hören, daß die Gemahlin Peteprês, des Wedelträgers, keines Bierwirtes oder Steineschleppers Tochter war. Sie stammte aus nicht mehr und nicht weniger als altem gaufürstlichen Geblüt, wenn es auch schon lange her war, daß ihre Vorfahren als patriarchalische Kleinkönige und Besitzer ausgebreiteten Grundes in einem Gau Mittelägyptens gesessen hatten. Damals hatten fremde Herrscher, von asiatischem Hirtengeblüt, im Norden des Landes wohnend, Rês Doppelkrone getragen, und Wêses Fürsten, im Süden, waren durch Jahrhunderte den Eindringlingen untertan gewesen. Aber Gewaltige waren ihnen erstanden, Sekenjenrê und sein Sohn Kemose, die sich gegen die Hirtenkönige erhoben und sie zäh bestritten hatten, wobei deren fremdes Geblüt ihrem eigenen Ehrgeiz ein wirksam aufrufendes Kriegsmittel gewesen war. Ja, Kemoses kühner Bruder, Achmose, hatte den festen Königssitz der Ausländer, Auaris, berannt und erobert und sie vollends aus dem Lande verjagt, dieses insofern befreiend, als er es für sich selbst und sein Haus zu eigen nahm und an die Stelle fremder Herrschaft die eigene setzte. Nicht alle Gauherren des Landes hatten im Helden Achmose sogleich den Befreier erkennen und seine Herrschaft mit Freiheit gleichsetzen wollen, wie es seine Gewohnheit war. Manche von ihnen hatten es, sie mußten wohl wissen, warum, eher mit den Fremdlingen in Auaris gehalten, indem sie es vorgezogen haben würden, ihre Vasallen zu bleiben, statt von einem der Ihren befreit zu werden. Ja, noch nach der völligen Vertreibung ihrer langjährigen Oberherren hatten einzelne dieser zur Freiheit nicht willigen Gaukönige gegen den Befreier gemeutert und, wie es in den Urkunden hieß, „die Rebellen gegen ihn gesammelt", so daß er sie erst noch in offener Feldschlacht hatte besiegen müssen, ehe die Freiheit hergestellt war. Daß diese Aufsässigen ihres Grundbesitzes verlustig gegangen waren, verstand sich von selbst. Aber auch sonst war es die Art der thebanischen Landesbefreier, das, was sie den Fremden genommen, für sich zu behalten, also daß damals ein Prozeß sich einleitete, der zur Zeit unserer Geschichte zwar weit vorgeschritten, aber noch nicht abgeschlossen war, sondern sich in ihrem Verlauf erst vollenden sollte; nämlich die Enteignung des alteingesessenen Gauadels von seinem Grundbesitz und die Einziehung der Güter zugunsten der thebanischen Krone, welche immer mehr zur Alleinbesitzerin alles Landes wurde und es gegen Zins verpachtete oder an Tempel und Günstlinge verschenkte, wie Pharao dem Peteprê jene Fruchtinsel im Strom zum Geschenk gemacht hatte. Aber die alten Gaufürstengeschlechter wandelten sich in einen Beamten- und Schwertadel, der Pharao Gefolgschaft leistete und Vorsteherposten in seinem Heere oder seiner Verwaltung bekleidete.

So auch Muts Sippe und adliges Geschlecht. Die Herrin Josephs stammte in gerader Linie von jenem Gaufürsten namens Teti-'an ab, der seinerzeit „die Rebellen gesammelt" und in der Schlacht hatte besiegt werden müssen, ehe er sich als befreit bekannte. Aber Pharao trug das Teti-'ans Enkeln und Urenkeln nicht nach. Das Geschlecht war groß und vornehm geblieben, es stellte dem Staate Truppenbefehlshaber, Kabinettsvorsteher und Schatzhaushüter, dem Hofe Truchsesse, Erste Wagenlenker und Vorsteher des königlichen Badezimmers, ja, einigen aus seinem Schoße blieb sogar der alte gaufürstliche Name erhalten, wenn sie nämlich Verwaltungshäupter großer Städte waren, wie Menfe oder Tine. So bekleidete Enis Vater, Mai-Sachme, das hohe Amt eines Stadtfürsten von Wêse – eines von zweien; denn es gab einen für die Stadt der Lebenden und einen für die Totenstadt im Westen, und Mai-Sachme war Fürst der Weststadt. Als solcher lebte er, mit Joseph zu reden, in schönem Range und konnte sich unbedingt mit Freudenöl salben – er und die Seinen konnten das, auch Enti, sein schöngliedriges Kind, wenn sie auch keine grundbesitzende Gauprinzessin mehr, sondern eines neuzeitlichen Angestellten Tochter war. Recht wohl kann man aus dem, was ihre stadtfürstlichen Eltern über sie beschlossen, die Veränderungen ablesen, die sich seit den Tagen der Väter in der Denkungsart des Geschlechtes vollzogen hatten. Denn indem sie um freilich großer höfischer Vorteile willen ihr geliebtes Kind schon in zartem Alter Peteprê, dem zum Titelämtling zubereiteten Sohn Huijs und Tuijs, zum Weibe gaben, bewiesen sie klärlich, daß in ihnen der Fruchtbarkeitssinn ihrer bodensässig-erdverbundenen Vorfahren schon viel neuzeitliche Abschwächung erfahren hatte.

Mut war ein Kind zu der Zeit, da man auf ähnliche Art über sie verfügte, wie Potiphars spekulierende Erzeuger über das zappelnde Söhnchen verfügt hatten, indem sie es zum Höfling des Lichtes weihten. Die Ansprüche ihres Geschlechtes, über die man dabei hinwegging, diese Ansprüche, deren Bilder die wassergeschwärzte Erde und das Mond-Ei, der Ursprung alles stofflichen Lebens, sind, schlummerten stumm und keimhaft in ihr, unbewußt ihrer selbst und ohne gegen die liebevoll-lebenswidrige Verfügung den leisesten Widerspruch zu erheben. Sie war leicht, lustig, ungetrübt, frei. Sie war wie eine Wasserblüte, die auf dem Spiegel schwimmend unter den Küssen der Sonne lächelt, unberührt von dem Wissen, daß ihr langer Stengel im dunklen Schlamme der Tiefe wurzelt. Der Widerstreit zwischen ihren Augen und ihrem Munde hatte damals noch keineswegs bestanden; kindlich nichtssagende Harmonie vielmehr hatte zwischen beiden geherrscht, da ihr kecker Klein-Mädchen-Blick von verdunkelnder Strenge noch nichts gekannt hatte, die besondere Schlängelbildung des Mundes aber, mit den vertieften Winkeln, viel weniger ausgeprägt gewesen war. Die Veruneinigung beider hatte sich erst im Lauf ihrer Lebensjahre als Mondnonne und Ehrengemahlin des Sonnenkämmerers allmählich hergestellt, zum Zeichen offenbar, daß der Mund ein den unteren Mächten verbunderenes und verwandteres Gebilde und Werkzeug ist als das Auge.

Was ihren Körper betraf, so kannte ihn jedermann nach seinem Wuchs und allen seinen Schönheiten, da die „gewebte Luft", die hauchzart-seidigen Luxusgespinste, die sie trug, ihn nach Landessitte in jeder Linie zum allgemeinen besten gaben. Man darf sagen, daß er nach seinem Wesensausdruck mit dem

Munde mehr übereinstimmte als mit dem Auge; sein Ehrenstand hatte nicht seine Blüte gehemmt und nicht sein Schwellen gefesselt – es war, mit seinen kleinen und festen Brüsten, dem feinen Nacken und Rücken, den zärtlichen Schultern und vollendeten Bildwerk-Armen, den edel hochstämmigen Beinen, deren obere Linien in der prangenden Hüft- und Gesäßpartie weiblichst ausschwangen, der anerkannt trefflichste Frauenleib weit und breit: Wêse kannte keinen lobenswerteren, und wie die Menschen waren, es stiegen ihnen bei seinem Anblick uralt-liebliche Traumbilder auf, Bilder des Anfangs und Vor-Anfangs, Bilder, die mit dem Mond-Ei des Ursprungs zu tun hatten: das Bild einer herrlichen Jungfrau, welche im Grunde – so recht im feuchten Grunde – die Liebesgans selber war in Jungfrauengestalt und in deren Schoß mit schlagend gespreizten Schwingen ein Prachtexemplar von Schwan sich schmiegte, ein zärtlich gewaltiger, schneeig gefiederter Gott, flatternd verliebtes Werk an der ehrenvoll Überraschten verrichtend, daß sie das Ei gebäre...

Wahrhaftig, solche Frühbilder beleuchteten sich im Inneren von Wêses Leuten, wo sie im Dunkel gelegen hatten, beim Anblick von Mut-em-enets durchscheinender Gestalt, obgleich sie den mondkeuschen Ehrenstand kannten, in dem die Frau lebte und der ihr an den streng blickenden Augen abzulesen war. Sie wußten, daß diese Augen maßgeblicher Zeugnis ablegten von ihrem Wesen und Wandel als der allenfalls andres besagende Mund, der wohl gewährend hätte hinablächeln können auf des Schwanes königliche Geschäftigkeit; es war ihnen bekannt, daß dieser Leib seine höchsten Augenblicke, Genugtuungen und Erfüllungen keineswegs im Empfangen solcher Besuche, sondern einzig nur dann erlebte, wenn er an hohen Tagen, die Klapper schüttelnd, im Kulttanze sich aufreckte vor Amun-Rê. Kurzum, sie sagten ihr nichts nach; es war unter ihnen kein boshaft Gerücht und Geblinzel, das diese Frau betroffen und nach ihrem Munde gelautet, ihre Augen aber der Lüge geziehen hätte. Sie hechelten scharfmäulig andere durch, die eigentlicher vermählt waren als Teti-'ans

Enkelin und es dennoch kunterbunt treiben sollten im Sitten-
punkt, auch Ordensdamen, auch Haremsfrauen des Gottes,
auch Renenutet zum Beispiel, des Rindervorstehers Gemahlin,
– man wußte was über sie, was Amuns Rindervorsteher nicht
wußte oder nicht wissen wollte, man wußte mehreres und
witzelte genußreich hinter ihrer Sänfte und ihrem Wagen
her, wie auch hinter anderen. Von Peteprês Erster und sozusagen Rechter aber wußte man nichts in Theben und war auch
überzeugt, daß es nichts zu wissen gab. Man achtete sie für
eine Heilige, für eine Vorbehaltene und Aufgesparte, in Peteprês Haus und Hofe wie außerhalb, und das wollte etwas
heißen bei soviel eingefleischter Lust und Liebe zum Witzeln.

Wie immer der Hörerkreis darüber denken möge – wir erachten es nicht für unsere Aufgabe, den Lebensgewohnheiten
von Mizraims und im besonderen von No-Amuns Frauen-
und Damenwelt nachzuspüren: Gewohnheiten, über die wir
vor längerem den alten Jaakob Feierlich-Krasses haben aussagen hören. Seine Weltkundigkeit entbehrte nicht eines pa-
thetisch-mythisierenden Einschlages, den man gut tut, in Ab-
zug zu bringen, um nicht zu Übertreibungen zu gelangen. Aber
ganz ohne Beziehung zur Wirklichkeit waren seine hohen
Worte natürlich nicht. Unter Leuten, die für die Sünde weder
Wort noch Verstand haben und die in Kleidern herumgehen
aus gewebter Luft, Leuten, deren Tier- und Todesandacht
überdies eine gewisse Fleischlichkeit der Gesinnung bedingt
und befördert, ist von vornherein, noch vor aller Erfahrung
und Nachweislichkeit, jene Unbedenklichkeit der Sitten wahrscheinlich, die Jaakob in dichterisch auftragenden Worten gemalt hatte. Die Erfahrung entsprach denn auch der Wahrscheinlichkeit – mit mehr logischer Befriedigung als Bosheit
stellen wir es fest. Es hieße Schnüffelei treiben, den Frauen
Wêses diese Stimmigkeit im einzelnen nachzurechnen. Hier
ist nicht viel abzustreiten und viel zu verzeihen. Wir brauchten nur den Blick zwischen Renenutet, der Rindervorsteherin,
und einem bestimmten, recht schmucken Unterbefehlshaber
der königlichen Leibwache, ja außerdem noch zwischen der-

selben hochgestellten Dame und einem jungen blankköpfigen Hausbetreter vom Chonsu-Tempel hin- und hergehen zu lassen, um auf Verhältnisse hinzudeuten, die Jaakobs bildliche Kennzeichnungen weitgehend rechtfertigen. Es ist nicht unsere Sache, sittenrichterlich den Stab zu brechen über Wêse – solche große Stadt, darinnen mehr als hunderttausend Menschen. Was nicht zu halten und retten ist, geben wir preis. Für eine aber legen wir die Hand ins Feuer und sind bereit, für die Untadeligkeit ihres Wandels bis zu einem gewissen Zeitpunkt, wo dieser Wandel allerdings durch Göttergewalt in ein mänadenhaftes Straucheln geriet, unser ganzes Erzähleransehen aufs Spiel zu setzen: Das ist die Tochter Mai-Sachmes, des Gaufürsten, Mut-em-enet, das Weib Potiphars. Daß sie eine Metzennatur gewesen sein sollte, der das ihr zugeschriebene Antragswort sozusagen immer auf den Lippen geschwebt und sich leicht und frech davon gelöst hätte, ist eine so verfälschende Vorstellung, daß uns an ihrer Zerstörung um der Wahrheit willen alles gelegen sein muß. Als sie das Wort schließlich mit zerbissener Zunge flüsterte, kannte sie sich selbst nicht mehr; sie war weit außer sich, aufgelöst von Leiden, ein Opfer der geißelschwingenden Rachlust unterer Mächte, denen sie durch ihren Mund verschuldet war, während ihr Auge ihnen kühle Geringschätzung bieten zu dürfen geglaubt hatte.

Die Öffnung der Augen

Es ist bekannt, daß Mut nach gutgemeinter elterlicher Übereinkunft dem Sohne Huijs und Tuijs schon im zarten Kindesalter verlobt und vermählt wurde, was um der inneren Folge willen wieder erinnert zu werden verdient, daß sie an die formelle Natur ihres Eheverhältnisses von jeher gewöhnt war und der Augenblick, der ihr Stoffliches hätte lehren können, etwas daran zu vermissen, in fließendem Dunkel lag. Es ist nicht müßig, das zu bemerken: Dem Namen nach war ihre Jungfrauenschaft schon vor der Zeit aufgehoben worden –

und dabei war es geblieben. Kaum wirklich schon eine Jungfrau, eher noch halbwüchsig, fand sie sich als verwöhntes Oberhaupt eines vornehmen Frauenhauses, Gebieterin jeder Üppigkeit, auf Händen getragen von der wilden Unterwürfigkeit nackter Mohrenmädchen und zärtlich katzbuckelnder Verschnittener, die Erste und Rechte unter fünfzehn anderen im Luxus dahinvegetierenden Landesschönheiten von sehr unterschiedlicher Herkunft, die selber alle zusammen einen bloßen und leeren Luxus, ein Ehren- und Schauzubehör des Segenshauses, den ungenießbaren Liebesstaat eines Hofämtlings bildeten. Königin dieser Träumenden und Schnatternden, die an ihren Brauen hingen, in Melancholie versanken, wenn sie traurig war, in befreites Gekakel ausbrachen, wenn sie sich heiter zeigte, und übrigens hirnloserweise sich wegen kleiner, nichtssagender Gunsterweisungen Peteprês, des Herrn, verzankten, wenn dieser, während Konfekt und Ambraschnaps gereicht wurde, in ihrer Mitte mit Mut-em-enet eine Ehrenpartie auf dem Spielbrett vollzog: Stern des Harems also, war sie zugleich das weibliche Haupt des Gesamthauses, Potiphars Gemahlin im engeren und höheren Sinn als jene Kebsen, die Herrin schlechthin, welche unter Umständen die Mutter seiner Kinder gewesen wäre, in des Anwesens Hauptgebäude nach Gefallen ein eigenes Gemach bewohnte (es war das östlich der Nordsäulenhalle gelegene, so daß diese, wo Joseph Lesedienst zu verrichten pflegte, die Zimmer der Gatten voneinander trennte); – die ferner bei den durch Tanz- und Musikdarbietungen verschönten Gastereien, welche Potiphar, Pharaos Freund, der oberen Gesellschaft Thebens in seinem Hause gab, die Wirtin und Hausfrau machte und mit ihm solche Feste in anderen Herrschaftshäusern, vor allem bei Hofe, besuchte.

Ihr Leben war angespannt und mit eleganten Pflichten dicht besetzt – müßigen Pflichten, wenn man so will, aber die zehren nicht minder auf als bedeutende. Man weiß es aus allen Zivilisationen, wie sehr die Anforderungen des Gesellschaftslebens, der bloßen Kultur und ihrer überwuchernden Einzelheiten die Lebenskräfte vornehmer Frauen mit Beschlag belegen, so daß es überm Um und An der Form zum Eigentlichen, dem Leben der Seele und Sinne, wohl niemals kommen mag und eine kühle Leere des Herzens, entbehrungslos, soweit das Bewußtsein reicht, zur nicht einmal traurig zu nennenden Daseinsgewohnheit wird. In allen Zeiten und Zonen hat es dies Vorkommnis temperaturloser weiblicher Weltlichkeit gegeben, und man kann so weit gehen, zu sagen, daß es wenig dabei zur Sache tut, ob der Gemahl, an dessen Seite ein solches Groß-Damen-Leben verbracht wird, ein Truppenoberst wirklichen Sinnes oder nur nach dem Hoftitel ist. Das Ritual des Toilettentisches etwa bleibt gleich anspruchsvoll, ob es nun darauf abzielt, eines Gatten Begehren lebendig zu erhalten, oder ob es als Zweck seiner selbst, rein um der sozialen Pflicht willen geübt wird. Mut, wie jede ihrer Standesgenossinnen, widmete ihm täglich ganze Stundenfolgen. Bei seinem Vollzuge: der peinlich entwickelten Pflege ihrer emaillehaft schimmernden Finger- und Fußnägel; den Duftbädern, Enthaarungspraktiken, Salbungen und Knetungen, denen sie die Wohlgestalt ihres Körpers unterwarf; den heiklen Ausmalungen und Träufelungen, deren Gegenstand ihre ohnehin schönen, in der Iris metallblauen und in mancherlei Winken und Blinken geübten, durch die Hohe Schule der Schminktafel, des nachziehenden Spitzpinsels und blickversüßender Mittel aber zu wahren Kleinodien und Geschmeidestücken erhobenen Augen waren; dem Dienst ihrer Haare, der eigenen sowohl, die ein halbkurzes Gedränge glanzschwarzer und gern mit Blau- oder Goldpuder bestäubter Locken waren, sowie der verschieden gefärbten, in Zöpfen, Flechten, Tressen und befransten Perlengehängen gestalteten Perücken – hierbei wie bei der zartfingrigen Verpassung der blütenhaften Gewänder mit ihren gestickten und leierförmig gebügelten Hüftschärpenbändern und kleinlich gefältelten Schulterüberfällen, der Auswahl des auf Knien dargebotenen Schmuckes für Haupt, Brust und Arme: bei alledem hatten die nackten Mohrenmädchen, Friseur-Eunuchen und Schneiderzofen nichts zu lachen, und auch Mut lachte niemals dabei, denn eine Unachtsamkeit, ein leichtes Versäumnis in Dingen dieser Kultur hätte das Gerede der schönen Welt, einen Bosheitsskandal bei Hofe hervorgerufen.

Es waren dann die Besuche bei gleichlebenden Freundinnen, zu denen sie sich tragen ließ oder die sie bei sich empfing. Es war der Dienst im Palaste Merima't, bei Teje, dem Gottesweibe, zu deren Ehrenstaat Mut gehörte, – sie trug den Wedel so gut wie Peteprê, ihr Gemahl, und war gehalten, an den nächtlichen Wasserfesten teilzunehmen, die Amuns Empfängerin auf dem durch Pharaos Wort hervorgerufenen Kunstsee des königlichen Gartens veranstaltete und deren Schönheit in die sprühenden Tinten jüngst erfundener Buntfeuerfackeln getaucht war. Es waren ferner – der Name der Gottesgebärerin bringt uns darauf zurück – die vielerwähnten, frommbedeutenden Ehren-Obliegenheiten, in denen das Gesellschaftlich-Elegante ins Geistlich-Priesterliche überging und die wie keine anderen den hochmütig-strengen Ausdruck ihrer Augen bestimmten: die Pflichten also, die ihr aus ihrer Eigenschaft als Mitglied des Hathoren-Ordens und Haremsfrau Amuns, als Trägerin der Kuhhörner mit der Sonnenscheibe dazwischen, kurzum, als zeitweilige Göttin erwuchsen. Es ist sonderbar zu sagen, inwiefern diese Seite und Funktion von Enis Leben dazu beitrug, die Weltkälte der großen Dame zu erhöhen und ihr das Herz leer zu halten von weicheren Träumen. Sie tat es im Zusammenhang mit der Titelhaftigkeit ihrer Ehe – mit der sie an sich selbst gar keinen notwendigen Zusammenhang hatte. Amuns Frauenhaus war nicht im geringsten ein Haus der Unberührten. Enthaltsamkeit des Fleisches war dem Gottescharakter der Großen Mutter fern, die sich in Mut und ihren Genossinnen festlicherweise verkörperte. Die Königin, Gottes-Beischläferin und Gebärerin der Folgesonne, war Schutzherrin des Ordens. Seine Oberin war, wie schon da und dort erwähnt, eine Ehefrau, die Gattin von Amuns gewichtigem Groß-Propheten, und ganz überwiegend aus Ehefrauen, gleich Renenutet, der Gattin des Rindervorstehers (von ihrem weiteren Verhalten zu schweigen), setzte er sich zusammen. Nur insofern, in Wahrheit, hatte Muts Tempelamt mit ihrer Ehe zu tun, als sie das eine der anderen gesellschaftlich verdankte. Sie aber tat in ihrem Inneren auf eigene Hand das, was Huij, der Heisere, im Gespräch mit seiner greisen Bettschwester getan hatte: sie setzte ihr Priesterinnentum zu der Besonderheit ihrer Ehe in Beziehung, sie fand, ohne es geradezu in Worte zu fassen, Mittel und Wege, zum Ausdruck zu bringen, daß sie es als sehr passend, ja als das eigentlich Rechte für eine Nebenfrau des Gottes erachte, wenn ihr irdischer Gemahl wie Peteprê beschaffen sei; sie wußte diese ihre Auffassung der Gesellschaft einzugeben und mitzuteilen, so daß rückwirkend diese ihr bei ihrer Aufrechterhaltung behilflich war und ihre Stellung im Kreis der Hathoren im Lichte der Gotteskeuschheit und Aufgespartheit sah, woraus viel mehr noch als aus Muts schöner Stimme und Tanzkunst sich die Vorzüglichkeit dieser Stellung, der hohen Oberin fast zur Seite, stillschweigend ergab. Das war das Werk ihres Gedankenwillens, der Gestalt annahm in der Welt und ihr die Über-Tröstungen schuf, nach denen es sie aus stummen Tiefen verlangte.

Eine Nymphe? Ein lockeres Frauenzimmer? Es ist wahrhaft zum Lachen. Eine elegante Heilige war Mut-em-enet, eine weltkühle Mondnonne, deren Lebenskräfte teils von einer anspruchsvollen Zivilisation verzehrt wurden, teils sozusagen Tempelgut waren und in geistlichem Stolze aufgingen. So hatte sie gelebt als Potiphars Erste und Rechte, hochgepflegt, auf Händen getragen, in ihrem Selbstgenügen bekräftigt durch allseitig-kniefällige Verehrung, von Wünschen aus jener Sphäre, die sich in ihrem Schlängelmund manifestierte, von Gänsewünschen, um es kurz und schlagend zu sagen, nicht einmal im Traume berührt. Denn es ist falsch, den Traum für Wild- und Freigebiet zu erachten, worin das tags Verpönte zu wuchernder Schadloshaltung sich beliebig hervortun dürfte. Was gründlich unbekannt ist der Wachheit und rein davon ausgesperrt, das kennt auch der Traum nicht. Die Grenze zwischen beiden Gebieten ist fließend und durchlässig; *ein* Seelenraum ist es, durch den sie unsicher läuft, und daß er für das Gewissen, den Stolz unteilbar ist, bewies die Verwirrung, bewiesen die Scham und die Panik, die Mut nicht erst beim Erwachen, sondern sogleich schon im Traume befielen, als sie zum erstenmal nächtens von Joseph träumte.

Wann geschah das? Man zählt die Lebensjahre nur lässig bei ihr zu Hause, und weitgehend abhängig von den Gewohnheiten der Welt unserer Erzählung, lassen auch wir uns mit beiläufigen Schätzungen genügen. Eni stand sicher um mehrere Jahre hinter ihrem Gemahl zurück, den man bei Josephs Ankauf als einen Mann Ende Dreißig kennengelernt hat und der unterdessen um rund sieben Jahre zugenommen hatte. Sie war also nicht etwa Mitte Vierzig wie er, es fehlte viel daran; aber eine reife Frau war sie immerhin, dem Joseph an Jahren unleugbar voran – um wie viele, das auszuklügeln spüren wir Abneigung, und zwar aus moralischem Respekt vor einer hohen, weibliche Altersunterschiede fast einebnenden kosmetischen Kultur, deren Ergebnissen, sinnengültig wie sie sind, eine höhere Wahrheit zukommt als denen des Rechenstiftes. Seit Joseph die Herrin zuerst auf goldner Trage hatte vorüberschweben sehen, hatte er sich – und zwar im Sinne weiblicher Anteilnahme gesprochen – zu seinem Vorteil verändert, nicht aber sie, wenigstens für den nicht, der sie ununterbrochen seither gesehen. Wehe den Salbsklavinnen und Massage-Verschnittenen, wenn diese Jahre gegen ihren Wuchs etwas auszurichten vermocht hätten! Aber auch ihr Gesicht, das mit seiner Sattelnase und den eigentümlichen Schattenklüften der Wangen niemals eigentlich schön gewesen war, behauptete dieselbe Schwebe zwischen Übereinkunft und Naturlaune, Modeprägung und unregelmäßigem Reiz, in der es sich damals befunden; der leise beunruhigende Widerspruch aber zwischen Augen und Schlängelmund hatte sich in diesen Jahren noch deutlich verstärkt, und geneigt, im Beunruhigenden das Schöne zu sehen – es gibt diese Neigung –, konnte man sogar finden, daß sie unterdessen schöner geworden sei.

Andererseits war Josephs Schönheit zu dieser Frist dem Stadium vormännlicher Jugendanmut entwachsen, auf der wir sie seinerzeit zu würdigen hatten. Er war bei vierundzwanzig Jahren noch immer und erst recht zum Gaffen schön, aber seine Schönheit war über den Doppelreiz jener Frühe hinausgereift, sie bewahrte wohl ihre allgemein gewinnende Wirkung, hatte aber ihre Gefühlswirksamkeit viel entschiedener in einer Richtung, nämlich in der auf den weiblichen Sinn gesammelt. Dabei hatte sie sich, indem sie männlicher wurde, sogar veredelt. Sein Gesicht war die anmutig verfängliche Beduinenbubenphysiognomie von ehedem nicht mehr; es bewahrte Spuren davon, besonders wenn er, obgleich nichts weniger als kurzsichtig, die Rahelaugen nach Art der Mutter auf eine gewisse schleiernde Weise schmal zusammenzog, war aber voller, ernster, auch dunkler von Oberägyptens Sonne, dabei in den Zügen regelmäßiger, vornehmer geworden. Von den Veränderungen, die sich an seiner Figur und, ein Erzeugnis nicht nur der Jahre, sondern auch der Aufgaben, in die er hineingewachsen, in seinen Bewegungen, dem Klang seiner Stimme vollzogen hatten, wurde schon beiläufig Notiz genommen. Dazu aber kam, als Werk der Landeskultur, eine Verfeinerung seines Äußeren, die nicht außer acht gelassen werden darf, wenn seine damalige Erscheinung richtig vor Augen stehen soll. Man muß ihn sich in der weißen Linnentracht eines Ägypters gehobeneren Standes denken, bei der die Unterkleidung durch die obere schimmerte und deren weite und kurze Ärmel die an den Handgelenken mit Emailleringen geschmückten Unterarme frei ließen; den Kopf bedeckt bei strengeren Gelegenheiten – denn bei bequemeren zeigte er sein eigenes glattes Haar – mit einer leichten Kunstperücke, welche, die Mitte haltend zwischen Kopftuch und Haartour, aus bester Schafwolle, dem oberen Kopf in sehr feinen und gleichlaufend dichten Strähnen, ähnlich gerippter Seide, anlag und so auch in den Nacken reichte, aber von einer bestimmten, schräg laufenden Linie an die Faktur wechselte und in kleinen und ebenmäßigen, wie Dachziegel sich ineinanderschiebenden Löckchen auf die Schultern hinabfiel; um den Hals noch außer dem bunten Kragen eine aus Rohr und Gold gefertigte Flachkette, an der ein schützender Skarabäus hing; die Miene ein wenig ins hieratisch Bildmäßige verfremdet durch Künstlichkeiten, die er anpassungswillig in seine Morgentoilette aufgenommen hatte, eine ebenmäßig nachziehende Verstärkung der Brauen, eine lineare Verlängerung der oberen Augenlider gegen die Schläfen hin: so ging er, wohl einen langen Stab vor sich hinsetzend, als des Vorstehers oberster Mund durch die Wirtschaft, so fuhr er zu Markte, so stand er bei Tafel, den Dienern winkend, hinter Peteprês Stuhl, – so sah ihn die Herrin, im Saal oder wenn er im Frauenhause erschien und etwa vor sie selber trat, um irgendeiner Verordnung wegen in unterwürfiger Haltung und Sprache vor ihr zu reden, – erst so sah sie ihn überhaupt; denn vorher, als nichtigen Käufling und noch zu Zeiten, da er dem Potiphar schon das Herz zu erwärmen gewußt, hatte sie ihn überhaupt nicht gesehen, ja, als er im Hause schon wuchs wie an einer Quelle, waren immer noch Dûdus klagende Hinweise nötig gewesen, um ihr für seine Person die Augen zu öffnen.

Dabei war selbst diese Augenöffnung, vollzogen durch den Kalbsfuß der Zunge Dûdus, noch weit entfernt von Vollständigkeit: strenge Neugier allein war der Sinn ihres Ausschauens nach dem Sklaven, von dessen anstößigem Wachstum im Hause sie hatte hören müssen. Das Gefährliche (wie man sich ausdrücken muß, wenn einem an ihrem Stolz, ihrer Ruhe gelegen ist) war nur, daß es eben Joseph war, auf den dabei ihre Augen trafen, dessen Augen den ihren sekundenweise dabei begegneten, – ein wirklich schwerwiegender Umstand, der dem kleinen Bes auf Grund seiner Zwergenweisheit sofort die Angst und Ahnung eingeflößt hatte, daß der boshafte Dûdu hier etwas anrichte, was über seine Bosheit hinausging, und daß die Augenöffnung eine verderbliche Vollständigkeit gewinnen möchte. Eingeborene Schreckensfremdheit gegen Mächte, die er im Bilde des feuerschnaubenden Stieres sah, machte ihn empfänglich für solche Ahnungen. Joseph aber, aus sträflichem Leichtsinn – wir sind nicht willens, ihn in diesem Punkte zu schonen –, hatte ihn nicht verstehen wollen und getan, als fasele der Wesir, ungeachtet, daß er im Grunde eines Sinnes mit dem Wispernden war. Denn auch er legte weniger Wert und Gewicht darauf, welchen Sinn die Augenblicke im Saale hatten, als vielmehr darauf, daß sie überhaupt stattfanden, und tat sich in seinem Herzen ein ganz Törichtes darauf zugute, daß er kein Stück im Raum mehr war für die Herrin, sondern daß sie persönlichen Blick für ihn hatte, wenn auch zornigen Blick. – Und unsere Eni?

Nun, diese war auch nicht klüger. Auch sie hatte den Zwerg nicht verstehen wollen. Daß sie mit Zorn und Strenge nach Joseph schaute, dünkte sie hinlängliche Entschuldigung dafür, daß sie überhaupt nach ihm schaute, – ein völliger Irrtum von Anfang an, verzeihlich, bevor sie wußte, wen sie sah, wenn sie sah, dann aber ein in immer wachsendem Maße freiwilliger und sträflicher Irrtum. Die Unglückliche wollte nicht bemerken, daß von der „strengen Neugier", mit der sie nach ihres Gatten Leibdiener ausschaute, die Strenge allmählich abfiel und auch die übrigbleibende Neugier bald schon anderen, selig-unseligeren Namen verdiente. Sie bildete sich ein, an dem Gegenstand der Beschwerden Dûdus, dem Ärgernis von Josephs Wachstum, sachlich starken Anteil zu nehmen; sie fühlte sich berechtigt und verpflichtet zu solcher Anteilnahme durch ihre religiöse oder, was dasselbe war, politische Stellung und Parteizugehörigkeit, durch ihre Verbundenheit mit Amun, der das Überhandnehmen eines chabirischen Sklaven im Hause als beleidigend empfinden und eine Nachgiebigkeit gegen Atum-Rês asiatische Neigungen darin erblicken mußte. Die Schwere des Ärgernisses mußte herhalten, das Vergnügen zu rechtfertigen, das ihr die Beschäftigung damit gewährte und das sie Sorge und Eifer nannte. Die Fähigkeit des Menschen zum Selbstbetrug ist erstaunlich. Wenn Mut, von gesellschaftlichen Pflichten für eine kurze Sommer- oder längere Winterstunde frei, sich am Rande des viereckigen Wasserbeckens mit Buntfischlein und schwimmenden Lotuskelchen, welches in den

Estrich der offenen Pfeilerhalle des Frauenhauses eingelassen war, auf ihrem Ruhebett ausstreckte, um nachzudenken, während an der Rückwand der Halle eine kleine Nubierin mit stark gefetteter Lockenfrisur kauerte, die die Gedanken der Herrin mit zartem Saitenspiel zu begleiten hatte, – so war sie überzeugt von ihrer Absicht, bei sich die Frage zu erörtern, wie trotz dem Eigensinn ihres Gatten und der abschweifenden Großartigkeit des Beknechons dem Übel zu steuern sei, daß ein Sklave von Zahi-Land, von den Ibrim einer, dermaßen im Hause wachse, und wegen der Wichtigkeit der Sache wunderte sie sich nicht darüber, daß sie sich auf das Nachdenken darüber freute – während sie es doch beinahe schon wußte, daß diese Freude von gar nichts anderem herrührte, als daß sie vorhatte, an Joseph zu denken. Wenn nicht das Erbarmen es hinderte, könnte man ärgerlich werden über soviel Verblendung. Es fiel der Frau auch nicht auf, daß sie angefangen hatte, sich auf die Mahlzeiten zu freuen, bei denen sie Joseph sehen würde. Sie wähnte, daß diese Freude den strafenden Blicken gelte, die sie ihm zu senden beabsichtigte. Es ist kläglich, aber sie merkte nicht, daß ihr Schlängelmund verloren lächelte, wenn sie daran dachte, wie sein Blick in erschrockener Demut unterm Lidschlag verging, da er der Strenge des ihren begegnete. Wenn nur zugleich ihre Brauen zusammengezogen waren vor Unmut über des Hauses Ärgernis, so meinte sie, genüge das. Hätte kleine Weisheit sie ängstlich gewarnt vor dem Feuerstier und sie aufmerksam machen wollen, daß ihr Lebensbau, künstlich wie er war, ins Wanken geraten sei und über den Haufen zu stürzen drohe, so hätte rasch vielleicht auch ihr Gesicht sich rötlich getrübt, aber sie würde das, hätte man es ihr vorgehalten, für den Ausdruck des Unwillens über ein so konfuses Gefasel erklärt haben und sich nicht genugtun können in Betonungen heiter-heuchlerisch-übertriebener Verständnislosigkeit für solche Besorgnisse. Wer soll mit diesen unnatürlich dick aufgetragenen Akzenten betrogen werden? Der Warner? Ach, sie sollen dazu dienen, den Weg der Abenteuer zu decken, den es die liebe Seele um jeden Preis zu gehen verlangt. Sich ein X für ein U zu machen, bis es zu spät ist, darauf kommt's an. Gestört, geweckt, zu sich selbst gerufen zu werden, *ehe* es zu spät ist, das ist die „Gefahr", die damit in bejammernswerter Schläue abgewehrt werden soll. Bejammernswert? Der Menschenfreund sehe zu, daß er nicht durch schlecht angebrachtes Mitleid in ein komisches Licht gerate. Seine gutgläubige Annahme, dem Menschen sei es im tiefsten Grunde um Ruhe, um Frieden, um die Bewahrung seines doch oft mit so viel Kunst und Sorgfalt errichteten und gesicherten Lebensgebäudes vor Erschütterungen oder gar vor dem Zusammenbruch zu tun, ist, gelinde gesagt, unbewiesen. Erfahrungen, die man nicht vereinzelt nennen kann, sprechen dafür, daß er es vielmehr geradeswegs auf seine Seligkeit und sein Verderben abgesehen hat und es niemandem auch nur im geringsten dankt, der ihn davon zurückhalten will. In diesem Fall – bitte sehr!

Enti angehend, so hat der Menschenfreund nicht ohne Bitterkeit festzustellen, daß es ihr spielend gelang, über den Augenblick hinwegzukommen, in dem es noch nicht zu spät und sie noch nicht verloren war. Eine selig-entsetzliche Ahnung davon, daß sie es sei, vermittelte ihr schon der vorläufig erwähnte Traum, den sie von Joseph träumte: und nun freilich fuhr's ihr in die Glieder. Nun freilich fiel ihr ein, daß sie ein vernunftbegabtes Wesen sei, und nun handelte sie danach: das heißt, sie ahmte sozusagen ein vernunftbegabtes Wesen nach und handelte mechanisch *wie* ein solches, nicht aber eigentlich *als* ein solches. Sie tat Schritte, denen sie Erfolg in Wahrheit bereits nicht mehr wünschen konnte, – eine wirre und unwürdige Art von Schritten, vor denen der Menschenfreund am liebsten das Haupt verhüllte, wenn er nicht eben sorgen müßte, sein Erbarmen schlecht anzubringen.

Träume in Worte zu fassen und zu erzählen ist darum fast untunlich, weil auf die sagbare Substanz eines Traumes sehr wenig, nahezu alles dagegen auf sein Aroma und Fluidum ankommt, den unerzählbaren Sinn und Geist von Grauen oder Beglückung – oder auch beidem –, womit er durchtränkt ist und mit dem er oft die Seele des Träumenden noch lange nachwirkend erfüllt. In unserer Geschichte spielen Träume eine entscheidende Rolle: ihr Held träumte groß und kindisch, und andere Personen darin werden träumen. Aber in welche Verlegenheit stürzte sie alle die Aufgabe, anderen ihr inneres Erlebnis auch nur annähernd mitzuteilen, wie unbefriedigend für sie selbst verlief jedesmal der Versuch! Man braucht nur an Josephs Traum von Sonne, Mond und Sternen und daran zu denken, wie hilflos abgerissen der Träumer damit herausrückte. Wir wären also entschuldigt, wenn es uns nicht gelingen sollte, durch die Erzählung von Mut-em-enets Traum den Eindruck ganz begreiflich zu machen, den sie, die Träumende, durch ihn empfing und den sie daraus davontrug. Auf jeden Fall haben wir schon zu oft auf ihn angespielt, als daß wir jetzt noch damit zurückhalten dürften.

Ihr träumte also, sie säße zu Tisch im Saal der blauen Säulen, auf der Estrade, in ihrem Schemelstuhl zur Seite des alten Huij, und nähme das Mahl in der schonenden Stille, die immer herrschte bei der Prozedur. Doch war die Stille besonders schonend und tief diesmal, da die vier Speisenden nicht nur sich jedes Wortes enthielten, sondern auch ihr Hantieren beim Essen lautlos zu halten bestrebt waren, also daß man in der Stille die durcheinandergehenden Atemzüge der tätigen Dienerschaft deutlich vernahm, und zwar so deutlich, daß zu vermuten war, man würde sie auch bei minder schonender Stille unterschieden haben, denn sie waren schon mehr ein Keuchen. Dieses hastig-leise Gekeuch war beunruhigend, und vielleicht weil Mut darauf horchte, vielleicht auch aus einem anderen Grunde noch gab sie auf das Tun ihrer Hände nicht hinlänglich acht und tat sich ein Leides. Denn sie war im Begriffe, mit einem scharf geschliffenen Bronzemesserchen einen Granatapfel zu zerteilen, und aus Zerstreutheit glitt ihr die Schärfe aus und fuhr ihr in die Hand, ziemlich tief ins Weiche hinein, zwischen dem Daumen und den vier Fingern, so daß es blutete. Es war eine ausgiebige Blutung, von Rubinröte wie der Saft des Granatapfels, und mit Scham und Kummer sah sie sie quellen. Ja, sie schämte sich sehr ihres Blutes, so schön rubinrot es war, wohl auch weil sie sofort und unvermeidlicherweise ihr blütenweißes Gewand damit befleckte, aber auch sonst noch und von der Befleckung abgesehen schämte sie sich über Gebühr und suchte ihr Bluten auf alle Weise vor denen im Saal zu verbergen und zu verhüllen: mit Erfolg, wie es schien oder scheinen sollte; denn alle gaben sich beflissen die Miene – und zwar auf mehr oder weniger natürliche und glaubhafte Weise –, als hätten sie von Muts Mißgeschick nichts bemerkt, und niemand kümmerte sich um ihre Not, was die Verwundete nun doch wieder vergrämte. Aufzeigen wollte sie nicht, daß sie blute, nämlich aus Scham; aber daß niemand es sehen wollte, keiner den Finger zu ihrer Hilfe rührte und alle wie auf Verabredung sie ganz sich selbst überließen, empörte sie wahrlich im Herzensgrund. Ihre Bedienerin, die Gezierte im Spinneweb, beugte sich angelegentlich über Muts einsäuliges Speisetischchen, als gebe es dort sehr dringlich etwas zu ordnen. Der alte Huij, zu ihrer Seite, präpelte zahnlos und kopfwackelnd an einer Rolle weingetränkter Ringkuchen, aufgereiht an einem vergoldeten Schenkelknochen, den er mit der Greisenhand an einem Ende hielt, und tat, als sei er gänzlich vom Präpeln in Anspruch genommen. Peteprê, der Herr, hielt seinen Becher hinter sich über die Schulter, damit sein syrischer Mundschenk und Leibsklave ihn wieder fülle. Und seine Mutter, die alte Tuij, nickte der Ratlosen sogar mit ihren Blindritzen im großen weißen Gesicht ermunternd zu, wobei ungewiß blieb, wie sie es meinte und ob sie der Bedrängnis Enis achthabe oder nicht. Diese aber, in ihrem Traum, blutete schamhaft weiter und färbte ihr Kleid, still erbittert über die allgemeine Gleichgültigkeit und dazu noch mit davon unabhängigem Kummer, der ihrem hochroten Blute selber galt. Denn das immerfort sickernde und quellende reute sie unbeschreiblich; schade, so schade war es ihr drum und ein tiefer, unsäglicher Jammer der Seele, nicht um sich selbst und ihr Ungemach, sondern ums liebe Blut, daß es ihr so dahinfloß, und sie schluchzte kurz auf ohne Tränen vor Trauer. Da fiel ihr ein, daß sie über diesem Leid ihre Pflicht versäume, strafend auszuschauen, um Amuns willen, nach des Hauses Ärgernis, dem kenanitischen Sklaven, der darin wuchs wider alle Gebühr; und sie verfinsterte ihre Brauen und blickte streng hinüber zu dem Gemeinten hinter Peteprês Stuhl, dem Jünglinge Osarsiph. Dieser aber, als fühle er sich durch ihr strenges Blicken gerufen, verließ den Platz seines Amtes und kam und näherte sich ihr. Und war ihr nahe, und seine Nähe war ihr sehr spürbar. Aber genähert hat er sich ihr, um ihr das Blut zu stillen. Denn er nahm ihre verletzte Hand und führte sie an seinen Mund, so daß die vier Finger an seiner einen Wange lagen und der Daumen an seiner anderen, aber die Wunde an seinen Lippen. Darüber stand ihr das Blut still vor Entzücken und war gestillt. Im Saale aber ging's widrig und ängstlich zu, während ihr dieses Heil geschah. Die Dienenden, so viele ihrer waren, liefen gleichwie verstört, auf leisen Sohlen zwar, doch im Chore keuchend durcheinander; Peteprê, der Herr, hatte sein Haupt verhüllt, und den Gebeugten, Verdeckten betastete mit beiden gespreizten Händen seine Gebärerin, indem sie verzweifelt das emporgewandte Blindgesicht über ihm hin und her bewegte. Den alten Tuij aber sah Eni aufrecht stehen und ihr drohen mit seinem goldenen, von Kuchen leergepräpelten Schenkelknochen, während sein Mund überm trüben Bärtchen sich auf- und zutat in lautloser Schmährede. Die Götter wußten, was sein zahnloser Mund mit der innen arbeitenden Zunge da Grausiges formte, aber es mochte zuletzt wohl eines Sinnes sein mit dem, was die durcheinander laufenden Diener keuchten. Denn aus ihrem Atemchor löste sich flüsternde Lautgestalt, also: „Dem Feuer, dem Flusse, den Hunden, dem Krokodil", und dies immer wieder. Eni hatte den schrecklichen Flüsterchor noch deutlich im Ohr, als sie dem Traume enttauchte, kalt vor Grauen und heiß gleich wieder danach vor Wonne des Heils, wissend, daß sie der Schlag der Lebensrute getroffen hatte.

Nach dieser Augenöffnung beschloß Mut, sich wie ein vernunftbegabtes Wesen zu benehmen und einen Schritt zu tun, der sich sehen lassen konnte vor dem Stuhl der Vernunft, da er klar und unbestreitbar darauf abzielte, daß Joseph ihr aus den Augen komme. Sie wurde nach besten Kräften vorstellig bei Peteprê, ihrem Gemahl, wegen seines Dieners Entfernung.

Sie hatte den Tag nach der Nacht des Traumes in Einsamkeit verbracht, zurückgezogen von ihren Schwestern und ohne Besuch zu empfangen. Am Wasserbecken ihres Hofs hatte sie gesessen und über die flitzenden Fischlein hin geblickt, „sich festsehend", wie man es nennt, wenn der Blick sich starr in der Luft verliert und ohne Objekt in sich selber verschwimmt. Dabei aber, mitten aus schwimmender Starre, hatten ihre Augen sich plötzlich schreckhaft erweitert, sich äußerst weit aufgerissen wie im Entsetzen, doch ohne sich aus dem Nichts zu lösen, während zugleich ihr Mund sich aufgetan und rasch die Luft in die Kehle gezogen hatte. Dann wieder waren ihre Augen zur Ruhe zurückgekehrt aus der Schreckenserweiterung, unwissentlich aber hatte ihr Mund bei sich vertiefenden Winkeln zu lächeln begonnen und unbewacht unter den sinnenden Augen dahingelächelt minutenlang, bis sie's gewahr ward und aufschreckend die Hand auf die vagabundierenden Lippen preßte, den Daumen an einer Wange und drüben die andern vier Finger. „Ihr Götter!" hatte sie dabei gemurmelt. Dann hatte alles von vorn begonnen, das Traumstarren, das Luftschnappen, das bewußtlose Sichverlächeln und die erschrockene Entdeckung desselben, bis Eni kurz und gut beschlossen hatte, allem ein Ende zu machen.

Gegen Sonnenuntergang hatte sie feststellen lassen, daß Peteprê, der Herr, im Hause war, und die Mägde geheißen, sie zum Besuche bei ihm zu schmücken.

Der Höfling hielt sich in der Westhalle seines Hauses auf, deren Ausblick auf den Baumgarten und die Flanke des Lusttempelchens auf seinem Hügel ging. Abendröte, zwischen den leichten und bunten Pfeilern der Außenseite einfallend, begann den Raum zu füllen und tönte die eigentlich blassen Farben der Malereien satter, die von lässiger Künstlerhand auf den Stucküberzug des Fußbodens, der Wände und der Decke waren geworfen worden, flatternde Vögel schildernd überm Sumpf, springende Kälber, Teiche mit Enten, eine Rinderherde, die von Hirten durch die Furt eines Flusses getrieben wurde, beobachtet von einem aus dem Wasser schauenden Krokodil. Die Fresken der Rückwand, zwischen den Türen, welche die Halle mit dem Speisezimmer verbanden, stellten sogar den Hausherrn selber dar, wie er leibte und lebte, und ahmten seine Heimkehr nach nebst der Beflissenheit der Diener, alles nach seiner Gewohnheit vor ihm zu bereiten. Glasige Kacheleinlagen umrahmten die Türen, bunt beschrieben in Blau, Rot und Grün auf kamelfarbenem Grund in Bilderschrift mit Sprüchen guter alter Autoren und Worten aus Götterhymnen. Eine Art von Empore oder Terrasse mit Schemelstufe und ein Stück an der Wand hinaufreichender Rücklehne zog sich hier zwischen den Türen hin, aus Lehm, mit weißem Stuck überzogen und an den Vorderflächen farbig beschriftet. Sie diente als Podium für abzustellende Dinge, Kunstwerke, jene Geschenke, von denen die Hallen Peteprês voll waren, aber auch als Sitzbank; und so saß er denn jetzt auch, der Würdenträger, in der Mitte ihrer Länge auf einem Kissen, die Füße zusammengestellt auf dem Stufenschemel, neben sich nach beiden Seiten hin aufgereiht solche schönen Gegenstände wie Tiere, Götterbildere und Königssphinxe aus Gold, Malachit und Elfenbein, in seinem Rücken die Eulen, Falken, Enten, gezackten Wasserlinien und anderen Sinnbilder der Inschriften. Er hatte es sich bequem gemacht, indem er sich der Kleider bis auf den Schurz aus starkem weißen Leinen, knielang, mit breitem gestärkten Durchziehband, entledigt hatte. (Sein Obergewand, sein Stock und seine daran befestigten Sandalen lagen auf einem löwenfüßigen Lehnsessel neben einer der Türen.) Doch gestattete er seiner Haltung keine lasse Bequemlichkeit, sondern saß aufrecht durchaus, die

kleinen Hände, fast winzig in der Tat gegen die Massigkeit
des Körpers, vor sich im Schoße ausgestreckt, sehr gerade getragen den ebenfalls im Verhältnis so zierlichen Kopf mit dem
vornehm gebogenen Näschen, dem feingeschnittenen Mund,
und blickte, ein fettes, doch nobles und würdig gesammeltes
Sitzbild, die gewaltigen Unterschenkel gleichstehend wie Säulen, die Arme wie die einer dicken Frau, die Brüste gepolstert
vortretend, aus sanften, langbewimperten braunen Augen vor
sich hin durch die Halle in den sich rötenden Abend hinaus.
Bei aller Beleibtheit hatte er keinen Bauch. Er war sogar eher
schmal um die Hüften. Doch fiel sein Nabel auf, der außergewöhnlich groß und waagerecht in die Länge gezogen war,
so daß er mundartig wirkte.

Schon lange saß Peteprê so in würdiger Regungslosigkeit,
einem durch Haltung geadelten Nichtstun. In seinem Grabe,
das auf ihn wartete, würde eine lebensgroße Nachahmung
seiner Person, etwa in einer Scheintür stehend, im Dunkel mit
derselben unbeweglichen Ruhe, die er hier übte, aus braunen
Glasaugen auf sein ewiges Hauswesen, das mitgegebene und
das Zaubers halber an die Wand gemalte, blicken – in Ewigkeit. Die Standfigur würde einerlei sein mit ihm – er nahm
die Identität vorweg, indem er saß und sich ewig machte. In
seinem Rücken und an dem Schemel seiner Füße redeten die
rot-blau-grünen Bildinschriften ihren Sinn; zu seinen Seiten
reihten sich die Geschenke Pharaos; vollendet der Formgesin-
nung Ägyptens gemäß waren die bemalten Pfeiler seiner
Halle, zwischen denen hindurch er in den Abend schaute.
Umgebender Besitz begünstigt die Unbeweglichkeit. Man läßt
ihn beharren in seiner Schönheit und beharrt, die Glieder geordnet, in seiner Mitte. Auch kommt Beweglichkeit eher den
zeugend gegen die Welt Geöffneten zu, die säen und ausgeben
und sterbend sich in ihrem Samen zerlösen, – nicht einem
gleich Peteprê Beschaffenen in der Geschlossenheit seines Daseins. Ebenmäßig in sich versammelt saß er, ohne Ausgang
zur Welt und unzugänglich dem Tode der Zeugung, ewig,
ein Gott in seiner Kapelle.

Ein schwarzer Schatten glitt seitlich der Richtung seines Blickes lautlos zwischen den Pfeilern herein, nur Umriß und Dunkelheit vor dem Abendrot, schon tief geduckt im Erscheinen, und blieb stumm, die Stirn zwischen den Händen am Boden. Er wandte langsam die Augäpfel dorthin: es war eines von Muts nackten Mohrenmädchen, ein Tierchen. Er besann sich blinzelnd. Dann hob er leicht, nur aus dem Gelenk, eine Hand vom Knie und befahl:

„Sprich."

Sie riß die Stirn vom Estrich, rollte die Augen und stieß mit der heiseren Stimme der Wildnis die Antwort hervor:

„Die Herrin ist nahe dem Herrn und wünschte ihm näher zu sein."

Er besann sich noch einmal. Dann erwiderte er:

„Gewährt."

Rückwärts entschwand das Tierchen über die Schwelle. Peteprê saß, die Brauen emporgezogen. Nur wenige Augenblicke, und Mut-em-enet stand an derselben Stelle, wo die Sklavin gekauert hatte. Mit anliegenden Ellbogen streckte sie beide Handflächen gegen ihn aus wie zu einer Darbringung. Er sah, daß sie dicht gekleidet war. Über dem engen, knöchellangen Unterkleide trug sie ein zweites, mantelartig weites und ganz in Preßfalten gelegtes Obergewand. Ihre schattigen Wangen waren von einem dunkelblauen Perückentuch eingerahmt, das ihr auf die Schultern und in den Nacken fiel und von einem gestickten Schleifenbande umfaßt war. Auf ihrem Scheitel stand ein Salbkegel, der durchlöchert und durch den der Stengel eines Lotus gezogen war. In einigem Abstande bog sich dieser über die Rundung ihres Kopfes, während die Blüte über der Stirn schwebte. Dunkel blitzten die Steine ihres Kragenschmuckes und ihrer Armbänder.

Auch Peteprê hob grüßend die kleinen Hände gegen sie und führte den Rücken der einen zum Kuß an die Lippen.

„Blume der Länder!" sagte er im Ton der Überraschung. „Schöngesichtige, die einen Platz hat im Hause des Amun! Einzig Hübsche mit reinen Händen, wenn sie das Sistrum trägt, und mit beliebter Stimme, wenn sie singt!" Er behielt den Ton freudigen Erstaunens bei, während er diese Formeln rasch aufsagte. „Die du das Haus mit Schönheit füllst, Anmutige, der alles huldigt, Vertraute der Königin – du weißt in meinem Herzen zu lesen, denn du erfüllst seine Wünsche, ehe sie laut worden, du erfüllst sie, indem du kommst. – Hier ist ein Kissen", sagte er trockneren Tones, indem er ein solches hinter seinem Rücken hervorzog und es ihr auf der Schemelstufe bei seinen Füßen zurechtlegte. „Wollten die Götter", setzte er hinzu, die höfische Rede wieder aufnehmend, „du kämest mit einem Wunsche, du selbst, daß ich ihn dir, je größer er wäre, mit desto größerer Freude erfüllte!"

Er hatte Grund zur Neugier. Dieser Besuch war etwas ganz Ungewöhnliches und beunruhigte ihn, da er aus der gewohnten schonenden Ordnung fiel. Er vermutete ein Anliegen und empfand eine gewisse ängstliche Freude darüber. Doch sprach sie vorläufig nur schöne Worte.

„Welcher Wunsch könnte mir übrigbleiben als deiner Schwester, mein Herr und Freund?" sagte sie mit ihrer weichen Stimme, der man die Sangesübung anmerkte, einem wohllautenden Alt. „Ich habe nur Atem durch dich, aber dank deiner Größe ist mir alles erfüllt. Habe ich einen Platz im Tempel, so ist es, weil du hervorragst unter des Landes Zierden. Heiße ich Freundin der Königin, so darum allein, weil du Pharaos Freund bist und ganz vergoldet von Sonnengunst nach deiner Erscheinung. Ohne dich wäre ich dunkel. Als die Deine habe ich Licht die Fülle."

„Es wäre wohl unnütz, dir zu widersprechen, da dies einmal deine Auffassung ist", sagte er lächelnd. „Wenigstens wollen wir sorgen, daß nicht auf der Stelle zuschanden werde, was du von Fülle des Lichtes sagst." Er klatschte in die Hände. „Mach hell!" befahl er dem vom Speisezimmer her sich zeigenden Schurzdiener. Eni erhob Einspruch und bat:

„Aber laß doch, mein Gatte! Es dämmert kaum. Du saßest und freutest dich am schönen Licht der Stunde. Du wirst mich Reue lehren, daß ich dich störte."

„Nein, ich beharre auf meiner Weisung", erwiderte er. „Nimm es meinethalben als Bestätigung dessen, was man mir tadelnd nachsagt: daß mein Wille wie schwarzer Granit sei vom Tale Rehenu. Ich kann's nicht ändern und bin zu alt, mich zu bessern. Aber das wäre und fehlte noch, daß ich die Liebste und Rechte, die den geheimsten Wunsch meines Herzens errät und mich besucht, in Dunkel und Dämmer empfinge! Ist's nicht ein Fest für mich, daß du kommst, und läßt man unbeleuchtet ein Fest? Alle vier!" sagte er zu den beiden Feuer tragenden Dienern, die sich sputeten, die in den Winkeln der Halle auf Säulenfüßen stehenden fünflampigen Kandelaber anzuzünden. „Laßt hoch aufflammen, ihr!"

„Was du willst, geschieht", sagte sie gleichsam bewundernd und zuckte ergeben die Achseln. „Wahrlich, ich kenne die Festigkeit deiner Entschlüsse und will den Tadel Sache der Männer sein lassen, die sich dran stoßen. Frauen können schwerlich umhin, Unbeugsamkeit am Manne zu schätzen. Soll ich sagen, warum?"

„Ich hörte es gern."

„Weil erst sie der gewährenden Nachgiebigkeit Wert verleiht und sie zu einem Geschenke macht, auf das wir stolz sein dürfen, wenn wir's empfangen."

„Allerliebst", sagte er und blinzelte teils vor der Helligkeit, in der nun die Halle lag (denn die Dochte der zwanzig Lampen staken in einem wachsigen Fett, das sie in breiter Flamme lodern ließ und den Flammen große Grellheit verlieh, so daß es von Weißlicht und Abendrot wie von Milch und Blut wogte in der Halle), teils vor Nachdenklichkeit über den Lehrsinn ihrer Worte. ‚Entschieden hat sie ein Anliegen', dachte er, ‚und kein kleines; sie würde sonst nicht solche Anstalten machen. Es ist ganz gegen ihre Art, denn sie weiß, wie sehr es mir, dem besonderen und heiligen Manne, darauf ankommt, in Ruhe gelassen zu werden und mich keines Dinges annehmen zu müssen. Auch ist sie gewöhnlich zu stolz, mir irgend etwas anzusinnen, und so begegnen sich ihr Hochmut und meine Bequemlichkeit in ehelicher Übereinstimmung. Dennoch müßte es gut und erhebend sein, ihr ein Liebes zu tun, indem ich mich ihr mächtig erwiese. Ich bin ängstlich-begierig, zu hören, was sie will. Das beste wäre, es schiene ihr nur groß, wäre es aber nicht für mich, so daß ich sie ohne erhebliche Kosten für meine Bequemlichkeit erfreuen könnte. Siehe, es besteht ein gewisser Widerspruch in meiner Brust zwischen meiner berechtigten Selbstsucht, die aus meiner Besonderheit und Heiligkeit erfließt, so daß ich es als ganz besonders häßlich empfinde, wenn jemand mir zu nahe tritt oder nur meine Ruhe beeinträchtigt, und meinem Verlangen andererseits, mich dieser Frau da lieb und mächtig zu erweisen. Sie ist schön in dem dichten Gewande, das sie vor mir trägt aus demselben Grunde, weshalb ich es hell machen lasse in der Halle, – schön mit ihren Edelsteinaugen und Schattenwangen. Ich liebe sie, soweit meine berechtigte Selbstsucht es zuläßt; hier aber liegt erst der eigentliche Widerspruch, denn ich hasse sie auch, hasse sie unausgesetzt etwas um des Anspruches willen, den sie selbstverständlich nicht an mich stellt, der aber in unserem Verhältnis allgemein beschlossen ist. Aber ich hasse sie nicht gern, sondern wollte, daß ich sie lieben könnte ohne Haß. Gäbe sie mir nun gute Gelegenheit, mich ihr lieb und mächtig zu erweisen, so wäre doch einmal der Haß von meiner Liebe genommen, und ich wäre glücklich. Darum bin ich recht neugierig auf das, was sie will, wenn auch ängstlich zugleich von wegen meiner Bequemlichkeit.'

So dachte Peteprê bei seinem Blinzeln, während die Feuersklaven die Lampen erlodern ließen und sich danach in leiser Hast, ihre Brände in den gekreuzten Armen, zurückzogen.

„Du gestattest also, daß ich mich zu dir niederlasse?" hörte er Eni mit Lächeln fragen, und aus seinen Gedanken auffahrend, beugte er sich unter Versicherungen seiner Freude noch einmal zu dem Kissen nieder, es ihr zurechtzurücken. Sie setzte sich zu seinen Füßen auf die beschriftete Stufe.

„Im Grunde", sagte sie, „geschieht es zu selten, daß man eine solche Stunde feiert und einander seine Gegenwart schenkt nur eben um des Geschenkes willen, ganz ohne Zweck und Ziel, und ein wenig Zunge macht über dies und das, gleichgültig was, ohne Gegenstand, – denn eine Notdurft ist es um den Gegenstand und um die gegenständliche Rede, aber ein heiterer Überfluß ist's um die gegenstandslose. Meinst du nicht auch?"

Er hielt die gewaltigen Frauenarme auf der Rücklehne der Bank-Empore ausgebreitet und nickte Zustimmung. Dabei dachte er: ,Selten geschieht es? Nie geschieht es, denn wir Glieder der edlen und heiligen Familie, Eltern und Ehekinder, leben gesondert in unseren Hausbezirken und meiden einander zu zarter Schonung, außer wenn wir das Brot essen; und wenn es heute geschieht, so muß wohl ein Gegenstand und eine Notdurft dahinter sein, deren ich mit unruhiger Neugier gewärtig bin. Wär' ich's mit Unrecht? Käme wirklich die Frau nur, daß wir unsere Gegenwart tauschen, hätte ein Herzensverlangen sie angewandelt nach solcher Stunde? Ich weiß nicht, was ich wünschen soll, denn ich wünschte wohl, sie hätte ein meiner Bequemlichkeit nicht allzu nahetretendes Anliegen; aber daß sie nur käme um meiner Gegenwart willen, das wünschte ich fast noch mehr.' – Dies denkend sagte er:

„Ganz pflichte ich dir bei. Es ist Sache der Armen und Geringen, daß ihnen die Rede zur kärglichen Verständigung diene über ihre Notdurft. Dagegen ist unser Teil, der Reichen und Edlen, der schöne Überfluß, wie überhaupt, so auch in der Rede unseres Mundes, denn Schönheit und Überfluß sind eins. Wunderlich genug ist es mit Sinn und Würde der Worte zuweilen, wenn sie sich aus eigenschaftlicher Mattigkeit erheben zum Stolz ihrer Wesenheit. Meint nicht dies Urteil: ,überflüssig' einen achselzuckenden Tadel und matte Geringschätzung? Dann aber steht auf das Wort und legt Königtum um sein Haupt und ist kein Urteil mehr, sondern die Schönheit selber nach ihrem Wesen und Namen und heißt ,Überfluß'. Solche Geheimnisse der Worte betrachte ich öfters, wenn ich allein sitze, und unterhalte damit meinen Geist auf schöne, unnötige Weise."

„Ich weiß es Dank meinem Herrn, daß er mich daran teilnehmen läßt", erwiderte sie. „Dein Geist ist hell wie die Lampen, die du erlodern lässest zu unserer Begegnung. Wärst du nicht Pharaos Kämmerer, du könntest leicht auch von den Gottesgelehrten einer sein, die in den Höfen der Tempel wandeln und den Worten der Weisheit nachhängen."

„Wohl möglich", sagte er. „Der Mensch könnte vieles sein außer dem, was zu sein oder darzustellen ihm aufgetragen. Oft kommt es ihn wie Verwunderung an über das Possenspiel, gerade diesen Auftrag durchführen zu müssen, und es wird ihm eng und heiß hinter der Maske des Lebens, wie es dem Priester im Feste eng werden mag unter der Gottesmaske. Rede ich dir verständlich?"

„Allenfalls."

„Wahrscheinlich nicht so ganz", vermutete er. „Wahrscheinlich versteht ihr Frauen euch weniger auf diese Bedrängnis, aus dem Grunde, weil euch das Allgemeinere gegönnt ist durch Güte der Großen Mutter und ihr mehr Frau sein dürft und Abbild der Mutter als die und die Frau, dergestalt, daß du nicht so sehr Mut-em-enet wärest, wie ich Peteprê zu sein gehalten bin vom strengeren Vatergeist. Kannst du mir beipflichten?"

„Es ist so überaus hell im Saal", sagte sie mit gesenktem Haupt, „von den Flammen, die lodern nach deinem Manneswillen. Solchen Gedanken, scheint mir, wäre besser bei minderem Lichte zu folgen; im Dämmer, glaube ich, fiel' es mir leichter, mich in diese Weisheit zu vertiefen, daß ich mehr Frau sein darf und Abbild der Mutter als eben nur Mut-em-enet."

„Verzeih!" beeilte er sich zu erwidern. „Es war eine Ungeschicklichkeit von meiner Seite, daß ich unser zierlich unnützliches Gespräch, das von keinem Ziel und Gegenstand weiß, der Beleuchtung nicht besser anpaßte. Ich werde ihm sofort eine Wendung geben, daß es dem Lichte besser entspricht, welches ich dieser freudigen Stunde für angemessen erachtete. Nichts könnte mir leichter fallen. Denn ich mache einen Übergang und bringe die Rede von den Dingen des Geistes und der inneren Natur auf die Dinge der greifbaren Welt, die im Lichte der Faßlichkeit liegt. Ich weiß schon, wie ich den Übergang gewinne. Laß mich nur im Vorübergehen noch mein Vergnügen haben an diesem hübschen Geheimnis, daß die Welt der greifbaren Dinge auch die der Faßlichkeit ist. Denn was man greifen kann mit der Hand, das faßt bequem auch der Geist von Frauen, Kindern und Volk, während das Ungreifbare nur faßbar ist dem strengeren Vatergeist. Fassen, das ist der Bild- und Geistesname fürs Greifen, aber auch dieses wieder wird wohl zum Bilde im Austausch, und von einem leicht faßlichen Geistesding sagen wir gern, es sei mit Händen zu greifen."

„Höchst anmutig sind deine Beobachtungen und unnützen Gedanken", sagte sie, „mein Gemahl, und es ist unbeschreiblich, wie du mich ehelich damit erquickst. Glaube doch ja nicht, daß ich's so eilig habe, von den ungreifbaren Dingen auf die faßlichen zu kommen. Im Gegenteil, ich verharrte gern mit dir noch dabei und lauschte deinem Überfluß, indem ich dir Widerpart böte nach Maßgabe meines Frauen- und Kindersinnes. Ich meinte nichts, als daß es sich über die Dinge der inneren Natur bei minder flammendem Licht vertiefter plaudern ließe."

Er schwieg verstimmt.

„Die Herrin dieses Hauses", sagte er dann mit tadelndem Kopfschütteln, „kommt immer aufs gleiche zurück und auf den Punkt, in dem es nicht ganz nach ihrem Willen ging, sondern nach einem stärkeren. Das ist wenig schön und wird nicht schöner dadurch, daß es allgemeine Frauenart ist, über solchen Punkt nicht hinwegzukommen, sondern immer wieder darauf sticheln und darin stochern zu müssen. Erlaube mir den Verweis, daß unsere Eni wenigstens in dieser Hinsicht versuchen sollte, mehr Mut, die besondere Frau, als Frau im allgemeinen zu sein."

„Ich höre und bereue", murmelte sie.

„Wenn wir einander Vorhaltungen machen wollten", fuhr er fort, indem er weiter noch seiner Verstimmung Ausdruck gab, „über unsere beiderseitigen Maßnahmen und Entschließungen, wie leicht könnt' ich es da bedauernd anmerken und

372

darauf sticheln, daß du, meine Freundin, zu dieser Besuchs-
stunde in einem Mantelkleide voll dichten Gefältels erscheinst,
da es doch Wunsch und Freude des Freundes ist, den Linien
deines Schwanenleibes folgen zu können durchs freundliche
Gewebe."

„Wahrhaftig, weh mir!" sagte sie und senkte errötend den
Kopf. „Mir wäre besser, zu sterben, als zu erfahren, daß mir
ein Fehler untergelaufen ist bei meiner Gewandung zum Besuche des Herrn, meines Freundes. Ich schwöre dir, daß ich
glaubte, mit diesem Kleide meiner Schönheit aufs bestmögliche
vor dir zu dienen. Es ist kostbarer und mit mehr Mühe hergestellt als die meisten der meinen. Die Schneidersklavin Cheti
hat es gefertigt, ohne Schlaf in ihre Augen kommen zu lassen,
und wir teilten uns in die Sorge, ich möchte Gnade darin finden vor dir; aber geteilte Sorge ist nicht halbe Sorge!"

„Laß, meine Teure!" antwortete er. „Laß gut sein! Ich sagte
nicht, daß ich tadeln und sticheln wollte, sondern daß ich's
auch tun könnte gegebenen Falles, wenn du es tun wolltest.
Ich nehme jedoch nicht an, daß du diese Absicht hegst. Fahren
wir aber leichthin fort in unserem gegenstandslosen Gespräch,
als hätte sich nie durch Schuld des einen oder des anderen ein
Mißklang darin eingeschlichen. Denn ich mache nun meinen
Übergang zu den Dingen der greifbaren Welt, indem ich
Selbstzufriedenheit darüber äußere, daß mein Lebensauftrag
das Gepräge zwecklosen Überflusses trägt und nicht der Notdurft. Königlich nannte ich den Überfluß, und so ist er denn
auch am Hofe zu Hause und im Palaste Merima't: nämlich als
Zierlichkeit, Form ohne Gegenstand und elegante Schnörkelrede, mit der man den Gott begrüßt. Diese alle sind Höflings
Sache, und insofern kann man sagen, daß den Hofmann die
Lebensmaske weniger drückt als den Unhöfischen, den das
Gegenständliche einengt, und daß er näher den Frauen steht,
weil ihm das Allgemeinere gegönnt ist. Es ist wahr, ich gehöre nicht zu den Räten, denen Pharao ihre Meinung abfragt
wegen der Bohrung eines Brunnens an der Wüstenstraße zum
Meer, der Aufrichtung eines Denkmals wegen oder mit wie-

viel Mann eine Last Goldstaub zu sichern sei aus den Bergwerken des elenden Kusch, und es mag sein, daß es wohl einmal meiner Selbstzufriedenheit Abtrag tat und ich mich ärgerte an dem Manne Hor-em-heb, der die Haustruppen befehligt und dem Geschäftsbereich vorsteht eines Obersten der Scharfrichter, fast ohne mich zu fragen, der ich dieser Ämter Titel trage. Doch überwand ich jedesmal rasch solche Anfechtung minderer Laune. Unterscheide ich mich doch von Hor-em-heb wie der Inhaber des Ehrenwedels sich von dem notwendigen, aber geringen Mann unterscheidet, der wirklich den Wedel über Pharao hält, wenn er ausfährt. Dergleichen ist unter mir. Aber an mir ist es, vor Pharao zu stehen in seinem Morgensaal mit den anderen Titelträgern und Hochgewürdigten des Hofes und der Majestät dieses Gottes die Begrüßungshymne zu sprechen ‚Du gleichst dem Rê‘ mit beliebter Stimme und mich in völlig schmuckhaften Schnörkeln zu ergehen wie beispielsweise: ‚Eine Waage ist deine Zunge, o Neb-ma-rê, und deine Lippen sind genauer als das Zünglein an der Waage des Thot‘, oder sie solcher Überwahrheiten zu versichern wie etwa: ‚Wenn du zum Wasser sprichst: Komm auf den Berg!, so kommt der Ozean hervor, gleich nachdem du gesprochen.‘ In dieser schönen und gegenstandslosen Art, fern von Notdurft. Denn reine Förmlichkeit ist meine Sache und Zier ohne Zweck, die da das Königliche ist am Königtum. So viel zur Steuer meiner Selbstzufriedenheit."

„Es trifft sich herrlich", erwiderte sie, „wenn zugleich mit dieser auch die Wahrheit Steuer empfängt, wie es zweifellos der Fall ist in deinen Worten, mein Gatte. Nur will mir scheinen, daß Hofzier und Schnörkelrede im Morgensaal dazu dienen, des Gottes gegenständliche Sorgen, wie Brunnen, Bauwerk und Goldgeschäft, mit Ehre und Scheu zu umkleiden um ihrer Landeswichtigkeit willen, und daß die Fürsorge um diese Sachen das eigentlich Königliche ist am Königtum."

Auf diese Worte hielt Peteprê sich wieder einmal eine Weile verschlossenen Mundes zurück von jeder Erwiderung, indem er mit dem gestickten Durchziehband seines Schurzes spielte.

„Ich müßte lügen", sagte er schließlich mit leichtem Seufzen, „wenn ich behaupten wollte, du bötest mir, meine Liebe, mit unübertrefflicher Geschicklichkeit Widerpart bei unserm Geplauder. Da habe ich nun, nicht ohne Kunst, den Übergang gemacht zu weltlich-faßbaren Dingen, indem ich die Rede auf Pharao brachte und auf den Hof. Statt aber den Ball aufzufangen und mich etwa zu fragen, wen von uns Pharao wohl heut nach der Morgen-Cour beim Hinausgehen aus dem Saale des Baldachins zum zufälligen Beweise seiner Gunst am Ohrläppchen gezupft hat, schweifst du zur Seite ab ins Verdrießliche und stellst Betrachtungen an über Wüstenbrunnen und Bergwerke, von denen du doch, unter uns gesagt, liebe Freundin, notwendigerweise noch weniger verstehst als ich selbst."

„Du hast recht", erwiderte sie und schüttelte den Kopf über ihren Fehler. „Vergib mir! Meine Neugier, zu hören, wen Pharao heute gezupft hat, war nur zu groß. So verbarg ich sie hinter anderer, abwegiger Rede. Versteh mich recht: Ich gedachte die Erkundigung zu verzögern, denn die Verzögerung scheint mir ein schöner und wichtiger Bestandteil des Ziergesprächs. Wer wird denn auch mit der Tür ins Haus fallen und so geradehin merken lassen, um was es ihm geht? Da du mir aber die Frage schon freigibst: Warst du es nicht etwa selbst, mein Gatte, den der Gott beim Hinausgehen berührte?"

„Nein", sagte Peteprê, „ich war es nicht. Ich war es öfters schon, aber ich war es heute nicht. Was du aber äußertest, kam heraus – ich weiß nicht, wie. Es kam heraus, als neigtest du der Meinung zu, daß Hor-em-heb, der handelnde Truppenoberst, größer sei als ich bei Hofe und in den Ländern..."

„Um des Verborgenen willen, mein Ehefreund!" sprach sie erschrocken und legte die beringte Hand auf sein Knie, wo er sie betrachtete, als habe sich ein Vogel dort niedergelassen. „Ich müßte kopfkrank sein und sinneszerrüttet ohne Hoffnung auf Besserung, wenn ich auch nur einen Augenblick..."

„Es kam tatsächlich so heraus", wiederholte er mit bedauerndem Achselzucken, „wenn auch wahrscheinlich gegen deine Absicht. Es wäre ungefähr, wie wenn du meintest –

welches Beispiel soll ich dir geben? Wie wenn du meintest, ein Bäcker aus Pharaos Hofbäckerei, der wirklich das Brot bäckt für den Gott und sein Haus und den Kopf in den Ofen steckt, sei größer als der große Vorsteher des königlichen Backhauses, Pharaos Oberbäcker, des Titels ‚Fürst von Menfe‘. Oder es wäre, als meintest du, ich, der ich mich selbstverständlich keines Dinges annehme, sei hier im Hause geringer als Mont-kaw, mein Meier, oder vielmehr, als sein jugendlicher Mund, der Syrer Osarsiph, der der Wirtschaft vorsteht. Das sind schlagende Vergleiche..."

Mut war zusammengezuckt.

„Sie schlagen und treffen mich, daß ich darunter zucke", sagte sie. „Du siehst es und wirst es großmütig bei der Strafe bewenden lassen. Ich erkenne nun, wie sehr ich unser Gespräch verwirrt habe mit meinem Hang zur Verzögerung. Stille aber meine Neugier, die sich verbergen wollte, stille sie, wie man Blut stillt, und laß mich wissen, wer heute im Thronsaal die Liebkosung empfangen hat!"

„Es war Nofer-rohu, der Oberste der Salben vom Schatzhause des Königs", antwortete er.

„Dieser Fürst also!" sagte sie. „Hat man ihn umringt?"

„Man hat ihn der Hofsitte gemäß umringt und beglückwünscht", erwiderte er. „Er steht augenblicklich sehr im Vordergrunde der Aufmerksamkeit, und es wäre wichtig, daß man ihn auf unserem Gastmahl sähe, das wir im nächsten Mondviertel geben wollen. Von entschiedener Bedeutung wäre es für den Glanz des Mahles und für den meines Hauses."

„Zweifellos!" bestätigte sie. „Du mußt ihn dazu einladen mit einem sehr schönen Schreiben, das er wirklich gern liest wegen der Anreden, die du ihm darin geben mußt, wie etwa ‚Geliebter seines Herrn!‘, ‚Belohnter und Eingeweihter seines Herrn!‘, und mußt es ihm nebst einem Geschenke in sein Haus schicken durch ausgesuchte Diener. Es ist höchst unwahrscheinlich, daß Nofer-rohu dir dann eine Absage erteilt."

„Ich glaube es selbst", sagte Peteprê. „Auch das Geschenk muß natürlich ausgesucht sein. Ich will allerlei vor mich bringen lassen, mich darunter umzusehen, und noch heute abend diesen Brief ausfertigen mit Anreden, die er wirklich gerne liest. Du mußt wissen, mein Kind", fuhr er fort, „daß ich dieses Festgelage außerordentlich schön gestalten will, so daß man in der Stadt davon sprechen und das Gerücht davon sogar auf andere Städte, auch entlegenere, überspringen soll: mit einigen siebzig Gästen und reich an Salben, Blumen, Musikanten, Speisen und Wein. Ich habe eine sehr hübsche Mahn-Mumie erworben, die wir diesmal wollen dabei herumtragen lassen, ein gutes Stück von anderthalb Ellen; ich zeige es dir, wenn du es im voraus betrachten magst: der Sarg ist golden, der Tote aber aus Ebenholz, und das ‚Feiere den Tag!‘ steht ihm auf der Stirn geschrieben. Hast du von den babylonischen Tänzerinnen gehört?"

„Von welchen, mein Gemahl?"

„Es ist eine reisende Truppe solcher Ausländerinnen in der Stadt. Ich habe ihnen Geschenke anbieten lassen, damit sie sich bei meinem Festgelage sehen lassen. Nach allem, was man mir meldet, sollen sie von fremdartiger Schönheit sein und ihre Vorführungen mit Schellen und tönernen Handpauken begleiten. Man sagt, sie verfügten über neue und feierliche Gebärden und hätten eine Art von Grimm in den Augen beim Tanzen sowohl wie in der Zärtlichkeit. Ich verspreche mir ein Aufsehen und einen Erfolg für sie und mein Fest bei unserer Gesellschaft."

Eni schien nachdenklich; sie hielt die Augen gesenkt.

„Denkst du", fragte sie nach einem Stillschweigen, „auch Amuns Ersten, Beknechons, zu deinem Feste zu laden?"

„Unzweifelhaft und unumgänglich", antwortete er. „Beknechons? Das ist selbstverständlich. Was fragst du?"

„Seine Gegenwart scheint dir wichtig zu sein?"

„Wie denn nicht wichtig? Beknechons ist groß."

„Wichtiger als die der Mädchen von Babel?"

„Vor was für Vergleiche und Wahlfragen stellst du mich, meine Liebe?"

„Es wird sich nicht vereinigen lassen, mein Gatte. Ich mache dich aufmerksam, daß du wirst wählen müssen. Läßt du die

Babelmädchen vor Amuns Oberstem tanzen auf deinem Fest, so könnte es sein, daß der fremdartige Grimm ihrer Augen dem Grimm nicht gleichkäme in Beknechons' Herzen und daß er aufstände und seinen Dienern riefe und das Haus verließe."

„Unmöglich!"

„Sogar wahrscheinlich, mein Freund. Er wird nicht dulden, daß man den Verborgenen kränke vor seinen Augen."

„Durch einen Tanz von Tänzerinnen?"

„Von ausländischen Tänzerinnen – da doch Ägypten reich ist an Anmut und selber die Fremdländer damit beschickt."

„Desto eher kann es sich seinerseits den Reiz gönnen des Neuen und Seltenen."

„Das ist nicht die Meinung des ernsten Beknechons. Sein Widerwille gegen das Ausland ist unverbrüchlich."

„Aber deine Meinung ist es, so hoffe ich."

„Meine Meinung ist die meines Herrn und Freundes", sagte sie, „denn wie kann diese wider unserer Götter Ehre sein."

„Der Götter Ehre, der Götter Ehre", wiederholte er, indem er die Schultern rückte und rührte. „Ich muß gestehen, daß leider meine Seelenstimmung sich zu trüben beginnt bei deinem Gespräch, obgleich nicht dies der Sinn und Zweck eines zierhaften Zungemachens sein kann."

„Ich müßte verzagen", antwortete sie, „wenn das das Ergebnis meiner Fürsorge wäre eben für deine Seele. Denn wie würde es stehen um ihre Stimmung, wenn Beknechons im Zorn seinen Dienern riefe und dein Fest verließe, daß beide Länder sprächen von diesem Stirnschlage?"

„Er wird so klein nicht sein, um sich zu erbittern um einer eleganten Zerstreuung willen, und nicht so kühn, dem Freunde Pharaos solchen Stirnschlag zu versetzen."

„Er ist groß genug, daß auch aus kleinem Anlaß seine Gedanken ins Große gehen, und er wird Pharaos Freund vor die Stirn stoßen, ehe daß er es Pharao täte, nämlich zum warnenden Zeichen für diesen. Amun haßt die Lockerung durch das Fremde, das die Bande zerrüttet, und die Mißachtung urfrommer Volksordnung, weil sie die Länder entnervt und das Reich des Zepters beraubt. Das ist Amuns Haß, wir wissen es beide, und das nervig Volkszüchtige ist seines Willens Meinung, daß es herrsche in Keme wie vor alters und seine Kinder im Vaterländischen wandeln. Aber du weißt es wie ich, daß *dort*" – und Mut-em-enet wies gegen Untergang, in die Himmelsrichtung des Nils und seines Jenseits, wo der Palast stand –, „daß dort drüben ein anderer Sonnensinn herrscht und locker beliebt ist unter Pharaos Denkern, – der Sinn Ons an der Spitze des Dreiecks, Atum-Rês beweglicher Sinn, geneigt zu Ausdehnung und Einvernehmen, den sie Atôn nennen, ich weiß nicht, mit welchem entnervenden Anklang. Soll nicht Beknechons sich ärgern in Amun, daß sein leiblicher Sohn der Lockerkeit Vorschub leistet und seinen versuchenden Denkern gestattet, des Reiches Volksmark zu weichen durch tändelndes Fremdtum? Pharao kann er nicht schelten. Aber er wird ihn schelten in dir und eine Kundgebung veranstalten für Amun, indem er sich erzürnt wie ein oberägyptischer Leopard, wenn er die Babelmädchen erblickt, und wird aufspringen und seinen Dienern rufen."

„Ich höre dich reden", versetzte er, „meine Liebe, wie einen Plappervogel von Punt mit gelöster Zunge, der's oft gehört hat und nachkakelt, was nicht auf seinem Acker gewachsen. Volksmark und Väterbrauch und lockerndes Fremdtum – es ist ja des Beknechons unerfreuliche Wörterliste, die du mir hersagst zur merklichen Trübung meiner Seelenstimmung, denn es eröffnete mir dein Kommen die Aussicht auf ein trauliches Plaudern mit dir und nicht mit ihm."

„Ich erinnere dich", antwortete sie, „an seine Gedanken, die du kennst, um deine Seele, mein Gatte, vor schwerer Mißhelligkeit zu bewahren. Ich sage nicht, daß Beknechons' Gedanken meine Gedanken sind."

„Sie sind es aber", erwiderte er. „Ich höre ihn, da du sprichst, aber es ist nicht wahr, daß du mir seine Gedanken sagst wie etwas Fremdes, daran du nicht teilhast, sondern du hast sie zu deinen gemacht und bist gegen mich eines Sinnes mit ihm, dem Kahlkopf, das ist das Häßliche an deinem Verhalten. Weiß ich nicht, daß er aus und ein bei dir geht und dich besucht jedes Viertel oder noch öfter? Zu meinem stillen Verdruß geschieht es, denn er ist nicht mein Freund, und ich mag ihn nicht leiden mit seiner störrigen Wörterliste. Nach einem milden, feinen und läßlichen Sonnensinn verlangt meine Natur und Seelenstimmung, darum bin ich Atum-Rês, des verbindlichen Gottes, in meinem Herzen, vor allem aber, weil ich Pharaos bin und sein Höfling, denn er läßt seine Denker sich denkend versuchen an dieses herrlichen Gottes mild-weltläufigem Sonnensinn. Du aber, mein Ehegemahl und meine Schwester vor Göttern und Menschen, wie verhältst du dich in diesen Verhältnissen? Statt es mit mir zu halten, nämlich mit Pharao und seines Hofes Denkgesinnung, hältst du's mit Amun, dem Unbeweglichen, Erzstirnigen, schlägst dich zu seiner Partei gegen mich und steckst unter einer Decke mit des unverbindlichen Gottes oberstem Kahlkopf, ohne zu bedenken, wie besonders häßlich es ist, mir zu nahe zu treten und mir Abtrünnigkeit zu erweisen."

„Du brauchst Gleichnisse, mein Herr", sagte sie mit kleiner, vom Zorn bedrängter Stimme, „die des Geschmacks ermangeln, was zu verwundern ist bei deiner Lektüre. Denn es ist ohne Geschmack oder von sehr schlechtem, zu sagen, ich steckte unter einer Decke mit dem Propheten und beginge Abtrünnigkeit dadurch an dir. Das ist ein hinkendes Gleichnis, muß ich dir bemerken, von ungewöhnlicher Schiefheit. Pharao ist Amuns Sohn nach der Väter Lehre und des Volkes urfrommem Glauben, darum würdest du nicht die Höflingspflicht verletzen, keineswegs, wenn du Amuns heiligem Sonnensinn Rechnung trügest, solltest du ihn auch störrig finden, und ihm das geringfügige Opfer brächtest von deiner und deiner Gäste Neugier auf einen Tanz von elender Feierlichkeit. So viel von dir. Ich aber bin Amuns ganz und gar mit all meiner Ehre und Frömmigkeit, denn ich bin seines Tempels Braut und von seinem Frauenhause, Hathor bin ich und tanze vor ihm im Kleide der Göttin, das ist all meine Ehre und Lust, und weiter habe ich keine, meines Lebens ein und alles ist dieser Ehrenstand, – du aber zankst mit mir, weil ich Treue halte dem Herrn, meinem Gott und überirdischen Gatten, und brauchst Gleichnisse gegen mich von himmelschreiender Schiefheit." Und sie nahm von ihrem Faltengewande und verhüllte, sich niederbeugend, ihr Antlitz damit.

Der Truppenoberst war mehr als peinlich berührt. Es grauste ihm sogar und wurde ihm kalt am Leibe, weil unterste, schonend verschwiegene Dinge schrecklich und lebenzerstörend zur Sprache zu kommen drohten. Die Arme noch immer gespreizt auf dem Bankgesimse, lehnte er sich erstarrend weiter zurück von ihr und blickte entsetzt und schuldhaft verwirrt auf die Weinende. ‚Was geschieht?‘ dachte er. ‚Das ist abenteuerlich und unerhört, und meine Ruhe ist in höchster Gefahr. Ich bin zu weit gegangen. Ich habe meine berechtigte Selbstsucht ins Feld geführt, aber sie hat sie aus dem Felde geschlagen mit ihrer eigenen – und zwar nicht nur für das Gespräch, sondern auch für mein Herz, das geschlagen ist von ihren Worten und worin Erbarmen und Kummer sich mischen mit dem Schrecken vor ihren Tränen. Ja, ich liebe sie; ihre Tränen, die mir schrecklich sind, lassen es mich fühlen, und auch sie möchte ich's fühlen lassen mit dem, was ich sage.‘ Und indem er die Arme von dem Gesimse löste und sich über sie beugte, ohne sie freilich zu berühren, sagte er nicht ohne Schmerzlichkeit:

„Du siehst wohl, liebe Blume, denn aus deinen eigenen Worten erhellt es, daß du nicht zu mir sprachst, um mich an Beknechons', des Propheten, störrige Gedanken zu gemahnen, ohne daß du sie teiltest, sondern in der Tat sind's die deinen auch, und dein Herz ist von seiner Partei wider mich, denn unumwunden und gerade hinein in mein Angesicht verkündest du mir: ‚Ich bin Amuns ganz und gar.‘ Brauchte ich also mein Gleichnis so fälschlich, und kann ich für seinen Geschmack, daß er bitter ist für mich, deinen Gatten?"

Sie zog das Kleid vom Gesicht und sah ihn an.

„Hegst du Eifer auf Gott, den Verborgenen?" fragte sie verzerrten Mundes. Ihre Juwelenaugen, in denen Hohn und Tränen sich mischten, waren dicht vor den seinen und blinkten böse hinein, so daß er erschrak und sich rasch aus der Neigung erhob. ‚Ich muß zurückweichen‘, dachte er. ‚Ich bin zu weit gegangen und muß einen oder den anderen Schritt zurücke tun um meiner Ruhe und des Friedens des Hauses willen, die sich unvermutet in grausiger Gefahr zu befinden scheinen. Wie konnte es nur geschehen, daß ich sie plötzlich so bedroht finden muß und daß es auf einmal so schrecklich aussieht in den Augen der Frau? Alles schien gut und gesichert im gleichen.‘ Und er erinnerte sich an so manche Heimkehr von außen, wenn er vom Hofe gekommen war oder von einer Reise und seine erste Frage an den ihn grüßenden Meier immer gelautet hatte: „Steht alles wohl? Ist heiter die Herrin?“ Denn eine geheime Besorgnis um des Hauses Ruhe, Würde und Sicherheit, ein dunkles Bewußtsein, daß sie auf schwachen, gefährdeten Füßen ständen, war immer auf seines Herzens Grund gewesen, und er ward es gewahr beim Blick in Enis böse weinende Augen, daß es dort immer gewesen war und daß seine stillen Befürchtungen entsetzlicherweise sich irgendwie zu erfüllen drohten.

„Nein“, sagte er, „das sei fern, und was du fragst und sagst, daß ich Eifer hegen könnte auf Amun; den Herrn, das weise ich von der Hand. Ich weiß wohl den Unterschied zu machen zwischen dem, was du dem Verborgenen, und dem, was du dem Gatten schuldest, und da ich den Eindruck gewann, daß die bildliche Rede, die ich für deinen vertraulichen Umgang mit dem edlen Beknechons brauchte, dir gewissermaßen mißfällt; da ich ferner immer bereit bin und nach Gelegenheiten ausschaue, dir Freude zu bereiten, so will ich dir dieses Vergnügen machen, daß ich das Gleichnis zurücknehme von der Decke und es nicht gebraucht haben will, also daß es ausgelöscht sein soll von der Tafel meiner Worte. Bist du's zufrieden?“

Mut ließ die Tränen in ihren Augen stehen und von selber trocknen, als wüßte sie nichts von ihnen. Ihr Gatte hatte Dankbarkeit erwartet für seinen Verzicht, doch zeigte sie keine.

„Das ist das wenigste“, sagte sie kopfschüttelnd.

‚Sie sieht mich klein und in Angst um des Hauses Ruhe‘, dachte er, ‚und nutzt es aus so gründlich wie möglich nach Frauenart. Sie ist mehr Frau im allgemeinen, als sie besonders die eine und meine ist, und es ist nicht verwunderlich, wenn auch ein wenig peinlich immer, das allgemein und gewöhnlich Weibliche an dem eigenen Weibe einfältig-schlau sich bewähren zu sehen. Fast kläglich und lächerlich ist es um dies Ding und übt einen ärgerlichen Reiz auf den Geist, es unwillkürlich wahrzunehmen und bei sich zu verzeichnen, wie einer nach eigenem Kopf und eigener Schläue zu handeln und sich zu verhalten wähnt und nicht merkt, daß er nur das beschämend Gesetzmäßige wiederholt. Aber was nützt mir das jetzt? Es ist etwas zum Denken und nicht zum Sagen. Zu sagen ist meinetwegen denn also das Folgende.‘ Und er erwiderte fortfahrend:

„Das wenigste überhaupt wohl nicht, aber das wenigste in der Tat von dem, was ich sagen wollte. Denn ich gedachte nicht dabei stehenzubleiben, sondern dein Vergnügen weiter noch zu erhöhen durch die Eröffnung, daß ich von dem Gedanken, die Tänzerinnen von Babel für mein Fest zu gewinnen, im Lauf unserer Unterhaltung zurückgekommen bin. Es ist mein Wunsch nicht, einen hoch- und dir nahestehenden Mann in Urteilen zu kränken, die man für Vorurteile erachten mag, ohne sie damit aus der Welt zu schaffen. Mein Fest wird glänzend sein ohne die Zugereisten.“

„Auch das ist das wenigste, Peteprê“, sagte sie und nannte ihn bei Namen, wodurch er sich zu neu beunruhigter Aufmerksamkeit angehalten fühlte.

„Wie meinst du?“ fragte er. „Das wenigste immer noch? Wovon denn das wenigste?“

„Vom Wünschbaren. Von dem zu Fordernden“, antwortete sie nach einem Aufatmen. „Es sollte, es muß anders werden im Hause hier, mein Gemahl, damit es kein Haus des Anstoßes sei für die Frommen, sondern des Beispiels. Du bist der Herr seiner Hallen, und wer beugte sich nicht deiner Herrschaft? Wer gönnte deiner Seele nicht die Mild- und Feinheiten eines verbindlichen Sonnensinnes, nach dem du lebst und der deine Gewohnheiten erfüllt? Ich begreife wohl, daß man nicht auf einmal das Reich wollen kann und das nervige Altertum, denn aus diesem kam jenes in der Zeit, und anders lebt sich's im Reich und im Reichtum als in urfrommer Volksordnung. Du sollst nicht sagen, daß ich mich auf die Zeit nicht verstehe und auf den Wechsel des Lebens. Aber sein Maß hat alles und muß es haben, und ein Rest heiliger Väterzucht, die Reich und Reichtum erschuf, muß am Leben bleiben in ihnen und immer in Ehrfurcht stehen, damit sie nicht schändlich verwesen und den Ländern das Zepter entwunden werde. Leugnest du diese Wahrheit, oder leugnen sie Pharaos Denker, die sich denkend versuchen an Atum-Rês beweglichem Sonnensinn?"

„Die Wahrheit", erwiderte der Wedelträger, „leugnet man nicht, und es könnte sein, daß sie einem lieber wäre als selbst das Zepter. Du sprichst vom Schicksal. Wir sind Kinder der Zeit, und immer noch besser, so meine ich, ziemt sich's für uns, nach ihrer Wahrheit zu leben, aus der wir geboren, als zu versuchen, es nach einer unvordenklichen zu tun und die nervigen Altertumsbolde zu spielen, indem wir unsere Seele verleugnen. Pharao hat viele Soldtruppen, asiatische, libysche, nubische und sogar einheimische. Sie mögen das Zepter hüten, solange das Schicksal es ihnen erlaubt. Wir aber wollen aufrichtig leben."

„Aufrichtigkeit", sagte sie, „ist bequem und also nicht edel. Was würde aus den Menschen, wenn jeder nur aufrichtig sein und für sein natürlich Gelüst die Würde der Wahrheit wollte in Anspruch nehmen, unwillig ganz und gar, sich zu verbessern und zu bezwingen? Aufrichtig ist auch der Dieb, der Trunkenbold, der sich in der Gosse wälzt, und der Ehebrecher. Werden wir's ihnen aber hingehen lassen, wenn sie sich auf ihre Wahrheit berufen? Du willst wahrhaftig leben, mein Gatte, als Kind deiner Zeit und nicht nach dem Altertum. Aber wildes Altertum ist dort, wo jeder nach seines Triebes Wahrheit lebt, und Beschränkung des einzelnen von wegen höherer Angelegentlichkeit fordert die entwickelte Zeit."

„Worin verlangst du, daß ich mich verbessere?" fragte er bangend.

„In nichts, mein Gemahl. Du bist unveränderlich, und es fällt mir nicht ein, daß ich an deinem heilig reglosen Beharren rüttelte in dir selbst. Es sei auch fern von mir, dir einen Vorwurf daraus zu machen, daß du dich keiner Sache annimmst in Haus und Hof noch sonst irgendeiner in der Welt, außer daß du issest und trinkst; denn wenn es nicht nach deiner Natur wäre, so wäre es immer noch nach deinem Stande. Deiner Diener Hände tun das Deine für dich, wie sie es tun werden im Grabe. Deine Sache ist einzig, die Diener zu bestellen, und nicht einmal dies, sondern nur, *den* zu bestellen, der die Diener bestellt, deinen Stellvertreter, daß er das Haus führe nach deinem Sinn, das Haus eines Großen Ägyptens. Nur dies liegt dir auf, eine Sache von vornehmster Leichtigkeit, aber sie ist die Hauptsache. Daß du sie nicht verfehlst und nicht falsch deutest mit deinem Finger, darauf kommt alles an."

„Seit Umläufen", sagte er, „die ich nicht zähle, ist Montkaw meines Hauses Meier, eine biedere Seele, die mich liebt, wie es sich gehört, und volles Gefühl dafür besitzt, wie häßlich es wäre, mich zu kränken. Er hat mich, soviel seinen Rechnungen anzusehen war, kaum jemals ernstlich betrogen und das Haus in schönem Stile geführt, wie es mir genehm war. Hatte er das Mißgeschick, sich deine Unzufriedenheit zuzuziehen?"

Sie lächelte geringschätzig über sein Ausweichen.

„Du weißt", antwortete sie, „so gut wie ich und ganz Wêse, daß Mont-kaw an wurmiger Niere dahinsiecht und sich seit einigem schon der Dinge so wenig annimmt wie du. An seiner Statt waltet ein anderer, den sie seinen Mund nennen und dessen Wachstum in diesen Rang man nie hätte für möglich halten sollen. Noch nicht genug damit, heißt es auch, daß eben der sogenannte Mund nach des Mont-kaw voraussichtlichem Verbleichen gänzlich und endgültig an seine Stelle treten und all das Deine in seine Hände getan werden solle. Du rühmst deinem Meier treues Gefühl nach für deine Würde.

Erlaube mir zu gestehen, daß ich in seinen Handlungen dieses Gefühl vergebens suche."

„Du denkst an Osarsiph?"

Sie senkte das Gesicht.

„Es ist eine sonderbare Ausdrucksweise", sagte sie, „daß ich an ihn denke. Wollte der Verborgene, es gäbe ihn nicht, daß man nicht an ihn denken könnte, statt daß man es nun durch Schuld deines Vorstehers beschämenderweise zu tun gezwungen ist. Denn der Nierenkranke hat den, den du nanntest, als Knaben von ziehenden Krämern gekauft, und statt ihn zu halten nach seiner Niedrigkeit und seinem Elendsgeblüt, hat er ihn groß herangezogen und überhandnehmen lassen im Hause, hat alles Gesinde ihm unterstellt, so deines wie meines, und es dahin gebracht, daß du, mein Herr, mit einer Geläufigkeit von dem Sklaven sprichst, die mich schmählich berührt und gegen die die mein Gemüt sich empört. Denn wenn du nachdächtest und sagtest: ‚Ich merke, du meinst den Syrer da, vom elenden Retenu, den ebräischen Knecht', so wär' es natürlich und nach der Sache. Wohin es aber gekommen ist, zeigt mir deine Redeweise, die lautet, als wär' er dein Vetter, – nennst ihn vertraulich bei Namen und fragst mich: ‚Denkst du an Osarsiph?'"

Da hatte auch sie den Namen ausgesprochen, mit einer Überwindung, die sie heimlich beseligte und die zu üben sie sich gesehnt hatte. Sie stieß die mystischen Silben, in denen Tod und Vergöttlichung anklangen und die für sie alle Süßigkeit des Verhängnisses bargen, mit einem Schluchzen hervor, in das sie Empörung zu legen suchte, und zog wie vorhin ihr Gewand vor die Augen.

Wieder erschrak Potiphar aufrichtig.

„Was ist, was ist, meine Gute?" sprach er, die Hände über sie breitend. „Tränen aufs neue? Laß mich verstehen, warum! Ich nannte den Diener, wie er sich und wie jeder ihn nennt. Ist nicht der Name die kürzeste Art, sich über eine Person zu verständigen? Ich sehe, meine Vermutung war richtig. Der kenanitische Jüngling liegt dir im Sinn, der mir als Mundschenk und Vorleser dient, und zwar, ich leugne es nicht, zu meiner stillen Zufriedenheit. Sollte das nicht ein Grund für dich sein, über ihn milde zu denken? Ich habe keinen Teil an seiner Erwerbung. Mont-kaw, der Vollmacht hat, Diener einzustellen und zu entlassen, kaufte ihn vor Jahren von ehrbaren Händlern. Dann aber fügte es sich, daß ich ihn prüfte im Gespräch, da er Blüten reiten ließ in meinem Garten, und ihn auffallend angenehm erfand, von den Göttern begabt mit wohltuenden Gaben des Körpers und Geistes, und zwar in bemerkenswerter Verschränkung. Denn seine Schönheit erscheint als die natürliche Veranschaulichung der Anmut seines Verstandes, diese aber, hinwiederum, als eine andere, unsichtbare Äußerungsform des Sichtbaren, wofür du, wie ich hoffe, mir das Urteil ‚bemerkenswert‘ nachsehen wirst, denn es ist angebracht. Auch ist seine Herkunft durchaus nicht die erste beste, denn wenn man will, kann man seine Geburt sogar jungfräulich nennen, jedenfalls aber steht fest, daß sein Erzeuger eine Art von Herdenkönig und Gottesfürst war und daß der Knabe in schönem Range lebte, als ein Beschenkter, indem er aufwuchs bei seines Vaters Herden. Freilich wurde dann allerlei Weh seine Nahrung, und es gab Leute, die mit Erfolg seinen Schritten Fangstricke legten. Aber auch seine Leidensgeschichte ist bemerkenswert; sie hat Geist und Witz oder, wie man zu sagen pflegt, Hand und Fuß, und eine ähnliche Verschränkung waltet darin wie die, die sein günstiges Äußeres und seinen Verstand als ein und dieselbe Sache erscheinen läßt: denn sie hat zwar ihre eigene Wirklichkeit für sich selbst, scheint aber außerdem auf ein höher Vorgeschriebenes Bezug zu nehmen und sich damit ins Einvernehmen zu setzen, so daß du das eine schwerlich vom anderen unterscheidest, eines sich in dem andern spiegelt und alles in allem eine anziehende Zweideutigkeit um den Jüngling ist. Da man nun sah, daß er die Prüfung vor mir nicht übel bestand, gab man ihn mir zum Mundschenk und Vorleser, ohne mein Zutun, aus Liebe zu mir, wie es begreiflich, und ich gestehe, daß er mir unentbehrlich geworden ist in diesen Eigenschaften. Wiederum aber, ganz ohne mein Zutun, ist er zum Überblick aufgewachsen über die Geschäfte des Hauswesens, wobei sich buchstäblich gezeigt hat, daß zu allem, was er tut, der Verborgene Glück gibt durch ihn, – ich kann es nicht anders sagen. Da er nun aber unentbehrlich geworden mir und dem Hause – was willst du, daß ich mit ihm mache?"

In der Tat, was war da noch zu wollen und zu machen, nachdem er ausgesprochen? Befriedigt sah er sich um und mit einem Lächeln nach dem, was er gesagt hatte. Er hatte sich stark gesichert, stark vorgebaut und die drohende Forderung im voraus zu einer Ungeheuerlichkeit gestempelt, zu einem Verstoß gegen die Liebe zu ihm, der denn doch wohl nicht denkbar war. Er vermutete nicht, daß die Frau dieser Bedeutung seiner Worte als Schutzwehr und Bollwerk kaum geachtet, sondern sie heimlich eingeschlürft hatte wie Honigwein, daß sie sich, immer noch in ihr Gewand gebückt, in tiefer, begieriger Spannung nichts von dem hatte entgehen lassen, was er zum Lobe Josephs gesagt. Das minderte sehr die verwarnende Wirkung ab, die den Worten zugedacht war, und es hinderte seltsamerweise nicht, daß Mut dem sittlich-vernünftigen Vorsatz, mit dem sie gekommen war, in aller Redlichkeit treu blieb. Sie richtete sich auf und sagte:

„Ich nehme an, mein Gemahl, daß du zugunsten des Knechtes das Äußerste vorgebracht hast, was nur mit einigem Fug dazu zu sagen. Nun denn, es genügt nicht, es ist hinfällig vor den Göttern Ägyptens, und was du mich hören zu lassen die Güte hattest von dieser und jener Verschränkung in deines Dieners Person und anziehenden Zweideutigkeiten, das kommt nicht auf gegen das Wünschbare und gegen die Forderung, die Amun eindeutig zu stellen hat durch meinen Mund. Denn auch ich bin ein Mund, nicht nur jener da, den du unentbehrlich nennst dir und dem Hause – mit offenkundigem Unbedacht; denn wie sollte ein aufgelesener Fremdling unentbehrlich sein im Lande der Menschen und in Peteprês Haus, das ein Segenshaus war, ehe denn dieser Käufling darin zu wachsen begann? Nie hätte geschehen dürfen, daß er darin wuchs. War denn der Knabe gekauft, aufs Feld gehörte er und in die Fron, statt daß man ihn auf dem Hofe hielt und ihm gar deinen Becher vertraute sowie dein Ohr in der Bücherhalle, um einnehmender Gaben willen. Die Gaben sind nicht der Mensch; von ihnen muß man ihn unterscheiden. Desto schlimmer nur, wenn ein Niedriger Gaben hat, daß sie am Ende gar seine natürliche Niedrigkeit könnten vergessen lassen. Wo sind die Gaben, die die Erhöhung des Niedrigen rechtfertigten? Das hätte Montkaw sich fragen sollen, dein Meier, der ohne dein Zutun, wie ich höre, den Niedrigen wachsen ließ und ließ ihn ins Kraut schießen in deinem Hause zum Gram aller Frommen. Wirst du ihm gestatten, daß er noch im Tode den Göttern trotzt und mit dem Finger deutet auf den Chabiren als auf seinen Nachfolger, indem er dein Haus schändet vor aller Welt und dein landstämmiges Ingesinde erniedrigt unter die Hand des Niedrigen zu ihrem Zähneknirschen?"

„Meine Gute", sagte der Kämmerer, „wie du dich täuschest! Du bist nicht wohlunterrichtet, nach deinen Worten zu urteilen, denn es ist nicht die Rede von Zähneknirschen. Mein Hausvolk liebt den Osarsiph von oben bis unten, vom Schreiber des Schenktisches bis zum Hundejungen und bis zur letzten von deinen Mägden und schämt sich im mindesten nicht, ihm zu gehorchen. Ich weiß nicht, woher dir die Kunde kommt, daß hier im Hause geknirscht wird ob seiner Größe, denn das ist ganz fälschlich gekündet. Vielmehr im Gegenteil suchen sie alle nach seinen Augen und wetteifern froh, unter ihnen das Ihre zu tun, wenn er zwischen ihnen hindurchgeht, und hängen freundlich an seinen Lippen, wenn er sie anweist. Ja, diejenigen sogar, die seinetwegen beiseite treten mußten von ihren Ämtern, weil er sie antrat, sogar diese blicken nicht schief auf ihn, sondern gerade und voll, denn seine Gaben sind unwiderstehlich. Nämlich warum? Weil es sich ganz und gar nicht mit ihnen verhält, wie du sprachst, und du vorzüglich in diesem Punkt dich als falsch unterrichtet erweist. Denn keineswegs ist es so, daß sie ein verwirrendes Anhängsel bildeten an seiner Person und wären von ihr zu unterscheiden.

Sondern ununterscheidbar eins sind sie mit ihr und sind die Gaben eines Gesegneten, so daß man sagen möchte, er verdiene sie, wenn das nicht schon wieder eine unzulässige Trennung bedeutete von Person und Gabe und wenn bei natürlichen Gaben von Verdienst überhaupt die Rede sein könnte. So aber kommt es, daß auf den Land- und den Wasserwegen die Leute ihn schon von weitem erkennen, sich anstoßen und erfreut untereinander sagen: ‚Da zieht Osarsiph, des Peteprê Leibdiener, der Mund Mont-kaws, ein vorzüglicher Jüngling, der zieht in seines Herrn Geschäften, die er günstig abwickeln wird nach seiner Art.‘ Ferner ist es so, daß, wenn die Männer ihn voll und gerade ansehen, die Weiber es schief und aus dem Winkel tun, was meines Wissens bei ihnen ein ebenso gutes Zeichen ist wie jenes bei jenen. Und wenn er sich in der Stadt zeigt und ihren Gassen, bei den Gewölben, so, höre ich, kommt es meistens vor, daß die Jungfrauen Mauern und Dächer besteigen und goldene Ringe auf ihn werfen von ihren Fingern, um seine Blicke auf sich zu lenken. Aber sie lenken sie nicht.“

Eni lauschte mit unbeschreiblichem Entzücken. Wie die Verherrlichung Josephs, die Schilderung seiner Beliebtheit, sie berauschte, ist nicht zu sagen; die Freude lief ihr ein übers andere Mal wie ein Feuerstrom durch die Adern, hob ihr den Busen auf, ließ sie in kurzen Stößen und drangvoll eratmen gleichwie im Schluchzen, machte ihr rote Ohren und war mit Mühe und Not von ihren Lippen fernzuhalten, daß diese wenigstens nicht selig lächelten bei dem, was sie hörte. Der Menschenfreund kann nicht genug den Kopf schütteln über soviel Widersinn. Der Preis Josephs mußte die Frau in ihrer Schwäche für den Fremdsklaven, wenn man so reden darf, bestärken, mußte diese Schwäche vor ihrem Stolze rechtfertigen, sie tiefer hineinstürzen, sie untauglicher machen, den Vorsatz auszuführen, mit dem sie gekommen war, nämlich ihr Leben zu retten. War das ein Grund zur Freude? – Zur Freude nicht, aber zur Wonne, ein Unterschied, in den der Menschenfreund sich kopfschüttelnd finden muß. Übrigens litt sie auch, wie es sich gehört. Die Nachricht vom schiefen

Lugen der Weiber, und daß sie Ringe auf Joseph würfen, erfüllte sie mit zehrender Eifersucht, bestätigte sie wiederum in ihrer Schwäche und flößte ihr zugleich verzweifelten Haß ein auf diejenigen, die diese Schwäche teilten. Daß diese die Blicke des Beworfenen nicht auf sich zu lenken vermocht hatten, tröstete sie etwas und half ihr, sich weiterhin noch nach Art eines vernunftbegabten Wesens zu gebärden. Sie sagte:

„Laß mich übergehen, mein Freund, daß es wenig zart von dir ist, mich von dem schlechten Benehmen der Jungfrauen Wêses zu unterhalten, gleichviel wieviel Wahrheit an diesen Gerüchten sein mag, die vielleicht nur von ihrem eitlen Helden selbst oder von solchen, die er durch Versprechungen auf seine Seite gebracht hat, zu seiner Beräucherung ausgesprengt werden." – Es kostete sie weniger, so von dem schon rettungslos Geliebten zu reden, als man glauben sollte. Sie tat es völlig mechanisch, indem sie gleichsam eine Person reden ließ, die nicht sie selber war, und ihre Sangesstimme nahm einen hohlen Klang dabei an, der der Starrheit ihrer Züge, der Leere ihres Blickes entsprach und sich als Lügenklang gar nicht verleugnen wollte. – „Die Hauptsache ist", fuhr sie auf diese Weise fort, „daß dein Vorwurf, ich sei über die Angelegenheiten des Hauses falsch unterrichtet, von mir ab- und zurückprallt, so daß dir besser wäre, du hättest ihn nicht erhoben. Deine Gewohnheit, dich keines Dinges anzunehmen, sondern auf alle mit fremden und fernen Augen zu blicken, sollte dich einen oder den anderen Zweifel setzen lassen in dein Wissen um das, was rings um dich vorgeht. Die Wahrheit ist, daß das Überhandnehmen des Knechtes unter den Deinen einen Gegenstand heftigen Ingrimms und verbreiteten Mißmutes bildet. Der Vorsteher deiner Schmuckkästen, Dûdu, hat mehr als einmal, ja oftmals in dieser Angelegenheit vor mir geredet und bittere Klage geführt über die Kränkung der Frommen durch des Unreinen Herrschaft…"

„Nun", lachte Peteprê, „da hast du dir einen stattlichen Eideshelfer ausgesucht, liebe Blume, einen gewichtigen, nimm's mir nicht übel! Dieser Dûdu ist ja ein Knirps, ein Zaunkönig

und Gernegroß, das Viertel eines Menschen ist der ja und ein
spaßhaft verminderter Tropf; wie sollte in aller Welt wohl
sein Wort ins Gewicht fallen in dieser oder sonst einer Sache!"

„Das Maß seiner Person", erwiderte sie, „steht hier nicht
in Rede. Wenn sein Wort so verächtlich wäre und so gewicht-
los sein Urteil, wie hättest du ihn zu deinem Kleiderbewahrer
gemacht?"

„Das war doch mehr Scherz", sagte Peteprê, „und nur Lachens halber gibt man Hofzwergen ein schönes Amt. Sein
Brüderchen, den anderen Pojazz, schelten sie gar Wesir, was
doch auch nicht sonderlich ernst zu nehmen."

„Ich brauche dich auf den Unterschied gar nicht aufmerksam zu machen", versetzte sie. „Du kennst ihn gut genug und
willst ihn nur diesen Augenblick eben nicht wahrhaben. Es ist
eher traurig, daß ich deine treuesten und würdigsten Diener
in Schutz nehmen muß gegen deinen Undank. Herr Dûdu ist
ungeachtet seiner etwas verminderten Statur ein würdiger,
ernsthafter und gediegener Mann, der den Namen eines Pojazz in nichts verdient und dessen Wort und Urteil in Dingen
des Hauses und seiner Ehre durchaus ins Gewicht fällt."

„Er reicht mir bis dahin", bemerkte der Truppenoberst,
indem er mit der Handschneide eine Linie an seinem Schienbein bezeichnete.

Mut schwieg eine Weile.

„Du mußt bedenken", sagte sie dann mit Sammlung, „daß
du besonders hoch und turmartig gewachsen bist, mein Gemahl, so daß dir Dûdus Gestalt wohl nichtiger erscheinen
mag als anderen, zum Beispiel der Zeset, seinem Weibe, meiner Dienerin, und seinen Kindern, die gleichfalls von land-
läufiger Größe sind und in liebender Ehrfurcht aufblicken zu
dem Erzeuger."

„Ha, ha, aufblicken!"

„Ich brauche das Wort mit Bedacht, in höherem, liedhaftem
Sinn."

„Sogar liedhaft also schon", spottete Peteprê, „drückst du
dich aus über deinen Dûdu. Ich glaube, du beklagtest dich

über schlechte Unterhaltung von meiner Seite. Ich mache dich aufmerksam, daß du mich schon geraume Zeit von einem aufgeblasenen Narren unterhältst."

„Wir können den Gegenstand ebensogut verlassen", sagte sie fügsam, „wenn er dir peinlich ist. Ich bedarf des Mannes nicht, auf den unser Gespräch fiel, daß er der Bitte beistehe, dreimal gerechtfertigt in sich selbst, die ich an dich richten muß, noch ist dir sein ehrenwertes Zeugnis vonnöten, um zu begreifen, daß du sie mir gewähren mußt."

„Du hast eine Bitte an mich?" fragte er. ‚Also doch', dachte er nicht ohne Bitterkeit. ‚Es trifft zu, daß sie eines mehr oder weniger beschwerlichen Anliegens wegen kam. Die Hoffnung, es möchte rein nur um meiner Gegenwart willen geschehen sein, fällt als irrtümlich dahin. Sehr wohl gesinnt bin ich demgemäß von vornherein diesem Anliegen nicht.' – Er fragte: „Und welche Bitte?"

„Diese, mein Gatte: Daß du den Fremdsklaven, dessen Namen ich nicht wiederhole, von Haus und Hof entfernst, darin er durch falsche Gunst und sträfliche Lässigkeit ins Kraut schießen durfte und es zu einem Hause des Anstoßes gemacht hat statt des Beispiels."

„Osarsiph? Von Haus und Hof? Wo denkst du hin!"

„Ich denke zum Guten und Rechten, mein Gemahl. An deines Hauses Ehre denke ich, an die Götter Ägyptens und daran, was du ihnen schuldest, – nicht ihnen nur, sondern dir selbst und mir, deiner Eheschwester, die das Sistrum vor Amun rührt im Schmucke der Mutter, geweiht und aufgespart. Ich denke an diese Dinge und bin über allen Zweifel gewiß, daß ich auch dich nur daran zu mahnen brauche, damit deine Gedanken sich völlig mit den meinen vereinigen und du mir ungesäumt meine Bitte erfüllst."

„Indem ich den Osarsiph... Meine Gute, das kann nicht sein, schlag dir das aus dem Sinn, es ist unsinnig gebeten und ganz und gar grillenhaft, ich kann den Gedanken gar nicht unter meine Gedanken einlassen, er ist fremd unter ihnen, und in größtem Unwillen erheben sie alle sich gegen ihn."

‚Da haben wir's', dachte er ärgerlichst bestürzt. ‚Das ist also das Anliegen, um dessentwillen sie zu mir eintrat zu dieser Stunde, scheinbar nur, um Zunge mit mir zu machen im Ziergespräch. Ich sah es kommen und kam doch meinerseits bis zuletzt nicht darauf, so sehr ist es meiner berechtigten Selbstsucht zuwider und leider sehr weit entfernt davon, nur ihr groß zu erscheinen, es aber für mich nicht zu sein; denn umgekehrt, unglücklicherweise, dünkt es sie offenbar klein und leicht zu gewähren, ist aber mir unbequem bis zum Äußersten. Nicht umsonst verspürte ich gleich schon einige Sorge von wegen meiner Bequemlichkeit. Wie schade aber, daß sie mir keine Möglichkeit bietet, sie zu erfreuen, denn ich hasse sie ungern.'

„Dein Vorurteil, Blümchen", sagte er, „gegen die Person dieses Jünglings, das dich eine solche Fehlbitte tun läßt bei mir, ist wahrhaft beklagenswert. Offenbar weißt du von ihm nur aus allerlei Fluchworten und Lästerreden, die Mißwüchsige vor dich gebracht haben um seinetwillen, nicht aber aus eigener Kenntnis seiner bevorzugten Art, die ihn, so jung er ist, meiner Meinung nach sogar zu Höherem noch könnte tauglich machen als zum Vorsteher meiner Güter. Nenne ihn einen Barbaren und Sklaven – nach dem Buchstaben tust du's mit Recht, aber ist dir das Recht genug, wenn's nicht dazu ein Recht ist im Geiste? Ist es wohl Landessitte und echte Art, den Mann danach zu schätzen, ob er frei oder unfrei, einheimisch oder fremd, und nicht vielmehr danach, ob dunkel sein Geist und ohne Schule oder erleuchtet vom Wort und geadelt von seinen Zauberkräften? Was ist die Übung und welches der Väterbrauch hierzulande in dieser Beziehung? Dieser aber führt reine und heitere Rede, wohlgewählt und in reizendem Tonfall, schreibt eine schmuckhafte Hand und liest dir die Bücher, als spräche er selbst, von sich aus, getrieben vom Geiste, so daß all ihr Witz und Weisheit von ihm zu kommen und ihm zu gehören scheint und du dich wunderst. Was ich wünschte, das wäre, du nähmest Kenntnis von seinen Eigenschaften, ließest dich huldreich ein mit ihm und gewännest seine Freundschaft, die dir viel zukömmlicher wäre als die des hoffärtigen Kielkropfes…"

„Ich will nicht Kenntnis von ihm nehmen noch mich mit ihm einlassen", sagte sie starr. „Ich sehe, daß ich im Irrtum war, da ich meinte, du hättest den Knecht schon zu Ende gerühmt. Du hattest noch etwas hinzuzufügen. Nun aber warte ich auf das Wort deiner Gewährung für meine heilig berechtigte Bitte."

„Ein solches Wort", erwiderte er, „steht mir nicht zu Gebote infolge der Irrtumsgeborenheit deiner Bitte. Sie geht fehl und ist unerfüllbar in mehr als einem Betracht, – die Frage ist nur, ob ich dir's klarmachen kann; kann ich's nicht, so wird sie, glaube mir, deshalb nicht erfüllbarer. Ich sagte dir schon, daß Osarsiph nicht der erste beste ist. Er mehrt das Haus und ist ihm ein kostbarer Diener – wer überwände sich wohl, ihn daraus zu vertreiben? Am Hause wär's törichter Raub und grobes Unrecht an ihm, der frei von Fehl und ein Jüngling verfeinerter Art, so daß ihm aufzusagen und ihn so mir nichts, dir nichts des Hofs zu verweisen ein Geschäft von seltener Unbehaglichkeit wäre, zu dem niemand sich leicht bereit fände."

„Du fürchtest den Sklaven?"

„Ich fürchte die Götter, die mit ihm sind, indem sie alles in seinen Händen gelingen lassen und ihn angenehm machen vor aller Welt, – welche es sind, entzieht sich meiner Beurteilung, aber kräftig machen sie sich geltend in ihm, das ist sicher. Schnell würden dir solche Gedanken vergehen, wie daß man ihn in die Grube des Frondienstes werfen sollte oder ihn schnöde weiterverkaufen, wenn du es nur nicht verweigern wolltest, ihn besser zu kennen. Alsbald nämlich, ich bin dessen sicher, würdest du Anteil an ihm nehmen und würde dein Herz sich erweichen gegen den Jüngling, denn mehr als einen Berührungspunkt gibt es zwischen deinem Leben und seinem, und wenn ich es liebe, ihn um mich zu haben, so, laß dir vertrauen, geschieht es, weil er mich oftmals an dich erinnert…"

„Peteprê!"

„Ich sage, was ich sage, und denke, was keineswegs sinnlos ist. Bist du nicht geweiht und aufgespart dem Gotte, vor dem du tanzest als sein heilig Nebengemahl, und trägst du nicht mit Stolz vor den Menschen den Opferschmuck deiner Geweihtheit? Nun, auch der Jüngling, ich habe es von ihm selbst, trägt so einen Schmuck, unsichtbar wie der deine, – man hat sich, wie es scheint, eine Art von Immergrün darunter vorzustellen, das ein Zeichen geweihter Jugend ist und der Vorbehaltenheit, wie es in seinem allerdings krausen Namen zum Ausdruck gelangt, denn sie nennen es das Kräutlein Rührmichnichtan. So hörte ich's von ihm, nicht ohne Staunen, denn er bekannte mir Neues. Ich wußte wohl von den Göttern Asiens, Attis und Aschrath und den Baalen des Wachstums. Er und die Seinen aber sind unter einem Gott, den ich nicht kannte und dessen Eifer mich überraschte. Denn der Einsame brennt auf Treue und hat sich ihnen verlobt als Blutsbräutigam – es ist eigentümlich genug. Grundsätzlich tragen sie alle das Kraut und sind aufgespart ihrem Gotte gleich einer Braut. Aber unter ihnen erliest er sich noch einen besonders als Ganzopfer, daß er ausdrücklich den Schmuck trage geweihter Jugend und sei dem Eifrigen aufgespart. Und, denke dir, so einer ist Osarsiph! Sie wissen, sagte er, etwas, was sie die Sünde nennen und den Garten der Sünde, und haben sich auch noch Tiere ersonnen, die aus den Zweigen des Gartens lugen und die man sich wohl nicht häßlich genug vorstellen kann: drei an der Zahl, mit Namen ‚Scham‘, ‚Schuld‘ und ‚Spottgelächter‘. Nun frage ich dich aber zweierlei: Kann man sich einen besseren Diener und Hausmeier wünschen als einen, der zur Treue geboren ist und von Hause aus die Sünde fürchtet wie dieser? Und ferner: Sagte ich zuviel, als ich von Berührungspunkten sprach zwischen dir und dem Jüngling?"

Ach, wie erschrak Mut-em-enet bei diesen Worten! Hatte es sie zehrend geschmerzt, von den Jungfrauen zu hören, die mit Ringen nach Joseph warfen, so war das nichts gewesen, ja etwas wie ein Vergnügen im Vergleich mit dem kalten Schwerte, das sie durchfuhr, als sie die Gründe vernahm, aus denen die

Töchter der Stadt seine Augen nicht auf sich zu lenken vermocht hatten. Eine furchtbare Angst, der Ahnung gleich, was alles sie würde um ihn zu leiden haben, überkam sie, und bleicher Gram malte sich offen in ihrem aufwärts gewandten Gesicht. Man mache nur den Versuch, sich in ihre Lage zu versetzen, die zu allem übrigen sogar der Lächerlichkeit nicht entbehrte! Um was kämpfte sie hier und rang mit Potiphars Starrsinn, wenn er die Wahrheit sprach? Wenn der augenöffnende Heilstraum, den sie geträumt und der sie hierher getrieben, gelogen hatte? Wenn derjenige, vor dem sie ihr Leben und das ihres Herrn, des Titelobersten, zu erretten sich abmühte, ein Ganzopfer war, versprochen, beeifert und vorenthalten? In welche Verirrung hatte sie gefürchtet, sich zu verirren? Sie hatte nicht die Kraft und glaubte es sich nicht gönnen zu dürfen, mit der Hand ihre Augen zu verdecken, die, ins Leere starrend, die drei Tiere des Gartens zu schauen meinten: Scham, Schuld und Spottgelächter, von denen das letztere gleich einer Hyäne wieherte. Es war unerträglich. ‚Fort, fort‘, dachte sie überstürzt, ‚nur fort nun erst recht mit ihm, von dem mir Heilsträume lügen, die schändlich und aberschändlich sind, da ich vergebens, ach, ganz vergebens auch noch, auf ihn den Ring meines Fingers würfe! Ja, ich kämpfe recht und muß weiter kämpfen, gerade nun erst, wenn dem so ist! Glaube ich's aber, und hoffe ich nicht vielmehr insgeheim mit triumphierender Zuversicht, daß mein Heilsverlangen sich stärker erweisen wird als seine Verlobtheit, daß es sie überwinden und er meinem Blicke folgen wird, um mir das Blut zu stillen? Hoffe und fürchte ich das nicht mit einer Kraft, die ich im Grunde für unwiderstehlich halte? Nun denn, so ist's am Tage noch einmal und immer noch, daß er mir aus den Augen und aus dem Hause muß um meines Lebens willen. Da sitzt mein Gatte mit feisten Armen, ein Turm; Dûdu, der zeugende Zwerg, reicht ihm nur bis zum Schienbein. Er ist Truppenoberst. Von ihm und seinem Gewähren habe ich Heil zu erwarten und Rettung, von ihm allein!‘ – Und es war wie ein Zurückflüchten zu dem trägen Gemahl, der der nächste war, daß sie die Kraft ihres Heilsverlangens an ihm erprobe, als sie das Wort wieder aufnahm und ihm mit klingender, singender Stimme zur Antwort gab:

„Laß mich nicht eingehen auf deine Rede und dir nicht streitend erwidern darauf, mein Freund, um sie zu widerlegen. Es wäre müßig. Was du mir sagst, taugt nicht zum Gegenstande des Streitens, ja, du brauchtest es gar nicht zu sagen, sondern statt dessen nur einzusetzen: ‚Ich will nicht.‘ Alles dies ist nichts als Kleid und Gleichnis deiner Unbeugsamkeit, und nur die erzene Festigkeit deiner Beschlüsse, dein granitener Wille treten mir eindrucksvoll daraus entgegen. Sollte ich die wohl bestreiten in zänkischem, nichts vermögendem Wortstreit, da ich sie doch liebe und zärtlich bestaune nach Weibesart? Nun aber bin ich des anderen gewärtig, was wenig oder nichts wäre ohne jenes, aus ihm aber herrlichen Preis gewinnt: Ich warte auf deine gewährende Nachgiebigkeit. In dieser Stunde, die nicht wie andere Stunden ist, dieser Stunde zu zweien, voll von Gewärtigung, in der ich zu dir kam, dich zu bitten, wird dein Manneswille sich zu mir neigen und meinem Wunsche Genüge tun, sprechend: ‚Vom Hause sei dieser Anstoß genommen, und Osarsiph sei entamtet, verstoßen und fortverkauft.‘ Vernehm’ ich es, mein Herr und Gatte?“

„Du hörtest ja, daß du das nicht von mir vernehmen kannst, meine Gute, beim besten Willen nicht, dich zu erfreuen. Ich kann den Osarsiph nicht verstoßen und fortverkaufen, ich kann es nicht wollen, der Wille dazu steht mir nicht zu Gebote.“

„Du kannst es nicht wollen? So wäre dein Wille dein Herr, nicht aber du Herr deines Willens?“

„Mein Kind, das sind Haarspaltereien. Ist denn ein Unterschied zwischen mir und meinem Willen, daß der eine Herr wäre, der andere Diener und einer den anderen meisterte? Meistere du einmal deinen Willen und wolle, was dir gänzlich zuwider und geradezu greulich ist!“

„Ich bin bereit dazu“, sagte sie und warf den Kopf zurück, „wenn es Höheres gilt, die Ehre, den Stolz und das Reich.“

„Nichts davon steht hier in Frage", erwiderte er, „oder vielmehr, was in Frage steht allerdings, das ist die Ehre gesunder Vernunft, der Stolz der Klugheit und das Reich der Billigkeit."

„Denke an sie nicht, Peteprê!" bat sie mit läutender Stimme. „Denke der Stunde, der ganz vereinzelten, und ihrer Gewärtigung, da ich zu dir kam außer der Ordnung und entgegen deiner Bequemlichkeit! Siehe, ich schlinge die Arme um deine Knie und bitte dich: Tu mir Genüge mit deiner Macht, mein Gatte, dies eine Mal, und laß mich fortgehen getröstet!"

„So angenehm es mir ist", erwiderte er, „deine Arme, die schön sind, um meine Knie zu fühlen, kann ich dir unmöglich willfahren, und es hat mit der Sanftheit deiner Arme zu tun, daß mein Vorwurf nur sanft ist, den ich dir deswegen machen muß, daß du meiner Ruhe so wenig schonst und nach meinem Wohlsein überhaupt nicht mehr fragen zu wollen scheinst. Aber obgleich du nicht fragst, will ich dir deswegen einige Auskunft geben, unter vier Augen, in dieser vereinzelten Stunde. Wisse denn", sagte er gewissermaßen geheimnisvoll, „daß ich auf Osarsiphs Gegenwart halten muß – nicht nur des Hauses wegen, das er mir mehrt, oder weil mir der Jüngling die Bücher der Weisen zu Danke liest wie kein anderer. Sondern er ist für mein Wohlsein aus einem anderen Grunde noch überaus wichtig. Sage ich, daß er mir das Wohlgefühl des Vertrauens erregt, so erschöpfe ich's nicht; ich meine ein Unentbehrlicheres. Reich ist sein Geist an Erfindung des Wohltuenden dieser und jener Art; aber die Hauptsache bleibt, daß er mir Rede weiß täglich und stündlich, mich selbst betreffend, die mich mir selber in schönem Lichte zeigt, in göttlichem Lichte, und mir das Herz mit Stärkung füllt in Ansehung meiner, so daß ich mich fühle…"

„Laß mich ringen mit ihm", sagte sie, indem sie seine Knie fester umschlang, „und ihn aus dem Felde schlagen vor dir, der nur mit Redewendungen dir Stärkung einzuflößen versteht und das Gefühl deiner selbst! Ich kann es besser. Ich gebe dir Gelegenheit, dein Herz zu stärken in der Tat, durch dich selbst, aus eigener Macht, indem du die Gewärtigung dieser Stunde erfüllst und den Knecht der Wüste zurückgibst. Denn wie sehr wirst du dich, mein Gatte, erst fühlen, wenn du mir Genüge getan und ich von dir gehe getröstet!"

„Meinst du?" fragte er blinzelnd. „So höre! Ich will befehlen, daß, wenn mein Meier Mont-kaw nun verscheidet (denn er ist nahe daran), Osarsiph nicht dem Hause vorstehe in seiner Nachfolge, sondern ein anderer. Cha'ma't etwa, der Schreiber des Schenktisches. Osarsiph aber bleibe im Hause."

Sie schüttelte das Haupt.

„Damit ist mir nicht gedient, mein Freund, und also auch deiner Stärkung nicht und dem Gefühl deiner selbst. Denn nur zur Hälfte oder geringeren Teiles noch wäre damit mein Wunsch gestillt und Genüge geschehn der Gewärtigung. Osarsiph muß aus dem Hause."

„Dann", sagte er rasch, „wenn dir das nicht genügt, ziehe ich auch mein Angebot wieder ein, und der Jüngling kommt an die Spitze."

Sie löste die Arme.

„Ich hörte dein letztes Wort?"

„Ein anderes steht mir, leider, nicht zu Gebote."

„So will ich gehen", hauchte sie und stand auf.

„Das mußt du wohl", sagte er. „Es war alles in allem doch eine liebliche Stunde. Ich werde dir ein Geschenk nachsenden, dich zu erfreuen, eine Salbschale aus Elefantenbein, die Fische, Mäuse und Augen darstellt in ihrem Schnitzwerk."

Sie wandte ihm den Rücken und schritt gegen die Pfeilerbögen. Dort stand sie einen Augenblick still, von ihrem Kleide einige Falten in der Hand, die sie gegen eine der gebrechlichen Säulen stützte, die Stirn an die Hand gelehnt, das Gesicht in den Falten verborgen. Niemand hat hinter diese Falten geschaut und in Muts verborgenes Antlitz. –

Dann klatschte sie in die Hände und trat hinaus.

Nach Aufzeichnung dieses Gespräches nun sind wir in der Geschichte so weit hinabgelangt, daß wir an dem Punkt weiter oben wieder anknüpfen mögen, wo auf die seltsame Sternfigur, zu der im Schüttelspiel des Lebens die Umstände hier zusammenfielen, vorschauend-vorläufig hingewiesen wurde. Denn es hieß dort: um dieselbe Zeit, als die Herrin scheinbar ernstliche Anstrengungen gemacht habe, Joseph aus Potiphars Haus zu entfernen, was bis dahin doch Dûdus, des Ehezwerges, Betreiben gewesen, habe dieser, der Kleiderbewahrer, angefangen, dem Joseph süße Worte zu geben und seinen ergebenen Freund zu spielen, nicht nur vor ihm selbst, sondern auch vor der Herrin, der er ihn auf alle Weise gerühmt und gepriesen habe. Genau so war es; wir haben dort oben kein Wort zuviel gesagt. Es kam aber daher, daß Dûdu begriff und gewahr wurde, wie es um Mut-em-enet stand und woher ihr Bestreben kam, sich den Jüngling Osarsiph aus den Augen zu schaffen: Er entdeckte es kraft des sonnenhaften Vermögens, dessen sein Unterwuchs gewürdigt war und das er, je überraschender es diesem anstand, desto angelegentlicher ehrte und kultivierte, so daß er in der Tat auf diesem Gebiet als gewitzter Sachkenner und Experte gelten konnte, feinfühlig-spürnäsig in Hinsicht auf alle Vorgänge in dieser Sphäre, – wieviel ihm sonst auch an Zwergenwitz und -weisheit gerade durch die gewichtige Gabe mochte entgangen sein.

Nicht lange also, so war er klug daraus geworden, was er mit seinen patriotischen Klagen über Josephs Wachstum bei der Herrin angerichtet oder zum mindesten befördert hatte, – sogar bedeutend früher als sie selber wurde er stutzend klug daraus; denn anfänglich kam ihre stolze Unwissenheit, die noch nicht an Vorsichtsmaßnahmen dachte, ihm zu Hilfe dabei, später aber, als auch ihr die Augen geöffnet waren, die allgemeine Unfähigkeit der Ergriffenen und Betörten, vor den Menschen ein Hehl aus ihrem Zustand zu machen. So erkannte Dûdu, daß die Herrin in vollem Zuge war, sich unaufhaltsam, elendiglich und mit dem ganzen Ernst ihrer Natur in den ausländischen Leib- und Lesediener ihres Gemahls zu verlieben, und er rieb sich die Hände darob. Es war nicht erwartet und vorgesehen von seiner Seite, aber es konnte, so fand er, dem Hergelaufenen zu einer tieferen Grube werden als jede, die man ihm sonst hätte graben können; und so entschloß sich denn Dûdu von heut auf morgen zu einer Rolle, die nach ihm öfters gespielt worden ist, die aber auch er, schon spät daran immerhin in der Menschenzeit, wohl kaum zum ersten Male spielte, sondern bei deren Betreuung und Erfüllung er mutmaßlich, so wenig berichtet wir über seine Vorgänger sind, in tief ausgetretenen Spuren wandelte: als arger Gönner und Postillon verderblicher Wechselneigung begann der Zwerg hin- und herzugehen zwischen Joseph und Mut-em-enet.

Vor ihr veränderte er geschickt seine Rede in dem Maße, wie er, zuerst vermutungsweise und dann mit Gewißheit, ihr Herz erkannte. Denn sie ließ ihn zu sich kommen in der Sache, um derentwillen er sonst sich zu ihr gedrängt hatte, um zu klagen, und begann von sich aus mit ihm über das Ärgernis zu sprechen, was er anfangs als Zeichen nahm, daß er sie seinem Haß gewonnen und sie lebhaft gemacht habe im Dienst desselben. Bald aber verstand er sie witternd besser, denn ihre Redeweise wollte ihm seltsam scheinen.

„Vorsteher“, sagte sie (zu seiner Freude nannte sie ihn einfach so, obgleich er nur ein Unterverwalter, nämlich der Kleider und Schmuckkästen, war), „Vorsteher, ich habe Euch vor mich gerufen durch einen der Türhüter des Frauenhauses, zu dem ich eine Nubierin sandte, weil ich vergebens wartete, daß Ihr von selbst erschient zur notwendigen Fortsetzung unserer Beratungen in jener Angelegenheit, die ich so nenne, weil sie Euch angelegen ist, und auf die Ihr meine Aufmerksamkeit lenktet. Ich muß Euch gelinde Vorwürfe machen, schonend in Hinsicht auf Eure Verdienste einerseits und Euer Zwergentum andererseits, daß Ihr nicht von selbst und aus eigenem Antriebe Euch wieder einfandet zu diesem Ende, sondern mich qualvoll warten ließet; denn Warten ist ganz allgemein eine große Qual, dazu unwürdig einer Frau meines Ranges und dadurch noch qualvoller. Daß mir diese Sache im Herzen brennt, nämlich die jenes ausländischen Jünglings, dessen Namen ich mir notgedrungen habe merken müssen, da er ja, wie ich höre, Meier des Hauses geworden ist statt des Osiris Montkaw und zur Wonne euer aller oder doch der meisten von euch als Herr des Überblicks durch die Betriebe geht in seiner Schönheit, – daß mir, so sage ich, diese Schande und Scham im Herzen brennt, sollte dir lieb sein, Zwerg, da du selbst mir sie ja erregt hast mit deinen Klagen und hast mir den Sinn geweckt für das Ärgernis, vor dem ich sonst vielleicht Frieden gehabt hätte, da es mir nun vor den Augen steht Tag und Nacht. Du aber, nachdem du mir die Sache angelegen gemacht, kommst nicht von selber zu mir, um mit mir davon zu sprechen, wie es doch nötig ist, sondern läßt mich allein mit meinem Gram, so daß ich endlich nach dir schicken und dich befehlsweise vor mein Angesicht bestellen muß zur Erörterung des leidig Anhängigen, denn nichts ist peinlicher, als allein gelassen zu werden in einer solchen Sache. Das sollte Er selber wissen, Freund, denn was will Er wohl ausrichten allein und ohne die Herrin als Bundesgenossin gegen den Verhaßten, der ja auf alle Weise so sehr im Vorteil gegen Ihn ist, daß man deinen Haß auf ihn, Gewandhüter, geradezu ohnmächtig nennen kann, so sehr ich ihn billige. In der Gunst des Herrn, der dich nicht leiden kann, sitzt jener unerschütterlich, da er sich ihm teuer zu machen gewußt hat durch Witz und Zauber und weil seine Götter alles in seinen Händen gelingen lassen. Wie vermögen sie das? Ich halte seine Götter nicht für so stark, zumal nicht hier in den Ländern, wo sie fremd sind und unverehrt, daß sie auszurichten vermöchten, was ihm auszurichten gelang, seit er bei uns eintrat. In ihm selbst müssen die Gaben sein, die ihm dazu verhalfen, denn ohne solche wächst und gedeiht man nicht vom niedersten Käufling zum Aufseher aller Dinge und Folgemeier, und es ist klar, daß du, Zwerg, ihm in Dingen der Klugheit ebensowenig das Wasser reichst wie in denen der Außengunst, da ja seine Bildung und Manier aller Welt ungemein einzuleuchten scheint, so wenig du und ich das wohl auch zu begreifen vermögen. Alle lieben sie ihn und suchen seine Augen, nicht nur das Gesinde des Hauses, sondern auch das Volk auf den Land- und den Wasserwegen wie in der Stadt, ja, mir ward hinterbracht, daß bei seinem Erscheinen dort allerlei Weiber auf die Dächer steigen, um nach ihm zu gaffen und gar die Ringe ihrer Finger auf ihn zu werfen zum Zeichen der Lüsternheit. Dies ist nun der Gipfel des Greuels, und besonders deswegen war ich ungeduldig, mit Euch zu sprechen, Vorsteher, und Euren Rat zu hören, wie solcher Schamlosigkeit zu steuern sei, oder umgekehrt Euch meinen Rat wissen zu lassen. Denn diese Nacht, da mich der Schlaf floh, habe ich bei mir erwogen, ob man ihm nicht, wenn er sich zur Stadt begibt, Bogenschützen zuteilen sollte, die ihn begleiten und den so sich benehmenden Weibern Pfeile ins Gesicht schießen müßten, ausdrücklich gerade in das Gesicht hin – und bin zu dem Ergebnis gelangt, daß man allerdings und unbedingt so handeln und diese Maßregel treffen sollte; und da du nun endlich gekommen bist, beauftrage ich dich, die Anweisung dazu sofort ergehen zu lassen auf meine Verantwortung, wenn auch ohne mich gleich zu nennen, sondern du magst tun, als sei der Rat und Einfall deinem eigenen Kopfe entsprungen, und dich damit schmücken. Höchstens ihm allein, dem Osarsiph, magst du sagen, daß ich, die Herrin, es so gewollt, daß man den Weibern ins Gesicht schieße, und magst hören, was er etwa darauf zurückgibt oder wie er sich äußert zu meiner Maßnahme; danach aber sollst du es vor mich bringen, was er gesagt hat, und zwar von selbst und sofort, ohne daß ich dir erst Befehl schicken muß, zu erscheinen, nachdem ich die Qual des Wartens erduldet und den Kummer, in einer so schwierigen Sache allein gelassen zu werden. Denn es scheint leider, daß Er, Kleiderwart, lässig geworden ist in dieser Angelegenheit, während ich mich mühe in Amun. Wie Seine Würden Beknechons und du es wolltet, habe ich meines Gatten Knie umschlungen, Peteprês, des Truppenobersten, und

mit ihm gerungen die halbe Nacht um die Beendigung dieses
Ärgernisses, indem ich seiner Bequemlichkeit lästig fiel bis zur
Erniedrigung meiner selbst, bin aber gescheitert an seinem
granitenen Willen und ging fort ungetröstet und allein. Nach
Ihm aber, Zwerg, muß ich Boten über Boten schicken, daß Er
nur kommt und mir beisteht, dadurch zum Beispiel, daß Er
mir dies und das von dem schändlichen Jüngling, dem Unkraut
des Hauses, berichtet und seinem Gehaben: ob er sich spreizt
in seiner neu erlisteten Würde, und welche Worte er braucht
über Hausgenossen und Herrschaft, zum Exempel auch über
mich, die Herrin, und wie er sich beiläufig über mich ausdrückt
in seinen Reden. Wenn ich ihm begegnen soll und sein Wachstum bekämpfen, so muß ich ihn kennen und wissen, wie er
meiner gedenkt in der Rede. Deine Saumseligkeit aber läßt
mich unberichtet darüber, statt daß du rege wärest und anschlägig und ihn etwa bestimmtest, sich mir zu nähern zur
Aufwartung und meine Gnade zu suchen, damit ich ihn genauer prüfte und den Zauber erspähte, womit er die Menschen
betört und sie auf seine Seite zieht; denn es ist ein Geheimnis
darum, und der Grund seiner Siege ist unerfindlich. Oder ver-
mögt Ihr, Schmuckputzer, zu sehen und zu sagen, was man an
ihm findet? Gerade um dies mit Euch, dem erfahrenen Mann,
zu erörtern, habe ich nach Euch geschickt und hätte Euch die
Frage früher schon vorgelegt, wenn du früher gekommen
wärst, Zwerg. Ist er etwa so außerordentlich von Wuchs und
Gestalt? Keineswegs, er ist aufgebaut wie sehr viele, einfach
nach dem Mannesmaß, nicht so klein wie du, natürlich, aber
bei weitem auch wieder so reckenhaft nicht wie Peteprê, mein
Gemahl. Man könnte sagen, seine Größe sei gerade recht, aber
sagt man denn damit etwas Bestürzendes? Oder ist er so stark,
daß er fünf Scheffel Saatkorn oder mehr aus dem Speicher
tragen könnte und die Männer davon beeindruckt, die Weiber
aber entzückt davon sein müßten? Auch nicht, seine Körper-
kräfte sind durchaus gemäßigt, eben nur wieder gerade recht,
und wenn er den Arm biegt, so strotzt ihm das Manneszeichen
des Muskels nicht roh und prahlerisch davon auf, sondern tut

sich auf eine geschmackvoll mäßige Art hervor, die man menschlich nennen könnte, aber auch göttlich... Ach, Freund, so ist es. Aber wie tausendfach kommt es vor in der Welt, und wie wenig rechtfertigt es also seine Siege! Zwar sind es Haupt und Antlitz, die der Gestalt erst Sinn und Wert verleihen, und man mag um der Billigkeit willen einräumen, daß seine Augen schön sind unter ihren Bögen und in ihrer Nacht, schön sowohl, wenn sie groß und offen blicken, wie auch, falls es ihm beliebt, sie auf eine bestimmte, Euch zweifellos bekannte Art, die man schleierhaft listig und träumerisch nennen könnte, zusammenzuziehen. Was aber ist es mit seinem Munde, und wie soll man verstehen, daß er es den Menschen damit antut und sie ihn, wie ich höre, geradezu den Mund nennen, des Hauses Obersten Mund? Das ist nicht zu verstehen, und hier ist ein Rätsel, das man ergründen müßte, denn seine Lippen sind ja eher zu wulstig, und das Lächeln, mit dem sie sich zu schmücken wissen, so daß ihm die Zähne dazwischen glitzern, erklärt nur zum kleinsten Teil eure Betörung, selbst wenn man die geschickten Worte hinzunimmt, die darauf ihren Sitz haben. Ich neige der Ansicht zu, daß das Geheimnis seines Zaubers in erster Linie das seines Mundes ist und daß man es diesem ablauschen müßte, um den Verwegenen desto sicherer im eigenen Netze zu fangen. Wenn meine Diener mich nicht verraten und mich nicht qualvoll warten lassen auf ihren Beistand, will ich's wohl auf mich nehmen, ihm auf die Schliche zu kommen und ihn zu Fall zu bringen. Widersteht er mir aber, dann wisse, Zwerg, daß ich den Bogenschützen befehlen werde, ihre Waffen umzukehren und ihre Pfeile in sein, des Verdammten, Gesicht zu schießen, in die Nacht seiner Augen hinein und in seines Mundes verderbliche Wonne!"

So seltsamen Worten der Herrin lauschte Dûdu in Würden, das Dach seiner Oberlippe vorgeschoben über die untere, das hohle Händchen hinter der Ohrmuschel, zum Zeichen seiner Aufmerksamkeit, die ungeheuchelt war; und seine Beschlagenheit auf zeugerischem Gebiet setzte ihn in den Stand, sie zu deuten. Da er aber ihr Herz erkannte, veränderte er seine

Rede gegen sie, nicht allzu jäh, sondern allmählich, indem er von einem Ton in den anderen schlüpfte, heute anders von Joseph sprach als gestern, sich aber dabei aufs Gestrige berief, als habe es ebenso günstig gelautet (während es allerdings schon eines etwas milderen Sinnes, aber doch noch eines viel schmählicheren gewesen war), und überhaupt alles bisher über den jungen Hausmeier Gesagte in sein Gegenteil, Galle in Honigseim zu verkehren bestrebt war. Jeden Nüchternen hätte eine so grobe Fälschung angewidert und in Harnisch gejagt wegen der Geringschätzung des menschlichen Verstandes, die sich dreist darin kundgab. Aber den Dûdu lehrte der Geist der Zeugung, was alles man Leuten im Zustande Mut-em-enets zumuten dürfe, und ungescheut mutete er es ihr zu – die denn auch schon viel zu benommen und hochverdummt im Kopfe war von dem, was in ihr braute, als daß sie Anstoß hätte nehmen mögen an so viel Frechheit, ja, sogar noch dankbar war sie dem Zwerge für seine Wendigkeit.

„Edelste Frau", sprach er, „wenn dein Ergebenster gestern nicht vor dir erschien, um das Laufende und das Anhängige mit dir zu erörtern (denn ehegestern war ich zur Stelle, wie du dich gleich erinnern wirst, wenn ich dich gemahne, und nur der heilige Eifer, mit dem auch du diese Sache verfolgst, vergrößert dir die Spanne meines Fernbleibens), – so einzig darum, weil die Geschäfte meines Kammeramtes mich dringlich beanspruchten, ohne doch auch nur vorübergehend meine Gedanken der Angelegenheit abwendig machen zu können, die dir – und darum auch mir – nahe am Herzen liegt und die Osarsiph, den Neumeier, betrifft. Meine Obliegenheiten als Großgarderobier sind mir, was du nicht schelten wirst, lieb und teuer, sie sind mir ans Herz gewachsen, wie Pflichten und Bürden es tun, die anfangs nur eben solche waren und die uns je länger, je mehr zum Gegenstande der Herzensneigung werden. So auch mir das Geschäft und die ernste Betreibung, wegen der mit dir Rats zu pflegen dein Unterwürfigster öfters den Vorzug hat. Wie wohl auch sollte man eine Sorge nicht unentbehrlich ins Herz schließen, wegen welcher man, Herrin, mit dir täglich oder fast täglich Rede und Antwort wechseln darf, gerufen und ungerufen? Und wie könnte es fehlen, daß man die Dankbarkeit für diesen Hochgenuß auch auf den Gegenstand der Sorge überträgt und auch ihn mit ins Herz schließt schon um dessentwillen, daß es ihm vergönnt war, zum Gegenstand deiner Sorge aufzusteigen? Das ist anders nicht möglich, und zum Glück darf dein Knecht sich erinnern, daß er des Gegenstandes, nämlich der fraglichen Person, niemals anders gedacht hat als eines, der deines Gedenkens würdig. Es geschieht Dûdu'n Weh und Unrecht, wenn man vermeint, er habe sich vom schönen Dienst des Ankleidezimmers nur eine Stunde hindern lassen, unter der Hand auch die Sache zu besinnen und zu betreiben, an der teilzunehmen seine Frau ihm vergönnt. Denn man soll das eine tun und das andre nicht lassen, das war mein Leitsatz von je, war es in irdischen wie auch in göttlichen Dingen. Ein großer Gott ist Amun, er könnte nicht größer sein. Soll man aber darum anderen Göttern des Landes Ehre und Kost verweigern, solchen zumal, die ihm nahe verwandt sind bis zur Einerleiheit und ihm ihren Namen genannt haben wie Atum-Rê-Horachte zu On in Unterägypten? Schon als ich das letztemal vor der Erlauchten zu reden begnadet war, habe ich mich darüber auszudrücken versucht, wenn auch wohl noch mit linkischem Mißlingen, welch ein großer, weiser und milder Gott dieser ist, ausgezeichnet durch Erfindungen wie die Uhr und den Zeitweiser durchs Jahr, ohne die wir wie Tiere wären. Von Jugend auf habe ich mich leise gefragt und frage mich neuerdings laut, wie wohl Amun in seiner Kapelle es uns übel vermerken sollte, wenn wir den milden und großzügigen Gedanken dieses so majestätischen Wesens, mit dessen Namen er den seinen vereinigt hat, Rechnung tragen in unserm Herzen. Ist nicht Seine Würden Beknechons Erster Prophet sowohl des einen wie des andern? Wenn meine Herrin vor Amun die hell klingende Klapper rührt als seine Nebengemahlin im schönen Fest, so heißt sie nicht Mut mehr, wie alle Tage, sondern Hathor, die da ist Atum-Rês heilige Eheschwester mit Scheibe und Hörnern und nicht des Amun. Dies erwägend, hat dein Getreuester niemals abgelassen, jene Herzensangelegenheit zu betreiben und sich dem blühenden Jüngling zu nähern, Asiens Sprossen, der unter uns zum Jungmeier aufgestiegen und zum Gegenstand deiner Sorge, um ihn recht zu ergründen, daß ich diesmal besser und zutreffender über ihn zu reden vermöchte vor dir, als es mir letztesmal bei allem Bemühen noch gelingen wollte. Alles in allem fand ich ihn reizend – in den Grenzen, die die Naturordnung hier dem Beifall zieht eines Mannes, wie ich es bin. Anders steht es mit den Frauenzimmern auf den Dächern und Mauern, aber ich fand, daß unser Jüngling wenig oder gar nichts gegen ihre Beschießung würde einzuwenden haben, und in diesem Betracht scheint kein Grund vorzuliegen zur Umkehrung der Waffen. Denn ich hörte ihn sagen von ungefähr, eine nur habe das Recht, nach ihm zu schauen und ihn ins Auge zu fassen, wobei er mich ansah überaus nächtig unter den Bögen hervor, groß und glänzend zuerst, danach aber schleierhaft-listig nach seiner interessanten Art. Wenn in dieser Bemerkung ein Fingerzeig zu finden ist für die Art, wie er deiner gedenkt, so ließ ich mir doch an ihm nicht genügen; und da ich gewohnt bin, die Menschen einzuschätzen und zu beurteilen je nach ihrem Verhalten zu dir, so wußte ich das Gespräch auf den Liebreiz der Frauen zu bringen und legte ihm männlich die Frage vor, welche er wohl für die schönste erachte, die ihm begegnet. ‚Mut-em-enet, unsere Herrin‘, sprach er da, ‚ist die Schönste hier und in weitestem Umkreise. Denn ginge man auch über sieben Berge, so fände man keine Liebreizendere.‘ Und dabei trat eine Atum-Röte in sein Angesicht, die ich nur derjenigen vergleichen kann, die augenblicklich das deine färbt, aus Freude, wie ich mir schmeichle, über die rege Anschlägigkeit deines Ergebensten in dieser Herzenssache. Denn nicht genug damit, so bin ich auch deinem Wunsche zuvorgekommen, der Neumeier möge dir öfters aufwarten und sich deiner Prüfung gestellen, daß du ihm auf den Zauber kommst und das Geheimnis seines Mundes ergründest, wozu ich von Natur wegen mich unberufen fühle. Dringlich habe ich ihn ermahnt und seiner Zaghaftigkeit zugeredet, sich dir, o Frau, zu nahen, je fleißiger desto besser, und mit seinem Munde die Erde vor dir zu küssen, welche es dulde. Hierauf verstummte er mir. Aber die Atum-Röte, die unterdessen aus seinem Antlitz schon gewichen war, stieg sehr schnell aufs neue darein empor, und ich nahm sie als Merkmal seines Bangens, sich dir zu verraten und dir sein Geheimnis preiszugeben. Dennoch halte ich mich überzeugt, daß er meiner Weisung folgen wird. Zwar hat er mich, mit welchen Mitteln nun immer, überwachsen in diesem Hause und ist an der Spitze; aber ich bin der Ältere nach meinen Jahren und meiner Eingesessenheit und rede frisch und frank mit solchem Jüngling als der plane Mann, der ich bin und als der ich mich meiner Dame zu Gnaden empfehle."

Damit verbeugte sich Dûdu höchst anständig, indem er die Stummelärmchen gerade von seinen Schultern herabhängen ließ, machte kehrt und ging knappen Trittes zu Joseph, den er mit den Worten begrüßte:

„Meine Verehrung, du Mund des Hauses!"

„Ei, Dûdu", antwortete Joseph, „kommst du zu mir und bringst mir deine geschätzte Verehrung dar? Wie geht das zu? Denn noch kürzlich wolltest du nicht mit mir essen und ließest durchblicken in Wort und Tat, du seiest mir nicht sonderlich grün?"

„Grün?" fragte Zesets Gatte zurückgelegten Kopfes zu ihm empor. „Ich war dir grüner von je als mancher, der dir besonders grün getan haben mag in sieben Jahren, aber ich ließ es mir nicht so merken. Ich bin ein spröder, bedächtiger Mann, der seine Gunst und Ergebenheit nicht jedem gleich um den Hals hängt um seiner schönen Augen willen, sondern sich prüfend zurückhält und sein Zutrauen reifen läßt wohl sieben Jahre lang. Ist's aber einmal herangereift, dann ist dafür auch auf meine Treue der letzte Verlaß, und der Erprobte mag sie erproben."

„Sehr schön", erwiderte Joseph. „Es soll mir lieb sein, deine Neigung gewonnen zu haben, ohne daß ich mich ihretwegen in große Unkosten gestürzt hätte."

„Unkosten oder nicht", versetzte der Kleine mit unterdrücktem Ärger, „jedenfalls magst du fortan auf meinen Diensteifer bauen, welcher in erster Linie den Göttern gilt, die sichtbarlich mit dir sind. Ein frommer Mann bin ich, der die Stellungnahme der Götter achtet und eines Mannes Tugend nach seinem Glücke schätzt. Die Gunst der Götter ist überzeugend. Wer wäre so hartnäckig, ihr auf die Dauer die eigene Meinung entgegenzustellen? So dumm und verstockt ist Dûdu nicht, und darum bin ich der Deine geworden mit Haut und Haaren."

„Das höre ich gern", sagte Joseph, „und beglückwünsche dich zu deiner Gottesklugheit. Danach nun aber können wir einander wohl Urlaub geben, denn die Geschäfte rufen."

„Mein Eindruck ist", beharrte Dûdu, „daß der Herr Jungmeier meine Eröffnung, die einem Anerbieten gleichkommt, nach Wert und Bedeutung noch nicht ganz zu schätzen weiß. Du würdest dich sonst nicht schon hinwegheben wollen zu den Geschäften, ehe du Sinn und Tragweite meines Antrages recht erforscht und dich ganz unterrichtet über die Vorteile, die er dir bietet. Denn du magst mir vertrauen und dich meiner Treue und Anschlägigkeit bedienen in allen Stücken: wie in Dingen des Hauswesens, also auch in Hinsicht deiner Person und ihrer Glückseligkeit, und magst auf Dûdus, des Weltmannes, gründliche Erfahrung bauen im Begehen von Nebenwegen wie in allen Sparten der Kundschafterei, des verdeckten Aushorchertums, der Botengängerei, Zuträgerei und des höheren Meldewesens, nicht zu gedenken einer Verschwiegenheit, wie sie an Feinheit und Unverbrüchlichkeit auf Erden wohl nicht ihresgleichen hat. Ich hoffe, daß deine Augen sich zu öffnen anfangen für die Bedeutung meiner Offerte."

„Sie waren niemals blind dafür", versicherte Joseph. „Du mißverstehst mich gar sehr, wenn du glaubst, daß ich das Schwergewicht deiner Freundschaft verkennte."

„Deine Worte befriedigen mich", sagte der Zwerg, „doch nicht so sehr der Ton, in dem du sie vorbringst. Täuscht mich mein Ohr nicht, so spricht eine gewisse Steifheit daraus und eine Zurückhaltung, welche in meinen Augen einem verflossenen Zeitabschnitt angehört und für die kein Raum mehr sein sollte zwischen dir und mir, da ich sie für mein Teil so gänzlich habe dahinfahren lassen. Sie müßte mich schmerzen von deiner Seite als kränkende Ungerechtigkeit, denn du hast geradeso lange Zeit gehabt, dein Zutrauen reifen zu lassen zu mir, wie dem Wachstum des meinen gegönnt war zu dir, nämlich sieben Jahre. Vertrauen gegen Vertrauen. Ich sehe wohl, ich muß ein übriges tun und dich in das meine ziehen noch tiefer, damit auch du ohne spröden Vorbehalt mich aufnimmst in das deine. So wisse denn, Osarsiph", sagte er und dämpfte die Stimme, „daß mein Entschluß, dich zu lieben und mich deinem Dienst zu ergeben mit ganzer Person, nicht ganz allein meiner Gottesfurcht entsprungen ist. Es fiel dabei außerdem, und zwar, daß ich es nur gestehe, entscheidend, der Wunsch und die Weisung einer irdischen, wenn auch den Göttern sehr nahestehenden Person ins Gewicht –" Er blinzelte nur noch.

„Nun, welcher denn?" konnte Joseph zu fragen sich nicht enthalten.

„Du fragst?" erwiderte Dûdu. „Gut denn, mit meiner Antwort eben ziehe ich dich ins zarteste Vertrauen, damit du's erwiderst." Er stellte sich auf die Zehenspitzen, legte das Händchen an seinen Mund und flüsterte:

„Es war die Herrin."

„Die Herrin?!" gab Joseph allzu schnell und ebenso leise zurück und beugte sich zu dem Aufstrebenden nieder. Es war leider so: der Zwerg hatte das Wort zu sprechen gewußt, das seinen Unterredner sofort in hastiger Neugier an dem Gespräch beteiligte. Josephs Herz, das Jaakob daheim für längst geborgen im Tode hielt, das aber hier in Ägyptenland seinen Gang weitergegangen und den Fährnissen des Lebens ausgesetzt geblieben war, stockte ihm in der Brust – in Selbstvergessenheit stand es still einen Augenblick, um dann, nach des Herzens uralter Gepflogenheit, mit desto schnelleren Schlägen nachzuholen, was es versäumt.

Er richtete sich übrigens gleich wieder auf und befahl:
„Tu deine Hand vom Munde! Du magst leise reden, aber die hohle Hand nimm hinweg!"

Dies sagte er, damit niemand sähe, daß er mit dem Ehezwerge Geheimnisse habe, – bereit immerhin, solche mit ihm zu haben, voll Widerwillen aber gegen des Geheimnisses äußere Gebärde.

Dûdu gehorchte.

„Es war Mut, unsre Frau", bestätigte er, „die Erste und Rechte. Sie ließ mich vor sich kommen um deinetwillen und sprach mich mit den Worten an: ‚Herr Vorsteher' – (Verzeih, der Vorsteher hier bist du nach Mont-kaws Vergöttlichung und hast das Sondergemach des Vertrauens bezogen, da ich es nach wie vor nur in einem würdig beschränkten Sinne bin. Doch ist es die Art und schöne Flatterie der Herrin, dermaßen zu mir zu reden.) ‚Herr Vorsteher', sprach sie, ‚um auf den Jüngling Osarsiph zurückzukommen, den Neumeier des Hauses, über den wir schon manchmal unsere Gedanken tauschten, so scheint mir der Augenblick gekommen, daß Ihr die männliche Sprödigkeit und prüfende Zurückhaltung, die Ihr ihm gegenüber durch einige Jahre, etwa sieben mögen es sein, habt walten lassen, nun doch endlich fahrenlasset und Euch frischweg seinem Dienste ergebt, wie zu tun Ihr im Grund Eures Herzens ja längst schon wünschet. Ich habe die Bedenken, die Ihr hie und da gegen sein unaufhaltsames Wachstum im Hause glaubtet vor mich bringen zu sollen, wohl geprüft, sie aber nunmehr endgültig verworfen um seiner offenkundigen Tugend willen, und dies um so lieber und leichter, als Ihr selbst Eure Einwände mit der Zeit immer zögernder vorbrachtet und matter und kaum noch verbergen konntet und wolltet, daß längst schon die Liebe zu ihm in Eurem Busen zu grünen begonnen hat. Ihr sollt Euch länger – ich will es so – keinen Zwang mehr auferlegen, sondern ihm dienen grünen und treuen Herzens, das ist eine Herzenssache mir selbst, der Herrin. Denn daß die besten Diener des Hauses einander wahrhaft grün sind und einen Bund machen zu seiner Wohlfahrt, das muß mir am Herzen liegen wie weniges. Einen solchen Bund sollt Ihr, Dûdu, mit dem Jungmeier machen und sollt als erfahrener Mann seiner Jugend ein Beistand, Ratgeber, Bote und Wegweiser sein – es ist mir Herzenssache. Denn er ist zwar klug, und was er tut, da geben meistens die Götter Glück zu durch ihn; in manchen Stücken ist aber seine Jugend ihm eben doch ein Hemmnis und Fährnis. Vom Fährnis zuerst zu reden, so ist seine Jugend mit beträchtlicher Schönheit verbunden, welche sowohl in seinem richtigen Wuchs wie in seinen schleierhaften Augen und seinem voll ausgebildeten Munde beschlossen ist, so daß man wohl über sieben Berge steigen könnte, ohne auf einen Jüngling von ähnlich gutem Aussehen zu stoßen. Was ich Euch anbefehle, ist, ihn mit Eurer Person gegen unleidliche Neugier zu decken und ihm für Stadtgänge notfalls einen Schutztrupp von Pfeilschützen beizugeben, die auf zudringliche Wurfgeschosse von Dächern und Mauern mit einem Pfeilregen erwidern sollen zu seiner Entfährdung. Um aber dann auch gleich aufs Hemmnis zu kommen, so scheint es, daß seine Jugend ihn in einzelnen Hinsichten noch allzu scheu und zaghaft macht, so daß ich Eueren Auftrag auch darauf ausdehnen will, daß Ihr ihm behilflich seid, solchen Kleinmut zu überwinden. Allzu selten oder fast nie zum Beispiel getraut er sich, vor mich, die Herrin, zu treten und mit mir das Gespräch zu pflegen zur Erörterung des Laufenden und des Anhängigen. Das misse ich ungern, denn keineswegs bin ich wie Peteprê, mein Gemahl, der sich grundsätzlich keines Dinges annimmt, sondern sehr gern nähme ich teil als Herrin an den Wirtschaftsbelangen und habe es immer beklagt, daß Montkaw, der vergöttlichte Meier, sei es aus fälschlicher Ehrfurcht oder aus Herrschsucht, mich so ganz davon ausschloß. In diesem Punkt habe ich mir einigen Vorteil versprochen für mich vom Wechsel im Oberamt, sehe mich aber bis jetzt in dieser Hoffnung getäuscht und befehle Euch, Freund, den feinen Vermittler zu machen zwischen mir und dem Jungmeier und ihn zu bestimmen, daß er seine Jünglingsscheu überwinde und sich mir öfters nahe zur Unterhaltung über dieses und jenes. Und magst dies geradezu als Hauptzweck und -ziel des Bundes betrachten, den du mit ihm machen sollst, wie auch ich, Mut-em-enet, einen solchen errichte mit dir. Denn ich nehme dich in Pflicht um seinetwillen, was man wohl einen Bund nennen kann zu dritt zwischen dir, mir und ihm.' – Das sind die Worte", schloß Dûdu, „mit denen die Herrin mich ansprach und mit deren Wiedergabe ich dich, junger Meier, ins zarteste Vertrauen gezogen, damit du's erwiderst. Denn du wirst nun wohl besser verstehen, was es auf sich hat mit meiner Offerte, laut der ich mich blindlings deinem Dienste ergeben will und jederlei verschwiegene Nebenwege für dich hin und her zu gehen bereit bin um des dreifachen Bundes willen."

„Schon gut", erwiderte Joseph gedämpft und mit erzwungener Ruhe. „Ich habe dich angehört, Vorsteher der Schmuckkästen, aus Achtung der Herrin, die aus dir sprach, wie ich wenigstens glauben soll, und auch aus Achtung vor dir, dem geschliffenen Weltmann, hinter dem zurückzustehen an Glätte und Kälte mir nicht geziemen würde. Siehe, ich glaube nicht sehr daran, daß du mir neuerdings grün und zugetan sein willst, – für Weltkunst halt' ich das, offen gesagt, und geriebenen Lug, du wirst es nicht übelnehmen. Und auch ich, Freund, liebe Euch nicht ohne Maß, es hält sich mit meiner Schwärmerei für Eure Person, ich kann wohl sagen: sie ist mir eher zuwider. Aber es ist mein Wille, Euch zu beweisen, daß ich nicht weniger weltmännisch meiner Empfindungen Herr bin als Ihr und fähig, aus kalter Klugheit gar keine Rücksicht auf sie zu nehmen. Ein Mann wie ich kann nicht immer nur gerade Wege gehen; auch krumme darf er von Fall zu Fall nicht scheuen. Und nicht nur Biedermänner taugen einem solchen zu Freunden, sondern auch geschliffener Spitzel und Zubläser muß er sich weltlich kalt zu bedienen wissen. Darum hüte ich mich, Euren Antrag abzuweisen, Meister Dûdu, und nehme Euch bereitwillig in Pflicht und Dienst. Von einem Bunde laßt uns nicht reden; das Wort behagt mir nicht zwischen Euch und mir, selbst wenn die Herrin mitzuhalten gemeint sein sollte. Aber was Ihr mir zuzublasen wißt aus Haus und Stadt, das blaset mir immer zu, ich will es zu nutzen suchen."

„Wenn du nur meiner Treue vertraust", versetzte der Mißwüchsige, „so soll es mir gleich sein, ob du sie für weltlich hältst oder herzlich. Der Liebe brauche ich nicht in der Welt; ich habe ihrer daheim von seiten der Zeset, meines Weibes, und meiner gelungenen Kinder Esesi und Ebebi. Doch hat die herrliche Herrin mir den Bund mit dir, und daß ich deiner Jugend Beistand, Ratgeber, Bote und Wegweiser sein soll, zur Herzenssache gemacht, – und daß ich deiner Jugend Beistand, Ratgeber, Bote und Wegweiser sein soll, daran halte ich mich für mein Teil – und will zufrieden sein, wenn du nur auf mich baust, sei's nun mit dem Herzen oder dem Weltverstand. Vergiß nicht, was ich dir zublies vom Verlangen der Herrin, von dir in die Hausgeschäfte vertraulicher eingeweiht zu werden als von Mont-kaw und öfters mit ihr des Gesprächs zu pflegen! Hast du mir darauf wohl eine Botschaft zu geben, zurück auf den Weg?"

„Nicht daß ich gleich wüßte", erwiderte Joseph. „Laß dir genügen, daß du dich der deinen entledigt, und mir überlass' es, ihr Rechnung zu tragen."

„Ganz wie du willst. Ich kann aber", sagte der Zwerg, „meine treue Zubläserei noch ergänzen. Denn die Herrin ließ fallen, sie wolle sich heute um Untergang zur Beruhigung ihres schönen Gemütes im Garten bewegen und sich die Aufschüttung hinaufbewegen ins lauschige Gartenhäuschen, um ihren Gedanken dort Stelldichein zu geben. Wem's etwa um eine Unterhaltung mit ihr zu tun sei und um das Vorbringen von Bitte und Nachricht, der möge die nicht alltägliche Gunst sich zunutze machen und sich einstellen ebenfalls im leichten Häuschen zur Audienz."

Dies log Herr Dûdu einfach in seinen Hals. Die Herrin hatte nichts dergleichen geäußert. Er wollte sie aber, wenn Joseph ihm auf den Leim ging, in Fortsetzung seiner Lüge von jenem aus in das Häuschen laden und so eine Heimlichkeit einfädeln. Auch ging er von seinem Vorhaben nicht ab, obgleich der Versuchte ihm kaum die Hand dazu bot.

Joseph nämlich quittierte nur trocken das Zugeblasene, ohne sich über den Gebrauch, den er davon zu machen gedachte, verbindlich zu äußern, und wandte dem Schmuckintendanten den Rücken. Sein Herz aber klopfte, wenn auch nicht mehr so rasch wie vorhin (da es das Versäumnis eines Augenblicks längst wieder eingebracht hatte), so doch in sehr starken Schlägen, und die Geschichte will und kann nicht verhehlen oder verleugnen, daß er sich freute bis zum Entzücken über das von der Herrin Vernommene, insgleichen darüber, was um die Stunde des Untergangs zu unternehmen ihm freistand. Wie dringlich die Stimme war seiner Brust, die ihm wispernd abmahnte, sich einzustellen, das läßt sich denken; und niemanden wird es überraschen, zu hören, daß sogleich dies Gewisper auch außer und neben ihm war als vertraute Grillenstimme. Denn da er von Dûdus Gespräch weggehend das Haus aufsuchte, um sich zu besinnen im Sondergemach des Vertrauens, war es Se'ench-Wen-nofre und so weiter, Gottliebchen-Schepses-Bes war es, das Alräunchen im Knitterstaat, das mit ihm hereinschlüpfte und zu ihm emporraunte:

„Tu's, Osarsiph, nicht, was der böse Gevatter dir riet, tu's nimmer und niemals!"

„Wie, Freundchen, bist du zur Stelle?" fragte Joseph etwas betreten. Und fragte ihn dann, in welcher Falte und Spalte er denn wieder gesteckt habe, daß er wissen wolle, was Dûdu geraten.

„In keiner", versetzte das Männlein. „Aber von weitem sah ich mit meiner Augen Zwergenschärfe, wie du dem andern die hohle Hand am Munde verbotest, doch erst nachdem du dich hastig niedergebeugt zu seinen Verhohlenheiten. Da wußte die kleine Weisheit, wes Name er dir genannt."

„Ein Tausendsassa bist du, ein richtiger!" erwiderte Joseph. „Und nun bist du wohl eingeschlüpft, um mich zu beglückwünschen zu einer so schönen Wendung, daß die Herrin selber den Feind, der mich lange vor ihr verklagt, zu mir entsendet mit dem unmißverständlichen Bedeuten, daß ich nun endlich dennoch Gnade gefunden vor ihr und sie die Geschäfte mit mir zu bereden begehre? Gestehe nur, daß das eine herrliche Wendung ist, und freue dich mit mir, daß es mir freisteht, mich heute um Untergang zur Audienz einzustellen im Gartenhäuschen, denn ich freue mich unbändig darüber! Ich sage übrigens nicht, daß ich vorhabe, mich einzustellen – es fehlt viel, daß ich dazu entschlossen wäre. Allein, daß es mir freisteht und ich die Wahl habe, ob ich's tun oder lassen will, das freut mich ausnehmend, und dazu sollst du, Däumling, mir Glück wünschen!"

„Ach, Osarsiph", seufzte der Kleine, „wolltest du's lassen, so wärest du der Wahl nicht so froh, und deine Freude ist der kleinen Weisheit ein Wink, daß du eher gewillt bist, dich einzustellen! Soll der Zwerg dich wohl dazu beglückwünschen?"

„Besonders kleines Gefasel ist es", schalt Joseph, „und ein undienliches Gezirp, womit du mich da regalierst. Willst du's des Menschen Sohn nicht gönnen, daß er sich seines freien Willens freue, zumal in einer Sache, in der er nie gedacht hätte, sich seiner freuen zu dürfen? Erinnere dich mit mir und denke zurück in der Zeit bis zu dem Tag und der Stunde, da der Herr mich gekauft hatte durch den Vergöttlichten und dieser durch Cha'ma't, den Schreiber, von meinem Brunnenvater, dem Alten aus Midian, und wir waren allein geblieben auf dem Hof: ich, du und dein Affentier, weißt du wohl noch? Da wiesest du den Verwirrten: ‚Wirf dich zu Boden!', und auf den Schultern der Gummiesser zog hoch und erhaben die fremde Herrin vorüber des Hauses, das mich gekauft, und ließ ihren Lilienarm von der Trage hängen, wie ich sah zwischen meinen Händen. Blind vor Geringschätzung blickte sie auf mich wie auf eine Sache, und der Knabe blickte auf sie wie auf eine Göttin, blind vor Ehrfurcht. Dann aber hat Gott es gewollt und veranstaltet, daß ich in diesem Hause wuchs wie an einer Quelle durch sieben Jahre und kam auf gegen alles Gesinde, bis ich die Erbfolge antrat des Nierenkranken und an der Spitze war. So verherrlichte sich in mir der Herr, mein

Gott. Nur eine Trübnis war in der Scheibe meines Glückes und schlackicht sein Erz in der einzigen Hinsicht: die Herrin war wider mich mit Ehren Beknechons, dem Amunsmann, und Dûdu, dem Ehekrüppel, und ich war schon froh, wenn sie mir finstere Blicke gab – immer noch besser als gar keine. Nun sieh aber an: Ist es nicht meines Glückes reine Vollendung, und ist's nicht schlackenfrei nun erst ganz, da ihre Blicke sich erhellt haben gegen mich und sie mich ihrer jungen Gnade bedeuten läßt sowie ihres Begehrens, Geschäftliches mit mir zu bereden in Sonderaudienz? Wer hätte gedacht zu der Stunde, da du dem Knaben zuwispertest: ‚Wirf dich zu Boden!‘, daß er eines Tages freie Wahl haben werde, sich dazu einzustellen oder auch nicht? Halt es mir nur zugute, Freund, daß ich mich darüber freue!"

„Ach, Osarsiph, freue dich, nachdem du beschlossen hast, zu meiden das Stelldichein – vorher nicht!"

„Du fängst jede Rede mit ‚Ach!‘ an, Hutzelchen, statt sie mit ‚Oh!‘ anzufangen und mit Wunderjubel. Was bläst du Trübsal, fängst Grillen und suchst dir Sorgen? Ich sagte dir ja, daß ich eher geneigt bin, mich nicht einzustellen im Häuschen. Nur ist es damit auch wieder so eine Sache. Denn schließlich ist es die Herrin, die mich hat bedeuten lassen – man könnte auch sagen: erstlich ist sie's, so wichtig ist dieser Umstand. Weltklugheit geziemt einem Manne wie mir und kühl berechnender Sinn. Ein solcher muß auf seinen Vorteil bedacht sein und darf sich nicht kleinlich scheuen, die Gelegenheit beim Schopf zu ergreifen, die sich bietet, ihn zu verstärken. Bedenke wohl, wie sehr ein Bund mit der Herrin und ein nahes Verhältnis zu ihr meiner Stellung im Hause zustatten käme als schätzbarer Rückhalt! Sodann aber: Sage mir doch, wer ich bin, daß ich Wunsch und Weisung der Herrin beurteilen sollte mit Ja und Nein und mich darüber erheben mit eigenem Ratschluß? Zwar bin ich über dem Hause, doch hörig dem Hause, sein Käufling und Knecht. Sie aber ist hier die Erste und Rechte, des Hauses Frau, und Gehorsam schulde ich dieser. Es gibt niemanden, unter den Lebenden nicht noch unter den

Toten, der's tadeln könnte, wenn ich blind und dienertreu ihr Geheiß erfüllte, ja, wohl gar den Tadel zöge ich mir zu der Lebenden und Toten, hielte ich's anders. Denn zu früh wäre ich offenbar zum Befehlshaber aufgerückt, hätt' ich's noch nicht einmal zum Gehorchen gebracht. Darum fange ich an, mich zu fragen, ob du nicht recht hattest, Beslein, mit deiner Bemängelung meiner Freude an freier Wahl. Denn vielleicht ist mir solche gar nicht gelassen, und einstellen muß ich mich ganz unbedingt?"

„Ach, Osarsiph", raschelte das Stimmchen, „wie soll ich nicht ach sagen, ach und weh, da ich dich reden höre und Larifari machen mit deiner Zunge! Gut, schön und klug warst du, als du zu uns kamst als siebente Sache und ich für deinen Kauf einstand gegen den bösen Gevatter, weil die kleine Weisheit, die ungetrübte, auf den ersten Blick deinen Wert und Segen erkannte. Schön bist du noch und gut im Grunde, doch von dem dritten, da laß mich schweigen! Ist's nicht ein Jammer, dich anzuhören, wenn man an früher denkt? Klug warst du bis dato, von echter, untrüglicher Klugheit, und frei geradehin gingen deine Gedanken, erhobenen Hauptes und lustig, dienstbar allein deinem Geiste. Kaum aber hat vom Atem des Feuerstiers, vor dem sich der Kleine entsetzt wie vor nichts in der Welt, ein Hauch dein Antlitz gestreift, da bist du schon dumm, daß Gott erbarm', dumm wie ein Esel, daß man dich prügeln möchte rund um die Stadt, und deine Gedanken gehen auf allen vieren und lassen die Zunge hängen, dienstbar nicht mehr deinem Geist, sondern dem bösen Hange. Ach, ach, wie schimpflich! Luftdrusch und Winkelzüge und falsche Folge, darauf allein sind sie aus, die erniedrigten, daß sie nur deinen Geist betrügen in Hangesfron. Und gar den Kleinen noch willst du betrügen, da du ihm schmeichelst in kläglicher Schlauheit, er hätte wohl recht gehabt, deine Freude zu tadeln an freier Wahl, weil du letztlich gar keine hättest, – als ob nicht eben dabei deine Freude erst recht begönne! Ach, ach, wie aus der Maßen beschämend und elend ist das!" Und Gottliebchen fing bitterlich an zu weinen, die Händchen vorm Runzelgesicht.

„Nun, Haulemännchen, nun, nun", sagte Joseph betroffen. „So tröste dich doch und weine nicht mehr! Es erbarmt einen Menschen ja und geht einem nahe, dich so verzagt zu sehen, und das nur um etwas falscher Folge willen, die einem allenfalls untergelaufen im Reden! Du magst es leicht haben, stets rechte Folge zu halten und rein nach dem Geiste zu denken; mußt aber auch gut sein und dich nicht gar so erbärmlich schämen für den Beirrbaren, dem's wohl einmal das Konzept verdirbt."

„Das ist deine Güte nun wieder", sagte der Kleine noch schluchzend und trocknete die Augen mit dem knittrigen Batist seines Festgewandes, „die sich meiner Zwergentränen erbarmt. Ach, daß du dich, Lieber, deiner selbst erbarmtest und aus allen Kräften die Klugheit am Zipfel hieltest, daß sie dir nicht entfliehe zu der Frist, wo sie dir am allernötigsten! Sieh, ich hab's kommen sehen von Anfang an, wenn du mich auch nicht verstehen wolltest und dich verdummtest gegen mein ängstliches Wispern, – kommen sehen, daß viel Schlimmeres noch als das Schlimme aus des argen Gevatters Klagen erwachsen könne vor Mut, der Herrin, und Gefährlicheres als die Gefahr! Denn er gedachte es bös zu machen, machte es aber so bös, wie er selbst nicht gedacht, und öffnete der Armen verderblich die Augen für dich, meinen Schönen und Guten! Du aber, willst du auch jetzt noch die deinen verschließen vor der Grube, die tiefer ist als die erste, worein die neidischen Brüder dich stießen, nachdem sie dir Kranz und Schleier zerrissen, wie du mir oftmals erzählt? Es wird dich kein Ismaeliter von Midian aus dieser Grube ziehen, die der widrige Ehegevatter dir aushob, da er der Herrin Augen machte für dich! Nun macht sie dir Augen, die Heilige, und auch du machst ihr welche, und in dem schreckhaften Augenspiel ist der Feuerstier, der die Fluren verheert, und nachher ist nichts als Asche und Finsternis!"

„Schreckhaft bist du von Natur, armes Männchen", erwiderte Joseph ihm, „und quälst dein Seelchen mit Zwergengesichten! Sage doch gleich einmal, was du dir für Schwachheiten einbildest von wegen der Herrin, nur weil sie meiner gewahr geworden! Als ich ein Bürschchen war, dünkelte mich's, jeder, der mich nur ansähe, müsse mich gleich mehr lieben als sich selbst – ein solcher Grünschnabel war ich. Das hat mich in die Grube gebracht, aber über die Grube bin ich hinaus und über die Torheit. Unterdessen scheint sie auf dich gekommen von wegen meiner, und bildest dir Schwachheiten ein. Die Herrin hat mir noch keine anderen Augen gemacht als gestrenge, und ich ihr keine als solche der Ehrfurcht. Wenn sie mir Rechenschaft abverlangt über das Hausgeschäft und mich prüfen will – soll ich's ihr deuten nach dem Dünkel, den du für mich hegst? Der aber ist mir nicht schmeichelhaft, denn es dünkt dich ja wohl von mir, daß ich der Herrin nur dürfte den kleinen Finger reichen und wäre gleich gar verloren. Ich aber bin nicht so furchtsam in meiner Sache und meine nicht, alsobald ein Kind der Grube zu sein. Wenn ich nun Lust hätte, es aufzunehmen mit deinem Feuerstier, meinst du, ich wäre so ganz ohne Rüstzeug, ihm zu begegnen und ihn bei den Hörnern zu packen? Große Schwachheit, wahrhaftig, bildest du dir für mich ein! Geh zum Tanz und Spaß vor den Frauen und sei getrost! Ich werde mich wahrscheinlich nicht einstellen im Häuschen zur Audienz. Aber ich muß nun allein, als ein Vollwüchsiger, diese Dinge besinnen und auf einen Ausgleich denken: wie ich die eine Klugheit mit der andern verbinde, und zwar die Herrin nicht vor den Kopf stoße, aber auch nicht verderbliche Untreue übe weder an Lebenden noch an Toten noch an… Aber das verstehst du nicht, Knirps, denn euch Kindern hier ist das Dritte im Zweiten. Euere Toten sind Götter, und eure Götter sind Tote, und ihr wißt nicht, was das ist: der lebendige Gott."

So Joseph zum Hutzel, recht hochgemut. Aber wußte er nicht, daß er selber tot und vergöttlicht war, Osarsiph, der verstorbene Joseph? Dies zu besinnen wollte er, offen gestanden, allein sein und ungestört – dies und die unverbrüchlich gedankenweis damit verbundene Gottesstarre, die bereit stand dem Geierweibchen.

Wie geringfügig ist, verglichen mit der Zeitentiefe der Welt, der Vergangenheitsdurchblick unseres eigenen Lebens! Und doch verliert sich unser auf das Einzelpersönliche und Intime eingestelltes Auge ebenso träumerisch-schwimmend in seinen Frühen und Fernen wie das großartiger gerichtete in denen des Menschheitslebens – gerührt von der Wahrnehmung einer Einheit, die sich in diesem wiederholt. Sowenig wie der Mensch selbst vermögen wir bis zum Beginn unserer Tage, zu unserer Geburt, oder gar noch weiter zurückzudringen: sie liegt im Dunkel vorm ersten Morgengrauen des Bewußtseins und der Erinnerung – im kleinen Durchblick so wie im großen. Aber beim Beginn unseres geistigen Handelns gleich, da wir in das Kulturleben eintraten, wie einst die Menschheit es tat, unseren ersten zarten Beitrag dazu formend und spendend, stoßen wir auf eine Anteilnahme und Vorliebe, die uns jene Einheit – und daß es immer dasselbe ist – zu heiterem Staunen empfinden und erkennen läßt: Es ist die Idee der Heimsuchung, des Einbruchs trunken zerstörender und vernichtender Mächte in ein Gefaßtes und mit allen seinen Hoffnungen auf Würde und ein bedingtes Glück der Fassung verschworenes Leben. Das Lied vom errungenen, scheinbar gesicherten Frieden und des den treuen Kunstbau lachend hinfegenden Lebens, von Meisterschaft und Überwältigung, vom Kommen des fremden Gottes war im Anfang, wie es in der Mitte war. Und in einer Lebensspäte, die sich im menschheitlich Frühen sympathisch ergeht, finden wir uns zum Zeichen der Einheit abermals zu jener alten Teilnahme angehalten.

Denn auch Mut-em-enet, Potiphars Weib, mit beliebter Stimme, wenn sie sang, auch diese Frühe und Ferne, die aus der Nähe zu sehen der Geist der Erzählung uns freundlich vergönnt, war eine Heimgesuchte und Überwältigte, ein mänadisches Opfer des fremden Gottes, und nicht schlecht wurde der künstliche Bau ihres Lebens über den Haufen geworfen von Mächten des Untergrundes, deren sie unbekannterweise geglaubt hatte spotten zu dürfen – da doch sie es waren, die aller Tröstungen und Übertröstungen spotteten. Der alte Huij hatte gut fordern gehabt, sie möge keine Gans sein und nicht der schwarz-wasserschwangeren Erde Vogel, der nach Beschattung und Begattung durch Schwanenkraft schnattert in feuchter Tiefe, sondern mondkeusche Priesterin, wie es denn doch nicht minder weiblich sei. Er selbst hatte im sumpfigen Geschwisterdunkel gelebt und aus ungeschickter Gewissensregung vor einem geahnten Weltneuen den Sohn zum Höfling des Lichtes verstümpert, ihn ungefragt zur menschlichen Null entleert und ihn so der Frau mit dem Ur-mutternamen zum Ehegestrengen gegeben: nun mochten sie zusehen, wie sie einander die Würde stützten mit zarter Scho-nung. Es ist unnütz zu leugnen, daß die Menschenwürde sich in den beiden geschlechtlichen Abwandlungen des Männlichen und Weiblichen verwirklicht, so daß man, wenn man keines von beiden darstellt, zugleich auch außerhalb des Menschlichen steht – und woher soll da die Menschenwürde kommen! Die Stützungsversuche, die ihr gelten, sind freilich darum höchst achtbar, weil es sich dabei um Geistiges und also – es sei ehrenhalber zugegeben – doch auch immerhin und unbezwei-felt um etwas vorzüglich Menschliches handelt. Die Wahrheit jedoch, bitter wie sie sei, verlangt das Eingeständnis, daß alles Geistig-Gedankliche nur schlecht, nur mühsam und kaum je auf die Dauer aufkommt gegen das Ewig-Natürliche. Wie wenig die Ehrenannahmen der Sitte, die gesellschaftlichen Übereinkünfte auszurichten vermögen gegen das tiefe, dunkle und schweigende Gewissen des Fleisches; wie schwerlich sich dieses vom Geiste und vom Gedanken betrügen läßt, das mußten wir schon in Frühzeiten der Geschichte, anläßlich von Rahels Verwirrung, erfahren. Mut aber, ihre gaufürstliche Schwester hier unten, stand durch ihre Verbundenheit mit dem Sonnenkämmerer ebenso außerhalb des Weiblich-Mensch-lichen wie er außerhalb des Männlich-Menschlichen; sie führte innerhalb ihres Geschlechts ein ebenso hohles und fleischlich-ehrloses Dasein wie er in dem seinen; und die Gottesehre, mit der sie das dunkle Wissen hiervon auszugleichen und mehr als auszugleichen gedachte, war ein ebenso geistig-gebrechliches Ding wie die Genugtuungen und Übergenugtuungen, die ihr feister Gemahl sich durch sein forsches Gebaren als Rossebändiger und Nilpferdjäger mit einer Tapferkeit erzwang, die Joseph ihm in kluger Schmeichelei als das eigentlich Männliche hinzustellen gewußt hatte, obgleich sie an Geflissentlichkeit krankte und Peteprê sich in Wüste und Sumpf im Grunde beständig nach der Beschaulichkeit seiner Bücherhalle sehnte – nach dem Geistigen in seiner Reinheit also anstatt in seiner Angewandtheit.

Aber es ist hier nicht von Potiphar die Rede, sondern von seiner Eni, dem Gottesweibe, und von der Wahlklemme zwischen Geistes- und Fleischesehre, in die sie sich ängstigend versetzt fand. Zwei schwarze Augen von ferner Herkunft, die Augen einer Lieblichen und allzu üppig Geliebten, hatten es ihr angetan, und ihre Ergriffenheit von ihnen war der Sache nach nichts als die im letzten oder vorletzten Augenblick ausbrechende Angst, ihre Fleischesehre, ihr weibliches Menschentum zu retten oder vielmehr zu gewinnen, was aber hieß, ihre Geistes- und Gottesehre, alles Hochgedankliche, worauf sich so lange ihr Dasein gegründet hatte, hinopfernd preiszugeben.

Halten wir indessen hier inne, und bedenken wir die Sache recht! Bedenken wir sie mit ihr, die mit wachsender Qual und Lust Tag und Nacht daran dachte! War die Wahlklemme echt, und entehrt, entheiligt jemals das Opfer? Das war die Frage. Ist Geweihtheit der Keuschheit gleich? Ja und nein; denn im Stande der Brautschaft heben gewisse Gegensätze sich auf, und der Schleier, dieses Zeichen der Liebesgöttin, ist das Zeichen der Keuschheit zugleich und ihres Opfers, das Zeichen der Nonne und auch der Buhldirne. Die Zeit und ihr Tempelgeist kannten die Geweihte und Makellose, die Kedescha, die eine „Bestrickende" war, will sagen eine Hurerin auf der Straße. Ihrer war der Schleier; und „makellos" waren diese Kadischtu, wie das Tier es ist, das eben seiner Makellosigkeit wegen zum Gottesopfer bestimmt ist im Feste. Geweiht? Es fragt sich, wem und wozu. Ist man der Ischtar geweiht, so ist die Keuschheit nur ein Stadium des Opfers und ein Schleier, der bestimmt ist, zerrissen zu werden.

Wir haben hier die Gedanken der ringend Verliebten mitgedacht, und hätte das Zwerglein Gottlieb, fremd dem Geschlecht und ihm ängstlich feind wie es war, sie belauscht, so hätte es wohl geweint ob der kläglichen Schlauheit dieser dem Hange und nicht dem Geiste dienstbaren Gedanken. Es hatte leicht weinen, denn es war nur ein Lurch und ein tanzendes Närrchen und wußte von Menschenwürde nichts. Der Herrin Mut aber ging es um ihre Fleischesehre, und so war sie auf Gedanken angewiesen, in denen diese sich möglichst mit ihrer Gottesehre versöhnte. So gebührte ihr Nachsicht und Sympathie, auch wenn es etwas zweckhaft dabei zuging; denn selten sind Gedanken um ihrer selbst willen da. Auch hatte sie es ausnehmend schwer mit den ihren; denn ihr Erwachen zur Weibschaft aus priesterlich-damenhaftem Schlaf der Sinne glich jenem ur- und vorbildlichen nicht des Königskindes, dessen Kindheitsfrieden durch den Anblick himmelsfürstlicher Majestät zur Qual und Lust verzehrender Liebe aufgerufen ward. Sie hatte nicht das allerdings verhängnisvolle Glück, sich so herrlich weit über ihrem Stande zu verlieben (wobei man am Ende die oberste Eifersucht und selbst die Verwandlung in eine Kuh mit in den Kauf nehmen mag), sondern das Unglück, es – nach ihren Begriffen – weit unter ihrem Stande zu tun und durch einen Sklaven und Niemandssohn, eine gekaufte Menschensache von asiatischem Hausdiener, die Leidenschaft zu erfahren. Das setzte ihrem Damenstolze bitterer zu, als die Geschichte je bisher zu berichten gewußt hat. Es hinderte sie lange, sich ihr Gefühl einzugestehen, und als sie so weit war, es zu tun, mischte es in das Glück, das die Liebe immer bereitet, ein Element der Erniedrigung, das aus Gründen unterster Grausamkeit das Verlangen so furchtbar zu stacheln vermag. Die Zweckgedanken, mit denen sie die Demütigung ins Richtige einzuordnen suchte, kreisten um die

Erwägung, daß die Kedescha und Kultdirne sich auch nicht den Liebhaber aussuchen konnte, sondern daß jedem, der ihr den Gotteslohn in den Schoß warf, ihr Schoß gehörte. Aber wie unrichtig war es mit dieser Richtigkeit, und welche Gewalt fügte sie sich zu, indem sie eine so duldende Rolle als die ihre betrachtete! Denn der wählende, werbende, unternehmende Teil war ja sie, wenn sie auch ihre Liebeswahl nicht ganz selbständig, sondern gelenkt von Dûdus Klagereden getroffen hatte, – war es sowohl nach ihren überlegenen Jahren als auch nach ihrer Stellung als Herrin, welche sich bei diesem Verhältnis selbstverständlich im Stande des Liebesangriffs und der Herausforderung befand, da es denn gerade noch gefehlt hätte, daß von dem Sklaven Wunsch und erster Wille hätten ausgehen und er von sich aus die Augen hätte zu ihr erheben sollen, so daß sie die Folgende, die Gehorchende und ihr Gefühl nur die demütige Antwort auf das seine gewesen wäre! So nie und nimmer! Durchaus wollte ihr Stolz in diesem Handel die sozusagen männliche Rolle für sie in Anspruch nehmen – was doch im tiefsten wieder nicht recht gelingen wollte. Denn wie man die Dinge mochte zu zwingen suchen, so war doch er immer, der junge Knecht, wissentlich-willkürlich oder nicht, kraft seiner selbst und seines Daseins der Erwecker ihrer Weibschaft aus versiegelndem Schlaf und hatte sich damit, wenn auch ohne Wissen und Willen, zum Herrn ihres Herrinnentums gemacht, so daß ihre Gedanken ihm dienten und ihre Hoffnungen an seinen Augen hingen, bangend, er möchte merken, daß sie ihm Weib zu sein wünschte, und zitternd zugleich, er möchte ihre uneingestehbaren Wünsche doch ja erwidern. Es war eine mit Süßigkeit schrecklich durchtränkte Demütigung alles in allem. Damit es aber weniger eine solche sei und auch weil der Liebestrieb, der von Wert und Würdigkeit in Wahrheit doch gar nicht bestimmt wird, immer auf Wertgerechtigkeit brennt und darauf, sich über die Würdigkeit seines Gegenstandes das Erdenklichste vorzumachen: so suchte sie den Knecht, dem sie Liebesherrin sein wollte, auch wieder aus seiner Knechtschaft zu erheben, führte bei sich seinen Anstand, seine Klugheit, seine Stellung im Hause gegen seine Niedrigkeit ins Feld und suchte sich, übrigens nach Anleitung Dûdus, sogar mit der Religion zu helfen, indem sie sich zugunsten ihrer Neigung, „in Hangesfron", wie der Spottwesir gesagt haben würde, gegen den volksstrengen Amun, ihren bisherigen Herrn, auf Atum-Rê von On, den milde-ausdehnungsfreundlichen und den Fremdländern holden, berief und auf diese Weise den Hof, die Königsmacht selbst hinter ihre Liebe brachte, was für ihr klüglerisches Gewissen noch den Vorzug hatte, daß sie sich damit ihrem Gatten, Pharaos Freund, dem Hofmanne, geistlich näherte und ihn, den zu hintergehen sie immer brennender wünschte, in gewissem Sinn zum Parteigänger ihrer Lust gewann...

So rang und kämpfte Mut-em-enet in der Umstrickung ihrer Begierde gleichwie in den Leibesschlingen einer gottgesandten Schlange, die sie umwand und ihr den Atem abpreßte, so daß er keuchend ging. Bedenkt man, daß sie allein und ohne Beistand zu kämpfen hatte und sich außer dem Dûdu, mit dem es aber bei halben und uneingeständlichen Worten blieb, niemandem mitteilen konnte – wenigstens anfangs nicht (denn später büßte sie alle Hemmungen ein und machte ihre ganze Umgebung zu Teilnehmern ihrer Raserei); bedenkt man ferner, daß sie mit ihrer Blutsnot an einen Beeiferten geriet, der höhere Rücksichten zu nehmen hatte und ein Kraut der Treue und des Hochmuts, mit einem Worte: der Erwähltheit im Haare trug, also daß er ihrer Versuchung nicht erliegen wollte und durfte; nimmt man dann gar noch hinzu, daß diese Qual drei Jahre dauerte, vom siebenten bis zum zehnten des Aufenthalts Josephs in Potiphars Haus, und auch dann nicht gestillt, sondern nur getötet wurde, – so wird man zugeben, daß „Potiphars Weib", die schamlose Verführerin und Lockspeise des Bösen nach dem Volksmunde, es recht schwer hatte mit ihrem Schicksal, und ihr wenigstens die Sympathie widmen, die aus der Einsicht erwächst, daß die Werkzeuge der Prüfung ihre Strafe in sich tragen und durch sich selber davon schon mehr dahinhaben, als sie in Anbetracht der Notwendigkeit ihrer Funktion verdienen.

Das erste Jahr

Drei Jahre: Im ersten suchte sie, ihm ihre Liebe zu verhehlen, im zweiten gab sie sie ihm zu erkennen, im dritten trug sie sie ihm an.

Drei Jahre: und mußte oder durfte ihn täglich sehen, denn sie lebten einander nahe als Hausgenossen auf Potiphars Hof, was tägliche Nahrung bedeutete der Narrheit und große Gunst für sie, aber zugleich große Qual. Denn mit Müssen und Dürfen verhält sich's in der Liebe nicht ebenso sanft wie beim Schlummer, auch wie beim letzten nicht, wo Joseph in stillenden Reden das Dürfen fürs Müssen gesetzt hatte zur Befriedung Mont-kaws. Es ist vielmehr ein verschlungener Widerstreit voller Pein und Verworrenheit, welcher auf eine erwünscht-verwünschte Weise die Seele spaltet, dergestalt, daß der Liebende dem Sehen-Müssen ebenso herzlich flucht, wie er es als ein selig Dürfen segnet und, je heftiger er unter den Folgen des letzten Mals leidet, desto sehnlicher nach der nächsten Gelegenheit trachtet, durch Sehen seine Sucht anzufeuern – und zwar gerade dann, wenn diese etwa gar im Begriffe war, nachzulassen, worüber sich dankbar zu freuen der Kranke vernünftigen Grund hätte. Denn tatsächlich kommt es ja vor, daß ein dem Glanze des Gegenstandes irgendwie abträgliches Wiedersehen mit diesem eine gewisse Enttäuschung, Ernüchterung und Abkühlung mit sich bringt, und desto willkommener sollte sie dem Liebenden sein, als durch das Abnehmen der eigenen Verliebtheit, vermöge größerer Geistesfreiheit, die Fähigkeit wächst, zu erobern und dem anderen das zuzufügen, was man selber leidet. Worauf es ankäme, wäre, seiner Leidenschaft Herr und Meister zu sein, nicht aber ihr Opfer; weil nämlich die Möglichkeit, den anderen zu gewinnen, erheblich zunimmt durch Nachlassen des eigenen Gefühls. Davon aber will der Liebende nichts wissen, und die Vorteile wiederkehrender Gesundheit, Frische und Keckheit, welche doch Vorteile sind sogar in bezug auf das Ziel, neben dem er kein höheres kennt, achtet er für nichts gegen die Einbuße, die er durch die Abkühlung seines Gefühls zu erleiden meint. Diese überliefert ihn einem Zustand der Öde und Leere, wie ihn dem Rauschsüchtigen der Entzug der Droge verursachen mag, und aus allen Kräften ist er darauf aus, durch neu entflammende Eindrücke die vorige Verfassung wiederherzustellen.

So steht es mit Müssen und Dürfen in Dingen der Liebesnarrheit, die unter allen Narrheiten die größte ist, so daß man das Wesen der Narrheit und das Verhältnis ihres Opfers zu ihr am besten daran erkennen mag. Denn der Ergriffene, wie sehr er unter seiner Passion auch seufzen möge, ist doch nicht nur außerstande, sie nicht zu wollen, sondern auch nicht einmal fähig, zu wünschen, daß er dazu imstande wäre. Er weiß wohl, daß er bei dauerndem Nicht-mehr-Sehen binnen einer Frist, die vielleicht sogar beschämend kurz wäre, seiner Leidenschaft ledig würde; aber gerade dies, das Vergessen, verabscheut er über alles – wie ja jeder Abschiedsschmerz auf der geheimen Voraussicht unvermeidlichen Vergessens beruht, über das man, nachdem es eingetreten, keinen Schmerz mehr wird empfinden können und das man also im voraus beweint. Niemand sah Mut-em-enets Antlitz, als sie es, nach vergeblichem Ringen mit Peteprê, ihrem Gatten, um die Entfernung Josephs, an den Pfeiler gelehnt, in den Falten ihres Kleides verbarg. Aber viel, ja alles hat die Vermutung für sich, daß dieses Antlitz in der Verborgenheit vor Freude strahlte, weil sie den Erwecker auch weiterhin würde dürfen sehen müssen und ihn nicht würde müssen vergessen dürfen.

Gerade ihr mußte daran alles gelegen sein, und besonders heftig war ihr Abscheu vor Trennung und notwendig daraus folgendem Vergessen, vor dem Absterben der Leidenschaft, weil Frauen ihrer Altersreife, deren Blut spät erwacht ist und ohne den außerordentlichen Anlaß vielleicht nie erwacht wäre, mit mehr als gewöhnlicher Inbrunst ihrem Gefühl, dem ersten und letzten, sich hingeben und lieber stürben als ihre frühere Ruhe, die sie nun Öde nennen, wieder gegen dies neue, in Leiden selige Leben einzutauschen. Es ist um so höher zu veranschlagen, daß die ernste Mut um der Vernunft willen ihr Äußerstes getan hatte, um bei dem trägen Gemahl die Beseitigung des Sehnsuchtsbildes durchzusetzen: Sie hätte ihm, wäre seiner Natur die Liebestat zu entreißen gewesen, ihr Gefühl zum Opfer gebracht. Aber ihn zu bewegen und zu erwecken war eben nicht möglich, da er ein ausgemachter Titeloberst war; und, um der Wahrheit das Letzte zu geben, so hatte Eni das insgeheim auch im voraus gewußt und in Rechnung gestellt, also daß ihr ehrliches Ringen mit dem Gemahl eigentlich eine Veranstaltung gewesen war, durch sein Versagen ihrer Leidenschaft und allem ihr eingeborenen Verhängnis Freiheit zu gewinnen.

Für frei in der Tat durfte sie sich nach der ehelichen Begegnung in der Abendhalle erachten; und wenn sie so lange danach noch ihrem Verlangen Zügel anlegte, so war das viel mehr eine Sache des Stolzes als der Pflicht. Die Haltung etwa, in der sie am Tage der drei Unterredungen, um Untergang, dem Joseph im Garten, zu Füßen des Lusttempelchens, entgegentrat, war von vollendeter Hoheit und hätte von Schwäche und Zärtlichkeit nur für das allergeschärfteste Auge momentweise etwas durchschimmern lassen. – Dûdu nämlich hatte damals sein Heimlichkeitsplänchen sehr klüglich und tückisch ausgeführt, war von Joseph zurück zur Herrin spaziert und hatte sie benachrichtigt, daß der Neumeier, freudig bereit, ihr über die Hausgeschäfte Rechenschaft zu geben, großen Wert darauf lege, dies ungestört, unter vier Augen, zu tun, an welchem Ort und zu welcher Stunde immer es ihr gefallen werde. Außerdem habe derselbe die Absicht kundgetan, heute, zur Zeit der Abendröte, das Tempelhäuschen des Gartens aufzusuchen, um seine Inneneinrichtung und die Wandmalereien auf ihre Wohlerhaltenheit hin zu inspizieren. Dûdu hatte diese zweite Nachricht unabhängig von der ersten vorgebracht, nachdem er zwischendurch ganz andres gesagt und indem er es auf eine feine Art der Herrin überließ, das eine mit dem anderen zu verknüpfen. Aber all seine Ausgepichtheit hatte nicht gehindert, daß die Zettelung für diesmal nur halb gelang, da beide Teile es bei halben Schritten bewenden ließen: Joseph nämlich hatte zwischen den Fällen seiner freien Wahl etwas Mittleres ausfindig gemacht und gewählt, indem er, ohne das Lusthäuschen zu besuchen, nur zu dessen Füßen im Garten herumgegangen war, um, wie er auf jeden Fall einmal wieder hätte tun können, ja müssen, nachzusehen, ob mit den Bäumen und Blumenrabatten alles in schöner Ordnung sei; und Mut, die Herrin, war ebenfalls nicht gelaunt gewesen, sich die Aufschüttung hinaufzubewegen, hatte aber keinen Grund gesehen, sich durch irgendwelche Zwergennachrichten, die flüchtig ihr Ohr gestreift hatten, in der, wie sie sich bestimmt erinnerte, von früh an gehegten Absicht beirren zu lassen, heute um die Stunde des Scheidens sich kurze Zeit in Peteprês Garten zu ergehen, um die schönen Feuer des Himmels sich im Ententeich spiegeln zu sehen, und zwar nach gewohnter Art in Begleitung zweier Jungfern, die ihr auf dem Fuße folgten.

So waren damals Jungmeier und Herrin auf dem roten Sande des Wandelganges einander begegnet, und ihre Begegnung hatte sich abgespielt wie folgt.

Joseph, der Frauen ansichtig geworden, zeigte ein heiliges Erschrecken, formte mit dem Munde ein ehrfürchtiges „Oh!" und fing an, mit erhobenen Händen, in Beugung und mit leicht federnden Knien rückwärts zu gehen. Mut ihrerseits bildete ein flüchtiges, leicht lächelndes, unbestimmt überraschtes und fragendes „Ah?" mit ihrem Schlängelmund, über welchem die Augen streng, ja finster blieben, ließ ihn, selbst noch weitergehend, ein paar seiner zeremoniellen Rückwärtsschritte machen und winkte ihm dann mit einer kleinen, zu Boden weisenden Handbewegung, stehenzubleiben. Auch sie machte halt, und hinter ihr taten es die dunkelhäutigen Ehrenmädchen, deren lang gepinselte Augen voll Freude standen, wie die eines jeden vom Hausgesinde, der Joseph erblickte, und aus deren schwarzem und wolligem, unten in Fransen gedrehtem Haar die großen Emaillescheiben ihres Ohrschmuckes blickten. Ein Wiedersehen, das einem der beiden einander Gegenüberstehenden ernüchternde Enttäuschung hätte zufügen können, war es nicht. Das Licht fiel schräg, farbig und kleidsam, es tauchte die Gartenszene von Kiosk und Schilfteich in Tinten von satter Buntheit, leuchtete das Mennigrot des Weges feurig an, ließ die Blumen erglühen, das regsame Blattwerk der Bäume lieblich schimmern und gab den Augen der Menschen einen Spiegelschein ganz wie der Wasserfläche des Teichs, auf dem die in- und ausländischen Enten gleich himmlischen und nicht gleich natürlichen Enten waren und wie gemalt und lackiert. Himmlisch und wie gemalt, gereinigt von Notdurft und Unzulänglichkeit, nahmen sich in diesem Licht auch die Menschen aus, ihre ganzen Personen, nicht nur ihre schimmernden Augen; sie glichen Göttern und Grabfiguren, geschminkt und geschmeichelt von Lichtesgnaden, und mochten ihre Freude haben der eine am Anblick des anderen, wie sie mit Spiegelaugen aus schön getönten Gesichtern aufeinander blickten.

Mut war beseligt, denjenigen, von dem sie wußte, daß sie ihn liebte, so vollkommen zu sehen; denn die Verliebtheit ist nach Rechtfertigung immer begierig, von zuckender Empfindlichkeit für jeden Nachteil, den das Bild des Geliebten erfährt, triumphierend dankbar für jede Begünstigung der Illusion; und ist ihr seine Herrlichkeit, über der sie um ihrer Ehre willen wacht, auch ein großer Schmerz, weil sie allen gehört, allen augenscheinlich ist und die Nebenbuhlerschaft der ganzen Welt immerfort zu höchster Unruhe befürchten läßt –, so ist solcher Schmerz ihr doch über alles teuer, und sie drückt den schneidenden fest ans Herz, auf nichts weniger bedacht, als daß seine Schärfe durch eine Verdunkelung und Beeinträchtigung des Bildes gestumpft werden möchte. Auch durfte Eni von Josephs Verschönung mit großer Freude auf ihre eigene schließen und hoffen, daß auch sie ihm herrlich erscheine, mochte es sich damit bei nüchtern-senkrechterem Licht auch nicht mehr ganz wie in erster Jugend verhalten. Wußte sie nicht, daß der lange und offene Mantel aus weißer Wolle, den sie (denn es ging gegen den Winter) mit einer Agraffe über dem breiten Halsschmuck geschlossen um die Schultern trug, ihre Erscheinung majestätisch erhöhte und daß ihre Brüste jugendstarr gegen den Batist des eng geschnittenen, über den Füßen mit rotem Glasfluß gesäumten Kleides drängten? Sieh es, Osarsiph! Es lief in Spangenbändern über die Schultern, dies Kleid, und wie sehr war sie sich bewußt, daß es nicht nur ihre gepflegten und gleichsam gemeißelten Arme ganz frei ließ, sondern auch die Hochgestalt ihrer wunderbaren Beine vollkommen zu unterscheiden gestattete! War das nicht Grund genug, in der Liebe den Kopf hoch zu tragen? Sie tat es. Sie tat vor Stolz, als falle es ihr schwer, die Lider zu heben, und als müsse sie also das Haupt zurücklegen, um unter ihnen hervorzusehen. Sie wußte mit Bangen, daß ihr Gesicht, eingerahmt dieses Mal von einem goldbraunen Haartuch mit breiter und steinbunter, nicht ganz um den Kopf greifender Stirnspange, nicht mehr das jüngste und dazu mit seinen Schattenwangen, der Sattelnase, dem winkeltiefen Munde sehr einmalig-willkürlich war. Allein der Gedanke, wie kostbar in der Elfenbeinblässe dieses Gesichtes die gemalten Geschmeideaugen sich ausnehmen mußten, ließ sie mit Bestimmtheit hoffen, daß es der Wirkung der Arme, Beine und Brüste nicht geradezu im Wege sein werde.

Ihrer Schönheit mit Stolz und Bangen eingedenk, blickte sie auf die seine – auf die des Rahelssohnes in ihrer ägyptischen Zustutzung, die übrigens bei aller Hochgesittung von gartenmäßiger Bequemlichkeit war. Denn zwar war sein Kopf sehr sorgfältig hergerichtet, und besonders adrett wirkte es, wie neben seinem kleinen Ohr unter dem seidig schwarzgerippten Kopftuch, welches zum Zeichen, daß es eine Haartour vorstellte, unten in Lockenwerk überging, ein Eckchen der weißen Leinenkappe hervorschaute, die er reinlicherweise darunter trug. Aber außer der Perücke und einer Emaillegarnitur von Halskragen und Armringen nebst jener flachen Brustkette aus

Rohr und Gold mit dem Skarabäus daran trug er nur einen allerdings höchst elegant geschnittenen, knielangen Doppelschurz um die schmalen Hüften, gegen dessen Blütenweiße die durch das schräge Licht ins Bronzene vertiefte Hautfarbe seines geschmückten Oberkörpers sehr anmutig abstach: dieses so durchaus richtig gebildeten, zart-kräftigen Jünglingskörpers, welcher, luftkühl und farbig angeleuchtet, nicht der Fleischeswelt, sondern der reineren Welt von Ptachs ausgeführten Gedanken anzugehören schien, – geistbetont durch das klug blickende Haupt, dem er zugehörte und mit dem er die für ihn selbst wie für jede Anschauung beglückende Einheit von Schönheit und Weisheit verwirklichte.

Aus dem stolz-bangenden Gefühl ihrer selbst sah Potiphars Weib zu ihm hinüber, in seine dunklen und, im Vergleich mit den ihren, großen Züge, in die freundliche Nacht von Rahels Augen, deren Blickkraft im Sohne durch Verstandesnachdruck männlich erhöht war; sie sah zugleich den goldenen Erzschimmer seiner Schultern, den schlanken Arm, in dessen Hand er den Wandelstab hielt und durch dessen Biegung der Muskel mäßig-menschlich hervortrat, – und eine mütterlich bewundernde Zärtlichkeit, innigst gerührt, zur verzweifelten Begeisterung angefacht von Weibesnot, ließ sie aufschluchzen aus ihrer tiefsten Tiefe, so überrumpelnd und heftig, daß ihr die Brust unterm spannenden Feingewebe sichtbarlich bebte und nur die Hoffnung blieb, ihre herrinnenhafte Haltung möge dies Schluchzen so unwahrscheinlich gemacht haben, daß er es trotz aller Sichtlichkeit nicht hatte für wahr nehmen können.

Unter diesen Umständen sollte sie reden, und sie tat es mit einer Überwindung, die sie beschämte, weil so viel Heldenmut dazu gehörte.

„Sehr zur Unzeit, wie ich sehen muß", sagte sie mit kühler Stimme, „gehen müßige Frauen auf diesem Wege dahin, da sie dabei die amtlichen Schritte hemmen dessen, der über dem Hause ist."

„Über dem Hause", antwortete er sofort, „bist nur du, Gebieterin, denn du stehst darüber als Morgen- und Abendstern, den sie Ischtar nannten in meiner Mutter Land. Der ist wohl müßig auch, wie das Göttliche eben, in dessen Ruheschein wir Rackernden aufblicken zu unserer Labung."

Sie dankte mit einer Handbewegung und einem Lächeln nachsichtigen Einverständnisses. Sie war entzückt und beleidigt zugleich von der verwöhnten Art, in der er beim Kompliment sogleich von seiner hier völlig unbekannten Mutter gesprochen, und dazu nagend eifersüchtig auf diese Mutter, die ihn geboren, gehegt, seine Schritte gelenkt, ihn bei Namen gerufen, ihm das Haar aus der Stirn gestrichen und ihn geküßt hatte in reiner Liebesbefugnis.

„Wir treten beiseite", sagte sie, „ich und die Dienerinnen, die mich, wie immer, so auch heute begleiten, daß wir den Vorsteher nicht aufhalten, der sich ohne Zweifel vor Dunkelheit überzeugen will, ob Peteprês Gartenland in genauem Stande sei, und will vielleicht gar auch das Häuschen der Aufschüttung besichtigen."

„Garten und Gartentempel", erwiderte Joseph, „gehen mich wenig an, solange ich vor meiner Herrin stehe."

„Mir scheint, sie sollten dich jederzeit angehen und sich deiner Fürsorge erfreuen vor aller Wirtschaft", versetzte sie (und wie erschreckend süß und abenteuerlich war ihr schon dies allein, daß sie zu ihm sprach, ‚mir‘ und ‚dich‘ sagte, ‚du‘ und ‚ich‘ – über die zwei Schritte Raumes hinweg, die ihre Körper voneinander trennten, den Beziehung, Vereinigung schaffenden Hauch der anredenden Sprache aussandte); „denn es ist ja bekannt, daß sie der Ursprung sind deines Glückes. Ich hörte sagen, im Häuschen habest du erstmals Dienst tun dürfen als Stummer Diener, und im Baumgarten sei Peteprês Auge auf dich gefallen zuerst, als du Blüten reiten ließest."

„So war es", lachte er, und sein Lachen schnitt ihr ins Herz wie ein Leichtsinn. – „Ganz wie du sagst, so war es, gnädige Frau! Ich tat Windesamt bei Peteprês Palmen nach des Salbaders Weisung, den sie nennen, ich weiß nicht wie oder mag es nicht wiederholen vor dir, denn es ist ein lächerlich volkstümlicher Name und nichts für dein Herrinnenohr…" Sie sah den Scherzenden an, ohne zu lächeln. Daß er offenbar nicht ahnte, wie wenig ihr nach Scherz zumute war und warum so wenig, war gut und notwendig über alles, doch auch sehr schmerzhaft. Mochte er ihren scherzabwehrenden Ernst als Rest ihrer Gegnerschaft deuten gegen sein Wachstum; aber gewahren sollte er ihn. – „Nach Weisung des Gärtners", sagte er, „half ich damals dem Winde im Garten hier, da kam Pharaos Freund und hieß mich reden, und da ich Glück hatte vor ihm, nahm vieles seinen Ausgang von dieser Stunde."

„Die Menschen", fügte sie hinzu, „lebten und starben zu deinen Gunsten."

„Alles tut der Verborgene", erwiderte er, indem er sich einer Bezeichnung des Höchsten bediente, mit der er nicht anstieß. „Verherrlicht sei sein Name! Oft aber frage ich mich, ob mir nicht über Gebühr geschah durch seinen Vorschub, und mir bangt insgeheim meiner Jugend wegen, der ein solches Amt auferlegt wurde, daß ich wandle als Vorsteher und Ältester Knecht dieses Hauses und kann nicht viel über zwanzig sein. Offen rede ich so vor dir, große Herrin, obgleich nicht nur du mich vernimmst und bist, versteht sich, nicht allein in den Garten gekommen, sondern begleitet von Ehrenjungfrauen nach deinem Range. Diese hören mich auch und vernehmen nun wohl oder übel, wie der Verwalter sich seiner Jugend anklagt und Zweifel äußert an seiner Reife für solchen Oberdienst. Mögen sie nur! Ich muß ihre Gegenwart in den Kauf nehmen, und nicht darf sie mir das Vertrauen schmälern zu dir, Gebieterin meines Hauptes und Herzens, meiner Hände und Füße."

Seine Vorteile hat es doch, in einen Niederen verliebt zu sein, der uns unterworfen ist, denn ihn nötigt sein Stand zu einer Redeweise, die uns beglückt, so wenig er sich dabei denken möge.

„Das versteht sich allerdings", antwortete sie und hielt sich noch herrinnenhafter, „daß ich nicht unbegleitet lustwandle, – es kann das nicht vorkommen. Sprich aber ohne

Sorge, dir eine Blöße zu geben vor Hezes und Me'et, meinen Zofen, denn ihre Ohren sind meine Ohren – was wolltest du sagen?"

„Nur dies, Herrin: Zahlreicher sind meine Befugnisse als meine Jahre, und nicht hätte dein Knecht sich wundern dürfen, ja hätte es gutheißen müssen billigerweise, wenn nicht nur Wohlgefallen, sondern auch Unwillen allenfalls und einiger Widerspruch hier im Hause seinen hurtigen Aufstieg begleitet hätten zum Meieramt. Ich hatte einen Vater, der mich aufzog in der Güte seines Herzens, den Usir Mont-kaw, und wollte doch der Verborgene, er lebte noch, denn viel wohler war meiner Jugend und konnte von Glück sagen, da ich noch sein Mund war und seine rechte Hand, als da er die geheimen Tore betreten hat an den prächtigen Stätten der Herren der Ewigkeit und ich allein bin mit mehr Pflichten und Sorgen, als meine Jahre zählen, und habe niemanden in der Welt, daß ich ihn zu Rate zöge in meiner Unreife und er mir die Bürde tragen hülfe, die mich zu Boden beugt. Peteprê, unser großer Herr, er lebe, sei heil und gesund, aber es ist allgemein bekannt, daß er sich keiner Sache annimmt, außer daß er ißt und trinkt und kühn das Nilpferd besteht, und wenn ich zu ihm komme mit den Rechnungen und mit den Buchungen, so spricht er wohl: ‚Gut, gut, Osarsiph, mein Freund, es ist schon gut. Deine Schriften scheinen mir stimmig, soviel ich sehe, und ich nehme an, daß du nicht vorhast, mich zu verkürzen, denn du weißt, was die Sünde ist, und hast ein Gefühl dafür, wie besonders häßlich es wäre, mich zu beeinträchtigen. Darum, so ennuyiere mich nur nicht erst!' So unser Herr in seiner Größe. Segen über sein Haupt!" – Er suchte nach einem Lächeln in ihrem Gesicht nach dieser Kopie. Es war ein ganz kleiner Verrat, den er da, wenn auch in aller Liebe und Ehrfurcht, übte, ein leiser Versuch, sich mit ihr über den Kopf des Herrn hinweg in scherzhaftes Einvernehmen zu setzen. Er meinte, so weit gehen zu dürfen, ohne Raub zu begehen am Bunde. Er meinte noch lange, bis da und dahin dürfe er ohne Gefahr schon noch gehen. Das Lächeln des Einverständnisses blieb übrigens aus. Das war ihm lieb und eine kleine Beschämung zugleich. Er fuhr fort:

„Ich aber bin jugendlich allein mit so vielen Fragen und Verantwortlichkeiten, die sich aufwerfen in Dingen der Erzeugung und des Handels, der Mehrung und schon der Erhaltung. Wie du mich eben hier kommen sahst, große Frau, war mein Kopf voll von Sorgen der Saatzeit. Denn der Strom geht zurück, und das schöne Trauerfest nähert sich, da wir die Erde hacken und den Gott begraben ins Dunkel und pflügen Gerste und Weizen. Da ist die Frage nun die und geht deinem Knecht im Kopfe herum als Anschlag der Neuerung, ob wir nicht auf Potiphars Äckern, nämlich der Insel im Fluß, viel mehr Durrakorn bauen sollten anstatt der Gerste als wie bis jetzt: ich meine die Mohrenhirse, das Negerkorn, ich meine das weiße; denn braune Durra haben wir schon reichlich gebaut zum Viehfutter, und sie sättigt die Rosse und schlägt an den Rindern, aber die Frage der Neuerung ist, ob wir uns nicht in erhöhtem Maß auf die weiße verlegen sollten und große Flächen damit bestellen zur Menschenbeköstigung, daß das Hofvolk sich von der guten Brotfrucht nähre, statt mit Gersten- und Linsenbrei, und sich dienlich erkräftige. Denn überaus mehlreich ist der Kern ihrer Spelzen, und das Fett der Erde ist bei ihrer Frucht, so daß die Arbeiter weniger davon brauchen denn von Gerste und Linsen und wir sie sättigen schneller und besser. Wie das mir im Kopfe herumgeht, kann ich nicht sagen, und da ich dich kommen sah, Herrin, im Abendgarten mit deiner Begleitung, dachte ich in meiner Seele und sprach zu mir wie zu einem anderen: ‚Siehe, du bist allein in deiner Unreife mit den Sorgen des Hauses und hast niemanden, mit dem du sie teilen könntest, denn der Herr nimmt sich keines Dinges an. Dort aber schreitet die Herrin heran in ihrer Schönheit, gefolgt von zwei Zofen, wie ihr Rang es gebeut. Vertraue doch ihr dich an und besprich dich mit ihr von wegen der Neuerung und in Sachen der Durrahirse, so wirst du ihre Meinung erforschen, und beistehen wird ihr schöner Rat deiner Jugend!‘"

Eni errötete teils vor Freude, teils vor Verlegenheit, denn sie wußte gar nichts vom Negerkorn und war ohne Rat, ob man gut täte, mehr davon anzubauen. Sie sagte in einiger Verwirrung:

„Die Frage ist der Erörterung wert, das liegt auf der Hand. Ich will sie besinnen. Ist denn der Boden der Insel der Neuerung günstig?"

„Wie gewiegt meine Frau sich erkundigt", erwiderte Joseph, „und wie sie sogleich den hüpfenden Punkt zu berühren weiß bei jeglicher Sache! Der Boden ist gründig genug, und dennoch muß man sein Herz befestigen gegen anfänglichen Fehlschlag. Denn die Feldleute wissen die weiße noch nicht recht zu bauen zur Menschennahrung, sondern nur die braune, bei der's bloß um Futtergewinnung geht. Was glaubt meine Herrin wohl, was es kostet, bis man das Volk so weit hat, daß es den Boden so fein bestellt mit der Hacke, wie es die weiße Durra erheischt, oder bis es begriffen hat, daß sie kein Unkraut erträgt wie die braune. Kümmert es sich um die Wurzelschößlinge nicht, so geht's übel aus, und es gibt Futter, doch keine Nahrung."

„Es mag wohl schwer sein mit dem vernunftlosen Volk", sagte sie und wurde rot und blaß vor Unruhe, weil sie von den Dingen nichts wußte und in höchster Verlegenheit war um eine sachliche Antwort, da sie doch gewollt hatte, daß er mit ihr die Wirtschaft berede. Das Gewissen schlug ihr in tiefer Scham vor dem Diener, und äußerst erniedrigt kam sie sich vor, weil er ihr von rechten und ehrlichen Dingen sprach wie der Erstellung von Menschennahrung, sie aber dabei nichts anderes wußte und wollte, als daß sie in ihn verliebt war und seiner begehrte.

„Wohl schwer", wiederholte sie mit verhohlenem Beben. „Aber sie sagen ja alle, daß du die Leute zu gutem Dienst zu verhalten weißt und zu genauer Pflicht. So wird es dir mutmaßlich gelingen, sie anzulernen auch für diese Neuerung."

Sein Blick lehrte sie, daß er ihr Geschwätz nicht gehört hatte, und sie war dessen froh, ob es sie zugleich auch schrecklich beleidigte. Er stand da in wirklicher wirtschaftlicher Versonnenheit.

„Die Rispen des Kornes", sagte er, „sind sehr fest und biegsam. Man kann gute Bürsten und Besen draus machen und hat so immer noch etwas zu Hausnutz und Handel, wenn eine Ernte mißlingt."

Sie schwieg in Schmerz und Kränkung, weil sie merkte, daß er gar nicht mehr an sie dachte und mit sich selber von Besen sprach, die freilich ehrenhafter waren als ihre Liebe. Er aber merkte wenigstens, daß sie schwieg, erschrak und sagte mit jenem Lächeln, das jeden gewann:

„Vergib, Herrin, die niedrige Unterhaltung, mit der ich dich sträflich ennuyiere! Es ist nur wegen meines unreifen Alleinseins mit den Verantwortlichkeiten und weil's mich so sehr versuchte, mit dir zu raten."

„Nichts zu vergeben", antwortete sie. „Die Sache ist wichtig, und die Möglichkeit, Besen zu schaffen, mindert das Wagnis. Das war meine Überlegung sogleich, als du mir von der Neuerung sprachst, und ich will mich der Sache weiter annehmen in meinen Gedanken."

Sie konnte nicht ruhig auf ihren Füßen stehen, so trieb es sie fort von hier, aus seiner Nähe, die ihr doch über alles teuer war. Das ist ein alter Widerstreit der Verliebten: Suchen und Flucht der Nähe. Uralt ist auch die Lügenrede von ehrlichen Dingen mit unehrlichen Augen, die sich suchen und fliehen, und mit verzerrtem Munde. Die Furcht, er möchte wissen, daß sie bei Korn und Besen nur eines im Sinne hatte: wie sie ihm könnte die Hand an die Stirne legen und ihn küssen in begehrender Mütterlichkeit; der schreckhafte Wunsch zugleich, er möchte es wissen und sie nicht verachten deswegen, sondern ihn teilen, den Wunsch; dies und ihre große Unsicherheit in Dingen von Futter und Nahrung, die nun einmal den Gegenstand des Gespräches bildeten, das für sie nur ein Liebesund Lügengespräch war (aber wie soll man lügen, wenn man das Vorgewendete, den Scheingegenstand, nicht beherrscht und hilflos darin herumzustümpern verurteilt ist!) – all dieses beschämte und entnervte sie unbeschreiblich, machte ihr heiß und kalt und jagte sie in panische Flucht.

Ihre zuckenden Füße wollten fort, während ihr Herz am Platze haftete – nach uralter Verworrenheit der Verliebten. Sie zog den Mantel fester um die Schultern zusammen und sprach mit gewürgter Stimme:

„Wir müssen's fortsetzen, Vorsteher, zu anderer Stunde und an anderem Ort. Der Abend sinkt, und mir schien soeben, als ob ich leicht gebebt hätte vor Frische." (Sie neigte wirklich zu einem fliegenden Beben, konnte nicht hoffen, es ganz zu verbergen, und mußte trachten, es mit äußeren Gründen zu rechtfertigen.) „Du hast mein Versprechen, daß ich mit mir zu Rate gehen will wegen der Neuerung, und ich gewähre dir's, daß du der Herrin nächstens die Sache vorträgst aufs neue, wenn du dich allzu allein damit fühlen solltest in deiner Jugend…" Dies letzte Wort hätte sie nicht zu sagen versuchen sollen; es erstickte ihr in der Kehle, denn nur von ihm noch war mit diesem Worte die Rede und von nichts anderem; es war ein gleichsinnig-stärkeres Wort für jenes „Du", von dem das Lügengespräch durchzogen gewesen war und das seine Wahrheit ausgemacht hatte, das Wort seines Zaubers, das Wort ihres mütterlichen Verlangens, beladen mit Zärtlichkeit und Schmerz, so daß es sie überwältigte und in Flüstern erstarb. „Sei heil", flüsterte sie noch und flüchtete vorwärts, ihren Mädchen voran, an dem ehrfürchtig Grüßenden vorbei, mit nachgiebigen Knien.

Nicht genug wundern kann man sich über die Liebesschwäche und sich über ihre Seltsamkeit nicht genug aufhalten, wenn man sie nicht als abgeschmackte Alltäglichkeit, sondern als die Neuigkeit, Erst- und Einmaligkeit, die sie bis auf den heutigen Tag jedesmal wieder ist, frisch ins Auge faßt. Eine so große Dame, vornehm, überlegen, hochmütig und weltgewandt, kühl eingeschlossen bisher in das Ichgefühl ihres Gottesdünkels, – und nun auf einmal dem Du verfallen, einem von ihrem Standpunkt gesehen ausgemacht unwürdigen Du, aber ihm verfallen bereits in solcher Schwäche und bis zu solcher Auflösung ihres Herrinnentums, daß sie es schon kaum noch zustande brachte, wenigstens die Rolle festzuhalten der Liebesherrin und der herausfordernden Unternehmerin des Gefühls, sondern sich bereits Sklavin wußte des Sklaven-Du, da sie von ihm hinwegfloh mit mürben Knien, blind, bebend, mit flatternden Gedanken, flatternde Worte murmelnd, ohne Bedacht auf die Zofen, die sie doch mit Bedacht und aus Stolz zum Stelldichein mitgenommen:

„Verloren, verloren, verraten, verraten, ich bin verloren, ich habe mich ihm verraten, er hat alles gemerkt, die Lüge meiner Augen, meine zappelnden Füße und daß ich bebte, er hat alles gesehn, er verachtet mich, es ist aus, ich muß sterben. Mehr Durra sollte man bauen, die Wurzelschößlinge schneiden, die Rispen sind gut für Besen. Was hab' ich erwidert? Verräterisches Gestammel, er hat meiner gelacht, entsetzlich, ich muß mich töten. War ich wenigstens schön? Wenn ich schön war im Licht, mag alles nur halb so schlimm sein, und ich muß mich nicht töten. Das goldene Erz seiner Schultern... O Amun in deiner Kapelle! ‚Gebieterin meines Hauptes und Herzens, meiner Hände und Füße'... O Osarsiph! Sprich nicht so zu mir mit deinem Mund, indes du dich lustig machst in deinem Herzen über mein Stammeln und über die Mürbheit meiner Knie! Ich hoffe, ich hoffe... ob auch alles verloren ist und ich sterben muß nach diesem Unglück, so hoffe ich doch und verzweifle nicht, denn nicht alles ist Ungunst, es gibt auch Gunst, sehr viel Gunst sogar, da ich dir Herrin bin, Knabe, und du zu mir sprechen mußt, so süß, wie du tatest: ‚Gebieterin meines Hauptes und Herzens', und ist nur Rededienst und leere Höflichkeit. Aber Worte sind stark, nicht ungestraft spricht man Worte, sie lassen eine Spur im Gemüt, gesprochen ohne Gefühl, sprechen sie zum Gefühle doch des, der sie spricht, lügst du mit ihnen, ihr Zauber verändert dich etwas nach ihrem Sinn, daß sie nicht ganz mehr Lüge sind, da du sie gesprochen. Das ist sehr günstig und hoffnungsreich, denn die Bestellung deines Gemütes, Knechtlein, durch die Worte, die du sagen mußt mir, deiner Herrin, macht einen guten Boden, gründig und fein, für die Saat meiner Schönheit, wenn ich das Glück habe, dir schön zu erscheinen im Lichte, und aus dem Knechtsgefühl deiner Worte zusammen mit meiner Schönheit wird mir Heil und Wonne werden von dir, denn eine Anbetung wird daraus keimen, die nur der Ermutigung harren wird, um zur Begierde zu werden, denn so ist es, Knäblein, Anbetung, die sich ermutigt sieht, wird zur Begierde... Oh, ich verderbtes Weib! Pfui über meine Schlangengedanken! Pfui über mein Haupt und Herz! Osarsiph, vergib mir, mein junger Herr und Erlöser, meines Lebens Morgen- und Abendstern! Wie mußte es heute so fehlschlagen durch Schuld meiner zappelnden Füße, daß alles verloren scheint? Doch werde ich mich noch nicht töten und noch nicht nach einer Giftnatter schicken, daß ich sie mir an den Busen lege, denn viel Hoffnung und Gunst ist übrig. Morgen, morgen und alle Tage! Er bleibt bei uns, er bleibt über dem Hause, Peteprê schlug es mir ab, daß man ihn verkaufe, immer muß ich ihn sehen, jeder Tag steigt herauf mit Hoffnung und Gunst. ‚Wir müssen's fortsetzen, Vorsteher, ein andermal. Ich will die Sache bedenken und gewähre dir neuen Vortrag für nächstens.‘ Das war gut, es hieß vorsorgen fürs nächste Mal. Ei ja, so besonnen warst du doch, Eni, in allem Wahnsinn, daß du für Anknüpfung sorgtest! Er muß wiederkommen, und ist er säumig aus Scheu, so schicke ich Dûdu, den Zwerg, zu ihm, ihn zu mahnen. Wie will ich dann alles verbessern, was heute mißlungen, und ihm begegnen in ruhiger Gnade bei völlig gelassenen Füßen, indem ich nur leise, ganz wann mir's gefällt, ein wenig Ermutigung durchblicken lasse für seine Anbetung. Vielleicht auch, daß er mir weniger schön erscheint, dies baldige nächste Mal, so daß sich abkühlt mein Herz gegen ihn und ich lächeln und scherzen kann freien Geistes und ihn für mich entflammen, während ich gar nichts leide?... Nein, ach nein, Osarsiph, so soll's nicht sein, es sind Schlangengedanken, und gern will ich leiden um dich, mein Herr und mein Heil, denn wie eines erstgeborenen Stieres ist deine Herrlichkeit..."

444

Diese Flatterrede, von welcher Hezes und Me'et, die Zofen, mit Staunen einzelnes auffingen, war nur eine von vielen, von hundert solchen, die Mut, der Herrin, in dem Jahre entflohen, während dessen sie dem Joseph ihre Liebe noch zu verhehlen suchte; und auch das Zwiegespräch, das ihr voranging, über das Mohrenkorn, steht für sehr zahlreiche seinesgleichen, gepflogen zu verschiedenen Tageszeiten und an verschiedenen Orten: im Garten wie jenes, im Brunnenhofe des Frauenhauses, im Tempelchen droben sogar, wohin aber Eni nie unbegleitet kam, wie auch Joseph wohl einen oder zwei Schreiber mit sich führte, die ihm Papierrollen, vorzulegende Rechnungen, Pläne und Ausweise nachtrugen. Denn immer war zwischen ihnen von Wirtschaftlichem die Rede, von Verpflegung, Feldbau, Handel und Handwerksbetrieb, worüber der Jungmeier der Herrin Rechenschaft ablegte, worin er sie unterwies oder wozu er sich ihres Rates bedürftig zeigte: Dies war nun einmal der Lügengegenstand ihrer Gespräche, und es ist anzuerkennen – wenn auch mit einem etwas fraglichen Lächeln anzuerkennen –, daß Joseph Wert darauf legte und sich bemühte, aus dem Vorgeschützten Eigentliches zu machen, ernstlich die Frau mit diesen Sachlichkeiten zu befassen und ihre redliche Anteilnahme, wenn auch allenfalls auf Grund ihrer Neigung für seine Person, dafür zu gewinnen.

Das war eine Art von Heilsplan: Jung-Joseph gefiel sich in des Erziehers Rolle. Seine Meinung war (wie er meinte), daß er die Gedanken der Gebieterin wollte vom Persönlichen aufs Gegenständliche ablenken, von seinen Augen auf seine Sorgen, und sie dadurch kühlen, ernüchtern und heilen, also daß er zwar Ehre, Vorteil und schönes Vergnügen ihres Umganges und ihrer Gnade gewann, ohne doch die Gefahr der Grube zu laufen, mit der das angstvolle Gottliebchen drohte. Man kann nicht umhin, eine gewisse Überheblichkeit in diesem pädagogischen Heilsplan des jugendlichen Meiers zu finden, mit dem er die Seele seiner Gebieterin, einer Frau wie Mut-em-enet, zu gängeln gedachte. Die Grubengefahr ernstlich zu bannen wäre der unvergleichlich sicherere Weg gewesen, die Herrin zu meiden und ihr den Blick zu versagen, anstatt erzieherische Zusammenkünfte mit ihr zu halten. Daß Jaakobs Sohn diesen den Vorzug gab, weckt den Verdacht, daß es mit dem Heilsplane ein Larifari war und daß seine Idee, aus dem Vorgeschützten das ehrenhaft Eigentliche zu machen, selbst eine Vorschützung war seiner nicht mehr dem puren Geist, sondern dem Hange dienstbaren Gedanken.

Dies war jedenfalls der Verdacht oder vielmehr die kleine und scharfe Weisheitserkenntnis Gottliebchens, des Gnomen; und er machte vor Joseph kein Hehl aus ihr, sondern flehte ihn beinahe täglich mit gerungenen Händchen an, doch nicht zu Luftdrusch und Winkelzügen sich zu erniedrigen, sondern so klug zu sein wie gut und schön und den Atem des alles verheerenden Feuerstieres zu fliehen. Umsonst, sein vollwüchsiger Freund, der Jungmeier, wußte es besser. Denn wer mit Recht gewohnt war, auf seinen Verstand zu vertrauen, dem wird, wenn dieser sich trübt, das gewohnte Vertrauen zu einer großen Gefahr.

Auch Dûdu, der kernhafte Zwerg, spielte unterdessen seine Rolle, wie sie im Buche steht: die Rolle des arglistigen Meldegängers und auf Verderben spekulierenden Zubläsers, der hin und her geht zwischen zweien, die sündigen möchten, hier blinzelt und winkt, dort zwinkert und deutet, sich zu dir stellt, das Maul verschiebt und, ohne die Lippen zu öffnen, aus dem Mundwinkel einen Beutel macht, woraus er entnervende Kuppelbotschaft schüttet. Er spielte die Rolle, ohne seine Vorgänger und Nachfahren in ihr zu kennen, sozusagen als erster und einziger, wofür jeder in jeder Lebensrolle sich halten möchte, gleichsam nach eigener Erfindung und auf eigenste Hand – dennoch aber mit jener Würde und Sicherheit, die dem gerade obenauf gekommenen und am Lichte agierenden Spieler nicht seine vermeintliche Erstmaligkeit und Einzigkeit verleiht, sondern die er im Gegenteil aus dem tieferen Bewußtsein schöpft, etwas Gegründet-Rechtmäßiges wieder vorzustellen und sich, wie widerwärtig auch immer, so doch in seiner Art musterhaft zu benehmen.

Damals ging er noch nicht den Seitenweg, der auch dazu gehört und der abzweigend von dem fleißig hin und her begangenen an einen dritten Ort führte, nämlich zu Potiphar, dem zarten Herrn, daß er's ihm stecke und ihm Verdächtiges ins Ohr träufle von wegen gewisser Zusammenkünfte. Das sollte noch kommen, und für den Augenblick schien ihm zum Begehen auch dieses ausgetretenen Weges der Fall noch nicht reif. Es wollte ihm nicht gefallen, daß, entgegen aller Gelegenheitsmacherei, deren er sich befleißigte, und allen halbgefälschten Bestellungen, die er an beiden Enden des Weges aus dem Beutel seines Mundwinkels schüttete, Jungmeier und Herrin fast niemals allein, sondern so gut wie ohne Ausnahme unter Ehrenbedeckung miteinander sprachen; und was sie miteinander sprachen, mißfiel ihm auch: Der erzieherische Heilsplan Josephs war gar nicht nach seinem Sinn und ärgerte ihn, obgleich er so gut wie sein reines Vetterchen ein dem Hange dienstbares Larifari darin erkannte. Der ökonomische Austausch schien ihm eine wunschgemäße Entwicklung der Dinge zu verzögern, und er besorgte auch wohl, Josephs Methode möchte Erfolg haben und wirklich die Gedanken der Herrin gereinigt und versachlicht werden durch sie, so daß sie vom Eigentlichen abkämen. Denn auch zu ihm, dem Biederen, sprach sie nun öfters von Dingen der Wirtschaft, von Erzeugung und Handel, Ölpreisen und Wachspreisen, Rationen und Magazinierung; und wenn es auch seinem Sonnenwitz nicht entging, daß sie damit nur ihre Gedanken umhüllte und heimlich mit alldem von Joseph sprach, der sie's gelehrt, so verdroß es ihn doch, und hin und her gehend schüttete er beiderseits seine aufmunternden Bestellungen aus, dahingehend am einen Ende: der jugendliche Vorsteher sei oft gar betrübt, weil er, begnadet, nach des Tages Mühsal oder zwischenein mit der Herrin zu sein und die Seele in ihrer Schönheit zu baden, auch wieder nur vom leidigen Hausgeschäft mit ihr reden dürfe, anstatt Erquicklich-Näherliegendes ziemlich zur Sprache zu bringen. Am andern Ende: die Herrin beklage es und habe ihm, Dûdu, befohlen, dem Jungmeier Kunde zu geben von ihrer Bitterkeit darüber, daß jener die Gunst der Audienzen so mangelhaft wahrnehme und immer nur von der Ökonomie vor ihr rede, nicht aber auch endlich einmal auf sich selber komme, um ihren geneigten Wissensdurst zu stillen über seine Person und sein Vorleben, seine elende Heimat, seine Mutter und darüber, wie es allenfalls mit seiner jungfräulichen Geburt und seiner Höllenfahrt und Auferstehung zugegangen sei. Von solchen Dingen zu hören, sagte er, sei für eine Dame wie Mut-em-enet selbstverständlich pikanter als Vorträge über Papierkleberei und Webstuhlbelieferung, und wenn der Vorsteher Fortschritte machen wolle bei Mut, der Herrin, Fortschritte gegen ein höchstes Ziel, höher und herrlicher als alle Ziele, die er je im Hause erreicht, so möge er sich ein Herz fassen zu minder lederner Redeweise.

„Laß Er das meine Sache sein, so Ziele wie Mittel", antwortete Joseph ihm unfreundlich. „Du könntest auch vorneheraus sprechen statt aus der Seitentasche; ich seh' es mit Widerwillen und wünschte, daß du deinerseits dich mehr ans Sachliche hieltest, Gatte der Zeset. Vergiß nicht, daß es weltlich steht zwischen dir und mir und nicht herzlich! Trage mir zu immerhin, was du auffängst in Haus und Stadt. Zu Freundesratschlägen hab' ich dich nicht ermutigt."

„Bei meiner Kinder Häuptern!" schwor Dûdu. „Ich habe dir unserm Bunde gemäß hinterbracht, was ich auffing von bitteren Seufzern der Herrin über die Ledernheit deines Vortrags. Nicht Dûdu ist's, der da rät, sondern sie und ihr Seufzen nach etlicher Pikanterie."

Das war aber mehr als zur Hälfte gelogen, denn auf seine Vorhaltung: wenn sie dem Jungmeier auf den Zauber kommen und ihn zu Falle bringen wolle, müsse sie ihm näher an die Person rücken, statt ihm zu erlauben, sich hinter sein Amt und Geschäft zu verschanzen, hatte sie dem Mahner zur Antwort gegeben:

„Es tut mir wohl und beruhigt mir etwas die Seele, von dem zu hören, was er tut, wenn ich ihn nicht sehe."

Eine recht kennzeichnende Antwort, auch rührend, wenn man will, weil sie den Neid des liebenden Weibes auf das Ausgefülltsein des männlichen Daseins enthüllt, die Eifersucht des nichts als empfindenden Wesens auf die Sachgehalte, die den Raum des geliebten Lebens zu so großem Teile in Anspruch nehmen und ihr das Leidend-Müßige eines nur der Empfindung gewidmeten Lebens zu fühlen geben. Das Streben der Frau nach Teilnehmung an solchen Inhalten entspringt allgemein aus dieser Eifersucht, auch wenn sie nicht praktisch-ökonomischer, sondern geistiger Art sind.

Mut also, der Herrin, „tat es wohl", sich von Joseph in die Materie einführen zu lassen, unter dem Anschein sogar und der Vorspiegelung, daß er sich, seiner Jugend wegen, von ihr darüber beraten zu lassen wünschte. Und wie gleichgültig ist es ja auch, wovon die Worte des Geliebten handeln, da es seine Stimme ist, die ihren Leib bildet, da seine Lippen sie formen, sein schöner Blick sie deutend begleitet und seine Gesamtnähe auch die kältest-trockensten noch durchwärmt und tränkt, wie Sonne und Wasser das Erdreich wärmen und tränken. So wird jedes Gespräch zum Liebesgespräche – und in eigentlicher Reinheit könnte ein solches ja auch gar nicht geführt werden, weil es dann aus den Silben „ich" und „du" bestehen und an übergroßer Monotonie zugrunde gehen müßte, weshalb notwendig immer von anderen Dingen aushilfsweise dabei die Rede sein muß. Dazu aber, wie es aus ihrer treuherzigen Antwort hervorging, schätzte Eni den Gesprächsstoff hoch, weil er ihrer Seele Nahrung war an öden, der Hoffnung entkleideten und traurig entspannten Tagen, wenn Joseph geschäftlich stromab- oder -aufwärts verreist war und weder bei Tafel sich „Augenblicke" ereignen konnten noch sie seines Besuches im Frauenhause oder sonst einer Begegnung in wünschendem Bangen gewärtig sein mußte und durfte. Dann zehrte sie von jenem Stoff, hielt ihn in ihrem Herzen hoch und tat sich viel Tröstliches zugute darauf, zu wissen, in welcher Angelegenheit der Geliebte abwesend war in der und der Stadt und ihren Dörfern, auf dieser Messe und jenem Markt, in ihrem Weibeselend müßiger Empfindung wenigstens die Sachgehalte nennen zu können, die seine männlichen Tage füllten. Auch konnte sie nicht umhin, sich des Wissens zu rühmen vor ihren Nebenfrauen sowohl, den gackernden, wie vorm Mädchenstaat und vor Dûdu, wenn er ihr aufwartete.

„Der Jungmeier", sagte sie, „ist hinab auf dem Wasserwege nach Necheb, der Stadt, wo Nechbet im Feste ist, mit zwei Schleppkähnen voll Dum- und Balanitfrüchten, Feigen und Zwiebeln, Knoblauch, Melonen, Aggur-Gurken und Rizinussamen, die er verhandeln will unter den Schwingen der Göttin gegen Holz und Sandalenleder, weil Peteprê ihrer bedarf für die Werkstätten. Der Vorsteher hat im Einvernehmen mit mir einen Augenblick gewählt für diese Verschiffung, wo das Gemüse hoch notiert von wegen der Nachfrage, Leder und Holz aber nicht so sehr hoch."

Und ihre Stimme war eigentümlich klingend und schwingend bei diesen Worten, so daß Dûdu das Händchen zum Schallfang höhlte an seinem Kopf und bei sich bedachte, ob er nicht bald den Zweigweg würde einschlagen können zu Potiphar, daß er's ihm steckte. –

Was sollen wir noch viel erzählen von diesem Jahr, da Mut dem Joseph ihre Verliebtheit noch aus Stolz und Scham zu verhehlen bemüht war und sie auch der Außenwelt noch verbarg oder zu verbergen wähnte? Der Kampf gegen ihr Gefühl für den Sklaven, der Kampf also mit sich selbst, eine Weile heftig geführt, war schon vorüber und zugunsten des Gefühles selig-unselig entschieden. Nur um die Geheimhaltung ihrer Ergriffenheit vor den Menschen und vor dem Geliebten kämpfte sie noch; in ihrer Seele aber gab sie sich dem wundervoll Neuen desto rückhaltloser und entzückter, man möchte sagen: desto einfältiger hin, je unbekannter es ihr, der eleganten Heiligen und weltkühlen Mondnonne, bis dahin geblieben war, je länger es gedauert hatte, bis sie diese Berührung und Erweckung erfahren, und mit je tieferer Entfremdung sie sich der vormaligen, von Leidenschaft noch nicht gesegneten Zeiten erinnerte, in deren Dürre und Starre sie sich kaum noch zurückzuversetzen wußte und in die zurückversetzt zu werden sie aus allen Kräften ihres aus dem Schlummer gerufenen Weibtumes verabscheute. Die berückende Steigerung, die ein Leben wie das ihre durch die Fülle der Liebe erfährt, ist so bekannt wie unsäglich; die Dankbarkeit aber für diesen Segen an Lust und Qual sucht ein Ziel und findet es wieder nur in demjenigen, von dem alles ausgeht oder auszugehen scheint. Was Wunder also, daß die Erfülltheit von ihm, um die Dankbarkeit noch vermehrt, zur Vergötterung wird? Wir konnten mehrmals beobachten, daß Joseph in kurzen schwankenden Augenblicken anderen Leuten halb und halb, oder etwas mehr als halb und halb, als Gott erschien. Aber waren diese Anwandlungen und Versuchungen „Vergötterung" zu nennen gewesen? Welche Entschlossenheit, welche tätige Begeisterung liegt in dem Wort, wie die Logik der Liebe es versteht! Eine Logik, kühn und sonderbar genug. Wer solches an meinem Leben getan, so lautet sie, wer dem ehemals toten diese Gluten und Fröste, dies Jauchzen und diese Tränen geschenkt, der muß ein Gott sein, es ist nicht anders möglich. Aber jener hat gar nichts getan, und alles kommt aus der Ergriffenen selbst. Nur kann sie's nicht glauben, sondern macht aus ihrem Enthusiasmus unter Dankgebeten die Göttlichkeit des anderen. „O Himmelstage des lebendigen Fühlens!... Du hast mein Leben reich gemacht – es blüht!" Das war so ein Dankgebet Mut-em-enets, oder das Bruchstück eines solchen, gerichtet an Joseph, kniefällig zu Füßen ihres Ruhebettes gestammelt unter Wonnezähren, da niemand sie sah. Warum aber, wenn ihr Leben so sehr in Reichtum und Blüte stand, warum war sie dann mehr als einmal drauf und dran, die Nubierin nach der Giftnatter zu schicken, daß sie sie sich an den Busen lege; ja, warum hatte sie den Auftrag einmal tatsächlich schon erteilt, so daß die Viper bereits in einem Schilfkörbchen zur Stelle gewesen und Mut erst im letzten Augenblick noch einmal von ihrem Vorhaben abgekommen war? Nun, weil sie der Meinung war, bei der letzten Begegnung alles verdorben und nicht nur häßlich ausgesehen, sondern dem Geliebten auch, statt ihm mit ruhiger Gnade zu begegnen, ihre Liebe – die Liebe einer Alten und Häßlichen – durch Blick und Beben verraten zu haben, wonach es für sie nur noch den Tod gab: zur Strafe für sich und ihn, der aus ihrem Tode das Geheimnis ersehen mochte, für dessen schlechte Verwahrung sie sich ihn gab!

Wirre, blühende Logik der Liebe. Man kennt das alles, und kaum lohnt es, davon zu erzählen, da es uralt ist, auch zu den Zeiten von Potiphars Weib schon längst uralt war und nur demjenigen höchst neu erscheint, der, wie sie, gerade daran ist, es als erster und einziger überwältigt zu erfahren. Sie flüsterte: „O horch, Musik!... An meinem Ohr weht wonnevoll ein Schauer hin von Klang." Man kennt auch das. Es sind die Gehörstäuschungen empfindlicher Ekstase, die Verliebten wie Gottverzückten wohl hie und da zustoßen und kennzeichnend sind für die nahe Verwandtschaft und Unabgegrenztheit ihrer Zustände, bei denen hier Göttliches, dort aber viel Menschliches sich einmischt. – Man kennt auch, und es erübrigt sich völlig, ausführlich darüber zu sein, jene Fiebernächte der Liebe, die eine Folge von lauter kurzen Träumen sind, in welchen immer der andere da ist und sich kalt und verdachtvoll zeigt, sich verächtlich abwendet, – eine Kette unseliger und vernichtender, aber von der entschlummerten Seele unermüdlich wieder aufgenommener Begegnungen mit seinem Bilde, fortwährend unterbrochen von jähem und nach Luft ringendem Erwachen, Aufrichten, Lichtschlagen: „Ihr Götter, ihr Götter, wie ist es möglich! Wie ist so viel Qual möglich!..." Flucht sie ihm aber, dem Urheber solcher Nächte? Keineswegs. Was sie ihm, wenn der Morgen sie von der Folter gebunden, erschöpft auf dem Rande ihres Bettes, zuflüstert von ihrem Orte zu seinem, das lautet:

„Ich danke dir, mein Heil! mein Glück! mein Stern!"

Der Menschenfreund schüttelt das Haupt ob solcher Rückäußerung auf entsetzliches Leiden; er findet sich beirrt und halb lächerlich gemacht durch sie in seinem Erbarmen. Wo aber die Urheberschaft einer Qual nicht als menschlich, sondern als göttlich verstanden wird, da ist diese Art der Rückäußerung möglich und natürlich. – Und warum wird sie so verstanden? – Weil sie eine Urheberschaft besonderer Art ist, die sich auf das Ich und das Du verteilt, zwar an dieses gebunden erscheint, aber zugleich ihren Ort in jenem hat: sie besteht in der Vereinigung und Verschränkung eines Außen und eines Innen, eines Bildes und einer Seele – in einer Vermählung also, aus der tatsächlich schon Götter hervorgegangen sind und deren Manifestationen nicht sinnloserweise als göttlich angesprochen werden. Ein Wesen, das wir für große Qualen, die es uns zufügt, segnen, muß wohl ein Gott sein und kein Mensch, denn sonst müßten wir ihm fluchen. Eine gewisse Schlüssigkeit ist dem nicht abzusprechen. Ein Wesen, von dem Glück und Elend unserer Tage in einem Umfange abhängig sind, wie es in der Liebe der Fall, rückt in die Ordnung der Götter, das ist klar; denn Abhängigkeit war immer und bleibt die Quelle des Gottgefühls. Hat aber je schon einer seinem Gotte geflucht? – Wohl möglich, daß er's versuchte. Dann aber nahm der Fluch sich aus und lautete wörtlich wie oben.

Dies zur Verständigung des Menschenfreundes, wenn auch nicht zu seiner Befriedigung. Hatte übrigens nicht unsere Eni noch besondere Ursache, aus dem Geliebten einen Gott zu machen? – Allerdings hatte sie die: insofern nämlich in seiner Vergöttlichung die Erniedrigungsgefühle sich aufhoben, die sonst von ihrer Schwäche für den Fremdsklaven untrennbar gewesen wären und mit denen sie lange im Kampf gelegen. Ein niedergestiegener, ein Gott in Knechtsgestalt, nur kenntlich an seiner unverhehlbaren Schönheit und dem goldenen Erz seiner Schultern, – sie fand das vor von irgendwoher in ihrer Gedankenwelt, sie fand es glücklicherweise vor, denn es war die Erklärung und Rechtfertigung ihrer Ergriffenheit. Die Hoffnung aber auf Erfüllung des Heilstraumes, der ihr die Augen geöffnet und in welchem ihr jener das Blut gestillt hatte, – diese Hoffnung zog ihre Nahrung aus einem ferneren Bilde und weiterer Kunde, die sie ebenfalls, wer weiß woher, in sich vorfand: dem Bild und der Kunde von der Beschattung Sterblicher durch den Gott. Es mag wohl sein, daß in der Exzentrizität dieser Vorstellung und in dem Zurückgreifen auf sie etwas von der Angst sich verbarg, die des Gatten Eröffnungen über Josephs Geweihtheit und Aufgespartheit, den Schmuck seines Hauptes ihr eingeflößt hatten.

Das zweite Jahr

Als nun das zweite Jahr gekommen war, lockerte sich etwas in der Seele Mut-em-enets und gab nach, so daß sie anfing, dem Joseph ihre Liebe zu erkennen zu geben. Sie konnte nicht länger anders; sie liebte ihn gar zu sehr. Gleichzeitig begann sie auch, infolge derselben Lockerung, einzelne Personen ihrer Umgebung in ihre Ergriffenheit geständnisweise einzuweihen – nicht gerade den Dûdu, denn das war erstens bei seiner Sonnengewitztheit längst nicht mehr nötig, wie sie im Grunde wohl wußte, und zweitens wäre es auch, trotz der Lockerung, ihrem Stolze zuwider gewesen, sich ihm zu bekennen; vielmehr blieb zwischen ihnen die Übereinkunft bewahrt, daß es sich darum handle, dem anstößigen Fremdsklaven auf den Zauber zu kommen, um ihn „zu Falle zu bringen"; – die Redewendung war feststehend und büßte in beider Munde an Zweideutigkeit ein, von Tage zu Tage. Zwei Frauen aber aus ihrer Nähe, die sie plötzlich, und zwar jede für sich, zu ihren Vertrauten machte, obgleich sie bisher niemals Vertraute gehabt hatte, und die davon nicht wenig gehoben waren – dem Kebsweibe Meh-en-Wesecht, einer Kleinen, Munteren mit offenem Haar und in durchsichtigem Hemd, und einer alten Gummiesserin, Kammersklavin vom Dienste der Schminktiegel, Tabubu mit Namen, greis das Haar, schwarz die Haut und die Brüste wie Schläuche –, diesen beiden also eröffnete Eni flüsternd ihr Herz, nachdem sie es durch ihr Benehmen darauf angelegt hatte, daß sie sie schmeichelnd befragten: Sie seufzte und lächelte so lange in zur Schau gestellter Versonnenheit, indem sie die Rede verweigerte, bis diese Weiber, die eine am Wasserbecken des Hofes, die andere am Putztisch, mit

Bitten in sie drangen, ihnen doch den Grund ihrer Gemütsaffektion zu vertrauen, worauf sie sich noch vielfach zierte und wand, dann aber, von einem Schauder durchbebt, den ebenfalls Erschauernden die Beichte ihrer Berührtheit mit trunkener Zunge ins Ohr raunte.

Obgleich sie wohl vorher schon sich auf dies und das einen Reim gemacht, schlugen sie die Hände zusammen, bedeckten die Gesichter damit, küßten ihr die ihren sowie auch die Füße und stimmten beide ein unterdrücktes Glucksen und Girren an, worin festliche Aufregung, Rührung und zärtliche Besorgnis sich mischten, ungefähr als habe Mut ihnen mitgeteilt, daß sie guter Hoffnung sei. So, in der Tat, nahmen die Frauen diese sensationelle Frauensache auf, die große Nachricht, daß Mut, die Herrin, sich in Liebesumständen befinde. Eine Art von Geschäftigkeit ergriff sie beide, sie plapperten tröstend und beglückwünschend auf die Gesegnete ein, streichelten ihren Leib, wie als sei er zum Gefäße kostbar-gefährlichen Inhalts geworden, und gaben auf alle Weise ihr schreckhaftes Entzücken zu erkennen über diese Wende und große Abwechselung, den Anbruch einer weiblichen Jubelzeit voller Heimlichkeit, süßen Betruges und intriganter Steigerung des Alltags. Die schwarze Tabubu, die sich auf allerlei arge Künste der Negerländer und die Beschwörung unerlaubter und namenloser Gottheiten verstand, wollte sogleich zu zaubern anfangen, um den Jüngling künstlich zu kirren und ihn als wonnige Beute zu den Füßen der Herrin niederzuwerfen. Aber damals wies die Tochter Mai-Sachmes, des Gaufürsten, das noch mit einem Abscheu von sich, in welchem nicht nur eine höhere Gesittungsstufe als die der Kuschitin, sondern auch der Anstand ihres Gefühls, so schwer bedenklich es immer sein mochte, sich überlegen kundtaten. – Die Kebse Meh, ihrerseits dagegen, dachte gar nicht an Zaubermittel, weil sie solche im mindesten nicht für nötig hielt und die Sache, abgesehen von ihrer Gefährlichkeit, für höchst einfach ansah.

„Selige", sagte sie, „was gibt es zu seufzen? Ist nicht der Schöne des Hauses Käufling und Sklave, wenn auch an der

Spitze desselben, und dein höriges Eigentum von Anfang an? Wenn du ihn magst, so brauchst du doch nur mit der Braue zu winken, und zur höchsten Ehre wird er sich's anrechnen, seine Füße mit deinen zusammenzutun und sein Haupt mit dem deinen, so daß du es gut hast!"

„Um des Verborgenen willen, Meh!" flüsterte Mut, sich verhüllend. „Sprich nicht gar so unmittelbar, denn du weißt nicht, was du sagst, und es sprengt mir die Seele!"

Sie glaubte dem dummen Ding nicht zürnen zu dürfen, weil sie sie mit einer Art von Neid rein und frei wußte von Liebe und süchtiger Schuld und ihr das Recht beimaß des guten Gewissens, vergnügt von Füßen und Häuptern zu reden, wenn es sie auch unerträglich verwirrte. Darum fuhr sie fort:

„Man sieht wohl, du warst niemals in solchen Umständen, Kind, und nie hat es dich ereilt und ergriffen, sondern hast immer nur genascht und geschnattert mit den Schwestern in Peteprês Frauenhaus. Du würdest sonst nicht von meiner Braue sagen, daß ich ihm einfach damit winken könnte, sondern wissen, daß durch meine Berührtheit sein Sklaventum und mein Herrinnentum gänzlich aufgehoben sind, wenn nicht verkehrt in ihr Gegenteil, so daß ich vielmehr an seinen herrlich gezeichneten Brauen hänge, ob es glatt und freundlich ist zwischen ihnen oder ob sie sich beirrt und argwöhnisch verfinstern gegen mich Bebende. Siehe, du bist nicht besser denn Tabubu in ihrem Tiefstand, die mir ansinnt, Negerzauber mit ihr zu üben, daß mir der Jüngling verfiele und des Zaubers leibliche Beute würde, er wüßte nicht wie. Schämt euch, ihr Unwissenden, die ihr mir ein Schwert ins Herz stoßt mit eueren Ratschlägen und dreht's in der Wunde um! Denn ihr redet und ratet, als sei er ein Körper und nicht auch Seele und Geist in einem damit, – davor aber ist Brauenbefehl nicht besser als kirrender Zauber, denn beide haben Gewalt nur über den Körper und führten mir diesen nur zu, eine warme Leiche. War er mir jemals hörig und zu Befehl meiner Braue, – durch meine Ergriffenheit ist ihm die Freiheit geschenkt, die volle, törichte Meh, und meines Herrinnentumes ward ich selig verlustig durch sie und trage sein Joch, abhängig in Freud und Qual von der Freiheit seiner lebendigen Seele. Dies ist die Wahrheit, und ich leide genug darunter, daß sie nicht am Tage ist, sondern daß er am Tage fälschlicherweise noch immer der Knecht ist und ich ihm gebiete. Denn wenn er mich Herrin nennt seines Hauptes und Herzens, seiner Hände und Füße, so weiß ich nicht, ob er's als Diener sagt, nach der Redensart, oder vielleicht als lebendige Seele. Ich hoffe das letztere, verzage aber zugleich auch wieder daran. Gib mir acht! Wenn nur sein Mund wäre, so ließe sich hören allenfalls und zur Not, was ihr sagt von Befehlswink und Zauber, denn körperlich ist der Mund. Aber da sind seine Augen in ihrer schönen Nacht, von Freiheit und Seele voll, ach, und ich fürchte die Freiheit darin noch auf besondere Weise, insofern sie nämlich Freiheit ist von der Sucht, die mich Verlorene in trüben Banden hält, und ein lustiger Spott darüber – nicht geradezu über mich, das nicht, aber über die Sucht, so daß es mich beschämt und vernichtet, da doch die Bewunderung seiner Freiheit nur meine Sucht noch erhöht und mich mit desto trüberen Banden umschlingt. Verstehst du das, Meh? Und nicht genug damit, muß ich auch noch den Zorn seiner Augen fürchten und ihre Verwerfung, weil, was ich für ihn trage, Trug und Verrat ist an Peteprê, dem Höfling, der sein Herr ist und meiner, und dem er in Treuen das Wohlgefühl des Vertrauens erweckt, – ich aber will ihm ansinnen, den Herrn zu erniedrigen mit mir an meinem Herzen! Dies alles droht mir von seinen Augen, und da siehst du, daß ich es nicht nur mit seinem Munde zu tun habe und daß er nicht nur ein Körper ist! Denn ein solcher ist nicht hineingestellt in Bewandtnisse und Verkettungen, die ihn bedingen wie auch unser Verhältnis zu ihm und es erschwierigen, indem sie es mit Rücksichten und Folgen beladen und eine Sache der Satzung, der Ehre und des Sittengebots daraus machen und unserm Verlangen die Flügel beschneiden, so daß es am Boden hockt. Wieviel hab' ich nachgesonnen, Meh, über diese Dinge bei Tag und Nacht! Denn ein Körper ist frei und allein, des Bezuges bar, und nur Körper sollten sein für die Liebe, daß sie frei schwebten und einsam im leeren Raum und einander umarmten ohne Rücksicht und Folge, Mund an Mund und bei geschlossenen Augen. Das wäre die Seligkeit – und eine Seligkeit doch, die ich verwerfe. Denn kann ich wohl wünschen, daß der Geliebte nur ein bewandtnisloser Leib wäre, eine Leiche und keine Person? Das kann ich nicht, denn ich liebe nicht bloß seinen Mund, ich liebe auch seine Augen, sie sogar über alles, und aus diesem Grunde sind euere Ratschläge mir zuwider, Tabubus und deiner, mit Ungeduld weis' ich sie von mir."

„Das verstehe ich nicht", sagte die Nebenfrau Meh, „wie heiklig du die Dinge betrachtest. Ich meinte, da du ihn magst, so käme es schlechthin drauf an, daß ihr eure Füße und Häupter zusammentätet, damit du es gut hättest."

Als ob das nicht am Ende auch das Sehnsuchtsziel Mut-em-enets, der schönen Mutemône, gewesen wäre! Der Gedanke, daß ihre Füße, die trippeln mußten, wenn sie mit Joseph war, an die seinen geschmiegt sollten ruhen dürfen, – gerade diese Vorstellung erschütterte und begeisterte sie sogar bis auf den Grund, und daß Meh-en-Wesecht ihr so geradehin Worte geliehen hatte, ohne sich allerdings auch nur entfernt soviel dabei zu denken wie Mut, das beförderte jene Lockerung in ihrem Inneren, von der ihre Mitteilsamkeit an die Frauen schon ein Zeichen gewesen war, und sie fing an, den Jungmeier ihrer Schwäche und Verfallenheit zu bedeuten in Tat und Wort.

Die Taten angehend, so waren es Deuthandlungen von kindlicher und im Grunde rührender Art, Aufmerksamkeiten der Herrin für den Knecht, zu deren stark aufgetragener Symbolik das rechte Gesicht zu machen für diesen nicht leicht war. Eines Tages zum Beispiel – und öfters nach diesem ersten Mal – empfing sie ihn zur Wirtschaftsaudienz in asiatischer Tracht, einem reichen Gewande, zu dem sie sich die Stoffe in der Stadt der Lebenden im Handelsgewölbe eines bärtigen Syrers hatte erstehen lassen und das die Schneidersklavin Cheti ihr emsig gefertigt hatte. Es war bunt wie nie ein ägyptisch Kleid, sah aus, als ob zwei gestickte Wolltücher, ein blaues und ein rotes, ineinandergewunden seien, und war zu den Stickereien noch an allen Säumen mit farbigen Borten besetzt, sehr üppig und ausländisch. Schulterklappen, ganz echt nach dem Stile, bedeckten die Achseln, und über den ebenfalls bunt gestickten Kopfbund, Sânip geheißen im Heimatgebiet dieser Mode, hatte Eni das obligate Schleiertuch geworfen, das bis zu den Hüften und tiefer fiel. So angetan, blickte sie dem Joseph mit vom Bleiglanz zugleich und von ängstlich-schelmischer Erwartung vergrößerten Augen entgegen.

„Wie fremd und herrlich du mir erscheinst, hohe Herrin", sagte er mit betretenem Lächeln, denn er deutete sich's.

„Fremd?" fragte sie ebenfalls lächelnd, gezwungen, zärtlich und wirr. „Eher vertraut, denke ich, und im Bilde der Töchter deines Landes sollte ich dir erscheinen in dem Kleid, das ich zur Abwechslung heut einmal anlegte, – wenn es das ist, worauf du zielst."

„Vertraut", sagte er mit niedergeschlagenen Augen, „ist mir wohl das Kleid und der Schnitt des Kleides, aber fremd noch ein wenig an dir."

„Du findest nicht, daß es mir läßt und mir vorteilhaft ansteht?" fragte sie mit zagender Herausforderung.

„Der Stoff", antwortete er gehalten, „müßte erst noch gewoben und das Kleid erst geschnitten werden, das nicht, und wär's ein härener Sack, deiner Schönheit dienen müßte, Gebieterin."

„Ei, wenn's ganz gleich ist und ist einerlei, was ich trage", versetzte sie, „so war es verlorene Müh mit diesem Gewande. Ich legte es aber an zu Ehren deines Besuches und um dir zu erwidern. Denn du, Jüngling von Retenu, trägst dich ägyptisch bei uns, indem du dich artig erweist unserer Sitte. Da gedachte ich, nicht zurückzustehen für mein Teil und dir in deiner Mütter Tracht zu begegnen im Austausch. So haben wir die Kleider getauscht, festlicherweise. Denn etwas Gottesfestliches ist es um solchen Tausch von alters, wenn sich in Weibertracht ergehen die Männer und im Kleide des Mannes das Weib und die Unterschiede dahinfallen."

„Laß mich dazu anmerken", erwiderte er, „daß solch ein Brauch und Dienst mich nicht sonderlich anheimelt. Denn es liegt etwas Taumelhaftes darin und ein Dahinfall der Gottesbesonnenheit, der meine Väter nicht freuen wollte."

„So hab' ich's verfehlt", sagte sie. „Was bringst du Neues vom Hause?"

Sie war tief gekränkt, weil er nicht zu verstehen schien (er verstand es übrigens), welches Opfer sie ihm und ihrem Gefühle brachte, indem sie, das Amunskind, Nebenfrau des Gewaltigen und Parteigängerin seiner Strenge, der Ausländerei huldigte in ihrem Kleide, weil der Geliebte ein Ausländer war. Süß war ihr das Opfer gewesen und dünkte sie eine Seligkeit, sich ihrer Staatsgesinnung zu entäußern um seinetwillen; und sehr unglücklich war sie nun, weil er's so matt aufgenommen. Ein andermal war sie glücklicher, obgleich die Deuthandlung sogar von noch größerer Selbstentäußerung zeugte.

Ihr Wohngemach, die Vorzugsstätte ihrer Zurückgezogenheit im Frauenhause, war eine gegen die Wüste gelegene kleine Halle, die man so nennen konnte, weil ihre hölzern gerahmte Türe breit offen und der Aussichtsraum von zwei Pfeilern unterbrochen war, die schlichte Rundhäupter und viereckige Tragflächen unterm Gesimse hatten, doch basenlos auf der Schwelle standen. Der Blick ging auf einen Hof, mit niedrigen weißen Baulichkeiten zur Rechten, unter deren flachen Dächern Wohnungen der Nebenfrauen lagen und an die eine höhere Architektur, pylonartig, mit Säulen stieß. Eine Lehmmauer, schulterhoch, lief quer dahinter hin, so daß man draußen kein Land, sondern nur Himmel sah. Das Sälchen war fein und einfach, nicht sonderlich hoch; schwarz lagen die langen Schatten der Pfeiler auf seinem Estrich; Wände und Decke zeigten schlichten zitronenfarbenen Bewurf, und nur unter dieser lief ein in blassen Farben gemaltes Schmuckband hin. Es stand nicht viel mehr in dem Raum als ein zierliches Ruhebett in seinem Hintergrunde mit Kissen darauf und Fellen davor. Hier wartete Mut-em-enet oft auf Joseph.

Er pflegte auf dem Hof zu erscheinen und die Handflächen gegen das Gemach und die dort ruhende Frau zu erheben, die Rechnungsrollen unter den einen Arm geklemmt. Dann gewährte sie's ihm, daß er eintrete und vor ihr redete; an einem Tage aber entdeckte er gleich, daß etwas verändert war im Salon, was ihre Blicke meinten, die ihm mit ebenso froh befangenem Ausdruck entgegengingen wie damals, als sie das syrische Kleid getragen; doch stellte er sich, als sähe er nichts, grüßte sie mit gewählten Worten und fing schon von den Geschäften zu reden an, bis sie ihn mahnte:

„Sieh dich um, Osarsiph! Was siehst du Neues bei mir?"

Neu mochte sie es wohl nennen, was man bei ihr sah. Kaum sollte man's glauben: auf einem gewirkbedeckten Altartisch an der Rückwand des Zimmers stand in offenem Kapellenschrein eine vergoldete Statuette des Atum-Rê!

Der Herr des Horizontes war gar nicht zu verkennen: er sah aus wie sein Schriftzeichen; mit hochgezogenen Knien saß er auf einem kleinen, viereckigen Postament, den Falkenkopf auf den Schultern, die längliche Sonnenscheibe zum Überfluß noch oben darauf, aus welcher vorne der Blähkopf und hinten der Ringelschwanz des Uräus hervorkam. Auf einem Dreifuß zur Seite des Altars lagen gestielte Räucherpfannen, auch Werkzeug zum Feuerschlagen und Kügelchen des Wohlgeruchs in einer Schale.

Erstaunlich und fast unglaublich! Sehr rührend dabei und kindlich kühn als Mittel und Redeweise für das Ausdrucksverlangen ihres Herzens! Die Herrin Mut vom Frauenhause des Rinderreichen, Sängerin ihm, dem widderstirnigen Reichsgott, und heilige Tänzerin; seines staatsklugen Ober-Blankschädels Vertraute; Parteigängerin seines volksfromm-erhaltenden Sonnensinnes, – sie hatte dem Herrn des weiten Horizontes, an dem Pharaos Denker sich denkend versuchten, dem weltläufig-verbindlich ausblickenden und fremdfreundlichen Bruder asiatischer Sonnenherren, dem Rê-Horachte-Atôn von On an der Spitze des Dreiecks, in ihrem eigensten Bereich eine Stätte errichtet! So drückte ihre Liebe sich aus, in diese Sprache flüchtete sie – die Sprache des Raumes und der Zeit, die ihnen beiden, der Ägypterin und dem ebräischen Knaben, gemeinsam waren. Wie hätte er sie nicht verstehen sollen? Er hatte schon längst verstanden, und man muß ihm Ergriffenheit nachrühmen in diesem Augenblick: was er empfand, war eine mit Schrecken und Sorge gemischte Freude. Diese ließ ihn das Haupt senken.

„Ich sehe deine Andacht, Gebieterin", sagte er leise. „In etwas erschreckt sie mich. Denn wie, wenn Beknechons, der Große, dich heimsuchte und sähe, was ich sehe?"

„Ich fürchte Beknechons nicht", antwortete sie mit bebendem Triumph. „Pharao ist größer!"

„Er lebe, sei heil und gesund", murmelte er mechanisch. „Du aber", setzte er wieder sehr leise hinzu, „bist dem Herrn von Epet-Esowet zu eigen."

„Pharao ist sein leiblicher Sohn", erwiderte sie so rasch, daß man sah: sie war vorbereitet. „Dem Gott, den er liebt, und den zu ergründen er seinen Weisen befiehlt, werde auch ich wohl dienen dürfen. Wo wäre ein älterer, größerer in den Ländern? Er ist wie Amun, und Amun ist wie er. Amun hat sich mit seinem Namen genannt und gesprochen: ‚Wer mir dient, dient dem Rê.' So dien' ich dem Amun auch, wenn ich diesem diene!"

„Wie du meinst", antwortete er leise.

„Wir wollen ihm räuchern", sagte sie, „bevor wir die Geschäfte des Hauses bedenken."

Und sie nahm ihn bei der Hand und führte ihn vor das Bild, zu dem Dreifuß mit den Opfergeräten.

„Lege Weihrauch ein", befahl sie (sie sagte „senter neter" in der Sprache Ägyptens, das ist: „der göttliche Geruch"), „und brenne an, wenn du die Güte haben willst!" Aber er zögerte.

„Es ist nicht gut für mich, Herrin", sagte er, „einem Bilde zu räuchern. Es ist ein Verbot unter den Meinen."

Da sah sie ihn an, stumm, mit so unverhohlenem Schmerz, daß er wieder erschrak, und in ihrem Blick stand geschrieben:

462

„Du willst nicht mit mir räuchern dem, der mir erlaubt, dich zu lieben?"

Er gedachte aber Ons an der Spitze, der milden Lehren seiner Lehrer und des Vaters-Großpropheten daselbst, dessen Lächeln besagen wollte, daß, wer dem Horachte opfere, es zugleich seinem eigenen Gotte tue im Sinne des Dreiecks. Darum antwortete er auf ihren Blick:

„Ich will dir gerne der Beisteher sein, will einlegen und anbrennen und dir ministrieren beim Opfer."

Und er legte von den Pillen aus Terebinthenharz in die Pfanne, schlug Feuer und brannte an und gab ihr den Stiel, daß sie räuchere. Und während sie den Würzrauch aufsteigen ließ vor Atums Nase, hob er die Hände und diente dem Duldsamen mit Vorbehalt, indem er auf schonendes Vorübergehen vertraute. Enis Brust aber ging hoch von dieser Deuthandlung bei dem ganzen häuslichen Vortrag, der nachfolgte. –

Solcherart waren die Taten, mit denen sie ihm ihr Verlangen gestand; aber auch der Worte entschlug sich die Arme nicht länger. Ja, ihre Sucht, den Geliebten ebendas wissen zu lassen, was sie ihm lange auf Tod und Leben zu verbergen gesucht hatte, war nach erfolgter Lockerung übermächtig; und da sie überdies von dem hin und her gehenden Dûdu beständig dahin beraten und dazu angefeuert wurde, die Unterhaltung vom Gegenständlichen weg aufs Persönliche zu bringen, damit sie dem Bösewicht auf die Schliche käme und ihn „zu Falle brächte", – so zerrte sie immerdar mit fiebernden Händen an der hauswirtschaftlichen Hülle des Gesprächs, seinem Feigenschurz, um es davon zu entkleiden und es auf die Wahrheit und Nacktheit des Du und Ich zurückzuführen, – ohne zu ahnen, welche abschreckenden Gedankenverbindungen sich für Joseph an die Idee der „Entblößung" knüpften: kanaanitische Gedankenverbindungen voller Warnung vor Unerlaubtem und jederlei trunkener Schamlosigkeit, zurückgehend bis zu dem Orte des Anfangs, wo es zur durchdringenden Begegnung von Nacktheit und Erkenntnis gekommen und die Unterscheidung von Gut und Böse aus dieser Durchdringung entsprungen war. Mut, solcher Überlieferung fremd und bei allem Sinn für Ehre und Schande ganz ohne tieferes Verständnis für die Idee der Sünde, von der sogar die Wortchiffre ihrem Vokabulare fehlte, vor allen Dingen nicht im mindesten gewohnt, diese Idee gerade mit der der Nacktheit zu verbinden, konnte nicht wissen, welchen vorpersönlich-blutsüberkommenen Baalsschrecken die Entblößung des Gesprächs in ihrem Jüngling aufregte. Sooft er diesem das sachliche Gewand wieder vortun wollte, zog sie es ihm ab und nötigte ihn, statt von den Dingen der Wirtschaft von sich selbst, seinem Leben und Vorleben zu sprechen, befragte ihn nach seiner Mutter, deren er schon früher vor ihr gedacht, vernahm von ihrer sprichwörtlichen Lieblichkeit und hatte von da nur einen Schritt zu seinem persönlichen Erbgut an Hübschheit und Schönheit, das mit lächelnden Worten erst zu erwähnen, dann aber mit tiefer und inniger lautenden zu rühmen und leidenschaftlich anzusprechen sie sich nicht mehr versagte.

„Selten", sagte sie, in einem breiten Armstuhl lehnend, der auf dem Schwanzende eines Löwenfelles stand, während der Kopf des Beutetieres dem Joseph mit klaffendem Rachen zu Füßen lag, – „selten", antwortete sie auf seine vorangegangene Aussage, die eigenen Füße in erzwungener Ruhe auf dem Polsterschemel gekreuzt, „sehr selten geschieht es, daß man von einer Person erzählen hört und ihre Beschreibung empfängt, während zugleich das erläuternde Bild der Beschreibung sie uns gegenwärtig veranschaulicht. Es ist eigentümlich, ja wundersam für mich, die Augen jener Lieblichen, des Mutterschafs, in ihrer freundlichen Nacht, unter denen der Mann aus Westen, dein Vater, Tränen der Ungeduld wegküßte in langer Wartezeit, auf mich gerichtet zu sehen, da ich von ihnen höre; denn nicht umsonst sagtest du, daß du der Erharrten gleichst in dem Grade, daß sie in dir lebte nach ihrem Tode und dein Vater euch in Verwechselung liebte, Mutter und Sohn. Du siehst mich ja mit ihren Augen an, Osarsiph, während du sie mir als überaus schön beschreibst. Ich aber wußte so lange nicht, woher du diese Augen hast, die dir nach allem, was ich höre, die Herzen der Menschen gewinnen auf den Land- und Wasserwegen; sie waren bisher, wenn ich mich so ausdrücken darf, eine abgerissene Erscheinung. Es ist aber willkommen und angenehm, um nicht zu sagen tröstlich, vertraut zu werden mit der Herkunft und Geschichte einer Erscheinung, die zu unserer Seele spricht."

Man darf sich über das Bedrückende solcher Rede nicht wundern. Verliebtheit ist eine Krankheit, wenn auch nur eine solche von der Art der Schwangerschaft und der Geburtswehen, also eine sozusagen gesunde Krankheit, dabei aber, wie jene, keineswegs ohne Gefahr. Der Sinn der Frau war benommen, und obgleich sie sich als gebildete Ägypterin klar, ja literarisch und in ihrer Art vernünftig ausdrückte, so war doch ihr Unterscheidungsvermögen für das Erträgliche und Unerträgliche stark herabgesetzt und umnebelt. Was erschwerend oder eigentlich entschuldigend hinzukam, war ihre Unumschränktheit als Herrin, welche durchaus gewohnt war, zu sagen, was sie wollte, in der Sicherheit, was zu äußern sie Lust habe, könne von Natur niemals gegen Adel und guten Geschmack verstoßen – worauf in gesunden Tagen wohl auch wirklich Verlaß gewesen war. Nun aber versäumte sie es, ihren Zustand, der ihr ganz neu war, in Rechnung zu stellen, und unterwarf auch ihn ihrer gewohnten Unumschränktheit im Reden, wobei nur Mißliches herauskommen konnte. Auch ist kein Zweifel, daß Joseph es als mißlich, ja als verletzend empfand, nicht nur der Blöße wegen, die sie sich damit gab, sondern für sich selbst empfand er's als Kränkung. Dabei war noch das wenigste, daß er seinen erzieherischen Heilsplan, versinnbildlicht in den Rechnungsrollen, die er unterm Arme trug, mehr und mehr scheitern sah. Das eigentlich Verstimmende für ihn war eben die stolze Unumschränktheit, mit der sie die Redefreiheit der Herrin auch auf die neuen Verhältnisse anwandte und ihm verfängliche Artigkeiten über seine Augen sagte, wie der Liebhaber sie seinem Fräulein sagt. Man muß bedenken, daß in der weiblichen Abwandlung des Wortes „Herr" – daß also im Namen der „Herrin" das ursprünglich männliche Element immer gebietend erhalten bleibt. Eine Herrin, das ist, körperlich gesehen, ein Herr in Weibesgestalt, geistig gesehen aber ein Weib von herrenhaftem Gepräge, also daß eine gewisse Doppeltheit, in der sogar die Idee des Männlichen vorwiegt, dem Herrinnennamen niemals fehlen kann. Andererseits ist Schönheit eine leidend weibliche Eigenschaft, insofern sie Sehnsucht erregt und die männlich-tätigen Motive der Bewunderung, des Begehrens und der Werbung in die Brust dessen verlegt, der sie schaut, so daß auch sie, auf umgekehrtem Wege, jene Doppelnatur, und zwar unter Vorherrschaft des Weiblichen, zu erzeugen vermag. Nun war Joseph gewiß auf dem Gebiet des Doppelten nicht schlecht zu Hause. Er trug es durchaus im Geiste, daß sich in der Person der Ischtar eine Jungfrau und ein Jüngling vereinigten und daß in dem, der den Schleier tauschte mit ihr, in Tammuz, dem Schäfer, dem Bruder, Sohne und Gatten, dieselbe Erscheinung sich wiederholte, so daß sie eigentlich zusammen vier ausmachten. Gingen aber diese Erinnerungen ins Ferne und Fremde, und waren sie nur noch ein Spiel, so lehrten die Tatsachen von Josephs eigenster Sphäre und Wirklichkeit ebendasselbe. Israel, des Vaters geistlicher Name in seinem erweiterten Verstande, war jungfräulich ebenfalls in doppeltem Sinn, verlobt dem Herrn, seinem Gott, als Braut und als Bräutigam, ein Mann und ein Weib. Und er selbst, der Einsame, Eifrige? War er nicht Vater und Mutter der Welt auf einmal, doppelgesichtig, ein Mann nach seinem dem Tageslicht zugekehrten Antlitz, ein Weib aber dem anderen nach, das ins Dunkel blickte? Ja, war nicht diese Zweiheit von Gottes Natur das Erstgegebene, durch das der geschlechtliche Doppelsinn des Verhältnisses Israels zu ihm und besonders noch das persönliche Josephs, das stark bräutlich, stark weiblich war, erst bestimmt wurde?

Schon recht, schon wahr. Aber dem aufmerksamen Leser wird nicht entgangen sein, daß sich in Josephs Selbstgefühl seit einigem gewisse Veränderungen vollzogen hatten, die es ihm unbehaglich machten, als Gegenstand der Bewunderung, des Begehrens und der Werbung einer Herrin herzuhalten, die ihm Komplimente machte wie der Mann einem Fräulein. Das paßte ihm nicht, und die natürliche Vermännlichung, die nicht nur das Ergebnis seiner fünfundzwanzig Jahre, sondern auch seiner amtlichen Stellung und des Erfolges war, mit dem er ein schönes Stück des ägyptischen Wirtschaftslebens seiner Übersicht und Kontrolle unterworfen hatte, erklärt sehr leicht, warum es ihm nicht mehr passen wollte. Aber zu leicht erklärt ist nicht ganz erklärt; es gab der Gründe noch mehr für sein Mißbehagen; Gründe einer Vermännlichung des Knaben Joseph, deren Gedankenbild die Erweckung des toten Osiris durch das über ihm schwebende Geierweibchen war, das den Horus von ihm empfing. Muß man auf die starke Übereinstimmung dieses Bildes mit den wirklichen Umständen hinweisen – mit dem Umstand zum Beispiel, daß auch Mut, wenn sie vor Amun tanzte als Nebenfrau Gottes, die Geierhaube trug? Es ist kein Zweifel: sie selbst, die Berührte, war die Ursache einer Vermännlichung, welche Begehren und Werbung für sich selber in Anspruch zu nehmen begann und es als unschicklich empfand, herrinnenhafte Komplimente entgegenzunehmen.

Darum sah Joseph in solchen Fällen die Frau nur schweigend an mit seinen gelobten Augen und wandte sie dann den Rollen in seinem Arme zu, indem er sich gestattete, anzufragen, ob man nicht, nach der persönlichen Abschweifung, zur Beratung der Geschäfte zurückkehren wolle. Mut aber, bestärkt in ihrer Abneigung dagegen durch Dûdu, den Antreiber, überhörte es und folgte weiter dem Wunsche, ihm ihre Liebe bekanntzugeben. Wir sprechen hier nicht von einem einzelnen Auftritt, sondern von zahlreichen, untereinander sehr ähnlichen Vorkommnissen des zweiten Liebesjahrs. Benommen und unumschränkt, sagte sie ihm Entzücktes nicht nur über seine Augen, sondern auch über seinen Wuchs, seine Stimme, sein Haar, indem sie dabei von seiner Mutter, der Lieblichen, ausging und sich über den verwandelnden Erbgang wunderte, durch welchen Vorzüge, die dort weibliches Form-

und Baugepräge getragen hätten, in männlicher Gestalt und Klangfarbe auf den Sohn gekommen seien. – Was sollte er machen? Man muß anerkennen, daß er lieb und gut zu ihr war und ihr gütlich zuredete; und zwar sehen wir ihn zu besonnenen Hinweisen seine Zuflucht nehmen auf die schlechte Beschaffenheit dessen, was sie bewunderte, um sie zu ernüchtern.

„Laß doch, Herrin", sprach er, „und rede nicht so! Diese Hervorbildungen, denen du Beachtung gönnst und Betrachtung, – was ist es weiter damit? Im Grunde ein Jammer! Man tut wirklich gut, sich daran zu erinnern – sich und auch den, der ihnen etwa lächelt –, was jeder ohnedies weiß, aber zu vergessen geneigt ist aus Schwachheit: aus wie minderem Stoffe das alles besteht, sofern es besteht, aber es ist ja unbeständig, daß Gott erbarm'! Bedenke doch, daß diese Haare kläglich ausfallen werden über ein kleines und diese jetzt weißen Zähne auch. Diese Augen sind nur ein Gallert aus Blut und Wasser, sie sollen dahinrinnen, so, wie der ganze übrige Schein bestimmt ist, zu schrumpfen und schnöde zunichte zu werden. Sieh, ich erachte es für anständig, diese Vernunftüberlegung nicht ganz für mich zu behalten, sondern sie auch dir zur Verfügung zu stellen, falls du glauben solltest, sie könnte dir nützlich sein."

Aber das glaubte sie nicht, und ganz untauglich machte ihre Verfassung sie zum Gegenstand der Erziehung. Nicht daß sie ihm gezürnt hätte wegen der Bußvermahnung: sie war viel zu froh, daß nicht von Mohrenhirse und solchen beklemmenden Ehrenhaftigkeiten die Rede war, sondern das Gespräch sich auf einem Gebiet bewegte, auf dem sie sich weiblich zuständig fühlte, so daß es ihre Füße nicht ankam, zu fliehen.

„Wie wunderlich du sprichst, Osarsiph", entgegnete sie ihm, und ihre Lippen liebkosten den Namen. „Grausam und falsch ist deine Rede – falsch vor Grausamkeit nämlich; denn wenn sie auch wahr ist und unbestreitbar nach ihrem Vernunftgehalt – so hält sie doch für Herz und Gemüt nicht im mindesten stand und ist für diese wahrhaftig nicht besser als eine klingende Schelle. Denn weit gefehlt, daß die Vergänglichkeit des Stoffes ein Grund weniger wäre für sie, die Form zu bewundern, ist sie sogar einer mehr, weil sie in unsre Bewunderung eine Rührung mischt, deren diejenige ganz entbehrt, die wir der stofflich beständigen Schönheit widmen aus Erz und Stein. Unvergleichlich blühender ist unsere Neigung zu der schönen Lebensgestalt denn zu der Dauerschönheit der Bilder aus den Werkstätten des Ptach, und wie willst du das Herz wohl lehren, daß der Stoff des Lebens geringer und schnöder sei als der Dauerstoff seiner Nachbilder? Nie und nimmer lernt das ein Herz und nimmt es nicht an. Denn die Dauer ist tot, und nur Totes dauert. Mögen Ptachs emsige Schüler den Bildern auch Blitze ins Auge fügen, daß sie zu schauen scheinen: sie sehen dich nicht, nur du siehst sie, sie erwidern dir nicht mit ihrem Dasein als ein Du, das ein Ich ist und deinesgleichen. Rührend aber ist nur die Schönheit von unseresgleichen. Wer wäre auch wohl versucht, einer Dauerfigur aus der Werkstatt die Hand auf die Stirn zu legen und sie zu küssen auf ihren Mund? Da siehst du denn, wieviel blühender und gerührter die Neigung ist zur allerdings vergänglichen Lebensgestalt! – Vergänglichkeit! Warum und zu welchem Ende sprichst du mir, Osarsiph, von ihr und mahnst mich mit ihrem Namen? Trägt man die Mumie um den Saal zur Mahnung, das Fest zu beenden, weil alles vergänglich ist? Nein, ganz im Gegenteil! Denn auf ihrer Stirn steht geschrieben: ‚Feiere den Tag!‘"

Gut und wirklich vorzüglich geantwortet – nämlich in seiner Art, in der Art der Benommenheit, welcher die aus gesunden Tagen mitgebrachte Gescheitheit zum bestechenden Kleide dienen muß. Joseph seufzte nur und sagte nichts mehr dawider. Er fand, daß er das Seine getan habe, und unterließ es, auf der tieferen Greuelhaftigkeit alles Fleisches unter der Oberfläche weiter zu bestehen – in der Erkenntnis, daß die Benommenheit darüber hinweggehe und daß „Herz und Gemüt" nun einmal nichts davon wissen wollten. Er hatte mehr zu tun, als der Frau klarzumachen, daß entweder das Leben

Betrug sei, wie bei den Bildern der Werkstätten, oder die Schönheit, wie beim verweslichen Menschenkind, und daß jene Wahrheit, in welcher Leben und Schönheit solide und ohne Täuschung eines sind, einer anderen Ordnung angehöre, auf die allein man gut tue, den Sinn zu richten. Zum Beispiel hatte er seine liebe Not, die Geschenke abzuwehren, mit denen sie ihn neuestens überschütten wollte – aus einem urtümlichen und jederzeit regen Drange der Liebenden, wurzelnd im Gefühle der Abhängigkeit von dem Wesen, das man sich zum Gotte gesetzt, im Instinkt der Opferdarbringung, der schmückenden Verherrlichung und werbender Bestechung. Das ist nicht alles. Das Liebesgeschenk dient auch dem Zweck der Besitzergreifung und der Beschlagnahme, es dient dazu, dies Wesen gegen die übrige Welt mit einem Schutzzeichen der Hörigkeit auszumerken, es einzukleiden in die Livrei der Nicht-mehr-Verfügbarkeit. Trägst du meine Gabe, so bist du mein. Das vorzüglichste Liebesgeschenk ist der Ring: wer ihn gibt, weiß wohl, was er will, und wer ihn nimmt, sollte auch wissen, wie ihm geschieht und daß jeder Ring das sichtbare Glied einer unsichtbaren Kette ist. So schenkte Eni dem Joseph, angeblich zum Dank seiner Verdienste und dafür, daß er sie in die Geschäfte einweihte, mit benommener Miene einen höchst kostbaren Ring mit geschnittenem Käfer, dazu im Lauf der Zeit noch andre Kleinodien wie goldene Pulsspangen und steinbunte Halskrägen, ja ganze Feierkleider vornehmer Arbeit: das heißt, sie wollte ihm all dies „schenken" und versuchte jeweilen, es ihm mit unschuldigen Worten aufzudrängen. Er aber, nachdem er eins oder das andere ehrerbietig genommen, weigerte sich des übrigen, mit zarten und bittenden Worten zuerst, dann auch mit kürzer angebundenen. Und diese waren es, die ihn seiner Lage gewahr werden ließen, so daß er sie wiedererkannte.

Als er nämlich zur Abwehr eines angesonnenen Feierkleides recht kurz zu ihr sagte: „Mein Gewand und mein Hemd genügen mir" – da erkannte er klar, was gespielt wurde. Er hatte unversehens geantwortet wie Gilgamesch, als Ischtar ihn bestürmte, seiner Schönheit wegen, und ihn anging: „Wohlan, Gilgamesch, gatten sollst du dich mir, deine Frucht mir schenken!" – wobei sie ihm ihrerseits vieler Geschenke Pracht für den Fall der Gewährung in Aussicht gestellt hatte. Ein solches Wiedererkennen ist sowohl beruhigend wie erschreckend. „Da ist es wieder!" sagt sich der Mensch und empfindet das Gegründet-Seiende, das mythisch Geschützte und mehr als Wirkliche, nämlich Wahre dessen, was geschieht, was eine Beruhigung bedeutet. Doch auch ein Erschrecken durchfährt ihn, sich in ein Fest- und Maskenspiel, die Vergegenwärtigung einer so und so verlaufenden Göttergeschichte, die abgespielt wird, mimend hineingestellt zu finden, und es ist ihm als wie im Traum. ,So, so', dachte Joseph, indem er die arme Mut betrachtete. ,Anus verbuhlte Tochter bist du in deiner Wahrheit und weißt es am Ende selber nicht. Ich werde dich schelten und dir deine vielen Geliebten vorhalten, die du schlugst mit deiner Liebe und verwandeltest den einen in eine Fledermaus, den anderen in einen bunten Vogel, den dritten in einen wilden Hund, so daß ihn, den Hirten der Herde, die eigenen Hirtenknaben verjagten und die Hunde sein Fell bissen. Mir würde wie ihnen geschehen, gibt das Spiel mir zu sagen auf. Warum sagte Gilgamesch so und beleidigte dich, so daß du zu Anu ranntest in deiner Wut und ihn bestimmtest, den feuerschnaubenden Himmelsstier zu senden wider den Unfolgsamen? Ich weiß nun, warum, denn in ihm verstehe ich mich, wie ich ihn verstehe durch mich. Aus Mißbehagen über deine herrinnenhaften Komplimente sprach er so und kehrte die Jungfrau heraus vor dir, indem er sich mit Keuschheit gürtete gegen dein Werben und Schenken, Ischtar im Barte!' –

Von Josephs Keuschheit

Indem wir Jospeh, den Steineleser, solcherart seine Gedanken mit denen des Vorgängers vereinigen sehen, gibt er uns das Stichwort zu einer Zerlegung, die zugleich Aufrech-

nung und Zusammenfassung ist und die wir in der Überzeugung, sie den schönen Wissenschaften schuldig zu sein, am
besten hier einstellen: das Stichwort der „Keuschheit". Dieses
Gedankending ist mit Josephs Gestalt durch die Jahrtausende
unweigerlich verbunden, es liefert das klassisch-unzertrenn-
liche Beiwort zu seinem Namen; „der keusche Joseph" oder
sogar, ins Symbolisch-Gattungsmäßige übertragen, *„ein* keu-
scher Joseph", das ist die zimperlich-anmutige Formel, unter
der sein Andenken in einer von seinen Lebenstagen durch so
tiefe Klüfte getrennten Menschheit fortlebt; und bei der genauen und zuverlässigen Wiederherstellung seiner Geschichte
würden wir nicht glauben, ganz das Unsere getan zu haben,
wir hätten denn an gehörigem Ort die zerstreut angedeuteten
Motive und Wesensbestandteile dieser vielbeschriebenen
Keuschheit, bunt und kraus wie sie sind, gesammelt und sie
dem Betrachter, der aus begreiflichem Mitgefühl für Mut-em-
enets Leiden sich an Josephs Hartnäckigkeit ärgern sollte, zu
möglichstem Eindruck übersichtlich gemacht.

Es bedarf keines Wortes: der Name der Keuschheit kann
nimmermehr statthaben, wo es an fähiger Freiheit fehlt, bei
Titelobersten also und verstümperten Sonnenkämmerern. Daß
Joseph ein unverkürzter und lebendiger Mensch war, ist
selbstverständliche Voraussetzung. Wir wissen ja übrigens,
daß er in reiferen Jahren unter königlichem Protektorat eine
ägyptische Heirat einging, aus der ihm zwei Kinder, die Knaben Ephraim und Menasse, erwuchsen (sie werden schon noch
vorgeführt werden). Er hielt sich also als Mann nicht mehr
keusch, sondern nur seine Jugend hindurch, von deren Idee ihm
die der Keuschheit auf eine besondere Weise unzertrennlich
war. Es ist deutlich, daß er seine Jungfräulichkeit (man spricht
davon ja auch wohl bei Jungmännern) nur solange hütete, als
auf ihrer Hingabe das Tonzeichen des Verbotenen, der Versuchung und des Falles lag. Später, als es damit sozusagen
nichts mehr auf sich hatte, ließ er die Keuschheit unbedenklich
fahren, so daß also das klassische Beiwort nicht lebenslang,
sondern nur zeitweise auf ihn zutrifft.

Abzuwehren bleibt etwa noch der Mißverstand, es sei seine Jugendkeuschheit die eines Gimpels vom Lande und hölzernen Dummkopfs in Liebesdingen gewesen – die Sache linkischer Dämlichkeit, deren Vorstellung ein unternehmendes Temperament gar leicht mit der der „Keuschheit" verbindet. Daß Jaakobs Sorgenliebling in pikanter Hinsicht ein Dämelack und toter Hund gewesen sei, ist eine Annahme, die sich schlecht mit dem Bilde vertrüge, das uns an allem Anfang zuerst von ihm vor die Seele trat und das wir mit den bemühten Augen des Vaters betrachteten: wie nämlich der Siebzehnjährige am Brunnen mit dem schönen Monde tändelte und sich schön vor ihm machte. Seine berühmte Keuschheit war tatsächlich so weit entfernt, ein Erzeugnis der Unbegabtheit zu sein, daß sie vielmehr im geraden Gegenteil auf einer Gesamtdurchdringung der Welt und seines Wechselverhältnisses zu ihr mit Liebesgeist beruhte, einer Allverliebtheit, die ihre umfassende Bezeichnung darum so ganz verdiente, weil sie an den Grenzen des Irdischen nicht haltmachte, sondern als Arom, zarter Einschlag, heikle Bedeutung, verschwiegener Untergrund in durchaus jeder Beziehung, auch der schauerlich-heiligsten, gegenwärtig war. Daß sie es war, eben daraus ging die Keuschheit hervor.

Wir haben uns in Frühzeiten an dem Phänomen der lebendigen Eifersucht Gottes versucht aus Anlaß der unzweideutig leidenschaftlichen Heimsuchungen, mit denen der ehemalige Wüstendämon noch bei weit vorgeschrittener Wechselheiligung im Bunde mit dem Menschengeist die Gegenstände zügelloser Gefühlsüppigkeit und der Abgötterei verfolgte, wovon Rahel ein Lied zu singen wußte. Wir sagten damals voraus, daß Joseph, ihr Reis, sich auf diese Lebendigkeit Gottes sogar besser verstehen und ihr geschmeidiger werde Rechnung zu tragen wissen als Jaakob, sein gefühlvoller Erzeuger. Nun denn, seine Keuschheit war vor allem einmal der Ausdruck dieses Verständnisses und Bedachtes. Natürlich hatte er begriffen, daß sein Leiden und Sterben – was immer sonst noch Weittragendes damit bezweckt sein mochte – die Strafe gewesen war für Jaakobs stolzes Gefühl, die Nachahmung einer majestätischen Erwählungslust, die nicht geduldet worden war, – eine höchste Eifersuchtshandlung, die sich gegen den armen Alten gerichtet hatte. Insofern galt Josephs Heimsuchung nur dem Vater und war nichts als die Fortsetzung derjenigen Rahels, die allzusehr zu lieben Jaakob nicht aufgehört hatte, nämlich im Sohne. Aber Eifersucht hat doppelten Sinn, zweifache Möglichkeit des Bezuges. Man kann auf einen Gegenstand eifersüchtig sein, weil ein anderer, dessen ganzes Gefühl man beansprucht, ihn allzusehr liebt; oder man kann diesen Gegenstand beeifern, weil man selber ihn ungeheuer erwählt hat und sein ganzes Gefühl für sich selber begehrt. Eine dritte Möglichkeit ist, daß dies beides zusammentrifft und sich zur vollkommenen Eifersucht vereinigt, – und Joseph tat grundsätzlich nicht so unrecht, in seinem Falle Vollkommenheit zu unterstellen. Nach seiner Meinung war er zerrissen und entrückt worden nicht nur und nicht einmal in erster Linie zur Züchtigung Jaakobs – oder doch vorwiegend *darum* zum Zweck dieser Züchtigung, weil er selbst ein Gegenstand übergewaltiger Erwählungslust, großmächtigen Begehrens und eifersüchtiger Vorbehaltenheit war: und zwar in einem Sinn, über den Jaakob wohl manches sorgend vermutete, der aber seinem eigenen gesetzten und zu solcher Verschmitztheit noch nicht heraufgestuften Vätersinn ferne lag. Wir rechnen durchaus damit, daß auch ein neuzeitliches Empfinden durch Ideen wie diese, durch eine solche Betontheit des Verhältnisses zwischen Schöpfer und Geschöpf schwer verwirrt und verletzt werden mag; denn sie ist uns sowenig gemäß wie gesetzter Vätervernunft. Aber sie hat ihren Ort in der Zeit und Entwicklung, und seelenwissenschaftlich ist kein Zweifel, daß mehr als einem überlieferten, im Schutz einer Wolke sich abspielenden befruchtenden Zwiegespräch zwischen dem Nichtanschaubaren (welchen Namen Er nun immer trug) und seinem Schüler und Liebling ein Charakter ungeheurer Pikanterie zukam, der Josephs Auffassung der Dinge grundsätzlich rechtfertigt und ihre Wahrscheinlichkeit nur noch von seiner persönlichen Würdigkeit abhängen läßt, über die wir nicht rechten wollen.

„Ich halte mich rein", hatte Benjamin, der Kleine, einst im Adonisgarten aus dem Munde des bewunderten Bruders vernommen, und es hatte sich sowohl auf die Reinheit seines Gesichtes vom Barte bezogen, der die besondere Schönheit seiner siebzehn Jahre aufgehoben hätte, wie auch auf sein Verhältnis zur Außenwelt, welches eben das einer vom Dämelichen weit entfernten Enthaltsamkeit gewesen und geblieben war. Sie bedeutete nichts weiter als Vorsicht, Gottesklugheit, heilige Rücksichtnahme, in welcher das Erlebnis furchtbarer Vergewaltigung mit der Zerreißung von Kranz und Schleier ihn nur höchlich hatte bestärken können; und man muß sich überzeugen, daß der mit ihr verbundene Hochmut alle entbehrende Düsterkeit von ihr entfernte. Es ist nicht die Rede von finstermühseliger Kasteiung, in deren hagerem Bilde ein neuzeitlicher Sinn die Keuschheit fast unvermeidlich erblickt. Daß es eine heitere, ja übermütige Keuschheit gebe, wird dieser Sinn am Ende einräumen müssen; und wenn schon eine gewisse helle und kecke Geistigkeit den Joseph für diese stimmte, so tat die Seligkeit frommen Brautschaftsdünkels ein übriges, ihm leicht zu machen, was anderen grimmige Beschwer bedeutet. Aus Muts, der Herrin, Munde war im Gespräch mit der Ehrenkebse Mch-en-Wesecht ein klagend Wort gefallen von Spottlust, die sie in des Jungmeiers Augen gefunden haben wollte, – von Spott über die trüben Bande der Sucht, beschämend für die Süchtige. Das war eine recht gute Beobachtung; denn wirklich war von den drei Tieren, die nach Josephs Angabe den Garten der Netzestellerin bewachten: „Scham", „Schuld" und „Spottgelächter", dieses letztere ihm am vertrautesten: aber nicht auf leidende Weise, als Opfer des Tieres, wie es eigentlich gemeint war, sondern er selbst lachte Spott, und nichts anderes fanden die Weiber der Dächer und Mauern in seinen Augen, wenn sie nach ihm spähten. Ein solches Verhalten zur Sphäre verliebter Wollust kommt unstreitig vor; das Bewußtsein höherer Bindung und Liebeserlesenheit vermag sie zu zeitigen. Wer aber Überheblichkeit gegen das Menschliche darin erblicken und es sträflich finden will, die Leidenschaft im komischen Lichte zu sehen, der wisse, daß unsere Erzählung sich Stunden nähert, wo dem Joseph das Lachen verging, und daß die zweite Katastrophe seines Lebens, die Wiederkehr seines Unterganges, durch eben die Macht herbeigeführt wurde, der er aus Jugendstolz den Tribut verweigern zu sollen geglaubt hatte. –

Dies war der erste Grund, weshalb Joseph sich der Lust verweigerte von Potiphars Weib: Er war gottverlobt, er übte kluge Rücksicht, er trug dem besonderen Schmerze Rechnung, den Treulosigkeit zufügt dem Einsamen. Das zweite Motiv war eng mit diesem ersten verbunden, es war nur das Spiegelbild davon und sozusagen dasselbe in irdisch-verbürgerlichter Form: Es war die im Bunde mit dem gen Westen gegangenen Mont-kaw befestigte Treue zu Potiphar, dem heiklen Herrn, dem Höchsten im nächsten Kreise.

Die Gleichsetzung und spielerische Verwechslung des überhaupt Höchsten mit dem vergleichsweise und an seinem Orte Höchsten, die sich im Kopfe des Abramsenkels vollzog, kann nicht verfehlen, den neuzeitlichen Sinn absurd zu berühren und ihn sogar kraß anzumuten. Sie ist gleichwohl anzunehmen und einzusehen, wenn man wissen will, wie es in diesem frühen (wenn auch wieder schon späten) Kopfe aussah, der seine Gedanken mit derselben Vernunftwürde, Ruhe und Selbstverständlichkeit dachte wie wir die unsrigen. Es ist nicht anders, als daß die feiste, doch edle Person des Sonnenämtlings und Titelgatten der Mut in ihrer melancholischen Selbstsucht diesem träumerischen Kopf als die untere Entsprechung und fleischliche Wiederholung des weib- und kinderlosen, einsam-eifersüchtigen Gottes seiner Väter erschien, der schonende Menschentreue zu halten er, in verspieltem Zugleich und nicht ohne Einschlag verwandter Nützlichkeitsspekulation, aufs ernstlichste entschlossen war. Nimmt man das heilige Gelöbnis hinzu, das er dem Mont-kaw in dessen Sterbestunde getan: die zarte Würde des Herrn zu stützen nach bester Kunst und sie nicht zuschanden werden zu lassen, so wird man desto besser verstehen, daß ihm die kaum noch verschwiegenen Wünsche der armen Mut als züngelnde Versuchung erscheinen mußten, zu erfahren, was Gut und Böse sei, und Adams Torheit zu wiederholen. – Das war das zweite.

Fürs dritte genügt das Wort, daß seine erweckte Männlichkeit nicht wollte ins leidend Weibliche herabgesetzt sein durch einer Herrin männisches Werben, nicht Ziel, sondern Pfeil sein wollte der Lust, – so ist man verständigt. Und leicht fügt das vierte sich an, da es gleichfalls den Stolz betrifft, aber den geistlichen.

Es graute dem Joseph vor dem, was Mut, das ägyptische Weib, in seinen Augen verkörperte und womit sein Blut zu vermischen ein erbstolzes Reinheitsgebot ihn warnte: die Greisheit des Landes, in das er verkauft worden, die Dauer, welche verheißungslos, in wüster Unwandelbarkeit, hinausstarrte in eine Zukunft, wild, tot und bar der Gewärtigung, doch Miene machte, die Pranke zu heben und das ratend vor ihr stehende Kind der Verheißung an ihre Brust zu reißen, damit es ihr seinen Namen nenne, von welcher Beschaffenheit sie nun auch war. Denn das verheißungslos Greise, das war das Geile zugleich, nach jungem Blute lüstern, nach solchem zumal, das jung nicht nur seinen Jahren nach war, sondern besonders noch nach seiner Erwähltheit zur Zukunft. Dieser Vornehmheit hatte Joseph im Grunde niemals vergessen, seit er, ein Niemand und Nichts, ein Sklavenjunge des Elends, ins Land gekommen war, und bei allem gefälligen Weltsinn, der ihm angeboren und mit dem er sich unter den Kindern des Schlammes umgetan, bei denen er's weit zu bringen gedachte, hatte er Abstand gewahrt und innersten Vorbehalt, wohl wissend, daß er im Letzten sich nicht gemein machen dürfe mit dem Verpönten, wohl spürend, kam es aufs Letzte, wes Geistes Kind er war und welchen Vaters Sohn.

Der Vater! Das war das fünfte – wenn's nicht das erste war und alles beherrschte. Er wußte nicht, der geschlagene Alte, der in trauriger Gewöhnung das Kind für geborgen hielt im

Tode, – wußte nicht, wo es, bekleidet schon mit einem ganz fremden Leibrock, lebte und wandelte. Erführe er's, – er würde auf den Rücken fallen und erstarren vor Kummer, das war gewiß. Wenn Joseph ans dritte dachte von den drei Denkbildern: Entrückung, Erhöhung und Nachkommenlassen, so verhehlte er sich nie, welche Widerstände da würden zu überwinden sein in Jaakob; denn er kannte das pathetische Vorurteil des Würdevollen gegen „Mizraim", seinen väterlich-kindlichen Abscheu vor Hagars Land, dem äffischen Ägypterlande. Wortdeuterisch ganz falsch leitete der Gute den Namen Keme, der sich auf die schwarze Fruchterde bezog, von Cham ab, dem Vaterschänder und Schamentblößten, und hegte von der greulichen Narrheit der Landeskinder in Dingen von Zucht und Sitte gar überschwengliche Vorstellungen, die Joseph stets im Verdachte der Einseitigkeit gehabt und die er als sagenhaft zu belächeln gelernt hatte, seit er hier wandelte; denn dieser Kinder Wollust war nicht ärger als anderer Leute Wollust, und woher denn auch hätten die seufzend steuernden Robot-Bäuerlein und amtlich befruchtelten Wasserschöpfer dahier, die Joseph seit neun Jahren kannte, den Übermut nehmen sollen, es sonderlich sodomitisch zu treiben? Kurzum, der Alte bildete sich feierliche Schwachheiten ein von wegen der Aufführung der Leute Ägyptens – als lebten sie, daß es den Gottessöhnen hätte müssen buhlerisch in die Glieder fahren.

Dennoch war Joseph der letzte, sich den Wahrheitskern zu verbergen von Jaakobs sittlicher Absage an das Land der Tier- und Leichenanbeter, und manches fromme und krasse Wort ging ihm zu dieser Frist im Kopfe herum, das der besorgte Alte zu ihm gesprochen von Leuten, die nach Belieben ihre Betten zusammenstellten mit denen der Nachbarn und die Weiber austauschten; von Frauen, die über den Markt gingen und einen Jüngling sahen, der ihrer Lust behagte: da legten sie sich zu ihm schlankerhand und ohne Begriff der Sünde. Die Sphäre, welcher der Vater diese bedenklichen Bilder entnahm, war dem Joseph bekannt: Es war die Sphäre

Kanaans und der greulichen Wallungen seines Dienstes, zuwider der Gottesvernunft, die Sphäre der Molech-Narrheit, des Singtanzes, der Preisgabe und des Aulasaukaula, wo man den Fruchtbarkeitsgötzen vor- und nachhurte in festlicher Vermischungswut. Joseph, Jaakobs Sohn, wollte den Baalen nicht nachhuren: das war von sieben Gründen der fünfte, weshalb er sich vorenthielt. Der sechste ist gleich bei der Hand; nur schickt es sich doch um des Mitgefühls willen, im Vorübergehn auf das traurige Verhängnis hinzuweisen, mit dem das Liebessehnen der armen Mut geschlagen war: daß nämlich derjenige, an den sie ihre späte Hoffnung gehängt, dieselbe in solchem Lichte sah, sie von Vaters wegen so mythisch mißverstand und in den Ruf ihrer Zärtlichkeit so wüst Versucherisches hineinhören mußte, wovon so gut wie gar nichts darin war; denn Enis Herzensschwäche für Joseph hatte mit Baalsnarrheit und Aulasaukaula wenig zu tun, sie war ein tiefer und redlicher Schmerz um seine Schönheit und Jugend, ein innigstes Begehren, so anständig und unanständig wie eine andere und nicht verhurter, als Liebe es eben ist. Wenn sie ausartete später und um den Verstand kam, so war nur der Kummer daran schuld über die siebenfach begründete Vorbehaltenheit, auf die sie stieß. Das Unglück wollte, daß über ihre Liebe nicht das entschied, was sie war, sondern was sie für Joseph bedeutete, und das war sechstens der „Bund mit Scheol".

Man muß das recht verstehen. In Josephs geistig-grundsätzlicher Betrachtungsweise eines Falles, in dem er sich klug und rücksichtsvoll zu benehmen, sich nichts zu vergeben und nichts zu verderben wünschte, gesellte sich zu der feindlich-versucherischen Idee der lallenden Baalsnarrheit, die kanaanitisch war, als größte Erschwerung noch etwas sonderlich Ägyptisches: die Andacht zum Tode und zu Toten nämlich, die nichts anderes war als die hiesige Form der Baalshurerei und als deren Darstellerin, zu Muts Unglück, ihm die werbende Herrin erschien. Man kann sich die Ur-Warnung, das anfangsgründliche Nein, das für Joseph über der Misch-Idee von Tod und Ausschweifung, der Idee des Bundes mit dem Unteren und den Unteren hing, nicht schwer genug vorstellen: gegen dies Verbot zu verstoßen, zu „sündigen" hier, sich fehlerhaft zu benehmen in diesem unheimlichen Punkt, hieß tatsächlich alles verderben. Als Eingeweihte und mit den Dingen Verbundene suchen wir euch Fernerstehende für sein Denken zu gewinnen, welches mitsamt den ernsten Hemmungen, die es ihm schuf, einer späteren Vernunft wohl schrullenhaft erscheinen mag. Und doch war es die Vernunft selbst, die väterlich geläuterte, die sich darin der Versuchung schamloser Unvernunft entgegenstellte. Durchaus nicht, daß Joseph ohne Sinn und Verständnis gewesen wäre fürs Unvernünftige; die Sorge des Alten zu Hause wußte es besser. Muß man sich aber nicht auf die Sünde verstehen, um sündigen zu können? Zum Sündigen gehört Geist; ja, recht betrachtet, ist aller Geist nichts anderes als Sinn für die Sünde.

Der Gott der Väter Josephs war ein geistiger Gott, zum mindesten nach seinem Werdensziel, um dessentwillen er seinen Bund mit den Menschen geschlossen; und nie hatte er, in der Vereinigung seines Heiligungswillens mit dem des Menschen, etwas zu schaffen gehabt mit dem Unteren und dem Tode, mit irgendwelcher im Fruchtbarkeitsdunkel hausenden Unvernunft. Im Menschen war er sich dessen bewußt geworden, daß dergleichen ihm greulich war, wie seinerseits jener sich dessen war bewußt worden in ihm. Bei seinen Gute-Nacht-Sprüchen für den verscheidenden Mont-kaw hatte Joseph sich wohl stillend eingelassen auf seine Sterbesorgen und tröstlich mit ihm erörtert, wie es sein werde nach diesem Leben und wie sie wollten wieder und immer beisammen sein, weil sie zusammengehörten durch die Geschichten. Aber das war freundliches Zugeständnis gewesen an des Menschen Unruhe, eine mildtätige Freigeisterei, mit der er für den Augenblick abgesehen hatte vom eigentlich Gesetzten: der strengen und strikten Absage an jederlei Jenseits-Ausschau, die das Mittel der Väter gewesen war und ihres in ihnen heilig werdenden Gottes, sich schärfstens abzusetzen durch solche Satzung von den Leichengöttern der Nachbarschaft in ihren Tempelgräbern und in ihrer Todesstarre. Denn nur durch Vergleichung unterscheidet man sich und erfährt, was man ist, um ganz zu werden, der man sein soll. So war die besagte und besungene Keuschheit Josephs, des zukünftigen Gatten und Vaters, keine grundsätzlich-geißlerische Verneinung des Liebes- und Zeugungsgebietes, die schlecht übereingestimmt hätte mit der Verheißung an Urvater, sein Same solle zahlreich sein wie das Staubkorn der Erde; sondern sie war nur das Erbgebot seines Blutes, diesem Gebiete die Gottesvernunft zu wahren und ihm die gehörnte Narrheit, das Aulasaukaula, fernzuhalten, das für ihn mit dem Totendienst eine untrennbare seelisch-logische Einheit bildete. Muts Unglück aber war, daß er in ihrem Werben die Versuchung durch diesen Komplex von Tod und Unzucht, die Versuchung Scheols erblickte, der zu erliegen eine alles verderbende Entblößung bedeutet hätte.

Da haben wir den siebenten und letzten Grund – den letzten auch in der Meinung, daß er alle übrigen in sich zusammenfaßte und alle im Grunde auf diese Scheu hinausliefen: Es war die „Entblößung". Das Motiv klang schon an, als Mut das Gespräch vom Feigenschurz sachlichen Vorwandes hatte entkleiden wollen, aber wir haben es hier nach der feierlichen Vielfalt seiner Sinnbezüge und seinen weitzielenden Konsequenzen noch einmal ins Auge zu fassen.

Seltsam genug ergeht es dem Sinn eines Wortes, seinem Begriff, wenn er verschiedentlich im Geiste sich bricht, wie die Einheit des Lichts von der Wolke zerlegt wird in die Farben des Bogens. Dann genügt es wahrhaftig, daß eine dieser Brechungen unglücklicherweise ins Gedenken des Übels gerät und zum Fluche wird, damit solch ein Wort in allen seinen Bedeutungen dem Verruf verfalle und ein Greuel werde in jedem Sinn, nur noch tauglich, Greuliches zu bezeichnen, und verurteilt, als Name für alle möglichen Greuel herzuhalten, – gerade als ob, weil Rot eine üble Farbe ist, die Farbe der Wüste, die Farbe des Nordsterns, es fluchhaft getan sei um die heitere Unschuld des ganzen, unzersplitterten Himmelslichtes.

Dem Gedanken der Blöße und der Entblößung hatte ursprünglich an Unschuld und Heiterkeit nichts gemangelt; es war ihm von Röte und Fluch nichts anzumerken gewesen. Seit der verdammten Geschichte aber mit Noah im Zelt, mit Cham und Kenaan, seinem üblen Söhnchen, hatte er, sozusagen, einen Knacks abbekommen für immer, war rot und anrüchig geworden in dieser Brechung und damit errötet über und über: es war nun überhaupt nichts mehr damit anzufangen, als daß man Greuliches mit seinem Namen bezeichnete, wie auch alles Greuliche, oder beinahe alles, von sich aus nach diesem Namen rief und sich in ihm erkannte. Am Verhalten Jaakobs, des Besorgten, damals, am Brunnen – neun Jahre ist es nun fast schon her –, als er dem Sohne mit Strenge die Nacktheit verwiesen hatte, mit der dieser dem schönen Monde hatte antworten wollen, – an diesem Verhalten war die leidige Verfinsterung einer Idee, die an und für sich so vergnügt war wie die Nacktheit eines Jungen am Brunnen, gut zu studieren gewesen. Entblößung im einfachen und wirklichen körperlichen Sinn war zunächst einmal völlig bedenkenfrei und so neutral wie das Himmelslicht; erst in übertragener Bedeutung, als Baalsnarrheit und als das tödlich blutssündliche Anschauen eines Nahverwandten, errötete der Begriff. Nun aber war es so, daß aus der Übertragenheit die Röte zurückschlug aufs Unschuldig-Eigentliche und dieses im Hin und Her der Wechselbeleuchtung schließlich so rot machte, daß es zum Namen werden konnte für jederlei Blutssünde, sowohl die vollzogene wie auch schon die nur in Blick und Wunsch verwirklichte, so daß denn schließlich alles Verwehrte und Fluchbedachte auf dem Felde der Sinnenlust und Fleischesvermischung, darunter aber besonders – und zwar wohl wiederum im Gedanken an Noahs Schändung – der Sohneseinbruch ins väterlich Vorbehaltene, „Entblößung" hieß. Und nicht genug damit, ereignete sich hier eine neue Gleichsetzung und namentliche Zusammenziehung, indem der Ruben-Fehltritt, des väterlichen Bettes Verletzung durch den Sohn, anfing, fürs Ganze zu stehen und alles Unerlaubte in Blickesberührung, Wunsch und Tat nicht weit davon war, der Empfindung und selbst dem Namen nach für Vaterschändung zu gelten.

So sah es aus in Josephs Kopf – man muß es hinnehmen. Was zu tun die Sphinx des Totenlandes ihm ansann, das erschien ihm als Vaterentblößung – und war es das nicht, wenn man bedenkt, wie Arges dem Alten daheim das Schlammland bedeutete und wie sorgenvoll es ihn entsetzt hätte, zu erfahren, daß sein Kind, statt ewig geborgen zu sein, in solcher Versuchung wandelte? Unter seinen Augen, die Joseph auf sich ruhen fühlte, braun, sorgengespannt, mit den drüsenzarten Mattheiten darunter, sollte er Entblößung begehen und sich plump vergessen, wie Ruben getan, so daß der Segen von ihm genommen war für sein Dahinschießen? Der hing über Joseph seitdem, und plump dahinschießend sollte er ihn verscherzen, indem er mit dem zweideutigen Tatzentier scherzte, wie Ruben einst mit Bilha gescherzt? Wer wundert sich, daß seine innere Antwort auf diese Frage lautete: „Um gar keinen Preis!" Wer, sagen wir, wollte sich darob verwundern, wenn er in Anschlag bringt, wie sehr zusammengesetzt und mit Identifikationen beladen der Vater-Gedanke und also auch der der Vaterkränkung dem Joseph sich darstellte? Kann selbst der Lebhafteste und in Liebesdingen Entgegenkommendste eine „Keuschheit" fabelhaft finden, die in dem durch die einfachste Gottesvorsicht gebotenen Entschluß bestand, den gröbsten und zukunftsschädlichsten Fehler zu meiden, der überhaupt zu begehen war? –

Das waren die sieben Gründe, aus denen Joseph dem Blutsrufe seiner Herrin nicht folgen wollte, um keinen Preis. Wir haben sie beisammen nach ihrer Zahl und Wuchtigkeit und überblicken sie mit einer gewissen Beruhigung, die gleichwohl, der Feststunde nach, die wir gegenwärtig begehen, noch keineswegs am Platze ist, da Joseph noch in voller Versuchung schwebt und es, als die Geschichte ursprünglich sich selber erzählte, zu dieser Stunde durchaus noch nicht feststand, ob er heil daraus würde hervorgehen können. Es ging gerade eben noch gut mit ihm, mit einem blauen Auge kam er davon –

wir wissen es. Aber warum wagte er sich denn so weit vor? Warum setzte er sich hinweg über die wispernden Warnungen des reinen Freundchens, das die Grube schon für ihn klaffen sah, und hielt Gemeinschaft mit dem phallischen Däumling, der betörende Kuppelrede vor ihm hinschüttete aus dem Seitenbeutel? Mit einem Wort: warum mied er bei alledem die Herrin nicht lieber, sondern ließ es kommen mit ihm und ihr, wohin es bekanntlich kam? – Ja, das war Liebäugelei mit der Welt und Neugierssympathie mit dem Verbotenen; es war dazu eine gewisse Gedankenverfallenheit an seinen Todesnamen und an den göttlichen Zustand, den er in sich begriff; es war auch etwas von selbstsicherem Übermut, die Zuversicht, er könne es weit treiben mit der Gefahr, – zurück, im Notfall, könne er immer noch; es war, als löblichere Kehrseite davon, auch wohl der Wille zur Zumutung, der Ehrgeiz, es sich hart ankommen zu lassen, sich nicht zu schonen und es aufs Äußerste zu treiben, um desto siegreicher aus der Versuchung hervorzugehen – ein Virtuosenstück der Tugend zu vollbringen und teurer zu sein dem Vatergeist als nach vorsichtig leichterer Prüfung... Vielleicht war es gar das heimliche Wissen um seine Bahn und ihre Krümmung, die Ahnung, daß sie sich wieder einmal vollenden wollte im kleineren Umlauf und es ein anderes Mal mit ihm sollte in die Grube gehen, die nicht zu vermeiden war, wenn sich erfüllen sollte, was vorgeschrieben stand im Buch der Pläne.

DIE GRUBE

Süße Billetts

Wir sehen und sagten, daß Potiphars Weib im dritten Jahre ihrer Berührtheit, dem zehnten von Josephs Aufenthalt im Hause des Kämmerers, begann, dem Sohne Jaakobs ihre Liebe anzutragen, und zwar mit wachsendem Ungestüm. Im Grunde ist zwischen dem „Zu-erkennen-Geben" des zweiten und dem „Antragen" des dritten Jahres der Unterschied nicht so groß; dieser war eigentlich schon in jenem enthalten, die Grenze zwischen dem einen und andern ist fließend. Aber vorhanden ist sie, und sie zu überschreiten, von bloßer Huldigung und begehrenden Blicken, die freilich auch schon Werbung bedeutet hatten, zur wirklichen Aufforderung überzugehen, kostete die Frau fast so viel Selbstüberwindung, wie es sie gekostet hätte, ihre Schwäche zu überwinden und der Lust auf den Knecht zu entsagen, – aber eben doch wohl etwas weniger; denn sonst hätte sie dieser anderen Selbstüberwindung offenbar den Vorzug geben müssen.

Sie tat es nicht; lieber, denn daß sie ihre Liebe überwunden hätte, überwand sie ihren Stolz und ihre Scham, was schwer genug war, aber doch etwas leichter – eine Spur leichter auch darum schon, weil sie bei dieser Überwindung nicht ganz allein war, wie sie es bei der ihrer Begierde gewesen wäre, sondern Hilfe fand bei Dûdu, dem Zeugezwerge, der hin- und hergehend zwischen ihr und dem Sohne Jaakobs, als erster und einziger seiner Meinung nach und mit vieler Würde, die Rolle des argen Gönners, Ratgebers und Botschafters spielte und beiderseits mit vollen Backen ins Feuer blies. Denn daß es hier nachgerade zwei Feuer gab und nicht nur eines; daß Josephs pädagogischer Heilsplan, mit dem er es begründen wollte, daß er die Herrin nicht mied, sondern fast täglich vor ihr stand, ein Larifari war und eine ausgemachte Eselei, da er sich in Wahrheit, wissentlich oder nicht, längst bereits in wickelzerreißendem Gotteszustande befand, das begriff Dûdu natürlich nicht schlechter als das zitternde Gottliebchen; denn auf diesem Feld war sein Witz und Sachverstand dem des Vetterchens nicht nur gewachsen, sondern auch überlegen.

„Jungmeier", sagte er an diesem Ende des Weges, „du hast bis jetzt dein Glück zu machen gewußt, das muß dir der Neid lassen, den ich nicht kenne. Du hast untertreten, die über dir waren, trotz deiner zweifellos anständigen, aber bescheidenen Herkunft. Du schläfst im Sondergemach des Vertrauens, und die Bezüge, deren der Usir Mont-kaw sich einstmals erfreute, an Korn, Broten, Bier, Gänsen, Leinen und Leder, du bist es nun, der sich ihrer erfreut. Du bringst sie zu Markte, da du sie unmöglich verzehren kannst, du mehrst deine Habe und scheinst ein gemachter Mann. Aber wie gemacht, so zerstört, und wie gewonnen, so zerronnen, heißt es oft in der Welt, wenn der Mann sein Glück nicht zu halten und zu befestigen weiß und nicht versteht, es zu untermauern mit unerschütterlichen Fundamenten, daß es ewig dauere wie ein Totentempel. Öfters geschieht es wohl in der Wiederkehr, daß dem Glück eines solchen nur etwas noch fehlt zu seiner Bekrönung, Vollendung und ewigen Unerschütterlichkeit, und er brauchte nur die Hand danach auszustrecken, um es zu fassen. Aber sei es aus Scheu und Stutzigkeit, sei es aus Lässigkeit oder gar Dünkel unterläßt es der Tor, wickelt die Hand ins Gewand und streckt sie störrig ums Leben nicht aus nach dem letzten Glück, sondern versäumt's, verschmäht es und schlägt's in den Wind. Und die Folge? Die trübselige Folge ist, daß sein ganzes Glück und all sein Gewinn dahinfällt und ebenerdig geschleift wird, so daß man seine Stätte nicht mehr erkennt um der einen Verschmähung willen. Denn durch diese verdarb er's mit Mächten, die sich seinem Glücke gesellen wollten und ihm als Letztes und Höchstes ihre schöne Gunst hinzuzufügen gedachten, daß es ewig dauere, die aber, verschmäht und beleidigt, sich erzürnen wie das Meer, so daß ihre Blicke Feuersflammen schießen und ihr Herz einen Sandsturm hervorbringt wie das Gebirge des Ostens, indem sie sich nicht nur abwenden von dem Glücke des Mannes, sondern sich gegen es wenden voller Wut und es bis zum Grunde zerstören, was zu vollbringen sie gar nichts kostet. Ich zweifle nicht, daß du erkennst, wie sehr es mir, dem Ehrenmann, um dein Glück zu tun ist – allerdings nicht nur um das deine, sondern auch und ebensosehr um das der Person, auf die meine Worte, wie ich hoffe: unmißverständlich, anspielen. Aber das ist dasselbe: Ihr Glück ist deines und deines – ihres; diese Vereinigung ist eine glückselige Wahrheit schon längst, und es handelt sich nur noch darum, sie in Wirklichkeit wollustvoll zu vollziehen. Denn wenn ich bedenke und meiner Seele einbilde, welche Wollust dir diese Vereinigung gewähren müssen wird, so schwindelt selbst mir, dem stämmigen Manne. Ich spreche nicht von der fleischlichen, erstens aus Keuschheit und zweitens, weil sie selbstverständlich sehr groß sein wird infolge der Seidenhaut und der köstlichen Gliederung der Betreffenden. Wovon ich rede, das ist die Wollust der Seele, durch welche jene andere ins Ungemessene wird emporgetrieben werden müssen und die in dem Gedanken bestehen wird, daß du, von gewiß ehrenwerter, aber doch ganz bescheidener und fremder Herkunft wie du bist, die schönste und edelste Frau beider Länder in deine Arme schließen und ihr höchste Seufzer entlocken wirst um deinetwillen, gleichsam zum Zeichen, daß du, der Jüngling des Sandes und Elends, dir Ägyptenland unterworfen hast, welches unter dir seufzet. Und womit bezahlst du diese doppelte Wonne, von welcher immer die eine die andere ins völlig Unerhörte wird emporstacheln müssen? Du bezahlst sie nicht, du wirst dafür belohnt – und zwar durch die nicht mehr zu erschütternde Verewigung deines Glückes, indem du dich wahrhaft zum Herrn und Gebieter aufschwingst dieses Hauses. Denn wer die Herrin besitzt", sagte Dûdu, „der ist in Wahrheit der Herr." Und er hob die Stummelärmchen gleichwie vor Potiphar und warf dem Erdboden eine Kußhand zu, um anzudeuten, daß er ihn schon im voraus küsse vor Joseph.

Dieser hatte die ausgepichte und höchst gemeine Kuppelrede zwar widerwillig angehört, aber er hatte sie angehört, so daß ihm der Hochmut nicht recht zu Gesichte stand, womit er antwortete:

„Es wäre mir lieb, Zwerg, wenn du nicht so viel wolltest von dir aus reden und mir auf eigene Hand deine wunderlichen Ideen entwickeln, die nicht viel zur Sache tun, sondern dich an deinen Stand hieltest als Botengänger und Meldemund. Hast du mir was zu eröffnen und zu überliefern von höherer Seite, so tu's. Wo nicht, so wäre mir's lieber, du trolltest dich."

„Würde ich mich", versetzte Dûdu, „doch strafbar machen, wenn ich mich vorzeitig trollte und ehe ich mich meiner Botschaft entledigt. Denn ich habe dir etwas zu überbringen und zu überhändigen. Die Botschaft aus eigenem ein wenig zu verbrämen, zu verzieren und zu erläutern, wird dem höheren Boten und Meldegänger ja wohl vergönnt sein."

„Was ist's?" fragte Joseph.

Und der Gnom reichte ihm etwas hinauf, ein Papyrusbillett, einen Schmalzettel, ganz niedrig und lang, darauf Mut, die Herrin, einige Worte gepinselt hatte...

Denn am anderen Ende des Weges hatte der Tückebold so gesprochen:

„In deine Seele hinein, große Herrin, ist deinem treuesten Knecht (womit ich mich selber meine) das Zeitmaß verdrießlich, in dem die Dinge und Angelegenheiten sich vorwärtsbewegen und von der Stelle kommen, denn zähflüssig ist es und stockend. Das kneipt dem Genannten das Innere mit Ärger und Kummer um deinetwillen, denn deine Schönheit könnte darunter leiden. Nicht, daß ich sie etwa schon leiden sähe, – die Götter seien davor, sie prangt im höchsten Bluste und hat wahrhaftig allerlei zuzusetzen, so daß sie sich sogar ein gut Stück mindern könnte und ginge immer noch strahlend übers Gemein-Menschliche hinaus. So weit – so gut!

Aber wenn nicht deine Schönheit, so leidet doch deine Ehre – und damit die meine auch – unter den Verhältnissen und unter der Sachlage, daß du nämlich mit dem Jüngling über dem Hause, der sich Usarsiph nennt, den ich aber ‚Nefernefru‘ nennen möchte, denn ‚der Schönste der Schönen‘ ist er allerdings... Nicht wahr, der Name gefällt dir? Ich habe ihn ersonnen für ihn zu deinem Gebrauch – oder eigentlich nicht ersonnen, sondern erhorcht und aufgegriffen, daß ich ihn dir zur Verfügung stellte; denn vielfach wird jener so geheißen im Hause wie auf den Land- und Wasserwegen und in der Stadt, ja, auch die Weiber auf den Dächern und Mauern bezeichnen ihn vorzugsweise so, gegen deren Gebaren leider noch immer nichts Ernstliches unternommen werden konnte... Aber laß mich fortfahren in meiner wohlüberlegten Rede! Denn es wurmt deinen Ergebensten bis in die Leber hinein um deiner Ehre willen, daß du mit diesem Nefernefru so langsam nur dich deinem Ziele näherst, welches bekanntlich darin besteht, daß du ihm auf den Zauber kommst und ihn zu Falle bringst und er dir seinen Namen nennt. Zwar hab’ ich’s veranstaltet und durchgesetzt bei dir und ihm, daß Herrin und Knecht nicht länger mit Schreiber- und Zofenbedeckung einander nahen, sondern ohne Zwang und lästige Förmlichkeit zu zwei Mündern und vier Augen konversieren, wo es sich trifft. Das verbessert die Aussichten, nämlich darauf, daß er dir endlich in stillster und süßester Stunde seinen Namen nennt und du erstirbst vor Lust des Triumphes über ihn, den Schlimmen, und über alle, die sein Mund und Auge berückt. Denn du wirst seinen Mund versiegeln auf eine Weise, daß ihm die gewinnende Rede vergeht, und wirst machen, daß sein alle bezauberndes Auge sich bricht in der Wonne der Niederlage. Aber die Schwierigkeit ist, daß der Knabe sich sperrt gegen die Niederlage mit dir und nicht zu Falle kommen will durch dich, seine Herrin, was ganz einfach ein Aufruhr ist in meinen Augen und eine Art von Verschämtheit, die als Unverschämtheit zu brandmarken Dûdu sich nicht besinnt. Denn wie?! Denn was?! Du wünschest ihn zu besiegen und rufst ihn zur Niederlage, du, das Kind Amuns, des Südlichen Frauenhauses Blüte, er aber, der chabirische Amu, der Fremdsklave und Sohn des Tiefstandes, er leistet dir Widerspan, will nicht, wie du willst, und verbirgt sich vor dir hinter Schnack und Zahlen der Wirtschaft? Das ist nicht zu dulden. Es ist Aufsässigkeit und freche Ungebühr der Götter Asiens, der tributpflichtigen, gegen Amun, den Herrn, in seiner Kapelle. So hat das Ärgernis des Hauses sein Angesicht gewandelt und seinen Gehalt, der anfangs nur in dem Wachstum des Sklaven bestand hier im Hause. Nun aber ist offener Aufruhr daraus geworden der Götter Asiens, die Amun den schuldigen Tribut nicht entrichten wollen, zahlbar in Gestalt der Niederlage dieses Jünglings vor dir, dem Amunskinde. Dahin mußte es kommen. Ich habe beizeiten gewarnt. Aber auch dich, große Frau, kann der Gerechte nicht ganz rein waschen und weiß machen von Schuld an diesem Greuel, daß dermaßen die Handlung stockt und kommt nicht von der Stelle. Denn du treibst sie nicht vorwärts und gewährst es in magdhaftem Zartsinn dem Jüngling, daß er sein Spiel treibt mit Amun, dem König der Götter, vermittelst Finten und Ausflüchten, und bietet ihm Widerspan von Mond zu Mond. Das ist ja schauderhaft. Aber eben auf deine Magdschaft ist es zurückzuführen, der es an Fülle der Forschheit gebricht in diesen Dingen und an reifer Erfahrung. Verzeih dem gediegenen Diener die Anmerkung, denn wahrlich, woher sollte dir das Vermißte auch kommen? Was du tun solltest, das ist, daß du den Ausweichenden ohne Federlesens gestellig machtest und fordertest ihn geradezu zum Tribut und zur Niederlage auf, daß er dir nicht entschlüpfen kann. Magst du's nicht mündlich tun aus Magdhaftigkeit, ei, so gibt's doch den Weg der Schriftlichkeit und des süßen Billetts, das er verstehen muß, wenn er's liest, ob er will oder nicht, des Inhalts etwa: ,Willst du mich heut überwinden im Brettspiel? Laß uns auf dem Brette das Spiel zu zweien machen!' Dergleichen heißt sich ein süßes Billett, worin forsche Reife in magdlicher Verblümtheit zu reden und deutlich zu werden weiß. Laß mich dir Schreibzeug unterbreiten, und du schreibst es nach meiner Angabe, daß ich's ihm zustelle und endlich die Handlung vorankomme zu Amuns Ehre!"

So Dûdu hier, der tüchtige Zwerg. Und wirklich hatte Eni in ihrer Benommenheit und aus magdlicher Unterwürfigkeit vor der Autorität des Spännigen auf diesem Gebiet den Zettel nach seiner Weisung ausgefertigt, so daß Joseph ihn nun las und nicht die Atum-Röte verbergen konnte, die ihm dabei ins Gesicht stieg, so daß er vor Ärger über diesen Reflex den Briefträger unsanft davonjagte, ohne Dank. Aber trotz allem angstvollen Gewisper, womit man ihm von anderer Seite anlag, der verfänglichen Herausforderung doch ja nicht zu folgen, folgte er ihr dennoch und spielte mit der Herrin im Pfeilersalon unter dem Bilde Rê-Horachtes auf dem Brette das Spiel zu zweien, wobei er einmal sie ins „Wasser" drängte und einmal sich von ihr dahinein drängen ließ, so daß Sieg und Niederlage einander aufhoben und das Ergebnis des Treffens als null zu bezeichnen war – zu Dûdus Enttäuschung, der immer die Handlung noch stocken sah.

Darum tat er ein übriges und ging aufs Ganze, veranstaltete es und brachte es fertig, daß er abermals aus der Seitentasche zu Joseph sprechen konnte:

„Zu überhändigen hab' ich dir etwas von besonderer Seite."

„Was ist's?" fragte Joseph.

Da reichte der Zwerg ihm einen Schmalzettel hinauf, von dem man wohl sagen kann, daß er mit einem verzweifelten Ruck die Handlung vorwärtsbrachte, indem er nämlich das Wort, das wir ein Wort der Verkennung nannten, weil es nicht das Wort einer Dirne, sondern einer Überwältigten war, schon bar und unmißdeutbar enthielt – wenn auch in der Umschreibung, welche die Schriftlichkeit allen Dingen zuteil werden läßt: die ägyptische Schrift zumal, deren die Briefstellerin sich natürlich bedient hatte und die in der zierhaften Gedrängtheit ihres die Vokale stumm anheimstellenden Zeichenwerks, mit ihren überall eingestreuten, die Begriffsklasse der konsonantisch knapp beschworenen Schälle an die Hand gebenden Deutbildern, immer etwas vom Zauber-Rebus, von blumiger Halbverhehlung und witzig logogryphischer Maskerade behält, so daß sie zur Abfassung süßer Billetts in der Tat wie geschaffen ist und das Unumwundenste ein sinnig-geistreiches Ansehen darin gewinnt. Die entscheidende Stelle von Mut-em-enets Mitteilung, das, was wir ihre Pointe nennen würden, bestand aus drei Lautzeichen, denen einige andere, ebenso hübsche vorangingen und an die sich das schnell umrissene Deutbild eines löwenköpfigen Ruhebettes schloß, auf welchem eine Mumie lag. Das Rebus sah aus wie folgt:

und besagte „liegen" oder auch „schlafen". Denn das ist nur *ein* Wort in Kemes Sprache; „liegen" und „schlafen", das ist dasselbe in seiner Schrift; und die ganze Zeile des Schmalzettels, unterfertigt mit dem Bildzeichen eines Geiers, was „Mut" bedeutete, lautete klar und unumwunden: „Komm, daß wir uns eine Stunde des Schlafens machen."

Was für ein Dokument! Goldes wert, höchst ehrwürdig und ergreifend, wenn auch mißlich, bedrückend und schlimm von Natur. Wir haben hier in seiner Urform, in originaler Fassung und derjenigen Prägung, welche die Sprache Ägyptens ihm verlieh, das Wort verlangenden Antrages, das Potiphars Weib der Überlieferung zufolge an Joseph richtete – erstmals in dieser schriftlichen Gestalt an ihn richtete, vermocht dazu von Dûdu, dem Zeugezwerg, der es ihr aus der Maultasche vorgesagt. Wenn aber wir schon bewegt sind bei seinem Anblick, wie sehr fuhr es dem Joseph erst in die Glieder, da er's entzifferte! Bleich und erschrocken ließ er das Papier verschwinden in seiner Hand und jagte den Dûdu mit dem umgekehrten Fliegenwedel davon. Aber die Botschaft, das süße Ansinnen, den begehrend-verheißenden Lockruf der Liebesherrin hatte er dahin, und wiewohl er ehrlicherweise kaum noch überrascht davon sein konnte, erschütterte es ihn doch mächtig und arbeitete dermaßen in seinem Blut, daß man für die Widerstandskraft der sieben Gegengründe fürchten müßte, wenn man, in der gegenwärtigen Feststunde der Geschichte ganz befangen, ihren Ausgang nicht kennte. Joseph aber, dem sie geschah, als sie sich ursprünglich selber erzählte, lebte wirklich ganz in der gegenwärtigen Stunde des Festes, vermochte nicht, über sie hinauszusehen, und durfte des Ausganges keineswegs sicher sein. Die Geschichte war in der Schwebe an dem Punkt, wo wir halten, und in dem Augenblick, der über sie entschied, sollte es an einem Haare hängen, daß die sieben Gründe tatsächlich zuschanden würden und Joseph der Sünde verfiel, – es hätte ebensogut schief- wie just noch geradegehen können. Gewiß, Joseph wußte sich entschlossen, den großen Fehler nicht zu begehen und es um keinen Preis mit Gott zu verderben. Aber der Hutzel Gottlieb hatte schon recht gehabt, wenn er in des Freundes Gefallen an der Wahlfreiheit zwischen Gut und Böse, die ihm gegeben war, etwas wie ein Gefallen am Bösen selbst, nicht nur an der Freiheit dazu, hatte erkennen wollen; vor allem aber schließt eine solche nicht eingestandene, nur als Vergnügen an freier Wahlherrlichkeit verstandene Neigung zum Bösen die andere ein, sich über das Böse ein X für ein U zu machen und aus getrübter Vernunft wohl gar das Gute darin zu vermuten. Gott meinte es so vortrefflich mit Joseph, – war er überhaupt gesonnen, ihm die stolze und süße Lust, die sich ihm darbot, die vielleicht Er ihm darbot, zu mißgönnen? War diese Lust nicht vielleicht das geplante Mittel der Erhöhung, in deren Gewärtigung der Entrückte lebte und die durch seinen Aufstieg im Hause so weit vorangediehen war, daß nun die Herrin ihre Augen auf ihn geworfen hatte und ihm mit ihrem süßen Namen den Namen ganz Ägyptenlandes zu nennen, ihn sozusagen zum Herrn der Welt zu machen begehrte? Welcher Jüngling, dem sich die Geliebte schenkt, setzte dieses nicht gleich mit seiner Erhöhung zum Herrn der Welt? Und war es nicht eben dies, ihn zum Weltherrn zu machen, was Gott vorhatte mit Joseph?

Man sieht, welchen Anfechtungen seine denn doch auch nicht mehr ganz klare Vernunft ausgesetzt war. Gut und Böse waren im vollen Begriff, ihm durcheinanderzugeraten; es gab Augenblicke, wo er versucht war, dem Bösen die Deutung des Guten zu geben, und wenn auch das Deutzeichen hinter „liegen" kraft seiner Mumiengestalt danach angetan war, ihm Augen dafür zu machen, welchem Reich die Versuchung entstieg und daß, ihr zu erliegen, ein unverzeihlicher Stirnschlag für Den sein würde, der kein Mumiengott verheißungsloser Dauer, sondern ein Gott der Zukunft war, – so hatte Joseph doch allen Grund, der Kraft der sieben Gründe und dem Verlaufe künftiger Feststunden zu mißtrauen und dem Freundchen sein Ohr zu leihen, das ihn wispernd beschwor, er möge nicht mehr zur Herrin gehen, auch keine Schmalzettel mehr annehmen vom bösen Gevatter und den Feuerstier fürchten, der schon nahe daran sei, in ein Aschenfeld zu verwandeln mit seinem Gebläse die ganze lachende Flur. Unstreitig war es leichter gesagt als getan für Joseph, die Herrin zu meiden, denn sie war die Herrin, und wenn sie rief, so mußte er kommen. Aber wie gern hält doch auch der Mensch sich den Wahlfall des Bösen offen, labt sich an seiner Freiheit dazu und spielt mit dem Feuer, sei's aus vertrauender Tapferkeit, die sich vermißt, den Stier bei den Hörnern zu nehmen, sei es aus Leichtsinn und heimlicher Lust – wer will das unterscheiden!

Die schmerzliche Zunge (Spiel und Nachspiel)

Es kam die Nacht des dritten Jahres, wo Mut-em-enet, Potiphars Weib, sich in die Zunge biß, weil es sie übermächtig verlangte, ihres Ehrengemahls jungem Hausmeier das zu sagen, was sie ihm rebusweise bereits geschrieben hatte, und sie zugleich doch auch wieder aus Stolz und Scham es ihrer Zunge verwehren wollte, so zu ihm zu sprechen und dem Sklaven ihr Blut anzutragen, daß er es ihr stille. Denn dieser Widerstreit lag in ihrer Rolle als Herrin, daß es ihr einesteils fürchterlich war, so zu sprechen und ihm ihr Fleisch und Blut anzutragen gegen seines, aber andernteils ihre Sache war und ihr zukam als männischer und sozusagen bärtiger Liebesunternehmerin. Darum biß sie sich in die Zunge bei Nacht von oben und unten, so daß sie fast durchbiß und am nächsten Tag vor schmerzhafter Behinderung lispelte wie ein kleines Kind.

Während einiger Tage nach überreichtem Billett hatte sie Joseph nicht sehen wollen und ihm ihr Antlitz verweigert, weil sie nicht in das seine zu blicken wagte, nachdem sie ihn schriftlich zur Niederlage aufgefordert. Allein eben die Entbehrung seiner Nähe machte sie reif, ihm das in Zauberschrift schon Gesagte mit eigenem Munde zu sagen; das Verlangen nach seiner Gegenwart nahm die Gestalt an des Verlangens, ihm das Wort zu sagen, das zu sprechen ihm, dem Liebesknechte, verwehrt war, so daß, wenn sie je erfahren wollte, ob es ihm aus der Seele gesprochen war, nichts übrigblieb, als daß sie selbst, die Herrin, es sprach und ihm ihr Fleisch und Blut antrug in der innigen Hoffnung, seinen eigenen geheimen Wünschen damit zu begegnen und ihm das Wort vom Munde zu nehmen. Ihre Herrinnenrolle verdammte sie zur Schamlosigkeit; aber sie hatte sich für dieselbe nachts im voraus bestraft, indem sie sich in die Zunge gebissen, so daß sie nun das Notwendige immerhin sagen mochte, so gut es nach der Strafe noch gehen wollte, nämlich lispelnd nach Kinderart, was auch eine Zuflucht war, insofern es dem Äußersten einen Ausdruck von Unschuld und Hilflosigkeit lieh und rührend machte das Krasse.

Sie hatte den Joseph zur Wirtschaftsaudienz und nachfolgendem Brettspiel befehlen lassen durch Dûdu und empfing ihn im Atum-Salon um die Tageszeit, da der Jungmeier den Lesedienst in Potiphars Halle vollendet hatte, eine Stunde nach Tische. Sie kam zu ihm herein aus dem Zimmer, wo sie schlief, und da sie vor ihn trat, machte er, wohl zum erstenmal, oder zum erstenmal mit Bewußtsein, die Wahrnehmung, die auch wir dieser Stunde vorbehalten haben, nämlich daß sie sich sehr verändert hatte in der Zeit ihrer Berührtheit und also, wie man folgern muß, durch ihre Berührtheit.

Es war eine eigentümliche Veränderung, bei deren Kennzeichnung und Beschreibung man Gefahr läuft, zu befremden
oder unverstanden zu bleiben, und die dem Joseph, seit sie
ihm offenbar geworden, viel Stoff zur Verwunderung und
einem vertieften Nachsinnen gab. Denn tief ist das Leben
nicht nur im Geiste, nein, auch im Fleische. Nicht daß die
Frau gealtert wäre in dieser Zeit; das hatte die Liebe verhin-
dert. War sie schöner geworden? Ja und nein. Eher nein. Sogar entschieden nein, – wenn man unter Schönheit das rein
Bewundernswerte und beglückend Vollkommene versteht, ein
Bild der Herrlichkeit, das in die Arme zu schließen wohl
himmlisch sein müßte, das aber danach nicht ruft, weit eher
sich dem Gedanken daran entzieht, weil es sich an den
hellsten Sinn, das Auge, wendet, nicht aber an Mund und
Hand, – sofern es sich überhaupt wendet an irgend etwas.
In aller Sinnenfülle behält Schönheit dann etwas Abstraktes
und Geistiges: sie behauptet Eigenständigkeit und das Vorsein
der Idee vor der Erscheinung; sie ist nicht Erzeugnis und
Werkzeug ihres Geschlechtes, sondern umgekehrt dieses ihr
Stoff und Mittel. Weibliche Schönheit – das kann die Schönheit sein, verkörpert im Weiblichen, das Weibliche als Ausdrucksmittel des Schönen. Wie aber, wenn das Verhältnis von
Geist und Stoff sich umkehrt und man statt von weiblicher
Schönheit besser von schöner Weiblichkeit redete, weil nämlich das Weibliche zum Anfangsgrunde und Hauptgedanken
geworden und die Schönheit zu ihrem Attribute, statt daß das
Weibliche das Attribut des Schönen wäre? Wie, fragen wir,
wenn das Geschlecht die Schönheit als Stoff behandelt, indem
es sich darin verkörpert, so daß denn also die Schönheit als
Ausdrucksmittel des Weiblichen dient und wirkt? – Es ist
klar, daß das eine ganz andere Art von Schönheit ergibt als
die oben gefeierte – eine bedenkliche, ja unheimliche, die sich
sogar dem Häßlichen nähern mag und dabei schlimmerweise
die Anziehung und Gefühlswirksamkeit des Schönen ausübt,
nämlich kraft des Geschlechtes, das sich an ihre Stelle setzt,
für sie eintritt und ihren Namen an sich reißt. Es ist also keine

geistig ehrsame Schönheit mehr, geoffenbart im Weiblichen, sondern eine Schönheit, in der sich das Weibliche offenbart, ein Ausbruch des Geschlechts, eine Hexenschönheit. Dies allerdings erschreckende Wort hat sich als unentbehrlich erwiesen zur Kennzeichnung der Veränderung, die sich seit Jahr und Tag mit Mut-em-enets Körper zugetragen. Es war eine Veränderung, rührend und erregend zugleich, schlimm und ergreifend, eine Veränderung ins Hexenhafte. Versteht sich, man muß bei der inneren Verwirklichung dieses Wortes die Vorstellung des Vettelmäßigen fernhalten, – man muß sie, wiederholen wir, fernhalten, indem man dennoch gut tut, sie nicht vollkommen auszuschalten. Eine Hexe ist gewiß nicht notwendig eine Vettel. Und doch ist auch bei der reizendsten Hexe ein leicht vettelhafter Einschlag festzustellen – er gehört unvermeidlich zum Bilde. Der neue Körper der Mut war ein Hexen-, ein Geschlechts- und Liebeskörper und also von fern auch etwas vettelhaft, obgleich dies Element sich höchstens in einem Aufeinanderstoßen von Üppigkeit und Magerkeit der Glieder manifestierte. Eine Vettel reinsten Wassers war etwa die schwarze Tabubu, Vorsteherin der Schminktöpfe, mit Brüsten, die Schläuchen glichen. Muts Busen seinerseits, sonst zierlich-jungfräulich, hatte sich kraft ihrer Ergriffenheit sehr stark und prangend entfaltet, er bildete sehr große Liebesfrüchte, deren strotzendem Vordrang ein Etwas von Vettelhaftigkeit einzig und allein durch den Gegensatz zukam, in welchem die Magerkeit, ja Dürre der gebrechlichen Schulterblätter dazu stand. Die Schultern selbst erschienen zart, schmal, ja kindlich-rührend, und die Arme daran hatten an Fülle stark eingebüßt, sie waren fast dünn geworden. Ganz anders stand es mit den Schenkeln, die, wiederum in einem, man möchte sagen, unerlaubten Gegensatz zu den oberen Extremitäten, sich über Gebühr stark und blühend entwickelt hatten, dergestalt, daß die Einbildung, sie schmiegten sich an einen Besenstiel, über welchen gebückt, mit schwachen Ärmchen sich an ihn klammernd, die Frau bei dürrem Rücken und strotzenden Brüsten zu Berge ritt, – daß, sagen wir, diese

Einbildung nicht nur nahelag, sondern sich unabweisbar aufdrängte. Dabei nämlich noch kam ihr das vom schwarzen Pudelhaar umlockte Antlitz zu Hilfe, dies sattelnasige, schattenwangige Antlitz, worin ein Widerspruch, für den erst hier der rechte Name gefunden werden konnte, schon lange geherrscht, aber erst jetzt seine höchste Ausprägung gewonnen hatte: der durchaus hexenhafte Widerspruch zwischen dem strengen, ja drohend finsteren Ausdruck der Augen und der gewagten Schlängelei des winkeltiefen Mundes, – dieser ergreifende Widerspruch, der, auf seinen Gipfel gekommen, dem Gesicht die krankhaft maskenartige Spannung verlieh, welche wahrscheinlich durch den in der zerbissenen Zunge brennenden Schmerz verstärkt wurde. Unter den Gründen aber, weshalb sie sich dort hineingebissen, war tatsächlich auch der gewesen, daß sie wußte, sie würde lispeln müssen danach wie ein unschuldig Kind, und dieses Kinderlispeln würde vielleicht die ihr sehr wohlbekannte Hexenhaftigkeit ihres neuen Körpers beschönigen und verhüllen.

Die Beklommenheit läßt sich denken, die der Urheber dieser Veränderung bei ihrem Anblick empfand. Damals zuerst stieg ein Begreifen ihm auf, wie leichtsinnig er gehandelt, indem er das Flehen des reinen Freundchens in den Wind geschlagen und die Herrin nicht lieber gemieden, sondern es dahin hatte kommen lassen, daß sie aus einer Schwanenjungfrau zur Hexe geworden war. Die Albernheit seines pädagogischen Heilsplanes kam ihm zum Bewußtsein, und zum ersten Male mochte ihm dämmern, daß sein Verhalten in dieser Sache des neuen Lebens dem einstigen gegen die Brüder an Straffälligkeit nicht nachstand. Diese Einsicht, die aus Ahnung zu voller Erkenntnis reifen sollte, erklärt manches Spätere.

Vorderhand verbargen sein schlechtes Gewissen und seine erregte Rührung über die Verwandlung der Herrin zur Liebesvettel sich hinter der besonderen Ehrerbietung, ja Anbetung, mit der er sie begrüßte und vor ihr sprach, indem er wohl oder übel den sträflich albernen Heilsplan weiterverfolgte und ihr an Hand von mitgebrachten Rechnungsrollen über Verbrauch und Belieferung des Frauenhauses mit den und den Lebens- und Genußmitteln, auch über Entlassungen und Neueinstellungen unter der Dienerschaft einiges vortrug. Dies verhinderte, daß er das wunde Gebrechen ihrer Zunge gleich bemerkte; denn sie hörte ihm nur zu mit ihrer überspannten Miene und äußerte sich fast nicht. Da sie sich aber zum Brettspiel setzten, zu seiten des schön geschnitzten Spieltischchens, aufs Ruhebett aus Ebenholz und Elfenbein sie, er auf ein rinderbeiniges Taburett, die Steine aufstellten, die die Gestalt liegender Löwen hatten, und sich über das Spiel verständigten, konnte es nicht länger fehlen, daß er, zu verstärkter Beklommenheit, ihres Lallens gewahr wurde; und nachdem er es ein paarmal wahrgenommen und nicht länger zweifeln konnte, erlaubte er sich die zarte Anfrage und sprach:

„Wie ist mir, Herrin, und wie kann das sein? Mir scheint, du lallst ein klein wenig beim Reden?"

Und mußte zur Antwort vernehmen, daß die Frau „Merzen" leide an ihrer „Tunge"; sie habe sich weh detan in der Nacht und sich in die Tunge debissen, der Vorteher solle nicht acht darauf deben!

So sprach sie – wir geben die wehen Ausfälle und Kindlichkeiten ihrer Redeweise in unserer Sprache wieder statt in der ihren, aber entsprechend ließ sie sich in dieser vernehmen; und Joseph, tief erschrocken, nahm die Hände vom Spiel und wollte keinen Stein mehr anrühren, ehe sie sich gepflegt und einen Balsam in den Mund genommen hätte, den anzurühren Chun-Anup, dem Salbader, sofort befohlen sein sollte. Sie aber wollte davon nichts wissen und warf ihm spottend vor, daß er Ausflüchte suche und sich drücken wolle von der Partie, die nach der Eröffnung schon sehr mißlich für ihn stehe, so daß er ins Wasser gedrängt werden werde und darum sein Heil im Abbruch des Spiels und beim Apotheker suche. Kurzum, sie hielt ihn auf seinem Sessel fest mit wunder Kinderrede und beklemmender Neckerei, denn unwillkürlich paßte sie der Hilflosigkeit ihrer Zunge auch ihre Ausdrucksweise an und sprach in jeder Beziehung wie ein Kleines, indem sie auch ihrer gespannten Leidensmiene einen Ausdruck törichter Lieblichkeit zu geben versuchte. Wir ahmen nicht weiter nach, wie sie von Piel und Teinen und Auschfüchten stammelte, denn es könnte scheinen, als wollten wir sie verhöhnen, da sie doch den Tod im Herzen hatte und im Begriffe war, all ihren Stolz und geistige Ehre hinzuwerfen aus übermächtigem Verlangen, ihres Fleisches Ehre dafür zu gewinnen in Erfüllung des Heilstraumes, den sie geträumt.

Demjenigen, der ihr dieses Verlangen eingeflößt, war es ebenfalls tödlich ums Herz, und das mit Recht. Er wagte nicht aufzublicken vom Brett und zerrte die Lippe, denn sein Gewissen sprach gegen ihn. Trotzdem spielte er verständig, er konnte nicht anders, und es wäre schwer zu sagen gewesen, ob sein Verstand ihn meisterte oder er seinen Verstand. Auch sie zog ihre Steine, hob sie und setzte sie, aber auf so zerrüttete Weise, daß sie nicht nur bald ohne Ausweg und über und über geschlagen war, sondern es nicht einmal merkte und ins Unsinnige weitersprang, bis seine Reglosigkeit sie zur Besinnung rief und sie mit überspanntem Lächeln auf den Wirrwarr ihres Ruins hinabstarrte. Er wollte dem krankhaften Augenblick vernünftig gesetzte und höfliche Rede leihen, in dem Wahn, ihn damit heilen, ordnen und retten zu können; darum sagte er mäßig:

„Wir müssen's, Herrin, noch einmal beginnen, jetzt oder ein andermal, denn dieser Gang schlug uns fehl, gewiß weil ich linkisch eröffnete, und kann keines mehr weiter, wie du wohl siehst: du nicht, weil ich nicht, und ich nicht, weil du, – von beiden Seiten ist verspielt dieses Spiel, so daß man sich füglich der Rede müßigt von Sieg oder Niederlage, denn beider Spieler ist beides..."

Dies letzte sagte er stockend bereits und ohne Ton, nur weil er im Zuge war, und nicht mehr, weil er noch hoffen konnte, die Lage zu retten und zu besprechen, denn unterdessen schon war es geschehen und ihr Haupt und Gesicht waren auf seinem Arm, der am Rande des Spieles lag, niedergebrochen, so daß ihr mit Gold- und Silberpuder bestäubtes Haar die ruhenden

Löwen verschob auf dem Brett und der heiße Hauch ihres Fiebergestammels und verlorenen Gelispels seinen Arm beschlug, das wir aus Ehrfurcht vor ihrer Not nicht nachahmen in seiner kranken Kindlichkeit, das aber seinem Sinn und Unsinn nach lautete wie:

„Ja, ja, nicht weiter, wir können nicht weiter, verspielt ist das Spiel, und uns bleibt nichts als die Niederlage zu zweien, Osarsiph, du schöner Gott aus der Ferne, mein Schwan und Stier, mein heiß und hoch und ewig Geliebter, daß wir zusammen ersterben und untergehn in die Nacht verzweifelter Seligkeit! Sag, sage doch und sprich frei, da du mein Antlitz nicht siehst, weil es auf deinem Arme liegt, endlich auf deinem Arm, und meine verlorenen Lippen dein Fleisch und Blut streifen, indem sie dich bitten und zu dir beten, daß du mir freihin gestehst, ohne meine Augen zu sehen, ob du denn nicht mein süßes Billett bekommen hast, das ich dir schrieb, bevor ich mich in die Zunge biß, um dir nicht zu sagen, was ich dir schrieb und was ich dir dennoch sagen muß, weil ich dir Herrin bin und es an mir ist, das Wort zu sprechen, das du nicht sagen darfst und darfst dich seiner aus längst schon nichtigem Grund nicht erkühnen. Ich aber weiß nicht, wie gern du's sagtest, das ist mein Herzeleid, denn wenn ich wüßte, du sagtest es dringend gern, wenn du dürftest, dann so nähm' ich dir selig das Wort vom Munde und spräche es aus als Herrin, wenn auch nur lispelnd und flüsternd, das Antlitz verborgen auf deinem Arm. Sag, empfingst du vom Zwerge mein Blatt, darauf ich's gemalt, und hast du's gelesen? Warst du erfreut, meine Zeichen zu sehen, und schlug dir wohl all dein Blut als Welle des Glücks an den Strand deiner Seele? Liebst du mich, Osarsiph, Gott in Knechtsgestalt, mein himmlischer Falke, wie ich dich liebe, schon lange, schon lange in Wonne und Qual, und brennt dir das Blut nach meinem, wie es mir brennt nach dir, so daß ich das Briefchen malen mußte nach langem Kampf, von deinen goldenen Schultern berückt und davon, daß alle dich lieben, von deinem Gottesblick aber vor allem, unter welchem mein Leib sich veränderte und meine Brüste wuchsen zu Liebesfrüchten? *Schlafe – bei – mir!* Schenke, schenke mir deine Jugend und Herrlichkeit, und ich will dir schenken an Wonne, was du dir nicht träumen läßt, ich weiß, was ich sage! Laß uns unsere Häupter und Füße zusammentun, daß wir es gut haben überschwenglich und ineinander ersterben, denn ich ertrag' es nicht länger, daß wir da und dort leben als Zweie!"

So die Frau, völlig hingerissen; und wir haben nicht nachgeahmt, wie ihr Gebet sich in Wirklichkeit ausnahm durch das Gelispel ihrer zerspaltenen Zunge, wobei jede Silbe ihr schneidend wehe tat, und doch lispelte sie dies alles in einem Zuge auf seinem Arm, denn Frauen ertragen viel Schmerzen. Das aber soll man wissen, sich einbilden und fortan für immer festhalten, daß sie das Wort der Verkennung, das Lapidarwort der Überlieferung nicht heilen Mundes und wie ein Erwachsener sprach, sondern unter Schmerzensschnitten und in der Sprache der kleinen Kinder, so daß sie lallte: „Slafe bei mir!" Denn darum hatte sie ihre Zunge so zugerichtet, daß es so sei.

Und Joseph? Er saß und überflog die sieben Gründe, überflog sie vorwärts und rückwärts. Daß nicht sein Blut in breiter Welle an den Strand seiner Seele geschlagen wäre, wollen wir nicht behaupten, aber die Gegengründe waren zu siebenen und hielten stand. Zum Lobe sei es ihm angerechnet, daß er nicht hart auf sie pochte und den Verachtungsvollen spielte gegen die Hexe, weil sie ihn versuchte, sich mit Gott zu überwerfen, sondern mild und gut zu ihr war und sie in liebreicher Ehrfurcht zu trösten suchte, obgleich darin, wie jeder Einsichtige zugeben wird, eine große Gefahr für ihn lag; denn wo ist des Tröstens ein Ende in solchem Fall? Nicht einmal seinen Arm entzog er ihr rauh, ungeachtet der feuchten Hitze des Gelispels und der damit verbundenen Lippenstöße, die darauf niedergingen, sondern ließ ihn gefaßt, wo er war, bis sie ausgestammelt, und sogar etwas länger noch, während er sagte:

„Herrin, um Gott, was tut dein Angesicht da, und was sprichst du im Wundfieber, – komm zu dir selbst, ich bitte dich, du vergissest ja dich und mich! Vor allem – deine Stube ist offen, bedenke das, man könnte uns sehen, sei es ein Zwerg oder ein Vollwüchsiger, und ausspähen, wo du dein Haupt hast, – verzeih, ich darf das nicht dulden, ich muß dir jetzt, wenn du erlaubst, meinen Arm entziehen und zusehen, daß nicht von draußen..."

Er tat, wie er sagte. Sie aber, mit Heftigkeit, erhob sich ebenfalls von der Stelle, wo sein Arm nicht mehr war, und hoch aufgerichtet, mit blitzenden Augen und plötzlich volltönender Stimme, rief sie Worte, die ihn hätten lehren können, mit wem er's zu tun und wessen er sich allenfalls von ihr zu versehen hatte, die noch soeben gebetet wie eine Gebrochene, nun aber die Klaue zu heben schien wie ein Löwenweib und für den Augenblick auch gar nicht mehr lispelte; denn wenn sie wollte und die Schmerzen ertrug, so konnte sie schon ihre Zunge zum Rechten zwingen, und so rief sie mit wilder Genauigkeit:

„Laß doch offen die Halle und offen den Blick für die ganze Welt auf mich und dich, den ich liebe! Fürchtest du dich? Ich fürchte nicht Götter, noch Zwerge, noch Menschen, daß sie mich sehen mit dir und unsre Gemeinschaft bespähen. Mögen sie, mögen sie kommen zuhauf und uns sehen! Wie einen Plunder werfe ich ihnen meine Scheu und Schämigkeit vor die Füße, denn nichts anderes sind mir diese: ein Plunder und armer Quark gegen das zwischen mir und dir und gegen meiner Seele weltvergessene Not! Mich fürchten? Ich allein bin fürchterlich in meiner Liebe! Isis bin ich, und wer uns zusieht, nach dem werde ich mich umwenden von dir und ihm einen so fürchterlichen Blick zuwerfen, daß er Todes verbleicht auf der Stelle!"

So Mut als Löwin, gänzlich uneingedenk ihrer Wunde und der Schmerzensschnitte, die jedes gewaltsame Wort ihr verursachte. Er aber zog die Gehänge vor die Räume zwischen den Pfeilern und sagte:

„Laß mich Besonnenheit üben für dich, da mir gegeben ist, vorauszusehen, was da würde, wenn man uns ausspähte, und mir heilig sein muß, was du hinwerfen willst der Welt, die es nicht wert ist, und nicht einmal wert ist sie, zu sterben am Zorn deines Blickes."

Als er aber nach der Verhüllung wieder zu ihr trat im Schatten des Zimmers, war sie schon keine Löwin mehr, sondern wieder das Lispelkind und dabei schlau wie die Schlange, drehte es ihm um, was er getan, und stammelte liebreizend:

„Hast du uns eingesperrt, du Böser, und uns in Schatten gehüllt vor der Welt, daß sie mich nicht mehr schützen kann vor deiner Argheit? Ach, Osarsiph, wie arg bist du, daß du mir's antatest so namenlos und hast mir Leib und Seele verändert, daß ich mich selbst nicht mehr kenne! Was würde wohl deine Mutter sagen, wüßte sie, was du den Menschen antust und treibst es mit ihnen, daß sie sich selber nicht kennen? Wäre auch wohl mein Sohn so schön und böse, und muß ich ihn in dir erblicken, meinen schönen, bösen Sohn, den Sonnenknaben, den ich gebar und der am Mittag Haupt und Füße zusammentut mit seiner Mutter, sich selbst mit ihr zu erzeugen aufs neue? Osarsiph, liebst du mich wie am Himmel, so auch auf Erden? Malte ich auch deine Seele ab, da ich den Zettel malte, den ich dir schickte, und erschauertest du bis in dein Innerstes, als du ihn lasest, wie ich in unendlicher Lust und Scham erschauerte, als ich ihn schrieb? Wenn du mich betörst mit deinem Mund und mich Herrin nennst deines Hauptes und Herzens – wie ist's gemeint? Sagst du mir's, weil sich's gehört, oder im Sinne der Inbrunst? Gesteh mir's im Schatten! Nach so vielen Nächten der Zweifelsqual, in denen ich einsam lag ohne dich und mein Blut ohne Rat nach dir schrie, mußt du mich heilen, mein Heil, und mich erlösen, indem du mir einbekennst, daß du die Sprache der schönen Lüge sprachst, um mir damit die Wahrheit zu sagen, daß du mich liebst!"

Joseph: „Edelste Frau, nicht so... Ja, so, wie du sagst, nur schone dich, wenn ich glauben soll, daß du mir Gnade trägst, – schone dich und mich, wenn ich bitten darf, denn es schneidet mir unerträglich ins Herz, wie du die wunde Zunge zu Worten zwingst, statt sie im Balsam ruhen zu lassen, – zu grausamen Worten! Wie sollte ich dich nicht lieben, dich, meine Herrin? Kniefällig liebe ich dich und bitte dich auf meinen Knien, daß du die Liebe, die ich dir trage, nicht grausam ergründen wollest nach ihrer Demut und Inbrunst, ihrer Frommheit und Süßigkeit, sondern sie gnädig auf sich beruhen läßt in ihren Bestandteilen, welche ein zartes und kostbares Ganzes bilden, das nicht verdient, geschieden und aufgedröselt zu werden in ergründender Grausamkeit, denn es ist schade darum! Nein, gedulde dich noch und laß mich dir sagen... Hörst du doch sonst gern zu, wenn ich rede vor dir in einer oder der anderen Sache, so höre mich gütig an auch in dieser! Denn ein guter Knecht liebt seinen Herrn, wenn er nur irgend edel, das ist in der Ordnung. Wandelt sich aber nun der Name des Herrn in den der Herrin und einer lieben Frau, so dringt Süßigkeit in ihn ein und holde Inbrunst von wegen der Wandlung, und auch die Liebe des Knechtes durchdringt diese Holdheit – Demut und Süßigkeit ist sie, nämlich anbetende Zärtlichkeit, die da heißt ‚Inbrunst‘, und Fluch des Herzens über den Grausamen, der ihr zu nahe tritt mit dröselnder Forschung und bösem Blick des Auges, – es soll ihm nicht frommen! Nenne ich dich Gebieterin meines Hauptes und Herzens, so allerdings, weil's die Sitte will und weil sich's so gehört, nach der Formel. Aber wie süß mir die Formel ist, und wie sich's glücklich trifft für mein Haupt und Herz, daß es sich also gehört, das ist eine Sache feiner Verschwiegenheit und ist das Geheimnis. Ist es wohl gnädig und irgend weise von dir, daß du mich unverschwiegen befragst, wie ich's meine, und mir zur Antwort nur die Wahl läßt zwischen Lüge und Sünde? Das ist eine falsche und grausame Wahl, ich will sie nicht kennen! Und um was ich dich bitte auf meinen Knien, das ist, du wollest Güte und Gnade erweisen dem Leben des Herzens!"

Die Frau: „Oh, Osarsiph, du bist schrecklich in deiner redenden Schönheit, die dich den Menschen göttlich erscheinen läßt und sie dir alle gefügig macht, mich aber in Verzweiflung stürzt durch ihre Gewandtheit! Eine schreckliche Gottheit ist das, die Gewandtheit, des Witzes Kind und der Schönheit, –

für das schwermütig liebende Herz ein tödlich Entzücken! Unverschwiegen schiltst du mein inniges Fragen, aber wie unverschwiegen bist du in deinem beredten Erwidern, – da doch das Schöne schweigen sollte und ums Herzens willen nicht reden – Stillschweigen sollte ums Schöne sein wie ums heilige Grab zu Abôdu, denn wie der Tod will die Liebe schweigen, ja, im Schweigen sind sie einander gleich, und Reden verletzt sie. Kluge Schonung forderst du für das Leben des Herzens und scheinst von seiner Partei gegen mich und mein dröselndes Forschen. Aber das heißt die Welt verkehren, denn ich bin's gerade in meiner Not, die für dies Leben kämpft, indem ich's dringend erforsche! Was soll ich anders tun, Geliebter, und wie mir helfen? Herrin bin ich dir, meinem Herrn und Heiland, nach dem ich brenne, und kann dein Herz nicht schonen noch deine Liebe auf sich beruhen lassen, weil's schade um sie. Angehen muß ich sie mit ergründender Grausamkeit, wie der bärtige Mann die zarte Jungfrau angeht, die sich nicht kennt, und muß ihrer Demut die Inbrunst entreißen und ihrer Frommheit die Lust, daß sie sich ihrer selbst erkühnt und den Gedanken zu fassen vermag, daß du nahe bei mir schläfst, denn darin ist alles Heil der Welt begriffen, daß du das tust mit mir, eine Frage ist es der Seligkeit oder der Höllenqual. Es ist eine Höllenqual für mich worden, daß unsre Glieder getrennt sind da und dort, und wenn du nur von deinen Knien sprichst, auf denen du mich bittest, ich weiß nicht um was, so faßt mich eine unsägliche Eifersucht an um deiner Knie willen, daß sie dein sind und nicht auch mein, und müssen nahe bei mir sein, daß du bei mir schläfst, oder ich komme um und verderbe!"

Joseph: „Liebes Kind, das kann nicht sein, besinne dich doch, wenn dein Knecht bitten darf, und verbohre dich nicht in diese Idee, denn sie ist ernstlich vom Übel! Du legst ein übertrieben Gewicht, ein krankhaftes, auf dies Tun, daß Staub beim Staube sei, denn es wäre zwar lieblich im Augenblick, daß es aber die bösen Folgen und alle Reue aufwöge, die danach kämen, das scheint dir nur wahnweise so vor der Tat, bei fieberndem Urteil. Siehe, es ist nicht gut, und kann niemandem wohl dabei sein, wie du mich angehst bärtigerweise und freist als Herrin um meiner Liebe Lust; es ist etwas von Greuel darin und paßt nicht in unsere Tage. Denn mit meiner Knechtschaft ist es so weit nicht her, und ich kann den Gedanken, den du mir nahelegst, sehr wohl von mir selbst aus fassen – nur zu wohl, ich versichere dich, doch dürfen wir ihn eben nicht tätigen, aus mehr als einem Grunde nicht, aus viel mehr als einem, aus einem ganzen Haufen davon, dem Sternhaufen gleich im Bilde des Stieres. Versteh mich recht – ich darf in den lieblichen Apfel nicht beißen, den du mir reichst, daß wir Missetat essen und alles verderben. Darum rede ich und bin unverschwiegen, sieh es mir gütig nach, mein Kind; denn da ich nicht mit dir schweigen darf, so muß ich reden und Worte des Trostes erlesen, da mir an deiner Tröstung, teure Herrin, alles gelegen."

Die Frau: „Zu spät, Osarsiph, es ist schon zu spät für dich und uns beide! Du kannst nicht mehr zurück, und ich kann's auch nicht, wir sind schon verschmolzen. Hast du nicht schon die Stube verhängt für uns und uns eingeschlossen zusammen im Schatten gegen die Welt, so daß wir ein Paar sind? Sagst du nicht schon ,wir' und ,uns', ,man könnte uns sehen' und ziehst dich und mich zusammen zu süßer Einheit in diesen köstlichen Wörtchen, die die Chiffre sind für alle Wonne, die ich dir nahelege und die schon in ihnen vollendet ist, so daß die Tätigung gar nichts Neues mehr schafft, nachdem das Wir gesprochen, denn das Geheimnis haben wir doch schon vor der Welt miteinander und sind zu zweien abseits von ihr mit unserem Geheimnis, also daß gar nichts übrigbleibt, als es zu tätigen..."

Joseph: „Nein, höre, Kind, das ist nicht gerecht, und du tust den Dingen Gewalt an, ich muß widersprechen! Wie, deine Selbstvergessenheit zwingt mich, die Stube zu schließen, um deiner Ehre willen, damit man nicht vom Hofe sehe, wo du dein Haupt hast, – und nun wendest du's so, daß schon alles gleich sei und sei schon so gut wie geschehen, weil wir bereits das Geheimnis hätten und müßten uns absperren? Das ist höchst ungerecht, denn ich habe gar kein Geheimnis, ich schirme nur deines: nur in dieser Bedeutung kann die Rede sein von ‚wir‘ und ‚uns‘, und ist gar nichts damit geschehen, wie denn auch künftig nichts geschehen darf um eines ganzen Sternhaufens willen von Gründen.“

Die Frau: „Osarsiph, holder Lügner! Du willst unsre Gemeinschaft nicht wahrhaben und unser Geheimnis, wo du mir eben noch selbst gestandest, was ich dir freiend nahelege, läge dir allzu nahe von dir aus schon? Das nennst du, Böser, kein Geheimnis haben mit mir vor der Welt? Denkst du denn nicht an mich, wie ich an dich denke? Aber wie würdest du erst an mich denken und daran, mir nahe beizuwohnen, wenn du wüßtest, welche Lust dich erwartet in den Armen der Himmelsgöttin, goldener Sonnenknabe! Laß mich es dir verkünden und dir verheißen an deinem Ohr, insgeheim vor der Welt, im tiefen Schatten, was dich erwartet! Denn nie hab’ ich geliebt und nie den Mann empfangen in meinem Schoß, habe nie auch nur das Geringste dahingegeben vom Schatz meiner Liebe und Wonne, sondern ganz nur dir ist aufbehalten dieser gesamte Schatz, und sollst überschwenglich reich davon sein, wie du’s dir nicht träumen läßt. Horch, was ich flüstere: Für dich, Osarsiph, hat sich mein Körper verändert und verwandelt und ist zum Liebesleibe geworden vom Wirbel bis zur Zehe, also daß du, wenn du mir nahe beiwohnst und mir deine Jugend und Herrlichkeit schenkst, nicht glauben wirst, einem irdischen Weibe nahe zu sein, sondern wirst, auf mein Wort, die Lust der Götter büßen mit der Mutter, Gattin und Schwester, denn siehe, ich bin’s! Ich bin das Öl, das nach deinem Salze verlangt, damit die Lampe erlodere im nächtlichen Fest! Ich bin die Flur, die nach dir ruft im Durste, mannheitwälzende Flut, Stier deiner Mutter, daß du schwellend über sie trittst und dich mir vermählst, ehe du mich verlässest, schöner Gott, und deinen Lotoskranz bei mir vergissest im feuchten Grunde! Höre, höre nur, was ich dir flüstere! Denn mit jedem meiner Worte ziehe ich dich tiefer in unser Geheimnis, das wir miteinander haben, und kannst schon längst nicht mehr daraus hervor, im tiefsten Geheimnis sind wir nun doch schon einmal mitsammen, so daß es gar keinen Sinn hat, daß du verweigerst, was ich dir nahelege..."

Joseph: „Doch, liebes Kind! – verzeih, ich nenne dich so, weil wir allerdings nun einmal im Geheimnis sind miteinander durch deine Verstörung, weshalb ich ja eben auch die Stube verschließen mußte, aber das behält seinen guten Sinn, seinen siebenfachen, daß ich dich abschlägig bescheiden muß wegen dessen, was du mir verlockend nahelegst, denn es ist sumpfiger Grund, wohin du mich locken willst und wo allenfalls taubes Schilf wuchert, aber kein Korn, und willst einen Esel des Ehebruchs aus mir machen, aus dir selbst aber eine schweifende Hündin, – wie soll ich dich da nicht schützen gegen dich selbst, mich aber verwahren gegen die schnöde Verwandlung? Überlegst du, wie uns geschähe, wenn uns unser Verbrechen erfaßte und käme auf unser Haupt? Soll ich's drauf ankommen lassen, daß man dich erwürgt und deinen Liebesleib vorwirft den Hunden oder dir doch die Nase abschneidet? Das ist nicht auszudenken. Des Esels Teil aber wären unzählige Prügel, eintausend Stockschläge für seinen dummen Unanstand, wenn er nicht gar dem Krokodil überlassen würde. Diese Belehrungen drohten uns, wenn unsere Tat sich unser bemächtigte."

Die Frau: „Ach, feiger Knabe, ließest du dir träumen, welche aufgesammelte Lust dich erwartet nahe bei mir, du dächtest darüber nicht hinaus und lachtest etwaiger Strafen, die, wie immer bemessen, in gar keinem Verhältnis stünden zu dem, was du mit mir genossen!"

„Ja, siehst du", sagte er, „liebe Freundin, wie dich die Verstörung herabsetzt und dich vorübergehend erniedert unter des Menschen Rang; denn sein Vorzug und Ehrenmitgift ist gerade, daß er hinausdenke über den Augenblick und überlege, was danach kommt. Auch fürchte ich gar nicht..."

Sie standen mitten im verschatteten Zimmer dicht beisammen und redeten gedämpft, aber dringlich aufeinander ein wie Leute, die über etwas sehr Angelegenes debattieren, mit hochgezogenen Brauen und stark bewegten, geröteten Mienen.

„Auch fürchte ich gar nicht", war er im Zuge zu sagen, „die etwaigen Strafen für dich und mich, sie sind das geringste. Sondern ich fürchte Peteprê, unsern Herrn, ihn selbst und nicht seine Strafen, wie man Gott fürchtet nicht um des Bösen willen, das er einem zu tun vermag, sondern um seiner selbst willen, aus Gottesfurcht. Von ihm hab' ich all mein Licht, und was ich bin im Hause und hierzulande, das dank' ich alles ihm, – wie sollt' ich mich da noch getrauen, vor ihn zu treten und in sein sanftes Auge zu blicken, selbst wenn ich gar keine Strafe von ihm zu fürchten hätte, nachdem ich dir beigelegen? Hör zu, Eni, und nimm, in Gottes Namen, deinen Verstand zusammen für das, was ich dir sagen will, denn meine Worte werden bestehen bleiben, und wenn unsre Geschichte aufkommt und kommt in der Leute Mund, so wird man sie anführen. Denn alles, was geschieht, kann zur Geschichte werden und zum Schönen Gespräch, und leicht kann es sein, daß wir in einer Geschichte sind. Darum hüte auch du dich und hab' Erbarmen mit deiner Sage, daß du nicht zur Scheuche werdest in ihr und zur Mutter der Sünde! Vieles und Verwickeltes könnte ich reden, dir damit zu widerstehen und meiner eigenen Lust; aber für der Leute Mund, falls es ihm überantwortet werden sollte, will ich dir das Gültig-Einfältigste sagen, das jedes Kind verstehe, und sage so: *Alles hat mein Herr mir anvertraut und hat nichts so Großes in dem Hause, daß er es mir verhohlen habe, ohne dich, indem du sein Weib bist. Wie sollte ich denn nun ein solch groß Übel tun und wider Gott sündigen?* Dies sind die Worte, die ich zu dir sage für alle Zukunft, entgegen der Lust, die wir aufeinander haben. Denn wir sind nicht allein auf der Welt, daß wir einfach der eine des anderen Fleisch und Blut genössen, sondern da ist auch noch Peteprê, unser großer Herr in seiner Einsamkeit, dem wir nicht, statt Liebesdienst zu versehen an seiner Seele, zu nahe treten dürfen mit solcher Tat, indem wir seine zarte Würde zuschanden machen und brechen den Treubund. Er steht unsrer Wonne im Wege, und damit Punktum."

„Osarsiph", flüsterte sie lispelnd nahe bei ihm und rüstete sich, einen Vorschlag zu machen. „Osarsiph, mein Geliebter, der längst mit mir im Geheimnis ist, höre doch und versteh deine Eni recht... Ich kann ihn doch..."

Es war der Augenblick, in dem sich erst wahrhaft herausstellte und an den Tag kam, warum und wofür sich Mut-em-enet eigentlich in die Zunge gebissen und welche längst vorbereitete Antwort sie rührend hilflos und schmerzhaft lieblich hatte gestalten wollen durch diese Verwundung: nicht zuerst und zuletzt das Wort des Antrages – oder, wenn zuerst, so doch nicht zuletzt, denn das Letzte und Eigentliche, wofür sie's getan und sich so zugerichtet hatte, daß sie wie ein Kindchen spräche, das war der Vorschlag zur Güte, den sie ihm diesen Augenblick machte, das schöne Kunstwerk ihrer blauädrig-ringbunten Hand an seiner Schulter, an die Hand aber die Wange geschmiegt, und lieblich, mit vorgeschobenen Lippen, lallte:

„Is tann ihn doch töten."

Er prallte zurück, denn es war ihm zu stark in der Niedlichkeit, und er wäre nicht drauf gekommen und hätte es dem Weibe nicht zugetraut, ob er sie gleich schon vorhin als Löwin hatte die Klaue heben sehen und sie hatte schnauben hören: „Fürchterlich bin ich allein!"

„Wir tönnen ihn", schmeichelte sie, sich dem Weichenden nachschmiegend, „doch umbingen und ausch dem Weg ssaffen, was ist denn dabei, mein Falke? Da ist doch in keiner Hinsicht etwas dabei, denn meinst du, Tabubu schafft mir nicht gleich auf ein Blinzeln 'nen klaren Sud oder ein kristallinisch Rückständlein von heimlichster Kraft, daß ich's dir in die Hand gebe und du schüttest es ihm in den Wein, den er trinkt, um sein Fleisch zu wärmen, trinkt er's aber, so erkaltet er unversehens, und sieht ihm niemand was an dank der Kochkunst der Negerländer, und man schifft ihn gen Westen, so daß er aus der Welt ist und unsrer Wonne nicht mehr im Wege? Laß

mich das doch nur machen, Geliebter, und lehn dich nicht auf
gegen eine so unschuldige Maßnehmung! Ist denn sein Fleisch
nicht tot schon im Leben, und ist's zu etwas nütze, oder
wuchert's nicht nur so hin als unnütze Masse? Wie ich sein
träges Fleisch hasse, seitdem die Liebe zu dir mir das Herz
zerfleischt und mein eigen Fleisch zum Liebesleibe geworden,
ich kann's nicht sagen, ich könnt' es nur schreien. Darum, süßer
Osarsiph, laß uns ihn kaltmachen, es ist überhaupt nichts dabei. Oder macht's dir was aus, einen hohlen Pluderschwamm
mit dem Stocke zu fällen, einen eklen Zunderpilz und Bovi-
sten? Das ist keine Tat, das ist nur lässiges Abtun... Ist er
aber in seinem Grabe, und ist das Haus leer von ihm, dann
sind wir frei und allein und sind selige Liebesleiber, bewandt-
nislos und unbedingt, die einander umarmen mögen ganz ohne
Rücksicht und Folge, Mund an Mund. Denn du hast ja recht,
mein Gottesknabe, zu sagen, daß er unsrer Wonne im Wege
ist und wir sie ihm nicht antun dürfen, – ich billige dein Bedenken. Aber eben darum mußt du doch einsehen, daß man
ihn kaltmachen muß und ihn aus der Welt schaffen, damit
das Bedenken behoben ist und wir ihm nichts mehr antun mit
unsrer Umarmung! Vertehst du das nißt, mein Tleiner? Mal
es dir doch nur aus, unser Glück, wie es sein wird, wenn gefällt und beseitigt der Schwamm und wir allein im Hause, du
aber, in deiner Jugend, bist des Hauses Herr. Du bist es, weil
ich die Herrin bin, denn wer bei der Herrin schläft, der ist der
Herr. Und wir trinken Wonne bei Nacht, und auch am Tage
ruhen wir beieinander auf Purpurpfühlen im Nardendampf,
indes bekränzte Mädchen und Knaben vor uns die Saiten
schlagen und holde Grimassen vollziehen, wir aber träumen
im Schauen und Lauschen von der Nacht, die war, und von
der, die sein wird. Denn ich reiche dir den Becher, aus dem wir
trinken an ein und demselben Ort seines goldnen Randes, und
während wir trinken, verständigen sich unsre Augen über die
Lust, die wir kosteten gestern nacht, und über die, die wir
planen für heute nacht, und schmiegen unsre Füße zusammen..."

„Nein, höre einmal, Mut-im-Wüstental!" sagte er hierauf. „Ich muß dich denn doch beschwören... So sagt man wohl: ‚Ich beschwöre dich', hier aber gilt's eigentlich, und man muß dich beschwören in Wahrheit, oder vielmehr den Dämon, der aus dir redet und von dem du offenkundig besessen bist, es ist nicht anders! Wenig Erbarmen hast du mit deiner Sage, das muß man gestehen, und machst eine Magd aus dir mit Namen ‚Mutter der Sünde' für alle Zukunft. So bedenke doch, daß wir vielleicht, ja wahrscheinlich, in einer Geschichte sind, und nimm dich ein wenig zusammen! Auch ich, siehst du wohl, muß mich doch zusammennehmen gegen deinen wonnigen Andrang, wenn es mir auch erleichtert wird durch das Entsetzen, das mir dein besessener Vorschlag erregt, Peteprê zu ermorden, meinen Herrn und deinen Ehrenmann. Das ist ja gräßlich! Es fehlte nur, daß du sagst, wir seien miteinander im Geheimnis deswegen, weil du mich in den Gedanken hineingezogen und es nun leider auch meiner ist. Aber daß es bei dem Gedanken bleibe und daß wir nicht solche Geschichte machen, dafür will ich schon sorgen. Liebe Mut! Die du mir ansinnst, die Lebensweise mit dir hier im Hause, nachdem wir den Herrn daraus weggemordet, damit wir uns aneinander weiden, die will mir gar nicht gefallen. Bilde ich mir's ein, wie ich mit dir hause im Mordhaus als dein Liebessklave und mein Herrentum davon ableite, daß ich bei der Herrin schlafe, so wird mir verächtlich zumute um meinetwillen. Soll ich nicht gar ein Weiberkleid tragen aus Byssus, und du befiehlst mich allnächtlich zur Lust, den abgeleiteten Herrn, der mit dir den Vater gemordet, um mit der Mutter zu schlafen? Denn genau so wäre es mir: Potiphar, mein Herr, ist mir wie ein Vater, und wohnte ich bei dir im Hause des Mordes, so wäre mir's, als tät' ich's mit meiner Mutter. Darum, liebes, gutes Kind, beschwöre ich dich aufs freundlichste, dich doch zu trösten und mir ein so großes Übel nicht anzusinnen!"

„Tor! Kindischer Tor!" antwortete sie mit Sangesstimme. „Wie du mir knäbisch erwiderst in deiner Liebesscheu, die ich brechen muß als werbende Herrin! Mit der Mutter schläft jeder – weißt du das nicht? Das Weib ist die Mutter der Welt; ihr Sohn ist der Mann, und jeder Mann zeugt in der Mutter – muß ich dir das Anfänglichste sagen? Isis bin ich, die große Mutter, und trage die Geierhaube! Mut ist mein Muttername, und du sollst mir den deinen nennen, holder Sohn, in süßer, zeugender Weltennacht..."

„Nicht so, nicht so!" sprach Joseph ihr eifrig entgegen. „Es ist nicht richtig, wie du es meinst und verkündigst, – ich muß deine Ansicht verbessern! Der Vater der Welt ist kein Muttersohn, und nicht von einer Herrin wegen ist er der Herr. Ihm gehöre und vor ihm wandle ich, ein Vatersohn, und ein für allemal sage ich dir: ich will nicht dergestalt sündigen wider Gott, den Herrn, dem ich gehöre, daß ich den Vater schände und morde und mit der Mutter ein Paar mache als schamloses Flußpferd. – Mein Kind, damit gehe ich. Liebe Herrin, ich bitte um Urlaub. Ich will dich nicht verlassen in deiner Verstörung, gewiß nicht. Mit Worten will ich dich trösten und dir gut zureden, wie ich nur kann, denn ich bin dir's schuldig. Nun aber muß ich von dir Urlaub nehmen und gehen, daß ich meines Herrn Haus versehe."

Er ließ sie. Sie rief ihm noch nach:

„Meinst du, du entkommst mir? Glaubst du, wir entrinnen einander? Ich weiß, ich weiß schon von deinem eifernden Gott, dem du verlobt bist und dessen Kranz du trägst! Aber ich fürchte den Fremden nicht und will dir den Kranz schon zerreißen, woraus er auch immer bestehe, dich aber dafür mit Efeu kränzen und Ranken des Weins zum Mutterfest unsrer Liebe! Bleib, Liebling! bleib, Schönster der Schönen, bleib, Osarsiph, bleib!" Und sie fiel hin und weinte.

Er teilte das Gehänge mit seinen Armen und ging schnell seines Wegs. In die Falten des Vorhangs aber, wie er ihn umschlug nach rechts und links im Hinausgehen, war je ein Zwerg gewickelt, der eine Dûdu mit Namen, der andere Gottliebchen-Schepses-Bes; denn sie hatten sich da zusammengefunden, von beiden Seiten sich anpirschend, und beieinander gestanden am Spalt, auf dem Knie ein Händchen, das andre am Ohr, und emsig gelauscht, der eine aus Bosheit, der andre aus zitternder Furcht, und zwischendurch einander zugeknirscht mit den Zähnen und wechselseitig sich mit den Fäustchen bedroht, daß sie einander wegwiesen von hier, was sie nicht wenig behindert hatte im Lauschen; doch war keiner gewichen.

In Josephs Rücken nun, aus den Falten sich auswickelnd, fuhren sie gegeneinander mit Zischen, die Fäustchen zu den Schläfen erhoben, und zausterten aufeinander los in erstickter Wut, spinnengram wie sie einander waren als Kleinleute beide, und wegen der Verschiedenartigkeit ihrer Natur.

„Was hast du hier zu suchen?“ fauchte der eine, Dûdu, Gatte der Zeset, „du Kroppzeug, du Milbe, du minderhaltiger Bützel! Mußt du dich anschleichen zum Spalt, wo ich allein zu schaffen habe nach Pflicht und Recht, und weichst nicht vom Fleck, wie sehr ich dich anweise, daß du dich dünnemachst, Kaulkopf und trauriger Pickelhering! Ich will dich verschwarten, daß du auf immer zur Stelle bleibst, du Larve, du Mißbrut, machtloses Ungeziefer! Luschen und laustern muß er dahier, der Schnurrbalg, und Schmiere stehn für seinen Herrn und Großfreund, den Schönfratzen, den Schilfbankert, die Brackware, den er ins Haus gebracht hat, daß er's schimpfiere und überhand darin nehme zur Schmach der Länder, zuletzt aber gar noch zur Zaupe mache die Herrin...“

„Oh, oh, du Strolch, du Ausbund, böslistiger Unhold!“ zirpte der andre, das Frätzchen in tausend Runzeln der Wut zerspalten, das Salbkeglein schief verschoben auf seinem Kopf. „Wer lauscht und lauert denn hier, um auszuspähen, was er teuflisch selbst auf den Weg gebracht mit Zetteln und Zündeln, und weidet sich nun dahier vorm Spalt an der Großleute Qual und lieben Not, daß sie darin verderben mögen nach seinem Schandplan, – wer denn als du, greulicher Dünkellapps, Prahlhans und Ritter vom Spieß – ei, ei! ach, ach! – Gartenschreck du und Junker Springhas, Spottfigur, an der alles zwergicht und riesig nur eines, wandelndes Mannswerkzeug, abscheulicher Bettschelm...“

„Warte!" gab jener keifend zurück. „Warte, du Lücke und Loch in der Welt, du Mangel und Ausfall, höchst ungeeigneter Tropf! Kratzest du nicht aus auf der Stelle von hier, wo Dûdu wacht und des Hauses Ehre hütet, so schände ich dich auf dem Platze mit meiner Manneswehr, Lapparsch, elendiger, und sollst meiner gedenken! Was dir aber an Schändung blüht, Gewürm, wenn ich jetzt den Weg gehe zu Peteprê und es ihm stecke, welche Handlungen sich hierorts begeben im Schatten und was für Worte geraunt werden vom Meier zur Herrin in verhängter Stube, das steht auf besonderer Rolle, und bald wirst du's lesen! Denn du hast ihn ins Haus gebracht, den Taugenichts, und nicht geruht mit kleinem Weisheitsgewäsch vorm seligen Meier und ihm deinen Zwergenscharfblick gerühmt für Menschen und Ware und Menschenware, bis er den Lumpen abkaufte den Lumpern gegen mein Mahnen und stellte ihn im Hause ein, damit er die Herrin schimpfiere und Pharaos großen Hämling zum Hahnrei mache. Du bist schuld an der Säuerei, du zuerst, du ursprünglich! Des Krokodils bist du schuldig und sollst ihm aufgetischt sein als Beibissen und Nachschluck, wenn man ihm deinen Busenfreund serviert, verbleut und gebunden."

„Ach, du Schandzunge", zeterte Gottliebchen zitternd und ganz zerknittert von Ingrimm, „du Lottermaul, dem die Worte nicht aus dem Verstande kommen, sondern ihm aufsteigen woanders her und sind geifernder Unflat! Unterstehe dich nur, mich anzurühren und den leisesten Schändungsversuch zu unternehmen an mir armem Hutzel, so wirst du meine Nägelchen in deinem Butzenantlitz spüren und in deinen Augenhöhlen, denn sie sind scharf, und auch dem Reinen sind Waffen gegeben wider den Schächer... Schuld, ich, der Kleine, an dieser Not und an dem Jammer dort drinnen? Schuld ist die böse Sache, das gierige Leidwesen, worin du stolzierend zu Hause, und hast es teuflisch in Dienst gestellt bei deinem Neid und Haß, daß es Osarsiph, meinem Freund, zur Fallgrube werde. Aber siehst du denn nicht, Mausbock, daß es dir fehlschlug und daß kein Fehl ist an meinem Schönen? Wenn du solcherart mühen, bitten, stampfen und intrigieren, ehe er standhaft war wie ein Mysterienprüfling und seine Sage hütete wie ein Held? Was hast du überhaupt unterschieden am Spalt, und was kannst du erlauscht haben als Ohrenzeuge, da du doch jeder Zwergenfeinheit verlustig und gänzlich verplumpt dein Sinn auf Grund deines Gockeltums? Ich möchte wissen, was du dem Herrn wirst stecken wollen und können von wegen des Osarsiph, wo doch gewiß deine dumpfen Löffel gar nichts Gescheites errafft haben am Horchposten…"

„Oho!" schrie Dûdu. „Zesets Gatte nimmt es schon auf mit dir, flauer Wicht, an Feingehör und Spitzohrigkeit, wenn's gar die Sache gilt, in der er zu Hause und von der du den Teufel verstehst, zirpendes Ungenüge! Hat's nicht gegirrt und geflirtet da drinnen, das saubere Pärchen, gebalzt und getänzelt vor Liebeskitzel? Darauf verstehe ich mich und hab's wohl unterschieden, daß er sie ,Liebkind' und ,Schätzchen' nannte, der Sklave die Herrin, sie aber ihn ,Falke' und ,Stier' mit süßlichster Stimme und daß sie in allen Einzelheiten verabredeten, wie sie wollten der eine des anderen Fleisch und Blut genießen. Siehst du nun, daß Dûdu seinen Mann steht als Ohrenzeuge? Aber das kostbarste, was ich abhorchte am Spalt, das ist, daß sie sich verschworen in ihrer Brunst zu Peteprês Tode und haben es ausgemacht, ihn mit einem Stocke zu fällen…"

„Du lügst! Du lügst! Da siehst du, daß du nur groben Unsinn verstanden hast auf dem Posten und willst Peteprê den hellsten Mißverstand hinterbringen über die beiden! Denn Kind und Freundin hat mein Jüngling die Herrin aus eitel Güte und Milde genannt, um sie zu trösten in ihrer Verstörung, und hat's ihr fromm verwiesen und abgeschlagen, auch nur einen Zunderpilz mit dem Stocke zu fällen. Geradezu wundervoll hat er sich gehalten für seine Jahre und bis jetzt nicht den kleinsten Fleck in seine Geschichte kommen lassen bei so viel wonnigem Andrang…"

„Und darum glaubst du, Gimpel", fuhr Dûdu ihn an, „ich könnte ihn nicht verklagen und verderben beim Herrn?! Das ist ja gerade die Feinheit und ist mein Trumpf in diesem

Spiel, von dem du Puppe den Teufel verstehst, daß gar nichts dran liegt, wie der Lümmel sich hält, ob etwas sittsamer oder verbuhlter, sondern darauf kommt's an, daß die Herrin verschossen und über die Ohren vernarrt in ihn ist und in der Welt nichts Besseres mehr weiß, als mit ihm zu schnäbeln, – das allein schon ist sein Verderben, und gar nicht steht es bei ihm, sich zu retten. Der Sklave, in den sich die Herrin vergafft, ist des Krokodils ohne weiteres und auf jeden Fall, das ist die Finte und ist das Fangeisen. Denn ist er willig, mit ihr zu schnäbeln, so habe ich ihn. Sperrt er sich aber, so stachelt er nur ihren Fimmel und macht's immer schlimmer, so daß er des Krokodils ist so oder so, mindestens aber des Badermessers, das ihm das Schnäbeln versalzt und die Herrin vom Fimmel heilt durch seine Enteignung..."

„Ach, du Verruchter, du Ungeheuer!" kreischte Gottliebchen. „Man sieht wohl und erfährt's einmal für alle durch deine Person, was Greuliches dabei herauskommt und auf Erden watschelt, wenn vom Zwergengeschlechte einer nicht fromm und fein ist, nach Zwergengebühr, sondern mit Manneswürde begabt, – dann ist er sicher ein solcher Schurke wie du, Widerwart und Kämpe vom Heckbett!"

Worauf ihm Dûdu zurückgab, wenn erst das Badermesser gewaltet, so werde der Osarsiph ja desto besser zu ihm, der Hohlpuppe, passen. Und so sprangen Gevatter Knirps und Knurps einander noch öfters an mit bitterbösen Repliken, bis um sie das Hofvolk zusammenlief. Da stoben sie auseinander, der eine, um Joseph zu verzeigen beim Herrn, der andere, um ihn zu warnen, daß er sich allenfalls und womöglich noch hüte vor der gähnenden Grube.

Dûdus Klage

Wie jedermann bekannt, konnte Potiphar, vermuteter Überheblichkeit wegen, den Dûdu nicht leiden, weshalb ja auch der Usir Mont-kaw stets ärgerlich auf den gediegenen

518

kleinen Mann geblickt hatte; und auch erwähnt wurde schon, daß der Höfling sich den Vorsteher seiner Geschmeidekästen möglichst vom Leibe hielt, ihn kaum vor sich ließ und Mittelspersonen einschob zum Kammerdienst zwischen sich und ihn: Ausgewachsene, die erstens ihrer Statur wegen besser dazu taugten, dem Fleischesturm Schmuck und Gewandstücke anzulegen, während Dûdu sich dazu auf eine Leiter hätte stellen müssen, zweitens aber, eben ihrer Vollwüchsigkeit wegen, weniger Gewicht legten auf gewisse natürliche Gaben und Sonnenkräfte und ein geringeres Würdenwesen daraus machten als Dûdu, dem sie zu lebenslanger Überraschung und gewichtig unterscheidendem Stolze gereichten.

Daher wurde es dem Stummel gar nicht leicht, auf dem Seitenwege, den einzuschlagen er nach so fleißigem Hin- und Hergehen zwischen Jungmeier und Herrin endlich für gut fand, zum Ziel zu gelangen, nämlich zum Herrn, um ihm ein Licht aufzustecken: Es gelang ihm durchaus nicht gleich nach jenem Zank mit dem Spottwesir vorm verhängten Salon, und nicht tage-, nein, wochenlang mußte er anstehen, sich vormelden, um Gehör einkommen, – mußte er, der Vorsteher, die Kammersklaven schmieren oder sie auch bedrohen, er werde ihnen dies und das Schmuck- oder Kleidungsstück einfach nicht ausfolgen und es nicht aus dem Verschlusse lassen, so daß sie beim Herrn in Not und Verdruß geraten müßten, wenn sie ihn nicht wiederholt und dringlich benachrichtigten, daß Dûdu vor ihm reden wolle und müsse in schwerwiegender häuslicher Sache; – ganze Mondviertel lang also mußte er sich solcherart mühen, bitten, stampfen und intrigieren, ehe er eine Gunst erreichte, auf die er um so heftiger brannte, als er vermeinte, diesmal erreicht und genützt werde sie ihm nie wieder Schwierigkeit machen, weil nämlich ein solcher Dienst, wie er dem Herrn zu leisten vorhatte, ihm dessen Liebe und Gnade eintragen müsse für immer.

Endlich denn hatte der Wackere zwei Badesklaven mit Geschenken zu dem Ende geschmeidig gemacht, daß sie bei jedem Kruge Wassers, den sie dem schnaubenden Herrn über Brust und Rücken gossen, abwechselnd den Spruch sprachen: „Herr, gedenke des Dûdu!" und diese Mahnung auch dann noch wiederholten, als der triefende Fleischesturm aus dem eingelassenen Becken auf die Kalksteinplatten des Fußbodens trat, um sich trocknen zu lassen mit parfümierten Tüchern, – auch dabei noch sprachen sie umschichtig: „Gedenke doch, Herr, des harrenden Dûdu!", bis er angewidert befahl: „Er komme und rede!" Da machten sie den Knet- und Salbsklaven, die im Schlafzimmer warteten und ebenfalls geschmeidigt waren, ein Zeichen, und diese ließen den Zwerg aus der Westhalle, wo er vor Ungeduld hatte vergehen wollen, ins Zimmer der Bettnische ein: Hoch hob er die flachen Händchen gegen die Knetbank, wo Pharaos Freund sich hinstreckte, um sein Fleisch unter die Hände der Knechte zu geben, und ließ das Zwergenhaupt zwischen den erhobenen Ärmchen demütiglich schräge hängen, einer Silbe gewärtig von Peteprês Mund oder eines Blicks seines Auges; doch kam weder eins noch das andere, denn der Kämmerer ächzte nur leise unter den mutigen Griffen der Diener, die ihm Schultern, Hüften und Schenkel, die dicken Frauenarme, die fette Brust mit Nardenöl walkten, und wandte sogar noch den kleinen und edlen Kopf, der auf der Masse saß, auf dem Lederkissen zur anderen Seite hinweg von Dûdus Begrüßung, – höchst kränkend für diesen; doch durfte er sich um seiner hoffnungsreichen Sache willen nicht niederschlagen und sich den Mut nicht rauben lassen.

„Zehntausend Jahre über dein Schicksalsende", sprach er, „der du an der Spitze der Menschen bist, Kämpfer des Herrschers! Vier Krüge für deine Eingeweide und deiner Dauergestalt einen Sarg aus Alabaster!"

„Danke", erwiderte Peteprê. Er sagte es auf babylonisch, wie wenn unsereiner „merci" sagte, und setzte hinzu: „Will der da lange reden?"

„Der da" war bitter. Aber Dûdus Sache war gar zu hoffnungsreich; er ließ den Mut nicht sinken.

„Nicht lange, Herr, unsre Sonne", gab er zur Antwort. „Vielmehr gedrängt und körnig."

Und auf ein Zeichen von Peteprês kleiner Hand stellte er einen Fuß vor, legte die Stummelärmchen auf den Rücken und begann, die Unterlippe eingezogen, die obere würdig als Dach darüber gestellt, seinen Vortrag, von dem er wohl wußte, daß er ihn nicht im Beisein der beiden Salbknechte werde zu Ende führen müssen, sondern daß Peteprê ihnen gar bald von sich aus den Laufpaß geben werde, um ihn insgeheim zu hören.

Wie er seine Rede anlegte, hätte man geschickt nennen können, wäre es nur zartfühlender gewesen. Er begann mit einem Lob auf den Erntegott Min, der an einigen Plätzen als Sonderform höchster Sonnenkraft Verehrung genoß, aber dem Amun-Rê seinen Namen hatte nennen müssen und als Amun-Min oder Min-Amun-Rê eine Person mit ihm ausmachte, also daß Pharao ebenso bequem von „meinem Vater Min" wie von „meinem Vater Amun" sprach: vorzüglich beim Krönungs- und Erntefest, wo denn die Min-Qualität aus Amun hervortrat und er dieser fruchtbare Gott war, der Schutzherr der Wüstenwanderer, hoch an Federn und ragend an Zeugungskraft, die ithyphallische Sonne. Ihn also rief Dûdu an in Würden und berief sich auf ihn, indem er des Herrn Billigung erflehte dafür, daß er als gehobener Hausverwandter und Schreiber der herrschaftlichen Gewandtruhen seinen Diensteifer, seine Sorge fürs häusliche Wesen nicht auf den engeren Pflichtenkreis seines Amtes beschränke, sondern, Gatte und Vater, der er sei, Urheber zweier ebenmäßiger Kinder, so und so genannt, zu denen sich, wenn nicht die Zeichen trögen, und dem Geständnis zufolge, das Frau Zeset an seiner Brust getan, wohl gar bald ein drittes gesellen werde, – sondern daß er also, selbst Mehrer des Hauses und seines Menschenstandes und der Majestät des Min (beziehungsweise dem Amun in seiner Min-Eigenschaft) besonders andächtig verbunden, sein Augenmerk aufs Ganze gerichtet halte, und zwar gerade unter dem Gesichtspunkt menschlicher Fruchtbarkeit und Propagation, wie er denn alles, was unter den Hörigen an Ehe und Ehesegen, an Brautlauf, Schoßsaat und Kindbettereignissen erfreulich vorkomme, unter seine eigenste Obhut, Buchführung und Aufsicht genommen habe, indem er das Hausvolk in diesen Verhältnissen berate, ansporne und ihnen in seiner eigenen Person das Beispiel der Regsamkeit und festen Ordnung gebe. Denn auf das Beispiel von oben, sagte Dûdu, komme hier vieles an, – nicht von ganz oben natürlich, wo man sich begreiflicherweise, wie überhaupt keiner Sache, so auch dieser nicht annehmen könne und möge. Desto wichtiger und notwendiger sei es sogar, daß durch rechtzeitige Vorbeugung alles vermieden werde, was diese übers Beispiel erhabene Spitze in ihrer heiligen Ruhe stören und etwa gar an die Stelle der Würde ihr gerades Gegenteil zu setzen vermöchte. Die Nächst-Oberen aber seien nach seiner, des Zwerges, Meinung verbunden, den Niederen mit gutem Beispiel voranzugehen, und zwar sowohl nach der Seite der Regsamkeit wie der Ordnung. Ob der Redende bis zu diesem Punkt den Beifall des Herrn, unsrer Sonne, habe.

Peteprê zuckte die Achseln und wälzte sich herum auf den Bauch, um den Knetern seine gewaltige Rückseite zur Behandlung darzubieten, hob aber dann das zierliche Haupt und fragte, was das von der Ruhestörung bedeuten solle und die Redensart von der Würde und ihrem Gegenteil.

„Dein Oberknecht kommt sogleich darauf", erwiderte Dûdu. Und er sprach von dem seligen Meier Mont-kaw, der es mit seiner Lebensführung redlich gemeint und beizeiten ein Beamtenkind heimgeführt habe, auch durch sie zum Vater geworden sei oder es doch geworden wäre, wenn die Dinge nicht einen schiefen Gang genommen hätten und seine Wakkerkeit gescheitert wäre am Schicksal, so daß er, verschüchtert, seine Tage als Witmann beschlossen habe, nachdem er immerhin seinen guten Willen gezeigt. So viel von jenem. Nun wolle Dûdu von der schönen Gegenwart reden, schön, insofern der Verblichene einen ebenbürtigen – oder wenn auch nicht ebenbürtigen (da es sich ja um einen Fremdling handle), so doch einen ihm an Geistesgaben nichts nachgebenden Folger gefunden habe und man an der Spitze des Hauses einem Jüngling begegne entschieden bedeutender Art, – etwas ausgefallenen Namens zwar, aber von einnehmender Visage, wohlredend und schlau – kurzum, ein Individuum von einleuchtenden Vorzügen.

„Trottel!" murmelte Peteprê auf seinen verschränkten Armen, denn es kommt uns nichts dümmer vor als Lobsprüche auf einen Gegenstand, dessen wahre Schätzung wir uns ganz allein vorbehalten möchten.

Dûdu überhörte es. Es konnte sein, daß der Herr „Trottel" gesagt hatte, aber er wollte davon nichts wissen, da er Mut und Stimmung hochhalten mußte.

Gar nicht genug, sagte er, könne er die bestechenden und blendenden, ja für manche verwirrenden Eigenschaften des fraglichen Jünglings rühmend hervorheben, denn eben durch sie erst gewänne die Sorge ihr ganzes Gewicht, die sich aufdränge um seinetwillen in Hinsicht auf Ordnung und Wohlfahrt des Hauses, an dessen Spitze er kraft ihrer gelangt sei.

„Was kaudert der da?" sagte Peteprê mit leichter Kopfhebung und -wendung gleichsam zu den Walkenden. „Die Eigenschaften des Vorstehers bedrohen des Hauses Ordnung?"

„Kaudern" war ebenso bitter wie das wiederholte „Der da". Aber der Zwerg ließ sich nicht beirren.

„Sie brauchten es", versetzte er, „unter anderen Umständen als den leider bestehenden keineswegs zu tun, sondern könnten dem Hause zu reinem Segen gereichen, wenn ihnen jene Einhegung und gesetzliche Befriedung zuteil würde oder, viel besser, schon früher zuteil geworden wäre, deren solche Eigenschaften – also eine einladende Visage, Schlauheit und Redezauber – bedürfen, sollen sie nicht Unruhe, Gärung, Zerrüttung in ihrem Umkreise verbreiten." Und Dûdu beklagte es, daß der Jüngling-Hausvorsteher, dessen religiöse Bewandtnisse freilich überhaupt undurchsichtig seien, davon Abstand nehme, der Majestät des Min den schuldigen Tribut zu leisten, daß er in seinem hohen Amte sich unvermählt halte, sich nicht herbeilasse, eine seiner Herkunft entsprechende Bettverbindung – etwa mit der babylonischen Sklavin Ischtarummi vom Frauenhause – einzugehen und den Hof mit Kindern zu mehren. Das sei schade und schlimm; es sei bedenklich; es sei gefährlich. Denn nicht allein, daß der Stattlichkeit dadurch Abtrag geschähe, werde auch das obere Beispiel der Regsamkeit und Ordnung damit versäumt, namentlich aber, drittens, entbehrten auf diese Weise jene verführenden Eigenschaften, die niemand dem Jungmeier abstreite, der Einfriedung und wohltuenden Vergleichgültigung, deren sie so sehr bedürften – und schon längst bedurft hätten –, um nicht zündelnd, Köpfe verdrehend, sinnverstörend, kurz: Unheil stiftend in die Runde und nicht nur in die ebene Runde, sondern hoch über sie hinaus ins Erhabene zu wirken.

Pause. Peteprê ließ sich walken und antwortete nicht. Entweder – oder! erklärte Dûdu. Ein Jüngling dieser Art sollte entweder unter die Haube gebracht sein, damit seine Eigenschaften nicht wild und verderblich herumzündeln könnten, sondern im Ehehafen gefriedet und vergleichgültigt seien gegen die Welt – oder aber es wäre besser, man ließe das Schermesser walten und führe mit diesem die heilsame Vergleichgültigung herbei, um höchste Personen vor Ruhestörung und vor der Verkehrung ihrer Ehre und Würde ins Gegenteil zu bewahren.

Wieder ein Stillschweigen. Peteprê drehte sich plötzlich auf den Rücken, so daß die Masseure, die mit diesem beschäftigt gewesen, einen Augenblick ratlos standen, die Hände in der Luft, und hob den Kopf gegen den Zwerg. Er maß ihn von oben bis unten und wieder hinauf, ein kurzer Weg nur für seine Augen, und blickte flüchtig hinüber zu einem Sessel, auf dem seine Kleider, seine Sandalen, sein Wedel und anderes Handgerät lagen. Dann wälzte er sich wieder herum, die Stirn in den Armen.

Ein Ärger, der die Kälte des Grauens hatte, eine Art von empörtem Schrecken über die Bedrohung seiner Ruhe durch den widrigen Dreikäsehoch erfüllte ihn. Offenbar wußte diese eitle Mißgeburt etwas und wollte es ihm beibringen, was, wenn es die Wahrheit war, allerdings auch ihm, Peteprê, zu wissen not tat, was ihn aber wissen zu lassen er gleichwohl als grobe Lieblosigkeit empfand. „Hat's gute Ordnung im Hause? Kein Zwischenfall? Die Herrin ist heiter?" Darum handelte sich's offenbar, und offenbar wollte einer ihm, sogar ungefragt, eine widrige Antwort drauf geben. Er haßte ihn – vor allem einmal ihn; sonst war er eigentlich niemanden zu hassen bereit, – die Wahrheitsfrage noch ganz dahingestellt. Er sollte nun also die Walkknechte fortschicken und mit dem mannhaften Ehrenwächter da unter vier Augen bleiben, um sich von ihm die Ehre aufhetzen zu lassen, sei es durch Wahres, sei es durch leere Verleumdungen. Die Ehre: man muß nur bedenken, was das ist in dem Zusammenhang, um den es hier zweifellos ging. Es ist die Geschlechtsehre, die Ehre des Ehegockels, welche darin besteht, daß dem Gatten das Eheweib treu sei, zum Zeichen, er sei ein Prachtgockel, der es an nichts fehlen lasse und bei dem sie so schönes Genüge finde, daß sie auf den Gedanken, es mit einem andern zu halten, überhaupt nicht verfalle und keines Dritten Bewerbung für die Bestversehene auch nur eine Versuchung bilde. Geschieht dies dennoch, und treibt sie's mit einem anderen, so ist es das Zeichen des Gegenteils von dem allen: geschlechtliche Entehrung greift Platz, der Ehegockel ist zum Hahnrei, und das heißt: zum Kapaun geworden, ein lächerliches Geweih ist von zarter Hand seinem Haupte aufgesetzt, und um zu retten, was zu retten ist, muß er denjenigen, bei dem die Frau es trefflicher zu haben glaubte, im Zweikampf durchbohren, am besten aber auch gleich jene noch töten, um durch so eindrucksvolle Bluttaten sein Mannheitsansehen in den eigenen Augen und denen der Welt wiederherzustellen.

Die Ehre. Peteprê hatte gar keine Ehre. Sie ging ihm ab im Fleische, er verstand sich nach seiner Verfassung nicht auf dies Gockelgut, und es war ihm entsetzlich, wenn andere, wie offenbar dieser Ehrenknirps, für ihn ein groß Wesen davon machen wollten. Dagegen hatte er ein Herz, und zwar eines, das der Gerechtigkeit, das ist: des Sinnes für das Recht anderer fähig war; ein verletzliches Herz aber auch, das auf die schonende Anhänglichkeit dieser anderen, ja auf ihre Liebe hoffte und unterm Verrate bitter zu leiden geschaffen war. In dieser Redepause, während die Kneter ihre Arbeit an seiner mächtigen Rückseite wieder aufnahmen und er das Gesicht in den dicken Frauenarmen verborgen hielt, ging ihm in rascher Folge manches durch den Sinn, zwei Personen betreffend, auf deren Liebe und Treue er in der Tat so angelegentlich hoffte, daß man wohl sagen mußte, er liebe sie: es war Mut, sein Ehrenweib, die er freilich auch etwas haßte um des Vorwurfs willen, den sie ihm zwar unmöglich machen konnte und nur durch ihr bloßes Dasein dennoch machte, der er sich aber gleichwohl, nicht nur um seinetwillen, herzlich gern lieb und mächtig erwiesen hätte; und es war Joseph, der wohltuende Jüngling, der ihn sich fühlen zu lassen wußte besser denn Wein und um dessentwillen er sich dem Verlangen der Frau in der Abendhalle zu seinem Bedauern nicht hatte lieb und mächtig erweisen wollen und können. Peteprê war nicht ohne Ahnung davon, was er ihr damals abgeschlagen; unter uns gesagt, war diese Ahnung, daß nämlich die Gründe, aus denen sie die Verstoßung Josephs von ihm verlangte, Vorwände und Einkleidungen gewesen waren und daß sie die Forderung aus Furcht vor sich selbst, um seiner eigenen Ehre willen an ihn gestellt hatte, ihm schon gleich bei jenem ehelichen Zwiegespräch nicht ganz fern gewesen. Da aber die Ehre ihm abging, hatte ihre Furcht ihm weniger gegolten als der Besitz des stärkenden Jünglings. Er hatte diesen ihr vorgezogen und, indem er die Frau sich selber auslieferte, es herausgefordert, daß sie beide einander ihm vorzögen und ihn verrieten.

Er sah das ein. Es tat weh, denn er hatte ein Herz. Aber er sah es ein, denn dies Herz neigte zur Gerechtigkeit – wenn auch vielleicht nur um der Bequemlichkeit willen und weil Gerechtigkeit von Zorn und Ehrenrachsucht entbindet. Daß sie auch die sicherste Zuflucht der Würde ist, fühlte er wohl. Es schien, der widrige Ehrenwächter da wollte ihm beibringen, daß seine Würde gefährdet sei durch Verrat. Als ob, dachte er, Würde aufhörte, Würde zu sein, wenn sie in Schmerzen ihr Haupt verhüllen mußte vor dem Verrat! Als ob der Verratene nicht würdiger wäre als der Verräter! Ist er's aber nicht, weil er sich schuldig gemacht und den Verrat herausgefordert hat, dann ist immer noch die Gerechtigkeit da, daß sich die Würde darin ihre Schuld und das Recht der anderen zugebe und sich in ihr wiederherstelle.

Nach Gerechtigkeit also trachtete Peteprê, der Eunuch, sofort und im voraus, was immer ihm hier beigebracht werden sollte von ehraufhetzerischer Seite. Gerechtigkeit ist etwas Geistiges im Gegensatz zur Fleischlichkeit der Ehre, und da er dieser ermangelte, wußte er sich auf jene angewiesen. Auf Geistiges hatte er auch gebaut in Sachen der beiden, die ihm, wie der Hetzer und Angeber da ihm ungefragt beibringen zu wollen schien, miteinander die Treue brachen. Starke Sicherungen des Geistes hielten ja, soviel er wußte, ihr Fleisch in Bann, denn Vorbehaltene waren sie beide und im Geiste zusammengehörig: die über-getröstete Frau, Amuns Nebengemahl, seines Tempels Braut, die vor ihm im Engkleide der Göttin tanzte, – und der beeiferte Jüngling mit dem Kranz der Aufgespartheit in seinem Haar, der Knabe Rührmichnichtan. War das Fleisch Herr über sie geworden? Ihm wurde kalt vor Schrecken bei dem Gedanken, denn das Fleisch war sein Feind, so massenweise er davon besaß, und je und je, wenn er bei der Heimkunft gefragt hatte: „Steht alles wohl? Kein Zwischenfall?", war seine unterschwellige Besorgnis gewesen, das Fleisch möchte unterdessen irgendwie Herr geworden sein über den schonend sichernden, doch unzuverlässigen Geistesbann, in dem das Haus ruhte, und irgendwelche greuliche Verstörung erzeugt haben. Das kalte Grauen aber war mit Ärger gepaart, denn mußte er's wissen, und konnte man ihn nicht trotzdem in Ruhe lassen? Wenn jene beiden Geweihten hinter seinem Rücken vom Fleisch waren überwältigt worden und Heimlichkeiten vor ihm hatten, so lag gerade in der Heimlichkeit, im Betruge, immer noch schonende Liebe genug, die er ihnen zu danken bereit war. Dagegen war er unaussprechlich schlecht zu sprechen auf den Wicht da und Wichtigtuer, der ihm unerbetenes Wissen aufdringen und einen gemeinen Angriff auf seine Ruhe unternehmen wollte als überhebliches Ehrenmännchen.

„Seid ihr bald fertig?" fragte er. Es galt den Walkknechten, die er wegschicken mußte und nicht gern wegschickte, weil die Nötigung dazu von dem petzenden Kujon ausging, aber entfernen mußte er sie. Es waren zwar strohdumme Männer, ja, sie hatten die Dummheit geradezu bewußt in sich großgezogen, damit das Maß derselben recht sprichwörtlich mit ihrem derben Beruf übereinstimme und sie wirklich so dumm seien wie Walkknechte. Aber wenn sie auch bis jetzt bestimmt nichts verstanden hatten und auch künftig nicht leicht etwas verstehen würden, so konnte Peteprê doch nicht umhin, dem schweigenden Verlangen seines Belästigers zu weichen und unter vier Augen mit ihm zu bleiben. Desto schlechter war er auf ihn zu sprechen.

„Ihr geht nicht, bevor ihr fertig seid", sagte er, „und sputet euch nicht besonders. Aber seid ihr fertig, so gebt mir mein Leintuch und macht allmählich, daß ihr davonkommt."

Sie hätten nie und nimmer verstanden, daß sie gehen sollten, auch ohne fertig zu sein. Aber da sie tatsächlich fertig waren, so breiteten sie das Leilach über die Fleischesmasse des Herrn bis zum Halse, warfen sich auf die nur zwei Finger breiten Stirnen und trollten sich, die Ellenbogen gespreizt, in einer Art von gleichmäßigem Wackeltrott, der allein schon ihr gewollte und vollständige Dummheit überzeugend veranschaulichte.

„Tritt näher, mein Freund!" sagte der Kämmerer. „Tritt so nahe du willst und es dich gut dünkt für das, was du mich wissen zu lassen wünschest, denn es scheint etwas zu sein, wobei es nicht ratsam wäre für dich, fern von mir zu stehen, so daß du schreien müßtest, – eine Sache vielmehr, die uns einander zu gedämpfter Vertraulichkeit nahebringt, was ich ihr zum Vorzug anrechne, wie immer sie sonst beschaffen sei. Du bist mir ein wertvoller Diener, klein zwar, weit unter Mittelmaß und in diesem Betracht eine närrische Kreatur, hast aber Würde und Schwergewicht und verfügst über Eigenschaften, die es rechtfertigen, daß du über dein Kammeramt hinaus ein Auge hast aufs Ganze des Hauses und dich zum Meister aufwirfst seiner Fruchtbarkeitsordnung. Nicht, daß ich mich erinnerte, dich dazu eingesetzt und dich mit diesem Amte bestallt zu haben – das nicht. Aber ich bestätige dich nachträglich darin, denn ich kann nicht umhin, deinen Beruf dazu anzuerkennen. Wenn ich recht verstand, treiben dich Liebe und Pflicht, mir von dem Gebiet deiner Buchführung und Aufsicht beunruhigende Wahrnehmungen, Vorkommnisse zündelnder Unordnung zu melden?"

„Allerdings!" erwiderte Josephs Widersacher mit Nachdruck auf diese Anrede, deren kränkende Einschläge er um ihres sonst ermutigenden Charakters willen hinunterschluckte. „Sorgende Dienertreue führt mich vor dein Angesicht, um dich, Herr, unsre Sonne, vor einer Gefahr zu warnen, die es ihrer Dringlichkeit wegen wert gewesen wäre, daß du mich meinen Bitten gemäß schon früher vor dich gelassen hättest, denn gar leicht, ja, jeden Augenblick kann es mit der Warnung zu spät werden."

„Du erschreckst mich."

„Das tut mir leid. Doch ist's ja auch wieder geradezu meine Absicht, dich zu erschrecken, denn die Gefahr ist überaus drohend, und bei allem Scharfsinn, den ich aufwandte, vermag dein Diener nicht mit Bestimmtheit zu sagen, ob es nicht schon zu spät und deine Schimpfierung nicht bereits eine vollzogene Tatsache ist. In diesem möglichen Fall wäre es nur insoweit noch nicht zu spät, als du noch am Leben bist."

„Droht mir der Tod?"

„Beides, Schande und Tod."

„Ich würde das eine willkommen heißen, wenn ich das andere nicht vermeiden könnte", sagte Peteprê vornehm. „Und woher drohen mir diese schlimmen Dinge?"

„Ich ging", erwiderte Dûdu, „in der Andeutung der Gefahrenquelle bereits bis zur Unmißverständlichkeit. Nur die Furcht, zu verstehen, würde es erklären, wenn du mich nicht verstanden hättest."

„In wie übler Lage ich bin", entgegnete Peteprê, „zeigt mir deine Unverschämtheit. Sie entspricht offenbar meinem Elend, und es bleibt mir nichts übrig, als den Treueifer zu loben, aus dem sie erfließt. Ich gebe zu, daß meine Furcht, zu verstehen, unüberwindlich ist. Hilf mir über sie hinweg, mein Freund, und sage mir die Wahrheit so unumwunden, daß meine Furcht jeder Möglichkeit beraubt ist, sich vor ihr zu verstecken!"

„Gut denn", erwiderte der Zwerg, indem er, statt des einen, das andere Beinchen vorstellte und die Faust in die Hüfte stemmte. „Deine Lage ist die, daß die ungefriedet wild herum-zündelnden Eigenschaften des Jungmeiers Osarsiph im Busen der Herrin Mut-em-enet, deiner Gemahlin, einen Brand entfacht haben und die Flammen schon mit Rauch und Geprassel am Gebälk deiner Ehre lecken, welches nahe daran ist, zusammen-zustürzen und auch dein Leben unter sich zu begraben."

Peteprê zog das Leintuch, das ihn bedeckte, höher hinauf, über Kinn und Mund, bis zur Nase.

„Du willst sagen", fragte er unter dem Tuch, „daß Herrin und Jungmeier nicht nur ihre Augen aufeinander gewor-fen haben, sondern mir auch nach dem Leben trachten?"

„Allerdings!" erwiderte der Zwerg und wechselte mit kräf-tigem Stoße die Hüftfaust. „Das ist die Lage, in die ein Mann geraten ist, der eben noch so groß dastand wie du."

„Und welchen Beweis", fragte der Oberst gedämpft, in-dem er mit dem Munde das Laken bewegte, „hast du für eine so furchtbare Anklage?"

„Meine Wachsamkeit", gab Dûdu zur Antwort, „meine Augen und Ohren, die Schärfe, welche der Eifer für des Hau-ses Ehre meiner Beobachtung verlieh, mögen dir Zeugen sein, bedauernswerter Herr, für die leidige und gräßliche Wahr-heit meiner Eröffnung. Wer kann sagen, welches von den beiden – denn so muß man nun von diesen dem Range nach so unendlich verschiedenen Personen sprechen: ,Die beiden' muß man sagen –, wer von ihnen zuerst seine Augen auf den anderen geworfen? Ihre Augen sind sich begegnet und sind verbrecherisch ineinandergesunken, da hast du's. Wir müssen uns klar darüber sein, großer Herr, daß Mut-im-Wüstental eine betteinsame Frau ist; und was den Meier betrifft, nun, so zündelt er eben herum. Welcher Knecht ließe sich zweimal winken von einer solchen Herrin? Das würde eine Liebe und Treue voraussetzen zum Herrn der Herrin, die sich offenbar nicht im höchsten Meieramt, sondern nur an nächstoberen Vorsteherstellen findet... Schuld? Was frommte die Nachforschung, wer zuerst seine Augen erhob gegen den anderen und in wessen Sinnen die Untat keimte zuerst? Die Schuld des Meierjünglings besteht nicht erst in dem, was er tat, sondern in seinem Vorhandensein schon besteht sie und seinem So-Vorhandensein hier im Hause, wo seine Eigenschaften frei herumzündeln, gefriedet weder durchs Ehebett noch durch das Schermesser; und wenn die Herrin für den Diener entbrennt, so kommt's auf sein Dasein und auf sein Haupt und ist für seine Schuld dasselbe, als habe er einen unzüchtigen Überfall auf die Reine getan – danach ist er zu behandeln. So aber steht es nun und ist leider an dem: sie sind im üppigsten Einvernehmen. Süße Billetts, die ich selber eingesehen, so daß ich für ihre Schwülheit zeugen kann, nehmen ihren Weg zwischen ihnen. Unter dem Vorwand der Wirtschaftsbesprechung treffen sie einander bald da, bald dort: im Frauensalon, wo die Herrin dem Knechte zulieb ein Bild des Horachte aufgestellt, im Garten und im Häuschen der Aufschüttung dort, ja selbst im Eigengemach der Herrin in deinem Hause hier, – an all diesen Orten kommt das Pärchen heimlich zusammen, und schon längst ist zwischen ihnen nicht mehr von ehrbaren Dingen die Rede, sondern ist eitel Gezüngel, Gegirr und heißes Gelispel. Wie weit sie allenfalls schon darin gediehen, und ob's schon an dem ist, daß sie bereits der eine des anderen Fleisch und Blut genossen haben, so daß es für die Vorbeugung zu spät wäre und nur noch die Rache bliebe, das kann ich mit voller und unbedingter Gewißheit nicht sagen. Was ich aber auf mein Haupt nehmen kann vor jedem Gott und vor dir, erniedrigter Herr, als ge-

wisse Wahrheit, weil ich's mit eigenem Ohr am Spalte erlauscht, das ist, daß sie sich girrend verabredeten, wie sie dich
wollen mit Stöcken aufs Haupt schlagen, bis du hin bist,
und hier im Hause, daraus sie dich weggemordet, ihrer Lust
frönen wollen auf bekränztem Bette als Herr und Herrin."

Nach diesen Worten zog Peteprê das Leintuch völlig über
den Kopf, und war nichts mehr von ihm zu sehen. So
blieb er geraume Zeit, so daß dem Dûdu die Weile schon anfing lang zu werden, obgleich er es anfangs gern gesehen, wie
der Herr da als unförmige Masse lag, von seiner Schande bedeckt und unter ihr verschwunden. Plötzlich aber schlug jener
das Laken bis zu den Hüften zurück und richtete sich halb
auf, dem Zwerge zugewandt, das kleine Haupt in die kleine
Hand gestützt.

„Ernstlich danken muß ich dir", sprach er, „Vorsteher meiner Truhen, was du da für mich eruiert" („eruiert" war ein
babylonisches Fremdwort) „zur Rettung meiner Ehre, beziehungsweise zur Feststellung, daß sie bereits verloren und
nur noch vielleicht das nackte Leben zu retten ist, – nicht um
des Lebens, sondern um der Rache willen muß ich auf seine
Rettung bedacht sein, in deren Dienst es von Stund an schrecklich zu treten hat. Die Gefahr, die ich laufe, ist, daß ich
überm Strafgedanken den ebenso wichtigen versäume an
Dank und Lohn, die ich dir schulde für deine Ermittlungen.
Meinem Schrecken und Zorn über diese ist das Erstaunen
ebenbürtig über die Leistungen deiner Liebe und Treue. Ja,
ich gestehe dir meine Überraschung, – die ich mäßigen sollte,
ich weiß es wohl; denn wie oft wird uns nicht von unschein-
barer Seite, um die wir uns durch Achtung und Zutrauen
nicht gerade verdient gemacht, das Beste zuteil! Dennoch, ich
kann mich der ungläubigen Verwunderung nicht erwehren.
Du bist ein Mißbild und Kielkropf, ein kauziger Zwergen-
pojazz, dem sein Kammeramt weit mehr Spaßes halber als
im Ernste zuteil wurde, ein Typ, halb lächerlich, halb widerlich, welches beides durch deine Wichtigtuerei nur noch erhöht wird. Grenzt es unter diesen Umständen nicht ans Un-

glaubliche, oder überschreitet diese Grenze sogar, daß es dir soll gelungen sein, ins Geheimleben der, nächst mir, höchsten Personen des Hauses einzudringen und beispielsweise die Süßen Billetts zu lesen, die deiner Klage zufolge ihren Weg nehmen sollen zwischen Jungmeier und Herrin? Muß oder darf ich an der Existenz dieser Papiere nicht zweifeln, solange es mir ins Bereich des Unglaublichen zu fallen scheint, daß du es fertiggebracht haben solltest, sie einzusehen? Dazu mußtest du ja, mein Lieber, dich ins Vertrauen einschleichen der ausgewählten Vertrauensperson, deren Sache es war, diese Briefe zu tragen, und wie soll mich das in Anbetracht der unleugbaren Garstigkeit deiner Person auch nur einigermaßen wahrscheinlich dünken?"

„Die Furcht", erwiderte Dûdu, „deine Schande und lamentable Erniedrigung glauben zu müssen, läßt dich, armer Herr, nach Gründen suchen, mir zu mißtrauen. Du nimmst dabei mit sehr schlechten Gründen vorlieb – so groß ist deine schlotternde Furcht vor der Wahrheit, welche dir freilich eine so höhnisch elende Miene zeigt, daß dein Schlottern dadurch begreiflich wird. Erkenne denn, wie hinfällig dein Zweifel ist! Ich brauchte mich nicht ins Vertrauen der ausgewählten Vertrauensperson zu stehlen, welche die üppigen Briefe trug, denn diese ausgewählte Person war ich selbst."

„Enorm!" sagte Peteprê. „Du hast die Briefe getragen, ein so kleiner und komischer Mann? Mein Respekt vor dir beginnt zusehends zu wachsen, schon bei deiner bloßen Aussage; aber ein gutes Stück muß er noch zunehmen, bevor ich die Aussage auch wirklich glaube. So sehr vertraut dir also die Herrin und auf so befreundetem Fuße stehst du mit ihr, daß sie dir solcherart ihr Glück und ihre Schuld überantwortete?"

„Allerdings!" versetzte Dûdu, indem er kühnlich Standbein und Hüftfaust wechselte. „Und nicht allein, daß sie mir die Briefe zu tragen gab, sondern ich habe sie ihr auch in die Binse diktiert. Denn sie wußte gar nichts von Süßen Billetts und mußte erst von mir, dem Weltmann, über dies zarte Mittel belehrt werden."

„Wer hätte es gedacht!" wunderte sich der Kämmerer. „Mehr und mehr sehe ich ein, wie sehr ich dich unterschätzt habe, und mein Respekt vor dir ist in raschem, unaufhaltsamem Wachsen begriffen. Du tatest das, nehme ich an, um es aufs Äußerste kommen zu lassen und um zu sehen, wie weit die Herrin es treiben werde in der Schuldhaftigkeit."

„Das versteht sich", bestätigte Dûdu. „Aus Liebe und Treue für dich, gedemütigter Herr, handelte ich so. Stünde ich sonst wohl hier und steckte dir's, daß du zur Rache schreitest?"

„Wie gewannst du aber", wollte Potiphar wissen, „skurril und widerlich wie du zunächst erscheinst, die vertrauliche Freundschaft der Herrin und machtest dich zum Meister ihres Geheimnisses?"

„Das geschah gleichzeitig", antwortete der Zwerg. „Beides in einem. Denn wie alle Guten grämte und erboste ich mich in Amun über des Fremdlings schlaues Wachstum im Hause und nährte ein Mißtrauen seinetwegen und von wegen der Arglist seines Herzens – nicht zu Unrecht, wie du nun zugeben wirst, da er dich nun erbärmlich betrügt und dein Ehrenbett schändet, so daß er dich, nachdem er Gutes über Gutes von dir empfangen, zum Gespött der Residenz und bald wohl gar beider Länder macht. In meinem Gram und Argwohn also klagte ich vor Mut, deinem Weibe, über das Ärgernis und das Unrecht und wies sie hin auf des Elenden Person, indem ich sie auf ihn aufmerksam machte. Denn sie wollte anfangs nicht wissen, welchen Diener ich meinte. Dann aber ging sie ein auf meine bitteren Klagen in auffallend verzwirbelter Weise, redete seltsam schlüpfrig daher und äußerte sich unter dem Deckmantel der Sorge immer verbuhlter, so daß ich begriff, es lüsterte sie einfach im Schoß nach dem Knecht und war verknallt in ihn wie eine Küchenmagd, – dahin war es mit der Stolzen gekommen durch Schuld seines Vorhandenseins, und wenn nicht ein Mann wie ich sich der Sache annahm und sich ihr klug gesellte, um dann im rechten Augenblick den gemeinen Anschlag auffliegen zu lassen, so war es um deine Ehre geschehen. Darum, wie ich deines Weibes Gedanken so dunkle Wege schleichen sah, schlich ich ihnen nach wie dem Dieb in der Nacht, den man klappen will, wenn er stiehlt, gab es ihr ein mit den Süßen Billetts, um sie zu versuchen und um zu sehen, wie weit es bereits mit ihr gekommen und wessen sie fähig sei – und fand alle meine besorgten Erwartungen übertroffen; denn mit Hilfe des blinden Vertrauens, das sie mir schenkte, weil sie mich, den gewandten Weltmann, ihrer Lust zu dienen bereit glaubte, erkannte ich zu meinem Entsetzen, daß der ruchlos zündelnde Meierjüngling die Edle wahrlich schon zu allem fähig gemacht und daß nicht nur für deine Würde, sondern auch für dein Leben Gefahr in nächstem Verzuge sei."

„So, so", sagte Peteprê, „du machtest sie aufmerksam und gabst es ihr ein, ich verstehe. Soweit denn also die Herrin! Aber daß du auch das Vertrauen des Meiers solltest gewonnen haben, das will mir angesichts deiner mangelhaften Erscheinung nun einmal nicht beigehen, ich halt' es bis jetzt noch für platterdings unmöglich."

„Dein Unglaube", versetzte Dûdu, „geschlagener Herr, sollte vor den Tatsachen die Waffen strecken. Ich halte ihn deiner Furcht vor der Wahrheit zugute, übrigens aber auch deiner heiligen Sonderverfassung, der man, wie du einräumen wirst, dies ganze Unheil zuschreiben muß und die dich außerstand setzt, die Menschen zu erkennen und zu verstehen, wie sehr ihre Meinung über den Mitmenschen und ihre Neigung zu ihm, er sei groß von Statur oder mäßig gebaut, sich nach der Bereitwilligkeit bestimmt, womit er ihren Begierden und Lüsten gefällig ist. Ich brauchte mir nur die Miene dieser Bereitwilligkeit zu geben und ihm auf feine Art meine Dienste anzutragen als weltmännisch verschwiegener Meldegänger zwischen seiner Lust und der unsrer Frau, da hatt' ich den Gimpel schon auf dem Leim und stand auf so zartem Fuße mit ihm, daß er mir nichts mehr verhehlte und ich fortan das hochverbrecherische Spiel des Pärchens nicht nur genauestens zu überwachen und zu verfolgen, sondern es auch mit scheinbarer Gönnerschaft zu befördern und anzufeuern vermochte, damit ich sähe, wie weit sie es trieben und bis zu welchem Punkte der Sträflichkeit sie wohl vorschreiten möchten, um sie dann auf dem äußersten Punkte zu klappen. So ist's die Praxis der Ordnungswächter, darin ich vorbildlich bin. Denn beim geduldigen Nachschleichen gelang es mir auch, die Meinung aufzudecken, die sie miteinander hegen, und den bemerkenswerten Aspekt, der ihrem Spiele zum Grunde liegt: daß nämlich, wer's mit der Herrin hat, der Herr ist. Das ist, mußt du wissen, armer Herr, ihre buhlerisch-mörderische Hypothese, die sie täglich bereden, und aus ihr, ich hab' es aus ihrem Munde, leiten sie das Recht her und den höheren Fug, dich mit dem Stocke zu fällen und aus dem Haus zu räumen, daß sie in dem ausgemordeten ihre Rosenfeste feiern als Herrin und Liebesherr. Da ich sie aber so weit hatte und hatte als ihr Vertrauter dies Äußerste aus ihrem Munde vernommen, da schien die Beule mir reif, hineinzustechen, und ich ging zu dir, dem Geschändeten, dem ich Treue bewahre im Elend, daß ich dir's steckte und wir sie klappen."

„Das wollen wir", sagte Peteprê. „Furchtbar wollen wir über sie kommen – du, lieber Zwerg, und ich, und ihr Verbrechen soll sie erfassen. Was, denkst du wohl, sollen wir anfangen mit ihnen, und welche Strafen scheinen dir schmerzhaft und erbärmlich genug, daß wir sie über sie verhängen?"

„Mein Sinn ist milde", antwortete Dûdu, „zum mindesten in Ansehung unserer Mut, der schönen Sünderin, denn ihre Betteinsamkeit entschuldigt manches, und bist du auch übel daran durch ihre Verfehlung, so kommt es dir, unter uns gesagt, doch nicht zu, ein großes Geschrei darüber zu machen. Auch ist's, wie ich sagte: Vergafft sich die Herrin in einen Knecht, so hat man sich an den Knecht zu halten, denn er ist schuld durch sein bloßes Vorhandensein an dem Malör und soll es büßen. Aber auch seinetwegen noch bin ich milde gesinnt und fordere nicht einmal, daß man ihn gebunden dem Krokodil überlasse, wie er's verdient hätte durch sein Glück und Malör. Denn nicht so sehr auf Rache sinnt Dûdu, sondern auf sichernde Vorkehrung, die dem Zündeln ein Ende macht, und binden soll man ihn nur, damit das Schermesser walte und man die Gefahr mit der Wurzel ausgrabe, so daß er unmöglich werde bei Mut-em-enet und sein schöner Wuchs keinen Sinn mehr habe in den Augen des Weibes. Ich selbst bin gerne bereit, die befriedende Tat zu vollziehen, wenn man ihn mir vorher gehörig bindet."

„Ich finde es bieder", sprach Peteprê, „daß du auch dazu erbötig, nachdem du so vieles schon für mich getan. Meinst du nicht auch, mein Kleiner, daß dadurch in mehr als einem Betracht Gerechtigkeit in der Welt würde hergestellt werden, insofern du nämlich durch diese Vorkehrung in einen Vorteilsstand einrücken würdest vor dem Verkürzten und in einen Vorzug, der dir seltsam Gebautem Genugtuung böte für seinen Wuchs?"

„Das hat sein Zutreffendes", versetzte Dûdu, „das sich erwähnen läßt nebenbei, ich will's nicht leugnen." Und dabei verschränkte er die Ärmchen, schob eine Schulter vor, fing an mit dem kühnlich vorangestellten Bein in der Luft zu wippen und schwang in wachsender Lustigkeit, unter flotten Blikken, den Kopf hin und her.

„Was aber dünkt dich ferner?" fuhr Peteprê fort. „An der Spitze des Hauses kann jener doch wohl nicht bleiben, nachdem du's ihm eingetränkt und dies an ihm vorgekehrt?"

„Nein, allerdings", lachte Dûdu, indem er sich weiter wie oben benahm. „An des Hauses Spitze, daß er allem Gesinde befehle, gehört kein befriedeter Sträfling, sondern ein vollvermögender Mann, tüchtig, den Herrn zu vertreten in jedem Geschäft und für ihn einzustehen in jeder Sache, deren er sich nicht annehmen mag und kann!"

„Und so wüßte ich denn", ergänzte der Oberst, „auch gleich den befördernden Lohn, womit ich dir Wackerem lohnen und danken kann für treue Spitzeldienste und daß du mir's stecktest, um mich zu erretten vor Schmach und Tod."

„Hoffentlich!" rief Dûdu in ausartendem Übermut. „Das will ich hoffen, daß du weißt, wohin Dûdu gehört, und dir im klaren bist über Dank und Nachfolge. Denn du sagst nicht zuviel, daß ich dich behütet vor Schmach und Tod und unsere schöne Sünderin dito! Sie möge nur wissen, daß ich sie losgebeten bei dir um ihrer Betteinsamkeit willen und daß ich ihr das Leben geschenkt, so daß sie nur Atem hat durch meine Gunst und Gnade! Denn wenn ich will und sie mir mit Undank erwidert, so kann ich beliebig und jederzeit ihre Schande und ihr Verbrechen ausläuten in Stadt und Land, so daß du doch noch gezwungen bist, sie zu erdrosseln und ihren feinen Leib in Asche zu legen, zum wenigsten aber, sie um Nase und Ohren verkürzt den Ihren zurückzuschicken. Drum sei sie nur klug, die Schäkerin, die arme Schächerin, und wende ihre Edelsteinaugen von sinnlos gewordener Wohlgestalt auf Dûdu, den sinnreichen Tröster, den Herrn der Herrin, das rüstige Hausmeierlein!"

Unter diesen Worten warf Dûdu immer flottere Blicke nach beiden Seiten ins Leere, wand sich in Schultern und Weichen, tänzelte auf seinen Füßchen und trieb es nicht anders als der Hahn in der Balz auf dem Baum, den es am Kragen hat und der sich blind und taub in selbstbefangenster Lockung dreht. Aber wie diesem erging es ihm auch, den der Jäger anspringt am Boden. Denn plötzlich, mit einem Satz, kam Peteprê, der Herr, unter dem Laken hervor auf seine Füße, ganz nackt, der Fleischesturm mit dem kleinen Haupt, – war mit einem zweiten Satz bei dem Sessel, auf dem seine Sachen lagen, und schwang seine Ehrenkeule. Wir sahen dies schmucke Stück und Kommandozeichen, oder ein ähnliches, schon in seiner Hand: den goldgelederten Rundstab, in einen Pinienzapfen auslaufend, mit goldenem Laube bekränzt, das Sinnbild der Macht und eigentlich auch wohl ein Lebensfetisch und Kultstück für Weiber. Dies schwang der Herr plötzlich und ließ es sausen auf Dûdus Schultern und Rücken und prügelte damit auf ihn ein, daß dem Zwerge aus anderen Gründen als vordem Hören und Sehen verging und er wie ein Ferkel kreischte.

„Ai, ai!" schrie er, in die Hüfte knickend. „Au weh! Es schmerzt, ich sterbe, ich blute, die Knöchlein brechen, laß

Gnade ergehn für den Treuen!" – Doch Gnade erging nicht, denn Peteprê – „Da, da! Da hast du's, Gauch und Schandknirps, Erzkujon, der mir all seine Tücke gestanden!" – trieb ihn mit unerbittlichen Schlägen von Winkel zu Winkel im Bettgemach, bis der Getreue die Türe fand, die Beinchen auf seinen verbeulten Rücken nahm und das Weite gewann.

Die Bedrohung

Die Geschichte berichtet, daß Potiphars Weib „solche Worte" täglich gegen Joseph trieb und ihn ersuchte, daß er nahe bei ihr schliefe. – Er gab ihr also Gelegenheit dazu? Auch nach dem Tage der schmerzlichen Zunge mied er nicht ihre Nähe, sondern kam auch ferner noch an verschiedenen Orten und zu verschiedenen Tageszeiten mit ihr zusammen? – So tat er. Er mußte wohl, denn sie war die Herrin, ein weiblicher Herr, und konnte ihn bestellen und zur Stelle befehlen, wie sie wollte. Außerdem aber hatte er's ihr versprochen, daß er sie nicht verlassen wolle in der Verstörung, sondern sie mit Worten trösten, wie er nur könne, weil er ihr's schuldig sei. Er sah dies ein. Schuldbewußtsein band ihn an sie, und er gab zu in seinem Herzen, daß er's frevelhaft dahin hatte kommen lassen, wohin es gekommen, und daß sein Heilsplan ein sträfliches Larifari gewesen war, dessen Folgen es nun zu bestehen und nach Möglichkeit zu beschwichtigen galt, so gefahrvoll und schwierig bis zur Aussichtslosigkeit sich diese Aufgabe auch mochte gestaltet haben. – Darf man es also loben, daß er der Heimgesuchten nicht seinen Anblick entzog, sondern sich „täglich", oder setzen wir: fast täglich dem Atem des Feuerstiers darbot und fort und fort sich vermaß, einer der stärksten Versuchungen die Stirn zu bieten, die wohl je in der Welt einen Jüngling bestürmt haben? – Allenfalls, bedingtermaßen und zu einem Teil. Unter seinen Beweggründen befanden sich lobenswerte, man kann ihm das zugestehen. Lob verdienten das Schuld-

und Schuldigkeitsgefühl, das ihn bewog; dazu die Tapferkeit, die ihn auf Gott und die sieben Gründe vertrauen ließ in dieser Not; auch, wenn man will, noch der Trotz, welcher begonnen hatte, sein Verhalten mit zu bestimmen, und von ihm forderte, daß er die Kraft seiner Vernunft mit der Tollheit des Weibes messe: denn sie hatte ihm gedroht und sich anheischig gemacht, daß sie ihm den Kranz schon zerreißen wolle, den er von seines Gottes wegen trage, und ihn dafür mit dem ihren kränzen. Das fand er unverschämt, und wir sagen hier gleich, daß in diesem Sinne noch einiges hinzukam, ihn die Sache nachgerade als eine solche zwischen Gott und den Göttern Ägyptens empfinden zu lassen – ebenso wie ihr mit der Zeit der Ehrgeiz für Amun zu einem Motiv ihres Begehrens wurde oder von anderen gemacht wurde –; und so kann man verstehen, ja es billigen, daß er für unerlaubt hielt, sich zu drücken, und für notwendig, die Sache durchzustehen und es zu Ehren Gottes aufs letzte ankommen zu lassen.

Alles gut. Aber so ganz ungemischt gut doch nicht, denn anderes war dabei, weshalb er ihr folgte, sie traf und zu ihr ging, und was man, wie er auch sehr wohl wußte, nicht loben konnte: Nenne man es Neugier und Leichtsinn, nenne man es die Abneigung, den Wahlfall des Bösen endgültig aufzugeben, den Wunsch, die Wahl zwischen Gut und Böse, wenn auch keineswegs in der Absicht, auf die Seite des Bösen zu fallen, noch eine Weile frei zu haben … Machte es ihm auch wohl, so ernst und gefährlich die Lage war, Vergnügen, mit der Herrin unter vier Augen auf dem „Mein-Kind"-Fuße zu verkehren, wozu ihre Leidenschaft und Verlorenheit ihn berechtigte? Eine banale Mutmaßung, die aber ganz bestimmt neben frömmeren, tiefer träumerischen Erklärungen seines Verhaltens ihre Berechtigung hat: dem hochverspielten und tief erregenden Gedanken nämlich seiner Verstorbenheit und Vergöttlichung als Usarsiph und des heiligen Bereitschaftsstandes, der dazu gehörte, und über dem freilich auch wieder der Fluch der Eselhaftigkeit schwebte.

Genug denn, er ging zur Herrin. Er hielt bei ihr aus. Er litt es, daß sie solche Worte immerfort gegen ihn trieb und ihm anlag: „Schlafe bei mir!" Er litt es, sagen wir, denn ein Spaß und eine Kleinigkeit war es nicht, bei der furchtbar Begehrenden auszuharren, ihr gütlich zuzureden und seinerseits immer die sieben Gegengründe in voller Kraft sich gegenwärtig zu halten zur Abwehr ihres Verlangens, dem doch aus der eigenen göttlichen Todesverfassung so manches entgegenkam. Wahrlich, man ist geneigt, dem Sohne Jaakobs die weniger löblichen Beweggründe seines Verhaltens nachzusehen, wenn man bedenkt, welche Not er hatte mit der Unseligen, die es täglich dermaßen gegen ihn trieb, daß er augenblicksweise den Gilgamesch verstand, welcher schließlich der Ischtar das ausgerissene Glied des Stieres ins Gesicht geworfen hatte vor Wut und Bedrängnis.

Denn die Frau artete aus und wurde immer weniger wählerisch in ihren Mitteln, ihn zu bestürmen, daß sie Häupter und Füße zusammentäten. Auf den Vorschlag, den Herrn aus dem Hause zu morden, damit sie alsdann als Herrin und Liebesherr in schönen Kleidern und unter Blumen ein Wonneleben darin führen könnten, kam sie allerdings nicht zurück, weil sie wohl sah, daß diese Idee ihm ganz und gar widerwärtig war, und fürchten mußte, ihn sich durch ihre Wiederholung unheilbar zu entfremden. Ihr trunken getrübter Zustand hinderte sie denn doch nicht, einzusehen, daß er mit seiner entschiedenen Weigerung, diesem wilden Gedanken näherzutreten, in natürlichem und einleuchtendem Rechte war und sich unbedingt sehen lassen konnte mit der empörten Zurückweisung eines Ansinnens, das zu erneuern bei genesener Zunge, die nicht mehr kindlich lispelte, selbst ihr, der Frau, große Schwierigkeiten gemacht haben würde. Aber mit dem Beweisgrund, es habe gar keinen Sinn, daß er sich ihr versage, das Geheimnis hätten sie doch miteinander und könnten es ebensogut gleich selig vollstrecken, setzte sie ihm wieder und wieder zu, sowie mit der Verheißung unaussprechlicher Wonnen, die er finden werde in ihren Liebesarmen, da sie alles für ihn allein aufgespart habe; und da er auf so süße Werbungen nur immer erklärte: „Mein Kind, wir dürfen nicht", ging sie dazu über, ihn mit Zweifeln an seiner Männlichkeit zu reizen.

Nicht daß sie dieselben sonderlich ernst nahm – das war nicht gut möglich. Aber ein gewisses formelles und vernünftiges Recht gab ihr sein Verhalten zu solchem Hohne. Joseph konnte mit den sieben Gründen nicht recht herausgehen; das meiste davon wäre ihr unverständlich gewesen; und was er statt dessen vorbrachte, mußte sie hausbacken und schwächlich, ja geradezu als gesuchte Ausrede anmuten. Was sollte ihre Not und Leidenschaft anfangen mit dem Sittenspruch, den er ein für allemal, falls möglicherweise dies Geschehen zu einer Geschichte würde, zur Antwort gegeben haben wollte für der Leute Mund: daß nämlich sein Herr ihm alles anvertraut und ihm nichts verhohlen habe im Hause, ohne sie, indem sie sein Weib sei, und daß er also kein solches Übel tun wolle und mit ihr sündigen? Das war ja fadenscheiniges Zeug, nicht stichhaltig für ihre Not und Leidenschaft, und selbst wenn sie sich in einer Geschichte befanden, so hielt Mut-em-enet sich überzeugt, daß alle Welt es allezeit gerechtfertigt finden werde, wenn solch ein Paar, wie sie und Joseph, ungeachtet des Truppenobersten und Ehrengatten Häupter und Füße zusammentäte, und daß ein jeder daran viel mehr Gefallen finden werde als an dem Sittenspruch.

Was sagte er sonst? Er sagte etwa:

„Du willst, daß ich zu dir komme bei der Nacht und nahe bei dir schlafe. Aber gerade bei Nacht hat unser Gott, den du nicht kennst, sich meistens den Vätern offenbart. Wollte er sich nun mir offenbaren in der Nacht und fände mich so – was würde aus mir?"

Das war ja kindisch. Oder er sagte:

„Ich fürchte mich wegen Adams, der um so kleiner Sünde willen aus dem Garten vertrieben wurde. Wie würde erst ich bestraft werden?"

Sie dünkte das ebenso armselig, wie wenn er ihr antwortete:

„Du weißt das alles nicht so. Mein Bruder Ruben verlor die Erstgeburt durch sein Dahinschießen, und der Vater gab sie mir. Er würde sie mir wieder nehmen, wenn er hörte, daß du mich zum Esel gemacht."

Ihr mußte das äußerst schwach, ja klatrig scheinen, und er durfte sich nicht wundern, wenn sie ihm auf so an den Haaren herbeigezogene Entschuldigungen unter Tränen des Schmerzes und der Wut zu verstehen gab, sie fange an, zu glauben, und gar nichts anderes bleibe ihr zu vermuten übrig, als daß der Kranz, den er trage, ganz einfach der Strohkranz der Unfähigkeit sei. Nochmals, es war ihr nicht ernst und konnte ihr nicht wohl ernst sein mit dem, was sie sagte. Es war mehr eine verzweifelte Herausforderung an seine Fleischesehre, und der Blick, mit dem er erwiderte, beschämte und entflammte sie gleicherweise, denn bewegter und deutlicher noch sprach er aus, was Joseph in folgende Worte faßte:

„Meinst du?" sagte er bitter. „Nun, so laß ab! Wäre es aber, wie du zu erraten meinst, so hätte ich's leicht, und die Versuchung wäre nicht wie ein Drache und wie ein brüllender Löwe. Glaube mir, Frau, ich habe wohl schon daran gedacht, dein Leiden und meines zu enden, indem ich die Verfassung annähme, die du mir irrtümlich unterstellst, und es machte wie der Jüngling in einer eurer Geschichten, der es sich mit einem scharfen Blatte des Schwertschilfs zuleide tat und das Beschuldigte in den Fluß warf, den Fischen zum Fraß, um seine Unschuld zu bekunden. Aber nicht so darf ich's halten; die Sünde wäre ebenso groß, als wenn ich erläge, und ich taugte dann auch für Gott nichts mehr. Sondern er will, daß ich bestehe heil und komplett."

„Entsetzlich!" rief sie. „Osarsiph, wohin dachtest du? Tu's nicht, mein Geliebter, mein Herrlicher, es wäre ein furchtbarer Jammer! Nie meinte ich, was ich sagte! Du liebst mich, du liebst mich, dein strafender Blick verrät es mir und dein frevelhaft Vorhaben! Süßer, o komm und erlöse mich, stille mein rinnendes Blut, um das es so schade!"

Aber er antwortete: „Es darf nicht sein."

Da wurde sie rasend und fing an, ihn mit Marter und Tod zu bedrohen. So weit war sie, und dies hatten wir bedrückend im Sinn, als wir aussagten, die Mittel, mit denen sie ihm zusetzte, hätten der Wahl mehr und mehr entbehrt. Er erfuhr nun, mit wem er's zu tun und was es auf sich hatte mit ihrem tönenden Rufe: „Fürchterlich bin ich allein in meiner Liebe!" Die Riesenkätzin hob die Pranke, und aufs bedrohlichste reckten sich ihre Krallen aus den Sammetgehäusen, ihn zu zerfleischen. Wenn er ihr nicht zu Willen sei, sagte sie ihm, und ihr seinen Gotteskranz nicht lasse, um den Kranz ihrer Wonne dafür zu empfangen, so müsse und werde sie ihn vernichten. Dringend bitte sie ihn, ihre Worte ernst zu nehmen und nicht für leeren Schall, denn sie sei, wie er sie da sehe, zu allem fähig und zu allem bereit. Sie werde ihn dessen beschuldigen vor Peteprê, was er ihr verweigere, und ihn räuberischen Überfalls zeihen auf ihre Tugend. Anklagen werde sie ihn, ihr Gewalt angetan zu haben, und höchste Lust empfinden bei dieser Bezichtigung, auch die Verwüstete und Befleckte zu spielen wissen, daß niemand an ihrer Angabe zweifeln solle. Ihr Wort und Schwur, des möge er sicher sein, werde wohl noch gelten vor seinem in diesem Hause, und kein Leugnen werde ihm helfen. Außerdem sei sie überzeugt, daß er gar nicht leugnen werde, sondern schweigend die Schuld auf sich nehmen; denn daß es mit ihr bis hierhin gekommen und bis zu dieser Verzweiflungswut, daran sei er schuld mit seinen Augen, seinem Munde, seinen goldenen Schultern und seiner Liebesverweigerung und werde einsehen, daß es ganz gleich sei, in welche Beschuldigung man die Schuld kleide, denn jede Beschuldigung werde wahr durch die Wahrheit seiner Schuld, und er müsse bereit sein, den Tod dafür zu erleiden. Es werde aber ein Tod sein, der ihn sein Schweigen denn doch wohl werde bereuen lassen und vielleicht sogar die grausame Liebesverweigerung. Denn Männer wie Peteprê seien besonders erfinderisch in der Rache, und dem Wüstling, der die Herrin übermannt, werde eine Todesart blühen, die an Ausgesuchtheit auch nicht das geringste werde zu wünschen übriglassen.

Und nun verkündete sie ihm, wie er sterben werde auf Grund ihrer Anklage, – malte es ihm aus mit tönender Sangesstimme zum Teil und teils auch wieder, nahe an seinem Ohr, in einem Raunen, das man für zärtliches Liebesgeflüster hätte halten können:

„Hoffe nicht", flüsterte sie, „daß man kurzen Prozeß mit dir machen wird, indem man dich vom Felsen stößt, oder dich in die Luft hängt, den Kopf nach unten, so daß dir das Blut alsbald ins Gehirn stürzt und du glimpflich verscheidest. So gnädig wird es nicht abgehen nach den Stockschlägen, womit man dir erst einmal den Rücken zerfleischt nach Peteprês Spruch. Denn sein Herz wird einen Sandsturm hervorbringen wie das Gebirge des Ostens, wenn ich dich der Gewalttat zeihe, und seine hämische Wut ohne Grenzen sein. Gräßlich ist es, dem Krokodil anheimgegeben zu sein und wehrlos gebunden im Schilfe zu liegen, wenn der Fresser sich gierig naht und sich über dich wälzt mit nassem Bauch, sein Mahl bei den Schenkeln beginnend oder der Schulter, so daß deine wilden Schreie sich mit dem Ächzen seiner Freßlust vermischen, da doch niemand dich Preisgegebenen hört oder hören will. So geschah anderen, man vernahm es, ein oberflächliches Mitleid, ohne viel Rechenschaft, kam einen an, und so mochte es hingehen, da das eigene Fleisch nicht betroffen. Nun aber bist du es und ist dein Fleisch, an das der Fresser sich macht, da oder dort beginnend, – sei's denn in vollem Selbst und enthalte dich des entmenschten Geschreis, das sich deiner Brust entreißt, – schreie nicht, Geliebter, nach mir, die dich küssen wollte dort, wohinein der Naßbauch die eklen Zähne schlägt! – Aber vielleicht werden die Küsse andere sein. Vielleicht streckt man dich Schönen rücklings auf den Boden hin, hält deine Hände und Füße fest mit ehernen Klammern und häuft brennbare Stoffe auf deinen Leib, die man entzündet, so daß unter Qualen, die keiner nennt, und die nur du allein für dein Teil unter atemlos bettelndem Jammern erfährst, da alle anderen ihnen nur zusehen, bei langsamer Flamme dein Fleisch verkohlt. – So mag es sein, Geliebter, aber vielleicht auch so, daß man dich lebend, zugleich mit zwei großen Hunden, in einer Grube verschließt, bedeckt mit Balken und Erde, und wiederum denkt niemand aus, auch du selbst nicht, solange nicht Wirklichkeit ist das Bevorstehende, was sich dort unter Tag mit der Zeit begeben wird zwischen euch dreien. – Weißt du aber auch von der Hallentür und ihrem Zapfen? Du wirst der Mann sein, auf meine Klage hin, der betet und laute Klageschreie erschallen läßt, weil in seinem Auge der Tür-zapfen steckt und die Tür sich in seinem Haupte dreht, jedesmal, wenn's dem Rächer hindurchzugehen gefällt. – Dies sind nur einige der Strafen, die dir gewiß sind, wenn ich die Anschuldigung gegen dich ausstoße, wie ich im Fall meiner letzten Verzweiflung zu tun entschlossen bin; du aber wirst dich nicht weiß machen können vor meinem Schwur. Aus Mitleid mit dir selbst, Osarsiph, lasse mir deinen Kranz!"

„Herrin und Freundin", antwortete er ihr, „du hast recht, ich werde mich nicht weiß machen, wenn es dir gefällt, mich solcherart anzuschwärzen vor meinem Herrn. Unter den Strafen aber, mit denen du mich bedrohst, wird Peteprê wäh-len müssen; er kann sie nicht alle über mich verhängen, son-dern nur eine, was bereits eine Einschränkung bedeutet seiner Rache und meiner Leiden. Doch auch innerhalb dieser Ein-schränkung wird mein Leiden begrenzt sein durchs Menschen-mögliche, und möge man diese Grenze eng nennen oder sehr weit, sie zu überschreiten vermag nicht das Leiden, denn es ist endlich. Lust und Leiden, beides malst du mir unermeß-lich, aber du übertreibst, denn ziemlich bald stößt sich beides an den Grenzen des Menschenvermögens. Unermeßlich wäre einzig der Fehler zu nennen, den ich beginge, wenn ich's mit Gott, dem Herrn, verdürbe, den du nicht kennst, so daß du nicht wissen kannst, was das ist und was es besagen will: Gottverlassenheit. Darum, mein Kind, kann ich dir nicht nach Wunsch gefällig sein."

„Weh über deine Klugheit!" rief sie mit Sangesstimme. „Wehe darüber! Ich, ich bin nicht klug! Unklug bin ich vor unermeßlichem Verlangen nach deinem Fleisch und Blut, und ich werde tun, was ich sage! Die liebende Isis bin ich, und mein Blick ist Tod. Hüte, hüte dich, Osarsiph!"

Die Damengesellschaft

Ach, sie schien wohl großartig, unsere Mut, wenn sie vor ihm stand und ihn mit Glockenstimme bedrohte. Und dabei war sie schwach und hilflos wie ein Kind, ganz ohne Mitleid mit ihrer Würde und Sage, und hatte nachgerade begonnen, alle Welt in ihre Leidenschaft einzuweihen und in die Not, die sie mit ihrem Jüngling hatte. Es war nun an dem: nicht nur Tabubu, die Gummiesserin, und Meh-en-wesecht, die Kebse, waren eingeweiht nunmehr in ihre Liebe und ihren Jammer, sondern auch Renenutet, die Frau des Oberrindervorstehers des Amun, sowie Neit-em-hêt, die Gattin von Pharaos Oberwäscher, und Achwêre, Gemahlin Kakabus, des Schreibers der Silberhäuser, vom Silberhause des Königs, kurz, alle Freundinnen, der ganze Hof, die halbe Stadt. Das war ein starkes Zeichen von Ausartung, daß sie es, als das dritte Jahr ihrer Liebe zu Ende ging, ohne Scham und Hemmung allen erzählte und alle Welt rücksichtslos damit befaßte, was sie anfangs so stolz und scheu in ihrem Busen verwahrt hatte, daß sie lieber gestorben wäre, als es dem Geliebten selbst oder sonst irgend jemandem einzugestehen. Ja, nicht nur Dûdu, der würdige Zwerg, artete aus in dieser Geschichte, sondern auch Mut, die Herrin, tat es, und zwar bis zur völligen Auflösung ihrer Fassung, ja, ihrer Gesittung. Sie war eine Heimgesuchte und tief Berührte, gänzlich aus sich herausgetreten, der Welt der Gesittung nicht mehr gehörig und ihren Maßstäben entfremdet, eine starrblickende Bergläuferin, bereit, ihre Brüste wilden Tieren zu bieten, eine wild bekränzte, keuchend jauchzende Thyrsusschwingerin.

Wohin kam es nicht schließlich mit ihr? Unter uns und im voraus gesagt sogar dahin, daß sie sich herbeiließ, mit der schwarzen Tabubu zu zaubern. Aber dafür ist dies noch der Ort nicht. Hier sei nur mitleidig staunend ins Auge gefaßt, wie sie ihre Liebe und ihr ungetröstetes Begehren nach allen Seiten ausschwatzte und es nicht bei sich behalten konnte weder vor Hoch noch vor Niedrig, so daß binnen kurzem ihr Leidwesen das Tagesgespräch allen Hausgesindes war und die Köche beim Rühren und Rupfen, die Torhüter auf der Ziegelbank zueinander sagten:

„Die Herrin ist scharf auf den Jungmeier, er aber weigert sich ihrer. Ist das eine Hetz'!"

Denn solche Gestalt nimmt eine solche Sache in den Köpfen und im Munde der Leute an nach dem kläglichen Widerspruch, der besteht zwischen dem heilig-ernsten und schmerzensschönen Bewußtsein blinder Leidenschaft von sich selbst – und ihrem Eindruck auf Nüchterne, denen ihr Unvermögen und mangelnder Wille, sich zu verhehlen, ein Skandal und Gespött ist wie der Betrunkene auf der Gasse. –

Sämtliche Nacherzählungen unserer Geschichte, mit Ausnahme freilich der uns würdigsten, aber auch kargsten: der Koran sowohl wie die siebzehn persischen Lieder, die von ihr künden, Firdusis, des Enttäuschten, Gedicht, woran er sein Alter wandte, und Dschamis spät-verfeinerte Fassung, – sie alle und ungezählte Schildereien des Pinsels und Stiftes wissen von der Damengesellschaft, die Potiphars Erste und Rechte um diese Zeit gab, um ihren Freundinnen, den Frauen der hohen Gesellschaft No-Amuns, ihr Leiden bekannt und begreiflich zu machen, das Mitgefühl ihrer Schwestern dafür zu gewinnen und auch ihren Neid. Denn Liebe, so ungetröstet sie sei, ist nicht nur Fluch und Geißel, sondern immer zugleich auch ein großer Schatz, den man ungern verhehlt. Die Lieder gleiten in manchen Irrtum und lassen sich manche abwegige Variante und Ausschmückung zuschulden kommen, worin die süße Schönheit, welcher sie nachhängen, zu Lasten der strengen Wahrheit geht. Den Zwischenfall der Damengesellschaft aber angehend, sind sie im Recht; und weichen sie auch hier wieder um süßen Effektes willen ab von der Form, in der die Geschichte ursprünglich sich selber erzählte, ja, strafen sie sich durch ihre Abweichungen voneinander wechselseitig Lügen, so sind doch nicht ihre Sänger die Erfinder dieses Begebnisses, sondern die Geschichte selbst ist es oder persönlich Potiphars Weib, die arme Eni, die es mit einer Schläue erfand und ins Werk setzte, welche zu ihrer benommenen Verfassung in dem sonderbarsten, aber lebensgerechtesten Widerspruch steht.

Uns, denen der augenöffnende Traum bekannt ist, den Mut-em-enet zu Beginn der drei Liebesjahre träumte, sind die Zusammenhänge zwischen ihm und ihrer Erfindung, ist der Gedankengang, der sie auf das traurig-witzige Mittel brachte, den Freundinnen die Augen zu öffnen, vollkommen deutlich; und die Wirklichkeit des Traumes (dessen Echtheitsmerkmale denn doch wohl in die Augen springen) ist uns der beste Beweis für die Geschichtlichkeit der Damengesellschaft sowie dafür, daß die uns nächste und würdigste Überlieferung einzig aus lapidarer Kargheit darüber schweigt. –

Das Vorspiel zur Damengesellschaft war, daß Mut-em-enet krank wurde. Es war die nach ihrem Bilde wenig genau umrissene Krankheit, in welche die Prinzen und Königstöchter aller Geschichten verfallen, wenn sie trostlos lieben, und die regelmäßig „der Kunst der berühmtesten Ärzte spottet". Mut verfiel in sie, weil es so im Buche steht, weil es gehörig und fällig war und man dem Gehörigen und Fälligen schwer widersteht; zweitens aber, weil ihr alles daran lag (und auch bei den Prinzen und Königstöchtern sonstiger Geschichten scheint dies durchweg ein Hauptmotiv ihres Siechtums zu sein), Aufsehen zu erregen, die Welt in Aufregung zu versetzen und *befragt* zu werden, – recht dringend, um Lebens und Sterbens willen und allgemein befragt zu werden, denn zu vereinzelten, mehr oder weniger aufrichtig besorgten Fragen hatten die Veränderungen, von denen seit Jahr und Tag ihr Äußeres betroffen worden, schon vorher Anlaß gegeben. Sie wurde krank aus dem dringenden Wunsch, die Welt mit

549

ihrer Heimsuchung, dem Glück und der Qual ihrer Liebe zu Joseph zu beschäftigen, – denn daß es weiter, im Sinne der strengen Wissenschaft, nicht gar viel auf sich hatte mit dieser Krankheit, geht schon daraus hervor, daß, als es dann galt, die Damengesellschaft zu geben, Mut sich sehr wohl von ihrem Lager erheben und die Wirtin machen konnte: kein Wunder übrigens, da diese Veranstaltung gewiß von vornherein mit im Plane der Krankheit gelegen hatte.

Mut also wurde ernstlich, wenn auch unbestimmt krank und bettlägerig. Zwei elegante Ärzte, der Doktor vom Bücherhause des Amun, der schon zum Altmeier Mont-kaw berufen worden, und noch ein anderer Tempelweiser, behandelten sie, ihre Schwestern vom Hause der Abgeschlossenen, Peteprês Kebsweiber, pflegten sie, und ihre Freundinnen vom Hohen Hathorenorden und von Amuns Südlichem Frauenhause besuchten sie. Es sprachen vor die Damen Renenutet, Neit-em-hêt, Achwêre und viele andere. Es kam auch in ihrer Sänfte Nes-ba-met, die Ordensoberin, Gemahlin des großen Beknechons, „Vorstehers der Priester aller Götter von Ober- und Unterägypten". Und alle, einzeln oder zu zweien und dreien am Bett der Berührten sitzend, beklagten und befragten sie in reichlich fließenden Worten, teils aus dem Herzen, teils kaltsinnig, aus bloßer Konvenienz oder sogar schadenfroh.

„Eni mit beliebter Stimme, wenn du singst!" sprachen sie. „Um des Verborgenen willen, was ist das mit dir, und was machst du uns, Böse, für Not? So wahr der König lebt, schon seit längerem bist du nicht mehr, die du warst, sondern wir alle, die dich im Herzen tragen, beobachten Zeichen von Ermüdung an dir und Veränderungen, die zwar selbstverständlich nicht vermögend waren, deiner Schönheit Abtrag zu tun, uns alle aber trotzdem in zärtliche Sorge versetzen. Nicht möge ein böser Blick des Auges bei dir sein! Wir alle haben gesehen und es einander unter heißen Tränen mitgeteilt, daß die Ermüdung in Gestalt einer Abmagerung über dich kam, die zwar nicht alle Teile deines Körpers ergriff – vielmehr sind einige davon voller erblüht, aber andere dafür in der

Tat zu mager geworden: deine Wangen zum Beispiel, sie sind gemagert; auch fingen deine Augen an, starr zu blicken, und um deinen berühmten Schlängelmund ließ eine Qual sich nieder. Dies alles sahen wir, deine Herzchen, und besprachen es weinend. Nun aber ist deine Ermüdung auf den Punkt gekommen, daß du dich niederlegst, ohne zu essen und zu trinken, und die Krankheit spottet der Kunst der Ärzte. Wahrhaftig, als wir davon hörten, wußten wir nicht mehr den Ort der Erde, wo wir uns befanden, so groß war unser Schrecken! Wir haben die Weisen vom Bücherhause, Te-Hor und Pete-Bastet, deine Ärzte, mit Fragen bestürmt, und sie antworteten, sie seien mit ihrer Kunst schon fast am Rande und näherten sich der Ratlosigkeit. Nur noch wenige Mittel wüßten sie, die etwa noch Wirkung versprächen, denn aller schon angewandten habe deine Ermüdung gespottet. Es müsse ein großer Kummer sein, der an dir nage und zehre, wie die Maus, die an der Wurzel des Baumes nagt, so daß er kränkelt. In Amuns Namen, Schatz, ist das wahr, und hast du einen nagenden Kummer? Nenne ihn uns, deinen Herzchen, ehe dir der verfluchte ans süße Leben geht!"

„Gesetzt", antwortete Eni mit schwacher Stimme, „ich hätte einen – was frommte es mir, ihn euch zu nennen? Ihr Guten und Mitleidigen könntet mich nicht davon erlösen, und wahrscheinlich bleibt gar nichts übrig, als daß ich daran sterbe."

„So ist es also wahr", riefen sie, „und es ist wirklich ein solcher Kummer, der dich ermüdet?" Und in den höchsten Tönen verwunderten sich die Damen, wie es möglich sei. Eine Frau wie sie! Zur Creme der Länder gehörig, reich, zauberhaft schön und beneidet unter des Reiches Frauen! Was konnte ihr abgehen? Welchen Wunsch brauchte sie sich zu versagen? Muts Freundinnen verstanden das nicht. Inständig befragten sie sie, teils herzlicherweise, teils nur aus Neugier, Schadenfreude und Liebe zur Aufregung, und lange wich die Ermüdete ihnen aus, verweigerte matt und hoffnungslos jede Auskunft, weil sie ihr doch nicht helfen könnten. Endlich aber – nun gut – erklärte sie, ihnen die Antwort allen zusammen, gemeinsam, geben zu wollen, im Rahmen eines Plauderkränzchens und einer weiblichen Gasterei, zu der sie sie nächstens vollzählig wolle zusammenladen. Denn wenn sie, sei es auch ohne Appetit, ein wenig zu sich nähme, eine Vogelleber und etwas Gemüse, werde sie hoffentlich die Kraft finden, sich vom Lager aufzurichten, zu dem Ziel eben, den Freundinnen die Ursache ihrer Veränderung und Ermüdung zu enthüllen.

Gesagt, getan. Schon im nächsten Mondviertel – man war nur noch eine kurze Spanne vom Neujahrstage und vom großen Opetfeste entfernt, bei welchem im Hause Potiphars so Entscheidendes sich ereignen sollte – lud Eni tatsächlich zu diesem Kränzchen, der viel, aber nicht immer richtig besungenen Damengesellschaft in den Räumen von Peteprês Frauenhaus ein: einer Nachmittagsveranstaltung in größerem Kreise, die durch die Anwesenheit Nes-ba-mets, der Gemahlin Beknechons' und Ersten der Haremsfrauen, erhöhten Glanz gewann, und bei der es an nichts fehlte, weder an Blumen und Salben, noch an kühlen, zum Teil berauschenden, zum anderen Teil nur erfrischenden Getränken, noch an vielerlei Kuchen, eingelegten Früchten und fadenziehenden Süßigkeiten; ausgespendet von jungen Dienerinnen in lieblich knapper Tracht, mit schwarzen Hängeflechten im Nacken und Schleiern um die Wangen – einer Nüance, die man noch nicht gesehen, und die viel Beifall fand. Ein reizendes Orchester von Harfenistinnen, Lautespielerinnen und Bläserinnen der Doppelflöte in weiten Hauchgehängen von Kleidern, durch welche man die gewirkten Gürtel ihrer Lenden sah, musizierte im Brunnenhof, wo die große Mehrzahl der Damen in zwanglosen Gruppen, teils zwischen den hochbeladenen Anrichten auf Stühlen und Hockern sitzend, teils auf bunten Matten kniend sich niedergelassen hatte. Doch war auch der bekannte Pfeilersalon, aus welchem übrigens das Bild Atum-Rês wieder entfernt war, von ihnen besetzt.

Muts Freundinnen waren hold und kunstreich zu sehen: Duftfett schmolz salbend von ihren Scheiteln in ihr breit ge-

löstes, zu Fransen gedrehtes Haar, durch welches die goldenen Scheiben ihres Ohrschmucks schnitten, von lieblicher
Bräune waren ihre Glieder, ihre glänzenden Augen reichten
bis zu den Schläfen, ihre Näschen deuteten auf nichts als
Hoch- und Übermut, und die Fayence- und Steinmuster ihrer
Krägen und Armringe, die Gespinste, die ihre süßen Brüste
umspannten, aus Sonnengold, wie es schien, oder Mondschein
gewoben, waren von letzter Kultur. Sie rochen an Lotusblü-
ten, reichten einander Näschereien zum Kosten und plauderten mit zwitschernd hohen und tiefer-rauheren Stimmen, wie
sie ebenfalls weiblich vorkommen in diesen Breiten, – Nes-
ba-met zum Beispiel, des Beknechons Gattin, hatte eine solche
Stimme. Vom nahen Opetfest plauderten sie, vom großen
Umzuge der heiligen Dreiheit in ihren Barken und ihren Ka-
pellen, zu Land und zu Wasser, von der Gottesbewirtung im
Südlichen Frauenhaus, wo sie, die Damen, zu tanzen, zu
klappern und zu singen haben würden vor Amun als seine
Nebenfrauen mit beliebten Stimmen. Das Thema war wichtig
und schön; und dennoch war es nur vorgewendet in dieser
Stunde und mußte herhalten zum Zungenspiel, um die Zeit
der Erwartung zu füllen, bis Mut-em-enet, die Gastgeberin,
ihnen die Antwort erteilen und ihnen aufregenderweise die
Ursache ihrer Ermüdung zu wissen geben würde.

Sie saß unter ihnen am Wasserbecken in ihrer Leidens-
gestalt, lächelte schwach mit dem gequälten Schlängelmunde
und wartete ihres Augenblicks. Traumhaft und nach Traumes-
muster hatte sie ihre Anstalten getroffen, die Freundinnen zu
belehren, und traumhaft war ihre Gewißheit, daß die Veranstaltung werde gelingen müssen. Sie fiel zusammen mit dem
Höhepunkt der Bewirtung. Herrliche Früchte standen in blu-
mengeschmückten Körben bereit: duftende Goldkugeln, die
erquickenden Saft in Menge unter der filzigen Schale bargen,
indische Blutzitronen, Chinaäpfel, höchst selten gereicht; und
reizende Messerchen zum Schälen waren nebenher vorbereitet, mit eingelegten Blausteingriffen und hochpolierten Bronze-
schneiden, denen die Hausfrau ihre besondere Aufmerksam-

keit zugewandt hatte. Denn überaus scharf hatte sie sie wetzen und abziehen lassen – so scharf in der Tat, daß wohl noch nie in der Welt irgendwelche Messerchen es zu solcher Schärfe gebracht hatten. So dünn geschliffen und haarscharf waren die Dinger, daß leicht ein Mann sich den noch so drähtigen Bart hätte damit scheren mögen, – nur gegenwärtigste Achtsamkeit war ihm dabei zu empfehlen, denn vergaß er sich träumend nur einen Augenblick oder erzitterte, so war ihm der lästigste Schaden gewiß. Das war ein Schliff, der diesen Messerchen zuteil geworden, – gefährlich geradezu; man hatte das Gefühl, daß man nur in die Nähe der Schneide zu kommen brauchte mit der Fingerkuppe, und schon sprang das Blut hervor. – War das alles Vorbereitete? Durchaus nicht. Da war noch ein kostbarer Wein aus dem Hafen, kyprisch, von süßem Feuer, zum Nachtisch geeignet, der zu den Apfelsinen gereicht werden sollte; und die schönen Kelche aus gehämmertem Gold und aus zinnglasiertem, bemaltem Ton, die ihn umschließen würden, waren sogar das erste, was auf der Gastgeberin Wink von niedlichen Dienerinnen, welche nichts anhatten als bunte Gürtel um ihre Hüften, im Brunnenhof und im Pfeilersalon ausgeteilt wurde. Wer aber sollte den Inselwein in die Kelche schenken? Auch wieder die Niedlichen? Nein, damit, hatte die Wirtin geurteilt, würde weder solcher Bewirtung, noch den Bewirteten Ehre genug geschehen – anders hatte es Mut verfügt.

Sie winkte wieder, und die goldenen Äpfel, die allerliebsten Messerchen wurden verteilt. Beides erregte entzücktes Gezwitscher: Man pries die Früchte, pries auch das zierliche Handgerät, nämlich seine Zierlichkeit eben, denn seiner Haupteigenschaft war man nicht kundig. Alle begannen sogleich mit dem Schälen, um zu dem süßen Fleisch zu gelangen; doch wurden ihre Augen gar bald vom Geschäfte abgelenkt und emporgezogen.

Abermals hatte Mut-em-enet gewinkt, und wer auf dem Schauplatz erschien, war der Schenke des Weins; es war Joseph. Ja, ihn hatte die Liebende zu diesem Dienste bestellt und es ihm angesonnen als Herrin, selbst den Zypernwein unter den Freundinnen auszuschenken, ohne ihn in die Vorkehrungen einzuweihen, die sie sonst noch dazu getroffen, so daß er nicht wußte, zu welcher Belehrung er dienen sollte. Es hatte sie geschmerzt, das wissen wir wohl, ihn hinters Licht zu führen durch die Verhehlung und zweckhaft sein Bild zu mißbrauchen; aber gar zu sehr war es ihr darum zu tun, die Freundinnen zu belehren und ihnen ihr Herz zu erklären. Darum hatte sie es ihm angesonnen und, da er sich wieder einmal mit aller Rücksicht geweigert, ihr nahe beizuwohnen, zu ihm gesagt:

„Willst du mir dann wenigstens, Osarsiph, den Gefallen tun und übermorgen bei meinem Damenfest selbst den Neunmalguten von Alaschia ausschenken, zum Zeichen seiner Güte, zum Zeichen ferner, daß du mich doch ein wenig liebst, und auch zum Zeichen, daß ich etwas gelte in diesem Haus, da Der an seiner Spitze mir aufwartet und meinen Gästen?"

„Selbstverständlich, Herrin", hatte er geantwortet. „Das tue ich gern und will einschenken mit größtem Vergnügen, wenn es dir so gefällt. Denn mit Leib und Seele bin ich dir zu Diensten und zur Verfügung in jedem Betracht, ausgenommen in dem der Sünde."

So erschien denn nun Rahels Sohn, des Peteprê Jungmeier, unvermutet unter den schälenden Damen im Hof, in einem Feierkleide, weiß und fein, einen bunten mykenischen Weinkrug in seinem Arm, grüßte, spendete und begann, umherwandelnd die Kelche zu füllen. Alle Damen aber, sowohl die, welche ihn bei Gelegenheit schon gesehen, wie auch die, welche ihn noch nicht kannten, vergaßen bei seinem Anblick nicht nur ihre Hantierung, sondern auch sozusagen sich selbst, indem sie nichts anderes mehr wußten, als auf den Schenken zu schauen, worüber denn die tückischen Messerchen ihr Werk verrichteten und die Damen sich samt und sonders fürchterlich in die Finger schnitten – und zwar ohne des verunreinigenden Malheurs auch nur gleich gewahr zu werden, denn einen Schnitt von so extrem überschärfter Klinge spürt man kaum, zumal in so gründlich abgelenktem Zustande, wie der, worin Enis Freundinnen sich eben befanden.

Von einigen ist die oft geschilderte Szene als apokryph und der geschehenen Geschichte nicht zugehörig hingestellt worden. Mit Unrecht; denn sie ist wahr, und jede Wahrscheinlichkeit spricht für sie. Bedenkt man, daß es sich einerseits um den schönsten Jüngling seiner Sphäre, andererseits aber um die schärfsten Messerchen handelte, welche wahrscheinlich die Welt je gesehen, so ist klar, daß der Vorgang gar nicht anders, nämlich nicht unblutiger verlaufen konnte, als er wirklich verlief, und daß die Traumsicherheit, mit der Mut diesen Verlauf berechnet und vorhergesehen hatte, vollauf berechtigt gewesen war. Mit ihrer Leidensmiene, dieser Maske aus Finsternis und Geschlängel, blickte sie auf das angerichtete Unheil, das still sich entwickelnde Blutbad, das vorerst sie ganz allein wahrnahm, da die in lüsterner Hingerissenheit gaffenden Gesichter der Damen dem Jüngling folgten, der sich allmählich gegen den Pfeilersalon entfernte, wo, wie Mut sich mit vollem Recht überzeugt hielt, ganz dasselbe sich abspielen würde. Erst als der Geliebte den Augen entschwunden war, fragte sie boshaft besorgten Tones in die Stille hinein:

„Meine Herzchen, was habt und tut ihr? Ihr vergießt euer Blut!"

Es war ein schreckhafter Anblick. Da die behenden Messerchen bei vielen zolltief geflitzt waren, sickerte das Blut nicht nur, es quoll und strömte; die Händchen mitsamt den goldenen Äpfeln waren ganz überschwemmt und verschmiert von dem roten Naß, es durchtränkte färbend die blütenhaften Stoffe der Kleider im Schoße der Frauen, bildete Lachen darin und troff auf die Füßchen, den Estrich hinab. Welch Jemine, welch Lamentieren, Gekreisch und Augenverdrehen entstand, als sie's durch Mut-em-enets falsch erstaunten Hinweis gewahr wurden! Einige, die kein Blut sehen konnten, besonders ihr eigenes nicht, drohten in Ohnmacht zu fallen und mußten mit Zitweröl und scharfen Fläschchen, womit die Niedlichen zwischen ihnen herumsprangen, zur Not bei Bewußtsein gehalten werden. Überhaupt geschah nun das Notwendigste, und auch mit Wasserbecken, Wischtüchern, Essig, Scharpie und in Streifen gerissenem Leinenzeug sprangen die Niedlichen alsbald herum, so daß denn das Kränzchen zu dieser Frist den Anblick eines Lazaretts und Verbandplatzes bot, hier sowohl wie im Pfeilergemach, wohin Mut-em-enet sich einen Augenblick begab, um festzustellen, daß dort ebenfalls alles im Blute schwamm. Renenutet, die Gattin des Rindervorstehers, gehörte zu den Tiefstverletzten, und vorübergehend mußte man ihr das Händchen geradezu töten, indem man das gelblich erblassende vom allgemeinen Lebensbetriebe gewaltsam abschnürte, um die Blutung zum Stillstand zu bringen. Auch Nes-ba-met, des Beknechons tiefstimmige Gemahlin, hatte sich übel zugerichtet. Ihre Robe war hin, und sie wetterte laut, ungewiß auf wen, während zwei Gürtelmädchen, ein schwarzes und ein weißes, sie tröstend verarzteten.

„Teuerste Oberin und ihr meine Herzchen alle", sprach Mut-em-enet heuchlerisch, als leidliche Ruhe und Ordnung wieder eingekehrt waren, „wie konnte das zugehen und wie sich ereignen, daß ihr euch solches antatet bei mir und dieser rote Zwischenfall mein Damenfest verunehrt? Fast unerträglich peinlich ist es der Wirtin, daß dies euch in meinem Hause zustoßen mußte, – wie aber war's möglich? Es kommt wohl vor, daß eine oder die andere sich schneidet beim Schälen, – aber alle zugleich und einige bis auf den Knochen? Das ist noch nicht vorgekommen, so weit ich die Welt kenne, und wird wohl ein Einzelfall bleiben in der Gesellschaftsgeschichte der Länder – man muß es wenigstens hoffen. Aber tröstet mich, meine Süßen, und sagt mir, wie in aller Welt es geschehen konnte!"

„Laß gut sein", antwortete für die übrigen Frauen Nesba-met mit ihrem Baß. „Laß gut sein, Enti, denn gut ist es ja nun so ziemlich, wenn auch der rote Set die Nachmittagskleider verdorben hat und einige unter uns noch verfärbt sind vom Aderlaß! Gräme dich nicht! Du hast es gut gemeint, wie wir annehmen, und dein Empfang ist fashionabel in jeder Einzelheit. Aber ein starkes Stück von Unüberlegtheit war es schon, meine Gute, das du dir mitten darin geleistet hast, – ich rede geradeheraus und für alle. Versetze dich doch an unsere Stelle! Du hast uns eingeladen, um uns die Ursache deiner Ermüdung zu enthüllen, welche der Kunst der Ärzte spottet, und läßt uns warten auf die Enthüllung, so daß wir ohnedies schon nervös sind und unsere Neugier verbergen hinter künstlichem Geplausch. Du siehst, ich stelle alles offen der natürlichen Wahrheit gemäß und ohne Zimperlichkeit dar in unser aller Namen. Du läßt uns goldene Äpfel servieren – sehr gut, sehr rühmlich, auch Pharao hat sie nicht jeden Tag. Aber gerade, da wir sie schälen wollen, verordnest du es, daß in unsern empfindlichen Kreis dieser Schenke tritt – er sei nun, wer er sei, ich nehme an, daß es euer Jungmeier war, den sie ‚Nefernefru‘ nennen auf den Land- und Wasserwegen, und beschämend genug ist es ja, daß man als Dame genötigt ist, übereinzustimmen mit den Leuten der Dämme und Kanäle im Urteil und Geschmack, aber hier ist die Rede nicht von Geschmack und Strittigkeit, denn das ist ja ein Himmelsbild von einem Jungen an Haupt und Gliedern, und wo es an und für sich schon einer Chocwirkung gleichkommt, wenn unter so viele bereits nervöse Frauen plötzlich ein Jüngling tritt, und sei er auch weniger reizend, – wie willst du, daß es einem nicht in die Glieder fährt und einem die Augen nicht übergehen, wenn ein solcher Gottesfratz auf der Bildfläche erscheint und neigt seinen Krug über deinen Kelch? Du kannst nicht verlangen, daß man da noch seiner Hantierung gedenkt und seine Finger hütet vor drohendem Ungemach! Wir haben dir Ungelegenheit und viel Schererei verursacht mit unserem Geblute, aber den Vorwurf, Eni mit beliebter Stimme, kann ich dir nicht ersparen, daß du selber schuld bist an dem Ennui durch deine chochaften Verordnungen.“

„So ist es!“ rief Renenutet, die Rindervorsteherin. „Du mußt dir, Liebste, den Vorwurf gefallen lassen, denn einen Possen hast du uns gespielt mit deiner Regie, dessen wir alle gedenken werden – wenn nicht mit Zorn, so nur darum nicht, weil deine Unberührtheit sich wohl nichts dabei dachte. Aber das ist es eben, Schatz, daß du's an schonender Überlegung gänzlich hast fehlen lassen und dir die Peinlichkeit dieses roten Zwischenfalls selber zuschreiben mußt, wenn du gerecht bist. Ist es nicht klar, daß die aufgesummte Weiblichkeit einer so zahlreichen Damengesellschaft auch wieder auf die weibliche Einzelnatur zurückwirkt und sie zu empfindlichster Höhe emporstimmt? In einen solchen Kreis läßt du unversehens was Männliches treten und in welchem Augenblick? Im Augenblick des Schälens! Meine Gute, wie sollte das wohl unblutig ablaufen, – urteile selbst! Nun aber mußte es auch noch dieser Schenke sein, euer Jungmeier, ein wahrer Gottesfratz! Mir wurde völlig anders bei seinem Anblick – ich sage es, wie es ist, und nehme kein Blatt vor den Mund, denn dies ist die Stunde und sind Umstände, wo Herz und Mund einem übergehen und man die Erlaubnis spürt, einmal alles geradeheraus zu sagen. Ich bin eine Frau, die viel Sinn hat fürs Männliche, und da ihr's ohnedies wißt, so will ich nur einfach erwähnen, daß ich außer meinem Gemahl, dem Rinderdirektor, der in den besten Jahren steht, auch noch jenen Leiboffizier kenne sowie den jungen Betreter von Chonsus Haus, der auch mein Haus betritt – ihr wißt es ja sowieso. Aber das alles hindert nicht, daß ich mich gegen das Männliche hin allezeit sozusagen auf dem Quivive befinde und mich leicht davon göttlich anmuten lasse, – besonders aber habe ich eine Schwäche für Schenken. Ein Schenke hat immer was Göttliches oder vom Götterliebling etwas – ich weiß nicht, warum mir so ist –, es liegt in seinem Amt und in seiner Gebärde. Nun aber gar dieser Nefertêm und blaue Lotos, der Zuckerjunge mit seinem Kruge – ihr Guten, mit mir war's aus! Mit aller Bestimmtheit glaubte ich einen Gott zu sehen und wußte vor frommem Vergnügen nicht mehr den Ort der Erde, an dem ich mich befand. Ganz Auge war ich, und während ich äugte, säbelte ich mir mit dem Schälmesserchen in Fleisch und Bein und vergoß mein Blut in Strömen, ohne es auch nur zu spüren, so anders war mir geworden. Aber das ist das ganze Unheil noch nicht, denn ich bin sicher: Sobald ich Früchte schälen werde in Zukunft, wird sich vor meiner Seele das Bild deines Schenkenfratzen erneuen, des verwetterten, und wieder werde ich mir ins Gebein säbeln vor Versunkenheit, so daß ich mir überhaupt kein Schalobst mehr werde vorsetzen lassen dürfen, obgleich ich's mit Leidenschaft esse, das hast du angerichtet, Schätzin, mit deiner unbedachten Regie!"

„Ja, ja!" riefen alle Damen, sowohl die des Brunnenhofes als auch die des Pfeilersalons, welche bei Nes-ba-mets und Renenutets Ansprachen herübergekommen waren. „Ja, ja!" riefen sie durcheinander mit hoch- und tiefgetönten Stimmen. „So ist es, so war es, die Rednerinnen haben es recht gesagt, fast blutig umgebracht hätten wir alle uns vor jäher Verwirrung durch das Bild dieses Schenken, und statt uns den Grund deiner Ermüdung zu nennen, wozu du uns eingeladen, hast du uns, Eni, diesen Possen gespielt!"

Da aber erhob Mut-em-enet ihre Stimme zu voller Sangeskraft und rief:

„Törinnen!" rief sie. „Nicht nur genannt – gezeigt habe ich ihn euch, den Grund meiner tödlichen Ermüdung und all meines Elends! So habt doch auch Augen für mich, da ihr ganz Auge waret für ihn! Ihr habt ihn nur einige Pulsschläge lang gesehen und euch ein Leids getan in der Versunkenheit, so daß ihr alle noch blaß seht von der roten Not, in die euch sein Anblick gestürzt. Ich aber muß oder darf ihn sehen täglich und stündlich – was fang' ich an in dieser immerwährenden Not? Ich frage euch: Wo soll ich hin? Denn dieser Knabe, ihr Blinden, die ich sehend machte vergebens, meines Gatten Hausvorsteher und Mundschenk, – er ist meine Not und mein Tod, er hat es mir angetan zum Sterben mit Aug' und Mund, so daß ich, ihr Schwestern, um ihn nur mein rotes Blut verströme in Jammer und sterbe, wenn er mir's nicht stillt. Denn ihr schnittet euch in die Finger nur bei seinem Bilde, mir aber hat die Liebe zu seiner Schönheit das Herz zerschnitten, so daß ich verblute!" – Also sang Mut mit brechender Stimme und fiel krankhaft schluchzend in ihren Sessel.

Man kann sich die frauenfestliche Aufregung denken, in die diese Enthüllung den Chor der Freundinnen versetzte! Ganz ähnlich wie vordem schon Tabubu und Meh-en-wesecht verhielten sie sich zu der großen Neuigkeit, daß Mut sich in Liebesumständen befinde, und trieben es in großem Maßstabe mit der Heimgesuchten, wie jene beiden getan: umringten sie, streichelten sie und redeten in vielstimmigem Rührungsgeplapper zugleich beglückwünschend und bemitleidend auf sie ein. Die Blicke aber, die sie heimlich dabei tauschten, sowie die Worte, die sie einander zuraunten, bekundeten ganz anderes noch als zärtliche Teilnahme: nämlich boshafte Enttäuschung darüber, daß es weiter nichts sei und dieser ganze anspruchsvolle Kummer auf gewöhnliche Verliebtheit hinauslaufe in einen Knecht; stille Mißgunst dazu und allgemeine Eifersucht aufs Männliche, vor allem aber schadenfrohe Genugtuung, daß es Mut, die Stolze und Reine, die mondkeusche Amunsbraut, auf ihre älteren Tage noch so getroffen hatte und hatte sie heimgesucht auf gewöhnlichste Art, daß sie nach einem hübschen Diener schmachten mußte und es nicht einmal für sich zu behalten verstand, sondern hilflos ihre Herabsetzung aufs gewöhnliche Damenmaß allen preisgab und jammerte: „Wo soll ich hin?" Das schmeichelte den Freundinnen, wenn es ihnen auch nicht entging, daß aus der Preisgabe und der öffentlichen Verkündigung immer noch der alte Dünkel sprach, welcher das ganz Gewöhnliche, da es nun auch Muts Fall geworden, als ein Vorkommnis sondergleichen und als welterschütternde Affäre betrachtet wissen wollte, – was die Freundinnen auch wieder ärgerte.

Aber drückte auch alles dieses sich nebenher aus in den Wechselblicken der Damen, so war ihre Festesfreude an der Sensation und dem schönen Gesellschaftsskandal doch groß genug, sie zu wahrer Herzensteilnahme an der Heimsuchung der Schwester zu befähigen und zum weiblichen Mitgefühl, so daß sie sich um sie drängten, sie mit den Armen umfingen, sie tröstend feierten in plapperndem Wortschwall und den Jüngling glücklich priesen, dem es vergönnt gewesen, solche Gefühle im Busen seiner Herrin zu erwecken.

„Ja, süße Eni", riefen sie, „du hast uns belehrt, und wir verstehen vollkommen, daß es keine Kleinigkeit ist für ein Frauenherz, jeden Tag einen solchen Gottesfratzen müssen sehen zu dürfen, – kein Wunder, daß endlich einmal auch du in Herzensumstände kamst! Der Glückspilz! Was keinem Manne gelungen durch so viele Jahre, das hat er ausgerichtet mit seiner Jugend und hat dir Heiligen den Sinn bewegt! Es ist ihm nicht an der Wiege gesungen worden, aber da zeigt sich des Herzens Vorurteilslosigkeit, es fragt nicht nach Rang und Stand. Er ist keines Gaufürsten Sohn und weder Offizier noch Geheimrat, sondern nur deines Mannes Hausverwalter, aber dir hat er den Sinn erweicht, das ist sein Rang und Titel, und daß er ein Ausländer ist, ein Jüngling von Asien, ein sogenannter Ebräer, das fügt der Sache noch eine pikante Note hinzu, es verleiht ihr Cachet. Wie wohl ist uns, Teuerste, und wie in tiefster Seele sind wir erleichtert, daß es weiter nichts auf sich hat mit deinem Kummer und deiner Ermüdung, als daß dir der Sinn steht nach diesem Schönen! Verzeih, wenn wir aufhören, für dich zu fürchten, und anfangen, es für ihn zu tun; denn daß er möchte überschnappen vor Geehrtheit, das ist doch hier wohl der einzige Sorgengrund – sonst scheint die Sache uns einfach!"

„Ach", schluchzte Mut, „wenn ihr wüßtet! Aber ihr wißt nicht, und ich habe gewußt, daß ihr noch lange nichts wissen und nichts verstehen würdet, auch da ich euch die Augen geöffnet. Denn keine Ahnung habt ihr, wie es mit diesem ist und was es auf sich hat mit dem Eifer des Gottes, dem er gehört und dessen Kranz er trägt, so daß er sich viel zu gut ist, mir, dem ägyptischen Weibe, das Blut zu stillen, und seine Seele kein Ohr hat für all mein Rufen! Ach, wieviel besser, ihr Schwestern, doch tätet ihr, euch nicht um ihn zu sorgen von wegen übergroßer Geehrtheit, sondern all eure Sorge auf mich zu versammeln, die ich des Todes bin durch seine Gottesprödigkeit."

Da bestürmten die Freundinnen sie denn um Näheres und Weiteres in Sachen dieser Sprödigkeit und wollten ihren Ohren nicht trauen, daß der Diener nicht vor Geehrtheit platze, sondern sich der Herrin verweigere. Die Blicke, die sie tauschten, zeigten wohl auch einige Bosheit an im Sinn der Vermutung, daß ihre Eni dem Schönen am Ende zu alt sei und er fromme Flausen mache, weil er keine Lust zu ihr habe; und manche schmeichelte sich, daß er zu ihr wohl mehr Lust haben würde; aber die aufrichtige Entrüstung über des Fremdknechtes Widerspenstigkeit herrschte vor in ihrer Stellungnahme, und Nes-ba-met besonders, die Oberin, griff hier mit Baßstimme ein und erklärte den Fall, von dieser Seite gesehen, für skandalös und unleidlich.

„Als Weib schon", sagte sie, „Teuerste, bin ich auf deiner Seite und mache deinen Kummer zu meinem. Zudem aber ist nach meiner Ansicht die Sache politisch, eine Tempel- und Reichsangelegenheit, denn in der Weigerung dieses Rotzbuben (verzeih, du liebst ihn, aber ich nenne ihn so aus ehrlichem Zorn, nicht, um dich in deinen Gefühlen zu kränken) – in seiner Sperrigkeit, dir den Tribut seiner Jugend zu zahlen, liegt ohne Zweifel eine geradezu reichsgefährdende Unbotmäßigkeit, die auf dasselbe hinausläuft, als wollte irgendein Stadt-Baal von Retenu oder Fenechierland sich wider Amun setzen und ihm die schuldige Abgabe verweigern, wogegen selbstverständlich sofort ein Strafzug müßte ausgerüstet werden, selbst wenn seine Kosten den Wert des Tributs überträfen, zur Wahrung von Amuns Ehre. In diesem Licht, meine Liebe, sehe ich deinen Kummer, und kaum nach Hause zurückgekehrt, werde ich mit meinem Gemahl, dem Vorsteher der Priester sämtlicher Götter von Ober- und Unterägypten, den krassen Fall dieses kenanitischen Aufruhrs besprechen und ihn befragen, welche Maßnahmen er für geeignet hält, der Unordnung zu steuern."

Mit diesem Ergebnis löste, unter stärkstem Geplapper, die so berühmt gewordene und hier endlich nach ihrem wahren und wirklichen Verlauf erzählte Damengesellschaft sich auf, durch welche es Mut-em-enet hauptsächlich fertigbrachte, ihre unselige Leidenschaft zum Stadtgespräch zu machen: ein Gelingen, über das sie sich zwischendurch, in lichteren Augenblicken, wohl plötzlich entsetzte, worin sie aber auch wieder, vermöge zunehmender Ausartung, ein trunkenes Genüge fand; denn die meisten Verliebten würden nicht glauben, daß ihrem Gefühl genügend Ehre geschähe, wenn nicht alle Welt, sei es auch selbst unter Spott und Hohn, sich damit beschäftigte: es muß an die große Glocke gehängt sein. Auch machten die Freundinnen ihr nun öfters Krankenvisiten, einzeln oder zu wenigen, um sich nach dem Stand ihres Kummers zu erkundigen, sie zu trösten und ihr Ratschläge zu geben, welche aber an den tatsächlichen, so ganz besonderen Umständen töricht vorbeigingen, so daß die Leidende nur die Achseln zu zucken und zu entgegnen vermochte: „Ach, Kinder, ihr plappert und ratet und versteht überhaupt nichts von diesem Sonderfall", – worüber Wêses Damen sich nun wieder erbosten und untereinander sprachen: „Wenn sie meint, die Sache sei uns zu hoch, und sei etwas ganz Besonderes damit, das sich unserm Rate entzieht, so soll sie den Mund halten und uns nicht befassen mit ihrer Affäre!"

Wer aber sonst noch persönlich kam und sich zwischen Vorhut und Nachhut herantragen ließ nach Potiphars Frauenhaus, das war der große Beknechons, Amuns Erster, den seine Frau von dieser Geschichte in Kenntnis gesetzt, und der nicht gewillt war, sie auf die leichte Achsel zu nehmen, vielmehr entschlossen, sie im Lichte der größten Interessen zu sehen. Der gewaltige Blankschädel und Gottesstaatsmann in seinem angemaßten Leopardenfell erklärte der Mut, indem er aus den Rippen emporgereckt und mit erhobenem Kinn mit langen Schritten vor ihrem Löwenstuhl hin und her stapfte: Jeder persönliche und bloß moralische Gesichtspunkt habe auszuscheiden bei der Beurteilung dieses Vorkommnisses, welches im Sinne der Sittenregel und der gesellschaftlichen Ordnung freilich zu beklagen sei, aber, einmal eingetreten, nach bedeutenderer Maßgabe zu Ende geführt werden müsse. Als

Priester, Seelsorger und Wächter frommer Zucht, nicht zuletzt auch als Freund und höfischer Standesgenosse des guten Peteprê müsse er das Augenmerk tadeln, das Mut diesem Jüngling widme, und den Wünschen entgegen sein, die er ihr errege. Die Widerspenstigkeit aber im Verhalten des Ausländers dazu, seine Weigerung, den Tribut zu entrichten, seien für den Tempel untragbar, welcher darauf dringen müsse, daß diese Sache schnellstens zu Amuns Ehre bereinigt werde. Darum müsse er, Beknechons, ganz ohne Rücksicht auf das persönlich Wünschbare oder Verdammenswerte, Mut, seine Tochter, ermahnen und es ihr gebieterisch abverlangen, daß sie alles, auch das Äußerste, aufbiete, den Störrigen zur Unterwerfung zu bringen, – nicht um ihrer Genugtuung willen, wenn auch eine solche – ohne seine Billigung – für sie dabei abfalle, sondern zu der des Tempels; und nötigenfalls sei der Säumige auf dem Wege zwanglicher Vorführung zur Willfährigkeit anzuhalten.

Daß der Mut diese geistliche Weisung und höhere Ermächtigung zum Fehltritt in der Seele wohltat, daß sie eine Stärkung ihrer Stellung gegenüber dem Geliebten darin zu erblicken vermochte, zeigt mit betrübender Deutlichkeit an, wohin es mit ihr gekommen war – mit eben der Frau, die noch vor kurzem, in Übereinstimmung mit ihrer Gesittungsstufe, ihr Glück und Wehe abhängig gemacht hatte von der Freiheit seiner lebendigen Seele, und deren Gefühl vor Ratlosigkeit nun schon so tief gesunken war, daß sie an dem Gedanken tempelpolizeilicher Vorführung des heiß Begehrten ein gewisses verzweifeltes und verzerrtes Gefallen fand. Ja, sie war reif, mit Tabubu zu zaubern.

Aber auch dem Joseph blieb die Stellungnahme des Amuntempels in dieser Sache nicht unbekannt; denn keine Falte und Spalte war seinem getreuen Bes-em-hebchen zu schmal gewesen, daß es nicht darin hätte unterkommen mögen, um heimlich dem Besuch des großen Beknechons bei Mut-em-enet anzuwohnen und abzuhören mit zwergenfeinem Ohre, was er ihr vorschrieb, damit er es dem Schützling brühwarm hinterbrächte. Der hörte es und fand sich außerordentlich dadurch in seiner Ansicht bestärkt, daß dies eine Sache und Kraftprobe sei zwischen Amuns Großmacht und Gott dem Herrn, und daß auf keinen Fall und um keinen Preis, wie wenig auch immer diese Notwendigkeit übereinstimmen mochte mit Adams Begehren, der Herr, sein Gott, den kürzeren dabei ziehen dürfe.

Die Hündin

So geschah es denn, daß Mut-em-enet, die Stolze, im Zuge ihrer Ausartung, verstört von Liebesleid, sich zu einer Handlung herbeiließ, die sie vor kurzem noch so vornehm von sich gewiesen; daß sie auf die Gesittungsstufe Tabubus, der Kuschitin, herabsank und einwilligte, mit ihr unsaubere Heimlichkeiten zu treiben: nämlich zwecks kirrenden Liebeszaubers einer scheußlichen Gottheit von unten zu opfern, deren Namen sie nicht einmal kannte und auch nicht kennen wollte – Tabubu nannte sie einfach „die Hündin", und das genügte.

Dies Nachtgespenst, eine arge Megäre und Ghule, wie es schien, versprach die Negerin mit ihrer Bannkunst den Wünschen der Herrin Mut geneigt und dienstbar zu machen, und Mut war es schließlich zufrieden – zum Zeichen, daß sie auf des Geliebten Seele verzichtet hatte und froh sein wollte, wenn sie nur seinen Körper, eine warme Leiche also, in Armen halten würde – oder, wenn nicht froh, so doch traurig gesättigt; denn durch Zauberbann und Behexung ist selbstverständlich nur der Körper und Leichnam zu kirren und in jemandes Arme zu liefern, nicht auch die Seele, und ein hoher Grad von Trostlosigkeit ist nötig, um sich mit jenem zu trösten und mit dem Gedanken, daß es bei der Liebessättigung auf den Leib ja vornehmlich ankommt und man der Seele in Gottes Namen immer noch leichter dabei entraten mag, als umgekehrt jenes, möge es auch eine traurige Art von Sättigung sein, die der Leichnam gewährt.

566

Daß Mut-em-enet schließlich den tiefstehenden Vorschlägen der Gummiesserin zustimmte und sich bereit fand, mit ihr zu hexen, hing übrigens auch mit der Verfassung ihres eigenen Körpers, seiner Hexenhaftigkeit zusammen, deren sie sich, wie wir sahen, durchaus bewußt war, und durch deren auffallende Merkmale sie sich als zunftmäßig geprägt erschien und geradezu aufgefordert fand, solcher Beschaffenheit durch Handlungen Rechnung zu tragen. Man darf nicht vergessen, daß ihr neuer Körper ein Erzeugnis und eine Ausbildung der Liebe war, das heißt: einer leidvoll begehrenden Steigerung von Muts Weiblichkeit; wie denn im allgemeinen das Hexenhafte nichts anderes ist, als übersteigerte und unerlaubt reizend auf die Spitze getriebene Weiblichkeit; woraus denn auch nicht nur folgt, daß Hexerei immer eine vorzüglich, ja ausschließlich weibliche Angelegenheit und Verrichtung war und männliche Hexenmeister kaum vorkommen – sondern naturgemäß auch noch dies, daß immer die Liebe dabei eine hervorragende Rolle spielte, von jeher im Mittelpunkt alles hexerischen Betreibens stand, und daß der Liebeszauber recht eigentlich als der Inbegriff aller Magie, als ihr natürlicher Vorzugsgegenstand anzusprechen ist.

Der leicht vettelhafte Einschlag in Muts Körperlichkeit, den wir ebenfalls, mit gebotener Zartheit, feststellen mußten, mochte dazu beitragen, daß sie sich gestimmt und gewissermaßen bestimmt fühlte, in die Hexenpraxis einzutreten und Tabubu'n zu erlauben, daß sie die bedenkliche Opfer- und Zauberhandlung für sie ins Werk setzte; denn das Gotteswesen, dem diese gelten sollte, war nach den Angaben der Negerin die Vettelhaftigkeit in Person, eine göttliche Vettel und Vettelgöttin, in welcher man die höhere Zusammenfassung und Verwirklichung aller abstoßenden Vorstellungen zu sehen hatte, die sich mit dem Vettelnamen nur irgend verbinden, ein Scheusal von schmutzigsten Gewohnheiten, die Erzvettel. Solche Gottheiten gibt es und muß es geben, denn die Welt hat Seiten, welche, von Ekel und Blutschmutz starrend und zur Vergöttlichung scheinbar wenig geeignet, dennoch so gut wie die gewinnenderen der ewigen Repräsentation und Vorsteherschaft, der geistigen Verkörperung, sozusagen, oder der persönlichen Vergeistigung bedürfen; und so kommt es, daß Name und Natur des Göttlichen ins Scheusälige eingehen und Hündin und Herrin eins werden, da es sich ja um die Erzhündin handelt, welcher eben als solcher der Herrinnencharakter wesentlich zugehört – wie denn Tabubu auch tatsächlich von dem Inbegriff schmutziger Liederlichkeit, den sie zu Hilfe zu rufen gedachte, als von „der gnädigen Frau Hündin" sprach.

Das schwarze Weib glaubte Mut darauf vorbereiten zu sollen, daß Stil und Eigenart der geplanten Veranstaltung aus den gesellschaftlichen Gewohnheiten der großen Dame herausfallen würden; sie entschuldigte sich im voraus bei ihrer Feinheit deswegen und bat sie, sich für diesmal um der Sache und des Zweckes willen mit dem gemeinen Ton abzufinden, der nun einmal dabei herrschend sein müsse, weil nämlich die „gnädige Frau Hündin" einen anderen nicht kenne und verstehe und ohne Unverschämtheit der Redeweise kein Auskommen mit ihr sei. Es gehe weder sehr sauber zu bei der Handlung, kündigte sie vorbauend an – denn die Ingredienzien seien zum Teil sehr unappetitlich –, noch könne es fehlen, daß geschimpft und geprahlt werde dabei; die Herrin möge gefaßt darauf sein und im gegebenen Augenblick nicht Anstoß daran nehmen oder, wenn sie es täte, es sich doch nicht merken zu lassen; denn dadurch unterscheide sich so ein Zwangsakt eben von dem Gottesdienst, den sie gewohnt sei, daß es gewaltsam, überheblich und schrecklich dabei zugehe: nicht einmal vorsätzlich von seiten des Menschen und nach seinem eigenen Geschmack, sondern es schlage dabei einfach die unverschämte Natur der Angerufenen und zur Gegenwart Gebrachten durch, eben der Herrin-Hündin, deren Dienst nicht anders als unflätig sein könne und deren Erzvetteltum von sich aus die notwendig niedrige Anstandshöhe der Handlung bestimme. Schließlich, meinte Tabubu, komme einem Begängnis, das dem Jünglingszwang gelte und eine bloß körperliche Gefügigmachung zur Liebe bezwecke, ein besonders feiner Ton ja auch nicht zu. –

Mut erbleichte und biß sich auf die Lippen bei diesen Worten, teils vor Gesittungsschrecken, teils auch vor Haß auf die Schlumpe, die ihr selbst den Jünglingszwang an- und aufgedrungen hatte und nun, da sie ihre Beteiligung zugestanden, ihr die Verächtlichkeit eines solchen Entschlusses beleidigend zu bedenken gab. Das ist eine sehr alte Erfahrung des Menschen, daß seine Verführer, nämlich diejenigen, die ihn unter seinen Rang hinabführen, ihn, wenn sie ihn glücklich unten haben, auch noch durch die Schnödigkeit, mit der sie nun plötzlich von der neuen, noch ungewohnten Stufe sprechen, erschrecken und verhöhnen. Der Stolz verlangt dann, daß man sich seine Angst und Verwirrung nicht merken läßt, sondern antwortet: „Möge es hier, wie immer, zugehen – ich wußte, was ich tat, als ich dir zu folgen beschloß." Und so ungefähr äußerte sich auch Mut, indem sie trotzig zu dem ihr ursprünglich ganz fremden Entschlusse stand, den Geliebten durch Zauber zu kirren.

Sie mußte sich noch einige Tage gedulden: erstens, weil die Schwarzpriesterin Vorbereitungen zu treffen hatte und nicht alle Ingredienzien gleich zur Hand waren, zu welchen nicht nur unheimliche und nicht von heut auf morgen bereitzustellende Dinge, wie das Steuer eines gescheiterten Schiffes, Galgenholz, faulendes Fleisch, diese und jene Gliedmaße eines getöteten Übeltäters gehörten, sondern vor allem auch etwas Haar vom Haupte Josephs, das Tabubu sich erst mit List und Bestechung aus des Hauses Barbierstube verschaffen mußte; zweitens aber, weil man das Rundwerden des Mondes abwarten mußte, um unter der Vollwirkung dieses zweideutigen, in seinem Sonnenverhältnis weiblichen, seiner Erdbeziehung aber männlichen Gestirnes, das kraft dieses Doppelsinns eine gewisse Einheit des Weltalls verbürgt und zum Dolmetsch zwischen Sterblichen und Unsterblichen taugt, desto sicherer und aussichtsreicher zu laborieren. Teilnehmen sollten an dem Gewaltakt außer Tabubu als Opferpriesterin und der Herrin Mut als Klientin noch ein Mohrenmädchen als dienende Person und die Kebse Meh-en-wesecht als Beisitzerin. Zum Schauplatz war das flache Dach des Frauenhauses bestimmt.

Gefürchtet oder ersehnt oder auch furchtsam ersehnt in ungeduldiger Scham – ein jeder Tag kommt einmal heran und wird zum Lebenstage, indem er bringt, was bevorgestanden. So auch der volle Tag von Mut-em-enets hoffnungsreicher Herabwürdigung, da sie aus bitterer Not ihre Stufe verriet und sich aufs Unwürdige einließ. Denn da die Stunden des Tages abgewartet waren, wie vorher die Tage und eine nach der anderen niedergerungen; als die Sonne geschwunden, ihr Nachruhm verblichen war, die Erde sich in Dunkel gehüllt und der Mond in unglaublicher Größe sich über die Wüste erhoben hatte, eintretend mit seinem geliehenen Schein für das stolze Eigenlicht, das geschieden, ablösend den prallen Tag mit dem zweifelhaften Weben seiner bleichen Schmerzensmagie; als er, sich langsam verkleinernd, zur Höhe der Welt emporgeschwebt war, das Leben sich zur Ruhe gelegt hatte und auch im Hause Potiphars alles mit hochgezogenen Knien und friedsamen Mienen an den Brüsten des Schlafes sog, – da war es so weit, daß die vier Frauen, die allein wach geblieben waren, und Weiblich-Geheimes vorhatten für diese Nacht, sich auf dem Dache zusammenfinden mochten, wo Tabubu mit ihrer Gehilfin schon alles zum Opfer bereitgemacht hatte.

Mut-em-enet, ihren weißen Mantel um die Schultern und einen brennenden Fackelstock in der Hand, eilte so geschwind die Treppen des Hauses, die, welche vom Brunnenhof zum niedrigen Oberstock, und die engere dann, die zum Dache führte, hinan, daß die Nebenfrau Meh, ebenfalls eine weißleuchtende Fackel tragend, ihr kaum folgen konnte. Schon gleich als sie ihr Bettzimmer verlassen, hatte Eni zu laufen begonnen, den Feuerstab über den Kopf erhoben und diesen zurückgeworfen, mit starren Augen und offenem Munde, indem sie mit der Rechten ihr Kleid raffte.

„Was rennst du, Liebste?" raunte Meh. „Du wirst außer
Atem kommen, ich fürchte, du strauchelst, halt ein, geh sorg-
sam um mit der Flamme!"

Aber Peteprês Erste und Rechte erwiderte abgerissen:

„Rennen muß ich, nur rennen und laufen und atemlos stür-
mend diese Besteigung vollziehen – hindere mich nicht, der
Geist befiehlt es mir, Meh, und so muß es sein, daß wir
rennen!"

Dies keuchend mit aufgerissenen Augen, schwang sie die
Leuchte über dem Kopf, so daß vom gepichten Flachs einiges
feurig abstob und die auch ganz atemlose Mitläuferin erschrocken nach dem kreisenden Stiele griff, ihn ihr zu ent-
winden, was Mut nicht leiden wollte, wodurch die Gefahr
sich vergrößerte. Dies war schon auf der Oberstiege zum
Dach, und Mut strauchelte wirklich hier infolge des Hand-
gemenges und wäre gestürzt, wenn Meh sie nicht in ihre Arme
gefaßt hätte; und so taumelten die Frauen, umschlungen und
mit den Leuchten fuchtelnd, durch die schmale Schwellentür
oben hinaus auf die nächtige Dachfläche.

Wind empfing sie und die rauhe Stimme der Priesterin, die
hier schon regierend das Wort führte. Sie führte es unausgesetzt von da an, ohne zu schweigen, großsprecherisch, eigen-
mächtig und grob, und in ihr Bramarbasieren mischte sich
manchmal aus der gebleichten Wüste des Ostens das Heulen
von Schakalen, ja auch von fernher das dumpf schütternde
Gebrüll eines schweifenden Löwen. Der Wind wehte von
Westen, von der schlafenden Stadt, dem Strome her, in dem
silbern zuckend der hohe Mond spielte, vom Totenufer und
seinen Bergen. Er verfing sich fauchend in den nach dieser
Seite offenen Windkaminen hier oben, bretternen Schirm-
dächern, bestimmt, kühle Luft in das Haus zu leiten. Auch ein
paar kegelförmige Kornbehälter gab es noch auf der Fläche,
aber heute noch mehr der Dinge und Vorkehrungen, außer
diesen gewöhnlichen: Zubehör der vorhabenden Handlung,
darunter solches, um dessentwillen es gut war, daß ein Wind
wehte; denn auf Dreifüßen sowohl wie am Boden lagen Stücke

bläulich faulenden Fleisches, die stinken wollten und es, wenn der Wind aussetzte, sofort auch taten. Was sonst noch da war und sich vorbereitet fand zur trüben Begehung, hätte ein Blinder erfahren und mit dem innern Auge gesehen, oder ein solcher, der sich nicht umgeblickt und nichts hätte sehen wollen, wie Mut-em-enet, die jetzt und später nur immer mit halb geöffnetem, nach unten gebogenem Munde und aufgesperrten Augen schräg aufwärts ins Leere starrte. Denn Tabubu, schwarz-nackt bis zum Gürtel, um den Kopf graue Zotteln, in welchen der Wind wühlte, gegürtet unter den Vettelbrüsten mit einem Ziegenfell (und so angetan war auch ihre junge Gehilfin), sprach alles aus, was da war, mit beweglichem Klatschmunde, worin zwei Raffzähne einsam standen, und führte es marktschreierisch an nach Namen und Nutzung.

„Da bist du, Weib!" redete sie im Hantieren und Weisen, als ihre Herrin aufs Dach taumelte. „Willkommen, Schutzflehende, Verschmähte du, arme Lechzerin, Schale, der sich der Stein versagt, verliebte Trulle, tritt hin zum Herde! Nimm, was man dir darreicht! Nimm Salzkörner in die Hand und häng dir Lorbeer ans Ohr, dann hocke nieder am Herd, er lodert im Winde aus seinem Loch; zu deinem Frommen lodert er, Jammerbild, daß dir in bestimmten Grenzen geholfen werde!

Ich rede! Ich redete schon hier oben und herrschte als Priesterin, ehe du kamst. Nun rede ich fort, rede laut und gewöhnlich, denn Zimperlichkeit taugt nicht, solange man mit dieser da ringt, unschamhaft muß man die Dinge bei Namen nennen, weshalb ich denn dich auch, Flehende, laut einen Schmachtfetzen nenne und eine verschmähte Urschel. Sitzest du, dein Salz in der Faust und den Lorbeer am Ohr? Hat auch deine Gesellin das Ihre und kauert sie bei dir am Altar? Auf denn für uns zum Opferdienst, Priesterin und Ministrantin! Denn gerüstet ist alles zum Mahl, so Schmuck wie tadellose Geschenke.

Wo ist der Tisch? Er ist, wo er ist, gegenüber dem Herde, schicklich geschmückt mit Laub und Zweigen, Efeuzweigen und Blattgetreide, das sie liebt, die Geladene, die schon sich Nähernde – Hülsendunkel, verschließend die mehligen Kerne. Darum kränzt es den Tisch und schmückt die Ständer, auf denen lockend die Zehrung stinkt. – Lehnt das morsche Steuer am Tisch? – Es lehnt. – Und andererseits, was bemerkt man? – Einen Balken bemerkt man dort vom Kreuz, auf das man den Missetäter erhöht, – zu deinen Ehren, du Wüste, die sich gerne an Verworfene klammert, und zu deinem Anreiz lehnt er am Tische. – Aber bietet man dir vom Gehenkten selber nichts zu deinem Pläsier, kein Ohr, keinen Finger? – Weit gefehlt! Zwischen schönen Brocken von Erdpech ziert der faulende Finger den Tisch und das knorplige Ohr vom Haupte des Schurken, wächsern, mit Blutgerinnsel beklebt, nach deinem Gusto so recht und dir, Unholdin, zum Köder. – Aber die Büschel Haars auf dem Gabentisch, glänzend, einander ähnlich von Farbe, die sind nicht vom Schächer, die stammen von anderen Häuptern, fern und nah, doch haben wir hier das Nahe und Ferne hübsch beisammen, und duften soll es dir, wenn du helfen willst, du aus der Nacht, die wir rufen! –

Stille denn nun, und niemand soll mucksen! Auf mich geblickt, die ihr am Herde sitzet, und sonst nirgendwohin, denn man weiß nicht, von welcher Seite sie anschleicht! Opferschweigen befehl' ich. Lösche auch diese Fackel noch, Dirne! – So recht. – Wo ist das Zweischneidige? – Hier. – Und der Hundeköter? – Er liegt noch am Boden, einer jungen Hyäne ähnlich, die Klauen gefesselt und die Schnauze verbunden, die feuchte, die sich so gern an jederlei Unrat versuchte. – Gib zuerst den Asphalt! In schwärzlichen Brocken wirft ihn die rüstige Priesterin in die Flamme, daß sein bleierner Rauch dir entgegenqualme, dumpf, als Opferruch, Herrin von unten! – Die Trankopfer nun, die Vasen in richtiger Folge: Wasser, Kuhmilch und Bier – ich gieße, ich schütte, ich spende. In der Tränke, der Pfütze, der blasigen Lache stehen nun meine schwarzen Füße, da ich das Hundeopfer vollziehe, ekel genug, doch haben nicht wir Menschen es dir erwählt; wir wissen nur: keins ist dir lieber.

Her mit dem Schnüffler, dem unanständigen Biest, und seine Kehle gespalten! Nunmehr den Bauch geschlitzt und die Hände getaucht ins heiße Gedärm, das dir entgegendampft in der Kühle der Mondnacht. Blutig verschmiert, mit Kutteln behangen, heb' ich sie auf vor dir, meine Opferhände, denn ich habe sie zu deinem Ebenbilde gemacht. So dich grüßend lad' ich dich fromm und geziemend zum Opfermahl, Vorsteherin alles Nachtvolks! Höflich vorerst noch und feierlich bitten wir dich, an dem Mahl und den tadellosen Geschenken gnädig teilzunehmen. Gefällt dir's, uns zu willfahren? – Sonst, das wisse, macht sich die Priesterin stark gegen dich und rückt dir zuleibe, packt dich kräftiger an zu kundig vermessenem Zwange. Nahe dich! Ob du nun aus einer Schlinge hierher springst – ob, nachdem du ein kreißend Weib bedrückt – oder mit Selbstmörderinnen gekost – blutbeschmutzt dich einstellst, von Leichenstätten herschweifend, wo du gespukt und genagt – ob auch von Dreiwegen durch Unreinlichkeit hierher gezogen, nachdem du dich, kranker Wollust voll, an den Verruchten geklammert. – –

Kenn' ich dich und erkennst du dich wieder in meinen Worten? Treff' ich im Ringen dich besser und näher schon? Merkst du, daß ich wohl Bescheid weiß über dein Treiben, deine unschilderbaren Gewohnheiten, dein unaussprechlich Essen und Trinken und all dein bodenloses Gelüsten? Oder sollen meine Fäuste dich wissender fassen noch und genauer und mein Mund die letzte Schonung hinfahren lassen, namhaft machend dein allerschweinischstes Wesen? – Schreckgestalt schimpf' ich dich, Betze und Metze du, eiteräugiger Nachtmahr! Schandmorchel, schmierige Höllenvettel, auf Schindangern heimisch, wo du kriechst und krallst und knabbernd Aasknochen begeiferst. Die du dem Gehenkten die letzte Wollust löst im Verrecken und feuchten Schoßes mit der Verzweiflung buhlst – schreckhaft dabei, lasterschwach und entnervt, vor jedem Windhauch erbebend, spuksichtig, feig empfindlich für alles Nächtige. – Äußerstes Scheusal! – Kenn' ich dich? Nenn' ich dich? Hab' ich dich? Weiß ich dich? –

Ja, sie ist's! Sie nutzte des Mondes Verdunklung durch einen Wolkenstreif! Ihr Kommen bekräftigt der vor dem Hause mächtig bellende Hund! Die Flamme schlägt lodernd vom Herde! Sieh, einen Krampf erleidet die da, die Gesellin der Flehenden! In welche Richtung dreht sie die Augen? Wohin sich ihr die Augen verdrehen, von dorther naht sich die Göttin!

Herrin, wir grüßen dich. Nimm vorlieb! Wir geben dir's, wie wir es wissen. Hilf, wenn dich das unreine Mahl erfreut und die tadellos üblen Geschenke! Hilf der Lechzerin hier, der Verschmähten! Sie stöhnt eines Jünglings wegen, der nicht wie sie will. Hilf ihr, so gut du's vermagst, du mußt, ich hab' dich im Kreise! Quäl ihn leiblich heran, den Störrigen, quäl ihn aufs Lager zu ihr, er wisse nicht, wie, und schmiege ihr seinen Nacken unter die Hände, daß sie doch einmal koste den herben Jünglingsgeruch, nach welchem sie schmachtet!

Jetzt das Abgeschorene, Fratze, rasch! Das Liebesopfer, den Brandzauber vollzieh' ich nun im Angesichte der Göttin. Ach, die schmucken Strähnen, vom fernen Haupt und vom nahen, glanzreich und weich! Abfall der Körper, Beispiel des Stoffes – ich, die Priesterin, verschlinge, verflechte, verknote, vermähle sie in meinen blutigen Opferhänden, vielfach und innig, und so lass' ich sie fallen in die Flamme, die sie in raschem Knistern verzehrt... Was entstellt sich schmerzlichwidrig dein Antlitz, Flehende? Ich glaube, dich ekelt das hornige Übelrüchlein des Brandes? Das ist euer Stoff, meine Feine, Dunst des entflammten Körpers – so riecht die Liebe! – Schluß damit!" sagte sie ordinär. „Der Dienst ist bestens verrichtet. Laß ihn dir munden und wohl bekommen, deinen Schönen! Die Herrin-Hündin gesegnet ihn dir dank Tabubus Künsten, die ihres Lohnes wert sind."

Die Tiefstehende trat beiseite, legte die Überhebung ab, putzte sich nach der Arbeit mit dem Handrücken die Nase und fuhr dann mit den opferbesudelten Händen in ein Wasserbecken. Der Mond stand klar. Die Kebse Meh war aus ihrer Schreckensohnmacht wieder zu sich gekommen.

„Ist sie noch da?" erkundigte sie sich zitternd...

„Wer?" fragte Tabubu, die sich die Schwarzhände wusch wie ein Arzt nach dem blutigen Eingriff. „Die Hündin? Sei ruhig, Nebenfrau, die ist schon wieder verduftet. Gern kam sie überhaupt nicht und mußte mir nur gefügig sein, weil ich so unverschämt mit ihr umzuspringen und ihr Wesen gar so treffend im Worte einzuzirken verstehe. Auch kann sie hier nichts anstellen außer dem, was ich ihr zwingend aufgetragen, denn eine Dreiheit von Übel abwehrenden Mitteln ist unter der Schwelle vergraben. Aber dem Auftrag wird sie genügen, das ist keine Frage. Hat sie doch das Opfer genommen, und der Brandzauber der verflochtenen Haare bindet sie auch."

Hier hörte man Mut-em-enet, die Herrin, tief aufseufzen und sah sie sich erheben vom Herde, wo sie gekauert hatte. Vor dem Hundsluder nahm sie Stellung in ihrem weißen Mantel, den Lorbeer noch neben dem Ohr, die Hände zusammengefügt unter dem aufgehobenen Kinn. Seit sie den Brandgeruch von Josephs mit dem ihren vermischten Haar verspürt, hatten die Winkel ihres halboffenen Maskenmundes sich noch bitterer hinabgesenkt, schwer, als zerrten Gewichte daran, und es war gramvoll zu sehen, wie sie nun mit diesem Munde sprach, die Lippen starr und traurig gegeneinander regend, und mit Sangesstimme die Klage nach oben begann:

„Hört es, reinere Geister, die ich so gerne meiner großen Liebe zu Osarsiph, dem ibrischen Jüngling, hätte lächeln sehen, hört und seht es, wie weh mir ist bei diesem Tiefstand und wie sterbenselend im Herzen bei dem furchtbar schweren Verzicht, zu dem ich mich wohl oder übel entschlossen, weil deiner Herrin, Osarsiph, mein süßer Falke, nichts weiter übrigblieb, dem tief verzweifelten Weibe! Ach, ihr Reineren, wie erdrückend schwer und schimpflich ist dieser Verzicht und diese Entsagung! Denn ich habe auf seine Seele verzichtet, da ich mich endlich notgedrungen zum kirrenden Zauber verstand, – deiner Seele entsagte ich, Osarsiph, mein Geliebter: wie jammervoll herb ist dieser Verzicht für die Liebe! Auf deine Augen habe ich Verzicht getan, allerschmerzlichst, ich konnte nicht anders, es blieb der Ratlosen keine Wahl. Tot und verschlossen werden mir deine Augen sein in unsrer Umarmung, und nur dein schwellender Mund, allerdings, wird mein sein – vielfach werde ich ihn küssen in erniedrigter Wonne. Denn über alles geht mir deines Mundes Hauch, das ist wahr, aber darüber hinaus noch, über das All noch, Sonnenknabe, wäre mir der Blick deiner Seele gegangen – das ist meine tief aufquellende Klage! Hört sie, reinere Geister! Vom Herde des Negerzaubers sende ich sie aus tiefster Bitternis zu euch empor. Seht es, wie ich, die höhere Frau, unter meinen Stand zu gehen genötigt war in der Liebe, da ich das Glück hingeben mußte für Lust, um doch wenigstens diese zu haben – wenn schon seines Blickes Glück nicht, so doch die Lust seines Mundes! Aber wie weh und übel mir ist bei diesem Verzicht, das laßt des Gaufürsten Tochter nicht verschweigen, Reinere, sondern es laut ausklagen, bevor ich büße die künstlich erzauberte Lust und seelenloser Wonne genieße mit seiner süßen Leiche! Laßt mir die Hoffnung in diesem Tiefstand, ihr Geister, und den allergeheimsten Hintergedanken, daß vielleicht Lust und Glück zuletzt nicht ganz genau möchten zu scheiden und auseinanderzuhalten sein und allenfalls vielleicht aus jener, wenn sie nur tief genug, dieses erblühen möchte, und unter den unwiderstehlichen Küssen der Lust schlüge der tote Knabe die Augen auf, mir den Blick seiner Seele zu schenken, so daß möglicherweise der Zauberbedingung möchte ein Schnippchen geschlagen sein! Diesen stillsten Hinterhalt laßt mir in meiner Erniedrigung, reinere Geister, zu denen ich klage, und mißgönnt mir die Hoffnung nicht auf dies Schnippchen, auf dies kleine Schnippchen nur..."

Und Mut-em-enet hob die Arme auf und sank unter heftiganhaltendem Schluchzen an den Hals ihrer Gesellin, der Kebse Meh, die sie vom Dache hinunterführte.

Die Ungeduld des Hörerkreises, zu erfahren, was jeder schon weiß, ist über alledem zweifellos auf ihren Gipfel gekommen. Die Stunde, sie zu befriedigen, ist da – eine Haupt-Feststunde und ein Wendepunkt der Geschichte, feststehend, seit sie in die Welt kam und zuerst sich selber erzählte: die Stunde und der Tag, wo Joseph, seit drei Jahren Potiphars Hausvorsteher, seit zehn Jahren sein Eigentum, mit knapper Not den gröbsten Fehler vermied, den er hätte begehen können, und aus brennender Versuchung gerade eben noch mit einem blauen Auge davonkam, – wobei freilich sein Leben im kleineren Umlauf sich wieder einmal vollendete und es ein anderes Mal mit ihm in die Grube ging – durch eigene Schuld, wie er wohl erkannte, zur Strafe für ein Verhalten, das in seinem herausfordernden Unbedacht, um nicht zu sagen: seinem Frevelmut demjenigen seines Vorlebens nur zu ähnlich gewesen war.

Seine Schuld gegen die Frau mit seiner früheren gegen die Brüder in Parallele zu stellen, ist sehr berechtigt. Wiederum hatte er es mit seinem Wunsch, die Leute „stutzen" zu machen, zu weit getrieben, wiederum die Wirkungen seiner Liebenswürdigkeit, deren sich zu freuen und die zur größeren Ehre Gottes zu nutzen und zu befördern sein gutes Recht war, leichtsinnig ins Kraut schießen, gefährlich ausarten und sich über den Kopf wachsen lassen: im ersten Leben hatten diese Wirkungen die negative Form des Hasses angenommen, diesmal die übermäßig positive und darum auch wieder verderbliche Form der Liebesleidenschaft. Verblendet hatte er der einen wie der anderen Vorschub geleistet und, verleitet von dem, was in ihm selbst den überhandnehmenden Gefühlen der Frau entgegenkam, auch noch den Erzieher spielen wollen – er, der offenbar selbst noch so sehr der Erziehung bedurfte. Daß dies nach Strafe schrie, ist nicht zu leugnen; wobei man freilich nicht ohne stilles Schmunzeln bemerkt, wie sehr die Züchtigung, die ihn rechtens dafür ereilte, darauf eingerichtet war, ihm zu weiterem Glücke, größer und glänzender als das zerstörte, zu dienen. Was dabei den Sinn erheitert, ist der Einblick in ein oberstes Seelenleben, den der Vorgang gestattet. Die Vermutung ist alt, sie reicht in die Vorspiele und Vorbereitungsstadien der Geschichte zurück, daß die Fehlhaftigkeit des Geschöpfes jedesmal einer spitzigen Genugtuung für jene oberen Kreise gleichkommt, denen der Vorwurf „Was ist der Mensch, daß du sein gedenkst?" von jeher auf den Lippen schwebte, – während sie eine Verlegenheit bedeutet für den Schöpfer, der dann gezwungen ist, dem Reich der Strenge das Seine zu geben und strafende Gerechtigkeit walten zu lassen: spürbar weniger nach eigenem Sinn, als unter einem moralischen Drucke handelnd, dem er sich nicht gut zu entziehen vermag. Sehr anmutig lehrt nun unser Beispiel, wie es die höchste Güte und Neigung versteht, zwar diesem Drucke würdevoll nachzugeben, zugleich aber dem Reich der Pikiertheit und der Strenge auf der Nase zu spielen, indem er die Kunst übt, zu heilen, womit er schlägt, und das Unglück zum Fruchtboden erneuten Glückes zu machen.

Der Tag der Entscheidung und der Wende war der große Festtag von Amun-Rês Besuch im Südlichen Frauenhause, der Tag des Beginnes der Nilschwelle, der amtliche ägyptische Neujahrstag. Der amtliche, wohlgemerkt; denn der natürliche, der Tag, wo wirklich der heilige Umlauf in sich selbst mündete, der Hundsstern wieder am Morgenhimmel erschien und die Wasser zu schwellen begannen, war weit entfernt, mit diesem zusammenzufallen: in dieser Beziehung herrschte in Ägyptenland, das sonst die Unordnung so sehr verabscheute, fast immer Unordnung. Es kam wohl vor im Lauf der Zeiten, im Leben der Menschen und Königshäuser, daß der natürliche Neujahrstag einmal mit dem des Kalenders übereinstimmte; dann aber waren eintausendvierhundertsechzig Jahre nötig, damit dieser schöne Fall von Stimmigkeit wieder einträte, und ungefähr achtundvierzig Menschengeschlechter mußten vorüberziehen, denen nicht beschieden war, ihn zu erleben, was sie übrigens gern würden in Kauf genommen haben, wenn sie sonst keine Sorgen gehabt hätten. Auch das Jahrhundert, in dem Joseph sein ägyptisches Leben vollbrachte, war nicht berufen, diese Schönheit, die Einheit von Wirklichkeit und Amtlichkeit, zu schauen, und die Kinder Kemes, die damals unter der Sonne weinten und lachten, wußten es nicht anders, als daß es damit nun einmal nicht stimmte – es war ihnen allen das wenigste. Auch stand es nicht so, daß man sich praktisch geradezu in der Erntejahreszeit Schemu befunden hätte, wenn man den Anfang der Überschwemmungsjahreszeit Achet, den Neujahrstag beging; aber in der Winterjahreszeit Peret, auch Zeit der Aussaat genannt, befand man sich allerdings, und wenn die Kinder Kemes nichts dabei fanden, weil eine Unordnung, mit der es noch tausend Jahre dauern soll, als Ordnung zu gelten hat, so war es dem Joseph, kraft seiner inneren Abgesetztheit gegen die Lebensbräuche Ägyptenlandes, jedesmal etwas lächerlich dabei zumute, und er hielt bei dem unnatürlichen Neujahrstag nur mit, wie er mithielt bei allem Leben und Treiben derer hier unten: vorbehaltvoll und mit eben der Nachsicht, deren er sich von oben her für sein weltliches Mittun versichert hielt. Nebenbei gesagt ist es der Anerkennung wert und fast eine Sache zum Wundern, daß jemand bei so viel kritischer Abgerücktheit von der Welt, in die er versetzt ist, unter Kindern, deren ganzes Gebaren ihm im Grund eine Narrheit ist, dennoch soviel Lebensernst aufbringen mag, um unter ihnen so weit voranzukommen, wie Joseph kam, und so Dankenswertes für sie zu leisten, wie ihm bestimmt war.

Doch ernst zu nehmen für den abgerückten Sinn oder nicht – der Tag der amtlichen Nilschwelle wurde in ganz Ägyptenland, besonders aber nun gar in Nowet-Amun, dem hunderttorigen Wêse, mit einer Festlichkeit begangen, von der man sich nur anhand unserer größten und trubelreichsten Staats-, Volks- und Vaterlandstage eine Vorstellung macht. Vom frühesten Morgen an war die ganze Stadt auf den Beinen, und ihre riesige Menschenzahl – viel mehr als hunderttausend, bekanntlich – wurde noch gewaltig vermehrt durch den Zudrang stromauf- und -abwärts siedelnder Landleute, die einströmten, um Amuns Großen Tag am Sitze des Reichsgottes mit zu begehen, unter die Städter gemischt mit offenem Munde und auf einem Beine hüpfend zu schauen, was der Staat an majestätischen Schaustellungen bot, deren Herrlichkeit das besteuerte, befuchtelte Fronbäuerlein für die graue Notdurft eines ganzen Jahres entschädigen, es für die Fuchtelnot des neu anbrechenden vaterländisch stärken mußte, – in schwitzendem Drang, die Nasen voll vom Duft verbrannten Fettes und zu Berg gehäufter Blumen, die farbenstrahlenden, alabastergepflasterten, zeltdachüberspannten, von frommen Gesängen durchzogenen Vorhöfe der für den Volkstag mit ungeheuren Mengen von Eßwaren und Getränken verproviantierten Tempel zu füllen, dies eine Mal sich auf Kosten des Gottes, oder eigentlich der Obermächte, die sie das ganze Jahr preßten und schraubten, heute aber in verschwenderischer Güte lächelten, den Bauch vollzuschlagen und sich, wenn auch wider besseres Wissen, in der Vorstellung zu wiegen, nun werde es immer so sein, mit dieser Wende sei Jubel- und Wonnezeit, das goldne Weltalter des Freibiers und der gerösteten Gänse angebrochen, nie wieder werde der Abgabenschreiber, begleitet von Palmruten tragenden Nubiern, das Fronbäuerlein heimsuchen, sondern jeden Tag werde es nun leben wie Amun-Rês Tempel selbst, in welchem man nämlich eine trunkene Frau mit offenen Haaren sah, die ihre Tage in Festen vergeudete, weil sie den König der Götter in sich barg.

In Wahrheit war gegen Untergang ganz Wêse so betrunken, daß es blindlings grölte und torkelte und viel Unfug beging. Aber für die schönen Wunder der Frühe und des Vormittags, wenn Pharao auszog, „die Würde seines Vaters zu empfangen", wie der behördliche Ausdruck lautete, und Amun seinen berühmten Festzug antrat auf dem Nil zum Opet resit, dem Südlichen Frauenhaus – da war die Stadt noch frischäugig und jubelzüchtig, in froher Andacht und frommer

Schaulust empfänglich für den sich entfaltenden Staats- und Gottesprunk, welcher bestimmt war, die Herzen ihrer Kinder und Gäste mit einem neuen Vorrat von Alltagsgeduld und stolz verschüchterter Ergebenheit an das Vaterland zu versehen, und dies fast ebensogut leistete, wie die beutereiche Heimkehr früherer Könige von nubischen und asiatischen Kriegszügen, deren Siegesszenen in Tiefrelief-Arbeit an den Tempelmauern verewigt waren, und die Ägyptenland groß gemacht hatten, während allerdings die schwere Befruchtelung der Fronbäuerlein so recht erst damit begonnen hatte.

Pharao zog aus bekrönt und in Handschuhen am hohen Kalendertage, trat glänzend wie die aufgehende Sonne hervor aus seinem Palast und begab sich auf hochschwebendem Tragsessel mit Baldachin, unter Straußenwedeln, gehüllt in schwer duftende Weihrauchwolken, die voranschreitende Räucherer, umgewandt gegen den guten Gott, ihm zuschweben ließen, in das Haus seines Vaters, um dessen Schönheit zu schauen. Die Stimmen der Lesepriester wurden übertönt vom Jubel der hüpfenden Zuschauermenge. Trommler und Zinkenisten lärmten dem Zuge voran, in welchem Trupps von königlichen Verwandten, Würdenträgern, einzigen und wirklichen Freunden sowie Freunden schlechthin des Königs gingen, und dessen Beschluß Soldaten mit Feldzeichen, Wurfhölzern und Streitäxten machten. Die Lebenszeit des Rê dir, Amunsfriede! Wo aber sollte man stehen und Staub schlukken, den Hals sich verrenken, die Augen aufreißen – hier oder lieber zu Karnak bei Amuns wimpelüberflattertem Haus, wohin am Ende doch alles strömte? Denn auch der Gott kam ja heute hervor, verließ die heiligste Dunkelkammer im letzten Hintergrund seines riesigen Grabes, hinter allen Vorhöfen, Höfen und immer stiller und niedriger werdenden Hallen und zog, ein eigentümlich unförmiges Hockepüppchen, durch sie alle, durch immer höhere und farbenvollere Räume, auf seiner widderkopfgeschmückten Barke, heilig versteckt in seiner verschleierten Kapelle, getragen auf langen Schulterstangen von vierundzwanzig Blankschädeln in gestärkten

Überschürzen, befächert und beräuchert auch er, dem Sohn ins Lichte und Laute entgegen.

Es war höchst vordringlich, das „Gänsefliegen" zu beobachten, den seit Urzeiten gepflogenen Brauch, der am schönen Ort des Zusammentreffens, auf dem Platz vor dem Tempel nämlich, vollzogen wurde. Wie schön und freudevoll allerdings war dieser Ort! Von goldenen, mit dem Kopfschmuck des Gottes gekrönten Mastbäumen flatterten bunte Flaggen. Berge von Blumen und Früchten häuften sich auf den Opfertischen vor den Schreinen der heiligen Dreiheit, des Vaters, der Mutter und des Sohnes, und Bildsäulen von Pharaos Vorfahren, der Könige von Ober- und Unterägypten, herbeigetragen von der in vier Wachen geteilten Schiffsmannschaft der Sonnenbarke, waren hier aufgerichtet. Auf goldenen Sockeln über das Volk erhöht, die Gesichter nach Ost, West, Mittag und Mitternacht auseinandergewandt, ließen Priester die Wildvögel in die vier Himmelsgegenden fliegen, damit sie den Göttern einer jeden die Nachricht brächten, daß Hor, des Usir und der Eset Sohn, sich die weiße sowohl wie die rote Krone aufs Haupt gesetzt habe. Denn dieser Meldeform hatte der Toderzeugte sich einst bedient, als er den Thron der Länder bestiegen, und durch unzählige Jubiläen hatte man die Handlung im Fest wiederholt, wobei Gelehrte und Volk nach unterschiedlichem Ermessen vielerlei Folgerungen für das gemeine und einzelne Schicksal aus dem Fluge der Boten zogen.

Welche schönen Geheimnisse und Hantierungen übte nicht Pharao nach dem Gänseflug an dieser Stätte! Er opferte vor den Bildern der Urkönige. Mit goldener Sichel schnitt er eine Garbe Spelt, die ein Priester ihm darreichte, und legte die Frucht zu Dank und Bitte vor seinem Vater nieder. Aus langgestielter Pfanne spendete er ihm, während Vorleser und Vorsänger aus ihren Buchrollen psalmodierten, den göttlichen Geruch. Dann setzte die Majestät dieses Gottes sich auf ihren Stuhl und nahm in unbeweglicher Haltung die Segenswünsche des Hofes an, welche in seltene und hohe Worte gekleidet

waren und öfters in Gestalt ausgeklügelter Glückwunsch-
briefe vor sie gebracht wurden, die am Erscheinen verhinderte
Chargen zu Verfassern hatten: ein Hochgenuß für alle, die
es hörten.

Dies war nur der erste Akt des Festes, das unablässig an
Schönheit zunahm. Denn nun ging es zum Nil mit der Heiligen Dreiheit, deren Boote wieder emporschwebten auf den
Schultern von je vierundzwanzig Spiegelköpfen; und Pharao
ging aus Sohnesbescheidenheit wie ein Mensch zu Fuß hinter
dem seines Vaters Amun.

Die ganze Menge warf sich gegen den Fluß, den Zug der
drei Gottesgruppen umdrängend, den vorn, gleich hinter den
Bläsern und Trommlern, der Erste der Hausbetreter, Beknechons, im Leopardenfell, führte. Gesänge stiegen, es quoll
der Weihrauch, die Hochwedel fächelten. Zum Ufer gelangt,
nahmen drei Schiffe die heiligen Barken auf – breit und lang,
von strahlender Schönheit eins wie das andere, aber das
unbeschreiblichste war Amuns Schiff, aus Zedernholz, das Re-
tenus Fürsten im Zederngebirge hatten schlagen und selbst –
so sagte man – über die Berge ziehen müssen – mit Silber
beschlagen, ganz golden der große Thronhimmel in seiner
Mitte wie auch die Flaggenmaste und Obelisken davor, geschmückt mit schlangenbewehrten Kronen am Vorder- und
Hintersteven und besetzt mit mancherlei Seelenfigürchen und
heiligen Bedeutsamkeiten, von denen das Volk die meisten
schon lange selbst nicht mehr kannte, noch zu erklären gewußt hatte, so furchtbar alt übermacht waren diese Sinnig-
keiten, was aber die Ehrfurcht vor ihnen wie auch die Freude
daran nicht abschwächte, sondern verstärkte.

Die Prunkschiffe der Großen Dreiheit waren Schleppkähne,
die nicht selbst gerudert, sondern von leichten Galeoten und
einer Mannschaft am Ufer in Tau genommen und nilaufwärts
zum Südlichen Frauenhause gezogen wurden. Zur Schleppmannschaft zu zählen war eine große Gunst, aus welcher ein
Mann das folgende Jahr hindurch praktische Vorteile zog.
Ganz Wêse, ausgenommen Todkranke und völlig Altersge-

brechliche (denn die Säuglinge wurden von ihren Müttern auf dem Rücken oder an der Brust getragen) – eine gewaltige Menschenmenge also wälzte sich mit den Schleppern am Ufer hin, den göttlichen Schiffszug begleitend und auch selbst zum Zuge geordnet. Ein hymnensingender Amunsdiener führte sie an; Soldaten des Gottes folgten mit Schild und Wurfkeule; bunt aufgeputzte Neger, von Lachsalven begrüßt, tanzten trommelnd, Fratzen schneidend und allerlei teilweise unflätige Späße treibend hinterdrein (denn sie wußten sich verachtet und benahmen sich närrischer, als es in ihrer Natur lag, um den grotesken Vorstellungen zu schmeicheln, die das Volk von ihnen hegte); musizierende Hausbetreter beiderlei Geschlechts, die Daumenklappern und Sistren rührten, girlandenumwickelte Opfertiere, Streitwagen, Standartenträger, Lautenspieler, höher graduierte Priester mit Dienerschaft reihten sich an, und singende, im Takt in die Hände klatschende Stadt- und Ackerbürger zogen mit.

So ging es in Freuden und Jubel zum Säulenhause am Fluß, wo die Gottesschiffe anlegten, die heiligen Barken wieder geschultert und in neuer Prozession, beim Klange der Trommeln und Langtrompeten ins herrliche Haus der Geburt getragen wurden, empfangen und eingeholt unter Knicksen, Leibeswindungen und Zweiggewedel von Amuns irdischen Nebenfrauen, den Damen vom Hohen Hathorenorden in Dünngewändern, die nun vor dem Hochgemahl (nämlich vor dem gewickelten Hockepüppchen in seiner verhüllten Kajüte) tanzten, Handpauken schlugen und sangen mit allseits beliebten Stimmen. Es war der große Neujahrsbesuch in Amuns Harem, gefeiert mit reichster Bewirtung, mit gehäuften Darbringungen an Nahrung und Trankspenden, mit unendlichen Ehrungen und sinnschweren, wenn auch großenteils von niemandem mehr verstandenen Förmlichkeiten im Innersten, Inneren und Vor-Inneren des Hauses der Umarmung und Niederkunft, in seinen von bunten Senkreliefs und Schriftgeraune erfüllten Gemächern, seinen rosengranitenen Papyrus-Säulengängen, silberbelegten Zelthallen und volksoffenen Statuenhöfen. Bedenkt man, daß gegen Abend der Gotteszug so glänzend und jubelnd, wie er gekommen, auch wieder zu Wasser und zu Lande nach Karnak zurückkehrte; nimmt man hinzu, daß in allen Tempeln die Schmausereien, der Jahrmarktsbetrieb, die Volksbelustigungen und Theaterspiele, wobei Priester in Maskenköpfen Göttergeschichten zur Darstellung brachten, den ganzen Tag kein Ende nahmen, so macht man sich ein Bild von der Schönheit des Neujahrstages. Am Abend schwamm die Großstadt in Sorglosigkeit und bierseligem Glauben ans goldene Zeitalter. Die göttliche Schleppmannschaft zog bekränzt, mit Öl gesalbt und schwer betrunken durch die Straßen und durfte so ziemlich anstellen, was sie wollte.

Das leere Haus

Es war notwendig, den Verlauf des Opetfestes und des Tages der amtlichen Nilschwelle, wenn auch nur in losestem Umriß, zu schildern, um die Hörerschaft mit dem öffentlichen Rahmen vertraut zu machen, in welchem die Hochstunde unserer Geschichte, der privaten und eigentlichen, sich abspielte. Die großzügigste Kenntnis dieses Rahmens genügt, um zu verstehen, wie sehr in Anspruch genommen Peteprê, der Höfling, an diesem Tage war. Befand er sich doch im nächsten Gefolge Seiner Majestät, des Hors im Palaste, der an keinem der Tage und Über-Tage so viele päpstliche Pflichten zu erfüllen hatte wie heute, – in seinem nächsten, sagen wir, nämlich unter den *einzigen* Freunden des Königs. Denn an diesem Neujahrsmorgen war seine Erhebung in den seltenen Hofrang Wahrheit geworden: unter Anreden, die er wirklich gern gelesen, war die Beförderung erfolgt. – Den ganzen Tag war der Titeloberst außerhalb seines Hauses, das übrigens entleert war, wie alle Häuser der Hauptstadt, von seinen Bewohnern; denn, wie wir hervorhoben, waren überall nur reglose Krüppel und dem Tode ganz Nahe in den Häusern zurückgeblieben. Zu den letzteren rechneten sich die heiligen Eltern im Oberstock, Huij und Tuij: ihr Weg führte unter keinen Umständen mehr weiter als bis zur Aufschüttung des Gartens und zum Lusthäuschen daselbst, ja, auch so weit nur selten noch. Denn daß sie überhaupt noch lebten, grenzte an Unnatur; schon vor zehn Umläufen hatten sie stündlich mit ihrem Verseufzen gerechnet, und nun kröpelten sie immer noch so dahin, Erdmaus und Sumpfbiber, mit ihren Blindritzen sie und er mit seinem Altsilberbärtchen, im Dunkelgehäuse ihrer Geschwisterschaft, sei es, weil überhaupt manche Alten immer weiterleben und den Tod nicht finden, unkräftig, zu sterben; sei es, weil sie sich fürchteten vorm Unteren König und den vierzig gräßlich Benannten von wegen schnitzerhafter Versöhnungstat.

Sie also waren zu Hause geblieben im Oberstock nebst ihrer kindlichen Bedienung, zwei törichten kleinen Mädchen, welche die früheren ersetzt hatten, als diese durch die Zeit zu unzart geworden; und sonst waren Haus und Hof ausgestorben wie alle anderen. – Waren sie das? – Man ist genötigt, die Behauptung ihrer Entleertheit noch um ein Weniges, aber Wichtiges weiter einzuschränken: Auch Mut-em-enet, Potiphars Erste und Rechte, hütete das Haus.

Wie sehr befremdet das den mit dem Tagesrahmen Vertrauten! Sie nahm nicht teil am schönen Dienst ihrer Schwestern, der Amunskebsen. Nicht wiegte sie sich im Tanz, auf dem Haupte Hörner und Sonnenscheibe, im Engkleide Hathors, ließ nicht zum Klange der Silberrassel die beliebte Stimme ertönen. Sie hatte der Oberin abgesagt und sich entschuldigen lassen bei des Ordens hoher Protektorin, Teje, dem Gottesweibe, und zwar mit demselben Zustand, den einst Rahel vorgeschützt hatte, als sie auf den in der Kamelsstreu versteckten Teraphim saß und nicht aufstehen wollte vor Laban: Sie sei unpaß, hatte sie sagen lassen, im diskret zu verstehenden Sinn, unglücklicherweise gerade auf diesen Tag; und die hohen Damen hatten für diese Verhinderung mehr Verständnis gezeigt als Potiphar, dem sie es auch gesagt, und der sich aus Mangel an Fühlung mit dem Menschlichen ganz ähnlich begriffsstutzig gezeigt hatte wie seinerzeit Laban, der Plumpe. „Wieso denn unpaß? Hast du Zahnweh oder Vapeurs?" hatte er mit einem töricht medizinischen Ausdruck der vornehmen Gesellschaft für eine launenhafte Verstimmung des Allgemeinbefindens gefragt. Und da sie ihm endlich die Sache nahe genug gelegt, hatte er sie nicht als Hinderungsgrund anerkennen wollen. „Das zählt nicht", hatte er gesagt, ganz wie Laban, wenn man sich erinnert. „Es ist keine Krankheit, die sich sehen lassen kann und derentwegen man absagt beim Gottesfeste. Halb tot noch würde manch eine sich hinschleppen, um nicht zu fehlen, du aber willst ausbleiben wegen einer solchen Normalität und Richtigkeit." – „Es muß nichts Unnatürliches sein, mein Freund, mit einem Leiden, damit es uns zusetze", hatte sie ihm geantwortet – und ihn dann vor die Wahl gestellt, ihr entweder fürs öffentliche Fest oder für die Privatgasterei und engere Geselligkeit Dispens zu geben, womit hier im Hause der Neujahrstag beschlossen und des Kämmerers Ernennung zum „Einzigen Freunde" gefeiert werden sollte. Beides, erklärte sie, sei ihr zu bestehen unmöglich. Gehe sie zum Gottestanz in ihrer Verfassung, so werde sie am Abend eine Gebrochene sein und meiden müssen das Hausvergnügen.

Verdrossen hatte er schließlich eingewilligt, daß sie sich tagsüber schone, um abends die Wirtin zu machen, – verdrossen, weil ahnungsvoll, wir können es mit Bestimmtheit versichern. Es war ihm nicht wohl, es war dem Höfling nicht im geringsten zutraulich zu Sinn bei diesem einsamen Zurückbleiben der Frau in Haus und Hof wegen angeblicher Unmusternheit; er sah es nicht gern, mit allgemein üblem Vorgefühl sah er es – für seine Ruhe und die Sicherheit des Geistesbannes, in dem das Haus ruhte, und kehrte denn auch früher schon, als es seiner Abendgesellschaft wegen notwendig gewesen wäre, vom Gottesfeste zurück, die gewohnte und zuversichtlich geäußerte, im Grunde aber bange Frage auf den Lippen: „Steht alles wohl im Hause? Die Herrin ist heiter?", – um denn nun diesmal endlich eine heimlich schon immer gewärtigte, schreckliche Antwort darauf zu erhalten.

Wir greifen vor mit diesen Worten, weil man es, um mit Renenutet, der Rindervorsteherin, zu reden, ja ohnehin schon weiß und von Spannung höchstens in Hinsicht auf nähere Einzelheiten die Rede sein kann. Es wird auch niemandem eine Überraschung bereitet mit der Angabe, daß an Peteprês Verdrossenheit und Unruhe der Gedanke an Joseph teilhatte, und daß er sich im Zusammenhang mit der Unpäßlichkeit und dem Zurückbleiben seines Weibes innerlich umsah nach ihm und seinem Verbleiben. Das tun auch wir, indem wir uns, nicht ohne Sorge um die Widerstandskraft der sieben Gründe, erkundigen, ob auch er etwa zu Hause geblieben war? –

Er war es nicht; es wäre ganz untunlich für ihn gewesen und hätte zu seinen Gewohnheiten und Grundsätzen in aufsehenerregendem Widerspruch gestanden. Man weiß, wie der ägyptische Joseph, seit zehn Jahren entrückt ins Totenland, ein eingefleischter Ägypter mit seinen siebenundzwanzig – nach seiner bürgerlichen, wenn auch nicht nach seiner geistlichen Person – und schon seit dreien davon mit einem ganz ägyptischen Leibrock bekleidet, so daß die Joseph-Form nunmehr von ägyptischem Stoff bewahrt und bestritten wurde, – man weiß, wie er, angepaßt, wenn auch innerlich abgerückt, ein Kind und Mitbewohner des ägyptischen Jahres, seine schrulligen Bräuche und Götzenfeste freundlich-weltläufig, wenn auch mit Maß und einiger Ironie, mitfeierte im Vertrauen auf das Augenzudrücken des Mannes, der das Kalb auf diesen Acker gebracht. Das Neujahrsfest, der große Amunstag vor allem war solch ein Anlaß zur Leutseligkeit, zum Leben und Lebenlassen; Jaakobs Sohn beging ihn wie irgendeiner hier unten, im Feierkleid unterwegs von morgens an, ja, indem er – andeutungsweise, dem Volksbrauch zu Ehren und um eben dabeizusein – sogar ein wenig über den Durst trank. Dies aber erst später am Tage, denn anfangs hatte er dienstliche Pflichten. Als Hausmeier eines Groß-Titelträgers nahm er im Gefolg des Gefolges am Königszuge vom westlichen Hause des Horizontes nach Amuns Großer Wohnung teil und fuhr mit im Wasserzuge von dort zum Opettempel. Die Rückreise der göttlichen Familie besaß nicht mehr ganz die Genauigkeit der Fahrt stromaufwärts; man konnte sich allenfalls davon drücken, und Joseph verbrachte den Tag, wie Tausende es taten, als schlendernder Neugieriger und Hospitant bei allerlei Tempelmessen, Opferschmäusen und Gottestheaterspielen – allerdings in dem Gedanken, daß er rechtzeitig vor Abend, eigentlich schon am späteren Nachmittag, *vor* allem übrigen Gesinde, wieder zu Hause sein müsse, um seiner Pflicht als Wirtschaftshaupt und verantwortlicher Mann des Überblicks zu genügen und sich im langen Anrichteraum (wo er einst vom Schreiber des Schenktisches das Labsal für Huij und Tuij in Empfang genommen) und im Saale der Gästespeisung von der Bereitschaft des Hauses zur Neujahrsgeselligkeit und Beförderungsfeier zu überzeugen.

In seinen Gedanken und Absichten legte er Wert darauf, diese Kontrolle und Nachprüfung allein, ungestört, im noch leeren Hause zu tätigen, bevor noch das ihm unterstellte Personal, Schreiber und Diener, vom Feste heimgekehrt wäre. So, urteilte Joseph, gehöre es sich, und zur Begründung und Stütze seines Entschlusses bewegte er Sittensprüche bei sich, die es eigentlich gar nicht gab, sondern die er selbst zu diesem Zweck erdichtete, indem er aber so tat, als handle es sich um geprägte Volksweisheit, wie zum Beispiel: „Hohe Würde – Goldne Bürde"; „Hast du Ehr', hast du Beschwer"; „Der Letzte zur Schicht – der Erste zur Pflicht" und dergleichen goldene Regel mehr. Daß er sie sich ausdachte und vorsagte, geschah, seit er unterwegs, auf dem Wasserzuge, erfahren hatte, daß seine Herrin ihre Teilnahme am Hathorentanz wegen Unmusterheit abgesagt hatte und allein das Haus hütete, – denn ehe er das gewußt, hatte er der Reimchen nicht gedacht, noch sich eingeredet, daß sie Volksprägungen seien, und nicht war ihm bewußt gewesen, was er nun desto klarer erkannte, daß er laut dieser geflügelten Weisheit anständigerweise als erster vor allem Dienstvolk ins leere Haus zurückkehren müsse, um nach dem Rechten zu sehen.

Er gebrauchte bei sich diese Redensart: „Nach dem Rechten sehen", obschon sie ihm etwas ominös vorkam und eine innere Stimme ihm riet, sie als gefährlich zu meiden. Überhaupt machte Joseph als ehrlicher junger Mann sich kein X für ein U darüber, daß mit der Befolgung der alten Lehrreime für ihn eine große, herzaufstörende Gefahr verbunden sei – herzaufstörend jedoch nicht nur als Gefahr, sondern, freudigerweise, auch als große Gelegenheit. – Als Gelegenheit wozu? – Als Gelegenheit, wisperndes Gottliebchen, eine Sache, die zu einer Ehrensache zwischen Gott und Amun geworden, so oder so endgültig zum Austrag zu bringen, den Stier bei den Hörnern zu nehmen und es in Gottes Namen auf alles ankommen zu lassen. *Dazu*, zitterndes Freundchen, ist es die große, die herzaufstörende Gelegenheit, und alles übrige ist kleines Gefasel. „Pflegt noch das Volk der Rast – trägt schon der Herr die Last"; mit so körnig-altehrwürdigen Prägungen hält es Jungmeier Joseph, und er wird sich darin weder durch undienliches Zwergengezirp noch durch die verfängliche Hauseinsamkeit seiner Herrin beirren lassen. –

Soviel sollte man abnehmen aus seinen Gedankengängen, daß kein Grund ist, sich seinetwegen in Sicherheit zu wiegen. Kennte man nicht den Ausgang der Geschichte, weil sie sich ihrer Zeit schon geschehend zu Ende erzählt hat und dieses hier nur ihre festliche Wiederholung und Nacherzählung, sozusagen Tempeltheater, ist, so könnten einem vor Besorgnis um ihn die Schweißtropfen auf der Stirne stehen! Was aber heißt „Wiederholung"? Die Wiederholung im Feste ist die Aufhebung des Unterschiedes von „war" und „ist"; und so wenig man, als die Geschichte sich selber erzählte, zu dieser Geschehensstunde darüber beruhigt sein konnte, daß ihr Held mit einem blauen Auge davonkommen und nicht vielmehr alles verderben werde, indem er es mit Gott verdarb, so wenig ist jetzt und hier vorwitzige Sorglosigkeit am Platze. Die Klage der Frauen, die den schönen Gott in der Höhle begraben, tönt nicht minder schrill, weil die Stunde kommt, da er erstehen wird. Denn für jetzt einmal ist er tot und zerrissen, und einer jeden Feststunde des Geschehens gebührt die volle Ehre und Würde ihrer Gegenwart in Jammer und Jubel, in Jubel und Jammer. Feierte nicht auch Esau seine Ehrenstunde, hochgebläht, und warf die Beine im Schreiten, daß es ein Jammer und Jux war mit seinem Prahlen? Denn daß er schon hätte heulen und weinen sollen, so weit war die Geschichte für ihn noch nicht vorgerückt. So ist sie es auch für uns noch immer nicht weit genug, daß uns bei Josephs Gedankengängen und goldenen Reimchen der Schweiß der Besorgnis nicht sollte perlenweis auf der Stirne stehen.

Ihn uns noch heftiger auszutreiben, genügt ein Blick in Potiphars festverwaistes Haus. Die Frau, die dort einsam zurückgeblieben und deren Teil es ist, die Mutter der Sünde zu spielen, – hält sie nicht in der Feststunde ihrer glühendsten Zuversicht? Glaubt man, daß sie weniger entschlossen ist als Jaakobs Sohn, es aufs Äußerste ankommen zu lassen, und hat sie nicht allen Anlaß, des bitter-seligen Triumphes ihrer Leidenschaft sicher zu sein, – nicht jederlei Grund zu der düsterinnigen Hoffnung, bald ihren Jüngling in naher Beiwohnung zu umschließen? Nicht nur, daß ihr Verlangen sich ermächtigt weiß von höchster geistlicher Stelle, im Schutze steht von Amuns Ehre und Sonnenmacht, so ist ihm auch Erfüllung verbürgt von unten her, kraft scheußlichen Höllenzwanges, mit dem des Gaufürsten Tochter freilich unter ihren Stand hinabgestiegen, dessen erniedrigenden Bedingungen sie aber im Innersten hofft ein Schnippchen zu schlagen, in der weibesschlauen Erwägung, Körper und Seele seien wohl in der Liebe nicht so genau auseinanderzuhalten und in körpersüßer Umschließung werde es ihr schon gelingen, auch noch die Seele ihres Jünglings dazu zu erwerben und zur Lust auch das Glück.

Da die Geschichte wieder geschieht in unseren Worten, so ist Potiphars Weib hier und jetzt so gut wie „damals" (welches zum Jetzt geworden) an die Geschehensstunde gebunden und kann nicht das Kommende wissen. Aber daß Joseph zu ihr kommen wird ins leere Haus, das weiß sie – inbrünstig ist sie dessen gewiß. Die Herrin-Hündin wird ihn „herbeiquälen" – das heißt: er wird unterwegs erfahren, daß Mut nicht am Feste teilnimmt, daß sie allein im stillen Haus zurückgeblieben ist, und der Gedanke wird mächtig und übermächtig in ihm werden, seine Heimkehr auf einen Zeitpunkt zu verlegen, wo dieser bedeutungsvolle und außerordentliche Zustand noch fortbesteht. Und wird es auch nur das Werk der Hündin sein, wenn dieser Gedanke Macht über ihn gewinnt und seine Schritte lenkt, – Joseph, so überlegt die Verlangende, weiß ja nichts von der Hündin und von Tabubus tiefstehenden Praktiken; er wird glauben, daß der drängende Gedanke, zu Mut ins leere Haus zu gehen, aus ihm selber komme, daß „es" ihn unwiderstehlich dränge, sie in der Einsamkeit aufzusuchen, und wenn er dieser Meinung ist, wenn er den Gedanken für den eigenen hält und überzeugt ist, aus eigenem Antrieb zu handeln, – wird damit die Täuschung nicht schon zur Wahrheit seiner Seele, und wird nicht an diesem Punkte schon der Erzvettel ein Schnippchen geschlagen sein? „Es treibt mich", sagt wohl der Mensch; aber was ist das für ein „es", daß er es von sich selbst unterscheide und schiebe die Verantwortung für sein Handeln auf etwas, was nicht er selbst ist? Sehr wohl ist es er selbst! – und „es", das ist nur er, zusammen mit seinem Verlangen. Ist es etwa zweierlei, zu sagen: „Ich will" oder zu sagen: „In mir will's"? Muß man überhaupt sagen: „Ich will", um zu tun? Kommt das Tun aus dem Willen, oder zeigt sich nicht vielmehr erst das Wollen im Tun? Joseph wird kommen, und daran, daß er kommt, wird er erkennen, daß und warum er hat kommen wollen. Kommt er aber, hört er den Ruf der großen Gelegenheit und nimmt er ihn wahr, so ist schon alles entschieden, so hat Mut schon gesiegt und wird ihn mit Efeu kränzen und Ranken des Weins!

So Potiphars Weib in ihren trunken überschärften Gedanken. Ihre Augen sind unnatürlich groß und von ebenfalls übermäßigem Glanz, denn sie hat mit elfenbeinerner Sonde viel Stibiumschminke auf Brauen und Wimpern verstrichen. Sie blicken finster im Glanz und versessen, diese Augen, aber der Mund ist ein unverwandt lächelndes Geschlängel triumphierender Zuversicht. Dabei sind ihre Lippen in kaum merklich saugender und kauender Bewegung, denn sie läßt kleine Kugeln aus zerstampftem Weihrauch, mit Honig vermischt, im Munde zergehen um ihres Atems willen. Sie hat ein Kleid aus dünnstem Königsleinen angetan, das alle ihre leicht hexenhaften Liebesglieder durchscheinen läßt, und aus dessen Falten, wie auch aus ihrem Haar, ein feines Zypressenparfüm schwebt. Ihr Aufenthalt ist das Damenzimmer im Hause des Herrn, jenes ihr dort vorbehaltene Gemach, das mit einer Innenwand an die Vorhalle mit den sieben Türen und dem Sternbilderfußboden stößt, mit der anderen an Peteprês nördliche Säulenhalle, wo er mit Joseph die Bücher zu lesen pflegt. In einem Winkel berührt sich das Boudoir mit dem Gästeempfangs- und -speisezimmer, das an das Familieneßzimmer stößt, und wo heute abend das Mahl zu Ehren von Peteprês neuem Hofrange gefeiert werden soll. Mut hält die Tür ihres Zimmers zur Nordhalle geöffnet, und auch eine der beiden Türen, die von dort in den Gästesaal führen, steht offen. In diesen Räumen bewegt sich die zuversichtlich Wartende, deren Einsamkeit im Hause nur von den beiden Alten geteilt wird, die im Oberstock ihrem Verseufzen entgegensehen. Es kommt vor, daß Eni, ihre Schnur, im Hin- und Hergehen, der heiligen Eltern mit einem Blicke gedenkt, den ihre Edelsteinaugen, finster im übertriebenen Glanze, zur bemalten Decke emporsenden. Oft kehrt sie zurück aus Halle und Saal in das Gedämmer ihres Eigengemaches, worein das Licht durch das durchbrochene Steinwerk hochgelegener Fenster fällt, und streckt sich hin auf dem mit Grünstein überkleideten Ruhebett, indem sie das Gesicht in seinen Kissen verbirgt. Auf den Räucherständern des Zimmers glimmt

Zimtholz und Myrrhenharz, und der duftende Dampf ihres Geschweles zieht durch die offenen Türen auch in die Nachtischhalle, den Gästesaal.

Soviel von Mut, der Zauberin.

Den Blick auf Jaakobs verstorbenen Sohn zurückzuwenden, so kam er nach Hause vor allem Ingesinde – man weiß es ja ohnedies. Er kam und mochte daran gewahr werden, daß er hatte kommen wollen, oder daß es ihn getrieben hatte, zu kommen – gleichviel! Die Umstände hatten nicht vermocht, ihn irrezumachen an seiner Pflicht und an dem Dafürhalten, daß es ihm anstehe und seine Sache sei, früher als jedermann sein Vergnügen abzubrechen und seine Aufmerksamkeit dem Hause zuzuwenden, über das er gesetzt war. Immerhin hatte er gezögert und es länger, als man denken sollte, anstehen lassen mit der Erfüllung einer durch soviel Spruchweisheit verbürgten und vorgezeichneten Pflicht. Zwar kam er in das noch leere Haus; aber gar viel fehlte nicht mehr, daß nicht auch bald schon die andern vom Feste heimkehrten, wenigstens soweit sie nicht Stadturlaub hatten auf den Abend, sondern zur Aufwartung gebraucht wurden in Hof und Haus – etwa nur noch eine Winterstunde, oder weniger sogar, fehlte daran, wobei noch in Anschlag zu bringen, daß Winterstunden viel kürzer sind als Stunden des Sommers in diesem Lande.

Ganz anders hatte er den Tag verbracht als die Harrende: in Sonne und Lärm, im bunten Trubel des Götzenfestes. Hinter seinen Wimpern drängten sich die Bilder der Prunkzüge, der Schauspiele, des Volksgewimmels. In seiner Rahelsnase trug er den Geruch der Opferbrände, der Blumen, der Ausdünstung vieler erregter, von Freudensprüngen und Sinnenschmaus erhitzter Menschen. Pauken- und Zinkenlärm, rhythmisches Händeklatschen und das Geschrei brünstiger Hoffnungsseligkeit füllten noch seine Ohren. Er hatte gegessen und getrunken, und ohne seiner Verfassung Übertriebenes nachzusagen, kennzeichnet man sie am besten mit der Feststellung, daß sie die eines Jünglings war, der in einer Gefahr, welche zugleich eine Gelegenheit ist, mehr die Gelegenheit als die Gefahr zu sehen bereit ist. Er hatte einen blauen Lotuskranz auf dem Kopf und noch eine Extrablume im Munde. Aus dem Handgelenk schnellte er sich das weiße Roßhaar seines bunten Fliegenwedels um die Schultern, indem er vor sich hin trällerte: „Macht der Troß sich gute Tage – Wählt der Meister sich die Plage" – in der Meinung, das sei altgeprägtes Volksgut und nur die Tonweise erfinde er sich selber dazu. So langte er an, als der Tag sich neigte, im Eigentum seines Herrn, öffnete sich die Haustür aus gegossener Bronze, überquerte das Sternbildermosaik der Flurhalle und trat ein in den schönen Estradensaal der Geselligkeit, wo im voraus schon alles zierlich und üppig bestellt war zu Peteprês Abendfeier.

Die Vollständigkeit der Vorbereitung zu prüfen, zu sehen, ob nicht der Schreiber des Schenktisches, Cha'ma't, einen Verweis verdiene, war Jungmeier Joseph gekommen. Er ging umher im Pfeilersaal zwischen den Sesseln, den Tischchen, den Weinamphoren in ihren Ständern, den pyramidenförmig mit Früchten und Backwerk beladenen Anrichten. Er sah nach den Lampen, der Tafel mit Kränzen, Blumenkrägen und Eßbukett-Salbbüchsen und klirrte ein wenig auf den Kredenzen mit goldenen Bechern, die er ordnend verrückte. Und da er eine Weile so sich meisterlich umgeschaut und auch wohl einmal oder zweimal geklirrt hatte, schrak er zusammen; denn eine Stimme tönte aus einiger Weite zu ihm herüber, von läutendem Klang, eine Sangesstimme, die seinen Namen rief, den Namen, den er sich zugelegt in diesem Lande:

„Osarsiph!"

Sein ganzes Leben lang vergaß er nicht diesen Augenblick, wie im leeren Haus von fernher dies Namensgeläut an sein Ohr schlug. Er stand, den Wedel unter dem Arm, zwei goldne Becher in den Händen, deren Glanz er geprüft und mit denen er allenfalls etwas geklirrt hatte, und lauschte, denn ihm schien, daß er meine, er habe nicht recht gehört. Doch schien ihm das wohl nur so, denn er harrte sehr lange aus mit seinen Bechern in lauschender Reglosigkeit, da es sehr lange nicht

wieder rufen wollte. Endlich aber läutete es abermals sang-
haft durch die Räume:

„Osarsiph!"

„Hier bin ich", antwortete er. Da aber seine Stimme heiser war und ihm versagte, so räusperte er sich und wiederholte:

„Ich höre!"

Wieder blieb's eine Weile still, während welcher er reglos
verharrte. Dann aber sang und klang es herüber:

„Bist also du es, Osarsiph, den ich im Saale höre, und bist
du vor allen andern schon heimgekehrt vom Fest in das leere
Haus?"

„Du sagst es, Herrin", erwiderte er, indem er die Becher
an ihren Ort stellte und durch die offene Tür in Peteprês
Nordhalle trat, um besser ins rechts anstoßende Zimmer reden
zu können.

„Ja, so ist es, ich bin schon da, um im Haus nach dem Rechten zu sehen. Übersicht – will viel Verzicht. Gewiß kennst
du den Kernspruch, und da mich mein Herr nun einmal übers
Haus gesetzt hat und sich um nichts kümmert vor mir als um
die Mahlzeit, die er hält, denn vertrauensvoll hat er alles in
meine Hand gegeben, ohne sich etwas vorzubehalten vor mir,
und wollte buchstäblich nicht größer sein als ich in diesem
Hause, – so hab' ich dem Troß noch ein wenig gute Zeit gegönnt, daß sie's auskosten, mir aber fand ich's anständig,
Verzicht zu tun auf des Tages restliche Lust, daß ich mich
beizeiten im Haus wieder einfände, gemäß dem Satze: ‚Gönne
der Menge und wähle die Strenge!' Übrigens will ich mich
nicht loben vor dir, denn nicht gar lange bin ich vor den
andern gekommen, und kaum noch der Rede wert ist mein
Vorsprung vor ihnen – es ist nicht viel damit anzufangen,
und beinahe jeden Augenblick schon können sie einströmen
und kann auch Peteprê heimkehren, des Gottes Einziger
Freund, dein Gemahl und mein edler Herr –"

„Und nach mir", klang die Stimme aus dem Dämmergemach, „da du dich umsiehst nach allem im Hause, willst du

dich nicht umsehen, Osarsiph, und hörtest doch, daß ich allein zurückblieb und leide? Tritt über die Schwelle zu mir!"

„Gern täte ich das", erwiderte Joseph, „und machte, Herrin, über die Schwelle Besuch bei dir, wenn nur nicht mehrere Kleinigkeiten im Feiersaal sich noch in völliger Unordnung befänden, die eben geschwind noch mein Augenmerk erheischen –"

Aber die Stimme läutete:

„Tritt herein zu mir! Die Herrin befiehlt es."

Und Joseph ging über die Schwelle zu ihr hinein.

Das Antlitz des Vaters

Hier schweigt die Geschichte. Das will sagen: Sie schweigt in gegenwärtiger Fassung und Festaufführung, denn als sie im Original geschah und sich selbst erzählte, schwieg sie keineswegs, sondern ging weiter dort drinnen im Dämmergemach als bewegte Wechselrede oder sogar als Zwiegespräch in dem Sinn, daß beide Handelnden zugleich redeten, worüber wir aber den Schleier des Zartgefühls und menschlicher Rücksichtnahme werfen. Damals nämlich begab sie sich auf eigene Hand und ohne Zeugen, während sie sich hier und heute vor einem großen Publikum abspielt – ein entscheidender Unterschied für das Taktgefühl, wie niemand leugnen wird. Namentlich war es Joseph, der durchaus nicht schwieg und nicht schweigen durfte, sondern in einem Zuge und Atem unglaublich flüssig und gewandt dahinredete, indem er die ganze Anmut und Klugheit seines Geistes gegen das Begehren der Frau ins Feld führte, um es ihr auszureden. Gerade hier aber liegt der Hauptgrund unserer Zurückhaltung. Denn er verwickelte sich dabei in einen Widerspruch – oder vielmehr ein Widerspruch entwickelte sich dabei, höchst bemühend und peinlich ergreifend für das Menschengefühl: der Widerspruch zwischen Geist und Körper. Ja, unter den Erwiderungen des Weibes, den gesprochenen und den stummen, stand sein Fleisch auf gegen

seinen Geist, so daß er unter den geläufigsten und gescheite-
sten Reden zum Esel wurde; und was für ein erschütternder,
zu erzählerischer Schonung anhaltender Widerspruch ist das:
die redende Weisheit, die, schrecklich Lügen gestraft durch das
Fleisch, das Bild des Esels bietet!

Für das Weib bedeutete der totengöttliche Zustand, in dem
er floh (man weiß ja, daß es ihm zu fliehen gelang), einen besonderen Anlaß zur Verzweiflung und rasender Enttäuschungs-
wut; denn schon hatte ihr Verlangen ihn in Mannesbereitschaft
erfunden, und der Jammer- und Jubelruf, unter dem die Verlassene das in ihren Händen gebliebene Gewandstück (man
weiß ja, daß er einen Teil seines Kleides zurückließ) im
Paroxysmus begeisterten Schmerzes mißhandelte und lieb-
koste, – dieser einmal übers andere ausgestoßene Ruf der
Ägypterin lautete: „Me'eni nachtef!", „Ich habe seine Stärke
gesehen!"

Was ihn aber vermochte, sich loszureißen und von ihr hin-
auszufliehen im letzten, äußersten Augenblick, war dies, daß
Joseph das Vaterantlitz sah – alle genaueren Fassungen der
Geschichte berichten es, und hier sei es als die Wahrheit bestätigt. Es ist so: Als es, all seiner Redegewandtheit zum
Trotz, beinahe schon mit ihm dahingehen wollte, erschien ihm
das Bild des Vaters. Also Jaakobs Bild? Gewiß, das seine.
Aber es war kein Bild mit geschlossen-persönlichen Zügen,
das er da oder dort gesehen hätte im Raum. Er sah es vielmehr in seinem Geiste und mit dem Geiste: Ein Denk- und
Mahnbild war es, das Bild des Vaters in weiterem und allge-
meinerem Verstande, – Jaakobs Züge vermischten sich darin
mit Potiphars Vaterzügen, Mont-kaw, dem bescheiden Ver-
storbenen, ähnelte es in einem damit, und viel gewaltigere
Züge noch trug es alles in allem und über diese Ähnlichkeiten
hinaus. Aus Vateraugen, braun und blank, mit Drüsenzart-
heiten darunter, blickte es in besorgtem Spähen auf Joseph.

Dies rettete ihn; oder vielmehr (wir wollen vernünftig
urteilen und nicht einer Geistererscheinung, sondern denn doch
ihm selbst das Verdienst an seiner Bewahrung zuschreiben):

oder vielmehr, er rettete sich, indem sein Geist das Mahnbild hervorbrachte. Aus einer Lage, die man nur als weit vorgeschritten bezeichnen kann, und die der Niederlage sehr nahe gewesen, riß er sich los – zum unerträglichen Kummer des Weibes, wie man um gerecht verteilten Mitgefühls willen hinzufügen muß –, und es war nur ein Glück, daß seine körperliche Behendigkeit seiner Redegewandtheit gleichkam, denn so vermochte er sich eins, zwei, drei aus seiner Jacke (dem „Mantel", dem „Obergewande") zu winden, an der man ihn in verzweifelter Liebesnot festhalten wollte, und, wenn auch in wenig meierlicher Verfassung, das Weite, die Halle, den Gästesaal, die Vordiele dann, zu gewinnen.

Hinter ihm raste die Liebesenttäuschung, halb selig schon – „Me'eni nachtef!" –, doch unerträglich betrogen. Sie stellte Schreckliches an mit dem in ihren Händen gebliebenen, noch heißen Leibstück: Mit Küssen bedeckte sie's, tränkt' es mit Tränen, zerriß es mit Zähnen, trat es unter die Füße, das Verhaßte und Süße, und tat nicht viel anders damit, als die Brüder einst mit dem Schleier des Sohnes zu Dotan im Tal. „Geliebter!" rief sie. „Wohin von mir? Bleib! Oh, seliger Knabe! O schändlicher Knecht! Fluch dir! Tod dir! Verrat! Gewalt! Den Wüstling haltet! Den Ehrenmörder! Zu Hilfe mir! Zu Hilfe der Herrin! Ein Unhold kam über mich!"

Da haben wir es. Ihre Gedanken – wenn man von Gedanken reden kann, wo nur ein Wirbel von Wut und Tränen war – lenkten ein in die Anklage, mit der sie den Joseph mehr als einmal bedroht, wenn sie schrecklich wurde in ihrem Verlangen und als Löwin die Tatze gegen ihn hob: die mörderische Anklage, sich ungeheuerlich vergessen zu haben gegen die Herrin. Die wilde Erinnerung stieg auf in dem Weibe, es stürzte sich auf sie, schrie sie aus allen Kräften hinaus, wie ja der Mensch hoffen mag, durch Stimmaufwand dem Unwahren Wahrheit zu verleihen, – und um gerechter Teilnahme willen wollen wir froh sein, daß dem Schmerz der Beleidigten dieser Ausweg sich auftat, ein Ausdruck sich ihm anbot, der, falsch zwar, doch an Schrecklichkeit ihm gemäß,

geschaffen war, alle Welt zu entsetzten und Rache schnaubenden Verehrern ihrer Gekränktheit zu machen. Ihre Schreie
gellten.

In der Vorhalle waren schon Leute. Die Sonne ging unter,
und schon war Peteprês Personal zum größten Teil vom Fest
wieder eingerückt in Hof und Haus. So war es noch gut, daß
dem Flüchtigen, bevor er in die Halle hinausgelangte, etwas
Raum und Zeit gegeben war, um sich zu sammeln. Die Dienerschaft stand horchend, vom Schreck gebannt, denn die Rufe
der Herrin tönten heraus, und obgleich der Jungmeier ge-
zügelten Schrittes aus dem Feiersaal trat und in beherrschter
Haltung durch sie hindurchging, war es so gut wie unmöglich,
daß sie seine verringerte Kleidung nicht hätten mit dem Geschrei aus dem Eigengemach in irgendwelchen Zusammenhang
bringen sollen. Joseph hatte den Wunsch, sein Zimmer, das
„Sondergemach des Vertrauens" zur Rechten zu gewinnen,
um sich herzustellen; da aber Dienstleute im Wege standen
und außerdem das Verlangen in ihm die Oberhand gewann,
aus dem Hause, ins Freie zu kommen, ging er querhin und
durch die offene Bronzetür hinaus auf den Hof, wo Heim-
kehrbewegung herrschte, denn eben langten vor dem Harem
die Sänften der Kebsfrauen an, der Schnatternden, die ebenfalls unter der Aufsicht von Schreibern des Hauses der Abgeschlossenen und nubischen Verschnittenen den Schauspielen
des Tages hatten zusehen dürfen und nun in ihr Ehrenbauer
zurückgebracht wurden.

Wohin wollte der Entkommene mit seinem blauen Auge?
Durch den Torweg hinaus, durch den er einst eingezogen war?
Aber wohin von da? Das wußte er selber nicht und war froh,
noch Hofraum vor sich zu haben, wo er gehen konnte, als
ginge er irgendwohin. Er fühlte sich am Kleide gezogen –
Gottliebchen war es, das Hutzelmännlein, das gramzerknittert
zu ihm emporzirpte: „Verheert die Flur! Versengt vom Stier!
Asche! Asche! Ach, Osarsiph!" – Das war ungefähr halbwegs
vom Haupthause zum Torbau der Außenmauer. Den Kleinen
am Rock, wandte Joseph sich um. Die Stimme des Weibes holte

ihn ein, der Herrin, die weiß auf der Höhe der Stufen vorm
Haustor stand, umdrängt von Leuten, welche ihr nach aus der
Halle quollen. Sie streckte den Arm aus gegen ihn, und in des
Armes Verlängerung liefen Männer mit ebenfalls ausgestreck-
ten Armen gegen ihn hin. Sie faßten ihn an und führten ihn
unter das Hofvolk zurück, das vor dem Hause zusammen-
lief: Handwerker, Tür- und Torhüter, Leute der Ställe, des
Gartens, der Küche und Silberschurze der Tisch-Aufwartung.
Den greinenden Däumling zog er am Kleide hinter sich her.

Und Potiphars Weib hielt an die teils hinter ihr, teils vor
ihr auf dem Hof versammelte Dienerschaft ihres Ehrengemahls
jene bekannte Anrede, die jederzeit die Mißbilligung der
Menschheit gefunden hat, und die auch wir, soviel wir sonst
für Mut-em-enets Sache und Sage getan, zu tadeln gezwungen
sind – nicht wegen der Unwahrheit ihrer Angaben, die als
Kleid der Wahrheit hingehen mochte, aber der Demagogie
halber, die sie zur Aufreizung nicht verschmähte.

„Ägypter!" rief sie. „Kinder Kemes! Söhne des Stroms und
der Schwarzen Erde!" – Was sollte das? Es waren gewöhnliche Leute, an die sie sich wandte, und überdies im Augenblick fast alle etwas angetrunken. Ihre Echtbürtigkeit als Kinder des Chapi, soweit sie überhaupt bestand, denn es waren
auch Mohren von Kusch und Leute chaldäischen Namens darunter, war ein natürliches Verdienst, für das sie nichts konnten, und das ihnen auch nicht im geringsten zustatten kam,
wenn sie's im Hausdienste fehlen ließen: Der Rücken wurde
ihnen dann doch mit großen Striemen tüchtig zerschlagen,
ganz ungeachtet der Vornehmheit ihrer Geburt. Auf einmal
nun ward ihnen diese, die sonst so sehr im Hintergrund stand
und für den einzelnen gar keine praktische Lebensgültigkeit
hatte, emphatisch-schmeichlerisch ins Bewußtsein gerufen, weil
man ihr Ehrgefühl brauchen konnte, das Schnauben ihres Ge-
meinschaftsstolzes gegen einen, den es zu vernichten galt. Der
Aufruf war ihnen sonderbar, aber er verfehlte nicht seine
Wirkung auf sie, zumal der Geist des Gerstenbiers ihre Empfänglichkeit hob.

„Ägyptische Brüder!" (Brüder auf einmal! Es ging ihnen durch und durch, sie genossen es sehr.) „Seht ihr mich, eure Herrin und Mutter, Peteprês Erste und Rechte? Seht ihr mich auf des Hauses Schwelle und kennen wir wohl einander, ihr und ich?" – „Wir" und „einander"! Es ging ihnen glatt ein, die Leutchen hatten es gut heute. – „Kennt ihr aber auch diesen ibrischen Jüngling, halb nackt am großen Kalenderabend, da ihm das Oberkleid fehlt, weil ich's hier in Händen habe… Kennt ihr ihn wieder, den man euch Landeskindern als Meier gesetzt hat – über das Haus eines Großen der Länder? Seht, aus dem Elend ist er hinab nach Ägypten gekommen, dem schönen Garten des Usir, dem Sessel des Rê, dem Horizonte des guten Geistes. Man hat uns den Fremdling herein ins Haus gebracht" – „uns!" schon wieder! –, „damit er sein Spiel mit uns treibe und uns zuschanden mache. Denn dies Gräßliche ist geschehen: Allein saß ich in meiner Kemenate, allein im Haus, denn ich war entschuldigt vor Amun durch Kränklichkeit und hütete einsam das leere Haus. Da machte sich's der Verworfene zunutze und trat bei mir ein, der ibrische Unhold, daß er's triebe mit mir, wie er wollte, und mich zuschanden mache – schlafen wollte der Knecht bei der Herrin", schrie sie gellend, „schlafen gewaltsam! Ich aber rief mit lautester Stimme, wie er das tun wollte und wollte es schandbar treiben mit mir nach seiner Knechteslust – ich frage euch, ägyptische Brüder, habt ihr mich rufen hören aus aller Kraft zum Beweis meiner Abwehr und grauenvollen Verteidigung, wie das Gesetz ihn fordert? Ihr habt es gehört! Da aber auch er es hörte, der Wüstling, daß ich ein Geschrei machte und rief, da sank ihm sein Frevelmut, und er rang sich aus seinem Oberkleid, das ich hier als Beweisstück halte, und daran ich ihn halten wollte, damit ihr ihn griffet, und floh unverrichteten Frevels von mir hinaus, also daß ich rein stehe vor euch dank meinem Geschrei. Er aber, der über euch allen und über diesem Hause war, er steht dort als ein Schändling, den seine Tat ergreifen wird, und über den das Gericht kommen soll, sobald der Herr, mein Gemahl, nach Hause kehrt. Legt ihm das Handholz an!"

So Muts nicht nur unwahre, sondern leider auch hetzerische Rede. Und Potiphars Hofvolk stand verblüfft und ratlos, unklar im Kopf schon durchs Freibier der Tempel, aber durch das, was sie hörten, erst recht. Hatten sie's denn nicht so gehört und alle gewußt, daß die Frau auf den schönen Vorsteher fliege, er aber sich ihrer weigere? Und nun stellte sich plötzlich heraus, daß er Hand an die Herrin gelegt und es gewaltsam mit ihr hatte treiben wollen? Da drehte sich ihnen der Kopf, vom Bier und von dieser Geschichte, denn sie gab keinen Gedankenreim, und alle hatten sie für den Jungmeier von Herzen viel übrig. Allerdings, geschrien hatte die Rechte; sie hatten es alle gehört, und alle kannten sie das Gesetz, daß es der Beweis sei für eines Weibes Unschuld, wenn sie laut rief während eines ehrwidrigen Angriffs. Zudem hielt sie des Meiers Oberkleid in der Hand, das wirklich ganz so aussah, als sei es ihr, als er ausriß, zum Pfande geblieben; er selbst aber stand, den Kopf auf die Brust geneigt, und sagte kein Wort.

„Was zaudert ihr?!" rief eine ehrsam-männliche Stimme, die Stimme Dûdus, des Kleinherrn, der in gestärkt vorstehendem Festschurz zur Stelle war... „Hört ihr die Weisung der Herrin nicht, der grauenhaft Beleidigten und fast Schimpfierten, den ibrischen Buben ins Handholz zu tun? Hier ist es, ich habe es mitgebracht. Denn als ich ihre gesetzlichen Schreie vernahm, da wußte ich gleich, woran wir seien und was die Uhr zeige, und habe flugs das Holz geholt aus der Peitschenkammer, damit es nicht fehle. Hier! Nicht gegafft und eingespannt die Lotterhände dieses Verruchten, den man einst angekauft wider gediegenen Rat, nach dem hohlsten, und der lange genug den Meister gespielt über uns Echtbürtige! Beim Obelisken! Man wird ihn ins Haus der Marter und Hinrichtung eintreten lassen."

Es war Dûdus, des Ehezwergs, gute Stunde, und er ließ sie sich schmecken. Auch fanden sich zwei vom Gesinde, die ihm das Fesselholz aus der Hand nahmen und es unterm Gewimmer des Schepses-Bes, über das man denn doch lachen mußte, dem Joseph anlegten: einen spindelförmigen Klotz mit einer

Ritze darin, den man aufklappen konnte und wieder einschnappen ließ, so daß des Sträflings Hände, eingespannt in den Ritz, sehr eng und hilflos gefangen waren, vom Gewicht des Holzes belastet.

„Werft ihn in den Hundestall!" befahl Mut mit furchtbarem Aufschluchzen. Und dann kauerte sie zu Boden, wo sie stand, vor dem offenen Haustor und legte Josephs Kleid neben sich hin.

„Hier sitze ich", sprach sie gesanghaft über den dunkelnden Hof hin, „auf des Hauses Schwelle, das klagende Leibstück an meiner Seite. Tretet alle zurück von mir, und daß niemand mir rate, ins Haus zu kehren, etwa meines zarten Kleides wegen, damit ich Verkühlung meide am sinkenden Abend. Ich wäre taub solchen Bitten, denn hier will ich sitzen bei meinem Pfande, bis Peteprê einfährt und ich Sühne empfange für ungeheuerste Kränkung."

Das Gericht

Die Stunden sind groß, eine jegliche nach ihrem Gepräge, ob stolz oder elend. Als Esau prahlen durfte und durfte die Beine werfen, da ging es freilich hoch her mit ihm, es war seine Ehrenstunde. Aber als er aus dem Zelt stürzte – „Verflucht! Verflucht!" – und hinhockte, um Tränen rollen zu lassen, so groß wie Haselnüsse – war *die* Stunde weniger groß und feierlich für den Behaarten? – Gebt acht! Dies ist Peteprês peinlichste Feststunde, gewärtigt übrigens jederzeit im Grunde von ihm: auf der Vogel-, der Nilpferd- sowohl wie der Wüstenjagd und auch beim Lesen guter alter Autoren war er stets auf eine solche Stunde unbestimmt gefaßt gewesen, nur unkund ihrer Einzelheiten, die aber weitgehend von ihm abhingen, wenn es soweit war, – und siehe, er gestaltete sie nobel.

Er fuhr ein zwischen Fackeln, kutschiert von seinem Lenker Neternacht, – zeitiger, wie gesagt, als es der Abendgeselligkeit wegen unbedingt notwendig gewesen wäre, auf Grund seiner Ahnungen. Es war eine Heimkehr wie viele andere, bei denen er jedesmal Übles gewärtigt hatte in seinem Herzen, nur daß es diesmal denn also in der Tat soweit war. „Steht alles wohl im Hause? Die Herrin ist heiter?" – Das nun gerade nicht. Die Herrin sitzt tragisch auf deines Hauses Schwelle, und dein wohltuender Mundschenk liegt mit Handholz im Hundestall.

So, so, in dieser Gestalt also verwirklichte es sich. Nehmen wir es denn auf uns! – Daß Mut, sein Weib, irgendwie fürchterlich vor der Haustür saß, hatte er schon von ferne gesehen. Dennoch warf er beim Absteigen von seinem Galanteriegefährt die gewohnten Fragen hin, die aber diesmal unbeantwortet blieben. Die ihm behilflich waren, ließen die Köpfe hängen und schwiegen. So, so, das war ja genau, wie er's immer einmal erwartet hatte, mochten sich andre Einzelheiten der Stunde auch wider Vermuten gestalten. – Wedel und Ehrenkeule in einer Hand, ging er, der zarte Rubenturm, während sein Gespann weggeführt wurde und die Leute Abstand wahrten im fackelerleuchteten Hofraum, die Stufen hinan zu der Kauernden.

„Was soll ich denken, liebe Freundin", fragte er höflich behutsam, „von diesem Bilde? Du sitzest dünn gewandet an einem solchen Durchgangsort und hast etwas neben dir, worauf ich mich nicht verstehe?"

„So ist es!" antwortete sie. „Du beschreibst es zwar mit matten, unmächtigen Worten, denn viel gewaltiger und entsetzlicher ist dieses Bild, als du, mein Gemahl, es aussagst. Im wesentlichen aber ist deine Feststellung richtig: Hier sitze ich und habe neben mir, worauf du dich schon gräßlich sollst verstehen lernen."

„Sei mir behilflich dabei!" erwiderte er.

„Ich sitze hier", sagte sie, „in Erwartung deines Gerichtes über den schaurigsten Frevel, den diese Länder jemals und wahrscheinlich je die Reiche der Völker gesehen."

Er machte ein Übel abwehrendes Fingerzeichen und wartete gefaßt.

„Gekommen ist", sang sie, „der ibrische Knecht, den du bei uns eingeführt hast, und wollte sein Spiel mit mir treiben. Ich habe zu dir gefleht in der Abendhalle und deine Knie umschlungen, daß du den Fremdling, den du hereingebracht, wieder verstießest, denn mir schwante nichts Gutes von ihm. Umsonst, zu teuer war dir der Sklave, und du ließest mich gehen ungetröstet. Nun ist der Verworfene über mich gekommen und wollte mir Lust antun in deinem leeren Hause, wozu er bereits in Mannesbereitschaft war. Du glaubst mir nicht und kannst den Greuel nicht fassen? So sieh dies Zeichen und deute dir's, wie du mußt! Stärker denn Wort ist das Zeichen; es ist nicht zu deuteln und zu zweifeln daran, denn es spricht die unverbrüchliche Sprache der Dinge. Sieh! Ist dies Kleid deines Sklaven Kleid? Prüfe es wohl, denn gereinigt bin ich vor dir durch dies Zeichen. Da ich schrie unter des Unholds Zudrang, so erschrak er und floh von mir hinaus, ich aber hielt ihn am Kleide, und vor Schreck ließ er's in meiner Hand. Den Beweis seiner Greuelschuld – ich halte ihn dir vor Augen; den Beweis seiner Flucht dazu und den Beweis meines Schreiens. Denn floh er nicht, so hielte ich nicht das Kleid; wenn ich aber nicht schrie, so floh er nicht. Überdies ist all dein Hausvolk mir Zeuge, daß ich geschrien – frage die Leute!"

Peteprê stand gebeugten Hauptes und schwieg. Dann seufzte er auf und sagte:

„Das ist eine tieftraurige Geschichte."

„Traurig?" wiederholte sie drohend...

„Ich sagte: tieftraurig", erwiderte er. „Sie ist aber sogar entsetzlich, und ich würde mich nach einer noch schwereren Bezeichnung umsehen, wenn ich nicht deinen Worten entnehmen dürfte, daß sie dank deiner Geistesgegenwart und Gesetzeskenntnis noch glimpflich abgelaufen und es zum Äußersten nicht gekommen ist."

„Für den Schandsklaven suchst du nach keiner Bezeichnung?"

„Er ist ein Schandsklave. Da es sich bei dem Ganzen um sein Benehmen handelt, so galt die Bezeichnung ‚tieftraurig' natürlich in erster Linie diesem. Und gerade heute abend, unter so vielen Abenden, muß dies Schrecknis mich treffen – am Abend des schönen Tages meiner Erhebung zum Einzigen Freunde, da ich nach Hause kehre, um Pharaos Liebe und Gnade mit einer kleinen Geselligkeit zu feiern, zu der demnächst die Gäste erscheinen werden. Gib zu, daß das hart ist!"

„Peteprê! Hast du in deinem Leibe das Herz eines Menschen?"

„Warum diese Erkundigung?"

„Weil du in dieser namenlosen Stunde von deinem neuen Hoftitel sprechen magst und davon, wie du ihn feiern willst."

„Ich tat es doch nur, um die Namenlosigkeit der Stunde in krassen Gegensatz zu bringen zu der Huld des Tages und so ihre Namenlosigkeit nur desto mehr zur Geltung zu bringen. In der Natur des Namenlosen liegt es offenbar, daß man nicht von ihm selber sprechen kann, sondern von anderem sprechen muß, um es zum Ausdruck zu bringen."

„Nein, Peteprê, du hast kein Menschenherz!"

„Meine Liebe, ich werde dir etwas sagen: Es gibt Umstände, unter denen man einen gewissen Ausfall an Menschenherz geradezu begrüßen darf – im Interesse des Betroffenen sowohl wie auch im Interesse der Umstände, deren Bemeisterung ohne die Einmischung von allzuviel Menschenherz vielleicht viel besser gelingen mag. Was hat nun zu geschehen in dieser tieftraurigen und entsetzlichen Sache, die meinen Ehrentag verunziert? Ohne Säumen ist sie zu begleichen und aus der Welt zu schaffen, denn ich begreife erstens vollkommen, daß du dich von diesem an und für sich unmöglichen Platze nicht erheben willst, eh dir genug geschehen ist für die unsagbare Unannehmlichkeit, die dir begegnet. Zweitens aber muß, bis meine Gäste kommen, was sehr bald sein wird, alles restlos im reinen sein. Ich habe also sofort ein Hausgericht abzuhalten, wobei ich, dem Verborgenen sei Dank, kürzesten Prozeß werde machen können, da dein Wort, meine Freundin, hier einzig Gültigkeit hat und gar kein anderes überhaupt ins Gewicht fällt, so daß schnell das Urteil gesprochen sein wird. – Wo ist Osarsiph?"

„Im Hundestall."

„Ich dachte es mir. Man bringe ihn vor mich. Man rufe die heiligen Eltern vom Oberstock zum Hausgericht, auch wenn sie schon schlafen! Das Hofvolk versammle sich vor meinem Hohen Stuhl, den ich hier aufgestellt wissen will, wo die Herrin sitzt, daß sie sich erst erhebe, nachdem ich gerichtet!"

Diesen Befehlen wurde eilig genügt, wobei die einzige Schwierigkeit in der anfänglichen Weigerung Huijs und Tuijs, des elterlichen Geschwisterpaares, bestand, am Ort zu erscheinen. Denn sie waren berichtet durch ihre zarte Bedienung von dem Tumult: Mit trichterförmigen Mündern hatten ihnen die Stengelarmigen die Geschehnisse hinterbracht, derengleichen die Alten, gerade wie ihr Sühnesohn, der Höfling des Lichtes, von jeher heimlich gewärtigt hatten; und nun fürchteten sie sich und wollten nicht kommen, weil sie sich von der Untersuchung dieser Dinge einen Vorschmack versprachen des Gerichtes vorm Unteren König und sich beide zu schwach im Kopfe wußten, um die Argumente ihrer Rechtfertigung noch zusammenzubringen, so daß sie es über ein „Wir haben es gut gemeint" nicht hinausbringen würden. Darum ließen sie sagen, sie seien nah am Verseufzen und einem Hausgericht nicht mehr gewachsen. Aber ihr Sohn, der Herr, ward zornig, stampfte sogar mit dem Fuße auf und verlangte, daß sie sich unbedingt herstützen ließen, wie sie da seien; denn wenn sie zu verseufzen gedächten, so sei die Stätte, wo Mut, ihre Schnur, klagend und Recht heischend sitze, gerade die passende dafür.

So kamen sie denn herunter vors Tor, auf die pflegenden Kinder gestützt: mit zitterndem Silberbärtchen der alte Huij, furchtbar kopfwackelnd; verzagten Lächelns die Blindritzen im großen weißen Gesicht gleichwie im Suchen hin und her hebend die alte Tuij, und mußten neben Peteprês Richterstuhl stehen, wobei sie anfangs in großer Aufregung beständig lallten: „Wir haben es gut gemeint!", sich dann aber beruhigten. Die Herrin Mut saß mit ihrem Pfande und Zeichen neben dem Schemel des Stuhles, hinter welchem ein Mohr in rotem Rock den Hochfächer regte, und Lichtträger hielten sich neben der Gruppe. Aber auch der Hof war von Fackeln erhellt, wo das Dienstvolk, sofern es nicht Festurlaub hatte, beisammenstand; und vornehin vor die Stufen führten sie Joseph im Handholz, nebst Se'ench-Wen-nofre und so weiter, dem Kleinen, der nicht von seinem Schurze wich, wie denn auch Dûdu, in der gewissen Hoffnung, mit seiner guten Stunde werde es immer noch schöner werden, würdig zur Stelle war: die beiden Unterwüchsigen standen zu seiten des Delinquenten.

Peteprê sprach schnell und formelhaft mit seiner feinen Stimme:

„Hier wird Gericht gehalten, aber wir haben Eile. – Dich rufe ich an, Ibisköpfiger, der du das Gesetz der Menschen schriebst, weißer Affe du neben der Waage; dich Herrin Ma'at, die du der Wahrheit vorstehst im Schmuck der Straußenfeder. Die Bittopfer, die wir euch schulden, werden nachträglich vollzogen werden, ich stehe ein dafür, und sie sind so gut wie geleistet. Jetzt drängt die Stunde. Ich spreche Recht über dies Haus, das mein ist, und spreche so."

Er nahm, nachdem er dies mit erhobenen Händen gesagt, eine lässigere Haltung an in einer Ecke des Hohen Stuhles, stützte den Ellbogen auf und bewegte leichthin die kleine Hand über der Lehne, indem er fortfuhr:

„Der dichten Vorkehrungen ungeachtet, die dieses Haus dem Bösen entgegenstellt, der Undurchlässigkeit seiner übelabwehrenden Sprüche und guten Worte zum Trotz, ist es dem Leidwesen gelungen, darin einzudringen und den schönen Bann des Friedens und zarter Schonung, in dem es ruhte, vorübergehend zu brechen. Tieftraurig und entsetzlich ist das zu nennen, um so mehr, als gerade an dem Tage das Übel ruchbar werden muß, an dem Pharaos Liebe und Huld mich mit dem Rang und herrlichen Titel eines Einzigen Freundes zu schmükken geruhte, und an dem also, so sollte man denken, lauter Artigkeit von seiten der Menschen und wohltuender Glückwunsch, nicht aber das Schrecknis wankender Ordnung mir begegnen dürfte. Sei dem wie immer! Lange schon hat das durch den Schutz gedrungene Leidwesen heimlich an der schönen Ordnung des Hauses genagt, damit sie einstürze und es geschehe, wie drohend geschrieben steht, nämlich daß die Reichen arm, die Armen reich und die Tempel verödet seien. Lange schon, sage ich, fraß in der Stille das Übel, verborgen der Mehrzahl, aber nicht verborgen dem Auge des Herrn, welcher Vater und Mutter zugleich ist dem Hause, denn sein Blick ist wie der Mondesstrahl, der da schwängert die Kuh, und seines Wortes Hauch wie der Wind, der den Fruchtstaub trägt von Baum zu Baum zum Zeichen göttlicher Fruchtbarkeit. Da denn aber aus dem Schoß seiner Gegenwart alles Beginnen und Gedeihen quillt wie der Seim aus den Waben, so entgeht seiner Übersicht nichts, und sei es der Mehrzahl noch so verborgen – vor seinem Blicke liegt's offen. Das erfahrt aus Anlaß dieser Verstörung! Denn ich kenne recht wohl die Sage, die meinem Namen folgt, nämlich, daß ich mich keiner Sache annehme auf Erden, außer etwa der Mahlzeit, die ich halte. Das aber ist nur ein Geplapper und geht daneben. Alles weiß ich, daß ihr es wißt; und wenn also die Furcht des Herrn und die Scheu vor seinem durchdringenden Auge neu verstärkt aus dieser Verstörung hervorgeht, über die ich richte, so wird man von ihr sagen, daß sie, aller Tieftraurigkeit ungeachtet, ihre gute Seite gehabt hat."

Er führte ein malachitnes Henkelfläschchen mit Wohlgeruch, das er an einem Kettchen über dem Halskragen trug, an seine Nase und fuhr, nachdem er sich daran erquickt, folgendermaßen fort:

„So waren mir die Wege längst bekannt, die das eingedrungene Leidwesen in diesem Hause ging. Aber auch die Wege derer lagen offen vor mir, die es beförderten in überheblicher Tücke und ihm aus Neid und Haß die Wege bereiteten – und nicht nur dies, sondern die ihm sogar erst den Einlaß und Durchschlupf verraten haben ins Haus durch alle guten Sprüche der Abwehr. Diese Verräter stehen vor meinem Stuhl in der zwergischen Person meines ehemaligen Schmuck-

und Truhenbewahrers, Dûdu geheißen. Selber hat er mir all seine Bosheit bekennen müssen, wie er dem gierigen Übel Einlaß verschafft und ihm die Wege gewiesen. Ihm falle das Urteil! Ferne sei es von mir, ihn an der Kraft zu büßen, die der Sonnenherr nun einmal seiner Schrumpfgestalt zu vereinen gelaunt war – ich will sie nicht antasten. Man soll dem Verräter die Zunge ausschneiden."

„– Die halbe Zunge", verbesserte er sich angewidert und mit der Hand abwinkend, da Dûdu ein lautes Jammergeschrei erhob. „Da ich aber", setzte er hinzu, „gewohnt bin, meine Steine und Kleider in Zwergenhut zu wissen, und nicht wünschbar ist, daß meine Gewohnheiten unter dieser Irrung zu leiden haben, so ernenne ich den anderen Zwerg meines Hauses, Se'ench-Wen-nofre-Neteruhotpe-em-per-Amun, zum Schreiber des Ankleidezimmers – er möge fortan meine Truhen verwalten!"

Gottliebchen, das Näschen im Knitterantlitz zinnoberfarben verweint um Joseph, tat einen Freudensatz. Die Herrin Mut aber hob das Haupt zu Peteprês Stuhl und raunte zwischen den Zähnen:

„Was sind das für Urteile, mein Gatte, die du da fällst? Sie betreffen ja nur den Rand der Dinge und sind ganz nebensächlich! Was soll man denken von deinem Richtertum, und wie soll ich mich je von dieser Stätte wieder erheben, wenn du so richtest?"

„Nur Geduld!" erwiderte er ebenso leise, indem er sich vom Stuhle zu ihr hinabbeugte. „Hier wird nach und nach einem jeden sein Recht und sein Spruch, und seine Schuld ereilt den Verbrecher. Sitze nur ruhig! Du wirst dich bald erheben können von hier, so befriedigt, als hättest du selber gerichtet. Denn ich richte für dich, meine Liebe, nur ohne Einmischung von allzuviel Menschenherz – sei froh darüber! Denn wollte dieses das Urteil sprechen in seinem Ungestüm, so möchte es ewiger Reue verfallen."

Nachdem er diese Worte leise zu ihr hinabgeredet, richtete er sich wieder auf und sprach:

„Nimm deinen Mut zusammen, Osarsiph, mein ehemaliger Jungmeier, denn ich komme nun zu dir, und dein Urteil sollst auch du nun vernehmen, auf das du vielleicht schon lange ängstlich wartest, – zur Verschärfung deiner Strafe verlängerte ich künstlich die Wartezeit. Denn ich gedenke dich rauh anzufassen und dir eine herbe Strafe zuzumuten – diejenige ungerechnet, die dir aus der eigenen Seele erwächst, da ja drei Tiere häßlichen Namens sich nunmehr an deine Fersen heften: Sie heißen, wenn mir recht ist, ‚Scham‘, ‚Schuld‘ und ‚Spottgelächter‘. Diese machen begreiflicherweise, daß du gesenkten Hauptes und mit zu Boden geschlagenen Augen vor meinem Stuhle stehst, wie ich nicht jetzt erst gewahr werde; denn ich habe dich nicht aus meinem heimlichen Blicke gelassen während der quälenden Wartezeit, die ich dir zumutete. Tief gesenkten Hauptes stehst du im Handholz und schweigst, denn wie solltest du auch wohl nicht schweigen, da du um Rechtfertigung gar nicht gefragt bist und es die Herrin ist, die wider dich zeugt mit ihrem unantastbaren Wort, das allein hier schon die Entscheidung brächte, während doch außerdem noch das Deutzeichen deines Jackenkleides beschämend vorliegt und die unwiderlegliche Sprache der Dinge spricht, indem es von deinem Übermut kündet, der dich schließlich so weit gebracht, daß du dich gegen die Herrin erhobst und, da sie dich zur Rechenschaft ziehen wollte, dein Kleid lassen mußtest in ihrer Hand. Ich frage dich: welchen Sinn hätte es, gegen der Herrin Wort und die eindeutige Sprache der Dinge zu deiner Verteidigung etwas vorzubringen?"

Joseph schwieg und neigte den Kopf noch tiefer.

„Offenbar keinen", antwortete Peteprê seinerseits. „Du mußt verstummen wie das Lamm, das vor seinem Scherer verstummt, – nichts anderes bleibt dir heute zu tun, so flink und auch angenehm du sonst redetest. Danke aber dem Gott deiner Sippe, jenem Baal oder Adôn, der ja wohl der untergehenden Sonne gleichkommt, daß er dich behütete im Übermut und es nicht zum Äußersten kommen ließ mit deiner Empörung, sondern dich aus dem Kleide stieß, – danke ihm, sage ich, denn du wärest sonst zu dieser Stunde des Krokodils, oder der langsame Feuertod wäre dein Teil, wenn nicht der Zapfen der Hallentür. Von solchen Strafen kann nun freilich die Rede nicht sein: – da du vorm Schlimmsten behütet wurdest, so bin ich nicht in der Lage, sie zu verhängen. Zweifle aber nicht, daß ich trotzdem gewillt bin, dich rauh anzufassen, und vernimm dein Urteil nach absichtlich verlängerter Wartezeit! Ins Gefängnis werfe ich dich, darin die Gefangenen des Königs liegen, zu Zawi-Rê, der Inselfestung im Fluß; denn nicht mir gehörst du mehr, sondern Pharao und bist Königssklave. Unter die Hand des Kerkermeisters gebe ich dich, eines Mannes, mit dem man nicht spaßt, und von dem anzunehmen ist, daß er sich von deiner scheinbar wohltuenden Art nicht so bald wird bestechen lassen, so daß du es wenigstens anfangs sehr hart haben wirst im Gefängnis. Übrigens werde ich den Amtmann noch besonders über dich unterweisen in einem Brief, den ich ihm mitzuschicken und worin ich dich ihm gebührend zu kennzeichnen gedenke. An diesen Sühneort, wo kein Lachen ist, wirst du morgen zu Schiffe gebracht werden und wirst mein Angesicht nicht mehr sehen, nachdem du eine Reihe freundlicher Jahre lang mir hast nahe sein, mir den Becher füllen und mir die guten Autoren hast lesen dürfen. Das mag wohl schmerzlich für dich sein, und nicht würde ich mich wundern, wenn deine tief gesenkten Augen jetzt voll Tränen stünden. Wie dem auch sei, morgen wirst du an jenen sehr harten Ort gebracht. In den Hundestall brauchst du jetzt nicht zurückzukehren. Diese Strafe hast du schon absolviert, und vielmehr soll es Dûdu sein, der die Nacht dort verbringen möge, bis man ihm morgen die Zunge stutzt. Du dagegen magst wie gewöhnlich schlafen, im Sondergemach des Vertrauens, welches jedoch für diese Nacht den Namen ‚Sondergemach der Strafverwahrung‘ annehmen soll. Item, da du im Handholz steckst, so verlangt die Gerechtigkeit, daß man auch Dûdu mit einem solchen versehe, wenn nämlich ein zweites vorhanden ist. Ist aber nur eines da, so soll Dûdu es tragen. – Ich habe gesprochen. Das Hausgericht ist beendet. Ein jeder trete an seinen Posten zum Empfange der Gäste!"

Niemanden wird die Nachricht erstaunen, daß nach Anhörung solcher Richtersprüche alle, die auf dem Hofe waren, auf ihre Stirn fielen und die Hände erhoben, indem sie den Namen anriefen ihres milden und weisen Gebieters. Auch Joseph fiel dankend nieder, selbst Huij und Tuij verehrten, unterstützt von den Pflegekindern, den Sohn auf dem Angesicht, und fragt ihr nach Mut-em-enet, der Herrin – was sie anging, so machte sie keine Ausnahme: Man sah sie sich hinneigen über den Schemel des Richterstuhles und die Stirn verbergen auf ihres Gatten Füßen.

„Nichts zu danken", sagte er, „meine Freundin. Es sollte mich freuen, wenn es mir gelungen wäre, dir Genüge zu tun in dieser Heimsuchung und mich dir lieb zu erweisen mit meiner Macht! Wir können nun in den Gästesaal eintreten, daß wir meinen Ehrentag feiern. Denn da du tagsüber klüglich das Haus hütetest, hast du dich geschont für den Abend."

Also ging es hinab mit Joseph in die Grube und ins Gefängnis zum anderen Mal. Wie er aber wieder emporstieg aus diesem Loche zu höherem Leben, das bilde den Gegenstand künftiger Gesänge.

INHALT

JOSEPH IN ÄGYPTEN